1990

中國對外經濟貿易年鑑

中國對外經濟貿易年鑑編輯委員會

中国财政经济出版社

中國

本圖上中國國界綫係按照地圖出版社1980年出版的《中華人民共和國地圖》繪製

政區圖

聯
蒙
古
黑龍江
哈爾濱
吉林
長春
遼寧
瀋陽
內蒙古自治區
呼和浩特
北京市
北京
天津
天津市
河北
石家莊
山西
太原
陝西
西安
山東
濟南
河南
鄭州
江蘇
南京
上海
上海市
安徽
合肥
湖北
武漢
浙江
杭州
湖南
長沙
江西
南昌
福建
福州
臺灣
臺北
廣東
廣州
澳門
香港
廣西壯族自治區
南寧
海南
海口
黃河
長江
渤海
黃海
東海
臺灣海峽
南海
日本海
太平洋
北部灣
朝鮮
平壤
漢城
日本
東京
釣魚島
赤尾嶼
菲律賓
南海諸島
河內
越南
老撾
柬埔寨
馬尼拉
文萊
馬來西亞
印度尼西亞

中國與世界各國（地圖

• 同我國簽有貿易協定或議定書的國家和組織

○ 同我國有經濟貿易關係的國家和地區

）經濟貿易關係示意圖

1989年，中國與世界上180個國家和地區有經濟貿易關係，

同105個國家和歐洲共同體簽有(包括新簽和繼續有效的)貿易協定或議定書。

中國與世界各國

雷克雅未克
奧斯陸
赫爾辛基
斯德哥爾摩
列寧格勒
利物浦
漢堡
哥本哈根
倫敦
柏林
莫斯科
斯維爾德洛夫斯克
安特衛普
法蘭克福
華沙
巴黎
蘇黎世
維也納
布達佩斯
馬賽
貝爾格萊德
康斯坦薩
里斯本
馬德里
巴塞羅那
羅馬
布加勒斯特
比雷埃夫斯
伊斯坦布爾
雅典
阿拉木圖
新西伯利亞
克拉斯諾亞爾斯克
伊爾庫茨克
赤塔
烏蘭烏德
滿洲里
哈爾濱
綏芬河
符拉迪沃斯托克（海參崴）
圖們
平壤
南浦
阿爾及爾
突尼斯
馬耳他
卡薩布蘭卡
的黎波里
阿歷山大
塞得港
拉塔基亞
巴格達
德黑蘭
巴士拉
霍拉姆沙赫爾
科威特
達曼
沙迦
迪拜
卡拉奇
喀布爾
烏魯木齊
二連
北京
天津
大連
石家莊
西安
青島
南京
上海
成都
重慶
昆明
廣州
廈門
香港
大阪
東京
橫濱
長崎
努瓦克肖特
達喀爾
比紹
科納克里
弗里敦
蒙羅維亞
阿比讓
阿克拉
拉各斯
杜阿拉
利伯維爾
馬塔迪
吉達
蘇丹港
荷台達
阿斯馬拉
亞丁
吉布提
亞的斯亞貝巴
摩加迪沙
蒙巴薩
達累斯薩拉姆
貝拉
塔馬塔夫
路易港
加爾各答
吉大港
孟買
馬德拉斯
科倫坡
仰光
曼谷
海防
胡志明市
馬尼拉
新加坡
達爾文
德比
弗里曼特爾
奧爾巴尼
鐵路
航空線
航海線

地區）交通示意圖

截至1989年底，中國同世界各國（地區）簽有航空協定53個，海運協定34個，鐵路運輸協定5個。

中國沿海經濟開放地區分佈示意圖

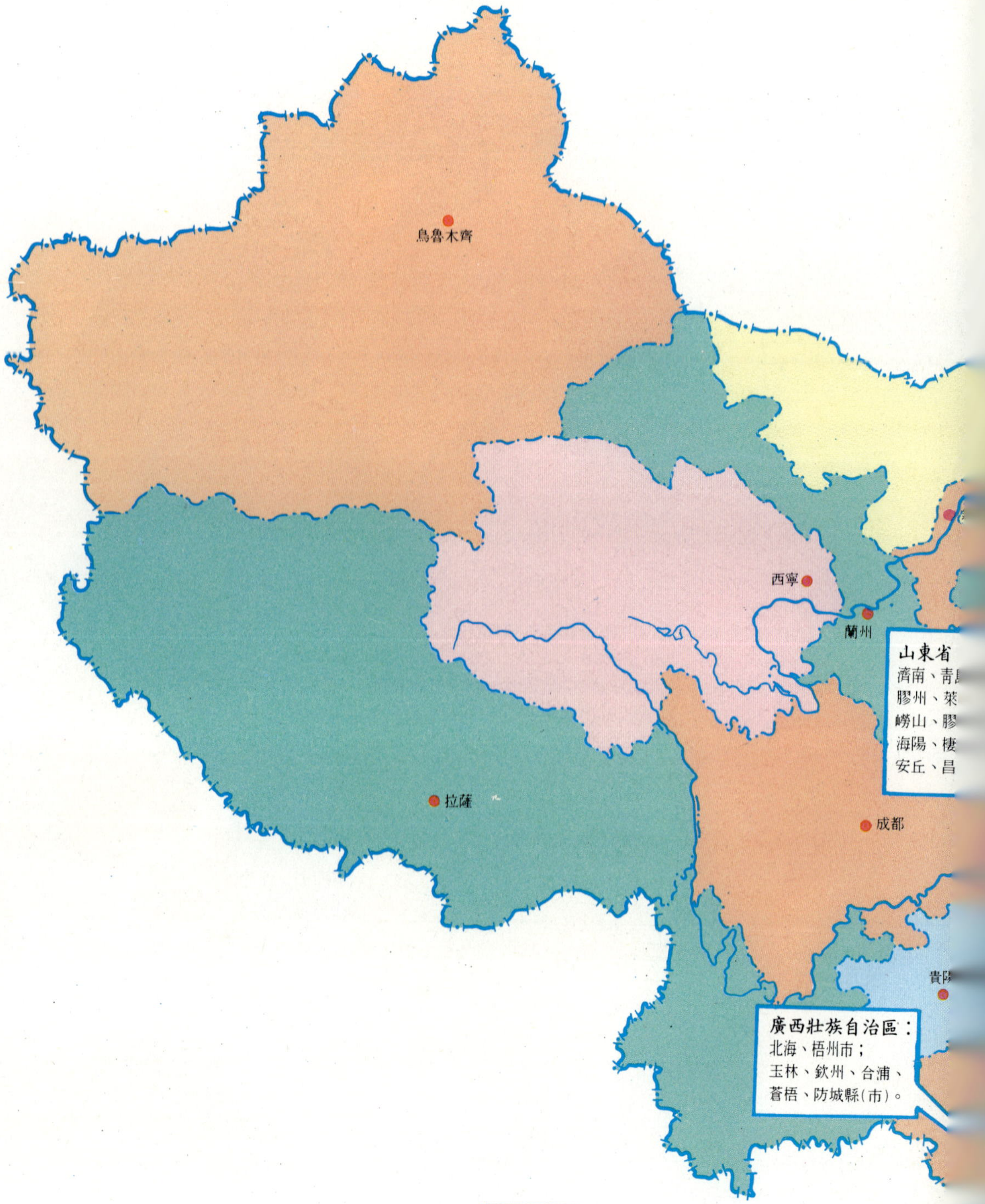

廣東省：
廣州、深圳、珠海、汕頭、佛山、江門、湛江、肇慶、惠州、
茂名、汕尾、陽江、中山、東莞、清遠市；
潮州、從化、增城、番禺、花縣、寶安、斗門、澄海、普寧、
潮陽、惠來、南澳、揭陽、饒平、揭西、南海、順德、高明、
三水、鶴山、恩平、新會、台山、開平、廉江、遂溪、海康、
徐聞、吳川、高要、四會、廣寧、惠陽、博羅、惠東、電白、
化州、陸豐、海豐、陸河、陽西、陽春縣(市)。

比例尺　1：18000000

本圖上的中國國界線係按照中國地圖出版社
1980年出版的《中華人民共和國地圖》繪製

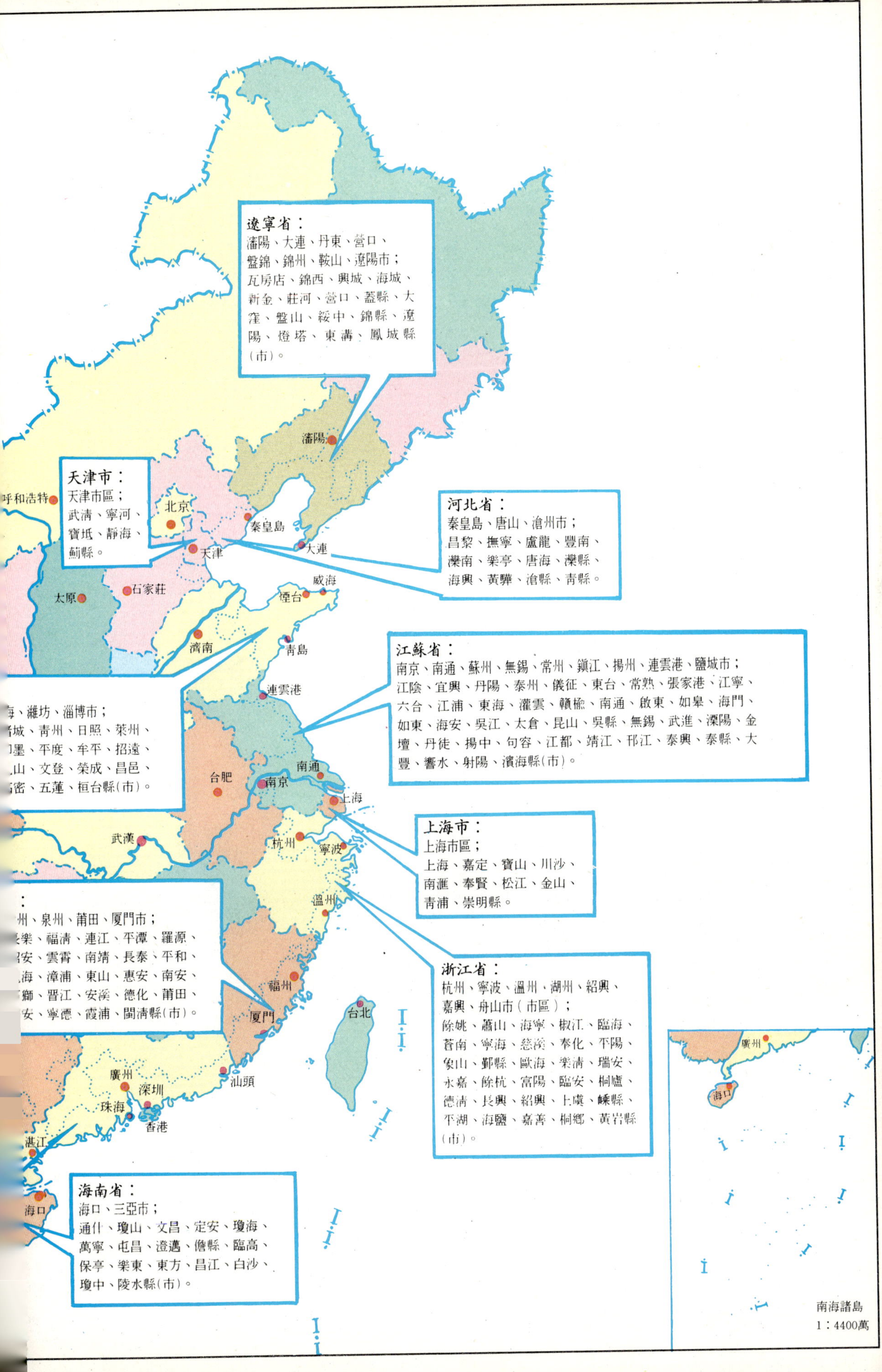

遼寧省：
瀋陽、大連、丹東、營口、
盤錦、錦州、鞍山、遼陽市；
瓦房店、錦西、興城、海城、
新金、莊河、營口、蓋縣、大
窪、盤山、綏中、錦縣、遼
陽、燈塔、東溝、鳳城縣
(市)。
天津市：
天津市區；
武清、寧河、
寶坻、靜海、
薊縣。
河北省：
秦皇島、唐山、滄州市；
昌黎、撫寧、盧龍、豐南、
灤南、樂亭、唐海、灤縣、
海興、黃驊、滄縣、青縣。
江蘇省：
南京、南通、蘇州、無錫、常州、鎮江、揚州、連雲港、鹽城市；
江陰、宜興、丹陽、泰州、儀征、東台、常熟、張家港、江寧、
六合、江浦、東海、灌雲、贛榆、南通、啟東、如皋、海門、
如東、海安、吳江、太倉、昆山、吳縣、無錫、武進、溧陽、金
壇、丹徒、揚中、句容、江都、靖江、邗江、泰興、泰縣、大
豐、響水、射陽、濱海縣(市)。
海、濰坊、淄博市；
城、青州、日照、萊州、
墨、平度、牟平、招遠、
山、文登、榮成、昌邑、
密、五蓮、桓台縣(市)。
上海市：
上海市區；
上海、嘉定、寶山、川沙、
南滙、奉賢、松江、金山、
青浦、崇明縣。
州、泉州、莆田、廈門市；
樂、福清、連江、平潭、羅源、
安、雲霄、南靖、長泰、平和、
海、漳浦、東山、惠安、南安、
獅、晉江、安溪、德化、莆田、
安、寧德、霞浦、閩清縣(市)。
浙江省：
杭州、寧波、溫州、湖州、紹興、
嘉興、舟山市(市區)；
餘姚、蕭山、海寧、椒江、臨海、
蒼南、寧海、慈溪、奉化、平陽、
象山、鄞縣、甌海、樂清、瑞安、
永嘉、餘杭、富陽、臨安、桐廬、
德清、長興、紹興、上虞、嵊縣、
平湖、海鹽、嘉善、桐鄉、黃岩縣
(市)。
海南省：
海口、三亞市；
通什、瓊山、文昌、定安、瓊海、
萬寧、屯昌、澄邁、儋縣、臨高、
保亭、樂東、東方、昌江、白沙、
瓊中、陵水縣(市)。
瀋陽
呼和浩特
北京
秦皇島
天津
大連
威海
煙台
石家莊
太原
濟南
青島
連雲港
南通
台肥
南京
上海
武漢
杭州
寧波
溫州
福州
廈門
台北
汕頭
廣州
深圳
珠海
香港
湛江
海口
廣州
海口
南海諸島
1：4400萬

中共中央軍委主席鄧小平1989年5月16日在北京會見蘇聯最高蘇維埃主席團主席、蘇共中央總書記米哈 伊爾·戈爾巴喬夫。

中共中央總書記江澤民1989年12月10日在北京會見美國總統特使、總統國家安全事務助理布倫特·斯考克羅夫特。

國家主席楊尚昆1989年4月16日在北京主持儀式歡迎中非共和國總統安德烈·科林巴上將。

國務院總理李鵬1989年11月17日在北京會見日本經濟團體聯合會會長齋藤英四郎。

國務院副總理姚依林1989年11月23日在北京會見法國著名經濟學家洛伊·索爾曼。

國務院副總理田紀雲1989年10月17日在北京會見聯合國兒童基金會執行主任詹姆斯・格蘭特。

國務院副總理吳學謙1989年4月6日在北京會見丹麥外交部國際開發署董事會主席克里斯欽・凱爾姆—漢森。

對外經濟貿易部部長鄭拓彬1989年4月8日在北京會見瑞典外貿大臣阿尼塔·格拉汀。

對外經濟貿易部副部長李嵐清1989年12月20日在華沙同波蘭經濟合作部副部長斯·阿馬諾維奇簽署中波政府貿易協定。

對外經濟貿易部副部長呂學儉1989年10月28日在北京會見孟加拉政府貿易代表團團長依納姆・阿罕默德・喬杜里。

對外經濟貿易部副部長王品淸1989年4月6日在北京同蘇聯俄羅斯聯邦共和國部長會議副主席列・亞・戈爾什科夫簽署會議紀要。

對外經濟貿易部副部長沈覺人同聯合國工業發展組織總幹事小多明哥・夏松1989年11月21日在維也納簽署關於建立北京國際合作中心的協議。

来信请寄：

100731

北京市东长安街2号政策体制司

《中国对外经济贸易年鉴》编辑部

《中国对外经济贸易年鉴》读者意见单

尊敬的读者：

1990年版《中国对外经济贸易年鉴》同您见面了。本《年鉴》从1984年创刊以来，已出版了七期。为了使《年鉴》内容日臻完善，质量不断提高，更加符合广大读者的需要，衷心希望您能就下列问题提出宝贵意见。谨表谢意。

《中国对外经济贸易年鉴》 编辑部

1990年10月

(一)您对本年鉴总的印象和看法是什么？

(二)您对本年鉴的结构和各栏目的设置有何意见？哪些需要改进？

(三)您对本年鉴各栏目内容和写法有何意见？需要增加一些什么内容？

(四)您对本年鉴的版面安排、装帧设计、印刷、发行等方面有何意见和建议？

读者姓名：________________ 单位：____________________ 职务：____________________

序

對外經濟貿易部部長
《中國對外經濟貿易年鑑》編委會主任委員　鄭拓彬

這期《中國對外經濟貿易年鑑》同廣大讀者見面了。

1989年，是中華人民共和國成立40周年，又是在我國歷史上極不尋常的一年。對外經濟貿易工作頂着西方一些國家制裁的壓力，克服了國內物價上漲、資金緊張、大宗商品出口貨源減少等嚴重困難，取得了新的成績。

對外貿易穩定發展。1989年進出口總額達到825.8億美元(按經貿部業務統計，下同)，比上年增長2.6%，比1950年的11.35億美元增長近72倍。其中出口額達到434.4億美元，比上年增長6.9%，比1950年的5.52億美元增長近78倍，佔世界出口總額的1.4%；進口額達到391.4億美元，比上年減少1.8%，比1950年的5.83億美元增長66倍，佔世界進口總額的1.2%。貿易順差43億美元，使國家外滙結存有較多增加。出口商品結構進一步優化，工業製成品在出口總額中所佔比重上升到65.3%，初級產品所佔比重下降；同建國初期主要出口初級產品的狀況相比，發生了巨大的變化。進口商品結構得到合理調整，保證人民生活和工農業生產所必須的原料、先進技術和設備在進口總額中所佔比重上升，高檔消費品進口減少。國別地區貿易發展比較平穩，同我有貿易關係的國家和地區達180多個，對大多數國家的貿易都有不同程度的增長，進出口平衡狀況也有所改善。而建國初期同我有貿易關係的僅46個國家(地區)，貿易的主要市場是蘇聯等社會主義國家。

利用外資取得可喜成績。1989年對外簽訂借款協議金額51.8億美元，受西方一些國家經濟制裁的影響，比上年減少47.2%；實際使用貸款62.9億美元，比上年減少3.1%。新批准外商投資項目5779個，協議外資金額56億美元，比上年增加5.7%；外資實際投入金額爲33.9億美元，增加6.2%。在新批准的項目中，90%以上爲生產性項目；投資項目規模增大，投資額超過1億美元的大項目比以往任何一年都多。“三資”企業出口額達36.3億美元，比上年增長1倍，在擴大出口方面日益顯示出成效。建國初期我國曾利用蘇聯政府提供的貸款，並開辦了爲數很少的合資、合作經營企業。60年代初起，由於國際環境的變化，“文化大革命”中林彪、“四人幫”的干擾，加上指導思想上的某些“左”的傾向影響，在近20年間，利用外資除外貿業務中採用延期付款外，其他方式基本成爲“禁區”。1978年底，黨的十一屆三中全會後，我國在各方面進行了撥亂反正的艱巨工作，實行對外開放政策，開始利用不同社會制度國家的資金。1979～1989年的11年間，我國借用國外貸款協議金額累計爲515.3億美元，實際使用貸款393.3億美元。批准外商投資企業21781個，協議外資金額累計337.6億美元，外商實際投入金額154.5億美元；已有9900多家企業投產開業，90%以上經營良好；全國“三資”企業外滙平衡有餘，通過各地外滙調劑中心調出外滙10.8億美元。

技術進出口有新進展。1989年經國家和省兩級經貿部門批准的技術引進合同328項，成交額爲29.3億美元。西方國家對我經濟制裁，貸款減少，又加嚴了輸出技術限制，技術引進項目數和合同額分別比上年下降25%和18%。引進技術較多的是通訊、電力、原材料等我國經濟發展的重點行業。據不完全統計，全年對外簽訂技術出口合同168項，總成交額8.79億美元，比上年分別增長26%和405%。技術出口帶動成套設備出口有了長足發展，出口的技術和成套設備涉及機械、電子、化工、紡織、農業等行業。建國40年來，我國的技術引進工作有了很大發展。與建國初期相比，不僅規模擴大、技術水平提高，還發生其他一些重大變化：引進技術方式以成套設備引進爲主轉向以許可證貿易、顧問諮詢、合作生產、技術服務等多種較高層次的方式引進技術；以新建大型骨幹項目爲主，轉向以現有企業技術改造爲主；引進技術的資金來源多樣化，利用外資已成爲引進先進技術的主要資金渠道；特別是近幾年結束了祇引進技術的歷史，開始組織我國開發的技術出口，我國人民的聰明才智創造的科技成果日益爲世界許多國家所應用，促進了技術交流。

對外承包工程和勞務合作以及對外投資正常發展。對外承包工程和勞務合作是我國實行對外開放政策後發展起來的一項嶄新事業。1989年對外簽訂合同額爲22.1億美元，比上年增長1.9%；完成營業額16.9億美元，比上年增長18%；開展業務的國家和地區由上年的117個增加到133個；年均在國外執行合同的人員爲6.7萬人。承包工程綜合效益提高，少數虧損項目出現良好轉機。1989年新批准海外投資企業119個，投資總額3.2億美元，中方投資2.3億美元，佔總投資的72%。1979～1989年，共對外簽訂對外承包工程和勞務合作合同10634項，合同額累計爲128億美元，完成營業額77.7億美元，創滙12億美元，累計派出勞務人員36萬人次。已成爲發揮我國勞動力充足的優勢，增加創滙的一條重要渠道。同時在88個國家和地區建立非貿易性企業645家，總投資22億美元，中方投資9.5億美元，佔40.7%；已投產開業的企業大部分經濟效益良好。

對外援助取得新成果。1989年對外援助支出比上年略有增加，經援項目開工、竣工計劃執行情況都比預計的好。40年來，我國先後向96個第三世界國家提供了力所能及的援助。1954～1989年間，爲90個國家承担的1554個援建成套項目已建成1272個。先後向48個國家派了醫療隊，共12000人次，目前還有1262名醫務工作者在42個國家的93個醫療點上執行援助任務。我國政府眞誠援助的政策，我國援外人員表現出來的國際主義精神、艱苦奮鬥的作風，受到第三世界國家和人民的普遍好評。

國際多邊經濟技術合作比較活躍。黨的十一屆三中全會後，我國改變了“祇援助、不受援”的做法，在同聯合國有關機構的多邊合作中，貫徹“有給有取”的方針，在向這些機構認捐的同時，也接受這些機構的援助。1989年這項工作取得新的進展。1978年以來，由經貿部歸口管理接受的多邊援助總額達6億美元，實際已執行4.7億美元，安排了600多個項目，涉及國民經濟和社會發展許多領域，取得較顯著的效益。我國還積極參與許多商品領域的國際多邊合作活動，繼續爲恢復我國關貿總協定的締約國地位做了不懈努力。

1989年我國對外經濟貿易在極爲困難的條件下能取得較好的成績，是堅持對外開放，貫徹治理整頓、深化改革方針的重大成果；是堅持原則立場，積極開展對外工作，反對一些西方國家經濟制裁的重大成果。也說明，我國對外經濟貿易經過40年的發展，已有相當的應變能力，我們是能夠克服困難繼續前進的。

1989年的經歷和歷史的經驗進一步充分說明，我們既要堅定不移地堅持對外開放，又要把立足點牢固地放在自力更生上，才能夠使對外經濟貿易健康發展，保證社會主義現代化建設順利進行。改革開放給我國經濟和對外經濟貿易都注入了新的活力，開闢了廣闊的發展天地。實行改革開放方針11年來，我國對外貿易進出口累計額爲開放前29年累計額的3.5倍。現在，我國已經形成商品、技術、資金、勞務等的對外交流全面發展，密切結合，雙邊和多邊合作相互促進，富有生氣的對外經濟貿易發展的新局面，有了更强的開拓發展能力，克服困難的回旋餘地也更大了。改革開放促進了對外的交往、交流和合作，增加了世界瞭解中國、中國瞭解世界的機會，結交了一大批可以信賴的朋友，使得某些國際反動勢力難以再隨心所欲地制裁、孤立和欺負我們。同時，我們在任何情況下都要堅持自力更生。我國是一個有11億人口的社會主義國家，國家富强，人民幸福，主要靠我們自己的力量，充分發揮人民羣衆的才智來建設；國際交換、國外援助再多也祇能起輔助作用。國際形勢變幻莫測，我們必須充分估計可能出現的意外因素；也祇有我們自身努力，國內工作做得好，別人才會重視我們，相信我們，同我們發展經濟貿易合作關係。歷史和現實的經驗告訴我們，堅持自力更生，首先是我們要自尊、自愛、自强，要保持政治、經濟、社會穩定，要在各方面顯示出有自立於世界民族之林的能力和志氣。二是要採取切實措施，保持我國出口穩定發展，保證有必要的國際支付能力。三是關係國計民生的重要項目要立足於用自己的資金、力量來建設。四是要全方位開拓國際市場，避免重要商品、技術、資金等受制於人。這樣，我們就能立於不敗之地。

80年代已經過去，我們滿懷信心地步入90年代。在新的一年裏，我們要再接再勵，善於抓住一切有利條件，克服前進道路上的困難，在立足於自力更生的基礎上，把對外開放和發展對外經濟貿易工作做得更加富有成效。我們殷切地希望《年鑑》的廣大讀者繼續給予關心、支持和合作。

《中國對外經濟貿易年鑑》編輯委員會

《中國對外經濟貿易年鑑》編輯人員

《中國對外經濟貿易年鑑》特約撰稿人

姓名	單位
張國慶	對外經濟貿易部對外貿易管理司
王新培	對外經濟貿易部進出口司
王　暉	對外經濟貿易部對台經貿關係司
胡楚生	對外經濟貿易部地區政策一司
于世忠	對外經濟貿易部地區政策二司
戴雲樓	對外經濟貿易部地區政策三司
李婉明	對外經濟貿易部對外援助司
范　福	對外經濟貿易部國外經濟合作司
趙中屹	對外經濟貿易部國際聯絡司
趙春華	對外經濟貿易部技術進出口司
盧永寬	對外經濟貿易部外國投資管理司
陳孔明	對外經濟貿易部外國貸款管理司
邢玉芬	對外經濟貿易部條約法律司
朱光沛	國家進出口商品檢驗局
靳晨光	海關總署
張學羣	北京市對外經濟貿易委員會
張震中	天津市對外經濟貿易委員會
王樹正	河北省對外經濟貿易委員會
王萬來	秦皇島市對外經濟貿易委員會
渠紹淼	山西省對外經濟貿易廳
呂秀山	內蒙古自治區對外經濟貿易廳
伍英東	遼寧省對外經濟貿易委員會
史向鋒	瀋陽市對外經濟貿易委員會
王安亭	大連市對外經濟貿易委員會
孟凡杰	吉林省對外經濟貿易委員會
王　成	黑龍江省對外經濟貿易廳
邊志强	哈爾濱市對外經濟貿易委員會
劉培德	上海市對外經濟貿易委員會
高鶴雲	江蘇省對外經濟貿易委員會
王百奇	連雲港市對外經濟貿易委員會
王其仁	南通市對外經濟貿易委員會
高玉子	浙江省對外經濟貿易廳
孫立霄	寧波市對外經濟貿易委員會
朱步炯	溫州市對外經濟貿易委員會
王鳳鳴	安徽省對外經濟貿易委員會
林昌忠	福建省對外經濟貿易委員會
朱光華	福州市對外經濟貿易委員會
陳水木	厦門市經濟貿易委員會
楊寶根	江西省對外經濟貿易廳
袁家琨	山東省對外經濟貿易委員會
張　霖	山東省對外貿易局
姜培玉	青島市對外經濟貿易委員會
鄒積建	煙台市對外經濟貿易委員會
周德純	河南省對外經濟貿易委員會
范彥博	湖北省對外經濟貿易廳
梁　柱	武漢市對外經濟貿易管理委員會
張永青	湖南省對外經濟貿易委員會
周樹德	廣東省對外經濟貿易委員會
李惠琴	廣州市對外經濟貿易委員會
嚴麗婉	深圳市經濟發展局
歐德紅	珠海市對外經濟貿易委員會
姚　晗	汕頭市對外經濟貿易委員會
蔡亞珍	湛江市對外經濟貿易委員會
王文新	廣西壯族自治區對外經濟貿易委員會
方李盛	北海市對外經濟貿易委員會
石　健	海南省貿易廳
曾文玉	四川省對外經濟貿易委員會
周洪業	重慶市對外經濟貿易委員會
吳　江	貴州省對外經濟貿易廳
陳　茜	雲南省對外經濟貿易廳
蘇圓明	西藏自治區對外經濟貿易廳
王鳳仙	陝西省對外經濟貿易委員會
鄭育杰	西安市對外經濟貿易委員會
白力羣	甘肅省對外經濟貿易委員會
劉樹林	青海省對外經濟貿易廳
何兆軍	寧夏回族自治區對外經濟貿易廳
何崇夫	新疆維吾爾自治區對外經濟貿易廳

編輯說明

一、《中國對外經濟貿易年鑑》於1984年創刊，每年出版一期，本期爲第七期，用中文、英文兩種文字出版。本《年鑑》是一部具有指導性的資料參考書和工具書，其宗旨是較全面、系統地記述上一年中國對外經濟貿易的發展成就和基本概況，刊載中國對外貿易、利用外資、引進技術和對外經濟合作各個方面的方針政策、法律規定、信息資料和統計數字，促進中國同世界各國的經濟聯系和貿易往來，爲我國社會主義現代化建設服務，爲廣大讀者服務。

二、本《年鑑》由中華人民共和國對外經濟貿易部《中國對外經濟貿易年鑑》編輯委員會編輯，編委會主任委員由對外經濟貿易部部長擔任。刊登的文章、資料，係由對外經濟貿易部門和其他有關部門的負責人、專家、學者所撰寫或提供，內容廣泛全面、完整系統，資料翔實，數據準确，是我國對外經濟貿易領域僅有的一部專業性年鑑，是海內外經濟、貿易、工商、金融等各界人士瞭解、研究中國貿易、投資和對外經濟合作的指南。

三、本《年鑑》各期內容不同，上期刊登過的內容，下期不再重複，但各期內容保持連續性和完整性。讀者欲瞭解1988年及其以前的中國對外經濟貿易情況，請參閱前六期《年鑑》。

四、中國對外經濟貿易領域廣，內容多，本《年鑑》選題力求全面、完整，並根據每年的實際情況突出重點，本着實事求是的精神，既反映中國對外經濟貿易取得的新成就、新情況、新經驗，也反映出現的新問題。

1989年適逢中華人民共和國建國40周年。在本期《年鑑》的"專文"、"地方經貿"和"國別(地區)經貿"欄目裏，分別對各自領域或地區40年經貿發展情況作了簡要的回顧。

五、本《年鑑》共設14個欄目：

(一)文獻。精選7篇黨和國家領導人關於中國經濟形勢、治理整頓和改革開放方針的論述。

(二)專文。約請經貿部一些職能司領導和國家計委、中國銀行、海關總署、國家商檢局、國家旅遊局、國務院特區辦等部門有關領導撰寫我國對外經濟貿易有關情況的文章，共21篇。本期新增加一篇介紹海峽兩岸經貿交流情況的文章。

(三)法規。收錄涉外經濟貿易法律、條例、規定、辦法共43篇，其中中央的38篇，地方的5篇。

(四)地方經貿。刊有包括台灣省在內的全國各省、自治區、直轄市、計劃單列市、沿海開放城市、經濟特區以及香港、澳門地區1989年對外經濟貿易基本情況和統計數字，共54篇。

(五)國別(地區)經貿。刊載13篇介紹我國同有關國家和地區雙邊經濟貿易關係的文章。

(六)統計。包括對外貿易、利用外資和對外經濟合作三部分，所有數字均根據對外經濟貿易部業務統計整理。對外貿易部分列有中國約2000個主要出口商品、300多個主要進口商品的數量、金額；利用外資部分列有480家中外合資經營企業的經營範圍、投資情況；對外經濟合作部分列有1989年中國對外承包工程和勞務合作的合同額和營業額，以及對外援建成套項目和派遣醫療隊等情況。本期還增列了中國同10大貿易伙伴主要出口、進口商品的數量、金額和中國出口額佔國民經濟主要指標的比重。

由於經貿部和海關總署兩個部門的職能不同，對統計的要求、範圍、計算口徑和方法也不盡一致，因此經貿部進出口貿易統計與海關進出口貨物統計數字不相一致。如來料加工、來件裝配的產品，經貿部只統計出口產品的增值部分，不統計原料的價值，海關則分別按進出口商品金額統計；接受國外無償援助和海外捐贈以及外國駐華機構自用物資的進口，經貿部不作貿易進口統計，海關則作貨物進口統計等。

（七）專題。共35篇，分別介紹我國部分行業、外貿公司、工廠企業發展外貿出口和外商投資企業經營好、效益高的典型經驗，以及我國國際經濟合作的部分成果等。

（八）公司選介。介紹中央部委直屬和各省、自治區、直轄市、計劃單列市的對外經濟貿易公司42個（外貿進出口公司32個，國際經濟技術合作公司10個），其中年出口額在1.5億美元以上的外貿進出口公司5個，年營業額在1000萬美元以上的國際經濟技術合作公司7個。

（九）出口商品。介紹我國32種出口商品的性能、用途、生產和出口情況。

（十）大事記。記載1989年中國對外經濟貿易方面的重要事件和活動，以及經貿部司局級以上幹部、駐外經濟、商務參贊的任免名單。

（十一）經貿人物。介紹經貿部部領導、經貿部直屬單位和各省、自治區、直轄市、計劃單列市、沿海開放城市、經濟特區經貿廳（委、局）正職領導幹部的簡歷（前已介紹過的不再重複）；介紹1989年經貿部系統的全國勞動模範和先進工作者，以及建國以來中國對外經濟貿易機構歷任領導成員。

（十二）機構。介紹經貿部駐地方特派員辦事處和中國駐外經濟、商務機構的名錄。

（十三）世界經貿資料。輯錄有關世界黃金儲備、外滙儲備、進出口貿易、引進外資、經濟援助、債務和經濟合作等方面的統計數字。

（十四）附錄。刊有中國國民經濟基本情況統計和中國對外經濟貿易方面大量的信息資料以及本《年鑑》1985～1989年版刊載的出口商品目錄索引。

六、"地方經貿"等文章裏的數字，由於統計的口徑、方法不一，有些與本期《年鑑》"統計"中的數字不完全一致。

七、各省、自治區、直轄市、沿海開放城市、經濟特區有關文章和資料的排列順序，按照國務院對行政區劃的統一規定、習慣排法或批准日期的先後排列。計劃單列市、沿海開放城市和經濟特區均排在其所屬的省、自治區後面。

八、本《年鑑》中有關全國的對外經濟貿易綜合數字，均未包括台灣省。

九、本《年鑑》自創刊以來，承蒙各部門、各地方、各公司和作者、譯者的積極支持協助，受到國內外廣大讀者的歡迎和鼓勵，在此謹表衷心謝意，並祈望繼續給以關心和支持，對《年鑑》存在的不足之處提出批評和寶貴意見，以使本《年鑑》日臻完善。

《中國對外經濟貿易年鑑》 編輯部

1990年5月於北京

目　錄

文　獻

專　文

海關・稅收

檢驗・檢疫

金融・外滙

港口・運輸

經濟特區

經濟技術開發區

其　他

地 方 經 貿

國 別 （地區） 經 貿

統　計

對外貿易

利用外資

對外經濟合作

專　題

出口創滙

重合同　守信用

工貿結合

出口生產基地

國際經濟技術合作公司

出 口 商 品

大　事　記

1989年中國對外經濟貿易大事記

經　貿　人　物

機構

世界經貿資料

附錄

文　献

中共中央關於進一步治理整頓和深化改革的決定（摘要）

中國共產黨第十三屆中央委員會第五次全體會議1989年11月9日通過

中國共產黨第十三屆中央委員會第五次全體會議，經過對我國經濟問題的認眞討論和分析研究，一致認爲：繼續堅定不移地貫徹執行治理整頓和深化改革的方針，是克服當前經濟困難，實現國民經濟持續、穩定、協調發展的根本途徑。爲此，特作如下決定：

一、統一全黨對當前經濟形勢的認識

⑴**我們既要充分肯定成績，又要如實估計困難，就黨的各級領導幹部來說主要應該注意的是對困難估計不足**。黨的十一屆三中全會以來的十年中，我們以經濟建設爲中心，堅持四項基本原則，堅持改革開放，國民經濟持續發展，國家經濟實力顯著增强，城鄉居民生活明顯改善，各項事業都取得了巨大的成就，整個國家面貌發生了深刻的變化。這是中國歷史發展的主流。同時，我國經濟在前進中也存在着許多的問題和困難。必須充分認識當前困難的嚴重性，弄淸產生困難的原因，進一步提高治理整頓的自覺性和堅定性。

⑵**當前的經濟困難是多年積累下來的，只有看清楚這一點才能深刻理解治理整頓的必要性和艱巨性**。我們現在面臨的經濟困難，突出地表現在通貨膨脹明顯加劇，總量不平衡，結構不合理，經濟秩序混亂。這種困難決不是這一兩年突然出現的，而是多年積累的一些深層次問題的集中反映。

這些問題主要是：

——社會總需求遠遠超過社會總供給，現有國力和和社會生產能力已支撑不了龐大的建設規模和嚴重膨脹的社會消費需求。從1984年到1988年，國民收入增長70%（按現價計算增長149%），而全社會固定資產投資增長214%，城鄉居民貨幣收入增長200%。投資需求和消費需求的雙膨脹，有相當部分是靠吃老本，靠打赤字和大量發票子，靠舉借內債和動用結存外滙來支持的。現在，內債餘額高達800多億元，將進入償債高峯，貨幣流通量大大超過經濟增長的合理需要，這種情況再也不能繼續下去了。

——工農業比例關係嚴重失調，現有農業已支撑不了過大的工業生產規模。這幾年，農業生產發展緩慢，糧食生產連續四年徘徊，加上人口增長，人均糧食產量下降到365公斤，棉花產量也大幅度下降。而工業生產增長過快，攤子越鋪越大。特別是許多地區農田水利設施常年失修甚至遭到破壞，大批耕地被佔用，農村勞動力過多、過早地轉移到非農產業，國家、集體和農民對土地的投入減少。可以說，我國農業已處於基礎脆弱、後勁不足的嚴重狀態。

——基礎工業、基礎設施與加工工業的比例關係嚴重失調，能源、交通、原材料的供應能力已支撑不了過大的加工工業。現在全國到處缺煤、缺電、缺油、缺鋼材，大量工業生產能力長期閑置。交通運輸發展嚴重滯後，貨運和客運都十分緊張。

——資金、外滙、物資的分配權過度分散，國家宏觀調控能力嚴重削弱。國民收入分配過分地向企業和個人傾斜，國家可以支配的資金和物資越來越少。從1984年到1988年，國家財政收入佔國民收入的比重已由26.7%下降到22%，中央財政收入佔整個財政收入的比重已由56.1%下降到47.2%。中央掌握的外滙只佔全國外滙收入的40%，省、區、市一級支配外滙的比重也在下降。國家統一分配的物資，不論品種和數量都大幅度減少。在財權、物權如此分散的情況下，國家對需求膨脹想控制也控制不住，對結構惡化想調整也調不動，一般加工工業的重複生產、重複建設越來越突出，薄弱環節和重點建設則越來越困難。

——生產、建設、流通領域中普遍存在着高消耗、低效益，高投入、低產出，高消費、低效率的現象，各方面浪費嚴重。許多企業產品質量低劣，物質消耗升高，成本增大，虧損增加，成爲國家財政的沉重負擔。基本建設項目過多，戰線過長，許多工程不能及時投產，長期佔用大量財力物力而形不成生產能力，這種狀況是我國經濟的致命傷，也是當前經濟生活中困難重重的癥結所在。

⑶黨中央、國務院對我國經濟生活中出現的困難和問題負有重要責任，應當從中吸取深刻的經驗敎訓。十一屆三中全會以來，黨中央、國務院在執行正確路綫、方針、政策的過程中，對經濟建設和改革開放的具體指導也有失誤。從1984年下半年開始，我國就出現了經濟過熱、貨幣發行過多、國民收入超額分配等現象，但黨中央、國務院未能及時採取果斷措施加以解決；1987年雖然提出了財政信貸雙緊方針，但又沒有堅決加以貫徹，以致問題越積越多。這些年來，對農村形勢的估計一度過於樂觀，對加工工業的盲目發展糾正不力；在改革統得過多、管得過死的經濟體制過程中，忽視了必要的適當集中；在强調微觀搞活的同時，忽視了綜合平衡和加强宏觀調控。由於對國情缺乏全面深刻的認識，對國力缺乏清醒的估計，在建設和改革兩方面都存在急於求成的偏向。經濟工作中的問題，同黨的領導和思想政治工作的削弱也是分不開的。出現這些問題的責任不在下面。黨中央和國務院要認眞總結經驗敎訓，多作調查研究，多走羣衆路綫，努力提高決策的正確性和科學性。

⑷治理整頓已經取得初步成效，必須認眞研究新情況和解決新問題，堅定不移地把治理整頓深入進行下去。黨的十三屆三中全會決定對國民經濟進行治理整頓是正確的。經過一年來的努力，過高的工業發展速度降了下來，農業獲得較好收成，固定資產投資有所控制，物價上漲勢頭趨於緩和，貨幣回籠情況比較好，整個經濟在治理整頓中繼續發展。國務院採取的以控制需求、調整結構爲重點的一系列政策措施發揮了積極作用。但是，十三屆三中全會由於受到當時情況的限制，對經濟生活中存在的問題、困難及其產生的原因分析不夠，因此不少地方、部門和單位對治理整頓的必要性、緊迫性和艱巨性缺乏認識，很多措施沒有得到有效貫徹，加上時間比較短，國民經濟中許多深層次問題還沒有得到解決，難關尚未渡過。

在治理整頓過程中，近來出現了市場銷售疲軟、某些企業產品滯銷、工業速度回落過猛等現象。總的看來，這種情況對進一步治理整頓是有利的，但也存在着值得注意的消極影響，需要認眞研究，具體分析，不能掉以輕心。一方面，應當抓住有利時機，變市場對企業的壓力爲動力，積極調整經濟結構，努力提高企業的效益和效率。另一方面，也要在宏觀上採取必要的疏導措施，積極開拓國內國際市場，努力增加有效供給，保證經濟穩定發展。

經濟穩定是政治穩定的基礎。如果經濟長期陷於困境，政治就穩定不住，社會也安定不了。必須把治理整頓工作進一步引向深入，而決不能動搖對治理整頓方針的貫徹執行。

⑸充分認識克服困難的有利條件，增强治理整頓的信心。我們現在面臨的經濟困難雖然比較嚴重，但從它的性質來説，畢竟是暫時的困難，前進中的困難，是完全有條件克服的。經過十年來的建設和改革，我國經濟實力有了很大的增强，人民生活有了明顯的改善；經過一年來的治理整頓，取得了一些經驗，有了一個好的開端；最近制止動亂、平息反革命暴亂的勝利，十三屆四中全會的召開，全黨出現了認識統一、團結增强的政治局面。這些都是克服困難的有利條件。任何畏難悲觀、無所作爲的觀點，都是沒有根據的。只要我們正視困難，善於總結經驗教訓，振奮精神，團結奮鬥，就一定能夠完成治理整頓的任務，一定能夠實現經濟的長期穩定發展。

二、治理整頓的時間和目標

⑹用三年或者更長一些時間基本完成治理整頓任務。由於目前存在的困難和問題還很多，解決起來難度很大，治理整頓不能急於求成，時間短了不行。中央決定，包括今年在內，用三年或者更長一些時間，努力緩解社會總需求超過社會總供給的矛盾，逐步減少通貨膨脹，使國民經濟基本轉上持續穩定協調發展的軌道，爲到本世紀末實現國民生產總值翻兩番的戰略目標打下良好的基礎。

⑺治理整頓的主要目標是：

——逐步降低通貨膨脹率，要求全國零售物價上漲幅度逐步下降到10%以下。

——扭轉貨幣超經濟發行的狀況，逐步做到當年貨幣發行量與經濟增長的合理需要相適應。

——努力實現財政收支平衡，逐步消滅財政赤字。

——在着力於提高經濟效益、經濟素質和科技水平的基礎上，保持適度的經濟增長率，爭取國民生產總值平均每年增長５～６％。

——改善產業結構不合理狀況，力爭主要農產品生產逐步增長，能源、原材料供應緊張和運力不足的矛盾逐步緩解。

——進一步深化和完善各項改革措施，逐步建立符合計劃經濟與市場調節相結合原則的，經濟、行政、法律手段綜合運用的宏觀調控體系。

⑻治理整頓工作必須抓住的四個重要環節。一是，繼續壓縮社會總需求，解決國民收入超分配問題；二是，大力調整產業結構，增加有效供給，增强經濟發展後勁；三是，整頓經濟秩序，克服生產、建設、流通、分配領域的嚴重混亂現象；四是，深入開展增產節約、增收節支運動，大力提高各個方面的經濟效益。必須强調，在抓緊這四個重要環節進行治理整頓的整個過程中，都要堅持把教育和科技放在優先發展的戰略地位，加强國防建設和國防教育，嚴格控制人口的增長和努力提高人口素質，注意合理利用資源和保護生態環境，並且把加强這些方面的工作同治理整頓很好地結合起來。

⑼無論是治理整頓期間還是治理整頓任務完成之後，都必須始終堅持長期持續、穩定、協調發展經濟的方針。在我國經濟發展過程中，脫離國情，超越國力，急於求成，大起大落，是四十年來最重要的教訓。這種指導上的失誤，嚴重挫傷羣衆積極性，往往造成巨大損失，是經濟工作中的要害問題。因此，治理整頓期間也好，治理整頓任務完成之後也好，都必須深刻記取這個教訓，任何時候都堅持從我國的基本國情出發，牢固樹立持續、穩定、協調發展的指導思想，堅決防止片面追求過高的發展速度，始終把不斷提高經濟效益放到經濟工作的首要位置上來。

三、繼續控制社會需求和堅持財政信貸雙緊方針

⑽堅決控制社會總需求仍然是進一步治理整頓的首要任務。從根本上說，國民經濟中存在的困難和問題，是多年來社會總需求超過總供給，國民收入超額分配引發出來的。不下決心緊縮需求，過幾年緊日子，其他諸如改善結構，整頓秩序，提高效益等等問題都難以解決，國民經濟也就不可能出現基礎牢靠的眞正轉機。對於這一點，全黨必須有一個淸醒的、堅定的認識。

⑾繼續壓縮投資總規模，堅決調整投資結構。中央要求，1990、1991年的全社會固定資產投資規模，都要維持在甚至低於1989年的水平。在控制投資總規模的前提下，大幅度壓縮一般性建設的投資，保證基礎產業必不可少的投資需要。在治理整頓期間，一律不准建設新的樓堂館所，原則上不上新的一般加工工業項目，特別是那些高能耗、超前消費的產品的建設項目一律不搞。基礎產業的重點建設，也要根據財力物力和其他條件的可能，有先有後，不能齊頭並進，優先安排好農業、煤炭、原油、電力、鐵路和一些原材料工業的建設項目。所有新的工程立項，必須經過正常程序審批，嚴格把關。開徵投資方向調節稅，實行差別稅率，促進投資結構的改善。加重地方和各行各業開發基礎工業和基礎設施的責任。

⑿切實控制消費需求的過快增長。必須堅決糾正近幾年來盲目提倡高消費的錯誤做法，務必使消費基金的增長低於國民收入和勞動生產率的增長。加强對工資基金的管理，特別要加强對工資獎金以外其他個人收入的控制，糾正和禁止濫發獎金、實物和擅自擴大津貼、補貼的現象，改進和完善企業工資總額同經濟效益掛鈎的辦法。繼續大力壓縮社會集團購買力，嚴格控制專控和非專控商品的購買。一切行政事業單位，都要基本停止購置新的設備。

⒀逐步緩解分配不公的社會矛盾。社會分配不公已經成爲全社會廣爲關注和勞動羣衆强烈不滿的問題。在控制消費需求的同時，對這個問題必須高度重視和認眞加以解決。要改進和完善工資獎金制度，逐步克服職工收入分配中的平均主義現象。切實加强對某些公司人員，某些從事“第二職業”人員，以及私營企業主和部分個體工商戶的監督與調控。堅決取締非法收入，保護合法收入。推行個人應稅收入申報制度，並改進和加强個人收入調節稅的徵管工作。

⒁堅持實行從緊的財政信貸政策。這是緊縮社會總需求的根本性措施，一年來在執行中取得了顯著效果，決不能因爲目前部分企業出現資金緊張等現象而從總體上動搖這項政策。在這個前提下，根據新的情況，採取必要的靈活措施，按照產業政策有重點地解決某些方面資金困

難的問題，以利於促進生產的穩定增長，但不得用於擴大基建規模和增加消費基金。

——在努力增加財政收入的同時，大力壓縮財政支出。切實加强稅收徵管，特別是加强對集體、個體經營者和私營企業的依法徵稅工作。嚴格清理各種稅收減免優惠政策，凡不符合國家產業政策的要停止執行。採取適當政策和過渡步驟，逐步把部分預算外資金轉入預算內，逐步提高國家財政收入佔國民收入的比重和中央財政收入佔整個財政收入的比重。除了國防費用、重點建設基金、必要的價格補貼等項開支之外，明後兩年其他各項財政支出都大體維持今年的水平，有些支出特別是事業費和行政管理經費還要在今年的基礎上作不同程度的壓縮。堅決撤掉一些過多的重疊的行政事業攤子和可有可無的學會、協會、中心，精簡機構，裁減冗員。

——中央銀行必須管住票子，控制住信貸總規模。明年的新增貸款總額和貨幣發行量，大體維持今年的水平。新發放的銀行貸款，嚴格按照國家的產業政策，優先保證重點產業、重點產品、重點項目和骨幹企業資金的需要。進一步清倉利庫，減少不合理的資金佔用。企業要按規定比例增補自有流動資金。加强現金管理，積極清理各種拖欠款項，扭轉資金"體外循環"現象。

四、加强農業等基礎產業和調整經濟結構

⒂全黨全國動員起來，集中力量辦好農業。實現農業的穩定發展，是經濟穩定、政治穩定和社會穩定的基礎，是關係國家安危的問題，也是調整經濟結構的關鍵所在。要迅速在全黨全國造成一個重視農業、支援農業和發展農業的熱潮，齊心合力把農業搞上去，確保糧食、棉花等主要農產品的穩定增長，促進農林牧副漁全面發展。

——中央和省、地、市、縣各級黨委和政府必須把農業放在重要地位，各項經濟工作都要貫徹以農業爲基礎的方針。省一級要切實加强對農業的領導，特別是糧食調入省，必須作出不斷提高糧食自給水平的規劃。地、縣級要把主要精力放在發展農業特別是糧食、棉花生產上。糧食、棉花和其他主要農副產品能不能搞上去，農業是否眞正增加了後勁，要作爲考核省、地、市、縣工作的重要標準。

——各個方面都要增加對農業的投入。中央預算內基本建設投資要逐年增加用於農業的比重，省、地、市、縣都要儘可能把較多的地方機動財力用於農業建設。逐步提高鄉鎮企業稅後留利中用於補農資金的比例。積極引導農民增加對農業的投入和勞動積累，這是增加農業投入的主體。組織廣大農民持續開展講求實效的農田水利基本建設。動員千家萬戶廣積農家肥，培植和提高地力，加强草原建設，積極發展畜牧業。從中央到地方都要根據需要和可能，制定出興修水利、農業資源開發、改造中低產田、發展養殖業、推進農業機械化、植樹造林、修建農村公路和其他設施的規劃，並認眞付諸實施。

——積極推廣適用的先進農業科學技術成果。進一步動員和組織農業科技人員下鄉，深入農業生產第一綫，重點推廣若干項花錢較少、增產顯著、適用性强的良種技術、栽培技術、施肥技術和其他科學技術，加强對農民的科技培訓。各級政府要在資金、物資和技術力量方面給予支持。

——各行各業都要大力支援農業。國務院各有關部門和地方各級政府要重視農用生產資料工業的建設，對化肥、農藥、農膜、農業機械等生產所需的資金、能源、原材料要優先保證供應。農用工業部門要堅決完成國家計劃的生產和供應任務，堅持和完善部分農業生產資料的專營辦法。

——爲了促進農業的發展，國家將根據需要和可能，有計劃地逐步調整重要農產品的收購價格，合理協調農村經濟中的比較利益，鼓勵農民增加糧食、棉花的生產。

——繼續深化農村改革，執行穩定的農村政策。以家庭經營爲主的聯產承包責任制，應當保持穩定並不斷完善。積極建立和健全產前、產中、產後的生產、科技服務體系，努力完善統分結合的雙層經營體制，促進農村商品經濟的發展。在有條件的地方，可以根據農民自願的原則，穩妥地推進適度規模經營和發展新的集體經濟。進一步辦好國營農場。

——在大力發展農業的同時，全國都必須繼續認眞貫徹實行計劃生育和保護耕地的基本國策。應當採取切實有效的措施，實行指標管理，堅決改變幾年來農村中放鬆計劃生育、人口增長失控的現象。要大力保護土地資源，有計劃地開墾荒地，堅決制止和糾正濫佔耕地現象。

⒃**努力保持能源和重要原材料生產的穩定增長，大力提高運輸效率**。煤炭工業首先要抓好統配礦，穩定東部地區和發展中、西部地區的煤炭生產，同時積極發展地方煤礦的生產和建設。原油和電力生產要穩步增加，鋼鐵、有色金屬、化工、建材等工業部門要積極調整產品結構，增產短缺品種，提高產品質量。交通運輸業要努力提高綜合運輸效率。擴大鐵路限制口段的通過能力，進一步挖掘現有設施的潛力。公路、水運、航空等行業都要合理組織運輸，切實改進管理，提高運輸效能。進一步發展通信事業。

——實現能源、原材料和運輸增產與調整結構的任務，關鍵是要動員這些部門的幹部和職工充分挖掘潛力，厲行增產節約。同時，在投資、貸款、物資供應等方面實行重點扶持措施，以緩解這些行業生產和運營的困難。

——在抓好能源、原材料和運輸生產的同時，必須進一步突出抓好節約能源、原材料和運力的工作，大力提倡和鼓勵各個方面節約用煤、用電、用油、用材、用水、用運力。

⒄**大力調整加工工業，克服盲目發展現象**。努力使加工工業同農業、基礎工業和基礎設施的發展相協調，同市場需求的變化相適應，是調整經濟結構的重要任務。控制和壓縮加工工業的重點，一是高耗能、高耗原材料、高用滙、低水平和嚴重重複生產的一般加工工業；二是助長高消費、超前消費的行業和產品。同時，積極進行現有企業的技術改造，改善企業組織結構，充分發揮現有機電製造包括軍工在內的企業的巨大潛力，努力生產能夠增加有效供給的產品，增產能夠出口創滙和替代進口的產品。

——輕紡工業要根據城鄉居民不同層次的需求和購買力水平，逐步調整產品結構，尤其要注意開發適應農村需要的日用消費品。機電工業要努力研製和開發能源、原材料、交通運輸和通信等基礎產業所需要的機電成套設備及其基礎元器件，增產適用的農業機具和其他農用工具。

各部門、各地方都要根據調整加工工業的要求和經濟效益的標準，列出限制生產、淘汰生產和保證生產的產品目錄。對國家明令公佈淘汰和停止生產的產品，銀行停止貸款，電力部門停止供電，物資部門停止供應燃料和和原材料，運輸部門不予運輸。在加工工業生產戰綫過長而能源、原材料又嚴重不足的情況下，對一些重要生產任務要在地區和企業之間招標，實行優勝劣汰的原則。

⒅充分發揮國營大中型企業的骨幹作用。必須牢固樹立搞好大中型企業才能穩定國民經濟全局，才能增强國家經濟實力和逐步實現現代化的觀念，眞正爲大中型企業排憂解難，幫助它們發展。

——所有大中型企業都要健全和加强各項基礎工作，改善經營管理，進一步提高企業和職工的素質，充分發揮廣大職工的積極性，開展技術改造和技術革新，向經營管理要效益，向技術進步要效益，增强自主經營、自負盈虧、自我發展、自我約束的能力。這是發揮大中型企業骨幹作用的關鍵所在。

——各個行業要對現有的國營大中型企業進行分類排隊，根據國家的產業政策，根據能源、原材料和運力供應的可能，按照經濟效益的高低來合理分配資源的原則，確定必保的企業名單，從能源、原材料、運力和資金方面優先保證這些企業的需要，決不允許截流分配給大中型骨幹企業的資金、能源和原材料。

——堅決制止一切不合理的收費和攤派，減輕企業負擔，爲它們創造更好的平等競爭條件。

⒆按照調整、整頓、改造、提高的方針，積極引導鄉鎮企業健康發展。十一屆三中全會以來我國鄉鎮企業的發展，爲支援農業、解決就業、繁榮經濟、增加收入和出口創滙作出了重要貢獻，已經成爲農村經濟的重要支柱和國民經濟的重要組成部分。在鄉鎮企業的發展過程中，也存在着產品質量差，管理水平落後，經濟效益低，同國營大中型骨幹企業爭原料、爭能源等問題，必須有計劃、有步驟地調整、整頓、改造和提高。

——鄉鎮企業的發展，一要立足於農副產品和當地原材料的加工，但不同大工業爭原料和能源；二要發揮勞動密集和傳統工藝的優勢，積極發展出口創滙產品；三要爲大工業配套和服務。應當在大力加强農業的前提下，鼓勵和引導鄉鎮企業沿着上述方向繼續發展。

——各地區要認眞整頓鄉鎮企業，按照國家產業政策引導效益好的企業積極發展，下決心關停併轉消耗高、質量差、污染嚴重以及與大企業爭原料、爭能源而效益又很差的鄉鎮企業。通過調整和整頓，促進鄉鎮企業改進結構，改進經營管理和經營作風，提高技術，提高效益。

⒇在堅持公有制爲主體的前提下發展多種經濟成分。我國個體經濟、私營經濟是對社會主義經濟的有益的、必要的補充。應當運用經濟的、行政的和法律的手段，加强管理和引導，鼓勵它們在國家允許的範圍內繼續發展，發揮它們在發展社會生產、方便人民生活和擴大勞動就業等方面的積極作用，限制它們不利於社會主義經濟發展的消極方面。

㉑繼續支援“老、少、邊、窮”地區的經濟發展。在治理整頓過程中，對於老革命根據地、少數民族、邊遠和貧困地區，應當繼續貫徹執行扶植政策，幫助它們發展生產和增强自力更生能力，逐步改變落後面貌。

㉒廣開就業門路，妥善安置待業人員。隨着投資規模的壓縮和產業結構的調整，將有一些在建工程下馬，一些生產企業關停併轉，必須採取統籌安排、社會救濟與自謀職業相結合的方

針，在城市和農村都積極設法開拓新的生產領域，增加新的工作崗位，妥善解決多餘勞動力的出路。這是保證治理整頓順利進行的一個重要問題，也是社會安定的一個重要保障。必須精心指導，周密籌劃，認眞做好這項工作。

五、認眞整頓經濟秩序特別是流通秩序

(23)進一步清理整頓公司特別是流通領域的公司，逐步消除流通領域秩序混亂的狀況。明年必須在整頓煤炭市場方面首先有一個突破。所有統配礦生產的煤炭、地方上交國家的部分煤炭以及經鐵路運輸的計劃外出省煤炭，均由國家管起來，統一分配，統一訂貨，統一運輸，統一調度。除了國家批准和有關部門指定的經營單位以外，其他單位和個人一律不得經營煤炭。其他生產資料的流通領域，也都要下大力量淸理那些從事中間盤剝的各種公司和經營單位，以及那些生產企業所設置的變相抬高出廠價和轉手倒賣的各種服務公司，堅決砍掉那些重利盤剝、擾亂市場、哄抬物價的中間環節。

(24)堅決整頓市場秩序。計劃外自銷生產資料要實行公開銷售制度，即實行資源數量公開，價格公開，銷售對象公開，結算方式公開，嚴禁私人從事重要生產資料的經營活動。國家規定的最高限價，任何地方、部門和單位都必須嚴格執行。在重要消費品流通領域，要把批發環節掌握在國營商業和供銷社手裏，發揮它們的主渠道作用，禁止私人從事長途批發業務。

(25)逐步解決生產資料價格"雙軌制"問題。生產資料價格"雙軌制"，是在我國具體條件下採取的一種過渡辦法。現在它的弊病越來越明顯，已經成爲導致經濟秩序混亂和腐敗現象滋生的溫牀。明後年要結合價格調整，先對統一分配煤炭的價格，變"雙軌"爲"單軌"，以後逐步增加取消"雙軌制"的品種。對於短期內難以取消價格"雙軌制"的商品，通過適當提高計劃價格、嚴格控制需求和加强管理自銷價格的辦法，逐步縮小兩種價格的差距。

(26)必須下大力量加强市場管理和物價管理。商業、物資、外貿系統要端正經營思想和作風，健全規章制度，禁止違法倒賣緊俏物資和商品等經營活動，努力提高服務質量。充實和加强工商部門和稅務部門的力量，提高工商稅務人員的素質，嚴厲打擊和取締各種違法經營。已經實行專營的商品，要總結經驗，改進和完善專營辦法。健全物價管理制度，充實物價管理力量，加强羣衆監督和輿論監督，嚴禁哄抬物價，堅決制止各種亂漲價、變相漲價和易地漲價行爲。

(27)堅決制止和糾正亂收費、亂攤派、亂罰款現象。目前，生產、建設、流通領域以及一些部門、機關和事業單位，巧立名目，亂收費、亂攤派、亂罰款，情況十分嚴重，已經引起城鄉人民羣衆的普遍不滿，必須採取有力措施，堅決制止和糾正。任何部門、機關和企業事業單位，不得以任何借口亂收費、亂攤派、亂罰款，對於違反者，要追究責任並給予處分。對於違反國家規定的亂收費、亂攤派、亂罰款，企業、單位和個人都有權拒絕。

六、千万百計提高經濟效益

(28)堅定不移地把經濟工作轉到以提高經濟效益爲中心的軌道上來。在治理整頓的過程中，各地區、各部門必須端正指導思想，切實糾正片面追求發展速度，盲目擴大生產規模，以及依靠亂漲價提高收入的傾向，眞正下大功夫改進經營管理，提高科技水平，講求經濟效益，走投入少、產出多、效益高的經濟發展路子。必須制定得力措施，把降低成本、減少消耗、提高質量、增加品種、減少資金佔用、提高經濟效益的要求具體化，層層加以落實，並作爲考核各級經濟組織和企業工作好壞的主要指標。

(29)提高經濟效益必須依靠科技進步。隨着世界新技術革命的蓬勃發展，科學技術對經濟發展和社會進步的作用越來越明顯，越來越重要。無論是克服當前我國的經濟困難還是保證經濟的長期穩定發展，實現社會主義現代化的宏偉目標，都必須把促進科技進步放到十分重要的戰略位置上來。

——在治理整頓期間，要選擇一批投入少、效益高的科技成果，集中技術力量和科研經費，進行大面積推廣，普遍提高企業的生產技術水平。

——根據實施國家產業政策的要求，選擇一批對經濟發展有重大影響的傳統產業技術改造項目，引進技術消化吸收項目，高技術產品、出口產品及進口替代產品項目，組織大中型企業和科研機構進行技術攻關，改造傳統產業，加快引進設備的國產化，發展高技術產業。

——技術改造資金必須眞正用於技術改造，提高產品質量，節約物質消耗，促進產品更新換代，決不得以各種名目用於在低水平上擴大生產能力。

(30)强化企業管理，提高管理水平。必須克服“以包代管”的現象，下大力量健全和完善從定額管理、成本管理、資金管理、質量管理到經濟核算的各項基礎工作和和規章制度，嚴格工藝規程和勞動紀律，全面提高職工素質和企業素質，充分發揮廣大職工的積極性，提高勞動生產率，從節約中求增產，向經營管理要效益。落實“安全第一，預防爲主”的方針，加强安全生產。

(31)認眞抓緊抓好扭虧增盈工作。各地區、各部門都要制定扭虧增盈計劃，進一步完善虧損企業各種形式的扭虧增盈責任制，認眞幫助和促進虧損行業和企業提高經營管理水平，積極挖掘潛力，大力減少和逐步消滅虧損。盈利的行業和企業也要努力消滅虧損產品，進一步提高盈利水平。

(32)扎扎實實地全面深入開展“雙增雙節”運動。現在所有的生產、建設、流通單位，所有的機關、團體、事業單位，幾乎都存在嚴重的浪費現象，增產節約、增收節支的潛力很大。所有機關、團體和企業事業單位都要抓好“雙增雙節”工作，認眞進行清產核資，加强國有資產管理，在一切環節上精打細算，厲行節約，反對鋪張浪費，堵塞跑冒滴漏，提高工作效率。大力加强對各項經濟活動的審計和監督，嚴格財經紀律。在整個社會主義現代化建設過程中，都必須充分發動羣衆，長期不懈地抓好“雙增雙節”工作，深入開展以“雙增雙節”爲主要內容的社會主義勞動競賽。在治理整頓期間，尤其要高度重視和認眞抓好這件大事。這不僅對於克服經濟困難具有重要意義，而且對於促進廉政建設，改善社會風氣，密切黨和政府同羣衆的關係，都具有特別重要的意義。

七、繼續深化改革和擴大對外開放

⑶**心須正確認識和處理治理整頓和深化改革的關係**。第一，治理整頓決不意味着改革停頓不前，更不是不要改革。治理整頓不僅將爲改革的深入和健康進行創造必要的條件，而且它本身也需要改革的配合；第二，在集中力量進行治理整頓期間，改革要圍繞着治理整頓來進行，並爲它服務；第三，治理整頓和深化改革都不是目的，它們都是爲了實現經濟的持續、穩定、協調發展。因此，決不能把治理整頓同深化改革割裂開來，更不能對立起來，對治理整頓不積極也就是對改革不積極。

⒁**堅持改革的社會主義方向和明確當前深化改革的重點**。我國社會主義經濟是建立在公有制基礎上的有計劃商品經濟。我國的經濟體制改革，是社會主義經濟制度的自我完善。改革的核心問題，在於逐步建立計劃經濟同市場調節相結合的經濟運行機制。計劃經濟和市場調節相結合的程度、方式和範圍，要經常根據實際情況進行調整和改進。向地方、企業放權讓利，以利於搞活經濟，是改革；合理協調各方面的利益關係，健全宏觀調控體系，也是改革，而且是更艱巨的改革。在當前的治理整頓期間，深化和完善改革的重點，一是要根據計劃經濟與市場調節相結合的原則，穩定、充實、調整和改善前幾年的改革措施；二是要根據治理整頓時期應當多一點計劃性的要求，適當加强集中。這種集中是在發揮地方、企業正當積極性基礎上的適度集中，而不是那種否定地方和企業必要自主權的過度集中；三是要在繼續搞活微觀經濟的同時，逐步建立能夠促進經濟穩定發展的宏觀調控體系。經過治理整頓，經濟環境有了顯著改善以後，我們將有可能把改革進行得更好和更加深入。當前，要着重在以下幾個方面深化和完善改革。

——企業承包經營責任制有利於調動企業和職工發展生產的積極性，應當繼續堅持。同時，要認眞總結實踐經驗，興利除弊，不斷加以完善。對承包基數和遞增包乾比例過低的企業，適當提高其基數和比例。各地區要根據實際情況，積極探索正確處理國家和企業關係的多種承包形式，並有領導有步驟地進行試點。繼續實行和完善廠長負責制，進一步强化企業管理，深化企業內部改革。加强企業黨組織的政治思想領導作用，充分發揮廣大職工的積極性、主動性和創造性。密切黨政關係，加强廠長、書記之間的相互支持、相互配合，齊心協力，辦好企業。繼續促進企業之間地橫向經濟聯合，發展企業集團。

——現行的財政包乾體制有利有弊。有利的方面是可以調動地方當家理財、增加收入的積極性，弊端主要是助長地區封鎖、市場分割和重複建設。改革的方向不是回到統收統支，但要有助於興利除弊，有助於適當提高中央財政的集中程度。在財政包乾體制未改變之前，爲了渡過明年的財政難關，並緩解各地負擔不平衡的狀況，對有上交中央財政任務的省市，應分別不同情況，適當提高上交中央的比例。同時，中央對地方的某些專項補貼要適當減少。

——金融體制的改革，必須有利於加强集中統一管理。進一步强化中央銀行宏觀調控職能，嚴格控制貨幣發行和信貸總規模。中央銀行要對專業銀行實行歸口領導和管理。進一步整頓金融秩序，糾正各金融機構間不合理的業務交叉。堅決按照國家產業政策和信貸計劃的要求發放貸款，不能片面强調企業化經營。堅決整頓和裁併非銀行的金融機構，以及銀行的信託投資公司，取締私人銀行和錢莊。金融體制的改革，要同調整信貸結構和清理已經發放的貸款結合起來。

——現行的外貿承包制對促進對外貿易的發展起了積極作用，但也助長了外滙的分散和外貿經營秩序的混亂。應當採取適當措施，逐步改變外貿和外滙過於分散的狀況，實行適當集中。大宗初級產品出口和重要物資進口，由國家指定的外貿公司統一經營。除國營專業性外貿公司、工貿公司和有外貿經營權的生產企業之外，其他外貿公司要取締、撤銷，禁止私人經營對外貿易。有外貿經營權的生產企業，不能收購別人的產品出口和倒賣進口物資。調整地方、企業的外滙留成比例，原則上取消外滙留成的地區優惠政策。所有對外貿易除國家另有規定者外，都由銀行結滙。要加强外債的統一管理。整頓和清理借債窗口，克服多頭借債的現象。國家下達的借債控制指標必須嚴格執行，不得突破。

——改進物資管理體制，適當提高重要物資國家統一分配的比重。原有企業上調國家統配物資的基數不能減少，基數低的要適當調高；新投產的企業要按國家投資的比重上調產品；企業的自銷產品，要劃出一塊，由國家導向，定點定量供應，以保證國家重點生產建設的需要。採取强有力措施，確保國家統配物資分配計劃的落實和訂貨合同的兑現。對於不完成國家統配計劃的，停止供應其重要物資。

——在加强宏觀調控的基礎上，有步驟地、穩妥地繼續推進價格改革。適當集中物價管理權限，加强對關係國計民生的重要商品價格的管理。採取切實措施，努力保持羣衆基本生活必需品價格的基本穩定。已經放開價格的商品，要繼續放開，但必要時可對其中的某些商品實行最高限價，或實行提價申報制度。價格結構的改革，要在嚴格控制物價水平的前提下，有領導有重點有步驟地進行。

——改進計劃體制，適當增加指令性計劃的範圍和比重，强化指令性計劃的嚴肅性，完善指導性計劃的實施辦法。適當上收建設項目的審批權限。大中型和限額以上項目由中央審批，並根據產業政策適當調整某些行業的投資限額；地方小型和限額以下項目，原則上集中到省、自治區、直轄市審批。同財政、投資、物資、外貿等體制的改革相配合，進一步明確中央和省區市的計劃管理權限，並改進和完善對大中型企業、企業集團的計劃管理辦法。進一步理順計劃、財政、銀行三個部門的關係，發揮計劃部門進行綜合平衡、執行國家產業政策和綜合協調經濟槓桿的作用，使計劃、財政、銀行之間緊密配合，按照治理整頓的要求，統一步調、統一行動。

(35)堅持對外開放，更有成效地擴展對外貿易和經濟技術交流。實行對外開放，是我國長期不變的方針。在整個治理整頓期間，必須充分利用國際上一切可以利用的條件，克服不利因素，認眞做好各項工作，使對外開放與治理整頓互相促進。

——努力保證全國對外貿易的持續發展。堅持並改進鼓勵出口的政策措施，切實解決重點地區、重點行業和重點產品出口生產中的困難，積極發展出口商品生產。按照內外銷兼顧的原則，繼續調整出口商品結構，控制和減少短缺的資源性產品、初加工產品的出口，積極增加機電產品等工業製成品以及深度加工和高技術產品的出口，進一步發展創滙農業產品的出口。大力更新花式品種，提高產品質量，信守合同，改進推銷服務，增强在國際市場上的競爭能力。

——在努力擴大出口創滙的同時壓縮進口，爭取外貿收支平衡乃至略有結餘，以適應外債還本付息的需要。嚴格禁止奢侈品、高檔消費品和一般機電產品的進口，把有限外滙眞正用於進口必需的設備和物資。凡是國內能夠生產的原材料和機電設備，都要積極採取措施組織生產。各地區、各部門都要積極發展進口替代，加快國產化的進程，努力減少由於壓縮進口對國內生產建設和人民生活所帶來的影響。

——繼續積極利用外資和引進先進技術，加强同國外的科學技術交流與合作。進一步改善投資環境，認眞執行有關的涉外經濟法律法規，集中力量辦好一批已經建成的中外合資企業、合作企業，發揮示範作用，增强對外商投資的吸引力。更加積極地吸收符合我國產業政策的外商直接投資，多辦一些利用我國現有企業進行改造的合資、合作企業。對能夠爭取到的長期低息的外國政府貸款和國際金融組織貸款，要積極爭取。必須加强對外債的借、用、還三個環節的管理。

——進一步辦好經濟特區，充分發揮它們在對外開放方面的窗口和基地作用。繼續提倡和鼓勵沿海地區發展外向型經濟。經濟特區和沿海開放地區的基本政策措施不變，並在實踐中逐步加以完善。

八、加强黨對治理整頓和深化改革的領導

(36)加强黨的領導是實現治理整頓和深化改革任務的根本保證。我們要克服困難，擺脫經濟困境，必須加强黨的領導，充分發揮政治優勢，團結全黨、全國各族人民，同心同德，脚踏實地，努力奮鬥。

——保持國家穩定是當前全國各族人民的根本利益所在。政治穩定是前提，經濟穩定是基礎，兩者缺一不可。各級黨的組織，特別是經濟部門、企業和農村的黨組織，都要從國家的全局利益出發，充分發揮黨的核心領導作用和戰鬥堡壘作用，認眞貫徹落實中央的各項方針政策，在堅決維護安定團結的政治局面的同時，努力保證治理整頓和深化改革的順利進行。必須大力加强治安工作，堅決打擊各種違法犯罪活動，爲經濟的穩定發展創造良好的社會環境。

——大力加强黨的思想政治工作，認眞學習馬克思列寧主義、毛澤東思想，深入進行形勢教育和國情教育，進行愛國主義、集體主義、社會主義的思想教育，把堅持四項基本原則、反對資產階級自由化的教育和鬥爭長期進行下去，決不半途而廢。

——廣大黨員、黨的幹部特別是領導幹部必須密切聯繫羣衆，吃苦在前，享受在後，大興調查研究之風，切實改進思想作風和工作作風，以自己的模範行動團結全國各族人民投身於社會主義現代化建設。凡是要求羣衆做到的，領導幹部、特別是高級領導幹部首先要做到；凡是要求地方做到的，中央首先要做到。這樣，我們就一定能夠團結人民渡過難關。

⑶必須加强集中統一，加强組織紀律性，反對分散主義。爲了實現艱巨複雜的治理整頓任務，每個黨員和黨的幹部都必須把思想、言論、行動統一到中央的路綫、方針、政策上來，務必使全黨統一思想，步調一致。只有這樣，我們才有力量克服目前的困難。必須堅決反對分散主義。任何分散主義的行爲和傾向，都勢必削弱黨的戰鬥力。全國經濟是一個有機的整體，只有同心協力，堅持治理整頓，求得全國大的經濟環境的根本改善，各地區、各部門才有可能得到健康的發展。對於有令不行、有禁不止，上有政策、下有對策，甚至陽奉陰違，頂着不辦的，都必須給予嚴肅的批評；情節嚴重的，必須給予黨紀政紀處分。

⒅必須堅決克服腐敗現象，切實加强廉政建設和黨風建設。對於那些敗壞黨和人民事業的腐敗分子，必須依法嚴厲懲處，決不能姑息遷就。不這樣做，黨就無法樹立起崇高的威望；不這樣做，黨就必然會嚴重脫離羣衆，甚至有蛻化變質的危險。黨風問題是關係到黨的生死存亡的問題。我們一定要堅持全心全意爲人民服務的宗旨，堅持理論聯繫實際、密切聯繫羣衆、批評與自我批評的優良作風，依照黨章從嚴治黨，採取堅決有力的措施，痛下決心，排除阻力，克服各種腐敗現象和官僚主義作風，恢復和發展黨和人民羣衆的血肉聯繫。

⒆必須發揚自力更生、艱苦創業的精神。中國人民從來沒有、今後也決不會屈從於任何外來壓力，決不會放棄社會主義道路和民族獨立來換取別人的施捨。中國人民完全有能力解決自己所面臨的問題。不論是暫時的經濟困難，還是國內外敵對勢力的搗亂，我們都不怕。只要我們有自强不息的精神，自力更生，艱苦創業，國家就一定能夠强盛起來，並獲得世界人民的尊敬。

中央認爲，我國社會主義現代化建設和改革開放事業已經取得了偉大的成就，目前正在繼續向前發展。我們面臨的困難是前進中的困難。只要全黨全國各族人民緊密地團結在黨中央周圍，振奮精神，埋頭苦幹，齊心協力，團結奮鬥，我們就一定能夠克服目前的暫時困難，奪取新的更大的勝利。

鄧小平主席談黨和國家的方針政策

摘自1989年6月9日接見首都戒嚴部隊軍以上幹部時的講話

這次事件爆發出來，很值得我們思索，促使我們很冷靜地考慮一下過去，也考慮一下未來。也許這件壞事會使我們改革開放的步子邁得更穩、更好，甚至於更快。使我們的失誤糾正得更快，使我們的長處發揚得更好。今天我不可能展開來講，只是提出一個課題。

第一個問題，黨的十一屆三中全會制定的路綫方針政策，包括我們發展戰略的“三步曲”，正確不正確？是不是因爲發生了這次動亂，我們制定的路綫方針政策的正確性就發生了問題？我們的目標是不是一個“左”的目標？是否還要繼續用它作爲我們今後奮鬥的目標？這些大的問題，必須作出明確、肯定的回答。我們第一個翻一番的目標已經完成了；第二個翻一番的目標計劃用12年完成；再往後50年，要達到一個中等發達國家的水平，增長速度爲百分之二點幾就夠了。這就是我們的戰略目標。對此，我想我們做出的不是一個“左”的判斷，制定的也不是一個過急的目標。因此，對第一個問題的回答，應當說，我們所制定的戰略目標，現在至少不能說是失敗的。在61年後，一個15億人口的國家，達到中等發達國家的水平，是了不起的事情。實現這樣一個目標，應該是能夠做到的。不能因爲這次事件的發生，就說我們的戰略目標錯了。

第二個問題，黨的十三大概括的“一個中心、兩個基本點”對不對？兩個基本點，即四個堅持和改革開放，是不是錯了？我最近總在想這個問題。我們沒有錯。四個堅持本身沒有錯，如果說有錯誤的話，就是堅持四項基本原則還不夠一貫，沒有把它作爲基本思想來教育人民，教育學生，教育全體幹部和共產黨員。這次事件的性質，就是資產階級自由化和四個堅持的對立。四個堅持、思想政治工作、反對資產階級自由化、反對精神污染，我們不是沒有講，而是缺乏一貫性，沒有行動，甚至講得都很少。不是錯在四個堅持本身，而是錯在堅持得不夠一貫，教育和思想政治工作太差。1980年元旦，我在政協講話，講了“四個保證”，其中有一條叫“艱苦奮鬥的創業精神”。艱苦奮鬥是我們的傳統，艱苦樸素的教育今後要抓緊，一直要抓60至70年。我們的國家越發展，越要抓艱苦創業。提倡艱苦創業精神，也有助於克服腐敗現象。建國以來我們一直在講艱苦創業，後來日子稍微好一點，就提倡高消費，於是，各方面的浪費現象蔓延，加上思想政治工作薄弱、法制不健全，甚麼違法亂紀和腐敗現象等等，都出來了。我對外國人講，十年最大的失誤是教育，這裏我主要是講思想政治教育，不單純是對學校、青年學生，是泛指對人民的教育。對於艱苦創業，對於中國是個甚麼樣的國家，將要變成一個甚麼樣的國家，這種教育都很少，這是我們很大的失誤。

改革開放這個基本點錯了沒有？沒有錯。沒有改革開放，怎麼會有今天？這十年人民生活水平有較大提高，應該說我們上了一個台階，儘管出現了通貨膨脹等問題，但十年改革開放的成績要充分估計夠。當然，改革開放必然會有西方的許多壞的影響進來，對此，我們從來沒有估計不足。80年代初建立經濟特區時，我與廣東同志談，要兩手抓，一手要抓改革開放，一手要抓嚴厲打擊經濟犯罪，包括抓思想政治工作。就是兩點論。但今天回頭來看，出現了明顯的不足，一手比較硬，一手比較軟。一硬一軟不相稱，配合得不好。講這點，可能對我們以後制定方針政策有好處。還有，我們要繼續堅持計劃經濟與市場調節相結合，這個不能改。實際工作中，在調整時期，我們可以加强或者多一點計劃性，而在另一個時候多一點市場調節，搞得更靈活一些。以後還是計劃經濟與市場調節相結合。重要的是，切不要把中國搞成一個關閉性的國家。實行關閉政策的做法對我們極爲不利，連信息都不靈通。現在不是講信息重要嘛，確實很重要。做管理工作的人沒有信息，就是鼻子不通，耳目不靈。再是絕不能重複回到過去那樣，把經濟搞得死死的。我提出的這個建議，請常委研究。這也是個比較急迫的問題，總要接觸的問題。

這是總結我們過去十年。我們的一些基本提法，從發展戰略到方針政策，包括改革開放，都是對的。要說不夠，就是改革開放得還不夠。我們在改革中遇到的難題比在開放中遇到的難題要多。在政治體制改革方面，有一點可以肯定，就是我們要堅持實行人民代表大會的制度，而不是美國式的三權鼎立制度。實際上，西方國家也並不都是實行三權鼎立式的制度。美國罵我們鎮壓學生，他們處理國內學潮和騷亂，還不是出動了警察和軍隊，還不是抓人、流血？他們是鎮壓學生和人民，而我們則是平息反革命暴亂。他們有甚麼資格批評我們！今後，在處理這類問題的時候，倒是要注意，一個動態出現，不要使它蔓延。

以後我們怎麼辦？我說，我們原來制定的基本路綫、方針、政策，照樣幹下去，堅定不移地幹下去。除了個別語言有的需要變動一下，基本路綫和基本方針、政策都不變。這個問題已經提出來了，請大家認眞考慮一下。至於一些做法，如投資方向、資金使用方向等，我贊成加强基礎工業和農業。基礎工業，無非是原材料工業、交通、能源等，要加强這方面的投資，要堅持10到20年，寧肯欠債，也要加强。這也是開放，在這方面，膽子要大一些，不會有大的失誤。多搞一點電，多搞一點鐵路、公路、航運，能辦很多事情。鋼，外國人判斷我們將來需要1.2億噸，現在我們接近6000萬噸，還差一半。如果在現有企業的基礎上加以改造，增加2000萬噸，就可少進口鋼材。借點外債用在這些方面，也叫改革開放。現在的問題不是改革開放政策對不對，搞不搞，而是如何搞，開哪方面，關哪方面。

要堅定不移地執行黨的十一屆三中全會以來制定的一系列路綫方針政策，要認眞總結經驗，對的要繼續堅持，失誤的要糾正，不足的要加點勁。總之，要總結現在，看到未來。

江澤民總書記在慶祝中華人民共和國成立40週年大會上的講話(節錄)

1989年9月29日

同志們,朋友們:

今天,我們在這里隆重集會,慶祝中華人民共和國成立40週年。我代表中共中央和國務院,向在各條戰綫上為社會主義建設貢獻力量的全國各族工人、農民、知識分子、各民主黨派和各界愛國人士致敬!向為保衛人民共和國和社會主義事業建立了歷史功勳的中國人民解放軍、武警部隊、人民警察致敬!向致力於統一祖國和振興中華的港澳同胞、台灣同胞、海外僑胞致以親切的問候!向一切同我們友好相處、支持中國現代化建設的外國朋友和世界各國人民表示衷心的謝意!

在這里,我們還懷着崇高的敬意,深切懷念為締造和建設社會主義人民共和國立下偉大功勳的毛澤東、周恩來、劉少奇、朱德等已故老一代無產階級革命家,深切懷念為創建和捍衛新中國而英勇犧牲的革命先烈!

中華人民共和國成立以來的40年,是中國歷史發生翻天覆地變化的40年,是經歷艱難曲折、戰勝種種困難、不斷發展進步的40年,是中華民族揚眉吐氣、獨立自主、在國際事務中日益發揮重要作用的40年。

中華人民共和國的成立,在中國大陸上結束了幾千年剝削階級的統治,結束了長期遭受帝國主義欺凌的歷史,中國人民從此成為自己國家和社會的主人。中國革命的勝利,是俄國十月革命以後國際共產主義運動歷史上最重大的事件,是第二次世界大戰以後世界政治中最重大的事件。這個勝利,改變了世界的政治格局,鼓舞了世界人民的革命鬥爭,對人類進步事業做出了重大貢獻。

我們運用馬克思列寧主義的國家學說,結合中國的實際,在世界上人口最多的東方大國,建立了工人階級領導的、工農聯盟為基礎的人民民主專政的社會主義國家政權。我們實行人民代表大會制度,保證了廣大人民管理國家事務、社會事務的權力和民主權利。我們實行共產黨領導的、為社會主義事業和祖國統一大業共同奮鬥的多黨合作和政治協商制度,堅持"長期共存、互相監督、肝膽相照、榮辱與共"的方針,廣泛吸收各民主黨派和各界愛國人士參政議政,組成了最廣泛的愛國統一戰綫。儘管我們的政治制度還有待於逐步完善,但是它經過自我改革和發展,一定能夠為國家政治、經濟、文化、社會生活的民主化,提供充分的可能性和廣闊的前景。

新中國成立後,我們僅僅用了三年時間,就治愈了戰爭的創傷,把國民經濟恢復到舊中國歷史的最高水平。在此基礎上,我們實現了生產資料私有制的社會主義改造,消滅了剝削制度和剝削階級,建立了以生產資料公有制和按勞分配為主體和基本特徵的社會主義經濟制度。儘管我們的經濟制度還有待於逐步完善,但是它經過自我改革和發展,一定能夠為進一步提高社會生產力和勞動生產率，提高全體人民的物質、文化生活水平，提供充分的可能性和廣闊的前景。

我們運用社會主義的基本的政治制度和經濟制度的力量，依靠各族人民發揚自力更生、艱苦奮鬥的精神，克服種種困難，使中國由一個一窮二白的半殖民地、半封建國家，變成了一個初步繁榮昌盛的社會主義國家。1988年，我國國民生產總值已達到14015億元，國民收入11770億元，扣除物價因素，分別是1949年的19.8倍和18倍。我國國民生產總值已經上升到佔世界的第8位，有些重要產品產量已躍居世界前列。1950年到1988年累計，全民所有制單位固定資產投資總額達21538億元，有4393個大中型項目建成投產，新增固定資產15619億元。現在我國已經建立了獨立的、門類比較齊全的工業體系和國民經濟體系。隨着生產的發展，全國居民實際消費水平由1952年的每人每年76元，提高到1988年的639元，扣除物價上漲因素，平均每年增長3.7％。全國人民的溫飽問題基本解決，一部分居民生活向小康水平邁進。我國的教育、科學、文化、衞生、體育事業也有很大發展。40年累計，普通高等學校培養本科、專科畢業生619.2萬人，研究生15.4萬人，等於新中國成立前37年間畢業生總數的30倍。40年來，重大科學技術研究成果層出不窮。在原子能技術、生物科學、農業科學、高能物理、計算機技術、運載火箭技術、衞星通信技術等方面，有些已達到或接近世界先進水平。國防建設取得了巨大成績，增强了保衞祖國的實力。這些成就，爲我國的社會主義現代化建設，奠定了堅實可靠的基礎。

黨的十一屆三中全會以來的十年，我們堅持以經濟建設爲中心，堅持四項基本原則，堅持改革開放，國家經濟實力迅速增强，人民得到了更多的實際利益。1979～1988年，按可比價格計算，我國國民生產總值每年增長9.6％，超過1953～1978年每年平均增長6.1％的速度，大大高於世界上絕大多數國家年平均增長2％～4％的速度。1988年和1978年相比，進出口總額增長4倍。這十年間，扣除價格上漲因素，農民人均純收入平均年增長11.8％，城鎮居民人均收入平均年增長6.5％。十年來，城鄉共新建住宅約80億平方米。在吃、穿、用、住全面改善的基礎上，城鄉居民儲蓄存款由1978年末的211億元，增加到1988年末的3802億元。這十年的巨大成就，是貫徹十一屆三中全會以來路綫、方針、政策的結果，也是前30年中社會主義革命和建設成果的進一步發展。

我們的經濟發展和人民生活水平的提高，不僅同我國過去歷史相比極爲顯著，而且同其他許多國家相比，也並不遜色。儘管我國的經濟還比較落後，但畢竟取得了在過去剝削制度下無論如何也不可能取得的成就，表現了社會主義制度的優越性，全國各族人民完全有理由爲自己付出辛勤勞動所創造的豐碩成果而感到由衷的喜悅和自豪！

我們必須充分肯定中國人民在社會主義制度下取得的輝煌成就。任何懷疑、否定我們成就的觀點，都是沒有根據的，是錯誤的和有害的。同時，我們又必須充分認識和堅決糾正我們工作中的失誤。不承認失誤的觀點，同樣是沒有根據的，是錯誤的和有害的。十一屆三中全會以來，我們黨恢復和發展實事求是的思想路綫，堅持實踐是檢驗眞理的唯一標準，糾正“左”和右的錯誤，反對資產階級自由化，重新確立和執行了馬克思主義的正確路綫。我們黨已經對前30年的若干歷史問題做出了科學的結論。我們必須堅持這些正確的結論，並繼續總結這十年來進行現代化建設和改革開放的經驗教訓，以求得對歷史經驗更全面、更深刻的認識。

回顧40年的歷史，我們至少可以得出以下四個方面的基本結論：

社會主義制度的確立、鞏固和發展，體現了中國現代社會運動的客觀規律，是中國歷史上最偉大、最深刻的變革。如果不進行以社會主義爲前途的人民革命，就不可能推翻帝國主義、封建主義、官僚資本主義，不可能把黑暗的中國變成光明的中國。如果新中國建立以後不走社會主義道路，不堅持人民民主專政，就不可能維護國家的統一和民族的獨立，不可能逐步實現人民共同富裕的願望。如果今後不堅持社會主義，而是像有人主張的那樣退回去走資本主義道路，用勞動人民的血汗去重新培植和養肥一個資產階級，在我國人口衆多、社會生產力水平很低的情況下，只能使大多數人重新陷入極其貧困的狀態。這種資本主義，只能是原始、買辦式的資本主義，只能意味着中國各族人民再度淪爲外國資本和本國剝削階級的雙重奴隸。總之，正如毛澤東同志和鄧小平同志所指出的，只有社會主義才能救中國，只有社會主義才能發展中國。

社會主義制度是在自身基礎上不斷發展和完善的制度。在社會主義條件下，我們的根本任務是以經濟建設爲中心，大力發展社會生產力。立足本國國情，總結實踐經驗，根據社會生產力的現實水平和進一步發展的客觀要求，自覺調整生產關係中與生產力不相適應的部分，調整上層建築中與經濟基礎不相適應的部分，這就是我們所說的社會主義改革。如果不進行這樣的改革，就會窒息社會主義內在的活力和生機，就會嚴重妨礙社會主義優越性的發揮。十一屆三中全會以後，我們黨把改革開放納入黨的基本路綫，開創了我國社會主義事業發展的嶄新局面。十年的巨大成績證明，改革開放的總方針、總政策是完全正確的，必須堅定不移地貫徹下去。

發揚愛國主義精神，堅持獨立自主、自力更生的方針，是中國革命也是中國社會主義建設取得勝利的一條根本經驗。在當代中國，愛國主義和社會主義，本質上是統一的。歷史證明，堅定捍衛中華民族尊嚴、期望中國繁榮昌盛的愛國者，大都會成爲忠誠的社會主義者或社會主義的可靠朋友。中國人民的愛國主義和自力更生精神，是社會主義現代化建設的强大力量。我們的社會主義事業，就是在打破外國敵對勢力對我國的孤立、封鎖和挑衅的過程中鞏固和發展起來的。中國人民從來沒有、今後也決不會屈從於任何外來壓力，決不會放棄社會主義道路和民族獨立來換取別人的施捨。我們一貫歡迎和爭取各國人民對我們事業的支持。在新的形勢下，我們更加重視利用有利的國際條件，堅持對外開放，以加速我國的社會主義現代化建設。

用馬克思列寧主義、毛澤東思想武裝起來的中國共産黨，是中國工人階級的先鋒隊，是中國各族人民利益的忠實代表，在國家獨立和發展的過程中擔負着極其重要的使命。中國共産黨成爲中國革命和建設的領導核心，是人民在長期實踐中做出的正確選擇。黨是在戰勝困難、克服失誤、總結歷史經驗的過程中逐步成熟起來的。40年來的成就，是在我們黨的正確領導下，依靠全國人民的努力取得的。錯誤和挫折的發生，問題也往往主要出在黨內。黨的狀況如何，對於國家和民族的命運具有決定性的意義。我們必須嚴肅地毫不留情地剖析和堅決糾正工作中的失誤，解決黨內存在的問題。我們必須科學地歷史地總結經驗，客觀地全面地認識現實。只要堅持這樣做，我們黨一定能夠不辜負人民的期望，在實現新的歷史任務中寫下燦爛的篇章。

立足於以上的基本結論，我們要更加堅定不移地把馬克思主義普遍眞理和我國的具體實際結合起來，走自己的路，建設有中國特色的社會主義。鄧小平同志關於建設有中國特色社會主義的理論，是經過十年實踐檢驗而爲億萬人民所認識和接受的科學理論，是指引我們繼續前進的旗幟。在整個社會主義初級階段，我們必須堅定不移地執行黨的十三大制定的基本路綫：領導和團結全國各族人民，以經濟建設爲中心，堅持四項基本原則，堅持改革開放，自力更生，艱苦創業，爲把我國建設成爲富强、民主、文明的社會主義現代化國家而奮鬥。當前，我們必須同心協力，鞏固和發展制止動亂、平息反革命暴亂的勝利成果，鞏固和發展安定團結的政治局面，努力實現國民經濟的穩定發展。

這里，我着重講一下當前黨和國家工作中需要特別注意統一認識的若干重要問題。

㈠關於堅持四項基本原則和堅持改革開放相統一的問題。四項基本原則是立國之本，改革開放是强國之路，這已經成爲全黨同志、全國各族人民的共同認識。許多事實告訴我們，在改革開放問題上，實際上存在着兩種截然不同的主張。一種是黨中央和鄧小平同志一貫主張的堅持社會主義道路，堅持人民民主專政，堅持共產黨的領導，堅持馬列主義、毛澤東思想的改革開放，即作爲社會主義制度自我完善的改革開放。另一種是堅持資產階級自由化立場、要求中國“全盤西化”的人所主張的同四項基本原則相割裂、相背離、相對立的“改革開放”。這種所謂“改革開放”的實質，就是資本主義化，就是把中國納入西方資本主義體系。我們必須明確劃淸兩者的根本界限。當前四項基本原則和資產階級自由化的尖銳對立，可以說在很大程度上表現在改革開放要不要堅持社會主義方向這個問題上。我們在制訂和貫徹現代化建設的各項方針、政策、措施、方案的時候，都要堅持把四項基本原則和改革開放有機地統一起來，把四項基本原則具體落實到各項工作中去。我們一定要正確地、更好地實行改革開放，使我國社會主義的經濟體制和政治體制進一步完善起來，以促進國民經濟和其他社會事業更好更快的發展。黨中央和國務院已經宣佈的有關改革開放的各項政策、措施，包括經濟特區和沿海開放地區的基本政策、措施，要繼續貫徹執行並在實踐中逐步加以完善。已經確定試點的改革，正在進行綜合改革試驗的地區，要繼續試點和試驗，並認眞總結經驗。我們要進一步發揚勇於探索、勇於創新的精神，把改革開放事業繼續推向前進。

㈡關於我國經濟發展的戰略部署和治理整頓問題。根據鄧小平同志的提議，我們黨制定了社會主義現代化經濟建設大體分三步走的戰略目標。第一步，實現國民生產總值比1980年翻一番，解決人民的溫飽問題；第二步，實現到本世紀末國民生產總值再翻一番，人民生活達到小康水平；第三步，到下個世紀中葉，基本實現現代化，人均國民生產總值達到中等發達國家水平，人民過上比較富裕的生活。然後，在這個基礎上繼續前進。這個戰略目標，既不是急於求成，也不是無所作爲，而是符合我國實際，經過努力可以實現的。在實現這個戰略目標的整個過程中，要堅持把教育放在優先發展的戰略地位，把經濟發展逐步轉到依靠科技進步、不斷提高勞動效率的軌道上來，嚴格控制人口增長，提高人口素質，合理利用資源，注意保護生態環境。這些都是至關重要的。現在，第一步已經基本實現，正在實現第二步，這是最關鍵的一步。爲了完成這個任務，當前必須堅定不移地繼續貫徹治理整頓、深化改革的方針，力爭用三年或者更多一些時間，從根本上緩解社會總需求超過總供給的矛盾，逐步消除通貨膨脹，使國民經濟走出困境。我們當前面臨的經濟困難，是幾年來積累下來的。對困難要有足夠的估計，這比估計不足要主動得多，同時也要看到克服困難的有利條件。在前30年建設的基礎上，經過這十年的改革開放和發展，我國經濟實力有了很大的增强。經過一年來治理整頓的實踐，我們的認識更趨一致。我們的發展前景是光明的。全黨同志必須充分發揚艱苦奮鬥、勤儉節約的精神，以身作則，同全國人民一道，過幾年緊日子。在治理整頓期間，更要强調適當集中，逐步提高國家財政收入在國民收入中的比重，提高中央財政收入在國家財政收入中的比重。中央不掌握必要的財力，就不可能保證重點建設和治理整頓任務的實現。必須加强中央的權威，反對分散主義，以利於領導國民經濟持續、穩定、協調發展。治理整頓絕不是倒退，絕不是不要改革。治理整頓不僅爲深化改革和保證改革健康發展創造條件，而且它本身也需要改革的配合。任何把治理整頓同改革分割開來、對立起來的觀點和行爲都是不正確的，對治理整頓不積極也就是對改革不積極。

㈢關於堅持計劃經濟與市場調節相結合的問題。我們的社會主義經濟，是公有制基礎上的有計劃的商品經濟。這種商品經濟，同私有制基礎上基本由市場自發調節的資本主義商品經濟，有着本質的區别。在總體上自覺實行有計劃、按比例地發展國民經濟，是社會主義制度優越性的體現，是社會主義經濟的一個基本特徵。對過去那種集中過多、統得過死的計劃體制，毫無疑義要進行改革。十年來，我們在實行計劃指導的同時，發揮市場調節的積極作用，取得了促進國民經濟發展，繁榮市場，提高人民生活水平的顯著效果。當然，如果一味削弱乃至全盤否定計劃經濟，企圖完全實行市場經濟，在中國是行不通的，必將導致經濟生活和整個社會生活的混亂。在當前對國民經濟進行治理整頓的過程中，要更多地强調計劃的指導作用，同時進一步整頓和健全市場秩序。我們要在實踐中不斷探索，努力創造一種適合中國情況的、把計劃經濟和市場調節有機結合起來的社會主義商品經濟運行機制。計劃經濟和市場調節結合的程度、方式和範圍，要經常根據實際情況進行調整和改進。這是一個重大的理論問題和實踐問題。希望全黨同志特别是經濟工作者要爲此而付出艱苦努力，以求得這個問題的逐步解决。

㈣關於堅持公有制爲主體、發展多種經濟成份的問題。在我國經濟發展中，我們要繼續堅持以公有制爲主體、發展多種經濟成份的方針，發揮個體經濟、私營經濟以及中外合資、合作企業和外資企業對社會主義經濟的有益的、必要的補充作用。堅持這個方針，是爲了更好地發揮社會主義經濟的優越性，促進我國經濟的更快發展，絕不是要削弱或取消公有制經濟的主體地位，更不是要實行經濟“私有化”。非公有制經濟在我國國民經濟中所佔比重和發展領域，要根據我國現實的生產力水平和客觀需要來確定，不能簡單地把它所佔比重的大小作爲衡量改革成績的標誌。國家要在資金、信貸、能源、原材料供應等方面支持公有制經濟的發展，同時深入改革公有制企業的管理體制。全民所有制大中型企業是我國社會主義現代化建設的主要支柱，是國家財政收入的主要來源。充分發揮它們的骨幹作用，對我國經濟發展具有特殊重要的意義。我們既要從宏觀上爲它們提供必要的條件，又要鼓勵它們加强企業內部的基礎工作，改善經營管理，開展技術改造和技術革新，充分挖掘內部潛力，以促使它們增强自負盈虧、自我積累、自我發展、自我約束的能力，更好地發揮公有制經濟的優勢和主導作用。國家支持大中型國營企業的發展，也要根據產業政策和實際可能，分別輕重緩急，有計劃有步驟地進行，不能平均使用力量。在我國現階段，發展從屬於社會主義經濟的個體經濟、私營經濟，對於發展社會生產、方便人民生活、擴大勞動就業，具有重要的不可缺少的作用。十年來改革的實踐，充分證明了這一點。我們的方針，一是要鼓勵它們在國家允許的範圍內積極發展；二是要運用經濟的、行政的、法律的手段，加强管理和引導，做到既發揮它們的積極作用，又限制其不利於社會主義經濟發展的消極作用。

㈤**關於堅持按勞分配爲主體的多種分配形式，防止和糾正社會分配不公的問題**。發展以公有制爲主體的多種經濟成份，必然要求分配體制上實行以按勞分配爲主體的多種分配形式。我們通過改革，在建立健全這種分配體制方面，已經取得了進展。我們提倡在共同富裕的目標下，一部分人通過誠實勞動和合法經營先富裕起來。這個政策是正確的，要繼續貫徹執行。同時也要看到，我國目前分配領域中存在的問題很多，有些還相當嚴重。一方面在企業事業單位黨政機關中靠工資收入的職工之間，平均主義的分配現象尚未完全克服，在有些地方、部門和領域中甚至還有所滋長，另一方面又出現了收入過份懸殊的新的社會分配不公。這種情況，主要表現在廣大靠工資收入的職工、幹部、知識分子同許多非生產領域的公司人員之間，同某些從事“第二職業”者之間，特別是同私營企業和部分個體勞動者之間，收入的差距過大。這已經引起全社會的廣泛關注和勞動羣衆的强烈不滿。社會分配不公不僅是一個經濟問題，而且是一個社會問題和政治問題。它挫傷了廣大職工、幹部、知識分子的積極性，助長了消費基金膨脹，特別是以投機倒把、行賄受賄、貪污盜竊等手段牟取暴利的現象，已經產生擾亂經濟秩序、敗壞社會風氣、影響社會安定的嚴重後果。因此，我們必須高度重視和認眞加以解決。對合法收入要予以保護，對過高收入要通過稅收進行必要的調節，對非法收入要堅決取締，同時逐步改善收入偏低的腦力體力勞動者的生活待遇。目前還有相當一部分固定資產投資和流動資金的投入，被不適當地轉化爲消費基金，嚴重影響了經濟的發展和後勁，一定要堅決加以糾正。與此同時，我們還必須堅持物質鼓勵與精神鼓勵相結合的原則，糾正“一切向錢看”的錯誤傾向，以充分發揮和保護廣大勞動者的積極性。

㈥**關於加强農業等基礎產業和調整經濟結構的問題**。爲了保證國民經濟的持續、穩定、協調發展，必須從我國現代化建設的長遠戰略着眼，從當前產業結構嚴重不合理的實際情況出發，加强基礎產業，調整產業結構，努力增强我國經濟和社會發展的後勁，克服追求表面繁榮的短期行爲。要大力加强農業，加强能源、交通、通信、重要原材料等基礎工業和基礎設施，確保科學技術和教育的發展，嚴格控制加工工業和非生產性建設的規模與速度。爲此，一定要繼續壓縮固定資產投資規模，嚴格控制消費基金增長速度，大力開展增產節約運動，逐步實現財政、信貸、外滙、主要物資的平衡。要集中財力、物力用於農業等基礎產業的建設，提高整個社會的生產能力。這是我們國家的大局和各族人民的根本利益，關係到整個社會主義現代化建設的前途。因此，我們必須提倡眼前利益服從長遠利益，局部利益服從整體利益，個人和集體利益服從國家利益。

農業特別是糧食生產的穩定增長是整個國民經濟發展的基礎。11億人的吃飯問題，只有依靠我們自己採取正確方針，進行持久努力，不能依靠任何別人代替我們解決。任何時候都不能忘記這個最基本的國情。發展農業，一要繼續深化農村改革，執行穩定的農村政策，完善多種形式的聯產承包責任制，建立和健全產前、產中、產後服務體系。同時，在有條件的地區，要根據農民自願的原則，穩妥地推進適度規模經營。二要積極推廣先進的農業科學技術成果，有計劃地組織農業區域開發，發展新的生產力，使農林牧漁業全面發展。三要增加國家、地方、集體和農民對農業的投入，擴大農田水利基本建設，大力發展農用工業，改善農業生產條件，堅決糾正盲目佔用和浪費耕地的現象。要在大力加强農業的前提下，繼續鼓勵和引導鄉鎮企業健康發展。鄉鎮企業要有計劃地進行整頓，合理控制發展速度，認真調整產業結構，改善經營管理和經營作風。

㈦關於社會主義民主和法制建設的問題。（略）

㈧關於社會主義精神文明建設問題。（略）

㈨關於加强工人階級領導、鞏固工農聯盟和增强全國各族人民大團結的問題。（略）

㈩關於加强黨的建設問題。（略）

堅決貫徹治理整頓和深化改革的方針

國務院總理李鵬1989年3月20日在第七屆全國人民代表大會第二次會議上的政府工作報告（節錄）

各位代表：

治理經濟環境和整頓經濟秩序，是今明兩年我國建設和改革的重點，也是政府工作的重點。因此，我代表國務院，主要就這個問題向大會作政府工作報告，請予審議。

一、一心一意進行治理整頓

1988年是我國實行改革開放的第十年。十年來，我國各個方面都發生了巨大的歷史性變化，社會生產力有了很大的發展，國家經濟實力顯著增强，城鄉人民生活明顯改善。實踐證明中國共產黨十一屆三中全會以來的路綫是正確的。剛剛過去的1988年，是我國社會主義現代化事業繼續向前發展的一年。

國民經濟持續增長。全年國民生產總值達到13853億元，按可比價格計算比上年增長11.2%，國民收入達到11533億元，按可比價格計算比上年增長11.4%。在全國自然災害頻繁的情況下，糧食減產2.2%，棉花減產1.1%，但其他許多農產品和多種經營進一步發展，整個農業總產值仍然增長3.2%。廣大農民積極交售糧食，支援國家建設，全國糧食收購任務已基本完成。工業生產、交通運輸和郵電事業持續發展。鋼、煤、電、石油等產量有較大增長，市場緊俏的日用工業品和農用工業品增長更快。工業企業全員勞動生產率比上年提高9.3%，每萬元工業產值的能源和電力消耗分別比上年下降5.63%和5.75%。在生產增長的基礎上，城鄉多數人的生活繼續有所改善。

重點建設取得新成就。全國建成投產大中型基本建設項目78個，大中型項目中的重要單項工程138個。一批重點電站、煤礦、鐵路和港口建成投產，爲現代化建設增添了後續力量。全國新增的主要生產能力有：發電裝機容量999万千瓦，原煤開採3090萬噸，原油開採1577萬噸，乙烯60萬噸，水泥246萬噸，平板玻璃792萬重量箱，鐵路交付營業里程419公里，鐵路複線里程820公里，鐵路電氣化里程1487公里，沿海港口吞吐能力878萬噸。

經濟體制改革繼續深入。企業承包經營責任制逐步改善，企業活力進一步增强。許多企業經過優化勞動組合，提高了勞動生產率。商品、資金、技術、勞務和外滙調劑等市場有了新的發展。在宏觀調控方面，逐步進行了計劃、投資、物資、金融、外貿等方面的體制改革，初步加强了財政、稅收、銀行、物價、審計、海關、工商行政等方面的管理。

對外開放進一步擴大。進出口總額突破1000億美元，比上年增長24.4%，工業製成品的出口比重有了提高。實際利用外資98.4億美元，比上年增長16.4%。新批准外商投資企業5940家，是十年來最多的一年。對外承包工程和勞務合作完成營業額近13億美元。國際旅遊業創滙22.2億美元，比上年有較多的增加。

在經濟發展的基礎上，科技、教育、文化、衞生和體育等事業取得了新的成就。核潛艇水下發射運載火箭試驗圓滿成功，北京正負電子對撞機對撞成功，說明我國在高技術領域的若干方面取得了顯著進展。社會主義民主和社會主義法制建設得到加强。國務院的機構改革，已按七屆人大一次會議批准的方案基本完成。公安、安全、司法等部門爲維護社會治安做了大量工作。人民軍隊在保衞祖國和支持社會主義現代化建設中，在搶險救災中，發揮了巨大的作用，作出了卓越的貢獻。

我們在各項工作取得成績的同時，面臨的問題和困難也不少，最突出的是出現了明顯的通貨膨脹，物價上漲幅度過大，全國零售物價總指數比1987年上升18.5%。物價上漲幅度這麼大，超越了羣衆、企業和國家的承受能力，相當一部分城市居民的實際生活水平有所下降。這些情況引起了社會的普遍關注和羣衆的嚴重不安，影響了社會的安定和羣衆對改革的信心。如果不採取堅決措施遏制通貨膨脹，不僅經濟無法穩定和發展，各項改革也無法深入下去。

通貨膨脹的加劇，是經濟過熱、投資需求和消費需求雙膨脹、社會總需求超過總供給的結果。全國在建的固定資產投資項目過多，規模過大，超過了國力承擔的可能；消費需求過旺，社會購買力的增長超過了商品供應量的增長；國家財政支大於收，信貸規模過大，貨幣發行過多。在供求總量不平衡的同時，經濟結構失調，農業發展滯後，有限資源過多地投入加工工業和非生產性建設，在工業生產高速增長的情況下加劇了能源、原材料和運輸能力的緊張程度。一些單位和個人爲謀取私利，非法倒買倒賣，層層盤剝，製造和出售僞劣商品，更推動了物價上漲，加劇了經濟秩序的混亂。

上述情況的產生，是同新舊體制轉換時期還不可能很快形成一套自我調節、自我約束的新機制分不開的。但與此同時，我們在對工作的指導上也有缺點和失誤。總的來看，在經濟建設中，存在着急於求成的傾向。我們的國家是發展中國家，需要有一定的經濟增長速度，但往往忽視國家人口衆多、資源相對短缺、經濟發展很不平衡的實際情況，在指導上對盲目擴大建設規模、片面追求產值產量、攀比發展速度等現象注意防止不夠，糾正不力。改革的方向是正確的，總體上是成功的，但我們在指導上往往對改革的艱巨性和複雜性認識不足，注意綜合配套不夠，在堅持放權搞活的過程中，未能及時加强管理監督和抓緊建立宏觀調控體系。我們在去年初制定了穩定經濟、深化改革的方針，但由於後來對1987年經濟形勢的估價過於樂觀，因此在執行中沒有堅持把穩定經濟放在首位，行動不堅決，措施不得力。我們認識到了價格改革在整個經濟體制改革中的重要地位，但在實際工作中對國家、企業和羣衆的承受能力考慮不夠，在通貨膨脹已經比較明顯的情況下沒有及時採取穩定金融、控制物價的有力措施，又放開、調整了一些商品價格，以致加劇了羣衆對物價上漲的恐慌心理，在許多地方誘發了搶購商品和儲蓄下降。

中國共產黨於去年9月召開的十三屆三中全會，正確地分析了我國的經濟形勢，提出了治理經濟環境、整頓經濟秩序、全面深化改革的方針，確定了今明兩年要把建設和改革的重點放到治理整頓上來的部署。爲了貫徹落實這樣的方針和部署，必須把穩定、改革和發展統一起來，在穩定中推進改革和求得發展。從今年起，我們要用兩年或者更長一些的時間，努力實現治理整頓所要達到的目標：㈠消除經濟過熱，把發展速度降到比較合理的水平。㈡遏制通貨膨脹，使1989年物價上漲幅度明顯低於1988年，1990年以後的上漲幅度進一步下降。㈢壓縮固定資產投資規模，使它同國力承擔的可能相適應；控制消費基金的過快增長，使它同國民收入的增長相適應。㈣逐步緩解社會總需求大於總供給的矛盾，實現財政、信貸、物資、外滙的基本平衡。㈤認眞調整經濟結構，使糧、棉、油等主要農產品的產量有較多的增加，使能源、交通、原材料供應的緊張狀況有所緩和。㈥建立健全必要的經濟法規以及宏觀調控體系和監督體系，積極推進社會主義商品經濟新秩序的建設。只有實現這些目標，才能使我國經濟的素質和效益明顯提高，保證國民經濟的長期穩定發展。

中共十三屆三中全會以後的半年來，國務院和各級政府爲治理經濟環境和整頓經濟秩序，做了大量的工作，取得了初步成效。

——大力壓縮固定資產投資規模。截至今年2月底，全國已經停建緩建固定資產投資項目18000個，可壓縮今後幾年的投資647億元，佔全部項目剩餘工作量的12%。但是，清理、壓縮的目標尚未達到，任務還十分艱巨。

——控制信貸規模、增加儲蓄和穩定金融。由於實行了緊縮金融的方針，信貸規模得到控制。銀行兩次提高儲蓄利率和開展保值、有獎儲蓄，發揮經濟槓桿的作用，全國城鄉居民儲蓄存款逐步回升。現在，一方面全國貨幣發行量仍然過大；另一方面不少地方和企業又感到資金緊缺，這需要在堅持緊縮金融的前提下通過調整信貸結構等措施認眞加以解決。

——壓縮社會集團購買力。專項控制商品由19種擴大到32種，去年的零售額比上年下降9.1%。縣以上單位去年的集團消費比上年增長1.8%。利用公款吃喝、請客、送禮、旅遊等現象，在黨政機關有所減少。但各方面的鋪張浪費仍很嚴重，必須繼續抓緊解決。

——開展了全國性的財務、稅收、物價大檢查，共查出應上繳財政的違紀金額74.1億元，已上繳56.5億元。通過檢查，處理了一批偸稅漏稅、截留利潤、亂漲價亂收費和貪污受賄、監守自盜等違法案件，初步加强了稅收、財務和物價管理。

——整頓流通領域的秩序。各類公司的清理整頓正在抓緊進行，重點清查了1986年以來新成立的公司和流通領域的公司。截至今年1月底，已撤併不具備條件和不該辦的公司17092個；在黨政機關辦的24187個公司中，已有近兩萬個撤併或同機關脫鈎，約佔80%。在公司兼職、任職的黨政機關在職幹部和離退休幹部4萬多人中，已有70%以上辭去公司職務或機關職務，或已按規定辦理了相應手續。黨政機關經商辦企業的現象，已基本得到制止。在清理中查處了一批違法違紀案件，其中包括一些大案要案。清理整頓公司的工作，還要繼續深入進行下去。對一些重要產品和緊俏商品加强了管理，有的實行了專營，使抬價搶購和非法倒賣行爲有所收斂，對建立市場秩序和穩定物價起了積極作用。

——努力增加有效供給。在壓縮社會總需求的同時，從資金、物資、外滙和運輸等各個方面，大力支持糧、棉、油、肉、禽、蛋、蔬菜等農副產品的生產，支持人民生活必需的日用工業品的生產，支持市場緊俏商品和出口創滙產品的生產，基本上保證了國內市場的供應和發展對外貿易的需要。今年元旦和春節的節日市場，貨源比較充足，商品比較豐富。

經過半年來的工作，經濟過熱開始降溫，物價上漲勢頭有所減弱，羣衆對物價的緊張心理有所緩和，城鄉市場基本穩定。

我們認為，對半年來的治理整頓，應該作兩點基本估計：第一，事實證明，中共中央、國務院確定的治理整頓的方針政策和措施是正確的。只要毫不動搖地堅持執行這些方針政策和措施，並及時研究新的情況，解決新的問題，就一定能夠克服前進道路上的困難。第二，已經取得的成效僅僅是初步的，同治理整頓所要達到的目標還有很大的差距。現在還有不少同志對治理整頓的必要性和艱巨性認識不足。治理整頓本身的難度很大，還會在某些方面帶來一些新的困難，但如果不堅持治理整頓，各方面的困難會更大。我們只能知難而進，決不能半途而廢。

為了堅定不移地搞好治理整頓，必須在思想認識上進一步解決好以下三個問題。一是，各級政府、政府工作人員特別是負責工作人員，必須堅決維護中共中央的領導權威，堅決維護國務院對政府工作的領導權威，堅決維護法紀政紀的權威，切實做到有令則行，有禁則止。歷史的經驗反覆證明，調整經濟，克服困難，沒有必要的集中統一，沒有嚴格的組織紀律，是根本不可能的。二是，進行治理整頓，必然要對現有的利益格局進行必要的調整。一切地方、部門和單位，都要顧全大局，牢固樹立局部利益服從全局利益的觀念。如果不是這樣，大家都不放棄有礙全局的既得利益，治理整頓就會成為紙上談兵。三是，在治理整頓期間，政府和人民都要有過幾年緊日子的思想準備。從國務院開始，各級政府和各部門，廣大幹部特別是領導幹部，要帶頭勤儉節約，艱苦奮鬥，堅決克服鋪張浪費現象。只要我們以身作則，並把要過緊日子的客觀要求向羣衆說清楚，相信廣大人民是會理解和支持的。總之，國務院要求各級政府和各部門的負責人進一步提高認識，把思想、行動統一到中共中央、國務院的方針政策上來，同心同德，團結羣衆，一心一意狠抓治理整頓，為穩定經濟、深化改革進行堅持不懈的努力。

二、當前治理整頓的重點仍然是壓縮社會需求（略）

三、認眞整頓經濟秩序特別是流通秩序（略）

四、在治理整頓中認眞調整經濟結構（略）

五、在治理整頓中確保科技和教育的發展（略）

六、把治理整頓同深化改革密切結合起來（略）

七、在治理整頓中積極發展對外開放

這次治理整頓和經濟調整與歷次的經濟調整不同，是在對外開放的條件下進行的。國際經濟環境對我們比較有利。我們必須充分利用這個有利條件，擴大對外貿易和加强對外經濟技術合作，使對外開放與治理整頓互相促進。

必須堅持執行沿海地區發展戰略，繼續發展外向型經濟。這樣做有利於緩解國內原材料供應緊張的矛盾，充分發揮國內勞動力資源豐富的優勢，促進治理整頓目標的實現。沿海地區要抓住時機，揚長避短，及時調整經濟結構，不斷提高經濟素質，努力增加“兩頭在外”產品在出口貿易中的比重。要採取切實有效的措施，進一步利用“以進養出”、“三來一補”等多種與外商合作的形式，大力開拓國際市場。沿海地區也要積極治理經濟環境，整頓經濟秩序，在發展外向型經濟時同樣不能一哄而起，齊頭並進，也不能競相擴大對外開放的優惠條件，更不能在追求高消費上互相攀比。要正確處理沿海和內地的經濟關係，使它們能夠在平等互利的基礎上分工協作，互相促進，共同發展。

努力保證今年對外貿易的持續發展，對穩定經濟全局非常重要。要積極發展出口生產，繼續貫徹執行有關鼓勵出口的政策措施。從治理整頓的需要出發，外貿出口要堅持內外銷統籌兼顧的原則，調整出口結構，逐步減少資源性產品、初加工產品的出口比重，增加機電產品等工業製成品的出口，發展創滙農業產品的出口，增加深度加工和高技術產品的出口，並且要更新花式品種，提高產品質量，增强在國際市場上的競爭能力。外貿企業要進一步加强和改善經營管理，努力挖掘潛力，提高資金使用率。要發揚我國“重合同、守信用”的傳統，努力克服目前外貿工作中的缺點，提高我國的外貿信譽。外貿進口也要根據治理整頓和產業政策的要求作適當調整，嚴格限制一些高檔消費品的進口，把有限的外滙用於進口工農業生產和國家重點建設急需的原材料、農業生產資料、先進技術、關鍵設備和零部件，緩解國內市場的供求矛盾，促進經濟發展。要有計劃有組織地擴大邊境貿易，協調發展旅遊事業，積極關拓國際承包勞務市場，提高對外承包工程和勞務合作的經濟效益，努力增加外滙收入。

積極利用外資和引進先進技術，是我們長期不變的旣定政策。無論是當前還是今後，吸收外資和引進技術都必須符合我國的產業政策。要鼓勵和吸引外商來我國多辦一些獨資企業，多辦一些利用我國現有企業進行改造的合資合作企業。必須加强對外滙外債的統一管理，適當控制外債規模，提高外資的使用效益。繼續改善投資環境，健全經濟法制，幫助外商解決實際困難，保障外商依法從事經營活動。同外商已經簽定的協議和合同，必須恪守信譽，嚴格履行。

近幾年來外貿體制改革的方向是正確的，成績是主要的。在治理整頓中，繼續深化外貿體制改革，切實加强宏觀管理和監督，執行國家統一的貿易政策，建立對外貿易的良好秩序，克服對外貿易中的紊亂現象。對前段時期進出口經營權的下放情況，要進行一次認眞的清理和整頓，對不符合條件的，沒有信譽的，取消其經營權。今後進出口經營權主要授予那些有條件有資信的大中型企業或企業集團，支持他們按照國家政策放手經營，開拓國際市場。

八、努力創造良好的穩定的社會政治環境（略）

堅定不移地改革開放　理直氣壯地治理整頓

國務院總理李鵬1989年8月15日在國務院全體會議上的講話（節錄）

今天的會議，是北京平息反革命暴亂之後舉行的第一次國務院全體會議。會議的主要議題是佈置今後五個月的經濟工作。最近，國務院常務會議和中央政治局會議討論了當前的經濟形勢和任務。剛才國家計委甘子玉同志的發言，就是根據這兩次會議精神講的；農業部何康同志、物價局成致平同志作了補充發言。呂培儉同志就審計康華等五個公司的情況向會議作了滙報。現在我再講幾點意見，重點是講經濟工作。

三、關於經濟政策的幾個問題

十三屆四中全會以後，通過學習鄧小平同志的幾次重要講話和全會的有關文件，在統一思想、統一行動上起了重要作用。現在，這個學習還在繼續深入進行。目前反映上來的一個問題是，對以前實行的各項改革開放措施應當怎麼看，是不是還繼續執行？有些同志在這個問題上心中沒底，因此有必要講一講。

1. 十三屆四中全會以前正式出台的各項改革開放措施，凡是經過中央或國務院討論決定的，經過國務院制定了條例、法規的，經過人大制定了法律的，都要繼續貫徹執行。

例如《企業法》就是人大通過的法律，與之配套的三個條例（廠長負責制，職工代表大會制和企業黨委工作條例）也是正式頒發的文件，我們要繼續執行，要保障法律和法規的嚴肅性。當然，在執行企業法和三個條例的同時，要注意加强黨的建設，加强黨委對企業思想政治工作的領導，發揮黨委的保證監督作用。

又如四大包乾——地方財政包乾、外貿外滙包乾、鐵路、煤炭等行業包乾和企業實行的各種經營承包制度。這些，有的是發了文件，有的是定了合同。這些包乾在有效期內還要繼續執行，並且加以完善。這里也應指出，實行承包辦法以來，我們看到了它積極的一面，這應當給予肯定。同時，也看到了它消極的一面，主要就是它會引發短期行爲。對於這個問題，我們的態度是兩條：第一，保持政策的相對穩定性，不能隨意改變。這樣做，對穩定人心、穩定隊伍、穩定經濟是有好處的。第二，認眞總結經驗，研究完善的措施和進一步深化企業改革的辦法。今後，凡是大的改革措施出台以前，都要有科學的實施方案，都要經過試點，還要做好必要的宣傳輿論工作，使我們的改革既積極又穩妥地、扎扎實實地進行下去。

其他方面的改革措施和政策，如在廣大農村實行的聯產承包責任制，這是關係到穩定中國8億農民的大政策，實踐證明它是符合我國廣大農村生產力發展水平的，要繼續實行下去。當然，在有條件的地方，在羣衆自願的基礎上也可以發展適度的規模經營、發展集體經濟；再如發展企業橫向聯合及企業集團，沿海地區發展兩頭在外企業等等，都應按照上述原則處理。

我們將努力改善投資環境，繼續歡迎外國投資者來華開辦"三資"企業，發展外向型經濟。

我們將在不危害主權和平等互利的原則下使用國外和境外的各種貸款，主要用於交通、能源、原材料和通訊等基礎設施的建設。中國是守信譽的，具有充分的償還債務的能力。

2. 關於改革的試點問題。凡是過去改革中沒有確定全面推廣而是進行試點的辦法和措施，如企業的股份制、住房制度改革等等，還可以有領導有步驟地進行試點。同時，我們還要提出一些新的題目加以研究。比如如何建立起適合中國國情的宏觀調控體系，這就是一個大題目。希望有關部門抓住幾個題目，深入調查研究，提出方案來。

3. 關於治理整頓的時間和目標問題。前面已經說到，我國經濟中存在的主要問題，如社會總需求超過總供給，產業結構和產品結構不合理，缺乏宏觀調控手段等，都是前幾年積累下來的。在年初的政府工作報告中，我們提出要用兩年或者更長一點的時間基本完成治理整頓工作，並提出了六項目標。爲了實現這個任務，國務院已決定，由計委牽頭組織起草一個包括今年在內的三年治理整頓計劃的輪廓設想，明確三年以後我們要達到的具體目標。比如，物價上漲指數能否降到兩位數字以下，農產品和基礎工業產品的價格如何調整，財政赤字要縮小到多少；在生產結構和基本建設結構方面，調整到一個甚麼樣的程度，等等。總之，要明確達到了哪些目標，就可以認爲治理整頓任務基本完成了。這個輪廓計劃，要提交十三屆五中全會討論並提交明年的全國人民代表大會審議。

四、關於當前的國際形勢

對當前的國際形勢我們要有一個清醒的認識。在平息暴亂後，一些西方國家掀起的反華浪潮，雖然在國際上引起不小的震動，但其影響畢竟是暫時的、局部的。整個世界的大格局，國際形勢總的發展趨勢並沒有變化。世界面臨的依然是和平與發展兩大主題。美蘇兩家雖保持着對話的勢頭，但仍互爲主要對手，進行綜合國力的較量，爭奪的重點仍然在歐洲。世界多極化趨勢還在發展。這些國際形勢中長期起作用的根本因素都沒有改變。我們關於國際形勢從對抗轉向對話、從緊張轉向緩和的基本估計沒有變化，爲我國四化建設爭取一個較長時期的和平國際環境仍然是可能的。當然我們也應清醒地看到，可能導致形勢緊張甚至戰爭的因素還未消除，緩和的進程將是曲折的，反對霸權主義和維護和平的斗爭將是長期的。在國際形勢緩和的總趨勢下，不同社會制度、不同意識形態國家之間的斗爭，仍然是尖銳、複雜的。在一定的條件和氣候下還會變得非常激烈。

對這次反華浪潮，我們要有充分的估計，堅持原則、頂住壓力，又要看到這種局面是暫時的。只要我國一如既往地堅持執行獨立自主的和平外交路綫，堅持改革開放的方針，政局是穩定的、經濟是發展的，我們就一定能克服强加給我國的暫時困難，在國際事務中發揮應有的作用。

關於1989年國民經濟和社會發展計劃草案的報告(節錄)

國務院副總理兼國家計劃委員會主任　姚依林
1989年3月21日在第七屆全國人民代表大會第二次會議上的報告

1989年計劃的主要目標和任務

李鵬總理在政府工作報告中明確提出了治理、整頓所要達到的六項目標。按照這些要求和當前的實際情況，1989年國民經濟和社會發展計劃的主要目標和基本任務是，逐步消除經濟過熱，確保物價上漲幅度明顯低於1988年，力爭農業有一個好收成。爲此，首先要着重把當前過大的社會總需求壓縮下來，下大決心進一步壓縮固定資產投資規模，特別是預算外投資規模，使之逐步同國力承擔的可能相適應；嚴格控制消費需求的過快增長，使之同國民收入的增長相適應。在緊縮需求的同時，要努力增加有效供給，特別是增加糧、棉、油等主要產品的生產，並且從增產與節約兩個方面入手，努力使目前存在的能源、原材料供應和交通運輸的緊張狀況逐步有所緩和。壓縮需求、增加供給，必須同調整經濟結構結合起來，使有限的資源眞正擇優配置，明顯增進效益。

按照上述指導思想，1989年計劃的宏觀調控目標是：

——在提高經濟效益的前提下，保持適度的經濟增長率。農業生產比上年增長4%，工業生產增長8%；國民生產總值增長7.5%。

——全社會固定資產投資總規模，比上年水平壓縮20%以上，並按照國家產業政策，進一步改善投資結構。

——國家預算赤字和貨幣發行量都要低於上年。

——通過切實控制需求，增加和改善有效供給，做到全國零售物價指數上漲幅度明顯低於上年。

1989年計劃的具體任務，主要有以下幾個方面。

㈠堅決壓縮固定資產投資規模，調整投資結構。（略）

㈡控制消費需求過快增長，逐步緩解社會分配不公的矛盾。（略）

㈢爭取農業生產，特別是糧食、棉花、油料生產有較大增長。(略)

㈣將過高的工業速度降下來，並認眞調整生產結構。(略)

㈤妥善調整進出口商品結構，進一步擴大對外經濟合作和技術交流。治理經濟環境、整頓經濟秩序同堅持對外開放是互相促進的。堅持對外開放的方針，充分利用開放的有利條件，積極發展對外貿易和外向型經濟，可以調劑國內供需，增加有效供給，擴大出口創滙，有利於抑制通貨膨脹，減少治理整頓中的困難。另一方面，搞好治理整頓工作，可以爲對外開放、發展外向型經濟創造有利的環境。今年要進一步發展對外經濟合作和技術交流，繼續實施沿海地區經濟發展戰略。

要在合理調整進出口商品結構的基礎上，努力擴大對外貿易，增加外滙收入。要統籌兼顧內外銷的需要，逐步減少資源性產品、初加工產品的出口比重，增加機電產品等工業製成品的出口，並大力發展進料加工和來料加工。在進口安排上，要優先考慮關係國計民生的重要商品的進口，嚴格控制某些高檔消費品進口和重複引進技術與設備；對國內能自行生產供應的商品，要控制或禁止進口。

沿海地區要在治理、整頓中利用當前比較有利的時機，發揮自己的優勢，從實際出發，調整經濟結構，積極發展重要原材料供應和產品銷售兩頭在外的外向型經濟。要繼續引進國外的資金、先進技術和管理經驗，利用我國原有企業進行改造，興辦中外合資、合作企業，並繼續鼓勵外商來華興辦獨資企業。

㈥進一步發展科技教育和文化衛生體育事業。（略）

國務院副總理田紀雲在全國重合同、守信用，提高對外貿易信譽工作會議上的講話（摘錄）

1989年8月24日

同志們：

爲維護我國對外貿易信譽，經貿部召開這樣一個全國性的工作會議，很有必要。會議開得很好。我再簡單强調幾點。

一、必須高度認識重合同、守信用的意義，要把它作爲一件大事來抓。建國四十年來，我國對外貿易的信譽一直是好的，這是我們外貿得以不斷發展的一個重要因素。特別是實行改革開放以來，外貿發展的速度更快，成績很大。但是，近一、兩年來，出現了出口商品質量和合同履約率下降的問題。商品質量問題，履約問題，歸結到一點，就是個信譽問題。信譽是對外貿易的生命，是關係到我國社會主義現代化建設大局的一個重大問題。對外開放十年來，我國經濟同世界經濟的聯繫已經越來越密切了。而擴大出口，增加創滙，是這種聯繫的最主要的紐帶。從長遠看，擴大出口貿易是實現我國經濟發展戰略目標的需要。從近期看，也是貫徹治理整頓方針，穩步發展我國經濟和穩定大局的需要。我國的外貿必須進一步發展。要做到這一點，關鍵就在於要有高質量的出口商品，走以質取勝的道路；就必須重合同、守信用，樹立良好的對外信譽。這就是周總理生前一再强調的"重質先於重量"、"重合同、守信用"的原則。這是我國社會主義對外貿易的一個基本原則。十年改革開放促進了外貿出口的迅速發展。今後，改革開放的步子要邁得更穩、更好，甚至於更快，也需要外貿出口創收更多的外滙來支持。因此，重合同、守信用、講信譽，也是關係到能否更好地貫徹改革開放方針的一個重要問題。同時，還應當認識到，保證出口商品質量和維護外貿信譽，直接反映我們的民族精神，關係到我們國家的國際形象，這也是愛國主義精神的具體體現。對出口商品質量和合同履約率，決不能等閑視之，一定要提高到維護我國國際形象、增强出口創滙能力、堅持改革開放方針的高度來認識。必須在全國上下加强思想教育，高度重視和對待這個問題。

二、抓出口商品質量和履約，是當前治理、整頓外貿環境和秩序的一項重要內容，必須嚴肅認眞地對待這項工作。解決這個問題，措施必須有力，態度必須堅決。對出口商品質量的管理，我們是有法規和制度可依的，必須嚴格執法。

保證出口商品質量和按期履約，不僅經貿部門和外貿企業有責任，而且生產、收購、運輸、商檢等各有關部門和企業也有責任，必須互相協調配合，共同維護我國對外貿易的信譽。出口商品的生產單位，首先要在生產過程中和產品出廠前，認眞把好質量檢驗關，做到不合格的產品堅決不出廠。出口農副產品的收購單位，也要把好質量關，不合格的產品不收購。外貿企業在收購進貨時，要認眞驗收，把住進貨關，不合格的產品決不能收購，更不能出口。要嚴格執行合同，保證按期履約。商檢部門一定要鐵面無私，秉公執法，把好出口商品質量最後一道關。運輸部門也要千方百計爲出口服務，保證出口貨物按時入港、裝船。各個部門，各個環節都要負起責任來。哪個環節出了問題，要追究哪個環節的責任。一定要獎懲分明，好的要表揚和獎勵，壞的要批評和懲罰，違法行爲要嚴厲打擊。對那些不顧國家信譽，出口僞劣商品，對外造成嚴重影響的單位和有關責任者，一定要追查到底，嚴肅處理，決不能姑息遷就。

要提高出口商品質量和合同履約率，還需通過治理整頓創造比較良好的外貿環境和秩序。當前，首先要根據黨中央、國務院的決定，下決心大力清理整頓外貿公司。清理整頓公司要認眞，要堅決，決不能走過場。

三、國務院有關部門和地方各級政府都要高度重視維護我國外貿信譽，加强對這項工作的領導。在地方政府的領導下，由經貿部門具體負責，對本地區出口商品質量和外貿合同的履約情況進行一次普遍的檢查，各有關部門也要進行認眞檢查；針對存在的問題，擬訂改進措施和辦法，並立即貫徹執行。希望地方人民政府和有關部門在這方面多做一些工作，把這件事情切實抓好。

專　文

1989年我國對外貿易持續穩定發展

對外經濟貿易部進出口司司長　石廣生

1989年，我國對外貿易工作貫徹改革開放和治理整頓的方針，克服困難，積極進取，貿易額保持穩定增長。外貿環境和外貿秩序得到了初步的整治，進一步調動了外貿企業和有關方面的積極性；外貿企業的經營能力和對外信譽有了一定的提高，開始理順了一些前一段較混亂的經營渠道和橫向關係，企業經營的外部條件逐漸改善；出口商品結構和國別（地區）結構逐步優化；沿海、內地和邊遠地區注意發揮各自在貨源、經營、資金等方面的優勢；內銷與外銷的關係也趨向合理。按經貿部業務統計，1989年我國進出口貿易總額達825.9億美元，其中出口爲434.4億美元，比1988年增長6.9%。

1989年我國對外貿易工作在以下四個方面取得了較明顯的成績：

一、出口貿易在十分困難的條件下繼續保持穩定增長。1989年前5個月，由於國內資金、物價、貨源等方面遇到不少實際困難，外貿月出口額比上年同期下降。從7月份以後，出口貿易止降回升，超額完成了全年出口任務，並且比大幅度增長的1988年又增長了6.9%。全國絕大多數地區都超額完成了出口任務。出口額超過10億美元的省、市有：廣東省83.9億美元，上海市50.2億美元，遼寧省43.7億美元，山東省30.5億美元，江蘇省23.8億美元，浙江省17.7億美元，天津市16.9億美元，福建省16.4億美元，河北省15.96億美元，北京市11.3億美元，黑龍江省10.2億美元，湖北省10.1億美元。外貿專業總公司和一些工貿總公司的出口也比上年有所增長。出口額較多的是：化工總公司38.5億美元，紡織品總公司26.2億美元，粮油食品總公司16.7億美元，絲綢總公司13.3億美元，土畜產總公司8.3億美元，工藝品總公司8.1億美元，煤炭總公司5.6億美元，有色金屬總公司4.4億美元，電子總公司4億美元，機械總公司3億美元，輕工總公司3億美元，機械設備總公司2.5億美元，五礦總公司2.5億美元，煙草總公司2.5億美元，冶金總公司2.4億美元。

二、貫徹治理整頓方針，外貿環境和秩序得到改善。經貿部認眞抓了出口商品質量和合同履約工作。爲此，召開了建國以來第一次全國"重合同、守信用"提高對外貿易信譽會議，並制訂了措施予以落實；淸理整頓了一批經營不善或重複設置的外貿公司；對容易發生搶購"大戰"的商品採取防治措施，抬價搶購"大戰"普遍減少；批准各進出口商會成立了一批重點出口商品分會，加强了對出國展覽、展銷會的管理，改進和加強了廣交會的組織、管理工作，使廣交會重新成爲講文明、有秩序，具有國際水平的貿易場所，春、秋兩季交易會總成交額達110億美元。

三、保證了重要物資和人民生活必需品的進口。糧食、化肥、鋼材、木材等物資的進口情況較好，進貨及時，保證了生產建設的需要。小轎車、洗衣機、電冰箱等高檔消費品的進口比上年有較大下降。國家、地方和企業的分級進口體系和渠道逐步理順，進口管理進一步完善。全年進口貿易額爲391.4億美元，比1988年減少2%。

四、進出口商品結構趨於優化，出口國別(地區)結構繼續朝多元化發展。在出口商品構成中，工業製成品的比重由1988年的64.4%上升爲70%，初級產品比重進一步下降。在製成品中，深加工和技術密集的機械、電子產品比重有所增加，粗加工產品也朝着增加花色品種和提高檔次方向發展。國內供應偏緊的原材料出口按計劃得到了有效控制。1989年，美國、日本、西歐和港澳地區仍然是我出口的主要市場。但是從增長速度上看，我國與東南亞、南亞、西亞、拉美地區的發展中國家的貿易發展較快。與蘇聯和東歐國家的貿易方式更加靈活和多樣化，形成了協定貿易、易貨貿易、邊境貿易等多種方式和多層次、少環節的貿易渠道。

1989年中國的對外貿易是在激烈的國際競爭中發展的。資本主義發達國家的新貿易保護主義有所加强，它們進一步强化了非關稅壁壘措施來限制發展中國家出口。一些大宗初級產品價格疲軟。西方發達國家對高技術產品的貿易限制不斷升級。從我國國內經濟環境看，資金短缺、通貨膨脹仍然在一定程度上制約外貿特別是出口的增長。在這樣的條件下，我國外貿進出口仍取得較好成績，最根本的原因是國務院及有關部門、地方各級政府的重視和支持。同時，還有以下幾個方面的積極因素起着重要作用：

1.治理整頓始見成效，外貿環境有所改善。壓縮基建規模，抽緊銀根，使通貨膨脹率有所下降，出口貨源相對增加，同時對容易發生抬價搶購的商品進行了綜合治理；清理撤併了一些外貿公司和駐港澳的中資貿易機構；加强了對進出口商品的經營和市場的協調管理；外貿企業與工、農業生產的聯系向深度和廣度發展，聯營、合作、合資、代理等方式逐步發展和完善。生產支持外貿，外貿促進生產的良性循環機制開始發揮作用。

2.世界經濟持續增長。1989年，西方主要國家經濟繼續穩定增長，國際貿易也保持高速增長勢頭，世界貿易額超過2.8萬億美元。由於市場需求較旺，一些商品供不應求，價格趨挺。我國利用一些西方國家和新興工業化國家、地區調整產業結構的機會，發展適合我國的勞動密集型產品的生產和出口，並注重提高技術水平和商品質量，不斷增加花色品種，產品比較適銷對路。

3.深化改革。外貿全面實行承包經營責任制，體現了企業責、權、利的統一，使外貿企業既有壓力又有動力，自負盈虧、自主經營。外貿企業不斷改善經營和管理，提高經濟效益，增强了競爭能力和責任感。在貿易方式上採取傳統做法與靈活做法相結合。全國已經形成了一批有能力參與國際競爭的社會主義外貿企業。

4.各有關部門給予大力配合和支持。計劃、財政、銀行、海關、商檢、港口、運輸、保險、工商管理等有關部門重視和支持外貿工作，相互配合，爲對外貿易事業的發展做出了積極的貢獻。

新中國成立40年來，我國對外貿易取得巨大的發展，特別是1979年實行對外開放政策以後，對外貿易增長速度明顯加快。建國初期，我國的貿易伙伴主要是蘇聯和東歐國家以及近鄰友好國家。現在，我國的貿易伙伴已遍布全世界180多個國家和地區。1950年，我國進出口貿易總額僅11.3億美元，1989年達825.9億美元，是1950年的73倍；1950年，出口額爲5.5億美元，1989年達434.4億美元，是1950年的79倍。1950年出口商品中農副產品及其加工品佔出口總額的90.7%，工礦產品僅佔9.3%；到1989年，工業製成品在出口商品構成中的比例爲70%，僅機電產品出口就達60億美元，佔出口總額的13.8%。實行改革開放的11年間（1979～1989年），進出口貿易額累計達5883億美元，是1950~1978年29年間進出口累計總額的3.4倍。1989年與1979年相比，進出口總額增長1.8倍，出口額增長2.2倍。

1989年我國的對外貿易管理工作

對外經濟貿易部對外貿易管理司副司長　李國棟

1989年，我國的對外貿易管理工作是本着貫徹執行黨中央制定的關於治理整頓和深化改革的方針進行的。一是調整和充實了對外貿易管理機構；二是清理整頓各級各類對外貿易公司；三是改進和加强進出口許可證管理。這些工作，對保證我國對外貿易的持續穩定發展，爲深化改革和進一步對外開放創造了有利的環境和條件。

一、調整和充實對外貿易管理機構

近幾年，隨着我國外貿體制改革的深入進行和外貿經營權的下放，我國的對外貿易規模有了進一步的擴大，各類對外貿易企業在開展進出口業務方面有了更多的自主權。爲了保證外貿經營權下放後國家在宏觀上對進出口貿易有更大的調節和控制的能力，國家不僅注重通過深化改革，運用滙率、關稅、稅收、出口信貸等經濟手段來引導各類外貿企業的行爲，而且注意通過計劃、配額和進出口許可證等行政手段來協調和管理對外貿易。爲此，1989年，國務院批准的對外經濟貿易部機構改革的方案中，調整和充實了外貿管理機構，部內除對外貿易管理司外，又成立了事業單位——配額許可證事務局。對外貿易管理司主管研究制訂和貫徹執行對外貿易管理法規和制度，管理進出口許可證並參與出口商品商標的管理工作，負責雙邊紡織品貿易協定和普惠制的對外談判，管理紡織品出口配額，審核部門和地區對外貿易企業的設置並實行行政監督，審查和管理外商駐華機構的設置等。配額許可證事務局主要承擔簽發部直接管理商品的進出口許可證和有關專業總公司的紡織品配額許可證的日常事務，並負責全國進出口許可證發放數量的統計和核查等工作。此外，對外經濟貿易部又在海口、青島、西安、成都、武漢、鄭州、福州、南京、南寧、杭州等地增設了10個特派員辦事處。這樣連同原有的駐廣州、上海、天津、大連、深圳5個特派員辦事處，特派員辦事處已增加到15個。特派員辦事處的主要職責是貫徹執行國務院和對外經濟貿易部的有關規定，做好所聯系地區的對外貿易活動的管理和協調，調查研究，並根據對外經濟貿易部的授權範圍，審批和簽發部分進出口許可證，審批和管理聯系地區內設立的外商駐華機構等工作。一年的工作實踐證明，外貿管理機構的調整和充實，對於增强國家對進出口貿易的宏觀調控能力，爲建立良好的對外貿易環境和秩序，保證改革開放的順利進行和對外貿易的持續穩定發展，有着重要的意義。

二、進一步清理整頓各類對外貿易公司

隨着對外貿易規模的擴大，我國從事對外貿易的公司也越來越多。據對外經濟貿易部的統計，截至1988年底，我國的各類外貿公司已超過5000家。由於公司數量增加過多，與出口

能力、人才數量和素質、交通運輸等嚴重不協調，加上管理分散，公司缺乏自我約束的機制，以致造成從事對外貿易的公司過多過濫，外貿秩序紊亂，有些重要商品不時引發搶購“大戰”，出口商品質量和合同履約率下降。

爲了從根本上解決各類外貿公司在經營發展中存在的問題，徹底改變外貿秩序存在的某些混亂狀況，1989年，對外經濟貿易部根據中共中央、國務院《關於進一步清理整頓公司的決定》，採取切實有效的措施，進一步對各類從事對外貿易的公司進行了淸理整頓，重點是未按國家有關規定審批設立的不符合條件的各類外貿公司。通過淸理整頓，嚴肅查處各種違法違紀案件。通過淸理整頓，還要逐步建立和健全對外貿公司的管理法規和制度。對外經濟貿易部在總結經驗的基礎上，將進一步完善設立各類外貿公司的條件，以及對外貿公司經營範圍和經營商品的管理，以保證各類外貿公司的健康發展。在淸理整頓過程中，中國政府爲切實保障外商的合法權益，採取以下措施：對被確定撤併的公司，從核准撤併之日起，不准其對外簽訂新的合同；原已簽訂的合同，將由原批准成立的主管部門負責督促該公司繼續執行，或由指定並經過外商同意的其他中國公司代理執行。

各類外貿公司通過淸理整頓將進一步提高自身的素質，加强內部建設，改善經營管理，端正發展方向，增强競爭意識，維護對外信譽。可以預期，經過淸理整頓後的我國各類外貿公司，將以嶄新的面貌活躍在國際市場上，爲發展我國對外貿易，做出新的貢獻。

三、改進和加强進出口許可證管理工作

根據進一步治理整頓和深化改革的精神，1989年對外經濟貿易部改進和加强了進出口許可證的管理工作。在進口方面，進口許可證的各項規定和政策基本保持穩定，進口許可證管理的商品與1988年相同，只是對一些規定不夠明確或個別發證比較容易產生混亂的商品，進一步明確規定了領證範圍和發證手續，並對商品所含的內容作了說明。這些商品主要是10個品類的化纖、6種化纖單體以及電冰箱、空調器、錄像機。個別商品調整了發證機關，即將汽車和汽車關鍵部件2個商品調整到對外經濟貿易部發證。

1989年重點是加强了對出口的管理：⑴對出口許可證採取了“一批一證”和實行核查的措施。即一份出口許可證只能報關使用一次，不管所簽發的數量出運是否完畢，均由領證單位退回原發證機關核銷。對外經濟貿易部在採取這一措施時，充分考慮到各種因素和某些商品的特殊性，決定對外商投資企業（包括中外合資、合作和外商獨資）和補償貿易項目的出口不實行“一批一證”的辦法；對原油、成品油、煤炭、抽紗、茶葉、凍豬肉、鰻魚苗、對蝦、活牛、活羊、活豬、活家禽、乳鴿、牛肉、羊肉、乳豬、凍家禽、豬副產品、鮮蛋、大閘蟹等商品，不實行“一批一證”，允許出口許可證多次報關使用，還可根據具體情況，更改發貨單位名稱、有效期、收款方式、輸往國家（地區）、收貨人、出運口岸、運輸方式和合同號等欄目的內容。⑵禁止某些貴重緊缺物資出口。從1989年2月1日起，對銅及銅基合金、鋁及鋁基合金、白金、黃磷、鎳及鎳基合金、鎢材等6種商品禁止出口，加上原來的麝香、天然牛

黃、聚乙烯、稀土中的獨居石等4種，我國公佈禁止出口的商品共10種。⑶調整了出口許可證管理的商品及其發證機關。從1989年2月1日起先後增加了對新聞紙、骨粒、聚苯乙烯、聚丙烯、ABS樹脂、鉻礦、鉬礦、鉻鐵、錳鐵、金屬鎂、金屬錳、甲苯、二甲苯、橡膠、鹽漬松茸、懷藥、計算機及銅、鋅、鉛、錳、鐵、鎳6種礦砂等23種商品實行出口許可證管理。經調整後，實行出口許可證管理的商品由1988年的159種調到1989年的173種。這次調整的特點是，省的經貿管理部門管理的發證商品有所減少，特派員辦事處發證的商品有所增加；個別容易出現混亂的出口商品，如鋼材、生鐵、硅鐵等，改由經貿部發證。這些管理措施，有效地糾正了出口經營中出現的某些混亂現象，促進了對外貿易的健康發展，保證了治理整頓和深化改革的順利進行。

此外，1989年對外經濟貿易部新批准外國和港澳地區的企業在北京設立常駐代表機構共136家，其中香港地區62家，美國17家，日本14家，法國、新加坡各6家，澳大利亞5家，聯邦德國、英國、瑞士各4家，奧地利2家，其他國家12家。其中，馬來西亞、波蘭、印度是首次在中國設立代表機構。另外，還辦理3年期滿需要延期的代表機構222家。其他變更手續的522件。這些情況表明，中國實行的改革開放政策仍然繼續吸引着不少外商來華設立常駐代表機構，以拓展同中國的經濟貿易關係。

1989年對外貿易公司的清理整頓工作

對外經濟貿易部政策體制司副司長　張貴相

黨的十一屆三中全會以來，我國實行改革開放政策，外貿體制發生了重大變化，從事對外貿易的各類公司數量有了很大增加。據不完全統計，目前共有各類對外貿易公司5000多家（不含海南省4000餘家有進出口報關權的企業）。總的來說，它對於調動各方面的積極性，發展對外貿易，支持國民經濟發展起到了積極作用。

但是，對外貿易公司的發展必須適應我國的基本國情與對外貿易發展的實際需要。我國目前處於社會主義初級階段，生產力水平還不高，經濟還不發達，產業結構和產品結構不盡合理，國內又有一個龐大的消費市場，內外銷的矛盾依然存在，生產部門提供的適銷對路產品還不充足，使得相當一部分出口產品是靠擠出來出口的。因此，外貿公司的數量應當與出口貨源相適應，不能過量發展。也就是說，中國的現實國情決定了現階段從事對外貿易的各類公司不能過多。另一方面，1988年外貿體制進一步改革，實行放開經營，下放審批外貿企業權限以後，由於法制、法規還不夠完善，宏觀管理和監督沒有跟上，一度審批公司把關不嚴，導致短時間內批准設立從事對外貿易的公司過多。在幾個月之內，新批准成立的外貿企業將近2000家（不含海南省有進出口報關權的企業）。大部分新設立的公司不具備經營條件，資金不落實，缺少穩定的出口貨源，缺少經營人才和外銷渠道，對國際貿易知識了解甚少。少數公司不按照我國經濟法規和國際貿易慣例經營，在國內抬價搶購，在國外低價競銷，不重合同，不守信用，不重商品質量，搞亂了國內外市場，使一些外商對經營我國商品失去信心，索賠和反傾銷案件增多，損害了我國對外貿易的信譽。與此同時，有一小部分外貿公司程度不同地存在着官商不分、政企不分、違反國家有關法規的情況。這些問題必須糾正。國家一方面要保證遵紀守法的合法經營者，另一方面要懲治違法經營者，整頓外貿經營秩序。這樣才能保證我國對外貿易健康、穩定地發展，保障同中國有經濟貿易往來的外商的利益。因此，有必要對那些不適應當前對外貿易發展需要的、不具備對外貿易公司設置條件的、存在問題較多的對外貿易公司進行認眞的清理整頓。

清理整頓對外貿易公司是全國範圍內清理整頓流通領域公司工作的一個重要部分。中共中央、國務院在1988年10月和1989年8月先後發出了《關於清理整頓公司的決定》和《關於進一步清理整頓公司的決定》。爲了貫徹落實好這兩個文件，國務院在1989年2月間發出《關於清理整頓各類對外經濟貿易公司的通知》，在同年10月間又批轉了經貿部《關於進一步清理整頓各類對外經濟貿易公司的意見》，明確規定了清理整頓的政策和措施。清理整頓對外貿易公司的範圍，包括中央各部門和各省、自治區、直轄市、計劃單列市以及經濟特區的外貿專業公司，工貿、農貿、技貿公司，地方貿易公司，邊境貿易公司，綜合貿易公司，有進出口經營權的生產企業（生產企業集團），以及爲對外貿易服務的公司。清理整頓的對象，首先是全國清理整頓公司領導小組1989年9月發出的有關文件中規定的11類公司，對它們予以撤銷、合併或取消進出口經營權；同時，對於那些不需要設置的、不具備條件的和違法經營的對外貿易公司，要進行嚴格清理整頓。特別是對那些不到中國銀行或國家外滙管理局指定的其他銀行結滙，嚴重逃滙的；與境外商人勾結，協助其在內地直接收購出口商品或辦理出口業務，協助其逃滙的；在同一部門或地區，主營業務相同或相近而重複設置的；無對外經營條件或缺乏外銷渠道，主要委託其他公司出口的；地方外貿公司在省（自治區、直轄市）外設立的經營進出口業務的分支機構；各地方所屬綜合外貿公司設立的有進出口經營權的二、三級公司，均予以撤銷、合併或取消進出口經營權。經過清理整頓，各地方、各部門將保留的對外貿易公司及核定的經營範圍，均需重新報經貿部審定，並經工商行政管理部門核准後辦理註册登記手續。今後，各級各類對外貿易公司和主要經營進出口業務的公司，統一由經貿部及地方對外經貿主管部門按照國家統一政策，進行行業或業務的歸口領導和管理。在清理整頓工作結束後，各級各類對外貿易公司和全國性、跨省的生產企業集團申請經營進出口業務的，均由經貿部審批。各地方技術比較密集的大中型生產企業和緊密型生產企業集團自營本企業產品有關的進出口業務，由各地方對外經貿主管部門審批後報經貿部備案；如發現已批准的生產企業或生產企業集團不具備經營進出口業務條件的，經貿部有否決權。

清理整頓對外貿易公司的工作是從1988年10月正式開始的，1989年進行的主要工作是：第一，調查研究，在摸淸情況的基礎上擬定清理整頓對外貿易公司的政策、規定和措施，貫徹落實和宣傳解釋有關文件，做好組織動員和督促檢查工作。第二，各地方、各部門根據國務院有關規定自行淸理整頓，研究提出本地方、本部門對外貿公司的撤銷、合併、保留的方案，報全國淸理整頓公司領導小組和經貿部審定，並按照審定的方案做好公司撤銷、合併、保留的各項工作。第三，查處一批違法違紀問題和案件。這些工作在1989年已取得初步的成效，但是還有大量工作需要在1990年繼續抓緊進行。清理整頓對外貿易公司是一項十分複雜的工作，需要各地方、各部門統一思想，下大決心，嚴格按照中共中央、國務院的統一部署，分期分批完成上述各項工作。下一步還要抓緊擬定對外貿易公司的各項管理法規和制度，督促公司建立健全內部的各項規章制度。

經過清理整頓後保留下來的對外貿易公司，將按照重新核定的經營範圍繼續開展進出口貿易業務。撤銷、合併或取消進出口經營權的公司，要切實、妥善地做好善後工作，從核准撤併或取消進出口經營權之日起，不准對外簽訂新合同，已對外簽訂的合同由原批准其成立的主管部門指定並經外方同意的其他外貿公司代理執行，保障簽約雙方的合法權益。

清理整頓對外貿易公司，是貫徹中共第十三屆三中、四中、五中全會精神的一項重要工作，對於促進對外貿易的健康、穩定發展具有十分重要的意義。它是整治外貿環境和秩序的一項重要內容，有助於克服多頭對外、抬價搶購、低價競銷，不求商品質量、不講對外信譽等混亂現象，進一步促使我國進出口貿易有秩序地發展。因此，它也是深化外貿體制改革的一個重要步驟。隨着清理整頓對外貿易公司工作的逐步完成，將促進我國更好地同世界各國發展經濟貿易往來，進一步擴大對外開放，對於我國對外經濟貿易事業將產生積極、深遠的影響。

1989年使用外國政府貸款工作取得成績

對外經濟貿易部外國貸款管理司司長　劉志誠

(一)

1989年，在各級政府和項目單位的共同努力下，外國政府貸款項目的實施進展順利。據統計，1989年全國利用外國政府貸款的實際使用額達16億美元，比1988年增長30％以上，創改革開放十年來的最高水平。對外新簽貸款協議金額29億美元，其中已簽訂合同生效的貸款金額爲24億美元，比1988年減少22.6％，包括150個項目的1400多個合同。貸款使用額最高的5個國家是日本、法國、意大利、聯邦德國、英國。貸款生效合同金額最高的5個國家是日本、法國、聯邦德國、加拿大、西班牙。

1989年，我國利用外國政府貸款的工作取得較大成績，主要原因是：

1.我國政府採取了有力措施，穩定了政治局面，保證了外國政府貸款項目的實施不受動亂的干擾。

2.治理整頓取得成效，國內經濟環境改善，使外國政府貸款項目的建設條件更加有利，加速了工程進度。

3.不斷完善的外國政府貸款管理體制發揮了積極作用。

4.貸款國政府繼續執行已簽定的協議，使正在執行的貸款項目的實施未受影響。例如聯邦德國政府於10月23日，恢復了上海地鐵專項貸款；法國政府承諾對"二汽"雪鐵龍項目提供貸款，1989年度實際生效項目合同金額達4.3億美元；到1989年底，日本政府批准的1000億日元"黑字還流"貸款已實際支付432億日元，有些項目已投產發揮效益。

(二)

新中國成立以後，我國曾在50年代借用蘇聯政府的貸款，引進技術、設備和物資，建立了一批骨幹項目，對於奠定社會主義工業化的基礎，發揮了重要作用。60年代以後，由於國際環境的變化，在相當長的一段時間內，沒有條件繼續利用外國政府貸款。

1979年以來，我國實行全方位對外開放的政策，同世界各國廣泛開展各種形式的經濟合作，在利用外國政府貸款方面，不斷探索，拓展渠道，改進管理，取得了不少經驗和顯著的成效。

1.已逐步建立起比較完善的管理體制，使外國政府貸款項目，在國民經濟中發揮了積極作用。自1979年實行改革開放政策以來，我國利用外國政府貸款的項目從無到有，金額從小到大。目前，我國利用外國政府貸款已具一定規模。貸款來源國比較廣泛，既有西方主要工業發達國家，也有蘇聯和石油輸出國科威特等。截至1989年，已有20個國家政府向我國提供或承諾提供政府貸款，累計承諾金額爲200億美元，已生效的合同金額達105億美元，實際使用額爲57億美元。用於674個項目的建設，這些項目遍及全國各地。對外國政府貸款的借、用、還，從中央到地方，都有專門的機構負責管理。貸款國政府和有關企業，對中方的合作誠意和工作效率是比較滿意的。中國使用外國政府貸款進行項目建設的能力和消化貸款的潛力，也是有目共睹的。

2.貸款投向合理，借款成本較低，有助於我國經濟結構和產業結構的調整。10年來，我們根據外國政府貸款償還期長、利率低的特點，從國家的經濟發展戰略目標出發，注意資金投向的佈局和行業結構的調整。外國政府貸款主要用於國家優先發展的領域和經濟效益好、能出口創滙或實現進口替代的項目。在已生效的105億美元貸款中，80％以上的資金用於能源、交通運輸、通訊、原材料工業項目，從而加强了工業基礎設施和國民經濟薄弱環節的建設。同時，也注意把利用外國政府貸款與發展我國出口貿易，提高創滙和償債能力結合起來，新建和改造了一批出口創滙型或進口替代型的企業。特別是日本政府提供的1000億日元的"黑字還流"貸款全部用於出口創滙項目。

3.優惠的外國政府貸款有利於中外雙方擴大經濟貿易往來。利用外國政府貸款，不僅可以補充我國建設資金的不足，引進國外的先進技術設備和管理經驗，同時，貸款國的企業也因此增加了貿易機會，提高了競爭能力，從而擴大了雙邊經濟合作的範圍和規模。例如：瑞典愛立信公司在瑞典政府貸款的支持下，與中方簽訂了出口上百萬門程控電話設備的合同，項目分佈在東北、華東、華南等地區的許多城市，使該公司能在短期內打開中國市場。有的國家對其在中國的合資企業提供貸款。如荷蘭政府對武漢光纖項目，比利時政府對上海貝爾電話項目和西安楊森製藥項目提供政府貸款。這對增强貸款國企業在華投資能力和提高合資企業的成功率，起到事半功倍的作用。

4.保證對外按期還本付息，保持良好的國際信譽。10年來，我國政府始終嚴格執行對外簽訂的政府貸款協議，承擔還本付息的義務，未出任何差錯。在國內企業和地方政府申請使用外國政府貸款時，首先要研究落實項目的還款能力，並確定還債擔保單位和擔保方式。目前，從中央到地方，對包括政府貸款在內的外債，都建立了完整的監測系統。近幾年，最先利用外國政府貸款建設的項目雖已逐步進入還本付息的高峯期，但基本都能按照貸款協議的要求，按時支付本息。即使個別企業發生了困難，政府也有切實可行的調控手段，確保對外償債。

改革開放是我國的一項基本國策。今後，我們仍將一如既往，貫徹自力更生爲主，爭取外援爲輔的方針，盡可能多利用一些外國政府的各種類型貸款，以加快我國現代化建設的步伐。

1989年我國吸收外商投資持續發展

對外經濟貿易部外國投資管理司司長　俞曉松

1989年是我國吸收外商投資的第十一個年頭，也是我國吸收外商投資工作在困難條件下繼續發展的一年。這一年，全國共批准外商投資項目5779個（其中：中外合資經營企業3659個，中外合作經營企業1179個，外資企業931個，合作勘探開發海洋石油項目10個），比1988年略有減少；協議外資金額爲55.99億美元，比1988年增加5.84％，均爲1979年以來第二個最多的年份。外商實際投入資金33.92億美元，比1988年增加6.33％，是1979年以來最多的一年。截至1989年底，我國累計批准了來自47個國家和地區的外商投資項目21776個，協議外資金額爲337.6億美元，外商實際投入金額累計154.9億美元。

1989年外商投資中，最多的仍是港澳地區，佔全國批准的協議外資總額的57.9％；其次是美國（佔11.4％）和日本（佔7.8％）。台灣投資者在大陸的投資也有顯著增加。這些外商投資項目按產業劃分：工業約佔83％，房地產和公用事業約佔9％，農林牧漁水利業約佔2％，建築業約佔1％，其他行業約佔5％。1989年全國各地區吸收外商投資金額最多的是廣東省，約佔協議外資總額的59％，其次爲福建省（佔16％），遼寧省（佔9％）和上海市（佔6％）。

1989年我國吸收外商投資工作有以下特點：一是投資結構更趨合理，生產性項目和工業性土地開發項目所佔比重超過90％，絕大部分項目符合國家產業政策；二是總投資上億美元的外商投資項目比以往任何一年都多；三是外商獨資企業顯著增加，全年批准的項目數超過了過去歷年的總和；四是外商投資企業產品出口創歷年最高紀錄，直接出口金額達36.3億美元，比1988年增加1倍多。

1989年，在貫徹治理整頓的方針中，各地審批機關嚴格按照產業政策、行業規劃和實際情況來選擇外商投資項目，鼓勵外商舉辦能源、交通、動力、某些基本原材料等國家優先發展的項目；鼓勵外商舉辦產品出口或具有先進技術的項目和對現有企業進行改造，提高產品檔次或開發新產品的項目；限制發展使用國內緊缺原材料的一般加工項目和耗能高、污染嚴重的項目，以及各種非生產性項目，從而保證了外資的正確投向，也有助於外商選擇符合我國產業政策的投資項目。

針對國內普遍存在的原材料供應緊張，資金周轉困難，產品滯銷，辦好已建成投產開業的外商投資企業，是1989年吸收外商投資工作的重要內容之一，各地政府對現有外商投資企業的生產經營情況進行全面調查了解，幫助有困難的企業解決問題。1989年全國大部分外商投資企業的生產經營情況是良好的或正常的。經濟效益好的主要是兩類企業：一類是對國內緊缺原材料依賴程度不大，產品出口較多的企業；另一類是技術水平較高，產品能替代進口、在國內市場適銷對路的企業。相比之下，生產經營方面困難較多的企業主要是那些資金、原材料主要依靠國內供給，產品全部或大部分內銷的企業，以及一些旅遊服務企業等。對於生產經營中有困難的企業，我國政府有關部門和各級地方政府都十分重視，採取了許多措施，例如，物資部門撥出了若干重要物資，幫助企業解決原材料供應不足的問題；銀行劃出專項貸款，專供外商投資企業使用；政府有關部門還幫助一些企業疏通產品銷售渠道，等等。這些措施，在一定程度上緩解了企業面臨的困難，受到外商的歡迎。

1989年，我國的投資環境進一步改善。一方面，隨着治理整頓初見成效，國內部分地區存在的原材料、電力供應不足，交通運輸緊張的狀況，開始出現緩和趨勢；另一方面，我國政府堅持對外開放，採取了進一步鼓勵外商投資的措施。如調整了人民幣對美元等外幣的滙率，使外國投資者從多方面得到好處。行政和司法部門，堅決維護法律的嚴肅性，糾正各種違反法律規定的現象，切實保障外商的合法權益和外商投資企業的生產經營自主權。各級外資管理機關進一步提高辦事效率，完善各種服務機構。

1989年6月中國發生的那場政治風波，雖然一度使一些不明眞相的外國投資者來華投資的信心受到影響。但是，隨着時間的推移，越來越多的外國投資者清楚地看到，中國繼續堅定不移地執行改革開放政策，國內政局和社會穩定，國民經濟經過治理整頓逐步走上持續穩定發展的軌道，必將增強來華投資的信心。90年代，我們將迎來外商來華投資蓬勃發展的新局面。

1989年我國技術進出口概況

對外經濟貿易部技術進出口司司長　張旭明

1989年，全國共簽訂技術進口合同328項，總成交額29.23億美元，分別比1988年減少25％和17.7％。技術出口合同168項，總成交額8.79億美元，分別比1988年增加26.3％和4倍。與1988年相比，技術進口重點突出，保證了國家重點行業的建設和改造；技術出口積極開拓，取得了較大的增長。

（一）

1989年的技術進口有以下幾個主要特點：

一、保證實施國家重點行業的項目居多。在1989年簽訂的技術進口合同中，石油化學工業的合同金額比1988年增加了19倍，化學工業增加了88.2％，有色金屬工業增加了57.2％，郵電業增加了29.3％，能源工業增加了26.7％（見表一）。這一年中進口了乙烯、合成氨等大型石油化工裝置，50萬千瓦大型發電機組，大型鋼管、板材軋機和程控電話交換機等。技術引進的行業分佈體現了優先發展國民經濟薄弱環節的方針。

表一　1989年技術進口合同的主要行業分佈情況表

行業 項目	能源	石化	化工	機電	郵電	冶金	輕工	合計
合同數（項）	15	17	14	27	42	13	9	137
金額（億美元）	8.02	4.78	3.45	1.53	1.47	1.19	1.10	21.54
佔合同總金額％	27.4	16.4	11.8	5.2	5.0	4.1	3.8	73.7

二、技術進口國別次序有較大變化。過去，我國與美國、日本、聯邦德國簽訂的技術進口合同金額較大。1989年，合同金額超過1億美元的有8個國家，按金額排序是：意大利、蘇聯、聯邦德國、法國、加拿大、日本、美國和瑞士，合同金額合計27.3億美元，佔合同總金額的93.5％（見表二）。

表二　技術進口主要國別情況表

國別 項目	意大利	蘇聯	聯邦德國	法國	加拿大	日本	美國	瑞士
合同數（項）	20	6	46	15	52	52	59	6
金額（億美元）	6.87	4.68	4.30	3.74	3.06	2.03	1.44	1.20
佔合同總金額％	23.5	16.0	14.7	12.8	10.5	7.0	4.9	4.1

三、以進口技術為主要內容的技術許可合同、技術服務合同、顧問諮詢合同和合作生產或設計合同數量減少40.4%，成套設備合同和關鍵設備合同居多（見下表）。

項目／合同方式	合同數(項)	佔合同總數的%	金額(億美元)	佔合同總金額%
技術許可	96	29.3	1.48	5.1
技術服務	13	4.0	0.38	1.3
顧問諮詢	14	4.1	0.06	0.2
合作生產	11	3.4	0.07	0.2
成套關鍵設備	194	59.2	27.24	93.2

四、重大項目突出。1989年的技術進口合同中，合同金額超過1000萬美元的有45個，佔合同總數的13.7%；金額23.8億美元，佔合同總金額的81.5%。其中，超過1億美元的合同有5個。

五、國外貸款仍是技術進口的主要資金來源。1989年簽訂的技術進口合同所需的外滙，主要為各種渠道的外滙貸款，貸款額21.7億美元，佔合同總金額的74.2%。

（二）

1989年，我國技術出口有較大發展。以技術許可、技術服務和成套設備等方式簽訂技術出口合同的總金額，比1988年增加了4倍多。按金額計，出口合同中成套設備佔90%，其中機械項目佔32.7%，電子佔28.7%，電力佔18.6%，輕工佔5.7%，其他為化工、紡織、建材等行業的項目。我國技術出口的市場有發達國家，也有東歐國家，但更多的是發展中的國家，如巴基斯坦、泰國、孟加拉、印尼、埃及、尼泊爾等。我國的工業技術和成套設備，比較適合發展中國家的實際需要，有廣闊的發展前景。

1989年技術出口成交額較多的有上海市、北京市、遼寧省、廣東省、大連市、瀋陽市、陝西省和湖北省等。

（三）

建國40年來，技術進口取得了巨大成績，技術出口也有了良好的開端。自50年代起至1989年底，技術進口合同累計4700多項，合同總成交額達364億美元。通過技術進口，加强了我國基礎產業的建設，加快了技術進步和產品開發，提高了產品質量，增加了國內市場的有效供給，改善了我國出口商品結構。我國技術出口在70年代以前，主要是通過對外經濟技術援助向廣大第三世界友好國家提供技術和成套設備，很少通過貿易途徑出口。80年代開始起步，累計對外簽訂技術出口合同401項，總成交額11.69億美元。

40年來，技術進出口的主要發展變化是：第一，從行政管理向依法管理發展。先後頒佈了有關的法律、法規、規章，依法管理技術進出口，依法維護合作雙方的權益，並規定了技術進出口審批管理程序。項目的選定，必須經過一定的程序，注重經濟效益和社會效益。第二，技術進口從成套引進的單一方式，向多種方式發展，引進產品的工藝、製造技術逐步增多。第三，技術進口從上新項目形成新增生產能力，向改造現有企業，促進技術進步，提高產品質量爲主的方向發展。第四，技術出口從無到有，從小到大發展。有利於更加廣泛地參與國際經濟技術合作。第五，擴大地方、部門的自主權，利用多種外滙資金，增加技術貿易渠道，調動了各方面的積極性。

1989年我國引進技術改造現有企業概況

國家計委技術改造司司長　李弘道

1989年引進技術改造現有企業的工作，是在國家治理整頓、深化改革的方針指引下進行的。雖然，國家採取緊縮財政、緊縮信貸的方針，嚴格控制、壓縮固定資產投資規模，1989年國家安排的技術改造資金總額780億元。據不完全統計，各地引進技術改造現有企業仍保持了適度的規模。全年共對外簽訂了1300個合同，總成交額13億美元。

按地區分：成交金額居首位的是上海市，簽訂合同330個，成交金額2.78億美元；以下依次爲：湖北省，簽訂合同90個，金額2.10億美元；遼寧省，簽訂合同152個，金額1.42億美元。

按行業分：成交金額居首位的是紡織工業，簽訂合同136個，成交金額1.07億美元；以下依次爲：電子工業，簽訂合同144個，金額0.8億美元；化學工業，簽訂合同32個，金額0.59億美元。

按國別分：成交金額居首位的是聯邦德國，簽訂合同163個，成交金額爲2.2億美元；以下依次爲：日本，簽訂合同250個，金額1.4億美元；美國，簽訂合同144個，金額1.23億美元。

1989年的技術引進工作，有以下幾個特點：

1.技術引進的管理水平有所提高。國家根據產業政策公佈了產業發展的技術改造支持序列和限制發展的產品，各地區各部門根據國家的要求和各自的特點選定項目，使引進技術更加符合國家產業政策的要求，減少盲目引進和不必要的重複。

2.技術引進的方式更加靈活。由於國家資金和外滙緊缺，只能支持一些重點引進項目。但爲使技術進步適應國民經濟的要求，各地在引進技術改造現有企業方面積極擴大資金來源渠道，更多地利用外資和銀行貸款，並以產品、零部件以及勞務補償等方式，增强還款能力；同時，採用設計諮詢、合作生產、專家診斷等方式，以有限的外滙引進更多的技術。

3.技術引進的經驗更趨成熟。引進技術是爲了提高企業自身的素質和技術開發能力。因此，在技術引進中，充分注意企業的原有基礎，做到在開發的基礎上引進，在引進的基礎上進行再開發，使技術引進走上良性循環的軌道，達到壯大企業自我發展能力的目的，這是許多企業的技術引進成功的共同經驗。

4.引進技術的消化吸收和零部件國產化工作取得較大的進展。不少部門、地區和企業，進一步認識到消化吸收的重要性和緊迫性，把它作爲促進技術進步，發展拳頭產品，改善外滙平衡，實現良性循環，振興經濟的重要措施，在尊重知識產權，嚴格執行合同規定的前提下，積極制定扶植消化吸收的政策規定，加强消化吸收和國產化工作的組織領導，認眞解決資金、外滙以及其他配套、協作等問題，使一批重大裝備和重點消化吸收項目的國產化率達到80%以上，有的已能完全立足國內製造，難度較大的小轎車國產化也有較大的進展。

5.促進了產品的出口。據海關統計，1989年我國機電產品出口83.1億美元，是1985年16.8億美元的4.9倍，佔全國出口總額的比重也由1985年的6.1%，上升到1989年的15.8%，這主要是幾年來機電工業引進技術、進口關鍵設備和國內新產品開發相結合所形成的優勢，以及國家採取鼓勵擴大機電產品出口政策措施的結果。

6.增强了進口替代能力，節約了外滙支出。隨着引進技術的消化吸收和國產化程度的提高，不僅促進了我國綜合技術水平的提高，增强了自力更生、自主開發的能力，許多產品實現了進口替代，取得顯著的社會效益和經濟效益，根據27個地區和部門的不完全統計，1986～1989年替代進口的機電產品共節約外滙約70億美元，其中1989年達27億美元，是逐年上升趨勢。這說明引進技術改造現有企業對增强我國工業生產能力，實現進口替代具有重要作用。

7.增加了外商投資的興趣。由於引進技術改造現有企業提高了我國工業技術水平和綜合配套能力，加上我國鼓勵外商投資的優惠政策，外商來華投資的興趣日漸增大，投資辦廠的規模也越來越大，據統計，1989年，全國外商投資企業進口作爲投資的生產設備，比1988年增加了40%左右。

1989年引進技術改造現有企業的成績，證明了我國堅持改革開放的方針政策是完全正確的。我們相信，在1990年這個治理整頓、深化改革的關鍵的一年，這項工作將取得更大的成就。

1989年我國國外經濟合作穩步發展

對外經濟貿易部國外經濟合作司副司長　劉治本

(一)

1989年，我國國外經濟合作在克服諸多困難的情況下，又獲得新成績。全年共簽訂對外承包工程和勞務合作合同3100項，比1988年的2126項增加45.8%；合同金額22.1億美元，比1988年的21.7億美元增加1.8%；完成營業額16.89億美元，比1988年的14.3億美元增加18.1%；派出執行承包勞務合同的人員年末爲7萬人，與1988年持平。

1989年，新批准在海外舉辦的非貿易性企業119個，投資總額3.2億多美元，其中中方投資2.3億美元，佔72%，是歷年來最多的一年。

1979～1989年，我國對外開展承包工程、勞務合作業務已遍及133個國家和地區，共簽訂承包、勞務合同10634項，累計合同金額達128.07億美元，完成營業額77.77億美元，派出勞務人員36萬多人次，取得了良好的經濟效益和社會效益。同一期間，我國公司、企業共在88個國家和地區開辦或籌辦海外非貿易性企業645個，協議總金額22.23億美元，其中中方投資額9.51億美元，佔42.8%，已開業的海外企業多數經濟和社會效益較好。

(二)

1989年我國國外經濟合作的主要特點是：

一、一業爲主、多種經營，增加了企業的活力。1989年，國際承包市場有所復甦，但競爭仍然十分激烈，條件日趨苛刻；公司開展對外承包勞務業務資金不足。面對這種形勢，我國各國際經濟技術合作公司根據自身的能力和特長，以提高經濟效益爲中心，開展一業爲主、多種經營，如投標工程與房屋開發相結合，土建工程與輸出成套設備相結合，開展與工程有關的商品貿易等。此外，還通過提高勞務服務水平和工程施工質量，開展國際融資等，從多方面積累資金，促進承包勞務業務的發展。

二、對外承包工程由築路、建房等工程項目向工業和高技術項目轉移。近年來，在國際承包市場上，築路、建房類項目大量減少，而工業和高技術項目，如電站、石油、化工、輸送管線、採礦、地質勘探、發射衞星等項目增多，經濟效益也好。我國公司根據國際市場的變化，及時調整經營方向，不斷加强自身建設，提高競爭能力和技術管理水平，積極承攬工業項目和技術項目，與國際上實力較强的承包公司競爭。一年來，我國公司承攬了蓄水量100多億立方米、造價16億多美元的伊朗卡爾赫河水壩的設計等工作；爲伊拉克5個採用電子計算機控制的現代化大型水泥廠提供勞務；承擔巴基斯坦賈姆肖羅電站的設計、土建，提供成套設備和安裝調試。這些項目多數都發揮了我方技術、勞務、設備相結合的綜合優勢，可獲得更多的經濟效益。

三、鞏固老市場，開拓新市場。1989年，我國各國際經濟技術合作公司除了在西亞、北非、港澳地區和南亞等老市場站穩脚跟並繼續擴大業務外，與蘇聯的承包勞務合作有了突破性進展。1989年對蘇聯簽訂承包勞務合同140項，合同金額1.6億美元，合作領域包括森林採伐、工農業生產、建築工程、公路建設以及各類服務業等，合同勞務人數近2萬人，全年已派出1萬餘人次。同蘇聯的合作時間雖不長，但獲得了較滿意的效果。此外，我國同緬甸、老撾、蒙古等國的經濟合作也取得進展。

四、對外勞務合作由普通勞務向技術勞務發展，涉及的專業越來越廣。1989年派出的近7萬人次勞務人員中，有厨師、船員、農工、護士、建築工、鈑金工等普通勞務人員，也有企業管理、工程設計和諮詢、計算機軟件、高級船員和高級厨師等高級專業技術人員。這一年，派出的各類船員人數增長較快，開始向美國派遣護士、農工，首次向香港派遣各類普通勞務人員1500餘人。此外，繼續向一些發達國家派遣烹飪、武術、氣功、針炙、手工藝等具有我國獨特傳統技藝的人員。

五、海外投資企業以資源開發、工農業生產爲重點。1989年，新批准開辦的海外企業主要有：中國化工進出口總公司購買的美國一家磷酸廠，廣東、福建、浙江等省的一些企業聯合參股購買的美國一家聚丙烯廠，以及中國農村信託投資公司向智利的一家魚粉廠投資參股等。對這4家企業的投資，佔當年簽訂的投資協議中我方投資額的86%左右，而且對這4家企業的投資，主要靠在當地貸款集資，從國內滙出的資金並不多。中國在國外的投資企業中，工農業生產企業數量佔總數的一半，其中以技術、設備作價投資的約佔中方投資的⅔，直接投入外滙資金的僅佔一小部分。

1989年我國的對外援助工作

對外經濟貿易部對外援助司副司長　嚴益吾

（一）

1989年，在黨中央和國務院的領導下，我國有關地區、部門和項目承建單位共同努力，克服困難，完成了各項對外援助任務，取得了較好的成績。

1989年，我國同44個第三世界友好國家簽訂了承擔73個新項目的協議，包括馬里的議會大廈，埃及的體育館，盧旺達基本戈醫院擴建和馬達加斯加的體育館等成套項目和技術合作項目。此外，還同聯合國有關機構合作，承擔了32個多邊援助項目。

全年，我國幫助70個友好國家實施了280個成套項目和技術合作項目，其中施工項目82個，收尾和其他工作的項目198個。當年開工的有：塞拉利昂辦公大樓，埃塞俄比亞縫紉線廠，民主也門阿斯克利亞至拉巴歐斯公路，尼日爾加亞上農業墾區，毛里求斯體育場，岡比亞衛生中心，馬爾代夫民用住宅，斐濟電力工程和玻利維亞水利工程等33個項目。當年竣工的有蘇丹恩圖曼職業培訓中心，約旦的巴勒斯坦難民小學，埃及開羅國際會議中心，尼泊爾甘蔗糖廠，毛里求斯機動車修理廠，加納碾米廠，孟加拉布里剛戈河公路大橋，肯尼亞體育館等32個項目。這些項目經雙方專家驗收，工程質量艮好，得到受援國政府和人民的好評。這一年，還對已建成的106個項目進行多種形式的合作，使項目獲得較好的經濟效益。

1989年我國對外援助工作的特點是：

一、克服困難，履行應盡的國際主義義務。近年來，我國國民經濟處在調整時期，財政經濟存在暫時困難，我國政府以眞誠的態度，認眞履行協議，對86個受援國提供了力所能及的援助，使我國同第三世界友好國家的經濟技術合作得到了進一步的發展。

二、加强智力援助工作。約旦的巴勒斯坦難民小學，是我國政府捐贈項目，從1988年7月考察商定項目，到1989年10月建成，總共只用了16個月的時間。這個項目設計、施工速度快，工程質量好，博得了巴勒斯坦、約旦朋友和聯合國難民署的高度贊揚。蘇丹的職業培訓中心，是一所有8700平方米校舍的技術學校，設土木建築、機械加工、電器、汽車修理等四個專業，共16個工種，可同時培訓500名學員。我國援建的阿拉伯也門薩那中等技術學校，在建成後的20多年里爲該國培養了大批技術人員。爲使這所學校發揮更大的作用，我國主動爲該校更新了一批教學儀器設備。向巴基斯坦伊克巴爾醫學院提供醫療、教學設備，是近年來我國智力援助的一個較大項目，儀器設備的總金額約4700萬元人民幣。當年安排施工的項目還有津巴布韋的奇諾伊師範學院。除雙邊援助之外，我國還同聯合國開發計劃署和世界糧農組織合作，在廣州華南農業大學舉辦了一期中級農業官員培訓班，爲索馬里、坦桑尼亞、肯尼亞、烏干達和塞拉利昂等國家培訓了25名農業官員。

三、在鞏固經援項目成果，提高項目效益方面，繼續取得成效。1989年，對已建成的106個項目繼續採取技術指導，培訓人員，參與管理，代管經營，合資、租賃、維修、更新設備、供應零配件等方式鞏固投資成果，使之正常運轉，發揮應有的經濟和社會效益。坦贊鐵路，我國專家已連續7年參與管理，運營狀況良好，設備完好率提高，惡性事故減少，近幾年年運量保持在百萬噸以上，連年獲得盈利。多哥阿尼耶糖廠建成後，因多哥缺乏技術力量和管理經驗，從1987年起由我國有關公司派專家租賃經營，中國專家組引進優良品種、加强田間管理，使甘蔗園保持優質高產，同時加强了糖廠設備的維修和管理，使設備處於良好狀態，糖產量連續三年大幅度提高，1987～1988年榨季產糖3223噸，1988～1989年榨季產糖5224噸，1989～1990年榨季產糖8566噸，企業經濟效益顯著提高，受到多哥政府的稱贊。剛果布昂扎水電站，是我國在非洲援建的最大水電站，裝機7.4萬千瓦。由於運轉時間較長，部分設備部件磨損，影響正常發電，我國派出技術專家，携帶備品配件幫助進行設備大修，恢復了機組的機械性能，使剛果的這顆明珠重放光彩。

四、提供緊急物資援助，幫助受援國人民克服困難。1989年10月，泰國沿海地區遭受嚴重風災，我國政府向泰國政府捐贈了餅乾、食品罐頭、奶粉、一次性注射器、塑料薄膜等約100噸的救災物資。從辦理協議到物資發運到曼谷港口，前後不到三個星期。尼泊爾王國是一個內陸國家，進口物資多從印度過境。由於尼印兩國關於物資過境的新協議尚未商妥，尼泊爾進口物資過境受阻。爲了幫助尼泊爾人民解決食鹽的困難，我國政府向尼泊爾王國政府贈送1000噸食鹽。青海省外運公司汽車隊奮力搶運，將這些食鹽從青海經西藏如數運到中尼邊界的友誼橋，無一破損和污染，尼方朋友十分滿意和感激。

（二）

新中國成立以後，中國政府和人民一直把支持被壓迫民族和第三世界國家爭取維護民族獨立、發展民族經濟的正義事業，作爲自己應盡的國際義務。40年來，我國先後向96個國家提供了援助，其中亞洲22個，非洲46個，拉丁美洲16個，大洋洲7個，歐洲5個。目前，接受我國援助的國家有86個。

我國對外經濟技術援助的歷史大體分爲四個階段，從1950年至1963年爲初始階段，從1964年周恩來總理宣佈中國對外援助八項原則至1970年爲發展階段，從1971年中國恢復在聯和國的合法席位至1978年爲急劇增長階段，從1979年起，經過調整、改革，進入了新的發展階段。

在我國的對外經濟技術援助中，成套項目援助是主要的援助方式。從1954年至1989年，先後對90個國家共承擔了1554個成套項目，其中已建成1272個，1989年安排的正在建設的項目82個，進行準備的項目102個。這些成套項目，包括農牧漁業、林業、水利電力、打井供水、輕工、紡織、化工、電子、冶金、機械、能源、建材、交通運輸、文教衛生、廣播通訊、地質勘探、公共民用建築等各行各業。一大批已建成的項目爲受援國發展民族經濟，改善人民生活作出了貢獻。

1954年至1989年，我國先後派出了援外工程技術人員約46萬人次。從1953年至1989年，在我國接受技術培訓的外國實習生共51714名。

1963年至1989年，我國先後向非洲、亞洲和歐洲的48個國家派遣了醫療隊員約1.2萬人次，共診治病人約2億人次，作各種手術約300萬次，搶救危重病人約60萬人次。1989年底，尚有1262名醫療隊員分別在42個國家的93個醫療點爲當地人民防病治病。

我國對外援助的目的是爲了幫助受援國逐步走上自力更生、經濟上獨立發展的道路。40年來，我國政府在對外提供援助的時候，嚴格尊重受援國的主權，絕不附帶任何條件，絕不要求任何特權，充分體現了眞誠合作的精神，在國際發展援助中獨樹一幟。我國援外人員遠離祖國和親人，與當地人民同甘共苦，平等相待，全心全意爲受援國服務，有的還光榮地獻出了寶貴的生命。他們優良的工作態度和精湛的技術，贏得了受援國政府和人民的表彰和贊譽。

國際多邊合作繼續發展　扶貧項目已見成效

對外經濟貿易部國際聯絡司司長　王天策

近幾年來，我國同聯合國發展系統有關機構、國際組織及發達國家的多、雙邊經濟技術合作有了長足的發展。1989年，儘管遇到許多困難，但經過各方面的共同努力，較好地完成了各項任務。

1989年，我國成為聯合國開發計劃署的最大受援國，已着手編制該署第三週期對華援助方案（1991～1995）。通過多方努力，聯合國人口基金和兒童基金會分別通過了對華援助新週期合作方案（1990～1994），資金總額為1.19億美元，其中人口基金5700萬美元，兒童基金6200萬美元。我國還加强了與聯合國跨國公司中心、貿易和發展會議、亞太經社理事會、國際商品協會及組織的合作。這些機構提供的7個技術援助項目取得了良好的效果。特別是近兩年來，通過國際援助建立的扶貧項目擴大了規模和範圍，不少“少、邊、窮”地區的人民開始受益。

新中國成立40年來，國民經濟有了巨大發展，但是由於歷史、地理、自然條件等多方面的原因，據1986年統計，全國部分地區農村仍約有1億人生活比較貧困。為使貧困地區的人民儘快脫貧致富，中央政府做出了幫助貧困地區發展經濟的決定，並列入國民經濟發展計劃。幾年來，各級政府做出了很大努力，制訂了許多優惠政策，向貧困地區提供了人力物力和資金的支持。貧困人口佔農村總人口的比例大幅度下降，貧困地區正進一步減少。我國政府的這一努力得到了國際社會的支持。聯合國開發計劃署、人口基金和兒童基金以及日本、加拿大、聯邦德國、澳大利亞、歐洲共同體等國際組織和國家的對華援助方案中，為“少、邊、窮”地區安排了一大批技術合作項目，遍及新疆、西藏、內蒙古、寧夏、貴州、青海、廣西、甘肅、陝西、山西、安徽、四川、江西、山東、河南等省區的一些貧困地區。截至1989年底，國際多邊和雙邊援助機構以及國際非政府組織共向貧困地區提供約8500萬美元的援助。這些項目既切合當地實際，又同有關援助機構的宗旨、條件相適應；既照顧當地羣衆基本生活的急迫需要，又從當地資源條件出發，因地制宜地發展合作活動，因而能取得較好的經濟和社會效益，受到當地政府和人民的普遍歡迎。

根據山東省沂蒙山區的地理和自然條件，利用聯合國開發計劃署和國際民間組織的無償援助，在臨朐縣建立了種植百萬株山楂的生產基地項目，總投資133萬元人民幣，其中外援相當於30萬美元，約佔82%，包括開發荒山和水利灌漑配套工程。第一期種植山楂48萬株，山楂年產量已達355萬公斤，增加收入603萬元，使6個鄉鎮的16個村脫了貧。

一些貧困地區由於羣衆的溫飽問題尚未解決，更難興辦初級衞生和婦幼保健以及初等教育等基礎服務設施。而有些國際援助機構，象聯合國人口基金和兒童基金會的援助宗旨是通過技術援助來改善婦女、兒童在上述方面所處的困難環境，不搞盈利性項目。爲了使那些尚未解決溫飽問題的人民能享受到這些社會福利，我國與人口基金和兒童基金會商定，在一些省、自治區安排婦女參加生產、增加收入項目，並採用循環無息貸款或回收一定比例的資金建立福利基金的方式，確保在這些經濟活動產生收益後，積累一定數量的資金開展婦幼保健、初等教育等活動。從這幾年項目執行情況看，這類創收項目投資少，見效快，直接服務於當地人民，並具有經濟活動與技能培訓相結合，提高人口素質等特點，因此，合作雙方對項目的執行都感到滿意。

在向貧困地區提供國際援助方面，還着力於推動這些地區的綜合發展能力。如我國同加拿大政府商定，在甘肅會寧縣建立會寧縣綜合經濟發展項目。通過銷售加拿大國際開發署無償提供的6.8萬噸鉀肥（折合1060萬加元），用回收貨款作爲基金，支持會寧縣執行1988～1992年經濟發展計劃，在會寧縣建立人畜飲水工程，開展職業培訓，擴散地毯加工、開發亞蔴系列產品和澱粉系列產品及建立肉兎生產服務體系等，帶動千家萬戶脫貧致富。爭取到1992年達到全縣人均300公斤糧食和300元純收入的目標。

1989年，聯合國兒童基金會和人口基金通過的兩個新的合作方案，在1990～1994年間除了繼續在計劃生育技術服務、避孕藥器具生產、中學人口教育、人口學研究、基礎教育、兒童發展計劃免疫、傷殘兒童康復等方面開展合作外，還共同向“少、邊、窮”地區300個貧困縣提供2000萬美元的援助（其中，人口基金900萬美元，兒童基金1100萬美元），重點加強貧困地區的婦幼保健服務。這些項目的順利實施，將使我國基層婦幼衛生保健工作邁進一大步。

1990年，我國將同有關國際組織和國家加强合作，認眞實施新的合作方案，加快現有項目的實施，並積極開闢新的合作渠道，探索新的合作方法，以期使國際技術援助獲得更好的經濟及社會效益。

希望與問題並存的1989年海峽兩岸經貿交流

對外經濟貿易部對台經貿關係司副司長　安　民

一、海峽兩岸經貿關係繼續蓬勃發展

1979年以來，在我們積極促進海峽兩岸通商的一系列政策的推動下，兩岸間接經貿交流逐漸由暗轉明，並由單向交流發展爲有限的雙向交流。1988年，兩岸間接貿易額比上一年猛增近80%，台灣工商界對進一步擴大兩岸經貿交流的呼聲越來越强烈。在這種形勢推動下，台灣當局逐漸放寬對大陸經貿交流的限制。1989年年初，台灣當局在1988年開放50種大陸產品間接進口的基礎上，又開放了42種產品間接進口。雖然這92個品種遠遠滿足不了台濟廠商對大陸產品的需求，也大大少於台灣每年實際進口的大陸產品的品種數量，但畢竟又前進了一小步。與此形成鮮明對照的是，爲了推動兩岸經貿交流的發展，我們繼續認眞貫徹對台經貿的方針、政策，採取了一系列積極措施：根據需要繼續擴大進口台灣產品；爲了滿足台灣廠商對大陸原材料的需求，千方百計組織和落實出口貨源，使煤炭、生鐵等大宗商品輸台得到了保證；隨着國務院《關於鼓勵台灣同胞投資的規定》的進一步落實，投資環境不斷改善，使台商投資繼續增加，台資企業經營更加順利。

1989年春夏之交在北京發生的政治風波，使一些不明眞相的台灣同胞，一時對大陸的政局穩定產生了疑慮。兩岸經貿交流面臨嚴重的威脅。爲了使台灣工商界朋友及時了解事件的眞相，6月28日，我代表經貿部對《人民日報》記者發表談話，着重指出，對台經貿政策不會改變，兩岸經貿往來符合全民族的利益，只有理由做得更好、更完善。隨着事實的眞相逐漸大白於天下，台胞的疑慮也漸漸消除。在10月舉辦的秋季中國出口商品交易會上，我們首次舉辦了海峽兩岸經貿交流活動，詳細介紹了對台貿易的方針、政策和具體做法，吸引台胞投資的優惠政策，解答了台胞的問題，受到了與會台灣工商界朋友的歡迎。不少台灣廠商還踴躍參加了一些省市舉辦的貿易、投資洽談會，積極成交、簽約。

1989年12月16日，海峽兩岸的民間工商界人士，在香港擧行會議，宣佈成立“海峽兩岸經貿協調會”和“海峽兩岸商務協調會”，並簽署了協議書。

1989年兩岸經貿交流儘管遇到了許多挫折和困難，但仍然取得了長足的發展。據統計，全年兩岸間接貿易總額達34.83億美元，比上年增長28.1%，其中大陸從台灣進口28.96億美元，對台出口5.87億美元，分別比上一年增長29.3%和22.8%。這使得兩岸間接貿易額在大陸和台灣的對外貿易中所佔比重繼續提高。從台灣進口的主要商品是化纖紗、布，機械設備、電機與電子零部件，化工原料等；對台灣出口的主要商品是中草藥、棉紗及織物、煤炭、非金屬礦產品、鰻魚苗等。通過貿易往來，海峽兩岸廠商的直接接觸逐步增加，貿易方式更加直接、安全和多樣化，在國際貿易中與台灣廠商的合作不斷擴大。

由於大陸政局穩定，各項吸引台胞投資的優惠政策逐步完善和落實，投資環境不斷改善，福建省還開闢了福州馬尾和廈門杏林、海滄台商投資開發區。台胞來大陸投資繼續保持增長勢頭。據不完全統計，1989年批准的台商投資項目達539項，協議金額4億多美元，均比上年有較大幅度的增長。台資的投向更加合理，除了繼續向勞動密集型的加工項目，如製鞋、成衣、毛衫、玩具、小家用電器、電子零部件、燈飾等投資以外，原材料及高技術項目的投資有所增加，土地成片開發也有增加。同時還出現了一些大型投資項目。許多在大陸經營順利的台資企業，不斷擴大投資規模和投資領域。台資企業的產品出口也大幅度增長。1989年底，新的一股"大陸投資熱"又在台灣島內悄然興起。

二、新中國建立40年來的兩岸經貿關係

40年來，兩岸經貿關係走過了曲折的發展歷程。由於衆所周知的原因，在1949年新中國建立以後的近30年中，海峽兩岸處於尖銳的政治和軍事對峙狀態。兩岸人民的一切直接交往，包括經貿交流，也因之隔絕。

1978年12月中共十一屆三中全會提出並確立了爭取和平統一祖國的大政方針；以後又提出了"一個中國，兩種制度"的構想，成爲中國共產黨和中國政府解決台灣問題的基本方針。在這一方針的影響下，海峽兩岸關係包括經貿關係進入了新的發展時期。

1979年元旦，全國人大常委會委員長葉劍英發表了《告台灣同胞》書，詳細闡述了解決台灣問題的方針政策，並首次提出了兩岸"三通"的倡議。自那時起到1989年的11年間，兩岸經貿交流從無到有迅速發展起來。截至1989年底，海峽兩岸間接貿易額累計已達117億美元，年均增長46.4%，其中大陸進口95.8億美元，出口21.3億美元，年均分別增長63.1%和26.5%；台胞在大陸投資項目累計已達近千項，協議投資金額超過10億美元。11年來的實踐充分證明，大陸的對台經貿方針、政策是合情合理的，是經得住歷史考驗的，已經得到越來越多的台灣同胞的理解和擁護。

目前，海峽兩岸經貿交流仍存在困難。這主要是台灣當局頑固地堅持"三不"政策，這種做法造成兩岸經貿交流的極大危害和障礙。台灣輿論及廣大工商界人士强烈要求當局在"政經分離"的原則下，制定出明確、可行的大陸經貿政策。台灣"經濟部"的主要官員也公開承認，台灣企業拓展大陸市場對統一中國有正面意義。這說明，在發展兩岸經貿關係方面，雙方的認識正在逐漸接近。海峽兩岸人民血緣相親，語言相通，習俗相近，同胞骨肉之情是可以超越意識形態分歧的。海峽兩岸的經貿交流有利於國家和民族，有利於促進大陸和台灣的經濟發展，定將繼續迅速發展，並逐步實現雙向、直接的交流。我們對此充滿信心。

1989年我國涉外經貿法制建設

對外經濟貿易部條約法律司副司長　齊瑞清

1989年，我國全國人民代表大會、國務院共公佈了7個與對外經濟貿易有關的法律、法規。這些法規的貫徹執行，對於進一步健全法制，促進改革開放和對外經濟貿易事業的發展，已經並將繼續起到重要的作用。

1989年2月由全國人民代表大會常務委員會通過並從同年8月1日起實施的《中華人民共和國進出口商品檢驗法》（簡稱《商檢法》），是一個重要的對外經貿法規。它表明，我國已將商品進出口的檢驗納入了法制軌道。制定《商檢法》的主要目的就是要保證貿易各方的權益，尤其是要保護買方的利益。這項法律的施行將有利於促進我國出口商品質量的提高，維護我國的外貿信譽；保證我國進口商品的質量、性能等，從而促進進出口貿易的發展。

《中華人民共和國行政訴訟法》（簡稱《行訴法》）的制定和實施是我國法制建設中的一件大事，是我國進一步實行社會主義民主的重要一步。根據《行訴法》，中國的公民、法人和其他經濟組織（包括外商投資企業）認爲行政機關或行政機關工作人員的具體行政行爲侵犯了它的合法權益的，有權向人民法院起訴。例如，當事人如對拒發、吊銷許可證或執照不服；認爲行政機關侵犯了法律賦予對外經貿企業的經營自主權；或行政機關違反法律規定要求他們履行義務；認爲行政機關侵犯他們的財產權等，都可以提出訴訟。《行訴法》還專門規定，外國人或外國組織，包括外國駐華商務人員，外國在華公司或駐華商務組織等，也可根據該法向我國人民法院訴訟我國行政機關或行政機關工作人員。這無疑有利於保護外商的合法權益。

1989年1月1日，經國務院批准，財政部公佈了《開採海洋石油資源繳納礦區使用費的規定》，該規定對礦區使用費作了調整，將過去海洋石油開採礦區使用費一律按12.5%計徵，改爲按不同產量累進遞增使用費率計徵。這項規定的實施大大降低了礦區使用費率，有利於吸引外資，加速我國海洋石油的勘探開發。

《中華人民共和國海關對沿海開放地區進出境貨物的管理規定》適用於沿海開放城市和沿海經濟開發區內的外貿企業、准予進出口的生產企業以及外商投資企業。適用範圍廣是該規定的特點。

1989年，除公佈了上述一些涉外經貿法律、法規外，我國有關部門還積極準備和起草了其他一些涉外經濟法律、法規，包括現有法律的修正案，有的已提交國家立法機關審議。如《中外合資企業法》修正案和《著作權法》，國務院已於12月提交全國人民代表大會常務委員會審議。《外貿法》草案正在進一步的討論修改中，有關部門還在修改《專利法》。《中外合資企業法實施細則》已提交國務院審議，《中外合作經營企業法實施細則》也在積極起草和修改中。此外，國務院有關部門正在起草《海商法》，修改有關外商投資企業所得稅法的規定和外滙管理法規等。預計1990年將會有一批新的涉外經貿法律、法規公佈實施，使我國的涉外經貿法規更趨完善。

1989年，我國政府同巴基斯坦、保加利亞、加納等國簽訂了相互鼓勵和保護投資的協定，中日投資保護協定已於1989年5月正式生效。我國政府還同科威特、巴基斯坦等國簽訂了避免雙重徵稅協定；同波蘭、孟加拉國、塞拉利昂、加納等國簽訂了貿易協定；同一些國家簽訂了經濟技術合作協定。另外，我國還於1989年5月25日加入了《商標國際註册馬德里協定》。

1989年12月，經貿部召開了全國第一次外貿法律工作會議。全國人大常委會副委員長王漢斌、最高人民法院院長任建新及經貿部的領導在會上作了發言或主題報告。一些全國知名的法律專家應邀到會作了發言。這次會議對於提高廣大外貿人員的法律意識，使外貿工作走上法治軌道具有一定的意義。

改革開放11年來，我國涉外經貿法制建設邁進了一大步。國家公佈的涉外經貿法律、法規約有200件，國務院各部門和地方政府公佈的法規逾千件。我國政府還同25個國家的政府分別簽訂了投資保護協定和避免雙重徵稅協定。這些法律、法規以及對外簽訂的雙邊協定或多邊公約，形成了我國涉外經貿法律體系的框架。當然，我國的涉外經貿法律、法規尚待進一步完善，立法工作的任務還是很繁重的。

1989年我國外貿運輸事業的發展

對外經濟貿易部進出口司副司長　關清太

1989年外貿運輸企業的廣大職工勤奮工作，克服困難，使外貿運輸工作取得了好成績。

1989年，我國外貿進出口貨運量共18656.3萬噸，同上年基本持平。其中，出口貨運量完成9148.4萬噸，爲年計劃的105%，比上年減少2.5%；進口貨運量完成9507.9萬噸，爲年計劃的111.4%，比上年增長2.3%。按運輸方式統計，海運完成16671.2萬噸，比上年增長0.1%；鐵路運輸完成1032.5萬噸，比上年減少7.1%；空運完成6.6萬噸，比上年增長22%；公路運輸完成942萬噸，比上年增長23.3%；河運完成25萬噸，比上年有較大幅度增長；其他運輸方式完成4萬噸。集裝箱運輸有新的發展，海運超過120萬標準箱，大陸橋運輸0.8萬標準箱。承運進出口商品的結構變化較大。出口的玉米、大米、棉花等大宗商品減少，輕工、紡織和服裝等貨物比重上升，這些商品批次多、批量小，產地分散，交貨時間緊，難裝難卸，對運輸條件要求高，加大了運輸組織工作的難度。進口的糧食、化肥比上年增加較多，鋼材和其他商品顯著減少。

1989年我國外貿運輸有以下幾個特點：

一、外貿運輸管理進一步得到加强。

爲了儘快理順領導關係，適應機構的調整，我們及時召開了會議，明確了地方經貿部門運輸管理的職能和任務，各有關單位很快完成了機構、職能的轉變，使外貿運輸管理工作得到了加强。

二、運輸條件有所改善，但問題仍不少。

1989年，我國沿海及長江中下游港口新增萬噸以上泊位27個，新增吞吐能力4715萬噸；新增萬噸以下泊位36個。全國港口的吞吐能力已超過5.6億噸，多數港口裝卸任務比較寬鬆，基本上扭轉了長期存在的嚴重壓船、壓港、壓貨的被動局面。我國遠洋船隊又有新的發展，國際航行船舶的總運力接近2000萬載重噸，居世界第八位。每月從中國港口開出定期、定港、定航線的核心班輪46艘次，加上非核心班輪，超過200個航班。還有支線運輸同香港和日本神戶相連。外貿運輸企業開展了從張家港到西北歐航線的直達集裝箱試航。汽車運力也比較充裕。京津冀地區汽車運力的利用率還不到70%。港口、船隊和卡車等運輸設施的發展對改善外貿出口運輸條件發揮了重要的作用。但是，在船型結構、航線安排、航班密度以及集裝箱的供應等方面還不能充分滿足對外貿易發展的需要。

鐵路運輸“北壓南堵”是1989年外貿運輸中的突出矛盾。1989年是鐵路運輸外貿物資連續下降的第三個年頭。我國幅員廣大，內陸省市的出口貨物必須靠鐵路運輸向港口或向陸運口岸集中，進口貨物也要靠鐵路運輸向內地疏散。如何發揮多種運輸方式的綜合效能，組織鐵路貨源分流勢在必行。1989年，我們對鐵路運輸發生“北壓南堵”的關鍵地帶進行了深入的調查，擬定了緩解這一問題的實施方案。廣東的佛山爛石碼頭、增城縣新塘碼頭和深圳皇崗卡車運輸出境通道的啓用，可以減輕對深圳過軌的壓力；黑龍江開放黑河市同蘇聯布拉戈維申斯克之間冬季冰上卡車運輸，可以緩和滿洲里通過能力不足的矛盾。

三、加强國際貨運代理的行業管理，整頓外貿運輸市場。

自改革開放以來，國際貨運代理業務打破了獨家經營局面，引入了競爭機制，這對方便貨主、增加運輸渠道、提高服務質量有一定的積極作用。但是，由於前幾年審批制度不健全，管理未跟上，某些地區貨運代理企業發展過快，出現了盲目競爭，造成外貿運輸市場某種程度的混亂。爲加强國際貨運代理企業的行業管理，根據經貿部1988年頒布的關於審批國際貨運代理企業的具體規定，實行中央和省、自治區、直轄市兩級審批和管理。這對治理整頓外貿運輸市場產生了明顯的效果，抑制了這類企業的盲目發展。1989年內，除有特殊需要的外，基本上未批准成立新的貨運代理企業。

出口商品生產基地建設在治理整頓中穩步發展

對外經濟貿易部綜合計劃司副司長　韓淑君

1979年以來，外貿扶持生產，建立出口商品生產基地的工作有了較大的進展，逐步形成了出口商品生產綜合基地、出口農副產品單項生產基地、出口工業品專廠（專車間）、外貿自屬生產企業、工（農）貿合營企業和中外合資經營企業等多種類型的出口生產基地。出口商品生產基地和出口生產體系的建立與發展，對於緩解內外銷矛盾，豐富出口貨源，提高出口商品質量、檔次，增加外滙收入，確保完成國家出口計劃任務；對於加速出口商品生產企業的技術改造，提高企業經營管理水平，降低出口成本，增强出口發展後勁，以及促進國內生產，安排勞動就業，繁榮國內市場，增加財政收入等，都起到積極的作用。

“七五”計劃期間，國家對出口生產體系建設安排了專項投資，制定了必要的扶持鼓勵政策。國家扶持出口生產體系建設的大體情況是：

1.建立機電產品出口生產體系。1986～1989年，國務院機電產品出口辦公室共批准出口基地企業和擴權企業1280個（其中基地企業313個），國家投入技術改造專項資金16億元（其中貼息貸款12億元），利用日本“黑字還流”貸款2.3億美元。四年中已有317個項目投產，累計增加創滙6.9億美元。

2.建立農副產品出口生產體系。“七五”期間，國家安排專項資金10億元，用於發展農副產品出口的改、擴建項目。1989年，國家農業投資公司安排基地建設項目215個，總投資7億元。這些項目建成投產後，每年可新增出口創滙3億多美元。

3.建立輕紡產品出口生產體系。1987年開始，國家每年安排專項資金用於發展輕紡產品出口的改造、擴建項目。1987～1989年，國家機電輕紡投資公司下屬的輕紡出口產品投資公司已先後三次招標，中標項目539個，總投資37億元。1989年招標的第三批190個項目，總投資爲11億元。這批項目建成投產後，每年可新增出口創滙6億美元。

4.建設“貿工農”聯合出口商品生產基地。1988～1989年，國家對“貿工農”聯合出口商品生產基地建設項目組織了兩次招標，中標項目285個（其中1989年72個項目），發放貼息貸款1.56億元。這些項目建成投產後，每年可新增出口創滙1.3億美元。

5.加快外貿自屬生產企業的技術改造。1989年，經貿部安排自屬生產企業技術改造項目274個，貸款1億元，進一步增强了外貿自屬生產企業的出口創滙能力。據統計，1989年全國1500多家外貿自屬生產企業，出口創滙約30億美元。

6.設立出口商品生產基地專項外滙。1986～1989年，國家安排出口基地專項外滙額度2億多美元，用於652個技術改造項目（其中1989年145個）。這些項目均從國外引進先進技術和關鍵設備，建成投產後，每年可新增出口創滙約8億美元。

此外，各省、自治區、直轄市及計劃單列市也採取多種形式，對本地區出口商品生產基地建設給予了積極支持，爲全國出口商品生產基地的鞏固和發展作出了貢獻。

1989年，經貿部認眞貫徹治理經濟環境，整頓經濟秩序和深化改革的方針，積極配合有關部門，作好出口生產體系建設工作。

一是把出口商品生產基地建設工作納入了制度化和規範化的軌道。經貿部制定了《出口商品生產基地建設外滙管理暫行辦法》，對基地建設外滙的性質、用途、使用條件、申請與審批程序、監督檢查措施等，都作了明確的規定。還制定了《對外經濟貿易部自屬生產企業技術改造管理辦法》（試行）和《對外經貿系統科技管理辦法》（試行）。這些制度的實施，有利於加强經貿系統出口商品生產基地建設項目的管理，進一步提高投入產出的經濟效益，促使出口商品生產基地建設工作的健康、順利開展。

二是在安排出口基地建設的外滙時，貫徹國家產業政策，遵循創滙、擇優、效益、統籌四項原則，對外貿自屬生產企業和工貿雙方投資、參股的聯營（合營）企業技術改造項目，優先給予安排，確保基地的產品按時、按質、按量、穩定均衡地供應外貿出口。

三是外貿自屬生產企業把創優質產品、實現管理現代化作爲一項重要工作。1989年有4項產品榮獲"國優"稱號，它們是：山東省食品進出口公司青島冷藏廠研製生產的模擬蟹肉，獲得國家優質產品金牌獎；中國土產畜產進出口總公司上海茶葉分公司第一茶廠生產的傳統出口產品拼配紅茶、中國土產畜產進出口總公司湖南茶葉分公司長沙茶廠生產的猴王牌茉莉花茶、中國出口商品基地建設總公司廣東分公司廣東神州燃氣具聯合實業公司生產的神州牌熱水器，獲得國家優質產品銀牌獎。另有13個產品獲經貿部優質產品稱號。不少外貿自屬生產企業已應用計算機、閉路電視監控和自動報警裝置，促進了企業管理現代化。1989年有10家外貿自屬生產企業榮獲國家二級企業稱號。

1989年對外經貿教育工作的新發展

對外經濟貿易部人事教育勞動司副司長　于連海

1989年，我們貫徹執行黨和國家的教育方針與政策，按照經貿工作的發展需要，在經貿教育工作中，堅持穩步發展、提高質量、注重實效的原則，繼續深化教育改革，切實加强思想政治教育，努力培養德、智、體全面發展的合格經貿人才。

一、提高經貿院校教育質量，培養德才兼備的合格人才。

經貿院校是經貿教育的重要基地，主要承擔着培養經貿後備人才和培訓在職人員的任務。1989年，部屬普通高校共爲社會輸送大學本（專）科畢業生1393名，研究生75名，分别比上年增長38％和2％；新招收大學本（專）科生1402名，研究生67名，與上年基本持平。經貿普通中專學校共輸送中專畢業生1600名，招收新生1300名，分别比上年增長64％和60％。經貿成人高等院校培養成人大專畢業生799名，招收新生1156名。經貿職工中專學校畢業中專生1769名，招生1355名。此外，各校還根據各級經貿部門的具體需要，對幹部職工進行大量短期業務培訓工作。

經貿院校的辦學宗旨是要培養爲社會主義經濟建設服務的經貿專業人才，爲此，各類經貿院校堅持社會主義辦學方向，提高學校自身的思想政治工作水平和政治理論課的教學水平。1989年11月，經貿部專門召開了部屬經貿高校思想政治工作會議，全面總結分析了各校思想政治工作的現狀、經驗和問題，統一了認識，明確了方向，研究了措施，討論制定了進一步改善和加强經貿高校思想政治工作的5個文件，並已陸續頒布實施。此後，又召開了經貿中專學生思想政治工作會議，討論通過了《全國對外經貿中專學校學生思想政治教育綱要》等有關文件。通過這些工作，有效地推動了經貿院校思想政治工作的經常化、規範化和制度化。

1989年經貿院校的學科建設獲得了新的進展。近年來，經貿事業發展迅速，對經貿專業人才的知識結構等提出了新的更高的要求。爲了適應這種新形勢，我們組織經貿院校、科研單位和有關從事實際工作的專家，對經貿學科建設的現狀和問題進行了科學分析論證，結合經貿工作的發展趨勢及近、遠期對人才的需求，研究了經貿學科建設的發展方向，確定了經貿院校學科建設及專業調整的重點與步驟，並重新修訂了各校的發展規劃。同時，爲了加强"國際經濟合作"專業的學科建設，組織全國設置該專業的有關院校成立了"國際經濟合作學科組"，開始協作編寫該學科主幹課程教學大綱和教材，受到有關院校的歡迎。另外，適應教學、科研工作的需要，經貿部成立了學術委員會，負責經貿學科建設和學術研究的統一規劃和工作指導。部屬經貿院校各專業的學科建設和科研水平普遍有所提高，人才培養的專業類型、層次結構和智能水平進一步適應經貿實際工作的需要。

二、加强在職人員培訓，提高經貿隊伍整體素質。

1989年，各級經貿部門繼續把崗位培訓作爲經貿成人教育改革和提高經貿職工隊伍整體素質的重點來抓。經貿部在對外經貿大學、上海外貿學院和經貿管理幹部學院分別開辦了第五、第六期大中型經貿企業領導幹部崗位培訓班，共培訓企業經理176名，黨委書記43名。組織編寫並陸續審定出版了《中國外貿理論和政策》、《國際金融》、《領導科學》等12本培訓教材。同時，在全系統組織了小型經貿企業經理的崗位培訓工作，共有26個省市經貿部門開辦了培訓班，共培訓小型企業經理1200多名。爲了提高培訓質量，利用暑假時間對授課教師進行提前培訓，收到了良好的效果。對於經貿企業業務人員的崗位培訓工作，繼外銷、單證等7個崗位之後，又審定頒布了計劃、商情、包裝3個崗位規範、教學計劃以及10個崗位的培訓教程，指導各地經貿部門普遍開展了不同形式的業務人員崗位培訓工作。其中，外銷員是經貿企業中的關鍵崗位，我部決定對經貿企業（包括外貿企業、工貿企業和自營出口企業）的外銷人員重點進行崗位培訓和統一考核，並試行“憑證上崗”，以全面提高外銷人員素質。廣大外銷人員十分珍惜這次培訓和考核機會，積極參加培訓。目前，全國已有5萬多名外銷人員參加了不同類型的培訓輔導活動，其經貿專業理論、業務知識、技能和外語水平普遍有了較大的提高和進步。

根據國家教委關於成人教育改革及推行“三種證書”制度的文件精神，經貿部在全國經貿系統有計劃地實行大專專業證書教育。1989年批准開辦了《國際貿易》、《外貿財會》、《外貿運輸》等19個專業的大專專業證書班，培訓學員1500多名。同時，從1988年開始與中央電視大學合辦《我國對外經貿理論與實踐》電視講座，先後由中央電視台、中國教育電視台向全國播放5次，有20多萬經貿職工參加了收看學習，先後組織了3次考試，有6.4萬名職工應試，絕大部分職工成績合格並獲得了結業證書。此後，又與中央電視大學合作，籌備組織《中國對外貿易企業經營與管理》電視講座，共有25講，大部分已錄製完成，1990年將陸續向全國播放。

三、不斷擴大經貿教育的對外交流與合作。

1989年，共接待國際組織、外國政府有關部門就經貿人才教育、培訓方面工作的來訪30多人次；選派了80多名經貿管理幹部和業務人員出國進修。同時，聘請了45名外國專家和外籍教師來華任教，派出70多名中青年教師出國深造。通過這些途徑，進一步學習掌握了國際經濟貿易的一些新的理論知識和管理經驗，提高了教師和經貿管理人員的理論和業務水平。如經貿部與聯合國國際貿易中心（ITC）合作的CPR/88/006人才開發項目獲得進展，雙方共同選定了加拿大、英國和美國的3所大學作爲我方派出人員的培訓學校，爲該項目的最後批准實施奠定了基礎，還確定了第一期參加培訓的人員名單，進行了國內第一階段培訓，收效較好。同時，該項目中的“經貿部工商管理教師培訓中心”（設在經貿大學）已正式成立，並派出了將在培訓中心任教的10名教師赴美進修。經貿部與聯邦德國“國際發展基金會”合作繼續學辦第三期"高級經貿官員研修班"，派出了25名經貿管理幹部赴德研修。組織安排了日本"日中貿易促進會"派來的6名學者，分別在雲南、四川、陝西三省學辦講座，詳細講解了日本市場的特點及擴大對日貿易的有關技巧，並就中日經貿發展與合作的前景和途徑進行了探討。共有300名經貿管理人員參加聽講，其中10名被選派到日本繼續深造。這些合作與交流，對於擴大經貿人才培訓規模、加强高級經營管理人才的培養有積極的作用。

建國40年來，隨着我國對外經貿事業的發展，經貿教育事業也取得了令人矚目的成就。目前，全國已建立對外經貿普通高等院校4所，設置21個專業，年招生能力達1500人，在校生總規模5493人，建校以來，共培養出研究生和大學本（專）科生1.3萬名；建立經貿普通中專學校21所，設置19個專業，年招生能力達2000人，在校生總數爲4900人，共培養中專畢業生1.4萬多名；建立經貿成人高等院校4所，並在4所經貿普通高校附設成人函授大學2所、夜大學4所，年招生能力1300多人，在校生總數爲3800人。此外，還建立經貿職工中專19所，幹部學校19所。各類院校已擁有一支具有較高政治素質和教學水平、結構層次趨於合理的3200多人的教師隊伍。在全國經貿系統內初步形成了多層次、多專業、多功能的經貿人才培訓體系，爲經貿事業的發展做出了重要的貢獻。

1989年的海關工作

海關總署政策法規司

1989年我國海關工作取得較大成績。全年徵收關稅逾186億元，監管進出境貨物1.9億噸，監管進出境運輸工具632萬輛（艘），分別比1988年增長了20%、1%和16%；驗放進出境旅客6300多萬人次，比1988年減少了12%。

一、加强對進出口活動的宏觀監控。

1989年，海關繼續堅持全面貫徹"促進爲主"方針，一方面改革監管模式、業務制度，方便合法進出，鼓勵和促進對外貿易和科技文化交流。在監管模式和制度上，進一步發展前期管理、現場監管和後續管理相結合的監管體系，逐步完善促進加工貿易、經濟特區、沿海開放地區、外商投資企業發展的制度和辦法；在監管方法上，繼續採取口岸分流、轉關運輸、上門驗收、憑保放行、特案解決等辦法措施，幫助一些企業渡過難關；繼續實行鼓勵利用外資，促進引進先進技術的關稅減免優惠。另一方面，採取措施强化和改善海關對進出口的宏觀監控。一是充分運用海關行政手段，加强對進出口許可證商品、加工貿易和損贈進口物資及個人進口重點管理物品的監管，保證許可證制度的有效實施。年內共查出僞造進出口許可證、無證進口、證企證貨證單不符、持過期許可證或違規進出口等違反許可證管理的案件1142起，案值7.1億元，使進出口環節的嚴重混亂現象得到初步糾正。二是充分運用海關經濟手段，發揮關稅對進出口的調節作用。先後3次調整了16個稅號的進口稅率，取消了經濟特區進口煙酒減稅的規定，開徵了2種商品的出口關稅，在一定程度上抑制了高檔消費品的進口，限制了資源性商品的出口。三是充分運用海關法律手段，嚴格依法查處各種走私和違規案件，嚴厲打擊那些內外勾結、造假瞞騙和冒用加工貿易、損贈之名，非法進出口、逃證逃稅、牟取暴利的重大走私犯罪活動，集中力量查處了海上走私和企事業單位走私等大案要案。年內全國海關共查獲各種走私案件11960起，案值5.57億元，其中海上走私案件684起，案值1.3億元；企事業單位走私案件673起，案值2.77億元。四是運用海關信息手段，積極開展統計分析，主動及時上報進度分析、專項分析和業務統計分析等170篇，爲中央宏觀決策提供信息服務。

二、加强關稅徵管工作，努力完成稅收任務。

在治理整頓期間，由於國家收緊銀根，緊縮信貸規模以及調整進口商品結構等方面的原因，關稅征管工作難度較大。海關積極採取措施，加强了稅收管理。一是加强徵管基礎工作。完善政策法規，健全工作制度，統一操作規程，保證信息的收集、反饋，不斷提高審價、歸類工作的質量水平，管住管好稅源。二是加强對減免稅物資、保稅貨物和加工貿易的後續管理。清理了加工貿易遺留合同16萬份，追補稅款、罰款近3億元。及時清理了減免稅法規，嚴格掌握減免稅審批的界限。嚴格執行減免稅物資和保稅貨物管理的有關規定。同時，明確重點，有針對性地開展稽查工作。三是加强對拖欠稅款的催繳。從嚴掌握緩稅審批，密切與外貿、財政、銀行等部門的聯系，採取必要的限期繳稅措施。年內共催繳欠稅86.7億元（其中關稅48.4億元，代徵稅38.3億元）。四是嚴肅稅法，認眞查處偸逃稅案件。加强了對主要進口商品的價格審查，年內共查處偸逃稅和漏稅行爲20783起，追補稅款4.5億元。爲了更好地加强徵管，減少欠稅，堵塞漏洞，還進行了集中納稅制度的改革試點。1989年海關徵收關稅比1988年淨增了31億元，由海關代徵的進口環節產品稅、增殖稅、工商統一稅等共152.9億元，比1988年淨增45.5億元，較好地完成了關稅和代徵稅的徵收任務。

三、防範和抵制國外敵對勢力的滲透，加强對進出境反動宣傳品的查緝。

1989年，國外敵對勢力加强對我國進行政治思想、文化滲透，尤其在北京發生動亂和反革命暴亂前後，海外反動組織和一些敵對份子，採用僞裝郵寄、携帶等方式，通過各種渠道，向我境內輸入大量充滿謠言的報紙、剪報複印件、反動傳單和小册子，攻擊我國現行的方針政策，公然進行顚覆我國政府和社會主義制度的活動。面對這種情況，海關根據有關法律、法規，採取措施，加强對進出境反動宣傳品的查緝。全年共查扣有反動內容的報紙、剪報、期刊、書籍、圖册、傳單、明信片以及音像製品等23.6萬件，比1988年增加了30倍，在抵制滲透方面取得明顯成效。

四、進一步健全法制，不斷提高執法水平。

一是制訂和頒布了《中華人民共和國海關審定進出口貨物完稅價格辦法》、《中華人民共和國海關對沿海開放地區進出境貨物的管理規定》、《中華人民共和國海關關於進出境旅客選擇"紅綠通道"通關的規定》等8件法規、規章。海關的監管工作、關稅的徵免退補、查處走私違規案件和海關的統計分析都建立了一整套工作流程和作業制度，海關的業務工作更加規範化、制度化。二是完善機構，加强監督制約機制。各級海關相繼設立了案件審理委員會，指定了行政復議的專門人員，建立了大案要案的報批制度，加强了案件的審理和辦案的監督制約。三是開展了執法檢查工作。海關總署對部分海關執法情況，特別是查處大案要案的情況進行了重點檢查，總結推廣了執法工作經驗，支持和推動了對大案要案的查處工作。四是通過新聞媒介，利用多種形式對《海關法》和海關配套的行政法規、規章廣泛深入地開展了宣傳，使有關工作對象增强了法律意識。同時，進一步加强了與公安、司法、工商、稅務等部門的聯系，共同做好監督管理工作。

五、以廉政爲重點，加强海關幹部隊伍的建設。

1989年主要開展了兩個方面的工作。一是加强廉政建設，從嚴治關，綜合治理，不斷提高幹部隊伍廉潔、高效、嚴守法紀的水平。海關總署修訂了《海關廉政規定》和《海關關員守則》，實行了"四公開三監督"制度（公開海關法規、規章，公開辦事制度和作業程序，公開海關職業紀律，公開執行職務關員身份；接受工作對象監督，社會監督和司法監督），普遍設立了舉報中心、舉報電話、舉報信箱等。對於海關人員的違法違紀行爲，一經發現，立即嚴肅查處。二是抓了海關系統幹部的教育培訓工作。開展了新關員入關教育、崗位職務培訓和多種形式的業務培訓，加强了海關院校教育工作。1989年經過各類業務培訓的幹部達7186人，佔海關現有人數的29%。海關院校在校學生1875人，畢業學生495人。經過教育培訓，海關幹部隊伍素質有了一定的提高。

六、海關工作40年回顧。

1989年是中華人民共和國成立40週年，也是人民海關誕生40週年。40年來，人民海關經歷了曲折的發展過程，圍繞黨和國家各個時期的中心任務，貫徹執行黨的路線、方針、政策，爲恢復和發展國民經濟，配合國家對外活動和對外鬥爭，保障和促進社會主義現代化建設，發揮了應有的作用。在這40年中，人民海關的自身建設有了很大發展。全國海關機構從70個增加到196個，海關人員從5383人增加到24000人。特別是改革開放以來，人民海關事業迅速發展，取得了輝煌的成就。海關的管理體制幾經變革，實行了全國集中統一的垂直領導體制，保證了海關依法獨立行使職權。在業務指導思想上，確立了"促進爲主"的方針，把海關工作的着眼點放在促進對外經濟貿易和科技文化交流上，爲海關工作改革明確了方向。在法制建設上，基本形成了以《海關法》爲主體，由80多個法律、法規、規章組成的海關法規體系，基本建立起依法行政的秩序。在業務建設上，形成了一套基本適應改革開放需要的關稅制度、監管體系和統計信息制度，加强了對走私違法活動的查緝，强化了海關對進出境的宏觀監控和把關服務的職能作用。在海關幹部教育培訓上，已經初步形成了適應海關發展需要的教育體系和培訓網絡。恢復和新建海關院校4所，共培養出中專、大專、大學本科和研究生1715人，完成在職學歷教育1416人。建立了全國海關教育培訓中心，共培訓海關幹部35000多人次。在科技裝備上，開始應用以電子計算機爲主體包括通信網絡和監視檢查等技術設施在內的各類先進技術設備。目前，海關已擁有電子計算機、通信、檢查、監視、錄證、鑒別等6大類設備共81種，有效地改進了管理手段，提高了技術水平。在國際交往方面，中國海關已經加入了海關合作理事會和國際海關稅則出版聯盟，積極發展多邊和雙邊交往，先後與31個國家、地區和國際組織簽訂了合作協議，擴大了中國海關在國際上的影響。與1979年相比，1989年全國海關監管進出口貨物增長了1.32倍，徵收關稅增長了6.2倍，驗放進出境旅客增長了6.67倍，罰沒收入增長了166倍。中國海關正繼續沿着建設中國特色的社會主義海關的道路前進。

1989年我國商檢工作取得新成績

國家進出口商品檢驗局局長　朱震元

1989年2月，全國人大常委會通過了《中華人民共和國進出口商品檢驗法》（以下簡稱《商檢法》），這是我國第一部商檢法。在這一年中，全國商檢部門堅決貫徹治理整頓和深化改革的方針，認眞執行《商檢法》，堅持旣把關又服務，在强化檢驗把關和監督管理的同時，積極爲提高進出口商品質量和發展對外經濟貿易服務，較好地完成了各項任務。

一、進出口商品檢驗和監督管理進一步加强。

1989年，全國商檢部門共檢驗進出口商品103.6萬多批，貨值479億多美元，分別比1988年增長12.85％和22.19％。通過檢驗共發現不合格出口商品3萬多批，貨值6億多美元；不合格進口商品1.5萬多批，貨值54億多美元。經商檢部門對不合格進口商品出具商檢證書，由有關部門對外索賠，共索賠回1億多美元，較好地把住了進出口商品質量關。同時，完成進出口貨物衡器鑒重2526萬多噸，水尺、容量、流量計重4220多船次，殘損鑒定2406批次，集裝箱檢驗66000多箱次；並開展海運危險貨物包裝檢驗10228批，比1988年增長23％。簽發普惠制產地證書55.7萬多份，簽證商品金額239億多美元，分別比1988年增長39％和139％。

在嚴格檢驗把關的同時，商檢部門繼續會同生產和外貿主管部門，加强對出口商品質量和生產企業的監督管理。1989年，全國商檢部門在審查考核的基礎上，擴大了對機電、紡織、服裝、土畜、陶瓷、煤炭等商品及生產企業實行出口商品質量許可證管理，共發放機電產品質量許可證833個，紡織品、服裝質量許可證1268個，陶瓷質量許可證19個，土畜產品質量許可證231個，煤礦質量許可證21個。通過考核和後續管理，督促生產單位完善質量管理，使部分出口商品的質量有所提高。

爲防止次劣商品進口，國家商檢局首次對汽車、摩托車、電視機、電冰箱等9種商品實施進口質量許可制度，制定了《進口機電產品質量許可制度實施細則》，明確了商品檢測和生產條件考核的規定、標準等，並在全國成立了6個進口質量許可制度審查部和9個檢測實驗室。這項制度的施行，對於保證有關進口商品符合我國安全標準，保護國家和消費者利益都將起到重要作用。

爲了更好地組織、利用社會檢驗力量，全國商檢部門共完成了對29個有關單位實驗室的審查考核認可及復查工作，指定其承擔商檢任務。1989年，商檢部門組織各有關檢驗機構檢驗進出口商品達21萬多批，貨值72億多美元。

二、商檢法制建設取得重大進展。

《中華人民共和國進出口商品檢驗法》於1989年8月1日起施行，爲我國商檢工作提供了明確的法律依據和可靠的法律保障。該法以加强商檢工作，“保證進出口商品質量，維護對外貿易有關各方的合法權益，促進對外經濟貿易關係順利發展”爲宗旨，體現了商檢工作爲國家的對外開放政策服務的基本原則。

《商檢法》發佈後，國家商檢局會同司法部和國務院法制局聯合發出了《關於學習、宣傳、貫徹商檢法的通知》。在各級人民政府和有關部門的支持下，貫徹《商檢法》的工作逐步深入。《商檢法實施條例》已報國務院審批。《商檢機構實施檢驗的進出口商品種類表》、《進出口商品報驗規定》等配套規章也已先後付諸實施。

三、貫徹治理整頓和深化改革方針，積極爲生產和外貿發展服務。

國家商檢局根據外貿發展的需要，及時調整公佈了《商檢機構實施檢驗的進出口商品種類表》，將列入法定檢驗的出口商品擴大了近40%。對統一經營的出口商品，實行統一報驗、檢驗的規定。針對一些原料性商品及農副產品發生人爲摻假的情況，及時調查原因，研究加强檢驗把關的措施，堵塞漏洞。國家商檢局及時發出了“防止摻雜使假商品出口”和“杜絕羊絨摻假”等通知，組織對假冒僞劣出口商品進行全面清查，嚴厲打擊擾亂社會經濟秩序的行爲，使外貿環境和秩序迅速好轉，出口羊絨、芝麻、松茸等容易摻假的商品質量有了明顯提高。

商檢部門在嚴格檢驗把關的過程中，還積極爲出口生產企業和外貿公司培訓檢驗人員，提供國外對我出口商品質量的反映和質量要求等信息及技術諮詢服務，幫助一些生產企業改造設備、工藝，完善質量管理制度。商檢部門還結合檢驗業務積極開展科研和標準化工作。1989年有28項科研成果已通過鑒定，制訂修訂153項商品品質規格等標準，已審批發布17個標準。商檢部門繼續加强國際交流和對外聯系，鞏固和發展了與美國、聯邦德國、澳大利亞等國及其他國際組織的合作關係，並已使我國拖拉機商檢實驗室正式通過經濟合作發展組織（OECD）的考核和認證，爲發展出口創造了條件。

四、商檢系統內部建設不斷加强。

爲適應外貿發展需要，1989年在外貿發展較快、進出口商品集中的新開口岸，設立了一批商檢機構，全國商檢機構已發展到180多個，商檢人員增加到11000多人，還有計劃地添置了一批較先進的檢測儀器設備，充實了檢驗力量和手段。年內還組織了對商檢人員的培訓、考核，開展了商檢系統內檢測實驗室的考核定級工作，已評審出9個一級實驗室和10個二級實驗室。同時在全系統進行了發放商檢證書工作質量大檢查，改進了內部管理和工作作風，提高了工作質量和效率。

五、我國商檢事業的40年發展歷程。

建國40年來，我國商檢事業經歷了創立和全面建設發展的階段。作爲國家對涉外經濟活動實行監管的一個重要方面，國家商檢局由最初設在中央貿易部內的一個分支機構，發展成爲國務院主管全國進出口商品檢驗工作的職能部門。全系統從建國初僅有10個分支機構、559人，發展爲現在的180多個機構、11000多人，建立了一支掌握多門類學科、多種技術，配備了一批較先進檢測儀器設備，以檢驗鑒定和監督管理爲主，又能開展科研工作的商檢隊伍。1989年檢驗進出口商品103萬多批，比1950年增長20倍。長期以來，商檢部門堅持“加强管理，認眞檢驗，公證準確，維護信譽，促進外貿，爲四化服務”的方針，把嚴格檢驗把關與爲生產和外貿服務結合起來，促進了出口的發展和商品質量的提高，防止了次劣商品進口，爲國家挽回了大量損失。通過多年努力，我國商檢的信譽逐步提高，商檢證書在國際上得到普遍承認，成爲國際間交接貨物、結滙通關和處理爭議的有效憑證。

調整信貸結構　多方籌集資金　支持外貿發展

中國銀行副行長　楊惠求

1989年，中國銀行（以下簡稱"中行"）貫徹治理整頓的方針，在信貸計劃和信貸資金雙緊的情況下，千方百計籌集資金，認眞調整信貸結構，努力做好外貿信貸資金的供應工作，並大力改進國際結算工作，提高國際結算業務的水平，從資金和服務兩方面支持了對外貿易事業的發展。

一、在緊縮銀根的前提下，堅持信貸資金向外貿傾斜。

根據中央治理整頓總方針的要求，1989年金融工作的方針是：控制總量、調整結構，保證重點，壓縮一般，適時調節。年初中國人民銀行給中行核定的信貸計劃即充分體現了"從緊"的要求，計劃新增人民幣貸款規模大大低於1988年的水平。而1989年的進出口計劃，却較1988年計劃增長了17.86%，外貿部門對信貸資金的需求相應加大。這一增一減，加劇了中行信貸資金的緊張局面。爲了既不突破貸款規模，又盡力支持外貿部門完成進出口計劃，一年來，中行始終把支持外貿出口作爲信貸工作的首要任務來抓。在年初就向全國各分行作了部署，並同經貿部聯合下發了《關於做好1989年信貸資金供應，保證完成國家進出口計劃的通知》。4月又召開了全國外貿信貸工作會議，對全年的外貿信貸工作做了具體安排。强調各分行對進出口企業貸款的比重不得低於貸款總額的80%。根據國家產業政策，中行積極調整信貸結構，嚴格把握貸款投向，重點解決外貿企業完成國家計劃內進出口任務的合理資金需要，對與出口無關的企業堅決不予貸款。在對外貿企業的貸款中，中行也進行了結構調整，優先保證銷路好、創滙率高的出口商品收購和關係國計民生的重要物資的進口；大力支持機電產品的出口；增加適銷庫存商品的貸款，壓縮結算在途資金和不合理的資金佔用。進入下半年以後，中行根據外貿進出口的實際情況，在認眞測算的基礎上，經中國人民銀行批准追加了80億元人民幣信貸規模。

經過多方面的努力，中行全年共向各類外貿企業發放流動資金貸款3000多億元，年末餘額達1391.2億元，其中新增餘額爲224.18億元。在固定資產貸款中，繼續增加了出口商品生產企業的貸款。在全部人民幣貸款餘額中，對各類外貿企業的貸款餘額保持在80%以上。從資金上支持外貿企業超額完成了國家的進出口計劃。

二、千方百計籌集資金，努力提高資金使用效益。

1989年，中國人民銀行繼續堅持不包專業銀行資金供應的方針，並在計劃上取消了對專業銀行的年度性貸款，還對拆借資金、外滙抵押等項融資方式進行了限制。這使中行面臨的資金供求矛盾更爲突出。爲了提供外貿發展所需的資金，中行動員全行各有關部門的力量，千方百計擴大資金來源。

首先，積極、穩妥地發展儲蓄網點，努力增加存款。當年新建自辦儲蓄網點1191個，合辦、代辦儲蓄網點761個，使中行各類儲蓄網點總數達到5349個。同時，注意加强內部管理，加快電腦應用，提供優質服務，使儲蓄存款有了較大幅度的增長，當年新增餘額超過100億元，爲各項貸款新增餘額的40%，儲蓄存款已成爲中行信貸資金的一項可靠來源。

其次，繼續抓緊增加企業存款的工作。針對年初曾出現的企業存款“滑坡”現象，總行及時採取了若干具體措施，加强了以貸吸存、以貸促存工作。各分行結合本地情況，擬定了相應的吸收企業存款的措施和獎勵辦法，並通過加强與企業的聯系和協作，穩定企業存款。通過努力，企業存款終於扭降爲升，年末存款額比年初上升了20.6%。

第三，利用市場機制，融通短期資金。爲解決出口商品季節性收購資金，各地分行充分利用資金使用上的時間差、地區差，積極開展相互融通短期資金的業務，盡可能地發揮有限資金的使用效益。南方十幾個分行還召開了資金網絡會議，相互溝通信息，加强了協作。此外，中行抓住了一切時機，從系統外拆借短期資金，年末拆借資金餘額爲20.37億元；中行還注意及時向中國人民銀行反映情況，取得各級人民銀行在短期貸款上的支持，截止1989年末，中行向人民銀行拆借短期資金餘額爲377.16億元。通過上述措施，在一定程度上解決了當年旺季出口商品收購資金的需要。

第四，認眞挖掘資金潛力，努力盤活信貸資金。針對企業相互拖欠嚴重、信貸資金被進口企業大量佔壓的問題，中行成立了清理拖欠貸款領導小組，積極採取措施，配合外貿企業清理“三角債”，收回被拖欠貸款幾十億元。對外貿企業其他不合理的資金佔用，也進行了認眞清理。

三、改進國際結算工作，搞好對外貿企業的服務。

針對近幾年國際結算工作的現狀和問題，中行在認眞調查研究的基礎上，制定了加快出口收滙和結滙的若干具體措施，從人員配備、技術、制度等方面大力加强了國際結算工作。各地分行根據總行的要求，幫助外貿企業培訓人員，提高單證質量，改進服務、上門收單，及時處理單據，保證單據不積壓；加强與海外分行和國外代理行的協作，及時收滙，迅速結滙。在此基礎上，中行還大力推廣定期結滙、出口押滙、遠期信用證項下的票據貼現等業務方式。使出口收滙、結滙的速度加快。據統計，中行對外貿企業的遠洋出口結滙平均天數已由過去的26～30天縮短到18～20天，其中上海、天津、深圳、廈門等口岸分行遠洋出口結滙天數已縮短到12天左右。結滙速度已不低於外資銀行。1989年春夏之交北京發生政治風波期間，全行職工克服重重困難，堅守崗位，努力工作，保證了及時收滙和付滙，維護了國家和中國銀行的信譽。

建國40年來，中國銀行一貫以支持我國對外經濟貿易事業發展爲己任。早在建國初期，針對某些西方國家對我國的經濟封鎖和物資禁運，中行適應外貿部門在貿易方式上的靈活做法，及時採取對開信用證等國際結算方式，保證了外貿部門進口物資的資金不致被某些國家凍結。同時，用多種貸款方式發放信貸資金，支持外貿企業組織出口貨源。1953年，即從資金上支持外貿企業完成了23.33億元出口商品的收購任務。此外，中行還發揮自己海外分支機構較多的優勢，通過國外市場調查、介紹客戶等方式支持外貿企業打開商品銷路。從“一五”計劃時期到改革開放之前，中行從資金和服務兩方面積極支持外貿發展。改革開放以來，隨着自身實力不斷壯大和經營管理水平的提高，更好地發揮了外滙外貿專業銀行的作用。1989年和1953年相比，中行發放的與外貿有關的人民幣貸款增長了近70倍，承辦的進出口結算業務增長了46倍。

今後在深化改革和進一步開放中，中行將一如既往，支持和促進外貿事業的發展。

沿海地區發展外向型經濟獲顯著進展

國務院特區辦公室綜合司司長　陳順恒

1989年是沿海地區擴大對外開放、發展外向型經濟取得顯著進展的一年。

1989年，全國經濟工作重點是治理經濟環境、整頓經濟秩序和全面深化改革。黨中央、國務院及時明確，在治理整頓中，沿海地區要利用國際上的有利條件，繼續擴大對外開放，積極實施發展外向型經濟的戰略，爲穩定全國經濟作出貢獻。經過沿海地區各級政府和廣大幹部、羣衆的共同努力，對外經濟貿易工作取得了很好的成績。

一、外貿出口繼續穩定增長。在1988年底召開的沿海地區對外開放工作會議上，國務院明確提出，沿海地區發展外向型經濟的關鍵和首要任務，是把外貿出口搞上去，保持穩定的增長，確保全國外貿出口創滙目標的實現。沿海地區和全國一樣，在治理整頓的條件下對外貿易遇到很多困難，財政信貸雙緊縮，一些關係國計民生的大宗原材料商品減少出口，出口生產所需的不少原材料和能源供應緊張，某些商品收購價格較大幅度上升等，一度使有些地方的外貿出口出現過一些波動。下半年，國家在信貸資金安排等方面作了有力的支持，各地方積極組織出口生產，拓展市場，實現出口較大幅度回升。沿海11個省、自治區、直轄市全年外貿出口總值達306.69億美元，比1988年增長10.38％。沿海地區外貿出口總值在全國外貿出口總值中所佔的比重由1988年的68.37％提高到70.87％。

沿海地區外貿出口的發展，主要依靠調整出口商品結構，擴大工業製成品的出口。出口商品結構的調整，又帶動了沿海地區工農業產業結構和產品結構的調整，推動了經濟發展和技術進步。例如廣東省，1989年外貿出口總值突破80億美元，主要是增加了機電、輕工等工業製成品出口。出口工業品產値達269億元，佔全省工業總產値的26.3％。其中機電產品出口値達12.8億美元、輕工產品出口値達14.3億美元，都創出了新水平，帶動了這些行業的技術進步和產品質量的提高，促使廣東經濟進一步向外向型發展。

二、“兩頭在外”的加工貿易發展很快。沿海地區利用國際生產結構調整的有利時機，發揮勞動力資源豐富、素質較好和工業基礎較好的優勢，發展原材料供應和產品銷售市場“兩頭在外、大進大出”的加工貿易。據海關統計，沿海11個省、自治區、直轄市進料加工、來料加工和補償貿易等加工貿易的出口額達到185.6億美元，佔全國加工貿易總額的92％，比上年增長44％。其中進料加工貿易出口額達93.3億美元，增長66.5％；來料加工貿易出口額90.1億美元，增長26％，都呈現高速發展勢頭。

沿海地區對外加工貿易的發展，主要有以下幾個特點：一是從南向北迅速推進。前幾年，加工貿易的發展，主要集中在廣東、福建等少數東南沿海省份。實施外向型經濟發展戰略後，向北推進很快。1989年，上海市加工貿易出口額達到18億美元，遼寧、山東、天津等省市都突破5億美元，形成了相當的規模。二是一批重要的工業企業加入到發展“兩頭在外”的加工貿易行列。在國內某些原材料供應偏緊的情況下，一些大中型企業利用富裕的生產能力，搞進料加工出口，包括石油、紡織、冶金等行業。這使加工貿易的技術水平和增值水平都提高了一步。例如遼寧省的瀋陽冶煉廠從智利進口銅精礦，利用閑置生產能力加工電解銅出口；營口造紙廠從香港購進廢紙加工成高檔次白板紙出口，都取得很好效益。三是鄉鎮企業發展進料加工、來料加工的積極性很高。在國內某些商品市場疲軟後，大批鄉鎮企業轉向國際市場，僅廣東省就有2300家鄉鎮企業從內向型轉爲外向型，使全省開展對外加工裝配的企業達到18000多家，從業人員139萬人，工繳費收入比上年增加50%。1989年沿海地區僅來料加工的工繳費收入就達6億多美元（實際結滙數），比1988年增長了54.12%。

三、吸收外商投資仍呈興旺勢頭。1989年國際上產業結構調整，一些勞動密集型產業繼續向勞務成本較低地區轉移。上半年，外商向我國沿海地區擴大投資出現新的高潮，投資項目和投資額都大幅度增長。下半年，西方國家的投資轉緩，但是亞洲地區，特別是台灣廠商來大陸投資更加活躍。沿海地區11個省、自治區、直轄市全年批准外商投資企業5102家，協議外資額48.9億美元；外商實際投入資金24.1億美元，比上年增長了34.34%，沿海地區實際吸收外商投資佔全國（不包括海洋石油合作勘探開發）的80%。根據治理整頓、調整產業結構的要求，沿海各地積極引導外資的投向，引進了一批國民經濟發展急需的能源、交通、通訊和原材料工業項目。廣東省吸收外商直接投資項目中，電力項目就有18項，外商投資額2.84億美元，建成後可增加發電能力23億度。廣東、福建等省外商投資結構已轉向以工業爲主，賓館等非生產性投資迅速下降。在工業性投資中，正逐步擴展到爲加工工業配套的中間原材料和基礎原材料工業。

沿海地區外商投資企業的經營狀況較好，生產發展快，利潤和上繳稅金也有較多增加。例如浙江省已經投產的200家外商投資企業，1989年產值比上年增長89%，利潤增長20%，上繳稅金增長50%。據經貿部業務統計，1989年沿海地區外商投資企業出口額達34.2億美元，比上年增長了1倍多，佔全國外商投資企業出口額的94.3%。出口的發展使這些企業的外滙平衡狀況得到很大改善。在外滙調劑市場上，外商投資企業外滙淨調出達10.8億美元，比上年增加144.6%。外商投資企業在各地區經濟發展中的作用也越來越明顯，成爲發展外向型經濟的骨幹和媒介。例如福建省已經投產的1400家外商投資企業，共吸收了28萬人就業，工業產值達57億元人民幣，佔全省工業總產值的22%；外商投資企業出口額佔全省外貿出口總額的28%，企業上繳稅金佔全省工商稅收的10%，對福建省的經濟發展起了重要的作用。

四、在治理整頓中繼續改善投資環境。治理整頓和經濟調整，在某些方面影響到外商投資企業的經營，一些企業流動資金不足，原料材料供應和產品銷售遇到困難。去年，沿海地區把改善投資環境的工作重點放在幫助外商投資企業解決經營困難上，以辦好現有外商投資企業的實際榜樣吸引投資者。爲此，國家和地方都作了很大的努力。國家爲興辦外商投資企業安排了專項配套資金貸款，增加了流動資金的供應。1989年，中國銀行爲外商投資企業提供的人民幣流動資金貸款比上年增加了39.9%，外滙流動資金貸款增加了44.3%；物資部門也專項安排對外商投資企業的原材料供應，緩解了它們的困難。

經濟特區和沿海開放城市經濟技術開發區的投資環境改善，成爲外商集中投資的區域。1989年國務院還批准福建省在廈門市的杏林、海滄地區和福州市的馬尾地區增闢台商投資區，吸引了許多台商前往開發投資。

沿海開放城市興辦的12個經濟技術開發區，經過五年建設，已經具備較爲良好的投資環境，形成一定的經濟發展能力。1989年這12個經濟技術開發區完成工業產值55億元人民幣，外貿出口額4.3億美元；新批准外商投資企業217個，協議外資額達3.3億美元。特別是依托大城市的經濟技術開發區，發展形勢很好。大連經濟技術開發區形成了以吸收日商投資爲主的格局，已批准外商投資企業130多個，舉辦了一批投資額1000萬美元以上的大中型項目，如萬寶奇馬達、日淸製油、精工手錶、輝瑞製藥等，都是與一些在國際上有較大影響的公司合作的。上海閔行開發區已有68家外商投資企業，1989年已投產企業的產值6.8億元人民幣，比上年增加1倍，出口5,000萬美元，也是成倍增長。

1989年是沿海地區在治理整頓中克服困難外向型經濟迅速發展的一年。黨的十三屆五中全會指出，在治理整頓中必須繼續堅持對外開放的方針，積極利用外資和引進先進技術，更有效地擴展對外貿易和經濟技術交流。並指出要進一步辦好經濟特區，充分發揮它們在對外開放方面的窗口和基地作用。繼續提倡和鼓勵沿海地區發展外向型經濟。經濟特區和沿海開放地區的基本政策措施不變，並在實踐中逐步加以完善。全會爲沿海地區在今明兩年治理整頓和深化改革中進一步擴大對外貿易和經濟合作交流，發展外向型經濟，指明了方向，確定了任務，必將促進沿海地區的對外開放和經濟發展更上一層樓。

把經濟特區外向型經濟提高到一個新水平

國務院特區辦公室經濟特區司副司長　黃泰和

1989年，已經創辦10年的深圳、珠海、汕頭、廈門四個經濟特區認眞貫徹治理整頓、深化改革的方針，下大力氣，發展以工業爲主的外向型經濟，整個經濟保持了穩定增長的好勢頭，特別是外貿出口和吸引、利用外資均有新的進展。

（一）

根據深圳、珠海、汕頭、廈門四個經濟特區的年報統計，1989年深圳、珠海、廈門三市和汕頭特區工業總產值達214.4億元，農業總產值（含村辦工業）達11.9億元，按可比價格計算，分別比上年增長31％和24％，外貿出口總額達到34.8億美元，比上年增長13.3％。

1989年深圳、珠海、汕頭、廈門四個經濟特區的外貿出口有以下幾個特點：

1.經濟特區自產產品在外貿出口總額中所佔比重上升，代理和收購內地產品的出口額下降。深圳自產產品出口額達13.7億美元，比上年增長40％，佔出口總額的63.6％；代理和收購內地產品的出口額爲7.9億美元，比上年下降9.4％。珠海、汕頭和廈門自產產品出口佔當地出口總額的比重都已上升到70％以上。

2.外商投資企業的產品出口大幅度增加，其增長速度大大高於產值的增長速度。如深圳外商投資企業的工業產值比上年增長31％，而產品出口額則比上年增長86.1％；廈門外商投資企業的工業產值增長35.3％，出口額則增長116％。

3.出口商品結構逐步優化。工礦產品出口比重上升，農副產品相應下降，特別是彩色電視機、自行車等機電產品出口額增長快。深圳的出口產品中，工礦產品佔出口總額的73.7％，比上年增長了5.9個百分點；農副產品及其他產品的出口額佔26.3％，比上年下降了5.9個百分點。

四個經濟特區的外貿出口在1989年仍保持良好的增長勢頭是多方面努力的結果。首先，由於認眞貫徹治理整頓、深化改革的方針，按照國際市場的需求，及時調整產品結構，引進、開發出一批國際市場適銷對路的產品，使特區自產產品的出口生產能力及市場競爭力迅速提高。去年僅深圳經濟特區就開發出200個新產品。出口商品中，創滙達100萬美元以上的有280多種，創滙達1000萬美元以上的有40多種。如成立不足五年的深圳中華自行車集團公司，現已能生產輕便郊遊車、賽車、童車、爬山車、高級鋁合金車等5個系列、500多個規格的產品，80％以上的產品外銷，1989年出口73.8萬輛，比上年增長52.2％。其次，積極開拓國際市場，大力拓展遠洋貿易，逐步改變外貿出口過多依賴港澳地區的局面。四個經濟特區去年都在北美、西歐以及亞太地區興辦了一批生產企業和商貿機構。通過它們發展了一批新客戶，擴大了商品的出口。第三，利用得天獨厚的自然地理條件，實行貿、工、農結合，大力發展養殖業，建立農副產品出口生產基地，增加了鮮活商品出口。第四，同內地廣泛開展橫向經濟聯合，特別是向內地投資，與內地一些企業合作建立了一批原材料和出口貨源基地。第五，銀行、海關、商檢、運輸等部門大力支持，與外貿企業通力合作，爲特區的外貿出口創造了較好的條件。

（二）

特區引進外資的工作出現新局面。1989年，四個特區新批准外商投資企業1342個，協議外商投資總額達15.57億美元，外商實際投入資金6.17億美元，分別比上年增長21％、41％和69％。廈門和汕頭經濟特區批准的外商投資項目和吸收的外資額均創歷史最好水平。其特點主要是：

1.在合資、合作項目中，外資所佔的比例上升，外商實際投入資金的數額大幅度增長。這對緩解國內建設資金不足，擴大吸收外資，保證項目按期建成投產均有積極作用。

2.外商興辦獨資企業的勢頭很猛。去年四個特區批准的外商獨資企業達314家，投資額達6.87億美元，分別比上年增長了54％和26.5％。

3."三來一補"業務繼續發展。1989年四個特區"三來一補"的工繳費收入達2.5億美元，比上年增長35％。

4.外資投向逐步趨向合理。外商投資的生產性項目佔95％，主要分佈在電子、化工、輕紡及機械等行業。其產品出口的平均比率達80％以上，促進了特區以工業爲主的外向型經濟的發展。

5.已投入生產經營的外商投資企業出現增資擴產、展延合同的趨勢。僅廈門特區1989年就有55家外商投資企業增資8336萬美元，其中外資達6178萬美元；9家企業延長設立年限。表明外商投資信心進一步增强。

四個經濟特區1989年引進外資的勢頭不衰，主要是由於各特區着力改善投資環境。在中央各有關部門支持下，各特區及時加强了供水、供電、交通、通訊等基礎設施建設。與香港相連的全國最大的陸路交通口岸——深圳皇崗口岸，經過兩年多的施工，也於去年正式開通。每天車輛通過能力達5萬輛，使深圳特區和珠江三角洲地區貨物進出口更爲便捷。

去年，各經濟特區按照中央的要求，認眞清理整頓了流通領域中的各類公司，撤併了一批不符合要求的公司，使市場秩序進一步好轉。同時，加强了法制和廉政建設，使政府部門的工作進一步規範化、法制化，不僅提高了辦事效率，而且增强了透明度，促進了投資軟環境的改善。特別是在春夏之交北京發生動亂期間，各特區堅決貫徹中央指示，保證了社會生活及生產秩序穩定，無一外商投資企業的生產經營受到影響，增强了外商投資的信心。

（三）

1989年是四個經濟特區創建的第10個年頭。10年來，經濟特區在黨的改革、開放總方針的指引下，在國務院和廣東、福建兩省的領導下，經濟建設取得了巨大的進展，吸收利用外資和外貿出口迅速增長，參與國際交換和競爭的能力大大提高，已經初步形成了外向型經濟的格局，成爲我國對外開放的基地和窗口。實踐證明，中央舉辦經濟特區的決策是正確的和成功的。

黨的十三屆五中全會的決定指出："要進一步辦好經濟特區，充分發揮他們在對外開放方面的窗口和基地作用。繼續提倡和鼓勵沿海地區發展外向型經濟。"這爲特區今後的發展進一步指明了方向。近兩、三年內特區要利用治理整頓爲產業結構調整提供的條件，使特區的工業生產上水平，逐步向技術密集型轉變；要聯合內地企業和科研單位，加快對引進技術的消化、吸收，進而開發出自己的新技術、新產品，進一步提高在國際市場上的競爭力；同時要進一步發展"兩頭在外"的產品，提高加工增値，增加自產產品的出口比重。經濟特區還要繼續深化改革，逐步建立起一套適應參與國際市場交換和競爭的管理體制和經濟運作機制，使經濟外向程度提到一個新水平。

1989年的中國旅遊業

國家旅遊局副局長　何光暐

（一）

1989年，我國旅遊業在連續10年突飛猛進的發展後出現下滑。1978年至1988年，來華旅遊入境人數平均每年遞增33.2%，旅遊外滙收入年均增長24%。但是由於受1989年春夏之交政治風波的影響，6月份旅遊接待人數急劇下降，同1988年同期相比，旅遊入境人數減少了34.5%（其中外國人減少53.2%），旅遊外滙收入減少27.78%。面對嚴峻考驗，經過旅遊系統全體職工的辛勤工作和積極努力，全年旅遊接待和創滙任務完成情況比預料的好。1989年，全年來華旅遊入境總人數2450.34萬人次，比1988年的3169.5萬人次減少22.6%，其中外國人146.10萬人次。全國有組織接待人數爲323.68萬人次，其中，旅遊部門接待190.83萬人次，佔59%；非旅遊部門接待132.85萬人次（比上年增長4.9%），佔41%。全年旅遊外滙收入18.60億美元，比1988年的22.2億美元減少17.2%。

從遊客的國別地區來看，1989年11個主要客源國來華遊客110.72萬人次，佔全年來華外國人總數的75.8%。其中，日本35.88萬人次，美國21.50萬人次，蘇聯8.13萬人次，菲律賓7.34萬人次，英國7.22萬人次，新加坡5.29萬人次，泰國5.49萬人次，法國5.19萬人次，澳大利亞4.87萬人次，聯邦德國4.71萬人次，加拿大4.60萬人次。1989年，台灣同胞來大陸探親、旅遊的人數達54.1萬人次，比1988年的43萬人次增長25.81%，在有組織接待的旅遊者中居第一位。

（二）

1989年，在重振我國旅遊業中，旅遊行業幹部職工付出了艱苦的努力。

1.正確分析旅遊發展形勢，制定了切實可行的旅遊發展方針。1989年年初，國家旅遊局根據我國旅遊事業面臨的機遇和繼續發展的形勢，提出了綜合治理、整頓隊伍、組織旅遊生產力向縱深發展三項任務。由於受6月政治風波的影響，我國旅遊業面對嚴峻形勢。國家旅遊局及時召開了重振旅遊座談會，把當年的工作方針調整爲：對外主動促銷、整頓旅遊隊伍、開展增收節支，使全體幹部職工增强了重振旅遊業的信心。

2.確定了“全面吸引，重點促銷”的原則，積極開展宣傳促銷活動。1989年，北京市旅遊局組織了“北京國際旅遊研討會”，山東省在曲阜舉辦了首屆孔子文化節，陝西省旅遊局以世界旅遊日爲題舉辦了富有地方特色的活動，黑龍江、吉林、遼寧省和內蒙古自治區呼倫貝爾盟聯合舉行旅遊新路線發佈會，江蘇省旅遊局結合秦淮河風景區竣工舉辦了“國際旅遊週”，福建省舉行“媽祖朝聖旅遊研討會”，深圳在“錦綉中華”景區開幕之際舉辦了旅遊洽談會，河北省舉辦了吳橋國際雜技節等。此外，還向日本、美國、西歐、東南亞等33個國家和地區派出了193個推銷團（組），調查市場，展銷洽談；各省、自治區、直轄市、計劃單列市旅遊局、旅行社共向海外發佈消息725次；邀請了26個國家和地區的57批記者約483人次，以及旅遊界知名人士和旅遊批發商來華訪問，通過他們做工作。這些活動取得了一定的效果。

3.旅遊行業的治理整頓取得了初步進展。1989年，旅遊行業的治理整頓主要做了以下三方面工作。一是有針對性地制定了一些制度、政策。國家旅遊局起草了《關於清理整頓和加强旅行社管理的方案》，制定下發了《旅遊對外招徠管理的若干規定》、《關於對導遊人員實行合同管理的規定》。二是對旅遊業隊伍進行了整頓。各地組織了專門的班子，針對隊伍中存在的各種問題，加强思想政治工作，開展了全員集訓，對全國導遊人員進行了資格考試，共有1.9萬人參加，考試合格者分別與所在企業簽訂了合同，實行了帶證上崗制度。三是進行了旅遊行業的治理整頓。在飯店業評出了135家星級飯店，使我國旅遊飯店向國際化、標準化邁進了一大步。各級旅遊行政管理部門根據國家有關規定，初步建立了旅行社審批和營業許可證等管理辦法；各地普遍對旅遊涉外飯店、商店、餐館等實行了定點管理辦法，加强了監督檢查工作，有重點地處理了一些有嚴重問題的海內外旅行社。

4.廣泛開展增收節支活動。一是加强成本核算，嚴格開支範圍；二是清倉查庫，減少積壓，搞活資金；三是提高現有設施、設備的利用率，節約材料燃料和低質易耗品消耗；四是在客源不足的情況下，有計劃地培訓多餘人員，組織他們從事其他輔助性工作，減少臨時工，減少工資費用支出；五是以旅遊接待爲中心，開展多種經營，多方面創收，增加營業收入。

5.停建、緩建了一批旅遊設施項目，嚴格控制旅遊飯店、旅行社的發展規模，推出了一批新的旅遊路線和新的旅遊項目。1989年，國家旅遊局清理在建項目，壓縮了投資規模，在全國各旅遊城市、地區不再批准建設高檔旅遊飯店，還對審批各類旅行社，進行了嚴格控制與管理。1989年，在旅遊基礎設施建設方面，各地開發出一批新的旅遊路線和新的旅遊景觀。如廣東省開發了以廣州爲中心的10條旅遊路線，東北地區旅遊部門和民航管理局聯合推出了10條旅遊路線，陝西省推出中國始皇帝專項旅遊，福建省推出了“媽祖朝聖旅遊”，北京市在“我愛北京山和水”旅遊活動中推出了40個景點，深圳市推出反映我國歷史文化、藝術的“錦綉中華”景區。這些新的旅遊路線和景區吸引了一大批旅行商和旅遊愛好者。

6.在深化旅遊管理體制改革方面，邁出了新的步伐。首先，國家旅遊局進行了機構調整，設10個職能司室。其中新組建了國際市場開發司、旅行社飯店管理司、資源開發司、國際聯絡司、綜合業務司等5個司。一年來的實踐證明，這些機構在重振旅遊業中，發揮了有力的作用。其次，旅遊企業正在向集團化方向發展。目前已有包括中國國際旅行社集團在內的10多個旅遊企業集團。這些企業集團在開拓國際市場、開發新的旅遊產品、統一組織對外銷售、統一服務標準，進行人才培訓等方面，已經發揮了優勢。

（三）

建國40年來，我國旅遊業經歷了從小到大的發展歷程。1949年11月創立了新中國第一家華僑服務社。1954年4月，中國國際旅行社正式成立。1956年開始接待自費旅遊者。截至1977年共接待自費來華旅遊者11.8萬人，國家直接收入綜合服務費和市內交通費5000萬美元。1978年，我國旅遊業開始大發展，全年入境旅遊者180.9萬人次，其中，自費旅遊者12.4萬人，等於過去24年的總和，旅遊外滙收入2.62億美元。1988年入境旅遊者3169.48萬人，是1978年的17.6倍，旅遊外滙收入22.46億美元，是1978年的8.6倍。1978～1989的11年間，旅遊業爲國家累計創滙137.8億美元，成爲我國非貿易收入的主要來源之一。我國在世界各國旅遊外滙收入的位次已由1978年的第41位躍升到1988年的第20位。

經過40年的發展，我國旅遊業已形成相當規模。全國有各類旅行社1600家，其中一類社63家，二類社800多家，三類社700多家；有涉外旅遊飯店1600多家，客房24萬間；有國際航線39條，可以通航近40個國家和地區，還有國內航線280條。有旅遊車、船公司73家，擁有各種旅遊汽車3萬多輛，遊船165艘。全國已擁有7個重點旅遊省市以及長江三峽、絲綢之路、廣桂昆、江浙瀘等重點旅遊路線。全國有高等旅遊院校4所，設旅遊系或旅遊專業的高校40所，旅遊中專14所，旅遊職業高中237所。在校學生3.9萬人。1978至1988年，共培養畢業生2.8萬人。40年來，我國旅遊業爲促進中國同世界各國（地區）人民的友好交流和合作，爲繁榮經濟發揮了重要的作用。

法 規

對外貿易

對外經濟貿易部
關於調整出口許可證管理商品目錄
及發證單位的通知

1989年1月

根據治理外貿環境，整頓外貿秩序，加强宏觀調控的精神，對1989年實行出口許可證管理商品目錄和發證單位進行調整，請各發證機關按此執行。

一、調整實行出口許可證管理商品目錄

1.從1989年2月1日起，對新聞紙、骨粒、聚苯乙烯、聚丙烯、ABS樹脂、鉻礦、鉬礦、鉻鐵、錳鐵、金屬鎂、金屬錳、甲苯、二甲苯、橡膠、鹽漬松茸、懷藥16種商品實行出口許可證管理。屆時，上述商品出口，除另有規定外，不論銷往任何國家、地區、均需申請辦理出口許可證，海關憑出口許可證按規定查驗放行。

2.撤銷對銅及銅基合金、鋁及鋁基合金、鎳及鎳基合金、鎳材四種商品的出口許可證管理，將其列入禁止出口商品目錄，按有關禁止出口商品目錄的管理規定管理。

二、調整發證單位

1.原由經貿部核發出口許可證的大米、烤菸、花生(包括花生製品)、鹿茸、當歸、田七、人參、鮮蜂王漿(包括粉)等8種商品，改由經貿部駐口岸特派員辦事處核發出口許可證。

2.原由經貿部駐口岸特派員辦事處核發出口許可證的豆粕/餅。改由經貿部核發出口許可證；髮菜、苧蔴條/球2種商品，改由各省、自治區、直轄市及計劃單列市經貿廳(委、局)、外貿局核發出口許可證。

3.原由各省、自治區、直轄市及計劃單列市經貿廳(委、局)、外貿局核發出口許可證的鋼材(包括廢鋼鐵)、生鐵、硅鐵改由經貿部核發出口許可證；木材(包括原木、鋸材)、焦炭、糠醛、松香、鋅及鋅基合金、鉛及鉛基合金、鉛材、銻砂、硫化銻、膠合板、豬鬃膝刷11種商品，改由經貿部駐口岸特派員辦事處核發出口許可證。

三、經過以上調整以及重新分類後，經貿部核發出口許可證的商品爲22種，經貿部駐口岸特派員辦事處核發出口許可證的商品爲62種，各省、自治區、直轄市及計劃單列市經貿廳(委、局)、外貿局發出口許可證的商品爲81種。總計爲165種。詳見附件。

四、對改變發證單位的商品，原發證單位在1989年2月1日前簽發的出口許可證屬經貿部簽發的，在原證有效期內繼續有效，屬經貿部各特派員辦事處和省級經貿廳(委、局)簽發的，有效期到1989年2月28日，過期作廢。未出完的，可到新發證單位換領新證。所有1989年1月1日以前簽發的出口許可證，有效期(包括展期)最長到1989年2月28日，過期作廢。

五、對新增加的實行出口許可證管理的商品，在1989年2月1日後貨到口岸即將裝運而來不及辦理出口許可證的，爲不影響正常出口，經商海關總署，作爲特殊問題處理，由出口單位向海關出具保函，經海關審查同意，由海關登記放行，限期補證結案，逾期不補證的，由海關依法處理。海關接受保函的時間爲1989年2月1日至15日，15日以後不再接受保函。

六、有關發證原則和具體的管理規定，我部將另文下達。

附件：實行出口許可證管理商品目錄(165種)。

附件： 實行出口許可證管理商品目錄(165種)

一、經貿部核發出口許可證商品(22種)

商品號碼	商品名稱	商品單位	備　註
1．玉米			
004	玉米	公噸	指整粒玉米。
0441	玉米碎	公噸	
04704	玉米粉	公噸	
2．蘑菇			
054621	鹽水蘑菇	公噸	指鹽水、鹽漬和酸(醋)小白蘑菇(又名洋菇)。其他蘑菇不實行許可證管理。
056593	蘑菇罐頭	公噸	指小白蘑菇(又名洋菇)罐頭。
3．茶葉			
07411	紅茶	公斤	紅茶委託各省級發證機關按計劃核發。
07412	綠茶	公斤	
07415	烏龍茶	公斤	
07419	其他茶	公斤	
4．豆粕/豆餅			
08131	豆粕	公噸	
08132	豆餅	公噸	包括瓦餅，豆餅碎。
5．黄豆			
2222	黃大豆	公噸	
22221	黃大豆碎	公噸	
222211	黃大豆粉	公噸	包括大豆蛋白粉。
6．蠶絲類			
2613	生絲	公斤	包括柞蠶絲、土絲、雙宮絲，及其他生絲。
26131	廠絲	公斤	指桑蠶白廠絲。
26141	蠶繭	公斤	包括廢蠶繭。
26142	廢絲	公斤	包括絲棉、綿球、落棉及其他廢絲。
6511	蠶絲紗/綫	公斤	包括絹絲、綢絲、打絨絲等，及絲佔50％及以上的混紡紗綫。其中絲棉混紡，絲佔25％及以上的需憑證出口。
7．2631	棉花	公噸	指各類等級棉花，包括等外棉及精梳棉。不包括脫脂棉。
8．26832	兔毛	公斤	包括已梳兔毛。
9．322	煤炭	公噸	包括原煤、篩選煤、洗精煤、塊煤、低質煤(包括中煤、煤泥)、混合煤、煤粉、煤矸石、腐殖酸原料。
10．333	原油	公噸	

商品號碼	商品名稱	商品單位	備　註
11. 成品油			
334111	車用汽油	公噸	
334211	燈用煤油	公噸	
334212	航空煤油	公噸	
33431	輕柴油	公噸	
3344	燃料油	公噸	
334511	潤滑油	公噸	
334512	基礎油	公噸	
334513	石腦油	公噸	
3413	液化氣	公噸	
3346	其他成品油	公噸	
12. 6513	棉紗	件	包括含棉量75%以上的混紡紗，及本色工裝綫。
13. 65166	棉滌綸紗	件	包括本色工裝綫。
14. 65214	棉坯布	碼	包括含棉量75%及以上的混紡坯布及手工織土布、用棉坯布或混紡坯布分割的擦槍布，不包括花色布、色織布。
15. 653411	滌棉坯布	碼	不包括花色布，色織布。
16. 6541	坯綢	碼	包括梭織、針織及紮染的生坯綢、煉白綢、漂白綢。不包括半成品的和服綢。
17. 6584	抽紗	批	指手工繡花製品：棉、蔴、玻璃紗、滌棉的枱布、枕套、枕袋、牀罩、手帕(棉布加紗、竹絲、法絲)、面巾(揩巾)、盤墊、圍裙、坐靠墊、窗簾、絨綫繡花。 手工編織品：萬縷絲花邊、絢帶花邊；即墨花邊、百帶麗花邊、巧帶花邊；棒棰、勾勾花邊；梭子、打丁花邊；綱扣、菲立花邊；榮城手拿花邊；勾針花邊、圈子花邊；針結花邊；勾針衣、帽、裙。 機繡製品：手繡、機繡和手繡、機繡相結合的阿拉伯頭巾。 以上除勾針衣外，其餘品種均不包括以絲綢爲原料的製品。
18. 6671	珍珠	公斤	包括各種珍珠、珍珠串、珍珠項鏈。
19. 鋼鐵			
67	鋼材	公噸	包括各種鋼材、鋼絲、鋼絲繩、鋼坯(錠)。
2820	廢鋼鐵	公噸	包括拆船廢鋼。
6712	生鐵	公噸	包括鑄造鐵及煉鋼鐵。
20. 67162	硅鐵	公噸	包括硅鐵渣。
21. 6822	銅材	公斤	指原料材，包括銅基合金材，直徑3毫米以上的銅盤條。不包括直徑3毫米(含本數)以下的裸銅綫、直徑12毫米(含本數)以下的銅管和帶絕緣材料的電綫。
22. 6842	鋁材	公斤	指各種鋁及鋁基合金材。包括裸鋁綫。不包括鋼芯鋁絞綫、帶絕緣材料的電綫及裁製好的配套的鋁門窗料。

二、經貿部駐口岸特派員辦事處核發出口許可證商品(62種)

商品號碼	商品名稱	商品單位	備　註
1. 0011	活牛	頭	陸運對港澳出口部分由廣州、深圳特辦發證。
2. 0013	活豬	頭	陸運對港澳出口部分由廣州、深圳特辦發證。
3. 0014	活家禽	隻	指雞、鴨、鵝。陸運對港澳出口部分由廣州、深圳特派員辦事處發證。
4. 00191	乳鴿	隻	包括活、冰鮮、冷凍的。陸運對港澳出口部分由廣州、深圳特辦發證。
5. 0111	牛肉	公噸	包括鮮、冰鮮、冷凍牛肉。陸運對港澳出口部分由廣州、深圳特派員辦事處發證。
6. 0112	羊肉	公噸	包括鮮羊肉、冰鮮羊肉、凍羊肉。陸運對港澳出口部分由廣州、深圳特辦發證。
7. 01133	凍豬肉	公噸	包括分割肉、豬排及冰鮮豬肉。陸運對港澳出口部分由廣州、深圳特派員辦事處發證。
8. 01134	乳豬	公斤	包括活、鮮、冰鮮、冷凍。陸運對港澳出口部分由廣州、深圳特派員辦事處發證。
9. 01145	凍家禽	公斤	指整隻和分割的凍雞、凍鴨、凍鵝、包括冰鮮的。陸運對港澳出口部分由廣州、深圳特派員辦事處發證。
10. 02511	鮮蛋	公斤	指雞、鴨、鵝蛋。陸運對港澳出口部分由廣州、深圳特辦發證。
11. 034111	鰻魚苗	公斤	包括鰻魚種、黑仔。廣州、上海特派員辦事處發證。
12. 036011	對蝦	公斤	指海捕、養殖的有頭、無頭、凍或冰鮮對蝦。不包括活對蝦，對蝦仁(球)。
13. 042	大米	公噸	指糯米、粳米、籼米。(均包括糙米、碎米、稻谷、蒸谷米)。
14. 045991	蕎麥	公斤	
15. 05422	紅小豆	公斤	又名赤豆
16. 05423	綠豆	公斤	
17. 054512	大蒜	公斤	包括火蒜，不包括青蒜及去皮蒜。
18. 05616	薇菜乾	公斤	
19. 056597	鹽漬蕨菜	公斤	
20. 057791	栗子	公斤	不包括去皮的栗子肉。
21. 12111	烤菸	公斤	
22. 2111	生牛皮	張	包括藍濕皮。
23. 21141	山羊板皮	張	
24. 211992	生豬皮	張	包括藍濕皮
25. 21201	水貂皮	張	
26. 花生			
2221	花生	公噸	指生花生果、花生仁。
098098	花生製品	公斤	指油炸花生仁，烤花生果/仁，咸、乾花生果仁。不包括花生仁罐頭及花生醬。
27. 2225	芝蔴	公斤	

商品號碼	商品名稱	商品單位	備　註
28. 木材			
247	原木	立方米	指桐原木以外的其他原木
247211	桐原木	立方米	
248	鋸材	立方米	指桐木鋸材以外的其他粗方材、半方材及板材，及傢具半成品材。不包括進一步加工的。
2484	桐木材	立方米	指桐木粗方材、半方材及板材。不包括進一步加工的。
29. 265141	苧蔴	公斤	包括精干蔴。
30. 山羊絨			天津特派員辦事處發證。
26831	羊絨(未梳)	公斤	
26872	無毛絨	公斤	
31. 2876	錫砂	公噸	包括錫礦砂及精砂。
32. 28792	鎢砂	公噸	
33. 291119	骨粒	公斤	指蒸製骨粒。
34. 291164	鹿茸	公斤	指梅花鹿茸、馬鹿茸、白唇鹿茸。大連、天津特派員辦事處發證。
35. 292412	當歸	公斤	包括通底歸、箱歸、當歸頭、當歸尾。
36. 292413	田七	公斤	又名三七。包括田七粉。
37. 29243	人參	公斤	指紅參、紅參丁、紅參鬚、石柱參、白參、生曬參、白參丁、白參鬚、湯參、鮮人參。包括人參粉。大連特派員辦事處發證。
38. 323212	焦炭	公噸	包括塊焦、碎焦、粉焦。不包括石油焦。
39. 335121	石蠟	公噸	包括液體石蠟。
40. 361	重水	公斤	又名氘代，按經貿部(86)外經貿進出三字第808號文核發許可證。
41. 515697	糠醛	公斤	包括糠醇。
42. 稀土			
522172	其他稀土	公斤	指含氧化釔5％－90％以外的其他稀土。包括精礦、化合物、金屬、合金。
5221721	氧化釔	公斤	指含氧化釔5％－90％的稀土。
43. 銻			
287991	銻砂	公斤	包括銻礦砂、銻精礦。
52248	氧化銻	公斤	包括氧化亞銻。
5231591	硫化銻	公斤	
689994	銻錠	公斤	指煉銻。
44. 鎢製品			
522595	三氧化鎢	公斤	
5225951	鎢酸	公斤	
523314	仲鎢酸銨	公斤	
45. 523181	元明粉	公噸	
46. 541781	鮮蜂王漿	公斤	包括粉，指原料，不包括成藥。

商品號碼	商品名稱	商品單位	備　註
47. 薄荷腦/油			上海特派員辦事處發證。
51221	薄荷腦	公斤	
551312	薄荷油	公斤	包括薄荷素油。
48. 598141	松香	公噸	
49. 6124	皮製勞保手套	打	
50. 6342	膠合板	立方米	
51. 紙張			
6411	新聞紙	公噸	指白報紙。
64174	瓦楞芯紙	公斤	
64284	衞生紙	公斤	指大小卷筒、大小平板紙、小平板面巾紙。
52. 65136	漂白工裝綫	磅	指漂白的棉綫及棉滌綸綫，包括寶塔綫。
53. 65196	苧蔴紗	公斤	包括含苧蔴50%及以上與其他纖維混紡的紗。
54. 652241	棉漂布	碼	包括半漂布
55. 653412	滌棉漂布	碼	包括半漂布
56. 65442	苧蔴坯布	碼	包括含苧蔴50%及以上的混紡交織坯布。
57. 671693	鎢鐵	公斤	
58. 6851	鉛及鉛基合金	公斤	
59. 6852	鉛材	公斤	
60. 6861	鋅及鋅基合金	公斤	
61. 687	錫	公斤	指錫錠、焊錫、焊錫條、焊錫絲。
62. 8997241	豬鬃漆刷	打	包括漆刷頭，對歐洲共同體出口按配額發證。

三、各省、自治區、直轄市及計劃單列市經貿廳(委、局)、外貿局核發出口許證商品(81種)

商品號碼	商品名稱	商品單位	備　註
1. 0012	活羊	隻	陸運對港澳出口部分由廣州、深圳特辦發證。
2. 01161	豬副產品	公斤	指鮮、冰鮮、冷凍豬頭、蹄、內臟等，不包括鹽漬或加工後的豬腸衣。陸運對港澳出口部分由廣州、深圳特辦發證。
3. 01211	火腿	公斤	浙江省經貿廳發證。
4. 02512	再製蛋	枚	指皮蛋、鹹蛋。
5. 036021	大閘蟹	公斤	由江蘇、湖北、安徽、江西省經貿廳(委)發證。
6. 04833	粉絲	公斤	其中龍口粉絲由山東省外貿局發證。
7. 0546211	鹽漬松茸	公斤	四川省、吉林省經貿委，黑龍江省、云南省經貿廳發證。
8. 懷藥			河南省經貿委發證。
054818	山藥	公斤	
292416	菊花	公斤	
292425	牛夕	公斤	
2924891	地黃	公斤	
9. 05614	髮菜	公斤	由陝西省經貿委、內蒙古自治區、寧夏自治區、青海省經貿廳發證。
10. 05722	柚子	公斤	其中沙田柚子由廣西經貿委發證。
11. 057921	鴨梨	公斤	包括雪梨，由河北省經貿委發證。
12. 0579221	新疆香梨	公斤	新疆經貿廳發證。
13. 057982	哈蜜瓜	公斤	新疆經貿廳發證。
14. 057995	紅棗	公斤	
15. 0612	食糖	公斤	指白砂糖、綿白糖。
16. 07514	辣椒乾	公斤	西安皺椒由陝西省、西安市經貿委發證。
17. 2300	橡膠	公斤	
18. 2640	黃/紅蔴	公斤	
19. 265142	苧蔴條/球	公斤	
20. 27824	鎂礦及其初級產品	公斤	包括輕/重燒鎂、菱鎂礦、電熔鎂。
21. 2783	食鹽(氯化納)	公斤	包括原鹽及再製鹽
22. 278541	硴石(螢石)	公噸	包括粉、塊。
23. 278921	重晶石	公噸	包括粉、塊。
24. 278932	滑石	公噸	包括粉、塊。
25. 28732	礬土	公噸	
26. 28791	鉻礦	公噸	
27. 287931	鉬礦	公噸	
28. 291961	羽絨毛	公斤	指鵝、鴨絨、毛及碎羽片。包括水洗或未水洗的。不包括裝飾性羽毛。
29. 292311	藺草及製品	批	江蘇省、浙江省、安徽省、上海市、四川省、湖北省、湖南省、寧波市、福建省經貿廳(委)發證。

商品號碼	商品名稱	商品單位	備　註
30. 292411	甘草	公斤	
31. 292414	黨參	公斤	
32. 292417	蟲草	公斤	全名冬蟲夏草。由青海省經貿廳、甘肅省經貿委發證。
33. 292443	羅漢果	個	廣西經貿委發證。
34. 292444	厚朴	公斤	
35. 292481	黃芪	公斤	包括各種芪。
36. 292486	杜仲	公斤	
37. 292488	枸杞子	公斤	包括血杞。
38. 292491	桂皮	公斤	廣東省、廣西自治區經貿委發證。
39. 292611	水仙花頭	頭	福建省經貿委發證。
40. 292911	生漆	公斤	湖北省、四川省經貿委發證。
41. 292912	甘草製品	公斤	包括膏、粉、霜、酸等甘草製品。
42. 33523	甲苯	公斤	
43. 33524	二甲苯	公斤	
44. 4234	花生油	公斤	
45. 42491	桐油	公斤	
46. 51385	聯苯雙脂	批	北京市經貿委發證。
47. 51391	檸檬酸	公斤	
48. 512696	四咪唑	公斤	指原料葯。天津外貿局發證。
49. 52252	燒碱	公噸	不包括氫氧化鈉試劑。天津市外貿局，大連市、遼寧省經貿委發證。
50. 52323	純碱	公噸	天津市外貿局，大連市、遼寧省經貿委發證。
51. 523241	碳酸鋇	公斤	
52. 52393	電石	公噸	
53. 541391	氯霉素	公斤	指原料藥。
54. 54142	蔴黃素	公斤	指原料藥。內蒙、新疆自治區，青海經貿廳，甘肅省經貿委，天津市外貿局發證。
55. 5417811	北京蜂王精	批	北京市經貿委發證。
56. 541782	片仔癀	兩	福建省經貿委發證。
57. 5417892	云南白藥	批	云南省經貿廳發證。
58. 541796	鹽酸左旋咪唑	公斤	指原料藥。不包括磷酸左旋咪唑。天津外貿局發證。
59. 551314	桂油	公斤	廣東省、廣西自治區經貿委發證。
60. 551391	香葉油	公斤	云南省經貿廳發證。
61. 57231	煙花爆竹	批	
62. 58331	聚苯乙烯	公噸	
63. 583311	ABS樹脂	公噸	
64. 641212	五星牌宣紙	刀	由安徽省經貿委發證。
65. 65213	針織坯布	公斤	包括棉、棉滌針織坯布。
66. 65811	蔴袋	條	包括半成品即蔴袋布，每兩米折壹條。

商品號碼	商品名稱	商品單位	備　註
67. 6592	地毯	平方米	指用羊毛、絲、絲毛、化纖以手工或機織的各種地毯、掛毯。包括天鵝絨毯(又名祈禱毯)。對美國出口不實行許可證管理。
68. 6612	水泥	公噸	
69. 鐵合金			
67161	錳鐵	公噸	
671691	鉻鐵	公噸	
70. 6643	平板玻璃	平方米	指無色透明普通平玻璃。
71. 666	日用陶瓷	批	不包括美術陶瓷、衞生潔具、花盆、魚缸及建築陶瓷。對美出口由經貿部發證。
72. 鐵絲			
677011	鐵絲	公斤	不包括鍍銅扁鐵絲(對美除外)。
69401	鐵釘	公斤	指1寸以上的圓釘，不包括瓦楞釘及各種異型釘(對美除外)。
73. 6832	聚丙烯	公噸	
74. 685412	牀單	條	指棉、棉滌牀單。
75. 68915	金屬鎂	公噸	
76. 689995	金屬錳	公噸	
77. 849	阿拉伯袍、褲	套	
78. 8913	景泰藍	批	北京市、上海市、江蘇省、河北省經貿委發證。
79. 895231	鉛筆	羅	指木製鉛筆。
80. 89931	蠟燭	批	
81. 8997141	葦簾	片	包括芨芨草簾，由天津市經貿委、山東省外貿局、河北省經貿委發證。

國務院關於加强華僑、港澳台同胞捐贈進口物資管理的若干規定

1989年2月20日國務院發佈

華僑和港澳台同胞滿懷愛國愛鄉的熱情，捐款捐物，爲建設僑鄉，支援四化建設作出了貢獻。國家對華僑、港澳台同胞的愛國行動，一貫予以鼓勵和支持。爲進一步做好接受捐贈工作，正確引導接受捐贈的方向，克服接受捐贈工作中存在的某些混亂現象，根據中央關於治理經濟環境、整頓經濟秩序的精神和國務院關於嚴格控制高檔消費品進口的決定，特作如下規定：

一、對華僑和港澳台同胞向國內捐贈物資，堅持捐贈自願、接受自用的原則。各級機關不得接受華僑、港澳台同胞的捐贈。各級領導要嚴格遵守本規定，不得批條子干預審批和管理工作。

二、鼓勵華僑和港澳台同胞捐贈必需的生產資料，直接用於工農業生產、文教衛生、科技以及公益事業等。對用於上述方面的物資，由海關按照國家有關規定，予以免稅。

三、鼓勵捐贈現滙。對華僑、港澳台同胞爲支援家鄉建設個人捐贈的現滙，經國家外滙管理局批准後，可進入國家外滙調劑中心進行調劑。具體辦法，由國家外滙管理局商有關部門制定，報國務院批准後實施。

四、捐贈國家規定限額管理的汽車、彩色電視機、電冰箱、錄像機、計算機等限制進口的機電產品，各省、自治區、直轄市人民政府要嚴格按照國家規定的捐贈限額審批接受捐贈。超過限額的，一律不得批准進口。越權審批的，要追究有關領導和經辦者的責任；對所接受捐贈的產品，由海關總署會同有關部門按規定從嚴處理。

五、未規定捐贈限額的國家限制進口的機電產品，由各省、自治區、直轄市機電設備進口審查辦公室會同省(自治區、直轄市)僑辦、台辦核報國務院機電設備進口審查辦公室審批，並報國務院僑辦、台辦備案。

六、對實行集中報批的國家限制進口的機電產品，包括以“在外售劵，境內取貨”方式接受的捐贈，只限直接接受單位自用。接受捐贈單位不得轉讓、轉賣增值或串換，也不得經組裝加工後在市場出售。所有接受捐贈的國家限制進口的機電產品，都應憑批准文件向對外經濟貿易部及其授權機構申領進口許可證，海關憑許可證驗放。

七、捐贈屬於實行進口許可證管理和專賣、專營的物資，除第四、第五條規定者外，由各省(自治區、直轄市)僑辦、台辦核報國家主管部門歸口核批，由海關按規定驗放。除自用者外，交指定專賣、專營單位經營，或由物資、商業部門按合理價格收購，並由收購單位(包括專賣、專營單位)照章補稅。具體辦法，由物資部、商業部會同有關部門制定，報國務院批准後實施。

八、外商投資企業和開展對外加工裝配、補償貿易企業的外方代表，我派駐境外(包括港澳地區)的中資機構，在對外交往中外國官方或民間經貿團體、外商向我有關單位贈送物資以及各種無償援助，不屬於華僑、港澳台同胞捐贈範圍，應按國家有關規定辦理。

九、對假藉接受捐贈名義內外串通，進行套滙、逃證、逃稅、倒賣等非法活動的，一律沒收其所得，並依法懲處。

十、本規定自1989年3月1日起執行。在此之前，已批准接受捐贈的，仍按原規定辦理。過去頒發的有關文件，凡與本規定不符的，以本規定爲準。

外國投資

關於對外商投資企業違反登記管理法規的行爲進行處罰的權限和程序的規定

1989年2月1日國家工商行政管理局發佈

爲了加强對中外合資經營企業、中外合作經營企業、外資企業(以下統稱外商投資企業)的監督管理，保護合法經營，依法查處違反登記管理法規的行爲，根據《中華人民共和國企業法人登記管理條例》及其《施行細則》，特對處罰的權限和程序作如下規定：

第一條 縣(區)及縣(區)以上各級工商行政管理局，均有權對管轄區域內的外商投資企業進行監督檢查。

第二條 國家工商行政管理局和國家工商行政管理局授權直接核准登記外商投資企業的地方工商行政管理局(以下簡稱受權的工商行政管理局)，均有權依照有關規定和處罰權限對違反登記管理法規的外商投資企業進行處罰。

上級工商行政管理局對下級工商行政管理局作出的不適當的處罰有權予以糾正。

第三條 國家工商行政管理局對下列違反登記管理法規的外商投資企業進行查處：

一、國家工商行政管理局直接登記註册的外商投資企業；

二、國家工商行政管理局認爲有必要直接查處的外商投資企業。

第四條 受權的工商行政管理局對違反登記管理法規的行爲發生在本管轄區域內的外商投資企業進行查處。

受權的省、自治區、直轄市工商行政管理局對外商投資企業依法作出沒收非法所得超過人民幣20萬元或罰款超過人民幣2萬元或吊銷營業執照處罰的，應報國家工商行政管理局核批。

受權的市(地區)工商行政管理局對外商投資企業違反登記管理法規的行爲進行處罰的權限，由其所在的受權的省、自治區、直轄市工商行政管理局區別具體情況，按照本規定的原則加以規定，並報國家工商行政管理局批准。

受權的市(地區)工商行政管理局依法作出的處罰決定超出其權限的，應報其所在的受權的省、自治區、直轄市工商行政管理局或國家工商行政管理局核批。

第五條 受權的工商行政管理局對外商投資企業作出的處罰決定，應報送國家工商行政管理局和有關的工商行政管理局備案。

第六條 受權的工商行政管理局處理發生在本管轄區域內非本局核准登記的外商投資企業的違法行爲時，應及時將查處情況及處理結果通知核准登記該企業的工商行政管理局。

第七條 沒有處罰權的縣(區)及縣(區)以上的工商行政管理局在本管轄區域內發現外商投資企業違反登記管理法規的行爲時，應當認眞進行調查，提出處理建議，請示有處罰權的上級工商行政管理局。有處罰權的上級工商行政管理局應當在接到請示之日起一個月內予以批覆，超出處罰權限的應逐級上報。

第八條 外商投資企業不得拒絕工商行政管理機關依法進行的監督管理和查處活動，並應當在收到處罰通知之日起15日內執行處罰決定。對處罰決定不服的，應在收到處罰通知之日起15日內向有處罰權的上一級工商行政管理局申請復議。上級工商行政管理局應當在收到復議申請之日起30日內作出復議決定。復議期間，按原處理決定應收繳的罰沒款可先予扣繳。

第九條 外商投資企業對地方工商行政管理局作出的復議決定或國家工商行政管理局作出的處罰決定或復議決定不服的，可以在收到復議決定或處罰決定之日起30日內向人民法院起訴。逾期不提出申訴又不繳納罰沒款的，工商行政管理局可以按照規定程序通知其開戶銀行予以劃撥。

第十條 工商行政管理局依法對外商投資企業違反登記管理法規的行爲進行查處時，應當指定專人負責並建立檔案，當事人提供的證據材料應由當事人簽字或蓋章。負責查處的工商行政管理人員應嚴格遵守各項法規和外事紀律。對外商投資企業進行調查或檢查時應由二人以上進行，並出示《中華人民共和國國家工商行政管理局專用工作證》。

第十一條 對港、澳、台企業或華僑、港、澳、台同胞投資舉辦的合資經營企業、合作經營企業、獨資經營企業，外國(地區)企業從事承包工程、承包經營管理、合作開發國內資源等經營活動，外國(地區)企業常駐代表機構，外國(地區)銀行分行以及外商投資企業設立的從事經營活動的分支機構和開展業務活動的辦事機構的監督管理、處罰權限和程序，依照本規定執行。

第十二條 本規定自發佈之日起執行。

海關・稅收

開採海洋石油資源繳納礦區使用費的規定

1989年1月1日財政部發佈

第一條 為促進國民經濟的發展，擴大國際經濟技術合作，鼓勵開發我國海洋石油資源，根據《中華人民共和國對外合作開採海洋石油資源條例》，制定本規定。

第二條 在中華人民共和國內海、領海、大陸架及其他屬於中華人民共和國行使管轄權的海域內從事開採海洋石油資源的中國企業和外國企業，應當依照本規定繳納礦區使用費。

第三條 礦區使用費按照每個油、氣田日曆年度原油或者天然氣總產量計徵，礦區使用費率如下：

(一)原油

年度原油總產量不超過100萬噸的部分，免徵礦區使用費；

年度原油總產量超過100萬噸至150萬噸的部分，費率為4%；

年度原油總產量超過150萬噸至200萬噸的部分，費率為6%；

年度原油總產量超過200萬噸至300萬噸的部分，費率為8%；

年度原油總產量超過300萬噸至400萬噸的部分，費率為10%；

年度原油總產量超過400萬噸的部分，費率為12.5%。

(二)天然氣

年度天然氣總產量不超過20億立方米的部分，免徵礦區使用費；

年度天然氣總產量超過20億立方米至35億立方米的部分，費率為1%；

年度天然氣總產量超過35億立方米至50億立方米的部分，費率為2%；

年度天然氣總產量超過50億方米的部分，費率為3%。

第四條 原油和天然氣的礦區使用費，均用實物繳納。

第五條 原油和天然氣的礦區使用費，由稅務機關負責徵收管理。

中外合作油、氣田的礦區使用費，由油、氣田的作業者代扣，交由中國海洋石油總公司負責代繳。

第六條 礦區使用費按年計算，分次或分期預繳，年度終了後滙算清繳。預繳期限和滙算清繳期限，由稅務機關確定。

第七條 油、氣田的作業者應當在每一季度終了後十日內向稅務機關報送油、氣田的產量，以及稅務機關所需要的其他有關資料。

第八條 礦區使用費的代扣義務人和代繳義務人，必須按照稅務機關確定的期限繳納礦區使用費。逾期繳納的，稅務機關從逾期之日後，按日加收滯納礦區使用費的1‰的滯納金。

第九條 油、氣田的作業者違反第七條的規定，不按期向稅務機關報送油、氣田的實際產量和稅務機關所需其他有關資料的，稅務機關可酌情處以人民幣5000元以下的罰款；隱匿產量的，除追繳應繳納的礦區使用費外，可酌情處以應補繳礦區使用費五倍以下的罰款。

第十條 本規定下列用語的含義是：

(一)原油：指在自然狀態下的固態或液態烴，也包括從天然氣中提取的除甲烷(CH_4)以外的任何液態烴。

(二)天然氣：指在自然狀態下的非伴生天然氣及伴生天然氣。

非伴生天然氣：指從氣藏中採出的所有氣態烴包括濕氣、乾氣，以及從濕氣中提取液態烴後的剩餘氣體。

伴生天然氣：指從油藏中與原油同時採出的所有氣態烴，包括從中提取液態烴後的剩餘氣體。

(三)年度原油總產量：指合同區內每一個油、氣田每一日曆年度內生產的原油量，扣除石油作業用油和損耗量之後的原油總量。

(四)年度天然氣總產量：指合同區內每一個油、氣田每一日曆年度內生產的天然氣量，扣除石油作業用氣和損耗量之後的天然氣總量。

第十一條　本規定自1989年1月1日起施行。

中華人民共和國海關審定進出口貨物完稅價格辦法

1989年1月3日海關總署令第三號公佈

第一章　總　則

第一條　爲了正確審定進出口貨物的完稅價格，防止低報、瞞報進出口貨物價格藉以偷稅、逃稅的行爲，並保護納稅人的合法權益，根據《中華人民共和國海關法》和《中華人民共和國進出口關稅條例》的有關規定，制定本辦法。

第二條　海關審定的進出口貨物的成交價格，應該是該項貨物在公開市場上可以採購到的正常的價格。

第三條　進出口貨物的收貨人或者代理人(以下稱申報人)應負責向海關提供反映買賣雙方成交活動的一切眞實文件資料，以證明向海關申報的進出口貨物的價格是正常成交價格，或是其他公平的價格。

海關有權檢查買賣雙方的有關合同、發票、帳册、單據、業務函電、文件和其他資料，以確認其所報價格的眞實性。

第四條　申報人向海關提供的成交價格，如經查明進出口貨物的成交雙方具有特殊經濟關係的，海關可不予承認。

海關否定前款所述有特殊經濟關係的成交價格後，申報人還應向海關另行提供正常的成交價格。

第二章　進口貨物的完稅價格

第五條　進口貨物以海關審定的正常成交價格爲基礎的到岸價格爲完稅價格。到岸價格包括貨價，加上貨物運抵中華人民共和國關境內輸入地點起卸前的包裝費、運費、保險費和其他勞務費等費用。

該貨物成交過程中，如有我方在成交價格外另行支付給賣方的佣金，應計入成交價格。

對於賣方付給我方的正常回扣，應從成交價格內扣除。

由於賣方違反合同規定延期交貨而對賣方予以罰款，如賣方在貨價中沖減時，這項罰款不應從成交價格內扣除。

第六條　進口貨物的成交價格經海關審查未能確定的，應當以從該貨物的同一出口國或者地區購進的相同或類似貨物的正常成交價格爲基礎的到岸價格作爲完稅價格。

上述相同貨物是指在所有方面都相同的貨物，包括物理或化學方面的性質、質量和信譽，但是表面上的微小差別或包裝上的差別允許存在。

上述類似貨物，是指雖然不是在所有方面都相同，但是同一國家或地區製造的具有類似特性、類似組成材料、並有同樣的使用價值，而且在商業上可以互換的貨物。

第七條　如按第六條規定，完稅價格仍未能確定的，應當以相同或者類似進口貨物在國內市場的批發價格，減去進口關稅和進口環節其他稅收以及進口後的正常運輸、儲存、營業費用及利潤作爲完稅價格。上述進口後的各項費用及利潤綜合計算定爲完稅價格的20%。計算完稅價格的公式爲：

$$完稅價格=\frac{國內批發價格}{1+進口最低稅率+20\%}$$

如果該項進口貨物在進口環節應予徵收產品稅或增值稅或工商統一稅(公式內統稱爲代徵稅)時，則計算完稅價格的公式爲：

$$完稅價格=\frac{國內批發價格}{1+進口最低稅率+\frac{1+關稅率}{1-代徵稅率}\times 代徵稅率+20\%}$$

第八條 按照第七條規定還不能得到貨物的完稅價格時，或者海關認爲所報貨物價格顯然偏低時，由海關按照合理的方法估定。

海關認爲必要時，對某些進口貨物，以進口地海關確定的最低限價作爲該項貨物的完稅價格。

第三章 特殊進口貨物的完稅價格

第九條 運往境外加工的貨物，出境時已向海關報明，並在海關規定期內復運進境的，應當以加工後的貨物進境時的到岸價格與原出境貨物或者與原出境貨物相同的、類似的貨物在進境時的到岸價格之間的差額作爲完稅價格。

如上述原出境貨物在進境時的到岸價格無法得到時，可用原出境貨物申報出境時的離岸價格替代。

如上述兩種方法的到岸價格都無法得到時，可用原出口貨物在境外加工時支付的工繳費加上運抵中國關境輸入地點起卸前的包裝費、運費、保險費和其他勞務費等一切費用作爲完稅價格。

第十條 對於運往境外修理的機械器具、運輸工具或者其他貨物，出境時已向海關報明並在海關規定期限內復運進境的，應當以海關審查確定的正常的修理費和料件費作爲完稅價格。

第十一條 租賃和租借方式進境的貨物，以海關審查確定的貨物的正常租金，作爲完稅價格。

如租賃進口貨物是一次性支付租金，則可以海關審查確定的該項進口貨物的到岸價格作爲完稅價格。

第十二條 對於進口供報刊使用的廣告印刷板和印刷底片，以及供電視台播放節目用的廣告膠片、磁帶等，應按該項物品的到岸價格作爲完稅價格。

第十三條 准予暫時進口的施工機械、工程車輛、供安裝使用的儀器和工具、電視或電影攝制機械，以及盛裝貨物的容器，如超過半年仍留在國內使用的，應自第七個月起，按月徵收進口關稅，其完稅價格按原貨進口時的到岸價格確定，貨物每月的稅額計算公式如下：

$$關稅稅額=貨物原到價格\times 關稅稅率\times\frac{1}{48}$$

第十四條 對於國內單位留購的進口貨樣、展覽品和廣告陳列品，以留購價格作爲完稅價格。

但是，買方留購貨樣、展覽品和廣告陳列品後，除按留購價格付款外，又直接或間接給賣方一定利益的，海關可以另行確定上述貨物的完稅價格。

第十五條 按照特定減免稅辦法批准予以減免稅進口的機器設備、儀器儀錶、運輸工具等，在轉讓或出售而需予補稅時，其完稅價格可按上述貨物當時的新舊程度折算。

第四章 出口貨物的完稅價格

第十六條 出口貨物，應當以海關審定的貨物售予境外的離岸價格，扣除出口稅後作爲完稅價格。其計算公式爲：

$$完稅價格=\frac{離岸價格}{1+出口稅率}$$

第十七條 出口貨物在成交價格以外支付給國外的佣金，應予扣除，未單獨列明的，則不予扣除。

出口貨物在成交價格以外，買方還另行支付貨物包裝費，應將其計入成交價格。

第五章 進出口貨物完稅價格中的運費、保險費的計算

第十八條 進口貨物的到岸價格中所包括的運費、保險費，在計算時，海運進口貨物計算至該項貨物運抵我境內的卸貨口岸，如該貨物的卸貨口岸是內河(江)口岸，則應計算至內河(江)口岸；陸運進口貨物，計算至該貨物運抵關境的第一口岸爲止，如成交價格中所包括的運、保、雜費計算至內地到達口岸的，關境的第一口岸至內地一段的運、

保、雜費，不予扣除；空運進口貨物，計算至進入境內的第一口岸，如成交價格爲進入關境的第一個口岸外的其他口岸，則計算至目的地口岸。

第十九條 進口貨物以境外口岸離岸價格(包括FOB境外口岸和CIF境外口岸)成交的，應加上該項貨物從境外發貨或交貨口岸運到我國境內口岸以前所實際支付的各段的運費和保險費。如實際支付數無法確定時，可按有關主管機構規定的運費率(額)、保險費率計算。

上述保險費的計算公式爲：CIF×保險費率

成交價格爲運抵我境內口岸的貨價加運費價格(C&F)，其計算保險費的方法也按上款規定辦理，即：

$$進口貨物完稅價格=\frac{C+F}{1-保險費率}$$

第二十條 陸、空、郵運進口貨物的保險費無法確定時，都可按“貨物加運費”兩者總額的3‰計得保險費。

第二十一條 出口貨物的離岸價格，應以該項貨物運離關境前的最後一個口岸的離岸價格爲實際離岸價格。如該項貨物從內地起運，則從內地口岸至最後出境口岸所支付的國內段運輸費用應予扣除。

第二十二條 出口貨物成交價格如爲境外口岸的到岸價格或貨價加運費價格時，應先扣除運費、保險費後，再按規定公式計算完稅價格。

第六章 罰 則

第二十三條 進出口貨物的申報人，通過提供虛假的、僞造的合同、發票及其他資料，瞞報、低報價格以偷逃關稅，經海關查證核實的，依照《中華人民共和國海關法》第四十七條、第四十八條的規定，追究法律責任。

由於前款以外的原因造成價格申報不實的，依照《中華人民共和國海關法》第五十一條的規定，給予處罰。

第七章 附 則

第二十四條 本《辦法》由海關總署負責解釋。

海關總署、對外經濟貿易部
對於違反進出口許可證管理制度的處罰規定

1989年1月25日海關總署令第四號發佈

第一條 爲了嚴肅處理違反進出口許可證管理制度的案件，保證進出口許可證管理制度的有效實施，依照《中華人民共和國海關法》、《中華人民共和國進出口貨物許可證管理制度暫行條例》和《中華人民共和國海關法行政處罰實施細則》，制定本規定。

第二條 僞造進、出口貨物許可證，企圖蒙混進口或出口貨物的，沒收貨物，並處貨物等值以下、30%以上的罰款，情節嚴重的，依法追究刑事責任。

第三條 僞報進出口貨物品名、規格等，藉以逃避進口許可證管理的，沒收貨物，並處貨物等值30%以下、10%以上的罰款；藉以逃避出口許可證管理的，沒收貨物，或責令退運，不准出口，並處貨物等值30%以下、10%以上的罰款。

將一般貿易項下實行進口許可證管理的商品僞報來料加工、進料加工或以其他名義進口，藉以逃避進口許可證管理的，沒收貨物，並處貨物等值

30%以下、10%以上的罰款。

進口少報多進，出口少報多出許可證管理商品的，除沒收多進或多出的貨物(有溢短裝規定的除外)，並處有關貨物等值30%以下、10%以上的罰款。

在非許可證管理商品中混藏許可證管理商品的，沒收許可證管理商品，並處有關貨物等值30%以下、10%以上的罰款。

第四條 塗改進口許可證品名、規格、數量、有效期等內容的，沒收貨物，並處貨物等值30%以下、10%以上的罰款；塗改出口許可證品名、規格、數量、有效期等內容的，沒收貨物，並處貨物等值30%以下、10%以上的罰款。

對非法冒用進出口許可證的，其進出口貨物按前款規定辦理。

第五條 申報進口屬於許可證管理的商品，不能提交有關許可證的，沒收貨物或責令退運，如按海關規定期限補交進口許可證的，處貨物等值30%以下、5%以上的罰款；申報出口屬於許可證管理的商品，不能提交有關許可證的，沒收貨物或責令退運。

第六條 經海關同意具保放行，在規定期限內不能補交許可證，如屬於無證進出口，騙取海關具保放行的，處沒收貨物或追繳貨物等值價款，如屬超期交驗的，處貨物等值30%以下、5%以上的罰款。

第七條 來料加工、進料加工合同項下進口的料、件和加工的成品、半成品，經主管部門批准轉內銷處理的，應視爲一般進口貨物，其中屬於許可證管理的商品，應按規定補領進口許可證。不能補交進口許可證的，處貨物等值以下、10%以上的罰款；未經主管部門批准擅自轉內銷的，沒收貨物或追繳貨物的等值價款，可以並處有關貨物等值以下、30%以上罰款，或者應繳稅款三倍以下、一倍以上的罰款。

前款所涉及的料、件、成品、半成品，屬於國家限制進口的機電產品的，按第八條規定處理。

第八條 來料加工、進料加工合同項下進口的國家限制進口的機電產品料、件和加工的成品、半成品，轉爲內銷處理的，應視爲一般進口貨物，按規定補領進口許可證，不能補交進口許可證的，沒收貨物或追繳內銷貨物的等值價款，可以並處有關貨物等值以下、30%以上的罰款或者應繳稅款三倍以下、一倍以上的罰款。

第九條 故意採取分簽合同、分口岸或分批進口的方式，逃避許可證管理，證據確鑿的，視情節分別按走私或違反海關監管規定論處。

以維修爲名進口汽車、家用電器等國家限制進口商品的零配件，直接組裝整車、整機證據確鑿的，按前款規定處理。

第十條 對違反進出口許可證管理制度，進口高檔消費品或國家限制進口的機電產品，出口國家緊缺物資的，從重處罰。

第十一條 對各級經貿管理部門違反規定的授權範圍或不按進出口許可證管理制度規定簽發的許可證，海關有權不予受理，有關貨物不准進口或出口。

第十二條 對違反進出口許可證管理制度的其他行爲，由海關按本規定的原則和其他有關規定處理。

第十三條 本規定所列行爲構成走私罪的，應移送司法機關依法追究有關當事人的刑事責任。

第十四條 本規定自1989年2月1日起施行。

國家稅務局關於利用國際金融組織貸款、採取國際招標方式國內中標的機電產品減免稅問題的通知

1989年2月2日

爲了支持國內企業參加國際投標，增强我國企業在投標中的競爭能力，經與國務院機電產品出口辦公室研究，現將利用國際金融組織貸款、採取國際招標方式國內中標的機電產品(簡稱"中標機電產品"，下同)有關減免稅和退稅問題通知如下：

一、凡利用國際貨幣基金組織、世界銀行(包括國際復興開發銀行、國際開發協會)、聯合國農業發展基金和外國政府貸款，在國際上進行招標，國內企業中標的機電產品，如果生產企業納稅確有困難(困難程度的確定，要考慮到爲國家節約了外滙，可以從寬掌握，下同)，可給予減免增值稅的照顧。

二、如果免徵生產企業增值稅後，仍然有困難的，由生產管理所在地的國家稅務局直屬進出口稅收管理處審批，可將部分或全部中標機電產品外購國產料、件所含的增值稅(產品稅)退還給本生產企業，並報國家稅務局備案；沒有設立進出口稅收管理處的地方，由省、自治區、計劃單列市稅務局審批並報國家稅務局備案。

三、生產企業在申請減免稅和退稅時，應出具中標證明書、本企業分包合同以及有關財務資料。

四、本規定自1989年1月1日起執行。

中華人民共和國海關對沿海開放地區進出境貨物的管理規定

1989年2月15日海關總署令第五號公佈

第一條 爲了促進沿海開放城市和沿海經濟開發區的發展，根據《中華人民共和國海關法》和國家對沿海開放城市、沿海經濟開放區的有關政策法規，制定本規定。

第二條 本規定適用於經國家批准的沿海開放城市和沿海經濟開放區(以下簡稱"開放市、區")。

(一)"沿海開放城市"，指天津、上海、大連、秦皇島、煙台、青島、連雲港、南通、寧波、溫州、福州、廣州、湛江和北海十四個沿海港口城市的市區及經國務院批准享受沿海開放城市待遇的其他城市的市區。

(二)"沿海經濟開放區"，指長江三角洲、珠江三角洲、閩南厦漳泉三角地區和遼東半島、膠東半島及沿海其他地區規定範圍內開放市的市區、重點縣的城關區(或經省、自治區、直轄市人民政府批准的重點工業衞星鎮)，以及安排以發展出口爲目標的、利用外資建設的農業技術引進項目、農產品生產基地和農產品初級加工廠的上述市、縣所轄農村。

第三條 開放市、區內從事進出口業務的外貿企業、生產企業，應持國家規定的主管部門的批准證件向海關辦理註册登記手續。

第四條 開放市、區進出口的貨物，應當由收發貨人或其代理人塡寫進出口貨物報關單如實向海關申報，並按照國家規定交驗進出口許可證件和其他有關單證。

第五條 本規定第三條所述企業對經批准減

免稅的進出口貨物應該建立專門賬册，定期向海關報告有關貨物的使用、銷售、加工、出口、庫存等情況。有條件的企業經海關批准可以建立保稅倉庫或保稅工廠，海關按保稅倉庫或保稅工廠的管理辦法進行管理。

海關認爲必要時，可以向有關企業或工業衛星鎮派駐關員，辦理有關進出口貨物的海關手續，並進行實際監管。有關企業和工業衛星鎮應當提供必要的辦公場所和方便條件。

第六條 開放市、區的單位或企業進出口下列貨物，其關稅和工商統一稅(或產品稅、或增值稅)可以享受以下優惠：

(一)外商投資企業(包括中外合資經營企業、中外合作經營企業和外商獨資經營企業)作爲投資(包括追加投資)進口的用於本企業生產和管理的設備、建築器材；爲生產出口產品所實際耗用的進口原材料、元器件、零部件、包裝物料等；上述企業在其投資總額以內進口自用、合理數量的交通工具、辦公用品；投資的外商和國外技職人員進口安家物品和自用、合理數量的交通工具，予以免稅。

外商投資企業的產品出口(不含國家限制出口產品)時，免徵出口稅。

對沿海開放城市外國企業常駐機構進口自用辦公用品和交通工具，在合理數量範圍內，也可予以免稅；

(二)爲進行現有企業技術改造，進口國內暫不能生產或不能保證供應的關鍵設備、儀器儀錶和其他必需器材，不論外滙來源，1990年以前予以免稅；

(三)沿海經濟開放區規定範圍內的開放市、縣所轄農村，爲安排發展出口農業產品加工項目所需進口的種子、種苗、種畜、飼料、動植物保護藥物，耕作、種植、養殖和農產品加工機具以及其他必須的技術裝備，不論外滙來源，1990年以前，予以免稅。

第七條 開放市、區內進口的減免稅物資只限於本單位本項目使用，未經主管部門批准並辦結海關手續，不得擅自轉讓、出售或移作他用。

第八條 開放市、區使用免稅進口料件加工裝配的製成品應復運出口。

前款製成品經批准轉內銷時，有關企業應當事先向海關申報，經海關核准後，按規定補辦進口手續，海關對其所含免稅進口料件補徵稅款。

第九條 加工出口項目進口料件或加工後的半成品需轉廠加工時，必須在海關監管下進行，並按海關有關規定辦理。

第十條 開放市、區進出口的貨物屬國家限制進出口和實行許可證管理的商品，按照國家的有關規定辦理。

第十一條 凡違反本規定或海關其他規定的走私行爲及違反海關監管規定的行爲，由海關依照《中華人民共和國海關法》和其他有關法規的規定進行處理。

第十二條 本規定自1989年4月1日起實施。

中華人民共和國海關
關於進出境旅客選擇“紅綠通道”通關的規定

1989年5月10日海關總署令第六號公佈

第一條 爲簡化海關手續，方便旅客進出境，特制定本規定。

第二條 凡在實施“紅綠通道”驗放制度的海關檢查場所，進出境旅客均應按照本規定，自行申報並選擇通道辦理海關手續。

第三條 下列進境旅客可選擇“綠色通道”通關，但需向海關出示本人證件和按規定塡寫的申報單證。

(一)持有中國主管部門給予外交、禮遇簽證護照的外國籍人員；

(二)海關給予免驗禮遇的人員；

(三)無本規定第四條所列必須選擇“紅色通道”通關情事的其他人員。

第四條 進境旅客中有下列情事之一者，必須選擇“紅色通道”通關，並持按規定塡寫的“旅客行李申報單”或其他申報單證，主動向海關人員辦理行李物品申報手續；

(一)携帶海關限量管理及應徵稅的物品的；

(二)申請進口的物品的；

(三)携帶進境旅行自用物品超出以下範圍的：

(照相機、小型收錄音機、小型攝影機、小型攝像機各一件)

(四)携帶貨樣、展品、專業用品以及其他需辦理進境驗收手續的物品的；

(五)另有分離運輸行李、境內提貨券及擬在境內購買外滙商品的；

第五條 下列出境旅客可選擇“綠色通道”通關，但需向海關出示本人證件和進境時海關簽章的“旅客行李申報單”或其他申報單證。

(一)持有中國主管部門給予外交、禮遇簽證護照的外國籍人員；

(二)海關給予免驗禮遇的人員；

(三)無本規定第六條所列必須選擇“紅色通道”通關情事的其他人員。

第六條 出境旅客中有下列情事之一者，須選擇“紅色通道”通關，並按規定向海關人員辦理行李物品申報手續；

(一)携帶文物、貨物、貨樣以及其他需辦理出境驗放手續的物品的；

(二)未將應復帶出境原物品帶出的；

(三)携帶外幣、金銀及其製品，但未取得有關出境許可或携帶外幣、金銀及其製品數額超出原進境申報數額的；

(四)携帶出境物品超出海關規定的限量、限值，或其他限制規定的；

(五)携帶有需復帶進境的物品的。

第七條 不明海關規定或不知如何選擇通道的旅客，應選擇“紅色通道”通關。

第八條 旅客進出境時應遵守本規定和海關總署授權各海關爲實施本規定所公告的其他補充規定。

第九條 不按海關規定選擇通道，屬違反海關監管規定的申報不實行爲，海關依據《中華人民共和國海關法》第五十一條《中華人民共和國海關法行政處罰實施細則》第三章的規定予以處罰；逃避海關監管，携帶國家禁止、限制進出境或者依法應當繳納關稅的貨物、物品進出境的，依據《中華人民共和國海關法》第四十七條、第四十八條和《中華人民共和國海關法行政處罰實施細則》第二章的規定處理。

第十條 本規定自1989年5月15日起實施。

國家稅務局
關於出口產品退稅幾個具體問題的補充規定

1989年6月15日

爲了正確貫徹出口產品退稅政策，針對目前執行中存在的問題，對出口退稅若干具體規定作如下補充：

一、對國家禁止出口的產品，如有出口，不予退稅。

二、進料加工復出口產品按以下規定計算退稅：

1. 對加工復出口屬於增值稅徵稅範圍的產品，在計算退稅時，應將進口料、件在生產環節計算徵稅時已抵扣的稅款予以扣除。

2.對加工復出口屬於產品稅徵稅範圍並按綜合退稅率退稅的產品，在計算退稅時，應扣除進口料、件在進口環節已減免的稅款；對屬於產品稅徵稅範圍而按產品稅稅率退稅的產品，在計算退稅時，對其所用進口料、件已減免的稅款不作扣除。

3.計算扣除已減免進口料、件稅款的公式如下：

扣除稅款＝(進口料、件的到岸價×外滙人民幣牌價＋實納關稅＋實納產品稅或增值稅＋口岸費用)×進口料、件的產品稅適用稅率或增值稅的扣除稅率－進口環節實納產品稅、增值稅。

4.進料加工復出口產品所用進口料、件的減免稅金額，原則上在購進月份辦理退稅時一次扣除。個別企業因進口料、件量大，生產周期長，一次扣除確有困難的，經主管出口退稅的稅務機關批准，可根據實際情況，在退稅時分期扣除。

5.對外貿包裝公司用進口料、件包裝產品出口或加工成包裝物出口的，在計算退稅時，應扣除進口料、件在進口環節減免的產品稅、增值稅金額。

三、對出口以無稅或低稅產品爲原料生產的產品，各地應當按照產品的實際稅負核定退稅率，據以計算退稅。外貿企業提供不了有關資料或者實際稅負不清的，按照不高於5%的稅率計算退稅。

四、對外承包工程公司購買國內生產的施工設備到國外施工使用，不予退稅。

五、對工貿與外貿企業互相委託出口的產品，在申報退稅時，必須提供“代理出口產品證明”；對委託兩個以上企業共同辦理出口代理業務的，受託方均應開具“代理出口產品證明”。

“代理出口產品證明”須經受託企業所在地市、縣以上稅務局審核蓋章，方可據以辦理退稅。

六、對於代理出口的產品，應將所退稅款退給承擔出口盈虧的企業。對於委託者與代理者實行出口盈虧包乾的代理出口業務，如明確規定將稅款退給代理者的，可退稅給代理方，委託方不得辦理退稅。

七、兩個以上企業聯營出口產品，由負責報關的出口企業憑進貨發票、出口發票、報關單等有關證明在報關企業所在地統一辦理退稅。

八、出口企業從生產企業購進產品出口的，在申請退稅時必須提供生產企業開具的發票；從外貿系統內部調撥產品出口的，每個調撥環節都必須在調撥單上分別列明進貨原價和費用；稅務機關可以根據外貿公司(包括工貿公司)提供的上述憑證，確定費用扣除率。對出口企業從商業等非生產企業購進產品出口的，凡提供不出生產企業發票的，一律按不低於15%的費用扣除率計算退稅；對出口企業提供的出口產品的進貨價格明顯高於生產企業出廠價格的，主管出口退稅的稅務機關有權根據實際情況核定退稅價格。

外輪供應公司辦理退稅，其計算退稅的產品價格和費用扣除也按上述規定執行。

九、稅務機關在核定產品退稅率或費用扣除率時，出口企業應提供產品納稅等有關資料。辦理退稅的稅務機關如對提供的資料需要核定的，可用信函等形式向生產企業所在地的稅務機關進行調查，有關稅務機關必須予以配合。

十、出口產品退稅一律以產品在財務上作出口銷售的時間爲準。出口產品退稅的規定如有變更，其執行時間也按此規定辦理。

十一、本規定從1989年7月1日起執行。過去的規定與本規定抵觸的，以本規定爲準。

中華人民共和國海關對進出境旅客行李物品監管辦法

1989年11月1日海關總署令第九號公佈

第一章　總　則

第一條　依照《中華人民共和國海關法》，制定本辦法。

第二條　進出境旅客行李物品，必須通過設立海關的地點進境或者出境。

第三條　進出境旅客必須將所帶的全部行李物品交海關查驗。在交驗前，應填寫"旅客行李申報單"或海關規定的其他申報單證向海關申報；或按海關規定的申報方式如實向海關申報。

旅客經由實施"紅綠通道"驗放制度的海關進出境，應按照海關公佈的選擇"紅綠通道"的規定，選擇通道，辦理行李物品進境或出境手續。

第四條　查驗進出境旅客行李物品的時間和場所，由海關指定。海關查驗行李物品時，物品所有人應當到場並負責搬移物品，開拆和重封物品的包裝。海關認爲必要時，可以單獨進行查驗。海關對進出境行李物品加施的封誌，任何人不得擅自開啓或者損毀。

第五條　進出境旅客可以自行辦理報關納稅手續，也可委託他人辦理報關納稅手續；接受委託辦理報關納稅手續的代理人應當按照本辦法對其委託人的各項規定辦理海關手續，承擔各項義務和責任。

第六條　旅客行李物品，應以自用合理數量爲限，超出自用合理數量範圍的，不准進境或出境。

旅客行李物品，經海關審核，按本辦法附件《旅客進出境行李物品分類表》(以下簡稱《分類表》)規定的範圍驗放。進出境物品的合理數量和准許各類旅客進出境物品的具體限值、限量及徵免稅規定，另行制訂。

第七條　旅客携運《中華人民共和國禁止進出境物品表》所列的物品進出境，在海關檢查以前主動報明的，分别予以沒收或者責令退回，並可酌情處以罰款。藏匿不報的，按照《中華人民共和國海關法》第四十七條、第四十八條的規定處罰。

旅客携運《中華人民共和國限制進出境物品表》所列物品和中華人民共和國政府特别管制的物品進出境，海關按國家有關法規辦理。

第八條　旅客以分離運輸方式運進行李物品，應當在進境時向海關申報。經海關核准後，自旅客進境之日起六個月內(含六個月，下同)運進。海關辦理驗放手續時，連同已經放行的行李物品合併計算。

以分離方式運出的物品，應由物品所有人持有效的出境證件在出境前辦妥海關手續。

第九條　經海關核准暫時進出境的旅行自用物品，在旅客行李物品監管時限內，由旅客復帶出境或進境。海關依照規定憑擔保准予暫時免稅放行的其他物品，應由旅客在規定時限內，辦結進出境手續或將原物復帶出境或進境。

第十條　進出境物品所有人聲明放棄的物品和自運輸工具申報進境之日起逾期三個月(易腐及易失效的物品可提前處理，下同)未辦理海關手續的物品，以及在海關監管區內逾期三個月無人認領的物品，均由海關按照《中華人民共和國海關法》第三十三條的規定處理。

第十一條　旅客携運屬下列情形的物品，海關不予放行，予以退運或由旅客存入海關指定的倉庫。物品所有人應當在三個月內辦理退運、結案手續。逾期不辦的，由海關依照本辦法第十條的規定處理

(一)不屬自用的；

(二)超出合理數量範圍的；

(三)超出海關規定的物品品種、規格、限量、限值的；

(四)未辦理海關手續的；

(五)未按章繳稅的；

(六)根據規定不能放行的其他物品。

第十二條　旅客應在旅客行李物品監管時限內，依照本辦法和根據本辦法制訂的其他管理規定，辦結物品進出境的海關手續。

第十三條　海關依照本辦法和根據本辦法制定的其他管理規定免稅放行的物品，自物品進境之日起兩年內，出售、轉讓、出租或移作他用的，應

向海關申經批准並按規定補稅。

按規定免稅或徵稅進境的汽車，不得出售、轉讓、出租或移作他用。在汽車運進使用兩年後，因特殊原因需要轉讓的，必須報經海關批准；其中免稅運進的，應按規定補稅。

第十四條 進境旅客攜帶"境外售券、境內提貨"單據進境，應向海關申報，海關辦理物品驗放手續時，連同其隨身携帶的實物合併計入有關徵免稅限量。

第十五條 涉及特定地區、特定旅客和特定物品進出境的管理規定，由中華人民共和國海關總署授權有關海關依照本辦法的原則制訂，經海關總署批准後，予以公告實施。

第十六條 進出境旅客未按本辦法或根據本辦法制訂的其他管理規定辦理進出境物品的申請、報關、納稅以及其他有關手續的，有關物品不准進境或出境。對違反本辦法並構成走私或違反海關監管規定行爲的，海關依照《中華人民共和國海關法》和《中華人民共和國海關法行政處罰實施細則》給予處罰。

第二章　短期旅客

第十七條 短期旅客携帶進出境的行李物品應以旅行需用物品爲限。

短期旅客中的居民和非居民中的中國籍人携帶進境屬於《分類表》第三、四、五類物品，海關按照規定的限值、限量予以徵稅或免稅放行。

短期旅客中的其他非居民携帶進境屬於《分類表》第三、四、五類物品，海關按照本辦法第九條規定辦理。

經常進出境的邊境居民，邊境郵政、運輸機構工作人員和邊境運輸工具服務人員，以及其他經常進出境的人員，携帶進出境的物品，除另有規定者外，應以旅途必須應用的物品爲限。未經海關批准，不准帶進屬於《分類表》第三、四、五類物品。

持特殊通行證件來往香港、澳門地區的短期旅客進出境行李物品的管理規定，海關依據本辦法另行制訂的規定辦理。

第三章　長期旅客

第十八條 長期旅客中的非居民進境後，在規定期限內報運進境其居留期間自用物品或安家物品，應事先向主管海關提出書面申請，海關憑中華人民共和國政府主管部門簽發的長期居留證件(或常駐戶口登記證件)、其他批准文件和身份證件，辦理審批驗放手續。

上述人員在辦妥上述手續前進出境或在境內居留期間臨時出、進境携帶的物品，海關依照本辦法第十七條規定辦理。

第十九條 長期旅客中的居民進出境行李物品的管理規定，根據本辦法另行制訂。

第四章　定居旅客

第二十條 獲准進境定居的旅客在規定期限內報運進境安家物品，應事先向主管海關提出書面申請，並向海關交驗中華人民共和國政府主管部門簽發的定居證明或批准文件辦理審批手續。經核准，其在境外擁有並使用過的數量合理的自用物品，准予免稅進境；自用小汽車准予每戶徵稅進境一輛。旅客持主管海關的書面通知，到物品進境地海關辦理驗放手續。

進境定居旅客自進境之日起，居留時間不滿二年，再次出境定居的，其免稅携帶進境的安家物品應復運出境，或向海關補稅。

第二十一條 獲准出境定居的旅客携運出境的安家物品，除國家禁止或限制出境的物品需按有關規定辦理外，均可予以放行。

第五章　過境旅客

第二十二條 過境旅客未經海關批准，不得將物品留在境內。

第二十三條 進境後不離開海關監管下的交通工具或海關監管區直接出境的旅客，海關一般不對其行李物品進行查驗，但必要時，海關可以查驗。

第二十四條 過境旅客獲准離開海關監管區，轉換交通工具出境的，海關依照本辦法第十七條規定辦理。

第六章　附則

第二十五條 享有外交特權和豁免的人員携運進出境的行李物品，另按中華人民共和國海關總署制定的有關規定辦理。

第二十六條　本辦法的附件，由中華人民共和國海關總署根據具體情況修訂發佈實行。

第二十七條　本辦法下列用語含義：

“非居民”指進境居留後仍回到境外其通常定居地者。

“居民”指出境居留後仍回到境內其通常定居地者。

“旅客”指進出境的居民或非居民。

“短期旅客”指獲准進境或出境暫時居留不超過一年的旅客。

“長期旅客”指獲准進境或出境連續居留時間在一年以上(含一年)的旅客。

“定居旅客”指取得中華人民共和國主管部門簽發的進境或出境定居證明或批准文件，移居境內或境外的旅客。

“過境旅客”指持有效過境簽證，從境外某地，通過境內，前往境外另一地的旅客。

“行李物品”指旅客為其進出境旅行或者居留的需要而攜運進出境的物品。

“自用”指旅客本人自用、饋增親友而非為出售或出租。

“合理數量”指海關根據旅客旅行目的和居留時間所規定的正常數量。

“旅客行李物品監管時限”指非居民本次進境之日始至最近一次出境之日止，或居民本次出境之日始至最近一次進境之日止的時間。

“分離運輸行李”指旅客在其進境後或出境前的規定期限內以託運方式運進或運出的本人行李物品。

“徵免稅”指徵收或減免進出口關稅(即進口旅客行李物品和個人郵遞物品稅)。

“擔保”指以向海關繳納保證金或提交保證函的方式，保證在規定期限內履行其承諾的義務的法律行為。

第二十八條　本辦法由中華人民共和國海關總署解釋。

第二十九條　本辦法自1989年12月1日起實施。原對外貿易部1958年9月29日(58)關行林字第985號命令發佈的《海關對進出國境旅客行李物品監管辦法》同時廢止。

本辦法附件：

旅客進出境行李物品分類

第一類物品	第二類物品	第三類物品	第四類物品	第五類物品
食品、衣料、衣着、工藝美術品、價值人民幣200元(含200元)以下的手錶和其他生活用品。	煙草製品 酒精飲料	價值在1000元以上的生活用品。	電視機、洗衣機、電冰箱、照相機、錄像機、音響組合、收錄音機、摩托車和價值人民幣500元以上，1000元(含1000元)以下的其他生活用品。	打字機和價值人民幣200元以上、500元(含500元)以下的電子琴、照相機等其他生活用品。

註：1. 本表所稱進境物品價值參照海關審定的完稅價格確定。出境物品價值以國內法定商業發票所列價格為準。

2. 准許各類旅客携帶本表所列物品進出境的具體徵、免稅限量由海關總署另行規定。

3. 本表內未規定限值的列名物品不再按價值歸類。

中華人民共和國海關對華僑、港澳台同胞捐贈進口物資監管辦法

1989年12月26日海關總署令第十號公佈

1990年1月15日實施

第一條 根據《中華人民共和國海關法》和國務院關於對華僑、港澳台同胞捐贈進口物資管理的有關規定制定本辦法。

第二條 本辦法適用於對華僑、港澳台同胞自願向境內捐贈進口物資的管理。

外商投資企業和開展對外加工裝配、補償貿易企業的外方代表，我派駐境外(包括港澳地區)的中資機構，在對外交往中外國官方或民間經貿團體、外商向我有關單位贈送物資以及各種無償援助，不屬華僑、港澳台同胞捐贈範圍，不適用本辦法。

第三條 進口的捐贈物資限接受單位自用。

第四條 海關對受贈單位申報進口的捐贈物資，憑有關機構的批准文件驗放。對屬於實行許可證管理的物資應加驗經貿主管部門簽發的進口許可證。

第五條 對實行集中報批的國家限制進口的機電產品，包括以"在外售券，境內取貨"方式接受的捐贈，接受捐贈單位不得轉讓、轉賣增值或串換，也不得經組裝加工後在市場出售。對國家實行專營專賣的捐贈物資應按國家有關規定辦理。其他捐贈物資，超出自用的，由指定單位收購。

第六條 海關對經批准接受直接用於本單位工農業生產、科研、教學、醫療衛生、公益事業的國家限制進口的機電產品免徵關稅，用於其他方面的照章徵稅；對捐贈進口的其他物資，屬於自用的免稅，超出自用的部分照章徵稅。

前款所稱"公益事業"，是指

1. 直接用於建設少年兒童活動設施、幼兒園、敬老院和孤兒院等的物資及生活物品；

2. 爲安排殘疾人就業專門設立的生產企業受贈的生產資料和直接用於殘疾人康復、生活的專用物品；

3. 直接用於修葺古蹟保護文物的物資；

4. 直接用於環境保護、挽救瀕危動植物種、築路及修橋等公共設施建設的物資；

5. 其他公益事業。

第七條 捐贈物資進口的海關手續，由受贈單位自行辦理。受贈單位應於捐贈物資進口前向所在地海關交驗有關機關的批准文件，經所在地海關審核簽署意見後向口岸海關辦理報關進口手續。

第八條 對假借捐贈名義進口貨物、物品的，或者未經海關許可並且未補辦進口手續，未補繳關稅，擅自將捐贈進口貨物、物品在境內銷售牟利的，由海關根據《中華人民共和國海關法》和《中華人民共和國海關法行政處罰實施細則》的有關規定處理。

附載：

財政部負責人就《開採海洋石油資源繳納礦區使用費的規定》答記者問

問： 爲甚麼要制定礦區使用費規定？

答： 實行開放政策以來，中外合作開採海洋石油業務有了較大的發展。到目前已經發現的油、氣田有10多個，部分油、氣田正進入開發階段。但是，幾年來國家對礦區使用費一直沒有制定統一的法規，只是在石油合同中確定，油田年度總產量的12.5%用以繳納礦區使用費，存在着“有費無法”的問題。爲了鼓勵中外投資者開發海洋油、氣田，有必要建立、健全完善礦區使用費法規。

問： 制定礦區使用費的原則是甚麼？

答： 石油是一個國家主要的地下資源，也是重要的戰略物資。世界各產油國，普遍對開採者徵收礦區使用費。爲維護我國國有資源的權益，合理處理國家與開發者的利益分配關係，《規定》本着中小油氣田從輕，大油氣田略重的原則，同時結合我國當前的實際情況，設置了較爲優惠的礦區使用費率，其目的在於鼓勵企業投資，促進油、氣田的開發。

問： 《規定》中有何鼓勵措施？

答： 首先是把原來合同中規定的12.5%的費率改爲超量累進費率，使中小油氣田的礦區使用費負擔大大減輕，大油氣田的負擔也有所下降。其次是對年產原油不超過100萬噸的或者年產天然氣不超過20億立方米的部分給予免徵礦區使用費。據測算，這個《規定》實施以後，可採儲量小於500萬噸的油田實際負擔爲零；500萬～2000萬噸的油田實際負擔率約爲2%；3000萬～5000萬噸的油田實際負擔率約爲4～6%；1億噸左右的油田實際負擔率約爲8%。這樣的負擔水平，同其他國家相比是中間偏低的，有利於鼓勵中外企業投資，促進海洋石油資源的開發。

檢驗・檢疫

中華人民共和國進出口商品檢驗法

1989年2月21日第七屆全國人民代表大會常務委員會第六次會議通過
1989年2月21日中華人民共和國主席令第十四號發佈

第一章　總　則

第一條　爲了加强進出口商品檢驗工作，保證進出口商品的質量，維護對外易貿有關各方的合法權益，促進對外經濟易貿關係的順利發展，制定本法。

第二條　國務院設立進出口商品檢驗部門(以下簡稱國家商檢部門)，主管全國進出口商品檢驗工作。國家商檢部門設在各地的進出口商品檢驗機構(以下簡稱商檢機構)管理所轄地區的進出口商品檢驗工作。

第三條　商檢機構和國家商檢部門、商檢機構指定的檢驗機構，依法對進出口商品實施檢驗。

第四條　國家商檢部門根據對外易貿發展的需要，制定、調整並公佈《商檢機構實施檢驗的進出口商品種類表》(以下簡稱《種類表》)。

第五條　列入《種類表》的進出口商品和其他法律、行政法規規定須經商檢機構檢驗的進出口商品，必須經過商檢機構或者國家商檢部門、商檢機構指定的檢驗機構檢驗。

前款規定的進口商品未經檢驗的，不准銷售、使用，前款規定的出口商品未經檢驗合格的，不准出口。

本條第一款規定的進出口商品，經收貨人、發貨人申請，國家商檢部門審查批准，可以免予檢驗。

第六條　商檢機構實施進出口商品檢驗的內容，包括商品的質量、規格、數量、重量、包裝以及是否符合安全、衛生要求。

法律、行政法規規定有强制性標準或者其他必須執行的檢驗標準的進出口商品，依照法律、行政法規規定的檢驗標準檢驗；法律、行政法規未規定有强制性標準或者其他必須執行的檢驗標準的，依照對外貿易合同約定的檢驗標準檢驗。

第七條　法律、行政法規規定由其他檢驗機構實施檢驗的進出口商品或者檢驗項目，依照有關法律、行政法規的規定辦理。

第八條　國家商檢部門和商檢機構應當收集和向有關方面提供進出口商品檢驗方面的信息。

第二章　進口商品的檢驗

第九條　本法規定必須經商檢機構檢驗的進口商品的收貨人，必須向卸貨口岸或者到達站的商檢機構辦理進口商品登記。對列入《種類表》的進口商品，海關憑商檢機構在報關單上加蓋的印章驗放。

第十條　本法規定必須經商檢機構檢驗的進口商品的收貨人，應當在商檢機構規定的地點和期限內，向商檢機構報驗。商檢機構應當在對外貿易合同約定的索賠期限內檢驗完畢，並出具證明。

第十一條　本法規定必須經商檢機構檢驗的進口商品以外的進口商品的收貨人，發現進口商品質量不合格或者殘損短缺，需要由商檢機構出證索賠的，應當向商檢機構申請檢驗出證。

第十二條　對重要的進口商品和大型的成套設備，收貨人應當依據對外貿易合同約定在出口國裝運前進行預檢驗、監造或者監裝，主管部門應當加强監督；商檢機構根據需要可以派出檢驗人員參加。

第三章　出口商品的檢驗

第十三條　本法規定必須經商檢機構檢驗的出口商品的發貨人，應當在商檢機構規定的地點和期限內，向商檢機構報驗。商檢機構應當在不延誤裝運的期限內檢驗完畢，並出具證明。

對列入《種類表》的出口商品，海關憑商檢機構簽發的檢驗證書、放行單或者在報關單上加蓋的印章驗放。

第十四條　經商檢機構檢驗合格發給檢驗證書或者放行單的出口商品，應當在商檢機構規定的期限內報運出口；超過期限的，應當重新報驗。

第十五條　爲出口危險貨物生產包裝容器的企業，必須申請商檢機構進行包裝容器的性能鑒定。生產出口危險貨物的企業，必須申請商檢機構進行包裝容器的使用鑒定。使用未經鑒定合格的包裝容器的危險貨物，不准出口。

第十六條　對裝運出口易腐爛變質食品的船艙和集裝箱，承運人或者裝箱單位必須在裝貨前申請檢驗。未經檢驗合格的，不准裝運。

第四章　監督管理

第十七條　商檢機構對本法規定必須經商檢機構檢驗的進出口商品以外的進出口商品，可以抽查檢驗。出口商品經抽查檢驗不合格的，不准出口。

第十八條　商檢機構根據檢驗工作的需要，可以向列入《種類表》的出口商品的生產企業派出檢驗人員，參與監督出口商品出廠前的質量檢驗工作。

第十九條　商檢機構可以根據國家商檢部門同外國有關機構簽訂的協議或者接受外國有關機構的委託進行進出口商品質量認證工作，准許在認證合格的進出口商品上使用質量認證標誌。

第二十條　國家商檢部門和商檢機構根據檢驗工作的需要，通過考核，認可符合條件的國內外檢驗機構承擔委託的進出口商品檢驗工作。

第二十一條　國家商檢部門和商檢機構對其指定或者認可的檢驗機構的進出口商品檢驗工作進行監督，可以對其檢驗的商品抽查檢驗。

第二十二條　國家根據需要，對重要的進出口商品及其生產企業實行質量許可制度，具體辦法由國家商檢部門會同國務院有關主管部門制定。

第二十三條　商檢機構根據需要，對檢驗合格的進出口商品，可以加施商驗標誌或者封識。

第二十四條　進出口商品的報驗人對商檢機構作出的檢驗結果有異議的，可以向原商檢機構或者其上級商檢機構以至國家商檢部門申請復驗，由受理復驗的商檢機構或者國家商檢部門作出復驗結論。

第二十五條　商檢機構和其指定的檢驗機構以及經國家商檢部門批准的其他檢驗機構，可以接受對外貿易關係人或者外國檢驗機構的委託，辦理進出口商品鑒定業務。

進出口商品鑒定業務的範圍包括：進出口商品的質量、數量、重量、包裝鑒定，海損鑒定，集裝箱檢驗，進口商品的殘損鑒定，出口商品的裝運技術條件鑒定、貨載衡量、產地證明、價值證明以及其他業務。

第五章　法律責任

第二十六條　違反本法規定，對列入《種類表》的和其他法律、行政法規規定必須經商檢機構檢驗的進口商品未報經檢驗而擅自銷售或者使用的，對列入《種類表》的和其他法律、行政法規規定必須經商檢機構檢驗的出口商品未報經檢驗合格而擅自出口的，由商檢機構處以罰款；情節嚴重，造成重大經濟損失的，對直接責任人員比照刑法第一百八十七條的規定追究刑事責任。

違反本法第十七條的規定，對經商檢機構抽查檢驗不合格的出口商品擅自出口的，依照前款的規定處罰。

第二十七條　僞造、變造商檢單證、印章、標誌、封識、質量認證標誌，構成犯罪的，對直接責任人員比照刑法第一百六十七條的規定追究刑事責任；情節輕微的，由商檢機構處以罰款。

第二十八條　當事人對商檢機構的處罰決定不服的，可以自收到處罰通知之日起30天內，向作出處罰決定的商檢機構或者其上級商檢機構或者國家商檢部門申請復議；對復議決定不服的，可以自收到復議決定書之日起30天內，向法院起訴。當事人逾期不申請復議或者不起訴又拒不履行的，由作出處罰決定的商檢機構申請法院强制執行。

第二十九條 國家商檢部門、商檢機構的工作人員和國家商檢部門、商檢機構指定的檢驗機構的檢驗人員，濫用職權，徇私舞弊，僞造檢驗結果的，或者玩忽職守，延誤檢驗出證的，根據情節輕重，給予行政處分或者依法追究刑事責任。

第六章 附 則

第三十條 商檢機構和其他檢驗機構依照本法的規定實施檢驗和辦理鑒定業務，依照規定收費。收費辦法由國家商檢部門會同國務院有關主管部門制定。

第三十一條 國家商檢部門根據本法制定實施辦法，報國務院批准後施行。

第三十二條 本法自1989年8月1日起施行。1984年1月28日國務院發佈的《中華人民共和國進出口商品檢驗條例》同時廢止。

附：

《刑法》有關條文

第一百八十七條 國家工作人員由於玩忽職守，致使公共財產、國家和人民利益遭受重大損失的，處五年以下有期徒刑或者拘役。

第一百六十七條 僞造、變造或者盜竊、搶奪、毀滅國家機關、企業、事業單位、人民團體的公文、證件、印章的，處三年以下有期徒刑、拘役、管制或者剝奪政治權利；情節嚴重的，處三年以上十年以下有期徒刑。

進口機電商品質量許可制度實施細則(試行)

1989年6月27日國家進出口商品驗檢局發佈

第一章 總 則

第一條 爲加强進口機電商品的檢驗和質量監督，適應環境保護的要求，維護國家和消費者的利益，確保人身和財產安全，根據《中華人民共和國進出口商品檢驗法》和國家商檢局、國家經委、對外經濟易貿部、海關總署聯合發佈的《進口商品質量監督管理辦法》以及國家商檢局發佈的《進口商品質量許可證制度實施辦法》(試行)，制定本細則。

第二條 本細則適用於《實施質量許可制度的進口商品目錄》(以下簡稱《目錄》)內的機電商品。

第三條 凡屬《目錄》內的機電商品，必須獲得國家商檢局批准的質量許可證書並帶有國家商檢局的《安全標誌》方准進口。

第四條 進口機電商品質量許可制度，統一由國家商檢局管理和組織實施，由國家商檢局指定的商檢機構(以下簡稱指定的商檢機構)辦理。

第二章 申 請

第五條 自《目錄》公佈後，國外廠商或其代理人(以下簡稱申請人)即可向國家商檢局提出書面申請，列明申請商品的名稱、型號、規格和生產廠等。

《目錄》內商品原則上按型號進行申請，不同生產廠生產的同型號商品或同一生產廠在不同生產地點生產的同型號商品，應分別申請。

第六條 接到申請人的申請後，由指定的商檢機構向申請人寄發空白的《申請書》。申請人必須按照規定填寫，辦理申請手續，同時按照《申請書》所列要求，提交有關的技術資料和樣品，並支付辦理申請手續所需費用。

申請人提交一切資料及申請書均應用中文或英文填寫。

第三章　樣品檢驗

第七條　申請人按《申請書》中要求，將檢驗樣品及與樣品檢驗有關的資料寄送指定的商檢機構或國家商檢局指定的商檢實驗室(以下統稱檢驗機構)。檢驗機構收到樣品後，按照有關商品的安全檢驗項目及標準進行檢驗。檢驗結束後，檢驗機構應將檢驗報告及申請人寄送的有關資料送交給指定的商檢機構。

對已申請並通過檢驗的基本型產品的系列產品或變型產品，只檢驗與基本型不同部分的有關項目(樣品檢驗費相應降低)。

部分檢驗工作可委託國家商檢局認可的國外實驗室進行，或者由國家商檢局派出專家組監督生產廠進行檢驗。

第八條　如果申請人提交的技術資料不能滿足樣品檢驗要求，檢驗機構可通知申請人及時補送，同時通知指定的商檢機構。

第九條　若樣品檢驗合格，由指定的商檢機構通知申請人做好對生產廠生產、檢測條件審查的準備，並明確審查時間。

若樣品檢驗不合格，由指定的商檢機構向申請人寄發不合格通知書，詳細説明產品與標準不符的項目及檢驗結果，或者寄發補充通知書，説明對產品的改進要求，產品改進後重新寄送檢驗樣品的期限以及重新檢驗所需費用等。

第四章　生產與檢測條件的審查

第十條　生產廠的生產與檢測條件應能確保所生產的產品符合中國的有關技術標準。

第十一條　對生產廠的生產檢測條件的審查工作，由國家商檢局派出人員並組織實施。審查工作應按照《生產廠生產與檢測條件審查綱要》進行。

若生產廠的生產與檢測條件審查不合格，由指定的商檢機構向申請人寄發不合格通知書，詳細説明生產廠的生產與檢測條件不合格的項目和審查結果。

第五章　質量許可證書及《安全標誌》的審批和使用

第十二條　樣品檢驗和生產廠生產與檢測條件審查合格後，由指定的商檢機構寫出書面報告報國家商檢局，國家商檢局簽發質量許可證書、批准使用《安全標誌》，並統一發佈公告。質量許可證書及通知書由指定的商檢機構寄發給申請人。

第十三條　申請人收到通知書後，按通知書要求，提出所需《安全標誌》的數量，並繳納《安全標誌》的工本費。《安全標誌》由指定的商檢機構寄發給申請人。

《安全標誌》應貼在商品的明顯部位上，對汽車貼在前風窗玻璃的右上角，摩托車貼在車架頭，摩托車發動機貼在箱體側面，電工產品貼在後面。

第六章　日常檢查和監督

第十四條　凡列入《商檢機構實施檢驗的進出口商品種類表》並屬於《目錄》內的進口機電商品到貨後，收、用貨單位必須向所在地商檢機構報驗，由商檢機構實施法定檢驗。

第十五條　對獲得質量許可證書和使用《安全標誌》的商品，由國家商檢局派員或委託國家商檢局認可的國外實驗室(包括檢驗機構，下同)對產品《安全標誌》的使用情況及生產廠的生產與檢測條件進行不定期的日常檢查。檢查每年不少於一次。

第十六條　按上條規定，凡日常檢查不合格的商品，經國家商檢局同意後，由指定的商檢機構通知申請人暫停使用並封存未使用的《安全標誌》。

請求恢復使用《安全標誌》時，申請人應向國家商檢局提出書面申請，對生產廠或商品重新檢查合格並經國家商檢局批准後，由指定的商檢機構通知申請人恢復使用《安全標誌》。

第十七條 已獲准使用《安全標誌》的商品，當生產廠的生產與檢測條件、原材料、元器件、零部件、產品結構等發生變更時，應將變更情況及變更後產品的檢驗結果報告指定的商檢機構，經國家商檢局確認後，方可繼續使用《安全標誌》。對涉及安全性能的上述變更，原則上需要重新進行樣品或部件的檢驗。

第十八條 有下列情況之一者，經國家商檢局批准，由指定的商檢機構通知申請人吊銷質量許可證書，並收回《安全標誌》：

(一)申請人擅自在未經批准的商品上使用《安全標誌》的；

(二)帶有《安全標誌》的商品進口時，發現有兩批安全性能不合格的；

(三)在生產廠抽封的樣品，經檢驗(包括擴大抽樣復驗)不合格的。

吊銷質量許可證書，由國家商檢局發佈公告。自公告發佈之日起半年後，原申請人方可重新提出申請。

第十九條 擅自進口和銷售無質量許可證書和《安全標誌》的《目錄》內機電商品，或者僞造、變賣、轉讓質量許可證書和《安全標誌》的，按照我國有關法律、法規處罰。

第七章 附 則

第二十條 國家商檢局或其委託的國外實驗室派出人員對生產廠進行審查、抽查、抽封樣品時，申請人應提供工作上的方便，並協助辦理入境簽證等有關手續。

第二十一條 申請人應按照規定支付各項費用，包括申請費、樣品檢測費、生產與檢測條件審查費、日常監督費、抽查樣品檢驗費和《安全標誌》工本費等。

第二十二條 指定的商檢機構、檢驗機構、委託的國外實驗室應對申請商品的技術，生產廠的生產與檢測條件，檢驗和審查結果，對第三方保密。

第二十三條 申請人對檢驗或審查結論有異議時，可以向國家商檢局申請復審。

第二十四條 本細則自1989年8月1日起試行，由國家商檢局負責解釋。

關於《實施質量許可制度的進口商品目錄》的公告

1989年7月28日國家進出口商品檢驗局發佈

根據《中華人民共和國進出口商品檢驗法》和《進口商品質量監督管理辦法》及有關文件規定，決定將汽車、摩托車、摩托車發動機、電冰箱(包括食品冷凍箱)、電冰箱壓縮機、空調器、空調器壓縮機、電視機(包括黑白及彩色電視機)和顯像管等九種進口商品列入首批《實施質量許可制度的進口商品目錄》。自1989年8月1日起執行。

國外廠商或代理人如欲向中華人民共和國出口上述商品，請提前六個月向我局(地址：北京建國門外大街12號，電話：5002163，電傳：210076 SACI CN，傳眞：01-5002387)申請辦理進口商品質量許可證書。

自1990年5月1日起，上述商品凡獲得我局簽發的進口商品質量許可證書並被批准使用我局安全標誌者，方能進口。中國各進口公司方准訂購。特此公告。

海運進口商品殘損鑒定辦法

1989年7月8日國家進出口商品檢驗局發佈

第一章　總　　則

第一條　爲了做好海運進口商品的殘損鑒定工作，維護對外貿易、運輸、保險等契約各方的合法權益，根據《中華人民共和國進出口商品檢驗法》第十一條、第二十五條規定，制定本辦法。

第二條　商檢局憑進口商品的發貨人、收貨人、保險人、承運人(以下簡稱對外貿易關係人)的申請和國內外仲裁、司法、檢驗機構的委託，辦理艙口檢視、載損鑒定、監視卸載、海損鑒定、驗殘等海運進口商品殘損鑒定工作。

第三條　商檢局在進口商品殘損鑒定工作中，遵循"態度公正，實事求是；親自實踐，獨立鑒定；方法科學，結果準确；論理充分，證據确鑿；尊重契約，注意慣例"的準則。

第二章　殘損鑒定的申請、鑒定和出證

第四條　艙口檢視應在船舶開艙卸貨前申請。商檢局在開艙前檢查艙口、人孔、風筒的水密及封蓋、封識，開艙後檢查貨物的覆蓋、襯墊、水漬、移動、倒塌及殘破等情況，簽發艙口檢視證書。

第五條　載損鑒定最遲應在開艙卸貨前申請。商檢局在開艙前檢查艙口、人孔、風筒的水密及封蓋、封識情況，開艙後檢查貨物的積載情況，查明貨物的受損情況及致損原因，簽發載損鑒定證書。

第六條　監視卸載應在船舶開艙卸貨前申請鑒定。商檢局在開艙前檢查艙口、人孔、風筒的水密及封蓋、封識情況，開艙後檢查貨物的積載情況，監視貨物的卸載過程，簽發監視卸載證書。

第七條　海損鑒定一般應在殘損貨物卸貨前申請。商檢局對宣佈共同海損的船舶所載貨物，按提單分清好、殘，區別殘損貨物的單獨海損和共同海損，證明殘貨的損失程度，簽發海損鑒定證書。

第八條　驗殘。商檢局對申請驗殘的進口商品，通過鑒定，掌握殘損商品的受損情況，判斷殘損商品的致損原因，确定殘損商品的貶值程度及/或加工、整理等費用，簽發驗殘證書。其申請時間爲：

(一)卸貨時發現包裝或外表殘損的進口商品，應在船方簽殘後或最遲在提貨前申請鑒定。

(二)需要登輪了解受損情況，确定受損範圍和判定致損原因的，應在卸貨前申請鑒定。

(三)對易腐、易變、易擴大損失的殘損商品，發現殘損應立即申請鑒定。

(四)需申請到貨地商檢局鑒定的殘損商品，應在索賠期滿20天前申請鑒定。

第九條　對外貿易關係人申請的其他有關鑒定項目，商檢局按申請的內容和要求辦理，簽發殘損鑒定證書。

第十條　申請殘損鑒定的地點：

(一)卸貨時發現包裝或外表殘損的進口商品，必須在卸貨港申請當地口岸商檢局鑒定。

(二)包裝外表完整或有隱蔽性缺陷的殘損商品，可向到貨地商檢局申請鑒定。

第十一條　申請人應提供的有關資料：

(一)申請艙口檢視、載損鑒定和監視卸載的，應提供艙單、積載圖、航海日誌及/或海事聲明等。

(二)申請海損鑒定的，應提供艙單、積載圖、提單、海事報告、事故報告等。

(三)申請驗殘的，應提供合同、提單、發票、裝箱單、理貨殘損單、說明書、重量明細單、品質證書等。

第十二條　殘損商品的保護與施救：

(一)申請殘損鑒定時，必須保護殘貨原狀，保留原貨包裝物料。

(二)對殘損貨物應分卸、分堆，收集地脚，妥善保管。

(三)對易擴大損失的殘損商品，應及時採取防止擴大殘損的施救措施。

第三章　致損原因的判斷

第十三條　屬於承運人責任的貨物殘損判定爲"船殘"，包括：

(一)船艙條件不適宜載貨和船舶設備不良等原因造成的殘損；

(二)船方對載運貨物未能克盡職責而導致的殘損；

(三)承運人已簽發清潔提單，但在卸貨港理貨單上承運人簽認的殘損(確系託運人責任和人力不可抗拒的因素除外)。

第十四條　屬於港方責任的貨物殘損判定爲"港殘"，指在卸貨港碼頭、倉庫、貨場堆放、保管不善等原因造成的殘損。

第十五條　屬於裝卸部門責任的貨物殘損判定爲"工殘"，指違章操作、粗暴搬運、裝卸不慎、使用工具不當等原因造成的殘損。

第十六條　屬於在海上運輸中遭遇自然災害、意外事故或其他人力不可抗拒的因素造成的貨物殘損判定爲"海損"。爲了解除共同危險，採取合理的施救措施所造成的特殊損失和合理的額外費用判定爲"共同海損"。

第十七條　屬於發貨人責任的貨物殘損判定爲"原殘"，包括：

(一)製造、加工、裝配、整理、包裝過程中的原因造成的殘損。

(二)裝運前堆存、轉運過程中的原因造成的殘損。

(三)提單已有批註的殘損。

(四)包裝、標記不符合合同規定或國際慣例，以及不適合遠洋運輸造成的殘損。

第十八條　對於同一批的殘損商品，涉及兩個和兩個以上責任方的致損原因，根據實際情況予以證明。對其中一個主要因素起决定作用，而其他次要因素又不足以單獨致損的，可將其主要因素判爲致損原因；對致損原因無法分淸主次，或雖有主次但對貨損都能單獨產生影響的，根據實際情況确定不同的致損原因，並分別列明。

第十九條　對确實無法判定致損原因的殘損商品，可根據實際情況只證明殘損商品的現狀及定損貶值的結果。

第四章　定損貶值

第二十條　殘損商品定損貶值的基本原則是根據使用價值、商銷影響、拍賣結果等因素，确定實際損失程度和貶值率。

第二十一條　按等級、體積、面積、長度和主要成份等計價的殘損商品，根據其檢測或化驗結果及使用效能降低的比例，結合使用和商銷的影響進行定損貶值。

第二十二條　機械、電器、儀器、儀錶、設備的殘損，主要根據使用效能的降低和使用壽命的縮短确定其貶值率。

第二十三條　日用消費品的殘損，以好、壞貨銷售價格的差異程度确定貶值率。

第二十四條　對已完全喪失原定使用價值，但倘能改做其他用途的殘損商品，根據其殘余價值或拍賣價格确定損失。對食品、藥品應從嚴掌握。

第二十五條　屬於下列情況之一者，可作爲推定全損。

(一)殘余價值不足20%的殘損商品。

(二)機械、電器、儀錶的核心部分或主件損壞，影響整件(台)的使用，又不能修復或不值得修復的。

(三)食品、藥品受損或汚染後，經主管部門鑒定，對人體健康和禽畜飼養有害，又不能改作其他用途的。

(四)使用殘損商品可能導致嚴重汚染的。

(五)完全喪失使用價值的地脚料。

第二十六條　根據地脚料的混雜、汚染情況和加工整理費用，以及對使用的影響，綜合确定地脚料的貶值率。

第二十七條　殘損貨物經施救加工、整理、修配後，仍能正常使用的，在證書上列明其合理費用；經加工、整理、修配後對使用或銷售仍有影響的，除列明合理費用外，還應予以定損貶值。

第二十八條　加工、整理、修配所引起的額外費用，經審核後認爲合理的，在證書上列明。

第二十九條　機械、電器、儀器、儀錶類商品零件缺少或部分損壞以致影響整機使用，屬發貨人責任的，如由訂貨部門提請發貨人補貨或換貨，則不予定損。屬其他方責任的，應由申請人通過訂貨部門詢問其短損貨物的到岸價格後，在證書上列明。

第五章　附則

第三十條　在中華人民共和國國境和領海以外的殘損鑒定工作，按照本辦法辦理。

第三十一條　陸運、空運、郵運進口商品的殘損鑒定，參照本辦法辦理。

第三十二條　本辦法自1989年10月1日起執行。1981年中華人民共和國進出口商品檢驗總局發佈的《海運進口商品殘損鑒定辦法》(試行)同時廢止。其他有關辦法、規定，凡與本辦法相抵觸的，以本辦法爲準。

第三十三條　本辦法由中華人民共和國國家進出口商品檢驗局負責解釋。

商檢機構實施檢驗的進出口商品種類表

1989年7月10日國家進出口商品檢驗局發佈

1989年8月1日實施

一、進口商品(40類148種)

商品名稱	備　註	商品名稱	備　註
成套設備類*		**電工設備類***	
成套設備		電綫電纜	
機動車輛類*		**機牀工具類***	
汽　車		機　牀	
汽車發動機		**鋼材類**	
摩托車		厚鋼板	
摩托車發動機		一般厚鋼板	
農業機械類*		鍋爐鋼板	
拖拉機		造船鋼板	
動力機械類		大樑鋼板	
鍋　爐		花紋鋼板	
壓力容器類		薄鋼板	
槽車		一般薄鋼板	
貯運容器		鍍鋅鐵皮	
反應容器		馬口鐵	
換熱容器		型材	包括圓、方、扁、角鋼，H型鋼、槽鋼、鋼板樁
分離容器		矽鋼片	
		盤　條	

商品名稱	備　　註	商品名稱	備　　註
鐵道器材	包括鋼軌及配件、車輪、車軸、車箍、鍛鋼、道岔	**黑色金屬及其礦產品類***	
優質鋼		鐵礦砂	包括磁鐵礦砂、褐鐵礦砂
碳素鋼		鉻礦石	
合金鋼		錳礦石	
軸承鋼		生　鐵	
工具鋼		**煤炭類***	
高速鋼		煤　炭	
不銹鋼		**石油及產品類***	
彈簧鋼		原　油	
管　材		成品油	
焊縫管		**橡膠類**	
無縫管		天然橡膠	包括天然乳膠
鍋爐管		**化肥類**	
油　管		化　肥	
石油套管		**化工原料類***	
石油鑽管		聚氯乙烯	
地質套管		聚丙烯	
地質鑽管		聚乙烯	
合金鋼管		聚苯乙烯	
不銹鋼管		苯二甲酸酐(苯酐)	
鋼　瓶		聚脂切片	
金屬製品	包括鋼絲、鋼絲繩、鋼帶	己內酰胺	
有色金屬及其礦產品類		燒　碱	
銅		純　碱	
鋅*		**農藥類***	
鋁		除草劑	
銅、鋅、鋁及其合金的壓延材	包括板、管、絲、條、棒、帶、箔	殺蟲劑	
氧化鋁*		**中藥材類***	
鋅　砂*		羚羊角	
鉛　砂*			
銅精礦砂*			

商品名稱	備　　註
高麗參	
西洋參	
牛　黃	
麝　香	
家用電器類*	
電冰箱	包括食品冷凍箱
電冰箱壓縮機	包括食品冷凍箱壓縮機
洗衣機	
吸塵器	
電風扇	
空調器	
空調器壓縮機	
電熨斗	
電動美容美髮器具	
廚房電熱器具	
化妝品類*	
化妝品	
玩具類*	
玩　具	
紙漿、紙張類	
紙　漿	
紙　張	
電視機及音響設備類*	
電視機	包括黑白及彩色電視機
顯像管	
錄像機	
攝像機	
收錄機	包括收錄機機芯
音響組合	
錄音錄像帶	
照相機類*	
照相機及鏡頭	
棉、蔴類	
棉　花	
黃　蔴	
纖維素纖維類	
黏膠纖維	
銅銨纖維	
醋酸纖維	
合成纖維類	
錦　綸	
滌　綸	
腈　綸	
維　綸	
丙　綸	
氯　綸	
氨　綸	
紗及其織物類*	
棉　紗	
毛紗及毛綫	
化纖紗	
純棉及混紡織物	
化纖織物	
純毛及混紡織物	
糧谷類	
小　麥	
大　米*	
大　麥*	
玉　米	
糯　米*	
豆　類	
大　豆	
動植物油類*	
動物油(脂)	
植物油	

商品名稱	備　　註
水果類*	
水　果	
水產品類	
魚　粉	
糖　類	
砂　糖	
原　糖	
奶製品類*	
奶　油	
奶　粉	
咖啡、可可類*	
咖　啡	
可　可	
飼料類*	
植物性飼料	
動物性飼料	
木材類*	
原　木	
板　材	
畜產類	
羊　毛	包括毛條
製革原料皮	
毛　皮	
革　皮	
菸草及捲煙輔料類*	
香　煙	
烤　菸	
菸　葉	
過濾嘴	
建材類*	
膠合板	
水　泥	

二、出口商品(64類333種)

商品名稱	備　註
糧穀類	
大　米	
玉　米	
蕎　麥	
豆　類	
大　豆	
動植物油類	
植物油	
動物油(脂)*	
桐　油	
油籽類	
花生仁	
花生果	
芝　蔴*	
油菜籽	
肉食類	
凍豬肉	包括分割肉
凍牛肉	包括分割肉
凍羊肉	包括分割肉
凍兔肉	包括分割、去骨肉
凍家禽	包括分割、去骨肉
凍豬副產品	
凍牛羊副產品	
肉製品*	包括豬、牛肉製品
蛋品類	
鮮　蛋	包括鷄蛋、鴨蛋
冰　蛋	
乾　蛋	
再製蛋	包括皮蛋、鹹蛋
水產類	
凍　魚	
凍　蝦	包括蝦仁、球
凍貝肉	包括赤貝、海螺、田螺、文蛤肉
活　貝	包括田螺、赤貝、文蛤
海蜇皮	
魚　子	
水果類	
蘋　果	
桔、柑、橙	
乾果類	
核　桃	
核桃仁	
苦杏仁	
蔬菜類*	
速凍蔬菜	
山野菜	包括鹽漬、乾製菜
脫水蔬菜	
罐頭類	
罐　頭	
糖　類	
砂　糖	
方　糖	
冰　糖	
酒　類*	
啤　酒	
白　酒	
葡萄酒	
飲料類	
汽　水	
礦泉水	
果　汁	
蔬菜汁	
可樂飲料	
食鹽、調味品類	
食　鹽	
醬　油	

商品名稱	備註
奶制品類	
奶粉	
奶油	
煉乳	
淡乳	
花生製品類*	
烤花生	
油炸花生仁	
鹹乾脆花生	
花生醬	
食品工業原料類	
蜂蜜	
飼料類	
紅薯乾	
木薯乾	
油籽餅、粕	
茶葉類	
茶葉	
香料類	
香精油	
薄荷腦	
薄荷油素	
薄荷原油	
香茅油	
桂油	
山蒼子油	
桉葉油	
茴油	
黃樟油	
白樟油	
天然樟腦(粉、塊)	
合成香料*	
檸檬酸	
檸檬酸鈣	
菸草類	
烤菸	
晒菸	
白肋菸*	
捲煙*	
雪茄*	
土產類	
松香	
煙花鞭炮**	
畜產品類	
豬鬃	
腸衣	
豬腸衣	
羊腸衣	
豬大腸頭	
絨毛	
綿羊毛	
羊絨	
無毛絨	
山羊毛	
駝毛	
兔毛	
鵝鴨絨毛	
羽絨製品*	
絨羽被	
羽絨枕	
羽絨服裝(帽)	
羽絨睡袋	
羽絨靠墊	
製革原料皮	
山羊板皮	
鹿皮	
革皮	
豬革皮	
羊革皮	
革皮服裝	
裘皮及製品類	
猾皮	
湖羊皮	

商品名稱	備　註
黄狼皮	
旱獺皮	
水貂皮	
水獺皮	
元　皮	
香鼠皮	
灰鼠皮	
皮褥子	
裘皮服裝	
皮帽子	
中藥材類*	
人　參	
甘　草	
枸　杞	
鹿　茸	
蜂王漿	
絲　類	
廠　絲	
加工絲	
雙宮絲	
柞蠶絲	
桑絹絲	
棉花類	
長絨棉	
細絨棉	
蔴　類*	
苧　蔴	
亞　蔴	
紗　類*	
棉　紗	
棉滌綸紗	
亞蔴紗	包括混紡紗
苧蔴紗	包括混紡紗
布匹類	

商品名稱	備　註
棉　布	包括坯布、漂布、色布、花布、色織布、絨布
棉滌綸布	包括坯布、漂布、色布、花布、色織布
亞蔴布*	包括混紡布
苧蔴布*	包括混紡布
呢　絨	包括全毛、混紡的精紡和粗紡
毛針織品類*	
羊毛衫	
羊絨衫	
毛毯類*	
純毛毛毯	
混紡毛毯	
綢緞類	
桑絲綢	
桑絹綢	
柞絲綢	
柞絹棉綢	
眞絲交織綢	
人絲人棉綢	
混紡綢	
人絲綢	
合纖綢	
服裝類	
襯　衫	包括各種面料的襯衫
夾　克*	包括各種面料的夾克
牛仔服裝*	
呢絨服裝	包括混紡服裝
長西褲	
短西褲	
西服上衣	
大　衣	
絲綢服裝*	
眞絲綢服裝	
合纖綢服裝	包括交織及混紡服裝

商品名稱	備　註
抽紗類*	
手繡抽紗製品	
手編抽紗製品	
輕工品類	
自行車及零件	
縫紉機	
搪瓷製品	
壓力鍋*	
鞋	
定時器*	
鐘　錶	
鎖*	
化妝品類*	
面部化妝品	
面霜、膏	
奶　液	
美髮護髮用品	
香　波	
護髮素	
髮　膠	
芳香製品	
花露水	
香　水	
科龍水	
爽身粉	
玩具類*	
電動玩具	
電子玩具	
機械玩具	
塑料玩具	
布絨玩具	
建材類	
膠合板	
水泥夾板	
家用電器類	
電風扇	
電冰箱*	
洗衣機*	
空調器*	
燈具及燈泡*	
電　池	
電飯鍋*	
電熨斗*	
電視機及音響設備類	
半導體收音機	
揚聲器*	
錄音機*	
收錄兩用機*	
電視機*	包括黑白及彩色電視機
音響組合*	
蜂鳴器*	包括蜂鳴片
照相機類	
照相機及鏡頭	
陶瓷類	
日用陶瓷	
建築衛生陶瓷*	
藝術陳設陶瓷*	
鋼材類	
型　鋼	
中厚鋼板	
薄鋼板	
優質鋼	
矽鋼片	
盤　條	
鋼　坯	
鋼　錠	
鐵道器材	包括鋼軌及配件、車輪、車箍、車軸、鍛鋼、道岔
管　材	

商品名稱	備　註
焊縫管	
無縫管	
鍋爐管	
油　管	
套　管	包括石油套管、地質套管
鑽　管	包括石油鑽管、地質鑽管
合金鋼管	
不銹鋼管	
金屬製品	包括鋼絲、鋼絲繩、鋼帶
鋼　瓶	
黑色金屬及其礦產品類	
硬錳砂	
軟錳砂	
生　鐵*	
鐵合金*	
金屬錳	
金屬鉻	
鎢　鐵	
鉬　鐵	
錳　鐵	
硅　鐵	
有色金屬及其礦產品類	
錫　錠*	
銻　錠*	
硫化銻*	
氧化銻*	
鋅*	
鉬*	
鎢　砂	
銻　砂	
鉬　砂*	
錫礦砂*	
錫　材*	

商品名稱	備　註
焊　錫*	
錫　粉*	
鎢　粉*	
碳化鎢粉*	
鎢　絲*	
金屬硅*	
稀土礦產品*	
氯化稀土	
氧化稀土	
非金屬礦產品類	
礬　土	
焦寶石	
石　墨*	
滑石(塊、粉)	
石英石(粉)	
氟石(塊、粉)	
重晶石(粉)	
煤炭類	
煤　炭	
焦　炭	
石油類	
原　油	
成品油	
化工原料類	
磷　酸*	
工業用鹽(氯化鈉)	
磷礦石*	
鎢化合物*	
鎢　酸	
鎢酸鈉	
三氧化鎢	
仲鎢酸銨	
石油焦	
糠　醛	
鈦白粉*	

商品名稱	備　註	商品名稱	備　註
橡膠製品類*		千斤頂*	
輪　胎		**機牀及工具類**	
醫用品類		機　牀	
避孕套*		鍛壓設備	
醫用手套*		鑄造機械	
乳膠檢查手套*		木工機械	
機動車輛類		量　具	
汽　車		刃　具	
汽車發動機*		磨　具	
摩托車*		磨　料	
摩托車發動機*		機床附件*	
動力機械類		台　鑽*	
柴油機		砂輪機	
發電設備*		**壓力容器類**	
鍋　爐		槽　車	
發電機		貯運容器	
電動機		反應容器	
電工設備類		換熱容器	
電焊機*		分離容器	
裸鋁綫		**軸承基礎件類**	
裸銅綫		軸　承	
電磁綫		工業鏈條*	
布電綫		標準緊固件*	
電力電纜		**農業機械類***	
控制電纜		拖拉機	
通訊電纜		**紡織機械類***	
海底電纜		紡織機械	
電　瓷*		**手工工具類***	
蓄電池*		鉗	
電動工具*		扳　手	
起重機械類		**儀器儀錶類***	
輪胎起重機		微型電子計算機	
汽車起重機		生物顯微鏡	
叉　車		電工儀錶	
電動葫蘆*		水　錶	
手動葫蘆*			

註：本表中加"*"標記的自1990年1月1日起執行；

加"**"標記的自1990年5月1日起執行。

中國進出口商品檢驗標誌管理辦法

1989年7月31日國家進出口商品檢驗局發佈

第一章 總則

第一條 根據《中華人民共和國進出口商品檢驗法》第十九、二十二、二十三條和國家商檢局、國家經委、對外經濟貿易部、海關總署聯合發佈的《進口商品質量監督管理辦法》對進出口商品實施商檢標誌的規定，特制定本辦法。

第二條 本辦法適用於進出口商品檢驗、認證和質量許可制度使用的各種商檢標誌。

第三條 中華人民共和國國家進出口商品檢驗局(以下簡稱國家商檢局)統一管理全國商檢標誌的頒發、使用工作。國家商檢局設在各地方的進出口商品檢驗局(以下簡稱商檢局)負責管轄範圍內的商檢標誌的頒發、使用和監督管理工作。

第四條 凡在中華人民共和國領域內從事出口商品加工生產的企業或外貿經營單位、進口商品的國外廠商或其代理人自願或根據規定，向國家商檢局或有關商檢局申請辦理。

第二章 商檢標誌的申請、審定和管理

第五條 涉及安全、衛生和連續兩年獲得國優或省優的出口商品，申請人可以向當地商檢局分別辦理《安全標誌》、《衛生標誌》和《質量標誌》。

第六條 實施質量許可制度的進口商品，必須申請《安全標誌》；其他進口商品，可以自願申請《質量標誌》。申請人向國家商檢局或其指定的商檢局辦理。

第七條 申請人按照本辦法的規定，向國家商檢局或有關商檢局申請商檢標誌時，應塡寫"申請書"，並附送生產檢測條件等有關資料。

第八條 有關商檢局接到申請書和資料後，根據國家商檢局公佈的考核標準，單獨或者會同有關部門對有關樣品及生產、檢測條件進行檢驗和審查，對符合以下要求的，批准使用有關的商檢標誌，進口商品報國家商檢局批准；

(一)符合國家或國際有關安全標準和規定的出口商品和符合國家安全法規和標準的進口商品，使用《安全標誌》；

(二)符合國家食品衛生標準或有關衛生標準的出口商品，使用《衛生標誌》；

(三)符合國家優質產品標準或國外先進標準的出口商品和符合進口貿易合同規定或國外廠商質量標準的進口商品，使用《質量標誌》。

第九條 加附商檢標誌的進出口商品，必須接受商檢局的檢驗和監督管理。

第十條 經商檢局檢驗或抽驗，兩次不合格，責任屬於申請人的，吊銷商檢標誌。

第十一條 加工生產單位的生產、檢測條件發生變化時，申請人應重新申請，經審查合格後方可使用商檢標誌。

第十二條 申請人應指定專人管理商檢標誌，並加附在進出口商品或其包裝的明顯部位。

第十三條 對批准使用商檢標誌的進出口商品，申請人可以用於廣告宣傳。廣告宣傳的語句，必須事先徵得國家商檢局或有關商檢局的同意。

第十四條 商檢標誌不得擅自加附、假冒或轉讓，對違反規定的，除吊銷商檢標誌，追回已經加附標誌的商品外，按《中華人民共和國進出口商品檢驗法》的有關規定處罰。

第三章 附則

第十五條 申請商檢標誌，按不同商品的檢驗和審查繁簡程度，由國家商檢局或有關商檢局向申請人收取費用。檢驗和審查不合格再次申請時，重新收費。

第十六條 申請人使用商檢標誌，應當交付商檢標誌的印製工本費。

第十七條 商檢標誌的圖樣由國家商檢局統一發佈。

第十八條 本辦法的解釋權屬國家商檢局。

第十九條 本辦法自1989年8月1日起施行。1987年12月28日發佈的《中國進出口商品檢驗標誌管理辦法》(試行)同時廢止。

進出口商品報驗的規定

1989年8月21日國家進出口商品檢驗局發佈

爲了加强進出口商品報驗管理工作，根據《中華人民共和國進出口商品檢驗法》的有關條款，特制定本規定。

第一條 報驗單位

一、有進出口經營權的國內企業；

二、進口商品收貨人或其代理人；

三、出口商品生產企業；

四、對外貿易關係人；

五、中外合資、中外合作和外商獨資企業；

六、國外企業、商社常駐中國代表機構等。

第二條 報驗範圍

一、《種類表》內的進出口商品；

二、出口食品衛生檢驗和檢疫，以及出口動物產品的檢疫；

三、出口危險品包裝容器的性能鑒定和使用鑒定；

四、裝運出口易腐爛變質食品的船艙、集裝箱等；

五、其他法律或者行政法規規定必須經商檢機構檢驗的進出口商品；

六、我國與進口國主管部門協定必須憑我國商檢機構證書方准進口的商品；

七、對外貿易合同、信用證規定由商檢機構檢驗出證的商品；

八、對外貿易關係人申請的鑒定業務；

九、委託檢驗業務。

有下列情況之一者，商檢機構一般不予受理報驗：

一、應施檢驗的出口商品，未經檢驗已裝運出口的；

二、按分工規定，不屬商檢工作範圍的。

第三條 報驗時必須提供的單證

一、進口商品報驗時，報驗人應提供外貿合同、國外發票、提單、裝箱單和進口貨物到貨通知單等有關單證；

申請進口商品品質檢驗的還應提供國外品質證書，使用說明及有關標準和技術資料，憑樣成交的，須加附成交樣品；

申請殘損鑒定的還應提供理貨殘損單、鐵路商務記錄、空運事故記錄或海事報告等證明貨損情況的有關單證；

申請重(數)量鑒定的還應提供重量明細單，理貨清單等；

進口商品經收、用貨部門驗收或其他單位檢驗的，應加附有關驗收記錄，重量明細單或檢驗結果報告單等。

二、出口商品報驗時，報驗人應提供外貿合同(确認書)，信用證以及有關單證函電等。憑樣成交的應提供買賣雙方确認的樣品。申請預驗的商品，應提供必要的檢驗依據。

經本地區預驗的商品需在本地區換證出口時，應加附由該局簽發的預驗結果單；

經其他商檢機構檢驗的商品，必須加附發運地商檢機構簽發的"出口商品檢驗換證憑單"正本。

凡必須向商檢機構辦理衛生註册及出口質量許可證的商品，必須交附商檢機構簽發的衛生註册證書、廠檢合格單或出口質量許可證。

冷凍、水產、畜產品和罐頭食品等須辦理衛生證時，必須交附商檢機構簽發的衛生註册證書及廠檢合格單。

三、申請鑒定業務的報驗

對外貿易關係人申請的鑒定業務，根據鑒定工作需要應附交有關合同、國外發票、提單(運單)、商務記錄、重量明細單、擬裝貨物清單、艙單、配載圖、船方函電或書面說明、海事報告或其他有關證明。

四、申請危險品包裝檢驗的報驗

(一)申請危險品包裝性能鑒定時，申請人須提供有關產品標準和工藝規程等有關資料；

(二)申請危險品包裝使用鑒定時，申請人須提供包裝性能鑒定報告及有關單證。

五、申請委託檢驗的報驗

(一)申請人應提交檢驗樣品、列明檢驗要求，必要時，提供有關檢驗標準或檢驗方法；

(二)國外委託人委託檢驗和鑒定業務時，應提供有關函電或資料。

第四條　報驗時限和地點

必須經商檢機構檢驗的進口商品到貨後，由收貨單位或代理接運單位憑《進口貨物到貨通知單》或其他有關單證向到貨口岸或到達站商檢機構辦理進口商品登記；

《種類表》內的進口商品以及須商檢機構檢驗出證對外索賠的《種類表》外的進口商品，收用貨部門或代理人均應在索賠有效期前不少於1/3的時間內向貨物目的地商檢機構報驗，如索賠期已近，來不及完成檢驗出證者，報驗人須預先向國外辦理延長索賠手續；

進口商品的殘損檢驗應在口岸報驗；

大宗散裝進口商品鑒重一般應在口岸報驗；

一批到貨分撥數地的進口商品，收貨部門或代理人應報請口岸商檢機構檢驗出證，因故不能在口岸進行整批檢驗的，應申請辦理易地檢驗手續。

出口商品最遲應於報關或裝運出口前10天報驗，對個別檢驗周期較長的商品，應留有相應扦樣、檢驗等方面的時間。

第五條　報驗要求

一、報驗人必須按規定認眞填寫要求報驗的檢驗申請單，每份申請單只限填報一批商品，做到書寫工整，字迹清楚，不得隨意塗改，項目塡寫齊全，譯文準确，中英文內容一致，加蓋報驗單位公章；

二、報驗人對所需檢驗證書的內容如有特殊要求的應預先在檢驗申請單上申明；

三、申請報驗時應按規定繳納檢驗費；

四、報驗人應預先約定抽樣檢驗、鑒定的時間並提供進行抽樣和檢驗鑒定等必要的工作條件；

五、已報驗的出口商品，如國外開來信用證修改函時，凡涉及與商檢有關的條款，報驗單位須及時將修改函送商檢機構，辦理更改手續；

六、報驗人如因特殊原因需撤銷報驗時，經書面申請原因後，可辦理撤銷；

七、報驗人領取證書時應如實簽署姓名和領證時間。對證書應妥善保管，不得丟失。各類證書應各按其特定的範圍使用，不得混用。

第六條　證單的更改

一、商檢機構簽發的各種證單，報驗人有正當理由需要更改或者增減內容時，必須向原簽證的商檢機構申請，並隨附原簽發的全部證單，經審核同意後，由原商檢機構予以更改或者換發有關證單；

二、內地商檢機構簽發的證書，如發現問題，屬於檢驗項目內容的更改和補充，應由報驗人與原簽證機構聯系處理；

三、報驗人須嚴格遵守商檢法和有關行政法規的規定，對商檢證單不得擅自塗改、僞造、變造和非法轉讓。

第七條　出運限期

經商檢機構檢驗合格發給檢驗證書或者放行單的出口商品，一般應在證單簽發之日起兩個月內裝運出口，鮮活類出口商品應當在兩周內裝運出口。超過上述期限的應向商檢機構重新報驗，並交回原簽發的所有檢驗證書和放行單。

第八條　本規定由國家商檢局負責解釋

第九條　本規定自公佈之日起實施

中華人民共和國普遍優惠制原產地證明書簽證管理辦法

1989年8月21日國家進出口商品檢驗局發佈

第一章　總則

第一條　根據聯合國貿發會議關於普惠制的決議和《中華人民共和國進出口商品檢驗法》，爲加强普遍優惠制産地證明書(以下簡稱普惠制産地證書)的簽證管理工作，保證簽證符合給惠國有關規定，使我國出口商品在給惠國順利通關，獲得减免關稅的優惠待遇，特制定本辦法。

第二條　普惠制産地證書是具有法律效力的官方證明文件。我國普惠制産地證書的簽證工作由國家進出口商品檢驗局(以下簡稱國家商檢局)負責統一管理，由國家商檢局設在各地的進出口商品檢驗局及其分支機構(以下統稱商檢機構)負責簽發。

對需要在香港簽署“未再加工證明”的普惠制産地證書，經給惠國確認，國家商檢局委託香港中國檢驗有限公司負責簽署。

第三條　普惠制産地證書的簽發，限於給惠國已公佈法令並正式通知對我國實行普惠制待遇的國家所給予關稅優惠的商品。這些商品必須符合給惠國原産地規則及直運規則。

第四條　申請單位向商檢機構申請簽發普惠制産地證書，應嚴格按照各給惠國普惠制實施方案及本辦法的規定，切實做到申請和填報的内容眞實、準確。

第二章　註册和申請

第五條　申請辦理普惠制産地證書的單位：

㈠有進出口經營權的國內企業；

㈡中外合資、中外合作和外商獨資企業；

㈢國外企業、商社常駐中國代表機構；

㈣對外承接來料加工、來圖來樣加工、來件裝配和補償貿易業務的企業；

㈤經營旅遊商品的銷售部門；

㈥參加國際經濟文化交流活動需出售展品、樣品等的有關單位。

第六條　凡申請辦理普惠制産品地證書的單位，必須預先在當地商檢機構辦理註册登記手續。

第七條　辦理註册登記時，申請單位必須提交審批機關的批件、營業執照、協議書以及其他有關文件。商檢機構經過審核和調查，對符合註册登記條件的予以註册登記。

第八條　申請單位的印章和證書手簽人員必須在註册的同時進行登記。手簽人員應是申請單位的法人代表並應保持相對穩定，如有變動，應及時向商檢機構申報。

第九條　申請簽證時，必須向當地商檢機構提交《普惠制産地證書申請書》，塡製正確清楚的普惠制産地證書和出口商品的商業發票副本，以及必要的其他證件。含有進口成份的産品，還必須提交《含進口成份受惠商品成本明細單》。

第十條　申請單位原則上向所在地商檢機構申請辦理簽證，特殊情況需在異地申請簽證時，必須提供所在地商檢機構註册登記的證明文件。

第十一條　對使用外國商標的商品，凡符合原産地規則的，可以申請簽證。但是，該商品及其包裝不得標有香港、台灣、澳門及中國以外的産地製造的字樣。

第十二條　申請單位應於貨物裝運前向商檢機構提出申請。申請單位若需要申請後發證書，必須向商檢機構提交貨物確已出運的證明文件。

第十三條　如果已簽發的證書正本遺失或損毁，申請單位必須向商檢機構書面申明理由和提供依據，經商檢機構審核確認後方准予申請重發證書，同時聲明原證書作廢。

第十四條　申請單位要求更改已簽發證書的内容，必須申明更改的理由和提供依據，經商檢機構核實並收回原發證書後方准予换發新證書。

第十五條　申請重發或更改證書内容，申請單位均須重新履行申請手續。

第十六條　經香港轉運至給惠國的産品，在獲得商檢機構簽發的普惠制產地證書後，凡給惠國要求簽署"未再加工證明"的，申請人需持上述證書及有關單證，向香港中國檢驗有限公司申請辦理。

第十七條 申請單位應按規定繳納簽證費和註册費。

第三章 製證

第十八條 普惠制原產地證書由申請單位塡製。

第十九條 普惠制原產地證書採用聯合國貿發會議規定的統一格式。

第二十條 申請單位的手簽人員應熟悉各給惠國普惠制實施方案採用的商品名稱和編碼及塡製普惠制證書的方法；熟悉所經營的出口受惠商品，尤其是含有進口成份的商品的原材料構成情況；自覺執行本辦法及有關規定，切實保證普惠制產地證書的眞實性和準確性；證面清潔美觀，不得塗改。

第二十一條 證書一般使用英文塡製，如給惠國有要求，也可以使用法文。

第四章 簽證

第二十二條 商檢機構在接受申請時，要查看單證資料是否齊全，塡寫是否完整，文字是否清晰，印章、簽字有無錯漏。如發現不符合規定不接受申請。

第二十三條 商檢機構證書簽發人，必須經過嚴格培訓並向給惠國主管當局註册備案。

第二十四條 接受正式申請後，證書一般用兩個工作日簽出，特殊情況作急件處理。

第二十五條 每套證書只簽發壹份正本，商檢機構不在副本上簽字蓋章。

第五章 調查

第二十六條 爲確保普惠制原產地證書的眞實性和準確性，商檢機構將進行下列調查：

㈠在申請單位申請註册登記時，商檢機構將審核有關書面材料並對其產品的原料及加工情況進行查核。

㈡簽證過程中的調查。商檢機構在接受辦理普惠制產地證書的申請後，審核《含有進口成份受惠商品成本明細單》並對含進口成份的商品進行實地調查。

㈢簽證後的調查。商檢機構對所簽發的證書項下的商品，將進行不定期抽查。

㈣給惠國查詢的調查。在收到給惠國主管當局的退證查詢時，商檢機構將會同有關部門對產品的原料、零部件來源、成本構成情況及加工工序等進行核查，並在規定時限內將核查結果答覆給惠國主管當局。

第二十七條 被調查的有關單位應及時提供有關資料、證件，爲調查工作提供所必需的交通工具和食宿條件。

第六章 懲處

第二十八條 由於申請單位塡報內容有誤或不眞實而導致簽證差錯造成不良後果，視情節輕重給予批評、通報或罰款處理。

第二十九條 申請單位和人員隱瞞產品原材料來源或進口成份；或在申請書、證書內塡報打印虛假情況，僞造、變造證書；或擅自塗改、加添證書內容，按情節輕重，對直接責任人員比照《商檢法》第二十七條的規定追究刑事責任；情節輕微的，由商檢機構處以罰款和通報。

第三十條 凡簽證人員玩忽職守，給國家造成政治影響或經濟損失者，應給予批評教育，直至比照《商檢法》第二十九條的規定追究刑事責任。

第三十一條 貨物運抵香港後，對申請辦理"未再加工證明"項下的商品進行任何加工的，或僞造、變造"未再加工證明"的，國家商檢局授權香港中國檢驗有限公司收回普惠制產地證書並停止對其簽署"未再加工證明"。

第七章 附則

第三十二條 國家商檢局根據本辦法制定實施細則。

第三十三條 本辦法由國家商檢局制定下達，由各地商檢機構實施。本辦法由國家商檢局負責解釋。

第三十四條 本辦法自公佈之日起實施，1982年12月1日起實施的《國家進出口商品檢驗局普惠制產地證明書簽證管理辦法》同時廢止。

金融·外滙

國務院關於加强借用國際商業貸款管理的通知

1989年1月12日

按照中央關於治理經濟環境、整頓經濟秩序、深化改革的要求，爲切實加强借用國際商業貸款的管理，特做如下通知：

一、嚴格控制對外借款規模。各地區、各部門要嚴格執行國家利用外資計劃。凡未列入國家利用外資計劃，未經中國人民銀行總行批准，任何部門和單位不得自行對外借用各種形式的國際商業貸款，不得向我國在境外的機構和銀行借款。未經外滙管理部門批准，不得將借款存放在境外。如擅自簽約借款，其合同不能生效，外滙管理部門不予辦理外債登記，銀行不得爲其開立外滙帳戶，借款本息不准滙出。

二、對借用短期國際商業貸款實行餘額管理，未經國家批准，不得超過核准的餘額。已超過部分，自本通知發出之日起，必須在半年內調整到核准的限額內，否則，由當地外滙管理部門扣減相應的留成外滙或借用中長期國際商業貸款指標，强制用於還款。短期對外借款只能用於流動資金周轉，不得用於固定資產投資項目。

三、在國外發行債券，必須在國家利用外資計劃內，由中國人民銀行批准發行債券的金融機構辦理。發行債券的單位，必須嚴格按照中國人民銀行公佈的《關於中國境內機構在境外發行債券的管理規定》，在發債前報經中國人民銀行批准。政府部門在國際市場上發行債券，須報經國務院批准。未經批准不得對外談判。中國人民銀行要做好國內發債機構進入國際市場發債的協調工作，認眞審查在國外發債條件。

四、加强對外滙擔保的管理。外滙擔保不僅是對外信譽的保證，而且對外承擔了償還債務的責任，必須嚴格執行中國人民銀行公佈的《境內機構提供外滙擔保的暫行管理辦法》。企業對外擔保必須具備足夠的自有外滙作保證，擔保總額不得超過其自有外滙資金；非銀行金融機構提供的外滙擔保總額與對外債務總額之和，最高不得超過人民銀行規定的限額。境內機構未經國家外滙管理局批准，不得爲境外機構提供外滙擔保。政府部門和事業單位不得對外提供外滙擔保。

五、嚴格審查借款項目。借用中長期國際商業貸款項目，借款單位在借款前，必須認眞對項目的償還能力和經濟效益進行可行性研究，落實還款責任，並經金融機構嚴格評估。凡未經國家計劃部門立項批准，配套人民幣資金以及能源供應、交通條件等不落實的項目，不准借用國際商業貸款。國家計劃外建設項目，不准借用國際商業貸款。國內單位的對外借款，一般不能用於外滙抵押人民幣貸款，不能進入外滙調劑市場。如有特殊需要，須經國家外滙管理局審批。

六、收緊借用外債的窗口。除國家已確定的中國銀行、交通銀行、中國國際信託投資公司、中國投資銀行，以及廣東國際信託投資公司、福建投資企業公司、海南國際信託投資公司、上海市投資信託公司、天津市國際信託投資公司、大連國際信託投資公司十個窗口以外，今後不再批准對外借用外債的窗口。其他地區、部門、單位對外借用國際商業貸款，需逐筆或專項向中國人民銀行申請。中國人民銀行要對現有對外借款單位進行認眞清理整頓。各對外借款窗口，以及經中國人民銀行批准的借用國際商業貸款的單位，必須按中國人民銀行的有關規定辦理對外借款手續。

七、進一步完善外債登記和統計監測系統。不論是直接從境外籌借，還是國內轉貸款，均要列入國家的外債統計監測系統，進行外債登記，以保證國家對外債規模、結構實行宏觀監控。國家外滙管理局要儘快制定轉貸款的登記和統計監測辦法。對不辦理或拖延辦理登記手續的，必須嚴格按有關規定處罰。

八、合理安排對外債務結構。國家外滙管理局等部門要及時研究借款的幣種、利率、期限、借款方式、國別、市場等，向國務院提出建議。中國人民銀行應儘快制定《國際商業貸款管理辦法》，加强審批和管理。

各級人民政府、各部門要嚴格執行本通知的各項規定，切實把本地區、本部門的外債管理工作納入議事日程，認眞抓好對外借款的使用效益，保證債務能夠按期償還，以維護國家對外信譽。各級外滙管理部門要加强對外借款的監督、檢查、指導，及時反映情況。對於違反國家外債管理規定的，國務院授權外滙管理部門按有關規定從嚴處理，並追究當事人及領導人的責任。

本通知不適用於外商投資企業。

國家外滙管理局關於外商投資企業在境內以外幣計價結算的管理規定

1989年3月1日

爲促進利用外資事業的發展，加强對外商投資企業在境內以外幣計價結算的管理，維護金融秩序的穩定，協助外商投資企業平衡外滙收支，根據《對僑資企業、外資企業、中外合資經營企業外滙管理施行細則》和有關規定，特作如下規定：

一、凡外商投資企業(以下簡稱企業)在境內以外幣計價結算銷售產品的，須向企業所在地的國家外滙管理局或其分、支局(以下簡稱外滙管理部門)提出申請。

二、凡符合下列條件之一的企業，可向外滙管理部門申請以外幣計價結算銷售其產品：

1.企業生產的產品屬國家計劃內需要進口的商品；

2.企業向經濟特區、經濟技術開發區或外商投資企業銷售其產品；

3.企業生產的產品屬於國內生產企業需要用外滙進口的原材料和零配件。

三、企業申請在境內以外幣計價結算其產品時，應向外滙管理部門提供下列文件：

1.在境內以外幣計價結算銷售產品的申請報告，報告中應寫明理由、產品名稱、數量、金額、期限等內容；

2.在我國登記註册的會計師事務所出具的企業如期繳足資本的驗資證明；

3.外滙管理部門要求提供的其他文件。

四、外滙管理部門按年度審批企業的申請，應對企業以外幣計價結算銷售其產品的金額、數量、品名、期限作出規定，並核定企業以外幣計價銷售產品的年度數額。

五、凡屬需在異地以外幣計價結算銷售產品的，收取外幣的企業所在地外滙管理部門批准後，抄送各有關分局，並報總局備案。

六、凡經批准以外幣計價結算的產品，其價格一般應參考同類出口商品的離岸價或同類進口商品的到岸價，同質同價，優質優價。

七、凡屬下列情況者，一般不得以外幣計價結算銷售其產品：

1.企業違反合同、章程或批准文件，不履行外銷或返銷責任，不按期達到國產化程度的；

2.屬國家不鼓勵投資的企業或產品。

八、未經外滙管理部門批准，企業不得以外幣計價結算銷售其產品。企業違反本規定，外滙管理部門根據《違反外滙管理處罰施行細則》予以處罰。

九、本規定公佈之前的有關辦法，與本規定有抵觸的，以本辦法爲準。

十、本規定解釋權屬國家外滙管理局。

十一、本辦法自1989年3月1日起實行。

國家外滙管理局關於中外合資、合作經營企業中方投資者的外滙管理規定

1989年3月1日

爲加强對中外合資、合作經營企業(以下簡稱合營企業)中方投資者的外滙管理，促進合營企業健康發展，維護國家利益，特作如下規定：

一、合營企業自取得營業執照之日起，五年之內，其中方投資者的外滙收入享受全額外滙留成。五年之後，按50%的比例留成。

二、合營企業中方人員因業務需要，同外方人員一起出國執行任務的，中方人員在國外的費用按合營企業規定的標準，實行實報實銷。

三、合營企業的中方人員單獨出國執行任務，其費用標準可按合營企業規定標準計算，實際使用時比照國家公派出國人員標準執行。

四、根據合營企業規定的標準領取，按國家規定使用的中方人員出國費用的節餘部分，可作爲合營企業中方投資者的外滙收入，向銀行結滙，並持結滙水單到外滙管理部門辦理留成。

五、合營企業中方投資者應將中方工作人員應得工資部分的外滙，及中方投資者的勞務、工業產權所得外滙、外滙紅利等外滙收入，向銀行結滙並持結滙水單到外滙管理部門辦理留成。

六、未經外滙管理部門批准，合營企業中方投資者凡有下列行爲之一的，外滙管理部門可根據《違反外滙管理處罰施行細則》，視其情節輕重，給予處罰：

1. 將按國家規定應結滙的外滙收入存放在合營企業的外滙帳戶上，不向國家銀行辦理結滙的；

2. 利用合營企業帳戶將應結滙的收入外滙用於進口商品或支付其他費用的；

3. 將應結滙的收入外滙存放在境外的。

七、本規定解釋權屬國家外滙管理局。

八、本規定自1989年3月1日起實行。

國家外滙管理局關於外商投資企業在境外開立帳戶的管理規定

1989年3月1日

根據《對僑資企業、外資企業、中外合資經營企業外滙管理施行細則》的有關規定，爲加强對外商投資企業在境外開立外滙帳戶的管理，特作如下規定：

一、外商投資企業(以下簡稱企業)確因業務經營需要，要求在境外銀行開立帳戶者，應向國家外滙管理局或企業所在地方、支局(以下簡稱外滙管理部門)提出申請，經外滙管理部門批准後方可開立。

二、前條所指“業務經營需要”，是指符合下列情況之一者：

1. 企業在境外有經常性零星收入，而在境外開立帳戶，將收入集整後滙回境內的；

2. 企業在境外有經常性零星支出的，該類帳戶的收入應由企業自國內滙出；

3. 由於業務上的特殊需要必須在境外開戶的。

三、企業在向外滙管理部門申請境外開戶時，應提交下列文件：

1. 由企業法人代表或董事會授權人簽署並加蓋企業公章的開立帳戶申請書，申請書應包括開戶理由、幣別、金額、用途、收支範圍、使用期限、擬開戶銀行及所在地等內容；

2. 由在中國註册的會計師出具的企業按規定繳足資本的驗資證明；

3. 企業在境外設有代表機構和常駐人員的，須另附有關部門批准設立的文件；

4. 企業對境外帳戶使用的管理辦法。

四、企業在境外開戶，應在其外滙收支主要發生的國家或地區開立，該地區有中資銀行的，應首先選擇中資銀行；如屬特殊需要，也可選擇資信較好的外資銀行。

五、企業對境外資金的收付，應有完善的、有效的管理；對資金的安全，應提出切實有效的管理措施。

六、企業必須以自己的名義在境外開立帳戶，不允許將企業的資金轉存到其他機構或個人的帳戶。

七、外滙管理部門根據企業的申請，應審定企業境外帳戶的收支範圍、帳戶最高存款期限和使用期限等。

八、企業在境外開戶應在外滙管理部門批准之後的一個月內，向外滙管理部門提交已開戶的書面證明，凡未提供書面證明者，外滙管理部門批准開戶的文件自動失效。

九、企業境外帳戶使用期限到期後30天內，必須向外滙管理部門提供註銷境外帳戶證明，將餘額調回國內，並提供開戶行清帳單；如需延期使用境外帳戶，必須在到期前30天內，向國家外滙管理部門提出書面申請。

十、各分局在批准企業開立境外帳戶30天內，應將有關材料報送總局備案。

十一、企業應在每季度終了後15天內向外滙管理部門提供開戶銀行對帳單影印件，並作資金使用情況書面說明。

十二、企業有下列行爲之一的，外滙管理部門可區別不同情況，根據《違反外滙管理處罰施行細則》，對企業進行處罰，並可撤銷其境外帳戶。

1. 企業使用帳戶超過了外滙管理部門批准的範圍；

2. 未能按時提供銀行對帳單或外滙管理部門要求提供的其他材料；

3. 未經批准擅自在境外開立帳戶；

4. 其他違反本規定的行爲。

十三、本規定解釋權屬國家外滙管理局。

十四、本規定自1989年3月1日起實行。

境外貿易、金融、保險企業財務管理暫行辦法

1989年3月5日財政部、經貿部、中國銀行發佈

第一章　總則

第一條　爲加强境外貿易、金融、保險企業財務管理，正確處理國家與境外企業和我國職工以及國內投資單位的關係，有利於調動境外企業職工和國內投資單位的積極性，提高我國在境外投資的經濟效益，促進境外企業的發展，特制定本暫行辦法。

第二條　本暫行辦法適用於下列單位在中華人民共和國境外設立的具有法人地位的貿易、金融、保險(包括生產)獨資、合資和合作企業(以下簡稱“境外企業”)：

一、經貿部及其所屬外貿公司；

二、國務院各工業主管部門所屬工貿公司；

三、中國銀行、中國國際信託投資公司和其他金融機構及其國內分支機構；

四、中國人民保險總公司及其國內分公司；

五、各省、自治區、直轄市和計劃單列市人民政府經貿主管部門及其所屬外貿公司和各工業主管部門所屬工貿公司。

上列單位簡稱“國內投資單位”。

第三條　境外企業應遵照駐在國(或地區，

下同)的法律規定開展經營活動、繳納稅款和進行會計核算及財務管理。

第四條 境外企業要積極開展生產經營活動和經濟貿易活動，努力完成國家賦予的各項任務，其財務活動要接受國內投資單位和主管部門及財政部門與國有資產管理部門的指導與管理，按期報送會計報表，及時向國家上繳外滙利潤。

第二章 國家資金的管理

第五條 境外企業根據國內投資單位的有關規定可以自主使用國家撥給的資金，但必須保證國家資金的安全，並努力使國家財產增值。

第六條 國內投資單位在境外開辦獨資或合資、合作企業都必須確定國家資產負責人並辦理必要的手續。獨資企業的國家資產負責人一般爲企業主要負責人，合資、合作企業的國家資產負責人，一般爲我方主要負責人。國家資產負責人變動，要確定繼任的國家資產負責人，並辦理國家資產交接手續。

第七條 境外企業的國家資金包括：

1. 國內投資單位撥給境外企業的全部資金(包括實物)；

2. 境外獨資企業的稅後利潤和合資、合作企業稅後利潤我方所有部分；

3. 境外獨資企業通過租賃方式所獲資產，合資、合作企業通過租賃方式所獲資產中應歸我方部分；

4. 境外獨資企業通過捐贈、贊助等方式形成的資產，合資、合作企業通過捐贈、贊助等方式形成的資產中應歸我方的部分；

5. 其他應歸國家所有的資金。

第八條 境外企業對國家資金的增減變化必須有詳細記載，未經國內投資單位的上級主管部門和同級財政部門批准，任何單位和個人都無權核減國家資金。

第九條 境外企業由於各種原因宣佈撤銷、合併、出售或破產時，要及時清理財產和債權、債務，向國內投資單位報告經當地會計師機構審計的詳細財務情況及處理意見。獨資企業宣佈撤銷、合併、出售或破產時，還需經國內投資單位批准。撤銷、出售或破產後應調回國內的資金必須及時調回，不得以任何名義或借口存入國外銀行。

第十條 境外企業的再投資需經國內投資單位批准或按規定的審批權限辦理。境外企業再投資情況應在年度會計報表中明確反映。境外獨資企業將國家資金用於駐在國投資，國家資產負責人不變；獨資企業將國家資金用於駐在國以外投資和合資、合作企業將國家資金用於駐在國和駐在國以外投資均需由國內投資單位明確新投資企業的國家資產負責人。

第十一條 境外企業與國內投資單位的資金往來關係要嚴格分淸以下界限：

一、國內投資單位對境外企業撥付的資本金與借款的界限；

二、境外企業向國內投資單位上繳的利潤與往來款項的界限。

第三章 工資的核算與管理

第十二條 境外企業的生產經營成本(費用)和其他所得稅前列支項目，應當按照駐在國的法律規定進行核算，企業職工(包括中國職工)的工資、獎金應當按法律規定進入成本(費用)。凡應當列入生產經營成本(費用)和在所得稅前列支的，不得留在所得稅後利潤中開支。國內投資單位管理境外企業和爲境外企業服務的“管理費用”，凡駐在國法律允許的也應進入生產經營成本。

第十三條 境外企業實際發給中國職工的工資和獎金應按我國的有關規定執行。

第十四條 境外企業進入生產經營成本(費用)的中國職工工資、獎金和實際發給中國職工的工資、獎金要單獨記帳，單獨核算，年度實際發放數不得大於當年進入生產經營成本(費用)的數額，小於當年進入生產經營成本(費用)數額結餘的部分，扣除按現行規定開支的集體福利等費用後，全部納入境外企業本年度盈虧總額。

第四章 利潤分配的管理

第十五條 境外企業的各項業務(包括期貨貿易業務)均應統一核算，統負盈虧。境外企業爲國內投資單位或其他單位代辦的業務，應收取代辦業務手續費。並入境外企業利潤總額。

第十六條 境外企業自開辦之日起五年內，我方獨資企業繳納各項稅款後的利潤，合資、合作企業我方分得的稅後利潤，均全部留給我方國內投資單位，五年後，獨資企業全部稅後利潤的20%和合資、合作企業我方所分稅後利潤的20%，滙回國內投資單位上繳同級財政；獨資企業利潤的70%和合資、合作企業我方所分利潤的70%留給我方國內投資單位(國內投資單位是否全部或一部分留給境外獨資企業，由國內投資單位決定)，用於境外企業生產發展基金和增資；其餘的10%留給國內投資單位及主管部門調劑使用，具體用途報同級財政部門確定。

境外企業稅後利潤的分配辦法、國務院另有規定的，按國務院規定辦理。

第十七條 國內投資單位每年應給境外獨資企業核定利潤任務，對合資、合作企業的我方負責人，也要規定利潤任務。凡完成年度規定的利潤任務的，可按我國駐所在國大使館同類人員的月標準工資和我國職工人數計算，從國內投資單位提取的境外企業留利中提取一個月的獎金；超額完成規定利潤10%以上的，可再加提一個月獎金。所提獎金，根據按勞分配、多勞多得的原則，發給境外企業的我國職工。

第十八條 境外企業外滙利潤的管理和留成，按國家有關規定辦理。

第十九條 境外企業發生虧損，按駐在國法律規定彌補，國內投資單位不得給予補貼。如臨時發生困難，國內投資單位可借款給予支持，按期歸還。

第五章 財務管理制度及會計報表

第二十條 國內投資單位向境外投資開辦企業，均要選派財會人員。對經營規模較小的企業也要指定兼職財會人員。獨資企業還要由國內職工負責設立財會機構。

第二十一條 境外企業要按駐在國法律規定和國內要求建立嚴格的財務管理制度，財務開支手續要完備，會計憑證和帳簿要齊全、完整，並要妥善保管。

第二十二條 境外獨資企業一切財務往來和現金支付，都必須實行"聯簽"制度，所有會計憑證除必須有經辦人簽字外都必須有企業負責人或被授權的負責人簽字。境外合資、合作企業我方資金的支付也要實行聯簽制度。在"聯簽"中夫妻和直系親屬不得聯簽。個別企業需要實行"聯簽"的，需經國內投資單位批准，並報主管部門備案。

第二十三條 境外企業應以企業名義在所在地設立的中國銀行分支機構開立帳戶，辦理往來帳款結算、現金支付等銀行業務，所在地沒有中國銀行分支機構的，應當在與中國銀行有業務往來、資信較好的當地外國銀行開戶。境外企業以個人名義在銀行開設帳戶的，需經國內投資單位正式批准。

第二十四條 境外企業的財務由國內投資單位的財會機構負責管理，國內主管部門財會機構歸口管理所屬國內投資單位的境外企業的財務，並與同級財政部門掛鈎，解繳利潤，滙編和報送會計報表。

第二十五條 境外企業應在會計年度終了後按企業實際資產、負債和損益情況，編制會計報表送國內投資單位，同時附報利潤分配表、國家資金增減變化表及我國職工工資收支結餘情況表。獨資企業的年度會計報表和附表，合資、合作企業的會計報表附表，經國內投資單位審核後報上級主管部門審核滙總，報送同級財政部門批准後方爲有效。

第二十六條 境外企業國內投資單位的主管部門，應在每年6月30日前將滙總的境外企業上年度會計報表及附表，報送同級財政部門。應上繳的利潤也同時解繳。國內投資單位向主管部門報送會計報表和境外企業向國內投資單位報送會計報表的時間，以及利潤的解繳時間，由主管部門和國內投資單位分別規定。

第二十七條 國內投資單位和主管部門及財政部門要加强對境外企業財務管理工作的領導，及時進行檢查督促。對違反國家規定的問題，要及時糾正並嚴肅處理。

第六章 附則

第二十八條 本暫行辦法第二條所列國內投資單位在香港、澳門投資開辦的企業適用本暫行辦法。

第二十九條 國務院主管部門及各省、自治區、直轄市、計劃單列市人民政府，可根據本暫行辦法制定實施細則，報財政部備案。個別境外企業較多的國內投資單位，經財政部同意，也可單獨制定實施細則，報財政部備案。

第三十條 過去規定與本暫行辦法有抵觸的，以本暫行辦法爲準。

第三十一條 本暫行辦法自1989年1月1日起實行。

財政部關於貫徹《境外貿易、金融、保險企業財務管理暫行辦法》有關問題的補充通知

1989年12月27日

《境外貿易、金融、保險企業財務管理暫行辦法》發佈以來，總的執行情況是好的。但據一些部門和地區反映，有些問題需要進一步明確。經研究，現對貫徹《境外貿易、金融、保險企業財務管理暫行辦法》(以下簡稱"暫行辦法")的有關問題作如下補充通知：

一、"暫行辦法"第四章第十六條中規定"五年後，獨資企業全部稅後利潤的20％和合資、合作企業我方所分稅後利潤的20％，滙回國內投資單位上繳同級財政"的一句話，是指按照國家有關外滙管理規定結滙後上繳的人民幣。

二、"暫行辦法"第四章第十六條中規定"五年後，……獨資企業利潤的70％和合資、合作企業我方所分利潤的70％留給我方國內投資單位(國內投資單位是否全部或一部分留給境外獨資企業，由國內投資單位決定)，用於境外企業生產發展基金和增資"的一句話，是指除外貿的境外企業按規定可以現滙留存的外滙利潤外，其他境外企業滙回國內投資單位的70％稅後利潤按規定結滙後所得人民幣利潤，可以用於境外企業生產發展基金和增資，外滙部分有關具體事項按照國家外滙管理的有關規定辦理。屬於境外單位非貿易外滙的留用比例按照財政部有關規定執行。

三、對"暫行辦法"第四章第十六條規定的"其餘的10％留給國內投資單位及主管部門調劑使用，具體用途報同級財政部門確定"進一步明確如下：留給國內投資單位及主管部門10％的稅後利潤，是指結滙後的人民幣，外滙利潤的留用按照國家有關外滙管理的規定辦理。

四、"暫行辦法"第五章第二十三條規定："境外企業以個人名義在銀行開設帳戶的，需經國內投資單位正式批准"。鑒於境外企業以個人名義開設銀行帳戶存在的漏洞較大，爲加强境外企業銀行帳戶的管理，現將上述規定改爲：境外企業一般不得以個人名義在銀行開設帳戶，必須以個人名義開戶的，需經國內投資主管單位和外滙管理局正式批准。

五、"暫行辦法"第五章第二十六條規定："境外企業國內投資單位的主管部門，應在每年6月30日前將滙總的境外企業上年度會計報表及附表，報送同級財政部門。"鑒於境外企業駐在國(或地區)會計年度起止時間不同，爲便於境外企業會計決算的編報，現將決算報送的截止時間由6月30日改爲9月30日。

境外投資外滙管理辦法

1989年3月6日國家外滙管理局發佈

第一條 爲了促進對外經濟技術合作，加强境外投資外滙管理，有利於國際收支平衡，制定本辦法。

第二條 本辦法所稱境外投資是指在中國境內登記註册的公司、企業或者其他經濟組織(不包括外商投資企業)在境外設立各類企業或者購股、參股(以下統稱境外投資企業)，從事生產、經營的活動。

境外投資有關外滙事宜，依照本辦法的規定執行。

第三條 擬在境外投資的公司、企業或者其他經濟組織，在向國家主管部門辦理境外投資審批事項前，應當向外滙管理部門提供境外投資所在國(地區)對國外投資的外滙管理情況和資料，提交投資外滙資金來源證明，由外滙管理部門負責投資外滙風險審查和外滙資金來源審查，並於30天內作出書面審查結論。

第四條 經批准在境外投資的公司、企業或者其他經濟組織(以下簡稱境內投資者)，應當持下列材料向外滙管理部門辦理登記和投資外滙資金滙出手續：

㈠國家主管部門的批准文件；

㈡外滙管理部門關於投資外滙風險審查和外滙資金來源審查的書面結論；

㈢投資項目的合同或其他可證明境內投資者應當滙出外滙資金數額的文件。

辦理前款登記和投資外滙資金滙出手續時，外滙管理部門應當對境內投資者的投資外滙資金來源進行復核。

第五條 境內投資者在辦理登記時，應當按滙出外滙資金數額的5%繳存滙回利潤保證金(以下簡稱保證金)。保證金應當存入外滙管理部門指定銀行的專用帳戶。滙回利潤累計達到滙出外滙資金數額時，退還保證金。保證金存款的利息按照國家規定標準支付給境內投資者。

境內投資者繳存保證金確有實際困難的，可向外滙管理部門作出書面承諾，保證境外投資企業按期滙回利潤或者其他外滙收益。

第六條 境內投資者來源於境外投資的利潤或者其他外滙收益，必須在當地會計年度終了後6個月內調回境內，按照國家規定辦理結滙或者留存現滙。未經外滙管理部門批准，不得擅自挪作他用或者存放境外。

第七條 境內投資者從境外投資企業分得的利潤或其他外滙收益，自該境外投資企業設立之日起5年內全額留成，5年後依照國家有關規定計算留成。

第八條 境外投資企業可以根據經營需要，自行籌措資金，但未經國家外滙管理局批准，其境內投資者不得以任何方式爲其提供擔保。

第九條 境外投資企業的年度會計報表，包括資產負債表、損益計算書，在當地會計年度終了後6個月內，由其境內投資者向外滙管理部門報送。

第十條 境外投資企業變更資本，其境內投資者應當事先報經原審批部門批准並報送外滙管理部門備案。

第十一條 境內投資者轉讓境外投資企業股份，應當向外滙管理部門提交股份轉讓報告書，並在轉讓結束後30天內將所得外滙收益調回境內。

第十二條 境外投資企業依照所在國(地區)法律停業或者解散後，其境內投資者應當將其應得的外滙資產調回境內，不得擅自挪作他用或者存放境外。

第十三條 境外投資企業未按利潤計劃滙回利潤或者其他外滙收益的，其境內投資者應當向外滙管理部門提交不能按時完成利潤計劃或者經營虧損的報告書。如無正當理由，外滙管理部門可從保證金中將相應比例的外滙數額結售給國家；未開立保證金帳戶的，從其境內投資者的留成外滙中扣除相應數額上繳國家，但累計扣除數額不超過滙出外滙資金數額的20%。

第十四條 違反本辦法第六條、第十一條、第十二條規定者，外滙管理部門應當責令境內投資者限期調回，並可按應調回資金數額的10～20%處以外滙罰款。

違反本辦法第九條、第十條規定，情節嚴重者，外滙管理部門對境內投資者可處以人民幣10萬元以下的罰款。

違反本辦法其他條款規定者，依照《違反外滙管理處罰施行細則》的規定處理。

第十五條 本辦法施行前已設立的境外投資企業，其境內投資者應當自本辦法施行之日起60天內，依照本辦法的有關規定，向外滙管理部門補報有關材料，辦理登記手續，並依照規定將外滙收益調回境內。

第十六條 本辦法由國家外滙管理局負責解釋。

第十七條 本辦法自發佈之日起施行。

國務院關於加强國有土地使用權有償出讓收入管理的通知

1989年5月12日

爲了貫徹落實治理經濟環境、整頓經濟秩序和全面深化改革的方針，加强國有土地使用權有償出讓收入的管理，現將有關問題通知如下：

一、凡進行國有土地使用權有償出讓的地區，其出讓收入必須上繳財政。

二、土地使用權有償出讓收入，40％上繳中央財政，60％留歸地方財政。

三、不論上繳中央財政還是上繳地方財政的收入，都主要用於城市建設和土地開發，專款專用。

四、具體實施辦法，由財政部會同有關部門研究制定。

各地區、各部門接到本通知後，要抓緊貫徹落實。對本通知下達前已出讓土地使用權所取得的收入，也要認眞進行清理，並按照本通知的規定處理。

國有土地使用權有償出讓收入管理暫行實施辦法

1989年9月26日財政部發佈

第一條 爲了配合國有土地使用權制度的改革，貫徹落實治理經濟環境、整頓經濟秩序和全面深化改革的方針，根據1989年5月12日國務院發出的《關於加强國有土地使用權有償出讓收入管理的通知》，特制定本實施辦法。

第二條 凡在中華人民共和國境內有償出讓國有土地使用權，各級政府土地出讓主管部門必須按本規定向財政部門上繳土地使用權出讓收入。土地使用權出讓收入包括：

(一)土地出讓金。指各級政府土地出讓主管部門將國有土地使用權出讓給單位或個人，按規定向單位或個人收取的土地出讓價款。

(二)續期土地出讓金。指土地使用期滿，土地使用權受讓人需要續期時由土地出讓主管部門收取的續期土地使用權出讓價款。

(三)合同改約補償金。指土地使用權受讓人經批准改變土地使用權出讓合同指定的土地用途時，按規定補繳的價款。

第三條 國有土地使用權有償出讓收入由財政部門負責徵收，土地出讓主管部門爲繳款人。土地出讓主管部門在收到土地使用權出讓金後10天內按徵收標準將土地使用權出讓收入上繳當地財政部門，並同時報告土地使用權出讓收入的具體徵收情況。繳款人逾期不繳的，除令其限期補繳外，並需繳納滯納金，每逾期一天，滯納金爲應繳收入的1～3‰。

第四條 土地出讓主管部門可以從其所獲土地使用權出讓收入中提取土地出讓業務費，各地提取業務費的具體比例由財政部門核定，一般不超過出讓收入的2%，如有特殊情況，可適當提高比例，但最高不得超過5%。

第五條 國有土地使用權出讓收入與城市土地開發建設費用實行收支兩條綫方式管理。土地使用權出讓收入扣除土地出讓業務費後，全部上繳財政。上繳財政部分，取得收入的城市財政部門先留下20%作爲城市土地開發建設費用，其餘部分40%上繳中央財政，60%留歸取得收入的城市財政部門。地方財政所留土地使用權出讓收入，暫時不參加體制分成(省級財政是否參加分成，由地方自行確定，但省級財政分成比例不宜過大)。出讓土地使用權所需開發建設費用開支由地方財政核撥。

第六條 上繳財政的土地使用權出讓收入及其支出分别納入中央和地方財政預算，列國家預算收支科目“公有資產收入類”××款“土地使用權有償出讓收入”科目，城市土地開發建設支出列“公有資產支出類”××款“城市土地開發建設支出”科目。具體預算科目由財政部另行制定。

第七條 不論上繳中央財政還是上繳地方財政的收入，主要用於城市土地開發建設，要建立城市土地開發建設基金，專款專用。

第八條 地方城市土地開發建設基金的安排使用，由各地財政部門根據城市土地開發建設管理部門提出的年度開發建設計劃和項目，審核後撥款，並監督使用。此項基金年終如有結餘，結轉下年度繼續使用。

第九條 外商爲獲取國有土地使用權所繳納的出讓金，必須用外滙支付，按中國銀行人民幣外滙牌價換算人民幣。出讓國有土地使用權所取得的外滙收入均應上繳財政，其外滙額度，上繳中央財政60%，留地方財政40%。如在土地開發出讓過程中，確有必不可少的外滙支出，由城市土地開發建設管理部門申報財政部門，由財政部門核撥。

第十條 與國有土地使用權出讓有關的稅收徵收辦法由國家稅務局另行制定。

第十一條 國有土地使用權出讓價格，由財政部門、土地出讓主管部門、物價部門依照有關規定共同制定。

第十二條 各地區、各部門對本辦法下達前已出讓土地使用權所取得的收入，要認眞進行清理，並按照本辦法的規定處理。

第十三條 本辦法由財政部負責解釋。

第十四條 各省、自治區、直轄市財政部門可依照本辦法制定具體實施細則，並報財政部備案。

第十五條 本辦法自1989年7月1日起執行。

國家外滙管理局關於對華僑、港澳台同胞捐贈外滙參加外滙調劑的暫行規定

1989年7月28日

根據《國務院關於加强華僑、港澳台同胞捐贈進口物資管理的若干規定》，爲辦理對華僑、港澳台同胞向國内單位捐贈的外滙參加外滙調劑，特制定本規定。

第一條 本規定所稱“捐贈人”係指華僑、港澳台同胞。

第二條 本規定所稱“受贈單位”係指非經營性社會團體和事業機構，包括各類民間團體協會、

基金會、宗教組織、科研文教、醫藥衞生和興辦各種公益福利事業的單位。

第三條 受贈單位如要求將接受的捐贈外滙參加外滙調劑，須憑下列文件向國家外滙管理局或當地分局提出申請：

1. 捐贈人提供的自願捐贈的意願書(內容包括捐贈金額及用途)；

2. 按國發(1982)110號文件審批權限規定的審批單位同意接受捐贈外滙的批件；

3. 受贈單位申請參加調劑的報告。

第四條 各級政府接受華僑、港澳台同胞爲支援本地區救災捐贈的外滙，允許參加調劑。

第五條 受贈單位調劑外滙所得人民幣款項，必須按捐贈人的捐贈意願書規定的用途使用，不得挪作他用。

第六條 對藉捐贈外滙爲名，參加外滙調劑的，一經查實，按《違反外滙管理處罰實施細則》論處。

外籍華人向國內單位捐贈的外滙，可參照本規定參與外滙調劑。

本規定自1989年7月1日執行。

關於外幣兌換若干問題的規定

1989年10月30日國家外滙管理局發佈

爲了加强對外幣兌換業務的管理，現特做如下規定：

一、各經營外滙業務的銀行(以下簡稱"銀行")應按經批准的外滙存款業務章程規定，爲各國駐華外交機構、領事機構、商務機構、駐華的國際組織機構和民間機構(以下簡稱"駐華機構")開立外幣存款帳戶或人民幣特種存款帳戶，並監督開戶單位的收付。該帳戶不能代其他單位辦理收付。駐華機構從其帳戶中提取外滙兌換劵時，開戶行須在水單上加蓋"不可兌回外幣"戳記。對其未使用的外滙兌換劵不得兌回外幣，只能在中國境內繼續使用。

二、各銀行應按經批准的外滙存款業務章程規定，爲上述機構所屬常駐人員(以下簡稱"常駐人員")開立外幣存款帳戶和人民幣特種存款帳戶。常駐人員從其帳戶中提取外滙兌換劵時，開戶行須在水單上註明"常駐人員存款戶"。離境時，如要求將未用完的外滙劵兌成外滙滙出或携出境外，銀行憑本人出境證明或飛機票和有效期內的兌換水單方予兌給部分外滙(最多不超過原兌換數的50%)。常駐人員不出境者，對未用完的外滙劵不能兌回外滙，只能在中國境內繼續使用。

三、各銀行對短期來華的外國旅遊者、華僑、港澳台同胞辦理外滙兌換外滙劵時，須在水單上登記其本人姓名及護照號碼；未用完的外滙劵要求兌回外幣時，須向銀行提供有效期內的兌換水單，出境證明或飛機票，准予一次性兌回外幣(最多不超過原兌換數的50%)，銀行即收回水單。

上述規定自本文發佈之日起執行。凡與本規定有抵觸者，均以本規定爲準。

外滙(轉)貸款登記管理辦法

1989年11月10日國家外滙管理局發佈

第一條 爲了加强外債的宏現管理，提高地方和部門對使用外滙資金的決策能力，根據國務院《關於加强借用國際商業貸款管理的通知》規定的“進一步完善外債登記和統計監測系統，不論是直接從境外籌借，還是國內轉貸款，均要列入國家的外債統計監測系統，進行登記”的要求，制定本辦法。

第二條 本辦法的外滙(轉)貸款(以下簡稱轉貸款)是指境內單位使用的以外幣承擔的具有契約性償還義務的下列外滙資金：

1. 國際金融組織轉貸款和外國政府轉貸款；
2. 國際金融轉租賃和國內外滙租賃；
3. 國內銀行及非銀行金融機構的外滙貸款；
4. 其他形式的轉貸款。

第三條 國家對轉貸款實行全面的登記管理制度。國家外滙管理局及其分局(以下簡稱外管部門)負責轉貸款的登記、管理和還本付息的審批工作。

第四條 凡使用轉貸款的單位，應在每筆借款合同或轉貸協議簽定後的10天之內，持生效的合同或轉貸協議副本，到所在地外管部門辦理轉貸款登記手續，領取轉貸款登記證。

第五條 支用轉貸款後，使用單位應分別按下述情況及時填寫轉貸款登記證，並將其影印件於次日寄送所在地外管部門：

1. 使用國內銀行及非銀行金融機構外滙轉貸款的單位，在收到貸款的支款通知書時填寫；
2. 採用信用證支付方式的轉貸款，在貸款支付後填寫；
3. 在國內開立周轉金帳戶的轉貸款，在周轉金存入帳戶時填寫；
4. 採用租賃方式的轉貸款，在設備正式使用時填寫。

第六條 轉貸款到期還本付息或償付租金時，使用單位應持轉貸款登記證和還付本息或償付租金通知單，提前到所在地外管部門辦理還本付息或租金支付核准手續。開戶行憑外管部門開出的核准件辦理還本付息或租金支付手續。

第七條 還本付息或租金支付完畢後，使用單位應依據開戶行付款憑證填寫轉貸款登記證，並將其影印件於次日寄送所在地外管部門。

第八條 使用單位在辦完每筆轉貸款最後一次還本付息後，應在一周之內向所在地外管部門繳銷轉貸款登記證。

第九條 直接用外滙現滙或額度償還轉貸款債務的中間轉貸管理部門，同樣需要辦理轉貸款登記手續，但可採用月報表形式。

第十條 開戶行要嚴格執行憑轉貸款登記證和核准件辦理轉貸款的調入、償還及租金支付手續的規定。在辦理收付手續後，應將收付憑證及時寄送所在地外管部門一份，保證登記工作雙綫核對制的實施。

第十一條 對違反本辦法上述規定者，所在地外管部門可根據情節處以所涉借款金額3％以下等值人民幣的罰款。

第十二條 對本辦法公佈之日前未清償的轉貸款，應在公佈之日起至1989年底之前到所在地外管部門補辦登記手續。

第十三條 對使用國內銀行及非銀行金融機構外滙貸款逐筆登記確有困難的地區，經國家外滙管理局批准，可委托債權人採用國家外滙管理局統一編制的轉貸款月報表形式代理登記。

第十四條 本辦法於1989年11月15日開始施行。由國家外滙管理局負責解釋。

外債登記實施細則

1989年11月10日國家外滙管理局發佈

第一條 爲了貫徹執行《外債統計監測暫行規定》(以下簡稱《規定》),制定本細則。

第二條 外債係指直接從國外籌借並需以外國貨幣承擔的具有契約性償還義務的全部債務。具體內容包括:

1.國際金融組織貸款:指國際貨幣基金組織、世界銀行、亞洲開發銀行、聯合國農業發展基金會和其他國際性、地區性金融組織提供的貸款;

2.外國政府貸款:指外國政府向我國提供的官方發展援助貸款;

3.外國銀行及非銀行金融機構貸款:指境外銀行、其他非銀行金融機構及銀團組織等提供的貸款;

4.買方信貸:指發放出口信貸的外國銀行向我國進口部門或銀行提供的,用以購買出口國設備的貸款;

5.外國企業貸款:指境外非金融機構提供的貸款;

6.發行外幣債券:指境內機構在境外資金市場上發行的,以外幣表示券面金額的債券;

7.國際金融租賃:指境外租賃機構向境內機構提供的融資性租賃;

8.延期付款:指國外出口商向國內進口部門提供的,在進口貨物入境3個月以後,進口企業才對外支付貨款的融通;

9.補償貿易中直接以現滙償還的債務:指補償貿易合同規定以現滙償還或經批准因故將商品償還更改爲現滙償還的債務,包括用出口收滙補償的債務。

10.其他形式的外債,包括:

(1)境內金融機構吸收的境外機構或私人的外幣存款;

(2)境內企業(包括外商投資企業)向境內外資或中外合資銀行的借款等。此外,以下情況亦視爲外債:

(1)已在境外註册的機構以各種形式調入境內,需境內機構實際償還的債務;

(2)未在境外註册的駐外機構的對外債務;

(3)外商投資企業以外方名義向外借款,所借款項用於企業股本以外的資金或設備投入,外方與企業間有合同或其他具有法律約束力的文件規定由該企業負責償還的債務。

(4)中方爲外方債務出具擔保,由中方實際履行償還義務的債務;

(5)外商獨資企業對其母公司的債務。

第三條 國家外滙管理局及其分局爲全國外債登記和管理部門(以下簡稱登記部門)。國家外滙管理局負責在北京的國務院各部委、公司以及銀行和非銀行金融機構總部的外債登記工作;各地外滙管理分局負責當地政府、金融機構和企事業單位以及中央駐地方單位、金融機構總部的外債登記工作。

未在境外註册的駐外機構的對外借款,由派出機構所在地的外滙管理局負責登記。

第四條 外債登記分爲逐筆登記和定期登記。

定期登記外債是指:國內銀行和非銀行金融機構借入的外債;財政部、經貿部、中國人民銀行、農業部、中國銀行分別負責的外國政府貸款和國際金融組織貸款。

逐筆登記外債是指:除定期登記以外的國內其他部門、企業(包括外商投資企業)借用的外債。

企事業單位委託金融機構的對外借款,由借款合同規定的債務人辦理登記。

第五條 定期登記手續爲:

1.借款單位在第一筆借款合同簽訂後的15天內,到所在地外滙管理部門辦理登記手續,領取定期登記的《外債登記證》(以下簡稱《登記證》)。

2.當新簽借款契約或債務發生提款、償還等變動情況時,借款單位應按月分別塡寫"外債簽約情況表"和"外債變動反饋表"(以下簡稱"反饋表"),並於每月後5日內上報登記部門。

3.借款單位需要開立現滙帳戶時,應憑《登記證》和登記部門開出的開戶批准書到指定開戶行(以下簡稱開戶行)辦理開立外債專用現滙帳戶(以下簡稱外債專戶)手續,並於次日將回執寄送登記部門。

第六條 逐筆登記的手續爲：

1.借款單位在借款合同簽約後15天內，持借款合同副本和對外借款批件(外商投資企業不需批件)，到登記部門辦理外債登記手續，領取逐筆登記的《登記證》。

2.在借款調入境內時，借款單位應憑滙款通知單和《登記證》到開戶行開立外債專戶，辦理入帳手續。

3.債務到期還本付息時，借款單位應持《登記證》和還本付息通知單，提前到登記部門領取還本付息核准件，憑核准件和《登記證》到開戶行辦理從外債專戶滙出本息手續。

4.在辦理收付和開戶手續後，借款單位應依據開戶行開出的收付憑證塡寫"反饋表"，並於次日將"反饋表"、存款憑證影印件報送登記部門。

5.借用非調入現滙而需從境內滙出借款本息的非調入形式債務的單位，應在債務實際發生後，塡寫"反饋表"，於次日將"反饋表"影印件寄送登記部門。在債務到期還本付息時，應憑登記部門的核准件到開戶行開立"外債還本付息專用現滙帳戶"(以下簡稱還本付息專戶)，辦理滙出本息手續。

6.經國家外滙管理局或其分局批准，將借款存放境外的單位，應每月通過"反饋表"向原登記部門報送當月存款變動情況。

7.境內機構向在華外資銀行、中外合資銀行借款，可以不另設帳戶，但借款單位必須按有關規定履行登記和報送"反饋表"手續。

8.在本地領取《登記證》的借款單位，如必須在異地銀行辦理開戶、還本付息手續時，可先持本地登記部門開出的《登記證》到異地登記部門辦理還本付息核准手續，異地開戶行在辦理手續3天後，將支付憑證的影印件報送原登記部門。

第七條 在《登記證》上記載的債務最後一次還本付息後，開戶行應立即註銷其"外債專戶"和"還本付息專戶"。借款單位應在15天內向發證的登記部門繳銷《登記證》。

第八條 開戶行須具備下列條件：

1.獲准經營外滙業務的國內銀行；

2.能密切配合登記部門搞好外債監測工作。

國家外滙管理局及其分局按照業務需要指定開戶行。

第九條 開戶行應履行下列職責：

1.監督帳戶的使用。應保證：滙入"外債專戶"、"還本付息專戶"的外滙資金僅限於《登記證》上記載的款項；從其他帳戶劃入或存入的外滙資金僅限於支付借項目所需的設備、勞務、償還本息以及經登記部門同意的其他用途。

2.憑《登記證》和核准件辦理債務的調入、償還手續，並在辦理手續後，按要求將收付憑證於次日報送登記部門。

3.監督所有逐筆登記的外債在調入借款和還本付息時，都必須通過"外債專戶"和"還本付息專戶"辦理。

第十條 違反本細則有下列行爲之一的，所在地外滙管理局可根據情節輕重，對有關當事人處以最高不超過所涉及外債金額3%的等值人民幣罰款：

1.故意不辦理或拖延辦理外債登記手續的；

2.拒絕向外滙管理局報送或隱瞞、虛報、兩次以上遲報"反饋表"的；

3.僞造涂改《登記證》的；

4.擅自開立或保留"外債專戶"、"還本付息專戶"和所借外債不經過"外債專戶"、"還本付息專戶"還本付息的，應對借款人和開戶行雙方進行罰款。

第十一條 本細則由國家外滙管理局負責解釋。

第十二條 本細則自公佈之日起施行。

附載：

國家外滙管理局負責人就公佈實施外滙(轉)貸款登記管理和外債登記問題答記者問

問：公佈《辦法》和《細則》的目的是什麼？

答：《辦法》是對間接債務的登記管理辦法，是一項新的辦法。公佈實施這一《辦法》，有助於各省、市、自治區和中央各部門了解各自的外滙債務情況和資金的具體投向及用途，保證他們在使用外債資金方面進行科學的決策，提高外債的使用效益。這是完善外債統計監測系統的重要措施。

《細則》是爲貫徹1987年8月27日我局公佈的《外債統計監測暫行規定》而制訂的，是直接外債登記管理的具體規定。公佈實施這一《細則》，有助於提高我國外債管理的透明度，便於借款單位和有關銀行了解和熟悉外債登記管理的具體做法和程序，保障外債統計監測的及時、全面和准確。

問：《細則》適用於哪些範圍？

答：《細則》中的規定和手續都是統一的，因此它既適用於直接外債登記，也適用於外滙(轉)貸款的登記管理。

問：外滙(轉)貸款的具體概念是什麼？它與直接外債有什麼區別？

答：外滙(轉)貸款是指境內單位使用的以外幣承擔的具有契約性償還義務的國內外滙資金。也就是說，外滙(轉)貸款的債權人是境內單位，債務人是使用貸款、並以外幣承擔償還責任的項目單位。而直接外債的債權人是境外機構，債務人是直接從境外借入外債的境內單位。

問：外滙(轉)貸款與直接借款在登記時，提供的材料有什麼區別？

答：外滙(轉)貸款在進行登記時，債務人只需向登記部門提供轉貸協議或借款合同，即可辦理登記手續。而直接外債在進行登記時，債務人除向登記部門提供借款合同外，還須提供對外借款批件(外商投資企業除外)，才能辦理登記手續。

問：中央駐地方單位使用的外滙(轉)貸款如何進行登記？

答：中央駐地方單位使用的外滙(轉)貸款，其登記可分三種情況辦理：

第一種，由其總部負責轉貸款的借入和償還的，由其總部負責登記。

第二種，由其總部負責轉貸款的借入，但由地方單位負責償還的；或由地方單位自行借入轉貸款、自行負責償還，而其外滙收支與地方無關的，由地方單位在所在地外管部門代理登記。

第三種，駐地方單位的外滙收支及償還責任與地方有關時，由駐地方單位登記。

港口·運輸

民用航空運輸不定期飛行管理暫行規定

1989年3月2日中華人民共和國國務院發佈

第一條 為了維護國家航空權益，保證航空運輸安全，促進民用航空運輸的發展，制定本規定。

第二條 本規定適用於在中華人民共和國領域內以及中華人民共和國和外國之間，從事運送旅客、行李、貨物和郵件的中國和外國民用航空器的不定期飛行。

第三條 本規定所稱不定期飛行，是指不屬於定期航班的民用航空運輸飛行。

第四條 從事不定期飛行，必須向中國民用航空局申請。經批准後方可飛行。申請和批准程序由中國民用航空局制定。

第五條 從事不定期飛行，必須遵守中國民用航空局制定的運輸規則，並不得影響定期航班的正常經營。

第六條 從事不定期飛行的空勤人員和航空器，必須符合中國民用航空局規定的條件或技術標準，具備機組人員執照、航空器登記證、航空器適航證和按照有關規定應當携帶的其他證件和文件。

第七條 外國民用航空運輸企業經營飛入或飛出中華人民共和國領域運輸業務的不定期飛行，按照中華人民共和國政府和該外國政府簽訂的航空運輸協定中有關規定辦理。

第八條 外國民用航空運輸企業不得經營中華人民共和國領域內任何兩點之間不定期飛行的運輸業務。

第九條 對外國民用航空運輸企業經營取酬運輸業務的不定期飛行，中國方面有權收取航空業務權補償費。

第十條 從中華人民共和國始發的前往外國的運送旅客、行李、貨物和郵件的不定期飛行，應當由中國民用航空運輸企業優先經營。

第十一條 不定期民用航空運輸的運價、運價條件及其管理辦法由中國民用航空局會同國家物價局制定。

第十二條 除經中國民用航空局特准者外，從事非取酬的不定期飛行的外國航空器，只能飛抵中華人民共和國領域內的一個指定地點，並不得載運非該航空器的原載人員或者原載貨物飛出中華人民共和國領域，也不得將原載人員或者原載貨物留在中華人民共和國領域內。

第十三條 從事國際運輸的不定期飛行的航空器，必須按照中華人民共和國有關規定辦理邊防、海關、衛生檢疫和安全檢查等項手續，並按規定繳付費用。

第十四條 從事不定期飛行的外國航空器及其機組成員和所載旅客、行李、貨物和郵件進出中華人民共和國領域和在中華人民共和國領域內，必須遵守中華人民共和國有關法律、法規和規章，並按規定繳付各項費用。

第十五條 從事不定期飛行的外國航空器的經營人，必須投保該航空器在中華人民共和國領域內飛行時對地面第三者造成損害的責任險；如果從事運送旅客、行李、貨物和郵件的不定期飛行，還必須投保法定責任險。

第十六條 對違反本規定的單位或者個人，中國民用航空局有權給予警告、罰款、勒令中止飛行或者吊銷有關證件的處罰；構成犯罪的，由司法機關依法追究刑事責任。

第十七條 本規定由中國民用航空局負責解釋。

第十八條 本規定自發佈之日起施行。

經濟特區

珠海經濟特區關於鼓勵台灣同胞投資若干問題的規定

1989年4月13日珠海市人民政府頒發

第一條　爲了鼓勵台灣同胞到珠海經濟特區(以下簡稱特區)投資，根據《國務院關於鼓勵台灣同胞投資的規定》，結合特區實際情況，特制定本規定。

第二條　台灣的公司、企業和個人(以下統稱台灣投資者)在特區投資，在執行《國務院關於鼓勵台灣同胞投資的規定》和享受外商投資企業優惠待遇的同時，還可享受本規定給予的優惠待遇。

第三條　台灣投資者在特區投資除按《國務院關於鼓勵台灣同胞投資的規定》的規定的形式外，還可以下列形式進行：

1.開發和組建保稅工業區；

2.購買企業部分或全部股權，實行合資、合作或獨資經營；

3.接受委託承包經營或租賃經營。

第四條　台灣投資者在特區投資興辦企業，除可享受國家現行規定的減免稅待遇外，還可享受從獲利年度起六年內免徵地方所得稅的優惠，免徵期滿後按國家規定徵稅。

第五條　台灣投資者可以按規定開發本企業用地。屬一般工業專用廠房地，取得土地使用權後，其基礎工程配套設施費和級差地價按50％收取；屬一次性投資1500萬美元以上的外向型或技術密集型、高科技項目，經珠海市人民政府批准，可減免總地價的20％～50％；屬開發性、外向型農業項目，取得土地使用權後其基礎工程配套設施費按10％計收，免收級差地價；屬投資圍墾灘塗，開展種、養業的項目，從批准立項之日起，免收土地使用費10年，10年期滿後按特區現行有關辦法收取土地使用費。其應徵房產稅的房屋，可從新建落成或購買月份起，免徵房產稅5年。

台灣投資者可在特區劃定的範圍內，通過招標、拍賣或與土地管理部門協議等方式，依法取得期限最長可達70年的土地使用權，從事土地開發經營。

第六條　台灣投資者在特區投資經營所得人民幣利潤可以用於再投資，也可以在特區外滙調劑中心合法兌換外滙滙出境外。

第七條　台灣投資者興辦的項目，審批機關優先予以審批。對審批權限範圍內的投資項目合同及章程，審批機關在收到全部符合要求的申請文件之日起7天內決定批准或不批准。台灣投資企業所需物資進口和產品出口的報批手續儘量簡化，除實行進出口許可證管理的商品外，其餘進出口物資審批時間一般不超過2天。

第八條　台灣投資者在特區興辦獨資企業、合資企業、合作企業，其經營期限不予限制。

第九條　台灣同胞在特區投資50萬美元以上者，可按有關規定酌情安排其境內親屬或代理人1～2人在特區落戶。

第十條　本規定由珠海市對外經濟貿易委員會負責解釋。

第十一條　本規定自公佈之日起施行。

珠海市"三來一補"外滙收支管理暫行辦法

1989年10月5日珠海市人民政府批准

一、爲了加强對"三來一補"外滙收支的管理，保證國家和地方的外滙收入，根據國家有關規定，並結合我市實際情況，特制定本辦法。

二、本辦法中的"三來一補"係指承接國外和港澳地區、台灣地區客商來料加工、來樣加工、來件裝配和補償貿易業務。

三、珠海市內國營企業、集體企業、"三資"企業、內聯企業、股份制企業、私營企業及其他經濟組織承接的"三來一補"外滙收支均按本辦法辦理。

四、"三來一補"業務外滙收支，必須通過銀行辦理。承接來料加工、來樣加工、來件裝配業務所收取的工繳費外滙，除另有規定者外，均應進行結滙。少數外商支付外滙現鈔的，收滙企業應立即送銀行辦理結滙，不得私自保存和兌換。上述工繳費收入，在辦理結滙留成後，可按規定使用。

五、"三資"企業承接的"三來一補"業務項下收取的工繳費或其他外滙收入，應調回境內，允許全額現滙留成，其支出按國家有關規定辦理。

六、企業單位簽定的"三來一補"協議和合同，報市對外經濟貿易委員會(市引進外資辦公室)或其授權單位批准後，抄送國家外滙管理局珠海分局(以下簡稱外管部門)備案。已批准的"三來一補"協議項下的生產加工合同簽訂後，有關商務協助單位應在五個工作日內報外滙管理部門備存。

七、外滙管理部門分別按簽訂協議、合同的企業爲單位，設立工繳費收入和補償還滙檔案，記錄收滙和還滙情況。

八、已簽訂的"三來一補"合同因故撤銷或提前終止，經報合同原審批機關批准後，由企業到外滙管理部門辦理核銷檔案手續。

九、在補償貿易合同項內，企業爲償付設備、材料或現滙投資的外滙收入部分，經外滙管理部門批准，可保留現滙，按合同規定扣除補償款項後的外滙收入，應辦理結滙。企業按季向外滙管理部門報送外滙收支報表，並說明合同執行情況。其對外付款，必須嚴格控制在合同規定的範圍以內。

十、每一合同執行完後一個月內，企業應持銀行結滙證明或現滙入帳通知單到外滙管理部門辦理核銷手續。對不及時辦理核銷手續的企業，外滙管理部門將視情節進行通報或停止用滙。

十一、核銷時，發現實際收滙數少於合同規定應收滙數額的，外滙管理部門將依據有關規定，以通知形式責令簽訂合同的中方企業追回應收款項。對接到通知後一個月內，無正當理由仍不追回應收款項，或拒絕收回應收款項的，外滙管理部門將根據外滙管理規定，區別不同情況，對有關單位按逃滙、套滙嚴肅處理。

十二、本辦法由國家外滙管理局珠海分局制定，報經珠海市人民政府批准。

十三、本辦法自1989年11月1日日起施行。

經濟技術開發區

大連經濟技術開發區土地使用權出讓、轉讓管理規定

1989年8月10日大連市人民政府發佈

第一章 總 則

第一條 爲了加强土地管理，合理地開發、利用、經營土地，促進對外開放和經濟建設，根據《中華人民共和國土地管理法》及有關規定，制定本規定。

第二條 大連經濟技術開發區(簡稱開發區)內的國有土地，可按照所有權與使用權分離的原則，實行土地使用權出讓、轉讓制度，其土地所有權、地下資源、埋藏物仍屬國家所有，不得出讓、轉讓。

第三條 中華人民共和國境內外的企業、其他組織和個人，除法律另有規定外，均可依法在開發區取得土地使用權。

第四條 根據本規定取得土地使用權者，依照中國法律、法規及有關規定，在土地使用合同期內可以開發、利用土地，也可以將土地使用權轉讓、出租、抵押或用於其他經濟活動。

依照其他規定通過劃撥或減免土地使用價款取得土地使用權的，未經批准不得轉讓、出租、抵押土地使用權。

第五條 大連經濟技術開發區管理委員會(簡稱開發區管委會)，代表大連市人民政府管理開發區國有土地，應組織開發區土地、規劃、城建等管理部門，依法做好土地使用權出讓、轉讓的管理監督工作。

第二章 出讓與受讓

第六條 土地使用權出讓，由開發區土地管理部門會同規劃、城建部門，確定出讓土地的位置、面積及用途，經開發區管委會審查同意，依照國家建設用地批准權限的規定辦理審批手續，納入地方年度建設用地計劃。

土地使用權出讓，由開發區土地管理部門代表出讓方，將開發區內國有土地使用權有償地讓與土地使用者(受讓方)，並向受讓方收取土地使用權出讓金。

第七條 土地使用權出讓，可採取協議、招標或拍賣的方式，由開發土地管理部門與土地使用者簽訂合同，明確出讓地塊的方位、面積、用途、使用年限、使用要求、出讓金額、違約責任及其他應履行的權利、義務。

土地使用權出讓合同，須經開發區公證機關公證。

第八條 土地使用權出讓，一般不得超過下列年限：

(一)商業、旅遊、娛樂用地40年；

(二)工業、教育、科技、文化、衛生、體育、居住及其他用地50年。

第九條 土地使用權出讓，受讓方應依照合同規定向出讓方支付出讓金；向開發區土地管理部門申請登記，領取土地使用證；向開發區稅務部門申報納稅。

受讓方開發、利用土地，應按照開發區有關規劃、建設的管理規定，辦理審批手續。

第十條 土地使用權出讓合同一經簽訂，雙方必須嚴格履行。因故改變合同內容的，由當事雙方協商重新修訂合同，向開發區土地管理部門申請辦理變更登記；違反合同的，應按合同規定承擔違約責任。

第三章　轉讓、出租、抵押

第十一條　土地使用權轉讓、出租、抵押，是由取得土地使用權者憑土地使用證，依照出讓合同和本規定對土地使用權進行的再轉移。土地使用權轉讓，包括出售、交換、贈與等方式。

依照本規定取得土地使用權的，土地使用權可以繼承。

未依照出讓合同規定付淸出讓金和未投資開發、利用土地的，不得轉讓、出租或抵押。

第十二條　土地使用權轉讓、出租、抵押，須經開發區土地管理部門同意，由當事雙方協商，簽訂轉讓、出租、抵押合同。

土地使用權轉讓、出租、抵押合同，須經開發區公證機關公證。

土地使用權轉讓價款，明顯低於市場價格的，開發區管委會有優先購買權。

第十三條　土地使用權轉讓、出租，應將出讓合同中規定的權利、義務和地上建築物、其他附着物所有權隨之轉移。

轉讓、出租地上建築物、其他附着物所有權時，其佔地範圍內的土地使用權應隨之轉移。

第十四條　土地使用權轉讓、出租、抵押，有關當事人應持出讓合同、土地使用證和轉讓、出租、抵押合同，向開發區土地、房地產、稅務部門申請辦理登記、過戶、納稅、繳費及有關手續。

第十五條　土地使用權抵押，因償淸債務或其他原因解除合同的，應及時到開發區土地管理部門註銷抵押登記；因抵押人在合同期滿未能償淸債務，抵押權人有權依照法律、法規和抵押合同的規定，在開發區土地、房地產管理部門監督下處分抵押財產。

處分抵押財產所得，抵押權人有優先受償權。

第四章　土地使用權終止

第十六條　土地使用權出讓合同期滿、合同期內提前收回土地使用權或土地滅失的，即行終止土地使用權。

第十七條　土地使用權出讓合同期滿，受讓方應將土地使用權和地上建築物、其他附着物所有權，無償交給開發區管委會，並到開發區土地、房地產管理部門辦理註銷登記，交回土地使用證和產權證。

第十八條　土地使用權出讓合同期滿，按合同規定須拆除地上建築物、其他附着物的，受讓方應及時拆除；不能自行拆除的，應繳納拆除淸理費。

第十九條　土地使用權出讓合同期滿，受讓方需要續期的，應在合同期滿前一年與出讓方協商，經開發區管委會批准，重新簽訂土地使用權出讓合同，支付出讓金，並辦理登記和更換土地使用證。

第二十條　土地使用權出讓合同期未滿，因社會公共利益的需要，經開發區管委會批准，可以提前解除合同，收回土地使用權，並根據受讓方使用土地年限和開發、利用情況，給予合理的補償。

第五章　附　則

第二十一條　違反本規定，擅自進行土地使用權出讓、轉讓、出租、抵押和土地交易的，由開發區土地管理部門予以制止，並視其情節給予警告、責令賠償經濟損失、沒收非法所得、罰款、收回土地使用權的處罰；情節嚴重構成犯罪的，交由司法機關依法懲處。

第二十二條　因土地使用權出讓、轉讓、出租、抵押發生糾紛的，由當事雙方協商解決或向開發區土地管理部門申請調解；調解不成的，可向開發區管委會申請裁決，也可向當地人民法院起訴。

第二十三條　本規定公佈前按其他方式在開發區取得土地使用權的，應繼續執行《大連經濟技術開發區土地使用管理辦法》；需要改變土地使用方式的，應按本規定重新簽訂土地使用權出讓合同，辦理登記手續。

第二十四條　本規定由大連經濟技術開發區管理委員會負責解釋，並組織實施。

第二十五條　本規定自發佈之日起施行。

廣州經濟技術開發區
關於舉辦外資企業若干問題的規定

1989年9月15日廣州經濟技術開發區管委會發佈

第一條 為便於外國投資者在廣州經濟技術開發區(以下簡稱開發區)舉辦外資企業，並為其正當投資活動提供良好服務，根據《中華人民共和國外資企業法》和《廣州經濟技術開發區開辦外商投資企業洽談和審批程序的規定(試行)》(以下簡稱《審批程序》)，特制定本規定。

第二條 在開發區舉辦的外資企業，必須有利於國民經濟的發展，並且採用先進技術和設備，或者產品全部出口或者大部分出口。

凡屬於國家鼓勵、允許外商投資的項目，均可在開發區舉辦；國家限制外商投資的項目，在立項階段必須報經國家行業主管部門特殊批准，並抄報國家計委備案，方可開展工作；雖屬國家限制外商投資的項目，但產品能出口70%以上，並能保證外滙自身平衡的，也可在開發區舉辦。

第三條 在開發區申請舉辦外資企業的外國投資者，可直接向開發區管理委員會(以下簡稱管委會)提出申請或委託代理人，代理申請事務。

第四條 開發區下列機構可以接受外國投資者的委託，擔任其代理人：

1. 開發區國有企業；
2. 開發區律師事務所；
3. 具備法人資格的其他服務機構或經濟組織。

第五條 外國投資者委託代理人辦理外資企業項目申請，應訂立書面的代理合同。代理合同應載明代理事項、代理權限、代理的期限、費用的金額及支付方式、違約責任等內容。代理人在代理合同有效期內，憑被代理人出具的具有法律效力的《授權委託書》開展業務。

第六條 代理外資企業項目申請的費用，按代理事項的多少，項目投資額的大小及工作量的大小，由代理雙方協商確定。因代理人過錯，造成被代理人損失的，代理人應承擔經濟責任，但以代理合同規定的代理費為限。

第七條 在開發區舉辦外資企業項目的審批程序分立項和申報兩個階段進行。

第八條 立項是管委會對擬舉辦的外資企業項目的初步審查，主要審查：

1. 項目內容是否符合本規定第二條的要求；
2. 項目產品是否受出口許可證或配額的限制；
3. 外滙能否自行平衡；
4. 開發區的能源、交通、廠房或場地對項目的承受力如何；
5. 項目是否符合國家的環境保護、消防等方面的法律規定；
6. 項目的其他特殊要求能否給予滿足。

第九條 立項申請應報送申請立項報告(以下簡稱立項報告)15份。立項報告的內容應包括：

1. 外國投資者的名稱、註册地、法定地址、註册資本；
2. 擬在開發區設立的外資企業名稱、投資總額和註册資本、經營範圍、經營期限、生產規模、投資構成、採用的生產技術、工藝及主要設備名稱、進口和國內購買的主要原材料、產品銷售與外滙平衡計劃；
3. 項目建設期限、需要的能源種類及需要量、所需要的場地或廠房面積、環保設施及消防設施計劃、建設進度；
4. 其他有關內容。

第十條 管委會在收到立項報告之日起30天內，作出批准立項或不批准立項的答覆。

管委會認為立項報告需要修改或補充的，由管委會項目審查小組直接退給申請人，批覆期限從重新上報之日算起。

第十一條 立項報告一經批准，即為立項。外資企業項目被批准立項後，申請人應依照《中華人民共和國企業法人登記管理條例》的有關規定進行名稱登記。

第十二條 從立項之日起90天內，申請人應當辦理《在中國設立外資企業申請表》(以下簡稱申請表)和章程的申報。遇有特殊情形需要推遲申報的，報管委會同意，可以申請延長申報期限。逾期不辦理申報手續，也不申請延期申報的，作自動撤銷立項處理。

第十三條　申報階段應報送申請表、章程及附件15份，附件包括：

1. 關於申請表的說明；

2. 投資公司近三年資產負債表(如公司經營期未滿三年，須提供其母公司資信情況)；

3. 外滙收支平衡計劃；

4. 可行性研究報告；

5. 其他有關證明材料。

第十四條　管委會在收到申請表、章程及有關附件之日起的30天內，決定批准或者不批准。

管委會審查小組認爲申報的文件需要修改、補充的，可直接退給申請人。批覆期限自重新上報之日算起。

第十五條　外國投資者應當在取得管委會的批准文件及由廣州市對外經濟貿易委員會頒發的《外資企業批准證書》後30天內，向廣州市工商行政管理局開發區分局(以下簡稱工商分局)申請辦理外資企業註册登記，領取《營業執照》。逾期不辦的，該批准證書自動失效。

第十六條　根據國家有關規定，廣州市對外經濟貿易委員會在核發《外資企業批准證書》後，應將外資企業項目的全部文件報國家對外經濟貿易部備案，國家對外經濟貿易部在收到文件後的30天內對該項批准有否決權。業經否決的項目，已發放的《外資企業批准證書》應自收到通知之日起30天內繳回原核發機關，已經註册登記、領取《營業執照》的，須自收到通知之日起30天內，在原登記發照機關辦理註銷登記、繳銷執照手續。

第十七條　外國投資者取得《營業執照》後，應當依照章程確定的期限和數額投入註册資本。

確定一次性投入註册資本的，應在取得《營業執照》之日起180天內投入。

確定分期投入註册資本的，第一期投入的資金額不得低於註册資本總額的15%，並應在取得《營業執照》之日起90天內投足。

第十八條　外國投資者未能按照本規定第十七條投足註册資本的，管委會有權要求外國投資者限期投足。超過限期仍未投入或投足的，管委會有權撤銷其《外資企業批准證書》，工商分局有權吊銷其《營業執照》。

第十九條　在開發區通過有償出讓或轉讓取得土地使用權的外國投資者，都應按《審批程序》和本規定申請成立企業，取得中國法人資格。其所受讓的土地用來經營房地產業的，按房地產外資企業項目報批。

擧辦開發經營房地產業務的外資企業，需在立項階段報送經管委會基建規劃辦公室審查確認的外國投資者技術和業務資質證明文件。

第二十條　經管委會批准成立的房地產外資企業，只限於經營開發區內的房地產。

第二十一條　全部資本由台灣投資者或港澳投資者投入的企業，參照本規定執行。

第二十二條　本規定自公佈之日起施行。

附載：

關於《廣州經濟技術開發區土地使用權有償出讓和轉讓辦法》第六條、第四十一條的解釋

1989年8月20日廣州經濟技術開發區管委會發佈

根據《廣州經濟技術開發區土地使用權有償出讓和轉讓辦法》(以下簡稱《辦法》)第五十一條之規定，管委會對《辦法》第六條和第四十一條的有關內容解釋如下：

一、關於第六條：

凡爲開辦各類企業申請取得開發區內土地使用

權者，均應依照規定的申報程序，申報成立相應的生產經營企業，以獨立法人資格開展業務。其中，爲獲取房地產開發經營利潤，從事房地產買賣、租賃等交易活動者，應申報成立房地產公司，此類公司只限於經營開發區內受讓土地及上蓋建築的房地產業務，根據投資資本的產權屬性分別按外資企業、中外合資企業、中外合作企業及國營企業、內聯企業或私營企業申報。

二、關於第四十一條：

(一)審批權。先進技術企業和產品出口企業(以下簡稱兩類企業)享受土地出讓優惠待遇的批准權在管委會。任何企業和個人未徵得管委會同意不得向外商作這方面的承諾。兩類企業享受優惠地價的土地使用權必須通過出讓或租賃程序向管委會取得。出讓或租賃合同文稿由管委會提供，不得由受讓方或承租方自擬。

(二)享受優惠權用地面積。兩類企業享受優惠地價的土地面積應根據生產直接需要提出。管委會按廠房及生產設施的實際建築面積核定享受優惠的面積，其餘部分一律按照市場價格計收價款。

(三)優惠用地價格。兩類企業土地使用權價格原則上按每年每平方米5～20元計收，由管委會每年公佈一次。用地者可選擇下述支付方式中之一種：

1.租賃。按管委會每年公佈的優惠地價，逐年繳交土地租金；

2.優惠出讓。按成交當年公佈的優惠地價，一次結算出企業經營期限的土地出讓總價金，成交時一次付清者可予九折優惠；分期支付者累計利息，但全部價金最遲不超過五年付清。

(四)實行優惠地價的土地無論採取何種支付方式，均只供兩類企業自用，不得轉讓。如經考核，不符合兩類企業條件的，應補交當年市場價格與優惠地價的差額。

(五)享受優惠地價的期限從兩類企業確認證書頒發之日起到兩類企業資格被取消時止。繳款年度內享受優惠權不足一年的，按實際天數折算。凡兩類企業確認證書頒發之前應繳付的土地價款一律不再退還。

三、以上解釋是對《辦法》的補充，請遵照執行。

附：《廣州經濟技術開發區土地使用權有償出讓和轉讓辦法》第六條、第四十一條：

第六條：在獲得土地使用權的土地上開辦各類企業或從事各種項目建設，應按開發區規定的審批程序申報。

第四十一條：開發區先進技術企業和產品出口企業用地，可根據《國務院鼓勵外商投資的規定》及廣東省、廣州市、開發區頒佈的實施辦法，通過出讓給予優惠。

其 他

外國商會管理暫行規定

1989年6月14日中華人民共和國國務院令第三十六號發佈

第一條 爲了促進國際貿易和經濟技術交往，加强對外國商會的管理，保障其合法權益，制定本規定。

第二條 外國商會是指外國在中國境內的商業機構及人員依照本規定在中國境內成立，不從事任何商業活動的非營利性團體。

外國商會的活動應當以促進其會員同中國發展貿易和經濟技術交往爲宗旨，爲其會員在研究和討論促進國際貿易和經濟技術交往方面提供便利。

第三條 外國商會必須遵守中華人民共和國法律、法規的規定，不得損害中國的國家安全和社會公共利益。

第四條 成立外國商會，應當具備下列條件：

1. 有反映其會員共同意志的章程；
2. 有一定數量的發起會員和負責人；
3. 有固定的辦公地點；
4. 有合法的經費來源。

第五條 外國商會應當按照國別成立，可以有團體會員和個人會員。

團體會員是以商業機構名義加入的會員。商業機構是指外國公司、企業以及其他經濟組織依法在中國境內設立的代表機構和分支機構。

個人會員是商業機構和外商投資企業的非中國籍任職人員以本人名義加入的會員。

第六條 外國商會的名稱應當冠其本國國名加上"中國"二字。

第七條 成立外國商會，應當通過中國國際商會提出書面申請，由其報送中華人民共和國對外經濟貿易部(以下簡稱審查機關)審查。

審查機關應當在收到全部申請書件之日起60天內完成審查，對於符合本規定第四條規定條件的，簽發審查同意的證件；對於不符合前述條件的，退回申請。如有特殊情況，不能在規定期限內完成審查的，審查機關應當說明理由。

第八條 成立外國商會的書面申請，應當由外國商會主要籌辦人簽署，並附具下列文件：

(一)外國商會章程一式五份。章程應當包括下列內容：

1. 名稱和地址；
2. 組織機構；
3. 會長、副會長以及常務幹事的姓名、身份；
4. 會員的入會手續及會員的權利和義務；
5. 活動內容；
6. 財務情況。

(二)發起會員名册一式五份。團體會員和個人會員，應當分別列册。團體會員名册應當分別載明商業機構的名稱、地址、業務範圍和負責人姓名；個人會員名册應當分別載明本人所屬商業機構或者外國投資企業、職務、本人簡歷或者在中國境內從事商業活動的簡歷。

(三)外國商會會長、副會長以及常務幹事的姓名及其簡歷一式五份。

第九條 成立外國商會的申請經審查機關審查同意後，應當持審查同意的證件，依照本規定和有關法律、法規的規定，向中華人民共和國民政部(以下簡稱登記管理機關)辦理登記。外國商會經核准並簽發登記證明書，即爲成立。

第十條 外國商會應當在其辦公地點設置會計帳簿。會員繳納的會費及按照外國商會章程規定取得的其他經費，應當用於該外國商會章程規定的各項開支，不得以任何名義付給會員或者滙出中國境外。

第十一條 外國商會應當於每年1月通過中

國國際商會向審查機關、登記管理機關提交上一年度的活動情況報告。

中國國際商會應當爲外國商會開展活動和聯繫中國有關主管機關提供諮詢和服務。

第十二條 外國商會需要修改其章程、更換會長、副會長以及常務幹事或者改變辦公地址時，應當依照本規定第七條、第八條和第九條規定的程序經審查同意，並辦理變更登記。

第十三條 外國商會應當接受中國有關主管機關的監督。

外國商會違反本規定的，登記管理機關有權予以警告、罰款、限期停止活動、撤銷登記、明令取締的處罰。

第十四條 外國商會解散，應當持該外國商會會長簽署的申請註銷登記報告和清理債務完結的證明，向登記管理機關辦理註銷登記，並報審查機關備案。

外國商會自繳回登記證書之日起，即應停止活動。

第十五條 本規定自1989年7月1日起施行。

中華人民共和國
審計條例施行細則

1989年6月21日中華人民共和國審計署令第一號發佈

第一條 根據《中華人民共和國審計條例》(以下簡稱《審計條例》)第三十九條的規定，制定本施行細則。

第二條 各級審計機關執行《審計條例》第三條第一款，應當遵守下列規定：

(一)國務院各部門、地方政府及其部門在權限範圍內制定的與國家法律、法規和政策無抵觸的有關規定，應當作爲審計的依據；

(二)下級政府、部門的規定與上級政府、部門的有關規定相抵觸時，除國家另有特殊規定外，應以上級政府、部門的規定爲審計依據；

(三)政府各部門之間的有關規定不一致時，應以法律、行政法規授權的主管部門的規定爲審計依據；

(四)對審計中發現的重大問題，沒有明確審計依據的，應當請示本級人民政府或者上一級審計機關。

第三條 下級審計機關執行《審計條例》第四條的規定，應當及時向上一級審計機關報送有關審計工作的下列資料：

(一)地方性審計法規、規章，本級人民政府關於審計工作的重要決定、指示；

(二)審計工作的計劃、總結、典型經驗、重要的審計調查報告以及統計報表；

(三)嚴重違反財經法規、嚴重損失浪費等重大審計事項的審計結論和決定，上級審計機關交辦審計事項的審計報告；

(四)審計工作的其他重要情況。

第四條 審計機關辦理審計業務時，如本級人民政府的有關規定、決定、指示與上級審計機關的有關規定、決定、指示不一致時，應按上級審計機關的執行。

第五條 《審計條例》第八條的規定，適用於地區行政公署設立的審計機關。

第六條 《審計條例》第九條所稱的設立派出機構的"審計機關"，是指審計署和省、自治區、直轄市以及計劃單列城市的審計機關。

省、自治區、直轄市以及計劃單列城市審計機關在重點地區、部門設立派出機構，由本級人民政府決定，並報上級審計機關備案。

第七條 審計機關應當支持審計工作人員依法行使職權。

審計工作人員依法行使職權，遭受打擊報復，向上級審計機關提出申訴時，上級審計機關應及時調查核實，依據《審計條例》第八章的有關規定進行處理，或者提請監察等有關機關處理。

第八條 《審計條例》第十二、十三條所稱的"國家資產"是指：國家直接管理或者授權部門、企業事業單位和其他單位管理和使用的屬於全民所有的資金、財產，及其所取得的屬於全民所有的收益。

第九條 《審計條例》第十二條及其他有關條款所稱的"財政、財務收支"，包括外滙收支。

第十條 《審計條例》第十二條第二項所稱的"國家金融機構"是指國家設立的下列機構：

(一)中國人民銀行及其分支機構；

(二)國家專業銀行及其分支機構；

(三)中國人民保險公司及其分支機構；

(四)信託投資公司；

(五)經中國人民銀行批准設立的其他有國家資產的金融組織。

第十一條 《審計條例》第十二條第四項所稱的"國家給予財政撥款或者補貼的其他單位"，包括有關機關、團體和部隊等。

第十二條 《審計條例》第十二條第五項中的"其他企業"，是指有國家資產的其他非全民所有制企業。

對有國家資產的中外合資經營企業、中外合作經營企業審計監督的具體辦法，另行制定。

第十三條 《審計條例》第十二條第六項所稱的其他單位，包括地方性法規、規章規定應當進行審計監督的單位。

第十四條 《審計條例》第十三條第七項所稱的"借用國外資金、接受國際援助項目"，包括：

(一)外國政府、國際金融組織、國外銀行及其他金融機構等提供的各類貸款；

(二)對外發行債券；

(三)國際組織、外國政府和民間團體提供的各項援助；

(四)利用國外資金的合作項目。

第十五條 《審計條例》第十二條所列單位，應當按照審計機關的規定，及時向負責對其審計監督的審計機關報送與《審計條例》第十三條所列審計事項有關的預算、計劃、決算、報表、規章、文件、資料等。

第十六條 執行《審計條例》第十四條第三款規定，內部審計機關、社會審計組織承辦委託審計事項提出的審計報告，由委託的審計機關審定，並作出審計結論和決定。

第十七條 《審計條例》第十五條第三項所稱"機關、團體、企業事業單位和有關人員"，包括被審計單位以外的有關單位和人員；"有關事項"，包括與被審計單位的財政、財務收支有關的稅利收繳、債權債務、銀行往來、供銷關係等經濟業務活動情況。

第十八條 審計機關執行《審計條例》第十五條第四項的規定，對被審計單位正在進行的嚴重損害國家利益、違反財經法規的行爲，應當首先責成其停止該項行爲；被審計單位不執行的，提請其主管部門作出臨時的制止決定；主管部門制止無效，或者情況緊急時，通知政府部門或者銀行暫停撥付有關款項。

暫停撥付的有關款項，必須是與被審計單位正在進行的嚴重損害國家利益、違反財經法規行爲直接有關的款項。

第十九條 《審計條例》第十五條第四項所稱的"有關主管部門作出臨時的制止決定"，包括主管部門暫停撥款。

第二十條 《審計條例》第十五條第五項所稱的"阻撓、破壞審計工作"，是指被審計單位在審計過程中的下列行爲：

(一)拒絕提供或者提供虛假的憑證、帳表、文件、資料和證明材料的；

(二)銷毁帳册和隱匿資產的；

(三)借故設置障礙，妨礙審計工作人員正常履行職責的；

(四)在審計過程中繼續進行嚴重損害國家利益、違反財經法規行爲的。

第二十一條 審計機關對阻撓、破壞審計工作的被審計單位，除在審計過程中採取封存帳册、資產等臨時措施外，並可根據《審計條例》第八章的規定，對單位和有關人員給予處罰。

第二十二條 被審計單位已停止或者糾正嚴重損害國家利益、違反財經法規的行爲或者阻撓、破壞審計工作的行爲後，審計機關採取的暫停撥付有關款項或者封存有關帳册、資產等臨時措施應當及時解除。

第二十三條 《審計條例》第十六條關於罰款的規定，適用於被審計單位的直接責任人員和單位負責人。

第二十四條 《審計條例》第十六條第一款第三項所稱的應予退還或者沒收的"非法所得"包括：

(一)個人利用職務上的便利，非法佔有的公共財物；

(二)單位非法侵佔的不屬於本單位的財物；

(三)違反價格管理規定所攫取的收入；

(四)違反國家規定將全民所有的資產轉讓給集體或者個人所獲得的非法收入；

(五)單位或者個人利用職權非法收受的錢物；

(六)依法應予退還或者沒收的其他非法所得。

第二十五條 《審計條例》第十六條第一款第四項所稱的應予收繳的"侵佔的國家資產"包括：

(一)違反規定未繳納的稅款以及隱瞞、截留應當上繳的利潤或者其他收入；

(二)非法減免的稅收；

(三)虛報冒領、騙取的財政撥款、補貼或者物資；

(四)依法應當收繳的其他國家資產。

第二十六條 審計機關確定審計事項後，應當組成審計組，在實施審計前向被審計單位發送《審計通知書》。審計機關認爲需要被審計單位進行自查的，應在《審計通知書》中寫明自查的內容及要求。

第二十七條 審計工作人員執行《審計條例》第二十條時，應當按照下列規定辦理：

(一)對審計中發現的問題，做出詳細、準確的記錄，並寫明資料來源。

(二)對證明審計事項的原始資料、有關文件和實物等，通過複印、複製、拍照等方法取得。

(三)參加有關會議時，應當對涉及審計事項的內容做出記錄。必要時，可以要求被調查單位提供會議有關記錄材料。

(四)對重要審計事項進行調查時，審計工作人員不得少於二人。

審計工作人員收集的證明材料，應當經過當事人核閱簽章。

第二十八條 審計工作人員起草的審計報告，主要包括下列內容：

(一)審計的內容、範圍、方式、時間及有關情況的概括；

(二)與審計事項有關的事實；

(三)依據的法律、法則、政策的規定；

(四)初步結論、處理意見和建議。

第二十九條 審計組應將審計報告徵求被審計單位的意見。被審計單位提出不同意見，認爲審計報告中事實不清或有出入的，應當進一步核實；對審計報告中結論和處理意見有異議的，應當依據有關法規和具體情況認眞研究。

被審計單位在規定期限內沒有提出書面意見的，視爲對審計報告沒有異議。

第三十條 審計機關執行《審計條例》第二十二條第二款的規定，對有下列規定內容之一的審計事項，應當徵求有關部門的意見：

(一)審計依據界限不清的；

(二)需要追究地方、部門負責人行政責任的；

(三)需要有關部門採取重大改進措施的；

(四)審計機關認爲需要徵求有關部門意見的其他重大事項。

審計機關徵求意見後，依法獨立作出審計結論和決定。

第三十一條 審計組的審計報告須報派出的審計機關審定，由審計機關作出審計結論和決定，通知和監督被審計單位執行，並通知有關部門協助執行。

審計機關負責人對作出的審計結論和決定負責。

第三十二條 上級審計機關辦理復審事項，應當按照下列情形分別處理；

(一)原審計結論和決定認定事實清楚，定性和處理恰當的，維持原審計結論和決定。

(二)原審計結論和決定認定事實清楚，定性或者處理不當的，糾正原審計結論和決定中不適當的定性或者處理。

(三)原審計結論和決定事實不清或者證明材料不足的，重新進行審查、核實。

第三十三條 被審計單位對審計機關派出機構作出的審計結論和決定不服的，向設立派出機構的審計機關申請復審。

第三十四條 審計機關檢查審計結論和決定的執行情況時，應當按照下列情形分別處理：

(一)被審計單位未按規定期限和要求執行審計結論和決定，可根據《審計條例》第八章有關規定進行處罰。

(二)發現原審計結論和決定不適當時，可進行復查，重新作出審計結論和決定。

(三)發現下級審計機關作出的審計結論和決定不適當時，上級審計機關有權改變或者撤銷。

第三十五條 內部審計、社會審計的施行辦法，另行制定。

第三十六條 審計機關根據《審計條例》第三十四條的規定，對單位可處以3000元以下的罰款；情節嚴重的，可處以3000元以上、1萬元以下的罰款。

第三十七條 審計機關根據《審計條例》第三十四、三十五條的規定，對有關人員可根據情節輕重，處以相當於本人三個月基本工資以下的罰款。

第三十八條 審計機關根據《審計條例》第三十四條的規定，對單位的警告和對單位及其有關人員罰款的處罰，在《審計結論和決定》中作出；不能在《審計結論和決定》中作出的，應當在《審計處罰決定通知書》中作出。

第三十九條 本施行細則由審計署負責解釋。

第四十條 本施行細則自發佈之日起施行。

地方經貿

說　明

本欄目介紹的是全國各省、自治區、直轄市、計劃單列市、沿海開放城市和經濟特區1989年的對外經濟貿易情況，因部分地方分屬兩個類別，有重複，故實際共52篇。文章的排列次序：省、自治區、直轄市按國務院有關行政區劃的統一規定排列；計劃單列市、沿海開放城市和經濟特區均排在其所屬的省、自治區後面。

按類別劃分如下：

㈠省、自治區、直轄市　（31個）

北京市　天津市　河北省　山西省
內蒙古自治區　遼寧省　吉林省　黑龍江省
上海市　江蘇省　浙江省　安徽省
福建省　江西省　山東省　河南省
湖北省　湖南省　廣東省　廣西壯族自治區
海南省　四川省　貴州省　雲南省
西藏自治區　陝西省　甘肅省　青海省
寧夏回族自治區　新疆維吾爾自治區　台灣省

㈡計劃單列市　（11個）

重慶市　武漢市　瀋陽市　大連市
哈爾濱市　廣州市　西安市　青島市
寧波市　深圳市　廈門市

㈢沿海開放城市　（14個）

大連市　秦皇島市　天津市　煙台市
青島市　連雲港市　南通市　上海市
寧波市　溫州市　福州市　廣州市
湛江市　北海市

㈣經濟特區　（5個）

深圳　珠海　汕頭　廈門　海南

1989年北京對外經濟貿易

北京市對外經濟貿易委員會

[對外貿易]

1989年北京市出進口總額177094萬美元，比1988年140653萬美元增長25.9%。

外貿收購額爲49.02億元，比1988年40.14億元增長22.12%。

出口總額116157萬美元，比1988年102233萬美元增長13.62%，佔全國出口總額的2.7%，居全國第十位。出口額佔本市國內生產總值的9.7%。

出口商品結構：農副產品8251萬美元，佔出口總額的7.1%；輕工業產品79329萬美元，佔68.3%；重工業產品28577萬美元，佔24.6%。在出口總額中，初級產品11546萬美元，佔出口總額的9.94%；工業製成品104611萬美元，佔90.06%。

出口額在500萬美元以上的商品有51種，出口額爲62679萬美元，佔出口總額的53.96%。其中出口額在1000萬美元以上的商品有坯布、棉滌綸布、呢絨、羊毛衫、腈綸衫、羊絨衫、服裝、羊毛手工打結地毯、彩色電視機、琺琅、仿古玩、金首飾、鋼材、焦炭、工業軸承、工具等23種；出口額在500萬～1000萬美元的商品有栗子、豬肉罐頭、豆粕、牛黃淸心丸、浴巾、棉毛衫褲、夾克、機繡品、收錄兩用機、玉石雕刻品、銀首飾、銅首飾、珠寶、鑄鐵管、無煙煤、順丁橡膠、吉普車、千斤頂、銑床、小成套設備、電訊設備等28種。

出口商品銷往122個國家和地區。主要出口市場是：香港22587萬美元，佔出口總額19.4%；日本17782萬美元，佔15.3%；美國15290萬美元，佔13.2%；聯邦德國7534萬美元，佔6.5%；意大利2549萬美元，佔2.2%；英國2108萬美元，佔1.8%；荷蘭1987萬美元，佔1.7%。

進口總額60937萬美元，比1988年38420萬美元增長58.6%。

進口商品結構：生產資料56161萬美元，佔進口總額的92.2%，比1988年增長19.1個百分點；生活資料4776萬美元，佔7.8%，比1988年減少19.1個百分點。在進口商品總額中，初級產品10055萬美元，佔進口總額的16.5%；工業製成品50882萬美元，佔83.5%。

主要進口商品：汽車散件7466萬美元，各種工業設備6009萬美元，服裝面料5282萬美元，羊毛4970萬美元，貴金屬2786萬美元，化工原料2511萬美元，電子計算機2428萬美元。

進口商品來自35個國家和地區。進口額居前三位的是：香港17919萬美元，佔進口總額的29.4%；日本13752萬美元，佔22.6%；美國10991萬美元，佔18%。

[利用外資]

批准簽訂利用外資合同215項，合同外資金額19249.5萬美元，比1988年4.03億美元減少52.23%。其中：對外借款16項，金額10728.9萬美元；外商直接投資185項，合同外資金額8371.5萬美元；外商其他投資14項，金額149.1萬美元。

實際利用外資49506.8萬美元，比1988年61944萬美元下降20.08%。其中：對外借款17491萬美元，外商直接投資31845.9萬美元，外商其他投資169.9萬美元。

在外商直接投資的185個項目中，合資企業159個，合作企業4個，外資企業22個。生產型項目165個，非生產型項目20個。行業分類：能源、交通、冶金、機械、電子、建材行業70個，輕工、紡織、食品、醫藥行業89個，農、林、漁業8個，旅遊服務業18個。

外商投資主要來自：香港69個，投資額2752萬美元；日本37個，2468萬美元；新加坡11個，738萬美元；美國23個，713萬美元；台灣省17個，406萬美元。此外，還有聯邦德國、澳大利亞、加拿大、澳門、玻利維亞、巴拿馬、法國、英國、瑞典、瑞士、荷蘭、奧地利、泰國等國家和地區。

截止1989年底，已開業經營和投產的外商投資企業有217個。全年總產值352129.7萬元，銷售(營業)收入391361.9萬元，出口創滙5427.5萬美元。

[技術進出口]

簽訂引進技術和進口設備合同190項，合同金額1.08億美元，比1988年1億美元增長8%。

引進項目來自20多個國家和地區。主要有，英國3830萬美元，佔總額的38.3%；日本1682萬美元，佔14.7%；聯邦德國1342萬美元，佔11.7%；意大利898萬美元，佔7.8%；美國779萬美元，佔6.8%；香港630萬美元，佔5.5%。

引進技術和設備的主要行業有市政、交通、紡織、輕工、電子、機械、化工、建材、冶金等。1989年竣工投產90餘項，實現投資11億元(含外滙1.2億美元)。

技術出口成交87項，合同金額5000萬美元，比1988年583萬美元增長7.6倍；收滙1000萬美元，比1988年359萬美元增長1.8倍。技術出口主要有工業技術，高、新技術產品等。

[對外經濟合作]

簽訂對外承包工程和勞務合作合同113個，合同金額2099.49萬美元，比1988年885.3萬美元增長1.37倍；完成營業額1017.5萬美元，比1988年802.4萬美元增長26.8%；派出勞務人員578人，年末在外600人。勞務人員分佈在伊拉克、香港、美國、澳大利亞、新加坡、斯里蘭卡、冰島、科特迪瓦、尼日利亞、玻利維亞、英國、突尼斯、挪威、民主德國、泰國、安哥拉、馬來西亞等國家和地區。承包工程主要項目有：突尼斯青年之家、玻利維亞水渠修復工程、日本“關帝廟”工程、美國聖路易園林工程、緬甸文化劇場等。

承擔援外項目8項，涉及建築、糧食加工、市政、輕工等行業。受援國家有突尼斯、毛里塔尼亞、扎伊爾、坦桑尼亞、斯里蘭卡和莫桑比克。竣工的有毛里塔尼亞首都的文化之家和青年之家維修工程。派出援外人員185人，年末在外120人。

接受聯合國組織和雙邊援助項目9個，金額463萬美元。其中主要有：皮革製品出口開發、食品調料出口開發、丁基橡膠再生、心血管病治療、特大城市就業、文秘職業教育等。正在執行中的受援項目有35個，金額爲6279萬美元。竣工項目1個，即日本援助的北京蔬菜研究中心。

在海外新辦企業7家，中方投資370萬美元。主要項目有：美國洛杉磯的塞廸克有限公司，蘇聯的莫斯科北京餐廳有限公司，塞浦路斯的京利有限公司，澳大利亞的來利實業有限公司和銀輪汽車修配有限公司等。1989年海外企業總營業額爲2.31億美元，比1988年1.97億美元增長17.3%。

[對外經貿洽談會]

1989年2月在北京舉行了北京市對外經濟貿易洽談會，接待來自60多個國家和地區的1726名客商，成交額爲11060萬美元。10月在日本東京舉辦了北京市經濟貿易展覽會，成交額爲6178萬美元。此外，還在巴西、民主德國舉行了洽談會和展覽會，成交近500萬美元。

[旅遊]

全年接待海外旅遊者645160人次，旅遊收入175643萬元外滙人民幣，分別比1988年下降46.4%和30%。海外旅遊者主要來自以下國家和地區：港澳台166085人次，日本122276人次，美國72598人次，聯邦德國33315人次，英國24033人次，法國20522人次。

[40年經貿發展簡述]

北京市1950年外貿收購額爲727萬元，1989年增至49.02億元，比1950年增長673倍。1950年向11個國家和地區出口242萬美元，出口商品主要是工藝品。截至1989年，累計出口983868萬美元。1989年出口額爲116157萬美元，比1950年增長479倍，平均每年遞增17.1%；出口商品有重工業品、輕工業品、紡織品、工藝品、農副產品和技術類商品等6大類1萬多個品種，其中工業製成品佔90.06%；商品銷售到122個國家和地區。

截至1989年底，批准簽訂利用外資合同外資總額爲26億美元，實際利用外資16億美元。共批准外商投資企業594個，合同外資金額爲18.8億美元，投資者來自20多個國家和地區。已開業經營投產的外商投資企業有217個。

技術引進始於50年代，引進蘇聯、東歐國家的技術和設備，建設了北京電子管廠等一批工業項目。60年代，引進日本成套設備建成北京維尼綸廠。70年代，從日本引進30萬噸乙烯成套設備，擴建了燕山石油化工總廠。1979年對外開放以來，從

30多個國家和地區引進技術和設備1600多項，金額達16億美元。

對外承包工程和勞務合作發展很快，到1989年底，累計合同金額7800多萬美元，營業總額8800多萬美元，向30多個國家和地區派出技術勞務人員6200多人。批准建立海外企業共49個，分佈在20個國家和地區，中方投資2250萬美元。

1968年以來，承擔國家對外經濟援助項目共93項。從1979年起接受聯合國系統和雙邊援助項目共46個，金額爲1.14億美元。

1989年天津對外經濟貿易

天津市對外經濟貿易委員會

[對外貿易]

1989年天津市出進口總額221421萬美元，比1988年227884萬美元下降2.84%。

外貿收購額857574萬元，比1988年的800281萬元增長7.16%。

出口額168604萬美元，比1988年168268萬美元增長0.2%，佔全市國民生產總值的14.19%，佔全國出口總額的3.88%，居全國第七位。

出口商品結構：農副產品出口19649萬美元，佔出口總額的11.65%；輕工業產品88451萬美元，佔52.46%；重工業產品60504萬美元，佔35.89%。農副產品和重工業產品所佔比重分別比1988年下降3.99個和1.15個百分點；輕工業產品上升5.14個百分點。初級產品出口32018萬美元，佔出口總額的18.99%；工業製成品136586萬美元，佔81.01%。

出口1000萬美元以上的商品有：服裝、地毯、輕工業品、紡織品、工藝品、糧油食品、水產品、蔬菜、飼料、中藥材、電視機及音響設備、金屬製品、化工原料等35種，金額95180萬美元，佔出口總額的56.45%。

出口商品銷往159個國家和地區。主要出口市場有香港、日本、美國等10個國家和地區，出口額111303萬美元，佔出口總額的66%。

主要出口市場情況表

國別(地區)	出口額(萬美元)	佔出口額%
香港	28325	16.8
日本	26494	15.71
美國	19988	11.85
聯邦德國	8882	5.27
新加坡	5898	3.50
英國	5381	3.19
法國	4350	2.58
蘇聯	4286	2.54
捷克斯洛伐克	4258	2.53
意大利	3441	2.04

進口額52817萬美元，比1988年59616萬美元下降11.4%。進口商品結構：生產資料進口44135萬美元，佔進口總額的83.56%；生活資料8682萬美元，佔16.44%。初級產品進口10716萬美元，佔進口總額的20.29%；工業製成品42101萬美元，佔79.71%。

主要進口商品有：毛紗、棉花、合成纖維、羊毛、畜產品、原材料、機械設備、鋼材、家用電器、電視機及音響設備等。

進口商品主要來自日本、香港、聯邦德國、美國、新西蘭、英國、澳大利亞、巴基斯坦、瑞士等40個國家和地區。

[利用外資]

批准利用外資合同外資額21214萬美元，比1988年46514萬美元下降54.4%。其中對外借款12443萬美元；外商直接投資97項，合同外資金額8454萬美元；外商其他投資317萬美元。

實際利用外資16036萬美元，比1988年30298萬美元下降47%，其中對外借款12893萬美元，外商直接投資2801萬美元，外商其他投資342萬美元。

在外商直接投資的97個項目中，合資企業65項，合作企業6項，外資企業26項。其中工業生產型項目91項，商業及服務業3項，運輸、農業及其他行業各1項。投資者主要來自香港46項，日本14項，美國13項，台灣省11項。

1989年已開業的194家外商投資企業生產總值達13.06億元。有23種產品獲市、部和行業優質獎，10種獲國家金獎，9種獲國際金、銀、銅牌獎。

[經濟技術開發區]

全年共完成基本建設投資5003萬元，主要用於能源、道路和通訊等項目。

當年批准外商投資企業38家，合同外資金額5093萬美元。至1989年底，已有92家外商投資企業開工投產。一些高科技產品和日用品已打入國際市場並成爲暢銷產品，出口創滙3024萬美元。開發區與美國MGM商業公司簽署土地使用權出讓合同，建設以生產型外商投資企業爲主的天津馬利克工業綜合區。

[技術進出口]

簽訂引進技術和進口設備合同35項，合同金額3089.44萬美元，比1988年16500萬美元下降81.28%。引進項目主要來自日本、香港、英國、聯邦德國、美國、新加坡、台灣省、瑞士、意大利、法國、瑞典等國家和地區。引進項目有辦公自動化設備、磁性材料生產技術設備、光纖通訊設備和儀器、飾品生產綫、汽車壓鑄件模具、船用電子儀器儀錶等。已投產115項，新增產值15億元、利稅3億元，出口創滙3000萬美元。

簽訂技術出口合同3項，金額8萬美元。

[對外經濟合作]

簽訂對外承包工程和勞務合作合同103項，合同金額2623.1萬美元，比1988年1730萬美元增長51.62%；完成營業額1951萬美元，比1988年927.7萬美元增長1.1倍。當年派出勞務人員1470人，年末在國外2013人，分佈在阿聯酋、香港、聯邦德國、希臘、巴拿馬、新加坡、美國等國家和地區。

全年提供援外機電設備14台(套)，儀器儀錶220台(件)，零配件69500多件，電纜10.8公里。受援國家有朝鮮、羅馬尼亞、坦桑尼亞、索馬里、贊比亞等。

當年在澳大利亞、美國、泰國、英國、日本等國家和地區新設海外企業8家，中方投資150.45萬美元。

[對外經貿洽談會]

1989年先後在天津、澳門、阿聯酋、盧旺達、意大利、日本等地舉辦了6次天津出口商品洽談會和展銷會，到會客商共28000多人次，總成交額爲18552萬美元。

[港口運輸]

天津港全年貨物吞吐量2436.92萬噸，比1988年2109萬噸增長15.5%。其中外貿貨物吞吐量1647.88萬噸(進口887.3萬噸，出口760.56萬噸)。

[旅遊]

全年接待外國遊客、華僑、港澳台同胞10.81萬人次，比1988年14.81萬人次下降27%。旅遊收入9730.15萬元外滙人民幣，比1988年10452.92萬元外滙人民幣下降6.9%。

[40年經貿發展簡述]

建國40年來，天津市對外經濟貿易發展很快，1953年出口商品收購額僅13897萬元，1989年已發展到857574萬元，比1953年增長60.7倍。1950年出口額爲15267萬美元，1989年創歷史最高水平，達到168604萬美元，比1950年增長10倍。

出口商品由建國初期的初級產品佔出口總額的93.73%，工業製成品佔6.27%，發展爲1989年的工業製成品佔81％。80年代出口以輕紡產品和機電產品爲主。建國初期出口市場主要是英、美、日等國家，1989年已發展到五大洲159個國家和地區。

利用外資始於1979年，截至1989年底，利用外資合同外資額累計131452萬美元，實際利用外資22625萬美元。批准外商直接投資項目421項，外資金額41896萬美元。其中，合資企業361個，外資金額36352萬美元；合作企業23個，1953萬美元；外資企業37個，3593萬美元。已開業的外商投資企業達194家。

自1959年開始，共承擔對19個國家的援外成套項目60個。先後派出援外人員和醫療隊員共2400餘人次。

1983年以來，接受聯合國系統及所屬組織多邊、雙邊經濟技術援助項目15個，金額9387萬美元。

1989年河北對外經濟貿易

河北省對外經濟貿易委員會

[對外貿易]

1989年河北省出進口總額爲18.67億美元，比1988年17.78億美元增長５％。

出口商品收購總額爲51.45億元，比1988年47.39億元增長8.56％，佔全省國民生產總值的6.78％。

出口額爲16.37億美元，比1988年15.46億美元增長5.88％，佔全國出口總額的3.78％，居全國第九位。剔除原油，河北省地方產品出口額爲12.5億美元，比1988年12.02億美元增長4％。

出口商品結構爲：農副產品32322萬美元，佔出口總額的19.74％，比1988年下降2.19個百分點；輕紡產品70960萬美元，佔43.34％，比1988年上升2.19個百分點；重工業產品60461萬美元，佔36.92％，與1988年持平。初級產品佔出口總額的70％，工業製成品佔出口總額的30％。剔除原油，出口產品結構爲：農副產品佔25.79％，輕紡產品佔56.62％，重工業產品佔16.61％。

出口額在300萬美元以上的商品有63種，金額爲136861萬美元，佔出口總額的83.6％。其中出口額在1000萬美元以上的商品有原油、煤、棉布、棉滌綸布、棉紗、棉花、棉針織品、服裝、地毯、玉米、罐頭、凍對蝦、板栗、日用陶瓷等23種，金額116230萬美元，佔出口總額的71％。

出口商品銷往119個國家和地區。出口額在1000萬美元以上的銷售市場有：日本、香港、美國、聯邦德國、蘇聯、新加坡、荷蘭、羅馬尼亞、英國、朝鮮等16個國家和地區。超過１億美元的有：日本62166萬美元，佔出口總額的37.98％；香港36073萬美元，佔22.04％；美國10719萬美元，佔6.55％。

進口到貨2.3億美元，比1988年2.32億美元減少0.9％。進口的商品均爲生產資料。

主要進口商品表

進口商品名稱	金額（萬美元）
鋼材	3346.66
合成纖維	3234.13
輕工機械	2919.85
滌綸棉	2866.12
化肥	2417.50
化工原料	1700.65
羊毛	1149.48
人造棉	1092.71
紡織工業設備	1078.34
柴油	775.56

進口市場分佈在29個國家和地區。

主要進口市場

國別(地區)	金額(萬美元)
香　港	5711.12
美　國	3912.60
日　本	3821.58
聯邦德國	1373.47
意大利	1178.34
新西蘭	1101.05
新加坡	777.34
英　國	620.83
泰　國	550.75
澳大利亞	503.81

[利用外資]

批准簽訂利用外資合同103項，合同外資金額14394萬美元，比1988年30013萬美元下降52%。其中，對外借款13項，金額4908萬美元；外商直接投資73項，合同外資金額6310萬美元；外商其他投資17項，金額3176萬美元。實際利用外資10825萬美元。其中：對外借款6452萬美元，外商直接投資2685萬美元，外商其他投資1688萬美元。

外商直接投資的73個項目中，合資企業67個，合作企業4個，外資企業2個。其中生產型項目71個，非生產型項目2個。

投資者主要來自香港、美國、日本、奧地利、澳大利亞、聯邦德國等10多個國家和地區。其中：香港50項，金額4748萬美元；日本9項，1789萬美元；美國9項，1008萬美元；台灣7項，426萬美元；奧地利1項，371萬美元；澳大利亞1項，282萬美元；英國2項，226萬美元；聯邦德國1項，205萬美元。

截至1989年末，已有90家外商投資企業開工投產，全年出口創滙3012萬美元。

[技術進出口]

簽訂引進技術和進口設備合同66項，合同金額5716.2萬美元，實際用滙5353.1萬美元。引進的技術和設備來自聯邦德國、意大利等國家，涉及機械和醫藥兩個行業。

[對外經濟合作]

簽訂對外承包工程和勞務合作合同22項，合同金額736.2萬美元，比1988年2656.06萬美元減少72.28%；營業額981.28萬美元，比1988年700.63萬美元增長40.06%；當年派出勞務人員396人，年末在外人員616人，分別派往剛果、馬里、埃塞俄比亞、科威特、日本、法國、美國等10個國家和地區。

承擔援外項目7個，涉及水利、建築等行業。主要項目是：埃塞俄比亞縫紉綫廠、孟加拉水渠、剛果奥望多供水工程、索馬里打井工程等。派出援外人員121人，年末在外人數209人。

在肯尼亞和加拿大舉辦生產型企業2個，中方投資金額爲230萬美元。

[對外經貿洽談會]

1989年5月、6月、11月分別在香港、漢堡、石家莊舉辦了3次河北省對外經貿洽談會，有40個國家和地區的4252名客商應邀到會，出口成交額達11569萬美元。

[旅遊]

共接待來自20個國家和地區的旅遊、參觀、訪問者27366人次，比1988年66146人次減少58.63%；旅遊收入954.45萬元外滙人民幣，比1988年1326.7萬元減少28.06%。

[40年經貿發展簡述]

建國40年來，河北省對外經濟貿易有了較快的發展。建國初期至1974年間，河北省爲天津、北京等口岸提供了大量的出口商品。1953年出口商品收購額爲7996萬元，1989年已增至51.45億元，比1953年增長63.34倍。1975年，河北省正式開展自營進出口業務，當年出口額僅爲7832萬美元，1989年發展到16.37億美元，比1975年增長19.9倍。出口商品從1975年以初級產品爲主的50個品種，發展到1989年以工業製成品爲主的1000多個品種，僅出口金額在1000萬美元以上的商品就達23個。出口市場由1975年的15個國家和地區發展到1989年的119個國家和地區。

利用外資合同金額累計80595萬美元，實際利用外資總額47836萬美元，外商投資企業發展到267個。其中合資企業237個、合作企業26個、外資企業4個，涉及到紡織、輕工、電子、建材、化工等10多個行業，遍布全省18個地、市。

對外經濟援助、承包工程和勞務合作等方面，也都有了較大發展。

1989年秦皇島對外經濟貿易

秦皇島市對外經濟貿易委員會

[對外貿易]

1989年河北省秦皇島市開始有部分出口商品對外經營權，自營出進口總額1337萬美元。其中出口額1239萬美元，進口額98萬美元。

出口商品收購額1.65億元，比1988年1.49億元增長10.74%，佔全市國民生產總值的6.81%，佔河北省出口商品收購總額的3.2%。收購出口商品107種，其中農副產品43種，金額10585.06萬元，佔收購總額的64.33%；工業產品64種，5870.27萬元，佔35.67%。收購額在100萬元以上的骨幹商品有：玉米、高粱、花生米、板栗、凍對蝦、豬肉罐頭、牛肉罐頭、水貂皮、地毯、棉布、毛巾、茶巾、浴巾、汗衫背心、棉毛衫褲、腈綸衫、服裝、平板玻璃、百葉窗、勞保手套、柳製品、圓釘、廢鋼、鋼鍬、氧化鐵黑等25種，金額1.39億元，佔收購總額的84.5%。1989年發展的新品種有芸豆、玉米蛋白粉、酸棗核、馬鹿茸、海藻酸鈉、硫酸銅、工業軸承、鋼化玻璃、鍍膜玻璃等22種。1989年調撥給外省口岸出口商品2624萬元，佔收購總額的15.95%。

自營出口產品有：高粱、花生米、白芸豆、凍對蝦(養殖)、板栗、豬肉罐頭、牛肉罐頭、色織布、長西褲、平板玻璃、茶色玻璃、鋼化玻璃、鍍膜玻璃等19個品種。出口商品銷往日本、美國、蘇聯、古巴、新加坡、肯尼亞、荷蘭、孟加拉、斯里蘭卡、阿拉伯也門、香港、澳門等26個國家和地區。

自營進口的產品有：玻璃加工設備、電加熱元件、丙二醇、塗料、馬口鐵、焊縫管，來自日本、美國、南朝鮮、香港等國家和地區。

[利用外資]

批准簽訂利用外資合同16項，合同外資金額2102萬美元，比1988年1529.43萬美元增長37.44%。其中，外商直接投資11項，金額1453.80萬美元；外商其他投資5項，金額648.20萬美元。實際使用外資1440.40萬美元，比1988年1029萬美元增長39.98%。其中對外借款300萬美元，外商直接投資1066萬美元，外商其他投資74.40萬美元。

外商直接投資的11個項目中，合資企業9家，合作企業1家，外資企業1家。按行業分：食品2項，黑色金屬冶煉3項，電子、塑料製品各1項，其他4項。按國別和地區分：香港5項，美國3項，日本、加拿大、南朝鮮各1項。已投產的15家外商投資企業，1989年實現產值14439.80萬元，利稅1830.80萬元，創滙213.78萬美元。

[經濟技術開發區]

1989年開發區內開辦了商場，修建了冷庫，改建了變電所，投資環境不斷改善。1989年新批准利用外資合同5項，合同外資金額1125.10萬美元。實際投入外資3224.50萬美元。按行業分：黑色金屬加工3項，食品1項，其他1項。批准內聯企業12家，總投資870萬元。1989年實現工業產值11207萬元，利稅2380萬元，創滙100萬美元。

[技術進出口]

簽訂引進技術和進口設備合同11項，合同金額999.90萬美元。比1988年945.50萬美元增長5.75%。實際用滙844.10萬美元，比1988年

1157.70萬美元減少27.1%。引進的項目來自美國3項，聯邦德國3項，意大利2項，荷蘭1項，瑞士2項。涉及的行業有：輕工3項，紡織2項，建材、機電、化工、醫藥各1項，其他2項。

1989年有5項引進項目竣工投產，新增產值9309萬元，利稅2554萬元，創滙242萬美元。

[對外經濟合作]

1989年派出40名建築工人，參加黑龍江省在蘇聯阿木爾州的承包工程。

[對外經貿洽談會]

1989年2月在深圳市舉辦了"秦皇島市國際經濟技術合作暨出口商品洽談會"，接待了500多名客商，進出口成交額2799.20萬美元，其中出口成交1169.20萬美元。

1989年7月在北戴河舉辦了首屆"北戴河之夏商品交易會"，展出商品23大類，1400多種，接待了來自美國、巴基斯坦、法國、波蘭、澳大利亞、香港、台灣等14個國家和地區的客商93人，外貿成交額933萬美元；簽訂利用外資合同和意向書3項，合同外資金額338萬美元。

[港口運輸]

1989年秦皇島港吞吐總量6565.10萬噸，居全國第二位。其中煤炭吞吐量4712.20萬噸，外貿出口1088.60萬噸；石油吞吐量1247.40萬噸，外貿出口270.90萬噸；雜貨吞吐量605.50萬噸，外貿進出口495.30萬噸。

1989年秦皇島港煤碼頭三期工程通過國家級驗收；3個1.5萬噸級丁西、丁東南雜貨碼頭正式投入生產；開通了秦皇島港至日本神戶和大阪的集裝箱運輸航綫，全年完成4853標準箱。

[旅遊]

全年接待國內外遊客590萬人次，其中接待日本、蘇聯、美國、加拿大、聯邦德國、英國、澳大利亞、馬來西亞、希臘、香港、澳門、台灣等83個國家和地區的遊客24232人次，比1988年42932人次減少43.56%。其中港澳台同胞和華僑1641人次，國際海員16685人次，全年旅遊收入480萬元外滙人民幣。

[40年經貿發展簡述]

秦皇島市對外貿易的發展與秦皇島的改革開放和港口發展相聯繫。1959年成立了秦皇島市對外貿易局，負責組織本地出口商品的收購工作。當年出口商品收購額爲805.69萬元。

1984年秦皇島對外開放以後，對外貿易有了較大發展，1989年出口商品收購額已增至16455萬元，比1959年增長19.42倍。收購的出口商品由最初的玻璃、無煙煤、矾土等幾種，發展到目前的13大類107種。1989年開始有部分商品的進出口經營權，當年出口額2726萬美元，其中自營出口額1239萬美元。

利用外資工作，1984年以前主要是以補償貿易的方式，引進技術設備對老企業進行技術改造。1984年秦皇島被國務院確定爲沿海開放城市後，對外經貿工作進入了新階段，設立了經濟技術開發區，到1989年累計批准外商投資企業49家，合同外資金額9332.41萬美元，實際利用外資3318.42萬美元。其中：合資企業45家，合作企業2家，外資企業2家；生產型企業42家，非生產型企業7家。

1989年山西對外經濟貿易

山西省對外經濟貿易廳

[對外貿易]

1989年山西省出進口總額爲46189萬美元，比1988年的38215萬美元，增長20.87％。

出口商品收購額190228萬元，比1988年的163368萬元增長16.44％。收購品種627種，比1988年增加35種。在收購的出口商品中，工礦產品143058萬元，佔出口商品收購額的75.2％；農副產品47170萬元，佔24.8％。

出口總額40001萬美元，比1988年的32954萬美元增長21.38％。出口總額佔全省國民生產總値的5.35％。佔全國出口總額的0.92％。

出口商品結構：農副產品5127萬美元，佔出口總額的12.82％；輕紡產品5091萬美元，佔12.73％；重化工產品29783萬美元，佔74.45％。與1988年相比，農副產品、輕紡產品的比重分別減少1.08和3.11個百分點；重化工產品比重增加4.19個百分點。在出口商品中，初級產品28587萬美元，佔出口總額的71.47％；工業製成品11414萬美元，佔28.53％。與1988年相比，初級產品比重增加，工業製成品比重減少，各爲1.72個百分點。

出口商品456種，出口在100萬美元以上的商品有41種，出口額爲33063萬美元，佔出口總額的82.66％。

出口500萬美元以上的商品表

金額分類	商品名稱	金額（萬美元）	佔出口總額％
1000萬美元以上 3種	煤炭	16997	42.49
	焦炭	3554	8.88
	棉布	1088	2.72
500～1000萬美元 6種	生鐵	772	1.93
	桑蠶絲	641	1.60
	鋁矾土	615	1.54
	核桃仁	552	1.38
	糠醛	548	1.37
	綠豆	508	1.27
合計		25275	63.19

出口商品銷往71個國家和地區。出口500萬美元以上的市場有：日本12688萬美元，佔出口總額的31.72％；香港11870萬美元，佔29.67％；聯邦德國1569萬美元，佔3.92％；美國1506萬美元，佔3.77％；英國1200萬美元，佔3％；法國1187萬美元，佔2.97％；荷蘭1069萬美元，佔2.67％；菲律賓970萬美元，佔2.43％；蘇聯844萬美元，佔2.11％。對上述9個國家和地區出口額共32903萬美元，佔出口總額的82.26％。

1989年重點擴大了焦炭、硅鐵、綠豆、鐵釘、鐵絲、電石、勞保手套、花生果、兔毛、骨膠粒等23種商品出口，創滙4719萬美元；進一步發展了機電產品出口，達2610萬美元，比1988年增長58.37％。各外貿公司還積極利用靈活貿易方式，如來料加工、來樣加工、代理出口、對銷貿易和易貨貿易等擴大出口3000多萬美元。

1989年進口總額6187.62萬美元，比1988年5261萬美元增長17.61％。

主要進口商品分類表

商品類別	金額（萬美元）	佔進口總額 %
五金礦產	2111.12	34.12
輕工業品	765.14	12.37
成套設備及技術	628.36	10.16
醫藥及醫療器械	599.13	9.68
石油化工	596.08	9.63
紡織品	560.34	9.06
儀器儀表	395.23	6.39
機　械	386.35	6.24
合　計	6041.75	97.64

進口到貨來自23個國家和地區，主要進口市場爲香港2059.79萬美元，佔進口總額的33.29%；日本1482.83萬美元，佔23.96%；美國616.46萬美元，佔9.96%；英國448.08萬美元，佔7.24%；聯邦德國235.10萬美元，佔3.8%；意大利220.80萬美元，佔3.57%；台灣省199.12萬美元，佔3.22%。

[利用外資]

批准簽訂利用外資合同21項，合同外資金額1845萬美元，與1988年持平。其中外商直接投資19項，合同外資金額1246萬美元；外商其他投資2項，金額599萬美元。1989年實際使用外資981萬美元，其中外商直接投資882萬美元，外商其他投資99萬美元。

外商直接投資的19個項目均爲合資企業，其中生產項目17個，生活服務項目2個。按行業分：輕工6項，電子、化工各3項，冶金、飲食各2項，煤炭、機械、服裝各1項。按國別、地區分：香港16項，金額1199萬美元；美國2項，28萬美元；澳門1項，19萬美元。1989年外商投資企業產品出口創滙485萬美元，比1988年增長50.62%。

[技術進出口]

簽訂引進技術和進口設備合同23項，合同金額1516.88萬美元，比1988年349萬美元，增長3.35倍。

引進項目中：機械、紡織各5項，輕工、電子各4項，印刷、化工、電力、醫藥、建材各1項。按國別、地區分：香港8項，金額275.49萬美元；聯邦德國6項，868.49萬美元；美國4項，99.61萬美元；日本3項，190.34萬美元；瑞士1項，56.10萬美元；意大利1項，26.85萬美元。

[對外經濟合作]

1989年山西省未簽訂新的承包工程和勞務合作合同。原有合同的在建項目中，中非姆波科農業項目，於1989年11月竣工；利用世界銀行貸款的山東晏高公路項目，年底竣工；我國駐聖多美和普林西比經參處辦公樓項目，正在施工。全年完成承包工程營業額459萬美元。向民主也門、喀麥隆、伊拉克派出勞務人員97人，年底在外勞務人員153人，完成營業額73萬美元。

太原重機學院機器廠等4個工廠承擔了向亞、非11個國家的11項工程所需機電產品155台(套、件)的援助任務。

接受聯合國兒童基金會從1987年起對雁北、忻州兩地區的5縣1市共80萬美元的11個援助項目，於年底執行完畢。

[對外經貿洽談會]

1989年3月在澳門舉辦出口商品洽談會；5月在太原舉辦山西省第二屆進出口商品交易會和第四屆國際經濟技術洽談會。共接待海外客商750人次，成交1.8億美元。其中在太原舉辦的交易會和洽談會效果最好，出口成交8215萬美元；正式簽訂經濟技術合作項目45個，合同金額8846萬美元，其中利用外資24項，金額6542萬美元。

[40年經貿發展簡述]

建國後至70年代，山西省對外貿易部門主要是向專業進出口總公司和口岸公司提供出口商品貨源。1953年出口商品收購額僅爲2003萬元，1989年達到190228萬元，比1953年增長94倍。1977年開始有部分商品對外直接出口，改革、開放促進了山西省對外經貿事業的發展，1985年全面自營進出口貿易，到1989年出口額已突破4億美元，比1977年出口567萬美元增長60倍。出口商品銷往的國家和地區由幾個發展到70多個，結構也由以出口農副產品爲主變爲以工礦產品爲主，品種由最初的25種增加到400多種。

利用外資始於1984年，到1989年底止，共批准外商投資企業58個，其中生產型項目45個，外資金額1246萬美元，1986年起陸續有7家企業的產品出口。自1981年開始引進技術和進口設備，到1989年共引進215項，用滙1.6億美元。引進的項目中輕工、紡織、機械、電子行業居多，絕大部分項目獲得了較好的經濟效益。

對外經濟合作從60年代開始。山西省有40多個工廠承擔爲我國對外經援項目提供機電產品20.39萬台(套、件)；有100多個部門、企業、廠礦向我國援助的19個國家的76個援外項目派出工程技術人員1500人次。1981年以來，共向12個國家派出勞務人員1778人次，完成營業額487萬美元。承包工程從1985年簽訂第一份合同到1989年底止，共完成營業額1359萬美元。

1989年內蒙古對外經濟貿易

內蒙古自治區對外經濟貿易廳

[對外貿易]

1989年出進口總額43292萬美元，比1988年37970萬美元增長14.02%。

出口商品收購額184771萬元，比1988年148813萬元增長24.16%。

出口總額33630萬美元，比1988年29395萬美元增長14.41%。出口總額佔自治區國民生產總值的4.94%；佔全國出口總額的0.77%。

出口商品結構爲：農副產品13408萬美元，佔出口總額的39.87%；輕工業產品12521萬美元，佔37.23%；重工業產品7701萬美元，佔22.90%。與1988年相比，農副產品出口金額上升18.37%，輕工業產品上升14.73%，重工業產品上升7.63%。出口500萬美元以上的商品有17種，共19571萬美元，佔出口總額的58.20%。

出口1000萬美元以上的商品表

商品名稱	金額(萬美元)	佔出口總額%
無毛絨	3333	9.91
有色金屬	2554	7.59
羊絨	1613	4.80
黃大豆	1480	4.40
羊絨衫	1424	4.23
玉米	1300	3.87
凍牛肉	1079	3.21
地毯	1019	3.03
合計	13802	41.40

出口商品銷往59個國家和地區。出口額在200萬美元以上的國家和地區有11個。

主要出口市場情況表

國別(地區)	出口額(萬美元)	佔出口總額%
蘇聯	10748	31.96
日本	7708	22.92
香港	4927	14.65
英國	2221	6.60
意大利	1490	4.43
美國	1395	4.15
瑞士	1247	3.71
聯邦德國	626	1.86
蒙古	554	1.65
法國	328	0.98
荷蘭	241	0.72
合計	31485	93.62

進口總額9662萬美元，比1988年8575萬美元增長12.68%。其中：生產資料進口8679萬美元，佔進口總額的89.83%；生活資料983萬美元，佔10.17%。與1988年相比，生產資料進口金額上升12.93%；生活資料上升10.45%。

主要進口商品有：化肥、鋼材、木材、飼料添加劑、輕工設備、合成纖維、滌綸、電子計算機、西藥原料、羊毛、人造棉、輕工機械、紙漿、醫療器械、馬口鐵、紡織設備、電子元器件、燒碱等，共6915萬美元，佔進口總額的71.57%。

進口商品來自22個國家和地區。

主要進口市場情況表

國家(地區)	進口額(萬美元)	佔進口總額%
蘇聯	5207	53.89
日本	1386	14.34
香港	958	9.92
蒙古	564	5.84
台灣省	257	2.66
澳大利亞	250	2.59
美國	208	2.15
新西蘭	174	1.80
新加坡	125	1.29
法國	119	1.23
合計	**9248**	**95.72**

對蘇聯邊境貿易出進口總額17990萬瑞士法郎，比1988年12029萬瑞士法郎增長49.56%。其中出口9442萬瑞士法郎；進口8548萬瑞士法郎。主要出口商品有家用電器、凍牛肉、牛肉罐頭、服裝、鞋、羽絨服、水果、毛巾被、磁磚、日用百貨等；主要進口商品有木材、鋼材、飼料、化肥、農林牧機械、紙漿、皮張等。

對蒙古人民共和國的邊境貿易出進口總額1664萬瑞士法郎，比1988年1975萬瑞士法郎下降15.75%。其中出口801萬瑞士法郎；進口863萬瑞士法郎。主要出口商品有棉針織品、服裝、家用電器、化粧品、水果、蔬菜、金屬器皿等；主要進口商品有化肥、木材、駝毛、紙張、鋼、鋁、皮張等。

[利用外資]

批准簽訂利用外資合同12項，合同外資金額1850萬美元，比1988年1465萬美元增長26.28%。其中對外借款1項，金額32萬美元；外商直接投資6項，金額823萬美元；外商其他投資5項，金額995萬美元。實際利用外資467萬美元，比1988年817萬美元減少42.84%。其中對外借款32萬美元，外商直接投資24萬美元，外商其他投資411萬美元。

外商直接投資的6個項目中，合資4項，合作2項，全部爲生產型企業。涉及的行業有：金屬加工2項，紡織、木材加工、化工、金屬製品業各1項。按國別地區分：香港4項，法國1項，澳門1項。

投資者來自香港、日本、法國、澳門等國家和地區。其中香港1777萬美元，日本32萬美元，法國21萬美元，澳門20萬美元。

[技術進出口]

簽訂引進技術和進口設備合同15項，合同金額1786萬美元，比1988年826.65萬美元增長1.16倍。實際用滙655萬美元，比1988年560.47萬美元增長16.87%。引進項目來自聯邦德國、日本、意大利、香港、美國、英國、法國、台灣等國家和地區。引進的主要技術設備有彩色、黑白電視機兼容生產技術，防水捲材、捲煙、羊絨、皮革等的加工設備，電動工具製造、示波器生產技術等。

全年投產項目12項，新增產值9606萬元，利潤1651萬元，稅金546萬元，出口創滙60多萬美元，開發新產品16個。

[對外經濟合作]

簽訂承包工程和勞務合作合同23項，合同金額5474萬美元，比1988年6836萬美元減少19.92%。完成營業額478萬美元，派出勞務人員3283人，年末在外人數1956人。承包的主要項目是在蘇聯遠東地區和西伯利亞地區承包公用設施、工廠、學校、民用等建築及裝修，採伐過火林木、種植蔬菜等。

在蒙古人民共和國烏蘭巴托合資興建“滿都海”飯店，投資98萬美元。

[對外經貿洽談會]

1989年7月參加在大連舉辦的東北地區暨內蒙古出口商品交易會，出口成交3819萬美元；9月在蒙古人民共和國首都烏蘭巴托舉辦內蒙古出口商品展覽會，接待洽談貿易及參觀人數達5萬人次，出口成交500多萬瑞士法郎。

[旅遊]

1989年共接待來自72個國家和地區的旅遊、參觀、訪問以及從事各項交流活動的外國人、華僑和港澳台同胞8700人次，比1988年減少1.65萬人次，全年旅遊收入63.2萬美元，比1988年減少55.49%。

[40年經貿發展簡述]

內蒙古自治區人民政府成立於1947年，在黨的民族政策的指引下，隨着工農牧業生產的發展，對外貿易也由小到大不斷發展。1953年，出口商品收購額僅6447萬元，到1989年已增至184771萬元，比1953年增長27.66倍。1953年開始部分直接對外出口，當年出口額爲1623萬美元，1985年實行全面自營出口，到1989年出口額增至33630萬美元，比1953年增長19.72倍。36年累計出口總額達16.61億美元。出口商品結構有所改善。出口商品由初期的10幾種擴大到現在的300多種，先後形成了一批質量好，創滙高的傳統名牌骨幹商品。出口市場從最初的只對蘇聯、蒙古及東歐幾個國家發展到目前的60多個國家和地區。

對蘇聯、蒙古的邊境貿易分別從1983年和1985年開始，到1989年底，出進口貿易額累計達5.19億瑞士法郎。

利用外資從1979年起步，到1989年底，共批准簽訂利用外資合同的合同外資總額2.18億美元，實際利用外資總額1.59億美元。其中外商投資企業總數32項。

1989年遼寧對外經濟貿易

遼寧省對外經濟貿易委員會

[對外貿易]

1989年遼寧省出進口總額53.34億美元，比1988年的44.54億美元，增長19.76%。

外貿收購總額116.97億元，比1988年的94.14億元增長24.25%。

出口額44.46億美元，比1988年的38.36億美元增長15.9%，佔遼寧省國民生產總值的17.6%，佔全國出口總額的10.23%，居全國第三位。

出口商品結構：農副產品6.21億美元，佔出口總額的13.97%；輕工業產品7.80億美元，佔17.54%；重工業產品30.45億美元，佔68.49%。

出口商品銷往125個國家和地區，主要出口市場爲：日本16.03億美元，佔出口總額的36.05%；美國7.49億美元，佔16.85%；香港2.58億美元，佔5.80%。

邊境貿易出口1021萬美元，比1988年473萬美元增長1.16倍。

進口額8.86億美元，比1988年5.8億美元增長52.76%。主要進口市場爲：日本、聯邦德國、美國。

[利用外資]

批准簽訂利用外資合同553項，合同外資金額91827萬美元，比1988年的13.66億美元減少32.8%。其中，對外借款85項，金額56396萬美元；外商直接投資270項，金額29141萬美元；外商其他投資198項，金額6290萬美元。

實際利用外資3.76億美元，比1988年的3.84億美元減少2.1%。其中，對外借款2.5億美元，外商直接投資1.18億美元，外商其他投資760萬美元。投資者主要來自日本、香港、美國。

在外商直接投資的270項目中，合資企業220家，合作企業30家，外資企業20家。

1989年全省外商投資企業共完成產值16.41億元，外滙收入1.63億美元，其中，產品出口創滙1.38億美元，比1988年0.55億美元增長1.5倍。

[技術進出口]

共簽訂引進技術和進口設備合同98項，合同金額8882萬美元，比1988年的17022萬美元下降47.82%。其中，許可證貿易89萬美元，引進單機3047萬美元，生產綫5746萬美元。涉及的主要行業有冶金、化工、電子、機械、輕工、紡織等。引進項目主要來自聯邦德國、日本、香港等國家和地區。

簽訂技術及技術產品出口合同74項，合同金額7054萬美元。其中，技術軟件佔6.97%，成套設備及生產綫佔77.47%，其他佔15.56%。

[對外經濟合作]

簽訂對外承包工程和勞務合作合同119項，合同金額12417萬美元，比1988年3104萬美元增長3倍。完成營業額3976.02萬美元，比1988年的1131萬美元增長2.5倍。主要項目分佈在蘇聯、日本及中東等國家和地區。派出勞務人員達1090人，年末在外6029人。

承擔對外經援成套項目9項。繼續實施聯合國系統及雙邊援助項目23項，金額3466.5萬美元；年末完成15項，實際金額1183.5萬美元。

在國外舉辦非貿易性合資企業12家，中方投資581.45萬美元。

[對外經貿洽談會]

1989年3月在香港舉辦了"遼寧省國際經濟技術合作暨出口商品洽談會"，共接待20個國家和地區的客商達1.1萬人次，出口成交4.83億美元；12月在泰國曼谷舉辦了"中國遼寧省中外合營企業產品展銷會"，參展的有55家中外合營企業和8家技術出口企業，出口成交1607.5萬美元。

[港口運輸]

遼寧省丹東港由河港和海港兩部分組成，係水陸聯運港口，共有泊位17個。河港最大靠泊能力3000噸級，海港5000噸級。現已開通了日本、新加坡、蘇聯、荷蘭、泰國、印尼等航綫。1989年，總吞吐量388.9萬噸，進出口貨物吞吐量315.9萬噸。

營口港由營口港區和鮁魚圈港區組成。營口港區已同日本、美國、意大利、香港和澳門等30多個國家和地區有運輸往來，現有8個泊位，其中有糧食碼頭和油碼頭各1個。鮁魚圈港區現已建成一座3萬噸級的現代化程度較高的煤碳專用碼頭。1989年，營口港吞吐總量200.5萬噸，其中進出口貨物吞吐量117.8萬噸。

[旅遊]

全年接待25個國家和地區的旅遊、觀光、訪問及從事科技文化交流活動的外國人和華僑、港澳台同胞80245人次，比1988年下降26.6%。其中外國人54788人次，華僑2011人次，港澳台同胞23446人次。旅遊收入5470萬美元，比1988年下降1.3%。

[40年經貿發展簡述]

1953年外貿收購額爲20701萬元，1989年增至116.97億元，比1953年增長55.5倍。1953年直接對外出口額爲9598萬美元，1989年已發展爲44.46億美元，比1953年增長45.32倍。出口市場最初只有蘇聯、朝鮮、東歐等10幾個國家和地區，現已發展到近130個國家和地區。

利用外資從1979年起步，到1989年累計達2422項，合同外資金額39億美元，其中對外借款22.9億美元，外商直接投資8.53億美元，外商其他投資7.57億美元。共批准建立外商投資企業747家。其中，合資企業604家，合作企業115家，外資企業28家；已有325家投產開業，佔總數的43.5%。實際利用外資10.53億美元。外商投資企業實現產值16億元，創滙1.5億美元。

1979～1989年，引進技術和進口設備3189項，合同金額158734萬美元。

1982～1989年簽訂承包工程和勞務合作合同292份，合同金額3.24億美元，完成營業額16976萬美元，派出勞務人員21486人。

截至1989年底，累計承擔11個國家和地區的對外經援成套項目25項。接受聯合國系統和雙邊無償援助26項，金額4091.5萬美元，完成18項，實際使用1808.5萬美元。在18個國家和地區舉辦非貿易性投資企業30家，總投資2156萬美元，中方投資1131.9萬美元。

1989年瀋陽對外經濟貿易

瀋陽市對外經濟貿易委員會

[對外貿易]

1989年遼寧省瀋陽市出進口總額32054萬美元，比1988年22451萬美元，增長42.77%。

出口商品收購額17.1億元(其中外貿公司自營收購11.44億元)，比1988年15.2億元增長12.5%，佔瀋陽市國民生產總值192.8億元的8.87%。佔遼寧省出口商品收購總額的14.62%。

出口額20360萬美元，比1988年17371萬美元，增長17.2%。佔遼寧省出口總額的4.58%。

出口商品結構：農副產品出口4142萬美元，佔出口總額的20.34%；輕工產品9363萬美元，佔45.99%；重工業品6855萬美元，佔33.67%。初級產品出口4348萬美元，佔出口總額的21.36%；工業製成品16012萬美元，佔78.64%。出口300萬美元以上的商品有豆粕、汽車、維生素C、車牀、浴巾、焊縫管、色布、坯布、啤酒等9種，合計5462萬美元，佔出口總額的26.83%。

出口商品銷往香港、蘇聯、美國、日本、聯邦德國等81個國家和地區。

主要出口市場表

國家(地區)	出口額(萬美元)	佔出口總額%
香港	4489	22.05
蘇聯	3234	15.88
美國	2477	12.17
日本	2170	10.66
聯邦德國	813	3.99
泰國	720	3.54
新加坡	475	2.33
英國	410	2.01
荷蘭	347	1.70
澳大利亞	276	1.36
合計	15411	75.69

進口額11694萬美元，比1988年5080萬美元，增長1.3倍。其中生產資料進口11332萬美元，佔進口總額的96.9%；生活資料362萬美元，佔3.1%。初級產品進口494萬美元，佔進口總額的4.22%；工業製成品11200萬美元，佔95.78%。進口400萬美元以上的商品有羊毛、紡織服裝輔料、彩色電視機散件、農林牧機械、西藥原料、壓縮機、計算機附屬設備等。

進口商品來自香港、日本、澳大利亞、美國、蘇聯等26個國家和地區。

主要進口市場表

國家(地區)	進口額(萬美元)	佔進口總額%
香港	3464	29.62
澳大利亞	2510	21.46
日本	2093	17.90
美國	805	6.88
荷蘭	526	4.50
蘇聯	465	3.98
意大利	420	3.60
聯邦德國	409	3.50
瑞士	344	2.94
新加坡	280	2.39
合計	11316	96.77

[利用外資]

批准簽訂利用外資合同53項，合同外資金額4172萬美元，比1988年8388萬美元下降50.26%。其中對外借款2項，金額317萬美元；外商直接投資50項，外資金額3627萬美元；外商其他投資1項，金額228萬美元。

實際利用外資2924萬美元，比1988年4240萬美元，下降31.04%，其中對外借款317萬美元，外商直接投資2486萬美元，外商其他投資121萬美元。

外商直接投資的50個項目中，合資企業46個，金額3371萬美元；合作企業2個，225萬美元；外資企業2項，31萬美元。屬於生產型47項，非生產型3項。其中輕工業16項，機電業13項，紡織和服裝業10項，醫療衛生5項，建築業2項，化工業2項，食品業2項。

外商投資的國家(地區)一覽表

國家(地區)	項目數	合同外資額(萬美元)	佔合同外資總額%
香　港	32	2565.5	70.73
日　本	7	502.7	13.86
美　國	3	227.1	6.26
台灣省	3	149.3	4.12
南朝鮮	2	110	3.03
澳大利亞	1	25.6	0.71
新加坡	1	23.5	0.65
意大利	1	23.3	0.64
合　計	50	3627	100

1989年，已開業的70家外商投資企業實現產值3億元，出口額1000萬美元。

[技術進出口]

簽訂引進技術和進口設備合同63項，合同金額1659.77萬美元，比1988年1804萬美元，下降8%。引進項目按國家和地區分：香港30項，美國11項，日本、聯邦德國各4項，意大利3項，芬蘭、瑞典、奥地利、瑞士各2項，英國、法國、比利時各1項。引進項目涉及機械、電子、輕工、紡織、食品、醫療衞生、環境保護等行業。技術出口9萬美元。

[對外經濟合作]

簽訂承包工程和勞務合作合同28項，金額4570萬美元，比1988年的2260萬美元，增長1倍，營業額1795萬美元。當年派出勞務人員2151人，年末在國外924人。分佈在蘇聯、美國、巴基斯坦、巴拿馬、突尼斯、利比亞等21個國家和地區。

承坦援外工程2項。項目有援助布基納法索建設2棟辦公樓，援助多哥建設卡拉醫院。當年派出援外人員17人，年末在國外37人。

當年批准在贊比亞、毛里求斯、科威特舉辦合資企業3項，投資93萬美元。

[對外經貿洽談會]

參加了1989年2月在香港舉辦的遼寧省對外經濟技術合作洽談會，以及7月在大連舉辦的東北地區暨內蒙古出口交易會。參加洽談會的有香港、日本、新加坡、泰國、美國等25個國家和地區的2000名客商。瀋陽市共出口成交4200萬美元。

[旅遊]

全年接待來自74個國家和地區的旅遊、觀光、訪問、洽談貿易及從事科技文化交流活動的外國人、華僑、港澳台同胞26000人，比1988年減少21.2%，旅遊收入4870萬元外滙人民幣，比1988年減少6.36%。

[40年經貿發展簡述]

建國40年來，瀋陽市的對外經濟貿易有了很大的發展。1962年瀋陽市成立了外貿公司，當年出口商品收購額5800萬元，出口商品品種150個，出口商品中農副產品佔80%以上。經過28年的發展，1989年出口商品收購額達17.1億元，是1962年的29倍。出口商品品種超過600個，出口商品結構發生了很大變化，工業製成品佔80%。1985年瀋陽市開始自營進出口，當年出口額2059萬美元，1989年出口額20360萬美元，是1985年的10倍，商品銷往香港、日本、美國、蘇聯等81個國家和地區。

1981～1989年，共簽訂利用外資合同207項，合同外資金額35207萬美元，實際利用外資20946萬美元。批准的外資企業99家，開業的70家。1979～1989年，簽訂引進技術和設備合同955項，金額38978萬美元。

1989年大連對外經濟貿易

大連市對外經濟貿易委員會

[對外貿易]

遼寧省大連市1989年出進口額81738萬美元，比1988年的50841萬美元增長60.77%。

外貿收購額289098萬元，比1988年217459萬元增長32.94%。

自營出口額56417萬美元，比1988年41577萬美元增長35.7%。佔全市國民生產總值的16%。佔遼寧省出口總額的12.69%。

出口商品結構：農副產品19903萬美元，佔出口總額的35.3%；輕工業產品13319萬美元，佔23.6%；重工業產品23195萬美元，佔41.1%。農副產品所佔比重比1988年下降8.5個百分點，輕工業產品、重工業產品分別上升1個和7.5個百分點。初級產品出口21721萬美元，佔出口總額的38.5%；工業製成品34696萬美元，佔61.5%。

出口額在1000萬美元以上的商品有：冰鮮魚、凍蝦、赤貝肉、豆粕、棉滌綸布、服裝、鋼材、成品油、石臘、微電機等10種，出口額24589萬美元，佔出口總額的43.5%。出口額500～1000萬美元的商品有11種，金額8850萬美元，佔出口總額的15%。

出口商品銷往74個國家和地區。主要出口市場是：日本17940.6萬美元，佔出口總額的31.8%；港澳地區12129.6萬美元，佔21.5%；中東和東南亞國家11734.7萬美元，佔20.8%；蘇聯和東歐國家5246.8萬美元，佔9.3%；南美國家1410.4萬美元，佔2.5%；美國3949.2萬美元，佔7%；西歐國家3780萬美元，佔6.7%。

進口額25321萬美元，比1988年9264萬美元增長1.73倍。主要進口商品有成套設備、電工器材、輕工機械、電子計算機、鋼材、化肥、農藥等。

進口商品主要來自香港、日本、聯邦德國、英國、法國、美國等32個國家和地區。

[利用外資]

批准簽訂利用外資合同243項，合同外資金額38886萬美元，比1988年25433萬美元增長52.9%。其中：對外借款29項，金額16319萬美元；外商直接投資144項，合同外資金額20914萬美元；外商其他投資70項，金額1653萬美元。

實際利用外資16043萬美元，比1988年21346萬美元減少24.84%。其中對外借款9340萬美元，外商直接投資6637萬美元，外商其他投資66萬美元。

外商直接投資的144個項目中，合資企業111個，合作企業22個，外資企業11個。其中生產型項目138項，非生產項目6項。投資者主要來自日本和港澳地區。

截至1989年底，共批准外商投資企業364家，已開業或投產的有197家，1989年實現產值(含營業額)9億元，外滙收入1.1億美元，出口創滙9600萬美元，佔全市出口總額的17%。

[經濟技術開發區]

經過5年的建設，開發區基礎設施已完善配套，1989年區內新辦外商投資企業53家，合同外資金額10199萬美元。其中投資額在2000萬美元以上的有4家，絕大多數企業70%以上的產品外銷或可替代進口。全區工業產值46700萬元，創滙4200萬美元，比1988年增長4倍。

[技術進出口]

簽訂引進技術和進口設備合同59項，合同金額19977萬美元，比1988年2771萬美元增長6.2倍。引進的項目主要來自日本、瑞典、聯邦德國、美國等10多個國家，主要有程控電話、機械加工設備、技術軟件等。

簽訂技術出口合同31項，合同金額1389萬美元，比1988年484萬美元增長1.8倍。技術出口以電子、機械行業爲主。

[對外經濟合作]

簽訂對外承包工程和勞務合作合同70項，合同金額1587萬美元，比1988年1680萬美元略有下降；營業額833.7萬美元，比1988年515萬美元增長61.88%。派出各類勞務人員1408人，年末在國外

1709人。7項對外承包工程中有6項是與蘇聯簽訂的。

在海外興辦企業2家。項目有在澳大利亞合資興辦的金龍餐飲有限公司，在加拿大合資興辦的大東實業有限公司。累計在海外興辦企業7家，中方投資400萬美元。

[對外經貿洽談會]

參加了1989年7月在大連舉辦的第三屆東北地區暨內蒙古出口商品交易會，到會客商來自36個國家和地區，共1982人。出口成交49430萬美元，其中大連市成交12526萬美元。簽訂合資、合作、"三來一補"項目37項，合同外資金額達2150萬美元，其中大連市爲32項，1920萬美元。

[港口運輸]

1989年大連港貨物吞吐量5092萬噸，比1988年4853萬噸增長4.9％；其中外貿進出口吞吐量3456萬噸，佔總吞吐量的67.9％。其中出口2595萬噸，進口862萬噸。

[旅遊]

全年接待80多個國家和地區的外商、華僑、港澳台同胞和國際海員9萬人次，比1988年增長38.46％，旅遊收入1.09億元外滙人民幣，比1988年1.07億元略有增加。

[40年經貿發展簡述]

大連市的對外貿易在建國後的很長一段時間裏主要是爲外貿提供出口貨源，據統計記載，1958年出口商品收購額24762萬元，1989年增至289098萬元，比1958年增長10.7倍。1985年開始自營出口，當年出口額7860萬美元，1989年出口額擴大到5.6億美元，比1985年增長6倍。現已與74個國家和地區有經貿業務往來。

1979年開始利用外資，截至1989年底共批准簽訂利用外資合同779項，合同外資金額11.8億美元，實際利用外資7億美元。興辦外商投資企業364家，合同外資金額5億美元，實際投入外資2億美元。

共簽訂引進技術和進口設備合同967項，金額6.1億美元。已有80％的項目竣工投產。

共簽訂對外承包工程和勞務合作合同176項，合同金額4078萬美元，營業額1908萬美元，派出各類勞務人員4314人，在海外共興辦企業7家，中方投資400萬美元。

1989年吉林對外經濟貿易

吉林省對外經濟貿易委員會

[對外貿易]

1989年，吉林省出進口總額93150萬美元，比1988年70766萬美元增長31.63％。

出口商品收購總額29.62億元，比1988年21.36億元增長38.67％，佔全省國民生產總值的8.1％。

出口總額67138萬美元，比1988年53214萬美元增長26.2％。出口商品以農副產品爲主，佔出口總額的65.5％；工礦產品佔34.5％。

出口500萬美元以上的商品有玉米、豆粕、凍牛肉、人參、服裝、大豆、牛肉罐頭、木材、棉紗、染料、矽錳合金等。

出口市場發生新的變化，對日本、蘇聯、香港、美國、新加坡、聯邦德國的出口額比1988年有較大幅度增長。出口額在500萬美元以上的市場有12個。

出口額500萬美元以上的市場情況表

金額單位：萬美元

國家與地區	1989年出口額	1988年出口額	1989年比1988年增減%
日　本	20769	18432	＋12.7
蘇　聯	15790	11967	＋31.9
香　港	14344	8618	＋66.4
朝　鮮	3451	3202	＋7.8
美　國	2163	1084	＋99.5
新加坡	2046	1021	＋100.4
民主德國	870		
泰　國	719	928	－22.5
古　巴	665		
聯邦德國	643	551	＋16.7
馬來西亞	642		
荷　蘭	604		
英　國	513	683	－24.9

進口總額26012萬美元，比1988年17552萬美元增長48.2%。進口商品以生產資料爲主。

進口額500萬美元以上的市場情况表

金額單位：萬美元

國家與地區	1989年進口額	1988年進口額	1989年比1988年增減%
民主德國	4866		
日　本	3403	4198	－18.9
朝　鮮	3214	2882	＋11.5
美　國	2862	576	＋396.9
香　港	2602	841	＋209.4
蘇　聯	933	351	＋165.8
阿根廷	554		

1989年，吉林省對朝鮮、蘇聯邊境易貨貿易進出口總額31077萬瑞士法郎，比1988年17005萬瑞士法郎增長82.75%。其中對朝鮮進口11681萬瑞士法郎，比1988年增長47.38%，出口11175萬瑞士法郎，增長41.99%；對蘇聯進口2233萬瑞士法郎，比1988年增長2.25倍；出口5988萬瑞士法郎，增長11.4倍。

[利用外資]

批准簽訂利用外資合同81項，合同外資金額10458萬美元，比1988年7682萬美元增長36.1%。其中，對外借款16項，金額6260萬美元；外商直接投資44項，合同外資金額2262萬美元；外商其他投資21項，金額1936萬美元。實際利用外資3608萬美元。其中對外借款2545萬美元，外商直接投資335萬美元，外商其他投資728萬美元。

在外商直接投資的44個項目中，合資企業34個，外資金額1921萬美元；合作企業10個，外資金額341萬美元。

[技術進出口]

簽訂引進技術和進口設備合同70項，合同金額4699.6萬美元，比1988年10869萬美元減少57.8%。引進項目涉及機械、化工、冶金、造紙等行業。簽訂技術出口合同8項，合同金額165萬美元，比1988年73萬美元增長1.3倍。

[對外經濟合作]

簽訂承包工程和勞務合作合同58項，合同金額1900萬美元，比1988年1549萬美元增長22.66%；營業額1400萬美元，比1988年1130萬美元增長23.89%。1989年實施的承包項目有2項，分佈在蘇聯、日本。派出勞務人員1313人，年末在外867人，分佈在阿根廷、聯邦德國、日本、美國、西班牙等17個國家和地區。

接受聯合國系統、歐洲共同體和加拿大、聯邦德國的多邊、雙邊援助項目12項，金額430萬美元。

在海外興辦企業8家，中方投資319萬美元。

[對外經貿洽談會]

1989年1月在新加坡舉辦吉林省出口商品展銷會，到會客商5100多人次，成交2058萬美元。簽訂5項經濟技術合作合同，成交金額391萬美元。

[旅遊]

全年接待旅遊、參觀、探親、訪問及從事經濟、科技、文化交流活動的外國人、華僑和港澳台同胞2.53萬人，比1988年下降40.1%。全年旅遊收入334.9萬美元，比1988年下降11.9%。

[40年經貿發展簡述]

吉林省對外貿易始於1950年，主要業務是向外地口岸提供出口貨源，當年出口商品收購總額6673萬元，1989年增至29.62億元，比1950年增長43.39倍。1975年開始向港澳地區直接出口，當年出口額僅爲219萬美元，1980年全面自營出口以來，對外貿易發展較快，1989年出口額已擴大到67138萬美元，比1975年增長305.57倍。出口商品由最初的13種發展爲目前的534種。出口市場由過去僅對蘇聯、東歐、港澳地區，擴大到現在的135個國家和地區。

1979年改革開放後，吉林省對外經濟合作事業迅速發展。截至1989年底，累計簽訂利用外資合同243項，合同外資金額2.32億美元，興辦中外合資、合作和外資企業69家；簽訂引進技術和進口設備合同738項，合同金額5.56億美元；簽訂對外承包工程和勞務合作合同66項，合同金額7124萬美元，營業額5557萬美元；接受聯合國系統和雙邊多邊援助26項，金額5732萬美元；在泰國、菲律賓、美國、香港等地舉辦海外企業19家，總投資1763萬美元，中方投資佔51.3%。

1989年黑龍江對外經濟貿易

黑龍江省對外經濟貿易廳

[對外貿易]

1989年黑龍江省出進口總額141273萬美元，比1988年123992萬美元增長13.94%。

出口商品收購額630129萬元，比1988年的568624萬元增長10.82%，佔全省國民生產總值的11.39%。

出口額102732萬美元，比1988年93735萬美元增長9.60%，佔全國出口總額2.36%，居全國第十一位。

出口商品結構爲：農副產品55969萬美元，佔出口總額的54.5%；輕紡產品29123萬美元，佔28.3%；重工業產品17640萬美元，佔17.2%。

出口額在1000萬美元以上的商品有大豆、玉米、凍牛肉、牛肉罐頭、豆粕、甜菜粕、棉滌綸紗、亞蔴細布、服裝、煤炭、輪胎等11種，出口額51933萬美元，佔出口總額的50.55%。出口額在

500～1000萬美元的商品有高粱、豆餅碎、鬃尾、羽絨服裝、木材、衞生筷子、滌黏混紡布、棉滌綸布、抽紗、棉針織品、棉織品、棉布、毛毯、鱗片石墨、石蠟、水輪發電機組、工業軸承、鋼材、工具等19種；出口額13639萬美元，佔出口總額的13.27%。

出口商品銷往84個國家和地區。出口額在1000萬美元以上的國家和地區有香港、日本、朝鮮、菲律賓、馬來西亞、新加坡、印度尼西亞、蘇聯、波蘭、聯邦德國、美國，出口額91020萬美元，佔出口總額的88.6%。其中：蘇聯36542萬美元，佔出口總額的35.57%；香港16861萬美元，佔16.41%；日本16006萬美元，佔15.58%；朝鮮5573萬美元，佔5.42%。

進口額38541萬美元，比1988年30257萬美元增長27.37%。進口商品中生產資料32862萬美元，佔進口額的85.26%；生活資料5679萬美元，佔14.74%。主要進口商品有機器設備、工業原料、農用物資等。進口商品來自32個國家和地區，進口額在500萬美元以上的國家和地區有香港、朝鮮、日本、蘇聯、聯邦德國、意大利、美國，進口額26449萬美元，佔進口總額的68.63%。其中：蘇聯14730萬美元，日本5365萬美元，香港2855萬美元。

全年對蘇邊境貿易進出口過貨總額達5.70億瑞士法郎，比1988年1.96億瑞士法郎增長1.9倍。其中：進口23403萬瑞士法郎，比1988年8316萬瑞士法郎增長1.8倍；出口33644萬瑞士法郎，比1988年11298萬瑞士法郎增長近2倍。主要進口商品有：鋼材、水泥、化肥、電冰箱、凍明太魚、原木等。主要出口商品有：水果、飲料、服裝、工藝品、音響器材、機械設備等。簽訂易貨項下的經濟技術合作合同141項，金額2.26億瑞士法郎。實際完成52項，金額2632萬瑞士法郎。其中：蔬菜種植18項，工程建築15項，"三來一補"11項，其他8項。派出勞務人員1.3萬人次，比1988年增長9倍。合作的方式靈活多樣，合作的技術程度越來越高，從簡單的勞務輸出發展到技術合作。有些項目受到蘇方的好評，如承建的烏蘇里斯克保溫車輛廠的建築、裝修工程，獲得列寧榮譽證書和獎金。

[利用外資]

批准簽訂利用外資合同88項，合同外資金額12433萬美元，比1988年12563萬美元下降1%。其中：對外借款2項，金額3504萬美元；外商直接投資60項，合同外資金額4723萬美元；外商其他投資26項，金額4206萬美元。實際利用外資7677萬美元，其中：對外借款1941萬美元，外商直接投資2241萬美元，外商其他投資3495萬美元。

外商直接投資的60個項目中，合資企業52個，外資金額4425萬美元；合作企業1個，16萬美元；外資企業7個，282萬美元。外商直接投資重點是大中型骨幹企業、老企業的技術改造和興辦技術先進型、出口創滙型企業，分别佔外商直接投資項目和總額的75%和82%。全年外商投資企業出口創滙1450萬美元。

[技術進出口]

簽訂技術出口合同5項，金額638萬美元。主要項目有向美國出口數控機牀計算機設計與調試，向蘇聯出口高强度彩色琉璃瓦生產技術等。

[對外經濟合作]

黑龍江省在蘇聯、孟加拉承包工程11項，合同金額2495萬美元；與蘇聯及利比亞開展勞務合作7項，合同金額1598萬美元；派出工程技術和勞務人員749人。與蘇聯、羅馬尼亞、波蘭、南斯拉夫開展經濟技術合作項目5項，金額427萬美元。

在加拿大、法國、澳大利亞、美國興辦海外企業6家，中方投資714萬美元。

[對外經貿洽談會]

1989年1月在哈爾濱市舉辦黑龍江省出口商品暨經濟技術合作洽談會，來自21個國家和地區的客商997人參加洽談，現滙貿易成交額5220萬美元；簽訂經濟技術合作項目13項，合同外資金額2136萬美元；對蘇邊境貿易成交額9950萬瑞士法郎；對蘇易貨項下的經濟技術合作項目14項，金額5006萬瑞士法郎。

[40年經貿發展簡述]

黑龍江省於1953年開展對外貿易業務。當年出口商品收購額爲1.18億元，1989年已增至63億元，比1953年增長52倍。50～60年代主要是對蘇聯及東歐等社會主義國家進行易貨貿易；1971年開始對港澳地區直接出口，並逐步開闢同日本、美國、加拿大、英國、法國等國家的現滙貿易，當年出口額僅3000萬美元；1981年全面自營出口，對外經濟貿易進入蓬勃發展的新階段，出口額爲1.34億美元；到1989年出口額已發展爲10.27億美元，比1971年增長33倍。37年共出口創滙60.6億美元，年平均遞增8.16%。出口商品結構也有較大變化，1953年農副產品佔87.1%，輕紡產品佔11.2%，重工業產品佔1.7%；1989年農副產品佔54.5%，輕紡產品佔28.3%，重工業產品佔17.2%。出口市場由最初的僅蘇聯、東歐、香港等地區，擴大到目前的五大洲86個國家和地區。

1979～1989年黑龍江省批准利用外資項目397項，合同外資金額61202萬美元。其中：對外借款30項，金額25100萬美元；外商直接投資199項，合同外資金額21019萬美元；外商其他投資168項，金額15082萬美元。全省利用外資項目中生產型企業佔80%，其中出口創滙型和技術先進型企業佔20%。

1989年哈爾濱對外經濟貿易

哈爾濱市對外經濟貿易委員會

[對外貿易]

1989年黑龍江省哈爾濱市出進口總額23142萬美元，比1988年17572萬美元增長31.7%。

出口商品收購額87660萬元，比1988年76014萬元增長15.3%，佔全市工農業總產值的4.5%。

出口總額18060萬美元，比1988年15057萬美元增長19.9%，佔黑龍江省出口總額的17.6%。

出口商品結構：農副產品3179萬美元，佔出口總額的17.6%；輕紡產品8940萬美元，佔49.5%；重工業產品5941萬美元，佔32.9%。

出口額在100萬美元以上的產品有凍牛肉、豆粕、羽絨服裝、木材、中成藥、棉紗、棉坯布、亞蔴細布、純毛毛毯、服裝、抽紗原料、鞋、鉛筆、收錄機、鋼材、水泥、鐵路車輛零件、蓄電池、工業軸承、工具、鐵合金等39種，出口額11380萬美元，佔出口總額的63%。

出口商品銷往66個國家和地區，主要市場是蘇聯5304萬美元，佔出口總額的29.4%；香港5233萬美元，佔29%；日本1525萬美元，佔8.4%；美國1071萬美元，佔5.9%。合計13133萬美元，佔出口總額的72.7%。

進口到貨5082萬美元，比1988年2515萬美元增長1倍。進口主要商品有鋼材、成套設備、西藥、汽車零件、膠合板、化工原料、醫療器械。進口主要市場爲香港、聯邦德國、日本、新加坡、意大利，共佔進口總額的69.8%。

簽訂對蘇聯和東歐國家地方易貨貿易進出口合同4億瑞士法郎。進出口過貨總額13631萬瑞士法郎，比1988年增長1.5倍。其中，出口7170萬瑞士法郎，進口6461萬瑞士法郎。出口商品主要有土豆、凍牛肉、水果、羽絨製品、汽壓水瓶、收錄機、罐頭、糖果、飼料、畜產品、棉毛針織品、工藝品等。進口商品中，鋼材、水泥、化肥、木材佔65%。同蘇聯15個加盟共和國52個城市建立了經濟貿易關係。

[利用外資]

批准簽訂利用外資合同28項，合同外資金額4054萬美元，比1988年3033.59萬美元增長

33.6%。其中，對外借款6項，金額2658萬美元，外商直接投資19項，合同外資金額558萬美元，外商其他投資3項，金額838萬美元。實際利用外資3687萬美元，比1988年1351萬美元增長1.7倍。

在外商直接投資項目中，合營企業14項，外資金額339萬美元；外資企業5項，金額219萬美元。外商投資來自香港、美國、加拿大、澳大利亞、英國、蘇聯、台灣省等國家和地區。

到1989年底，全市已有32家外商投資企業投產，當年生產總值14609萬元，出口創滙245萬美元。

[技術進出口]

簽訂引進技術和進口設備合同40項，合同金額778.1萬美元，比1988年1385萬美元減少43.82%。引進項目主要來自日本、美國。

[對外經濟合作]

簽訂承包工程和勞務合作合同18項，合同金額2959.6萬美元。派出勞務人員2061人次。主要項目在蘇聯、美國、巴基斯坦、佛得角等地。

批准在海外辦企業6個，合同金額865萬美元。

[旅遊]

全年接待海外遊客25814人次，旅遊收入1882萬元外滙人民幣，比1988年減少24.6%。

[40年經貿發展簡述]

哈爾濱市對外貿易在50年代由黑龍江省統一管理，對蘇聯和東歐貿易比較活躍，主要業務是提供出口貨源。1960年成立了自己的外貿機構，當年出口商品收購額爲12367萬元，1989年增至87660萬元，比1960年增長6倍。1986年開始全面自營出口，出口額爲5218萬美元，1989年擴大爲18060萬美元，比1986年增長2.5倍。出口創滙超過百萬美元的商品由10個發展到39個，出口商品達415種，銷往91個國家和地區。

1986年開始利用外資，截至1989年底，累計簽訂利用外資合同66項，合同外資金額9847.64萬美元。興辦外商投資企業42家，其中：合資企業32家，合作企業、外資企業各5家。簽訂承包工程和勞務合作合同10項，合同金額2138萬美元，完成營業額1250萬美元，派出勞務人員3192人次。爲20多個國家的對外經援項目提供機電設備。在海外辦企業13個，中方投資670.7萬美元。

1989年上海對外經濟貿易

上海市對外經濟貿易委員會

[對外貿易]

1989年上海市出進口總額78.48億美元，比1988年的72.45億美元增長8.32%。

出口商品收購總額172.30億元，比1988年的156.28億元增長10.25%。

1989年上海口岸的出口總額達50.32億美元，比1988年的46.05億美元增長9.27%，佔全市國民生產總值的27.06%，佔全國出口總額的11.6%，居全國第二位。

出口商品結構：農副產品7.5億美元，佔出口總額的14.91%；輕紡產品31.13億美元，佔61.86%；重工業產品11.69億美元，佔23.23%。與1988年相比，重工業產品比重提高1.45個百分點；農副產品、輕紡產品比重分別下降1.42個和0.03個百分點。

出口額在1000萬美元以上的商品有50種，合計出口15.87億美元，佔出口總額的30.54%。其中，出口額在5000萬美元以上的商品有：棉布(18694萬美元)、棉滌綸布(11738萬美元)、棉汗衫背心(6916萬美元)、鋼材(5320萬美元)。

出口商品銷往170個國家和地區。出口市場居前10位的國家和地區如下表：

國別(地區)	出口額(萬美元)	佔出口總額%
香港	89119.8	17.71
日本	75988	15.10
美國	63163	12.55
聯邦德國	19957.9	3.97
新加坡	16074.9	3.20
意大利	14740.68	2.93
蘇聯	14645.9	2.91
英國	11314	2.25
澳大利亞	11034.75	2.19
加拿大	9441.86	1.88

進口總額爲28.16億美元，比1988年的26.4億美元增長6.67%。其中生產資料27.03億美元，佔進口總額的95.99%，比1988年增加2.89個百分點；生活資料1.13億美元，佔4.01%，減少2.89個百分點。

進口額在1000萬美元以上的商品有15種，合計進口16.32億美元，佔進口總額的57.95%。其中進口額在5000萬美元以上的商品有：鋼材(35248萬美元)、化工原料(33510萬美元)、棉花及棉紗(14378萬美元)、織物(14191萬美元)、成套設備和技術引進(13043萬美元)、有色金屬(11957萬美元)、合成纖維(8405萬美元)、羊毛(7647萬美元)、計算機(7240萬美元)。

進口商品來自44個國家和地區。最多的是香港68374.5萬美元，佔進口總額的24.29%；其次爲日本 63619.78 萬美元，佔 22.59%；聯邦德國49616.78萬美元，佔17.61%；美國39435萬美元，佔13.99%。

[利用外資]

1989年批准利用外資合同326項，合同外資金額12.02億美元，比1988年的10.56億美元增長13.83%。

利用外資情况表

金額單位：萬美元

項目	1988年 合同數	1988年 合同外資金額	1988年 實際利用外資	1989年 合同數	1989年 合同外資金額	1989年 實際利用外資
合計	328	105604.5	130229	326	120179.7	116908.7
對外借款	21	70400	93813	52	82534	74697
商業貸款	15	45800	58970	46	64251	67227
出口貸款	2	652	477	4	3154	3690
債券	2	21800	21812			
其他	2	2148	12554	2	15099	3780
外商直接投資	219	33459.1	36416	199	35974.6	42211.7
合資	205	21566.8	16243	175	18590.9	32752.2
合作	14	11892.3	20047	15	2628.7	9459.5
外資			126	9	14755	
外商其他投資	88	1745.4		75	1671.1	

在外商直接投資的199個項目中，工業生產型項目174個，合同外資金額1.83億美元，分別佔外商直接投資項目總數和金額的87.44%、50.83%。

截至1989年底，已批准建立的709家外商投資企業中，合資企業583家，合同外資金額12.44億美元；合作企業114家，合同外資金額11.12億美元；外資企業12家，合同外資金額1.52億美元。外商投資企業主要分佈在8個行業，其中工業項目528

個；房產、公用事業、諮詢項目102個，建築項目21個。其他是商業飲食、農林水利、交通郵電和衛生體育等項目。

外商直接投資來自21個國家和地區。投資項目和金額最多的是香港361項(6.62億美元)，日本96項(3.83億美元)，美國90項(6.27億美元)。

到1989年底爲止，全市已有243家外商投資企業開業，佔已批准數的34.27%，出口創滙1.89億美元。

[經濟技術開發區]

1989年，經濟技術開發區的建設取得了明顯的進展，利用外資不斷增加，各種配套設施逐步完善，經濟效益成倍提高。

經濟技術開發區情況表

開發區	外商投資企業數(個)	利用外資(億美元)	創 滙(億美元)
閔行經濟技術開發區	61	1.45	0.49
漕河涇經濟技術開發區	17	1.05	0.36
虹橋經濟技術開發區	9	3.42	0.54

[技術進出口]

簽訂引進技術和進口關鍵設備合同238項，合同金額2.61億美元，分別比1988年增長78.95%和9.66%。

引進項目按金額計算，美國佔24.2%，聯邦德國佔21.2%，意大利佔12.8%，日本佔11.1%，澳大利亞佔6.8%。

引進項目主要分佈在冶金、有色金屬、化工等原材料工業，和機械、電子、汽車、輕工、食品、紡織等行業。

1983～1989年，共對外成交1439項技術引進合同，總金額16.31億美元，已經投產的1070項，其中1989年竣工投產的有126項，當年新增產值6.27億元。

1989年簽訂技術出口合同32項，合同金額2.34億美元。

[對外經濟合作]

簽訂對外承包工程和勞務合作合同40項，合同金額7194萬美元，分別比1988年下降46.67%和33.54%。完成營業額6139萬美元，比1988年增長86.25%。派出勞務人員2028人，比1988年減少36.88%，分佈在45個國家和地區。年末在外人員3103人。

全年承擔對外援助項目10個，主要有：埃塞俄比亞的縫紉綫廠，埃及的國際會議中心等。接受各種國際經濟援助45項，總金額3932.3萬美元。

1989年在海外舉辦企業5項，投資金額281.05萬美元。有阿聯酋飛馬實業有限公司，泰國中發機電工程有限公司，哥斯達黎加華美醫用保健用品有限公司，馬來西亞申馬鞋業有限公司和澳門集美搪瓷不銹鋼廠。

[對外經貿洽談會]

1989年3月舉辦的第七屆上海對外貿易洽談會，成交金額26525萬美元，到會外商2579人。

1989年，在海外共舉辦9次經貿洽談展銷會，合計成交20553萬美元。

[港口運輸]

上海港全年吞吐量爲14604萬噸，比1988年的13300萬噸增長9.80%。進出口貨物吞吐量爲2586萬噸，其中出口557萬噸，進口2029萬噸。全年集裝箱運輸量爲354000個國際標準集裝箱。

截至1989年底，上海港擁有泊位113個。其中，萬噸以上泊位55個，集裝箱泊位4個，客運泊位15個。碼頭裝運已全部實現機械化。

[旅遊]

1989年共接待來自154個國家和地區的旅遊、參觀、訪問及從事各項交流活動的海外人士65.58萬人次，比1988年下降28.44%，其中台灣同胞15.87萬人次。全年旅遊收入8.29億元外滙人民幣，比1988年減少21.50%。

[40年經貿發展簡述]

建國40年來，上海的對外經濟貿易有了很大發展。外貿出口額從1949年的0.82億美元，擴大爲1989年的50.32億美元，比建國初期增長60.37倍。40年累計出口總額712.77億美元，年均遞增10.84%。出口商品收購額據1953年統計僅爲5.13億元，1989年已達172.30億元，比1953年增長32.59倍。出口商品從建國初期以農副產品爲主，發展爲以輕紡工業和重工業產品爲主，高技術產品、技術貿易爲輔的結構。1953年，出口商品中農、輕、重的比重爲71.5：27.7：0.8，1989年爲14.9：61.9：23.2。出口佔國民生產總值的比重從1953年的12.29%上升爲1989年的27.06%。出口市場遍佈世界170個國家和地區。

改革、開放以來，上海利用外資從無到有，規模不斷擴大。到1989年底，上海共批准各類利用外資項目1351項，合同外資金額56.26億美元，實際利用外資36.73億美元。其中，對外借款155項，金額29.16億美元，實際利用24.06億美元；外商直接投資709項，合同外資金額25.08億美元，實際投入12.03億美元；外商其他投資487項，合同外資金額2.02億美元。10年來，先後建立了閔行、虹橋和漕河涇3個經濟技術開發區。

自1955年以來，上海共承擔對外經濟援助項目353項，涉及45個國家和地區。從1984年起開展了對外承包和勞務合作業務，到1989年底，共簽訂對外承包工程和勞務合作合同269項，合同金額3.39億美元。完成營業額13549萬美元。派出勞務人員6065人次。在海外興辦企業53個，共投資2787.94萬美元。

1989年江蘇對外經濟貿易

江蘇省對外經濟貿易委員會

[對外貿易]

1989年江蘇省出進口總額33.07億美元，比1988年31.65億美元增長4.49%。

外貿收購總額87.85億元，比1988年86.08億元增長2.07%。

出口總額244111萬美元，比1988年234987萬美元增長3.88%，佔全省國民生產總值的8.86%；佔全國出口總額的5.62%，居全國第五位。

出口商品結構：農副產品出口18537萬美元，佔出口總額的7.60%；輕工業產品(包括紡織品)176940萬美元，佔72.48%；重工業產品48634萬美元，佔19.92%。

出口額在500萬美元以上的有96個商品，計159280萬美元，佔出口總額的65.25%。其中：出口額在500～1000萬美元的商品有53種，計37249萬美元，佔出口總額的15.26%；1000～3000萬美元的商品有36種，計60020萬美元，佔24.59%；3000萬美元以上的商品有綢緞、棉布、成品油、棉滌綸布、桑蠶絲、工具、布睡衣套等7個，計62001萬美元，佔25.40%。

出口商品銷往139個國家和地區。對日本的出口額比1988年增長17.61%，居第一位；對新加坡、蘇聯、美國、澳大利亞的出口額分別比1988年增長56.90%、27.33%、22.20%、17.60%；對香港、澳門的出口額分別下降3.70%和33.80%。

主要出口市場情況表

國別(地區)	出口額(萬美元)	佔出口總額 %
日本	54895	22.49
港澳	51807	21.22
歐洲共同體	37126	15.21
美國、加拿大	33255	13.62
東歐五國	11538	4.73
蘇聯	8339	3.42
新加坡	7740	3.17
澳大利亞	3779	1.55
合計	208479	85.40

進口總額86563萬美元，比1988年81511萬美元增長6.20%。其中生產資料進口86090萬美元，佔進口總額的99.45%；生活資料473萬美元，佔0.55%。主要進口商品有化工原料、羊毛、成套設備、輕工機械、纖維素纖維、合成纖維、木材、鋼材等。主要進口市場有日本、美國、歐洲共同體、香港、澳大利亞、新加坡等37個國家和地區。

[利用外資]

批准簽訂利用外資合同435項，合同外資金額39448.32萬美元，比1988年72991萬美元減少45.95%。其中：對外借款53項，金額16002萬美元；外商直接投資277項，金額19287萬美元；外商其他投資105項，金額4159萬美元。

實際利用外資23746萬美元，比1988年26873萬美元減少11.64%。其中：對外借款8129萬美元，外商直接投資9115萬美元，外商其他投資6502萬美元。

在外商直接投資的277個項目中，合資企業266家，合作企業8家，外資企業3家。其中生產型項目275個，非生產型項目2個。按行業分：輕工102項，服裝32項，紡織27項，機械、電子、化工各24項，金屬製品18項，醫藥保健12項，漁牧10項，建材2項，金融1項，其他1項。

投資者主要來自港澳地區，共190項，合同外資金額14091萬美元；日本23項，1486.90萬美元；台灣省22項，930萬美元；聯邦德國3項，902.60萬美元；美國24項，839.30萬美元；新加坡5項，315萬美元；加拿大4項，262.90萬美元；法國1項，193.80萬美元；南朝鮮1項，110萬美元。

全年有269家外商投資企業投產、經營，銷售收入220178萬元，產品自營出口8862萬美元，比1988年增長96.5%。

[技術進出口]

簽訂技術引進合同6項，合同金額693萬美元；技術出口合同2個，34萬美元。

[對外經濟合作]

簽訂承包工程和勞務合作合同123項，金額7763萬美元，比1988年4101.25萬美元增長89.28%；營業額7735萬美元，比1988年4564.28萬美元增長69.47%；年末在國外勞務人數7368人，主要分佈在科威特、伊拉克、肯尼亞、蘇丹、美國等國家和地區。承包工程項目主要有肯尼亞的三所教學大樓等。

承擔援外項目11個，涉及水利、農林、地質等行業，並提供了450萬元的機電產品。受援國有厄瓜多爾、塞內加爾、幾內亞、坦桑尼亞、莫桑比克、索馬里、蘇里南、阿爾及利亞等。建成的項目有索馬里費諾力幹渠返修加固工程。

完成了聯合國工業發展組織援助的醫學成像項目。

在日本、澳大利亞投資舉辦了中國料理“南苑”餐廳、金澳造紙有限公司、長江酒家3個企業，中方投資額31.45萬美元。

[對外經貿洽談會]

1989年2月在南京舉辦了第三次“江蘇省對外經濟貿易洽談會”，到會客商來自47個國家和地區，共1724人次，簽訂出口成交合同2.99億美元，進口訂貨1827萬美元；9月在聯邦德國科隆市舉辦了第五屆“中國江蘇出口商品展銷會”，接待了聯邦德國及歐洲共同體國家客商300多人次，成交3787萬美元。

[港口運輸]

全年海運進出口貨物吞吐量782.58萬噸，比1988年973.89萬噸減少19.64%。其中出口運量

145.92萬噸，進口運量636.66萬噸。

[旅遊]

全年共接待旅遊、參觀、訪問以及參加國際經濟文化交流等各項活動的國外遊客47.53萬人次，比1988年下降36.27%；旅遊收入2.52億元外滙人民幣，比1988年下降14.29%。

[40年經貿發展簡述]

建國以來，江蘇省的對外經濟貿易有了較大發展。1950年，外貿收購額3264萬元，到1989年，收購額已達87億元，比1950年增長265.54倍。1974年，江蘇建立口岸，開始直接對外經營出口業務，當年出口商品僅23個品種，出口收滙7689萬美元，出口市場主要是朝鮮、越南、蘇聯和港澳地區。隨着自營出口業務逐年擴大，到1989年，出口收滙已超過24億美元，比1974年增長30倍。出口商品已發展到19個大類的數千種，與世界上130多個國家和地區建立了貿易關係。

1978年開始吸收外資工作，當年批准外資項目2個，合同外資金額245萬美元。1981年起舉辦外商投資企業。到1989年底，全省共利用外資1838項，合同外資金額198898.32萬美元，實際利用外資111256萬美元。其中舉辦外商投資企業719家，合同外資金額75473萬美元，實際利用外資金額27101萬美元。

1979～1989年，共簽訂承包勞務合同413項，涉及60個國家(地區)，派出勞務人員35800人次。

從1961年起，共承擔對外援助項目137個，受援國有朝鮮、越南、塞內加爾等39個國家和地區，派出援外人員4970人次。1984年以來，接受聯合國系統和多、雙邊援助項目45個。在16個國家(地區)投資舉辦了23個非貿易性企業。

1989年連雲港對外經濟貿易

連雲港市對外經濟貿易委員會

[對外貿易]

1989年江蘇省連雲港市出口商品收購額5.19億元，比1988年4.06億元增長27.8%。其中外貿專業公司出口商品收購額2.99億元，比1988年增長11.16%。出口商品收購額中，工業產品1.06億元，佔收購額的35.45%；農副加工品0.91億元，佔30.4%；農副產品1.02億元，佔34.11%。收購的出口商品共17類。出口收購額增幅較大的有：機械類增長2.7倍；醫藥類增長1.5倍；畜產類增長54%；設備類增長47.74%；絲綢類增長38.57%；冶金類增長26.19%。出口商品共146個品種，其中出口收購額1000萬元以上的有檸檬酸、凍對蝦、豆餅、水貂皮、豬肉罐頭、動物性飼料、衞生紙等7種。金額1.09億元，佔收購額的36.95%；500～1000萬元的有鱗片石墨、山芋乾、碳化硅、菜籽餅、藥紗布、分割肉、蔬菜罐頭、柳製品、布服裝、海藻酸鈉、鑄鐵件、塑料分接機等12種，金額8295萬元，佔27.74%。1989年自營出口394萬美元。

[利用外資]

批准簽訂利用外資合同12項，合同外資金額1502.36萬美元，比1988年的2766.8萬美元減少45.7%。其中：對外借款1項，金額500萬美元；外商直接投資6項，合同外資金額971.02萬美元；外商其他投資5項，金額31.34萬美元。實際利用外資2041萬美元。其中：對外借款836萬美元；外商直接投資金額1205萬美元。

外商直接投資的6個項目均屬生產型項目。涉及電子、食品、飼料加工、輕工等行業。外資來自荷蘭、南朝鮮、台灣省、香港等國家和地區。全年外商投資企業創滙685萬美元。

[經濟技術開發區]

開發區全年完成基本建設投資3593.7萬元。區內批准簽訂利用外資合同1項，合同外資金額126萬美元。

1989年開發區進出口總額489萬美元。其中進口44.89萬美元，出口創滙444.11萬美元。

[技術進出口]

簽訂引進技術和進口設備合同9項，合同金額997.64萬美元，實際用滙332.06萬美元。主要項目有意大利的釉地磚生產綫和劍杆織機；瑞士的肉類灌腸設備和電能表生產裝置；聯邦德國的貂皮生產設備；英國的石英玻璃管設備技術等。

[對外經濟合作]

簽訂勞務合作合同6項，當年派出勞務人員96人，分佈在伊朗、突尼斯、聯邦德國、伊拉克、貝寧等國家和地區。

爲坦桑尼亞、利比里亞和緬甸等國的4個援外項目生產農用拖車12輛和其他儀器。

在日本大阪開設中國南苑料理，中方投資3.5萬美元。

[對外經貿洽談會]

1989年3月在日本堺市舉辦"連雲港物產展"，共簽訂經濟技術合作項目意向書14項；簽訂貿易合同8項，成交金額256.7萬美元；展賣品總銷售額達521萬日元。

[港口運輸]

連雲港全年完成貨物吞吐量1125萬噸，比1988年增長0.99%。其中進出口貨運量642.2萬噸，比1988年下降6.9%(出口282.2萬噸，進口360萬噸)。在出口運量中，煤炭出口183萬噸，居中國沿海港口煤炭出口運量第二位。全年集裝箱裝卸總量6188箱。新開闢連雲港——香港集裝箱班輪。

[旅遊]

全年接待來自日本、菲律賓、新加坡、印度尼西亞、美國、英國、法國、意大利、印度、蘇聯等40多個國家和地區的遊客、國際海員及港澳台同胞共11680人次，其中外國遊客比1988年增長6%。旅遊收入499.2萬元外滙人民幣，比1988年下降11.3%。

[40年經貿發展簡述]

連雲港市於1958年成立外貿公司，當年出口商品收購額爲63.27萬元，1989年發展到2.99億元，比1958年增長471倍。1988年開始直接對外出口，1989年出口額爲394萬美元。出口商品由原來僅糧油食品、畜產品、五金礦產品發展到1989年的17個類別、146個品種。出口商品已銷往50多個國家和地區。

1984年以來，簽訂利用外資合同61項，合同外資金額4048萬美元。實際利用外資2982萬美元。共批准建立外商投資企業31個，其中合資企業23個，合作企業8個。爲坦桑尼亞、喀麥隆、蘇丹、貝寧、剛果、烏干達、利比里亞、緬甸等10個國家的14個援外項目提供了各種機電儀設備700餘台(套)。派出專家11人。自1987年向科威特、伊拉克、伊朗、聯邦德國、貝寧、突尼斯、日本、盧旺達等國家派出勞務人員和研修生共320人。在海外辦企業7家。

1989年南通對外經濟貿易

南通市對外經濟貿易委員會

[對外貿易]

1989年江蘇省南通市出進口總額爲28007萬美元，比1988年的31110萬美元減少10％。

出口商品收購總額170377萬元，比1988年165176萬元增長3％，佔南通市國民生產總值的14.69％，佔江蘇省出口商品收購額的13.72％。

出口商品有15大類589個品種，比1988年增加54種。收購額在1000萬元以上的有蠶繭、人棉紗、蠶絲、布服裝、尿布、牀單、紮染、鰻魚苗、蘑菇罐頭等40個，收購額達86058.7萬元，佔收購總額的50.51％。收購的出口商品結構：農副產品26769萬元，佔15.71％；輕紡產品爲115739萬元，佔67.93％；重工業產品爲27869萬元，佔16.36％。收購的出口商品中，初級產品爲3.2億元，佔18.78％，工業製成品爲13.84億元，佔81.22％。

1989年南通市出口商品收購情況較1988年有四個變化，一是縣縣出口商品收購額超億元；二是機電產品持續增長；三是鄉鎮企業出口商品收購達5.9億元，佔收購總額的34.64％；四是調外口岸出口的貨源增多。

出口總額24809萬美元，其中自營出口10559.2萬美元，比1988年8652.75萬美元增長22％。自營出口100萬美元以上的品種有16個，創滙5672.74萬美元，主要有布服裝、薄荷腦、活文蛤、人棉布、人棉紗、植物性飼料、蘑菇罐頭、機牀、蠶豆、辣椒乾、菜籽餅、鹽水蘑菇等。產品銷往五大洲42個國家和地區，銷售額在100萬美元以上的國家和地區是：日本、香港、美國、聯邦德國、英國、意大利、新加坡、加拿大。

進口到貨2951.29萬美元。主要進口商品有電子、醫療設備，人造棉等生產資料。進口商品主要來自香港、美國、日本、聯邦德國、荷蘭、意大利等國家和地區。

[利用外資]

批准簽訂利用外資合同40項，合同外資金額2301.44萬美元，比1988年6935.28萬美元減少66.82％，其中政府貸款2項，金額520萬美元；外商直接投資21項，外資金額1155.85萬美元；外商其他投資17項，金額625.59萬美元。實際利用外資3431.29萬美元，比1988年2747.05萬美元增長25％。

外商直接投資的21家企業均屬生產型企業，其中產品出口型企業17個，利用外資較多的行業有化工、機械、電子業。投資者主要來自香港、日本、美國、澳大利亞等國家和地區。

1989年又有12家外商投資企業投產。全年已投產的外商投資企業完成產值36634.63萬元，銷售收入35109.37萬元，向國家繳納稅款1425.64萬元，出口創滙2938萬美元。

[經濟技術開發區]

1989年開發區完成基建投資2188萬元，房屋竣工面積7.42萬平方米。市區通往開發區的一級公路已全綫通車，供熱中心已交付使用，外商服務中心已進入裝飾階段。新辦中外投資企業14家，其中外商投資企業2家。投產的工業企業16家。全年實現工業總產值12012萬元，利潤1504萬元，出口創滙1059萬美元。

[技術進出口]

簽訂引進技術和進口設備合同2項，合同總金額167萬美元，實際用滙28.7萬美元。引進項目主要來自香港和日本。

[對外經濟合作]

簽訂承包工程和勞務合作合同19項，合同金額572.73萬美元，比1988年808.65萬美元減少29.17％；營業額724.35萬美元，比1988年的577.42萬美元增加25.45％。新派出勞務人員1214人，年末在外1410人，分佈在美國、日本、伊拉克、菲律賓、蘇丹等14個國家和地區。

承擔援外項目2個，向坦桑尼亞烏戈本農具廠派出第七期專家組，承建了巴巴多斯體育館。接受聯合國兒童基金會援助項目，金額12萬美元。

在菲律賓興辦的呂宋紡織有限公司，1989年中方增資100萬美元。

[對外經貿洽談會]

1989年12月在深圳市召開南通市港澳台同胞和海外僑胞聯誼會，應邀參加的共203人，洽談利用外資項目28個，達成利用外資意向985萬美元，簽訂來料加工合同1項，合同工繳費88萬港元。

[港口運輸]

南通港1989年完成吞吐量1049萬噸，其中外貿進出口貨物吞吐量爲177.5萬噸。

[旅遊]

全年接待外國人、華僑、港澳台同胞12350人次，比1988年增長2.92%，旅遊收入324萬元外滙人民幣，比1988年下降4.7%。

[40年經貿發展簡述]

解放40年來，尤其是實行改革開放以後，南通市對外經濟貿易發生了深刻的變化。解放初期，南通市主要爲上海口岸提供土畜產品出口貨源。1958年南通市建立了對外貿易公司，當年外貿收購額3729萬元。1980年南通市被經貿部批准爲全國出口商品生產綜合基地，1984年被批准爲沿海對外開放城市，對外貿易進一步發展。1989年出口商品收購額增至170326萬元，比1958年增長44.68倍。1987年起部分對外直接成交，出口額爲5749.85萬美元；1988年開展自營進出口貿易，兩年自營創滙1.97億美元，出口商品品種由340個增加到589個。

截止1989年批准利用外資項目251個，合同外資金額48380萬美元，實際利用外資40276萬美元。舉辦外商投資企業81家，已開業投產的49家。

1983～1989年共派出勞務人員5600人，在24個國家和地區，爲49個勞務項目服務。在巴巴多斯和菲律賓舉辦投資企業2個，中方投資285萬美元。

1989年浙江對外經濟貿易

浙江省對外經濟貿易廳

[對外貿易]

1989年浙江省出進口總額23.29億美元，比1988年20.2億美元增長15.30%。

出口商品收購總額109.38億元，比1988年83.76億元增長30.59%，佔全省國民生產總值的14.13%。

出口總額18.79億美元，比1988年16.2億美元增長15.99%，佔全國出口總額的4.33%，居全國第六位。

出口商品中，農副產品2.71億美元，佔出口總額的14.4%；輕工業品12.99億美元，佔69.1%；重工業產品3.09億美元，佔16.5%。農副產品及重工業品在出口總額中的比重，分別比1988年下降2.5個和2個百分點，輕工業品上升4.5個百分點。

出口額在5000萬美元以上的商品有綢緞、服裝、桑蠶絲、茶葉、棉布、罐頭、水產品等7種，共7.39億美元，佔出口總額的39.33%；出口額在1000～5000萬美元的商品有小五金、蔬菜、棉針織品、棉織品、黑白電視機、草製品、活大豬、棉紗、工具、成品油、節日燈、工藝鞋、毛針織品、絹絲、硭石粉(塊)、羽絨製品、兔毛、加工絲、抽紗、革皮服裝、棉滌綸紗、羽毛等22種，計4.63億美元，佔出口總額的24.64%。出口額在500～1000萬美元的商品有羊毛地毯、尼龍傘、玩具、紙張、紹興酒、塑網袋、絲毯、鎖頭、棉滌綸布、鋼材、飼料、凍豬肉、手動葫蘆、小成套設備、塑編袋、棉滌針織品、工業鏈條、無毛絨、皮票夾、農藥、鐵絲等21種，共1.46億美元，佔出口總額的7.82%。

出口商品銷往136個國家和地區。

主要出口市場情況表

國別(地區)	出口金額(萬美元)	佔出口總額%
香港	48720	25.93
日本	32419	17.25
美國	21381	11.38
聯邦德國	11328	6.03
意大利	6925	3.69
蘇聯	5613	2.99
法國	4817	2.56
新加坡	4743	2.52
摩洛哥	3676	1.96
瑞士	3462	1.84
英國	3201	1.70
合計	**146285**	**77.85**

進口總額4.5億美元，比1988年3.99億美元增長12.78%。進口的主要商品爲鋼材、棉花、羊毛、合成纖維、有色金屬、化肥、農藥、橡膠、紙漿、紙張、化工原料、成套設備、電子計算機等。進口商品來自31個國家和地區。

主要進口市場情況表

國別(地區)	進口金額(萬美元)	佔進口總額%
香港	19742	43.87
日本	8445	18.76
美國	4129	9.17
聯邦德國	2270	5.04
澳大利亞	1550	3.44
瑞士	1453	3.23
意大利	1401	3.11
澳門	1144	2.54
合計	**40134**	**89.15**

[利用外資]

批准簽訂利用外資合同229項，合同外資金額31923萬美元，比1988年32149萬美元下降0.7%。其中對外借款22項，金額22625萬美元；外商直接投資184項，金額8357萬美元；外商其他投資23項，金額941萬美元。

實際利用外資28045萬美元，比1988年17428萬美元增長60.92%。其中，對外借款22625萬美元，外商直接投資5181萬美元，外商其他投資239萬美元。

外商直接投資項目中，合資企業157個，合作企業11個，外資企業16個。生產性項目175個，涉及輕工、紡織、化工、電子、醫藥、機械、建材等行業；非生產性項目9項。投資的主要國家和地區爲：港澳105項，4868萬美元；美國14項，5074萬美元；日本5項，201萬美元；荷蘭2項，133萬美元；意大利4項，111萬美元。

截至1989年底，全省有254家外商投資企業投產開業。1989年銷售(營業)收入13.08億元，比1988年增長1.1倍；出口創滙1.15億美元，比1988年增長1.91倍。

[技術進出口]

簽訂技術引進合同5項，合同金額3381萬美元，比1988年486萬美元增長5.96倍。簽訂技術出口合同7項，合同金額743.5萬美元。

[對外經濟合作]

簽訂對外承包工程和勞務合作合同43項，合同金額1921萬美元，比1988年的2088萬美元減少8%。完成營業額1875萬美元，比1988年減少48%。當年派出勞務人員4731人次，年末在外1493人。主要派往科威特、伊拉克、阿拉伯也門、伊朗、阿聯酋、摩洛哥、日本、美國、聯邦德國、西班牙、喀麥隆、塞拉利昂、中非、香港等國家和地區。

承擔援外項目12項，涉及水電、農業、建築、服務等行業。受援國有斐濟、緬甸、馬里、中非、烏干達等國家。年內建成的有：斐濟水電一期工程項目，烏干達多禾水稻農場項目。

批准舉辦海外企業3個，有斐濟毛巾廠、阿聯酋中餐館和製冷設備廠、澳大利亞傢具有限公司。

[對外經貿洽談會]

1989年6月在日本大阪舉辦浙江省出口商品展銷會，到會客商1180家，出口成交5520萬美元，簽訂利用外資意向書11份；9月在荷蘭烏特列支市舉辦浙江省出口商品洽談會，共接待荷蘭、英國、法國、意大利、比利時、丹麥、奥地利、冰島等14個國家和地區的1700多家客商，出口成交2515萬美元。

[旅遊]

全年共接待來自120多個國家和地區的旅遊者28.8萬人次，比1988年減少24.9%。全年旅遊收入1.34億元外滙人民幣，比1988年下降36.19%。

[40年經貿發展簡述]

建國40年來，浙江省對外經濟貿易發展較快。從以出口供貨爲主的省份發展成爲我國重要的對外貿易口岸之一。1952年，外貿收購額僅爲1.16億元，1989年已增至109.38億元，比1952年增長93.29倍；直接出口始於1978年，出口額爲5240萬美元，1980年開始全面自營出口，到1989年已增加到18.79億美元，比1978年增長34.86倍。出口商品結構發生了顯著變化，由以初級產品爲主轉爲以工業製成品爲主，1989年農副產品的比重僅佔14.4%。出口商品從解放初期的不到100種，發展到糧油食品、土畜產品、紡織、絲綢、輕工、工藝、五金礦產、化工、醫藥、機械、電子等10個大類1500多種。已同世界上130多個國家和地區建立了貿易聯繫。到1989年，累計批准各類利用外資項目711項，合同外資金額10.06億美元。其中，外商直接投資491項，外資金額3.82億美元。外商投資企業分佈在輕工、紡織、機械、電子、醫藥、水產、公用事業等行業。已投產開業的企業254個，經營情況良好。

浙江省共簽訂對外承包工程和勞務合作合同123項，合同金額7724萬美元，完成營業額7474萬美元，派出勞務人員1萬多人次。共承擔我國對18個國家的對外經濟援助項目61項，派出工程技術人員幾千名，涉及的行業有建築、農業、交通、冶金、機械、水利、電力、輕紡、衞生等。在美國、日本、新加坡、斐濟、泰國等地舉辦企業10個，中方投資737萬美元。

1989年寧波對外經濟貿易

寧波市對外經濟貿易委員會

[對外貿易]

1989年浙江省寧波市自營出進口總額22024萬美元，比1988年14603萬美元增長50.82%。

外貿收購總額17.77億元，比1988年13.52億元增長31.43%，佔浙江省外貿收購109.38億元的16.25%，佔全市國民生產總值的13.52%。

收購額在1000萬元以上的出口商品有39種，金額11.03億元，佔收購總金額的62.07%。

外貿收購商品結構圖

按農、輕、重分：

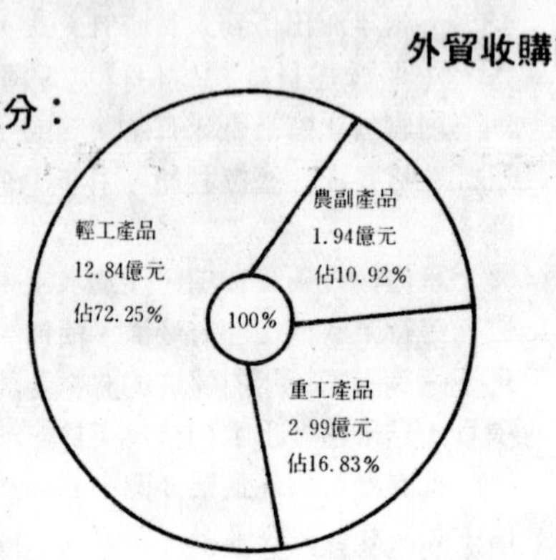

按初級產品和工業製成品分：

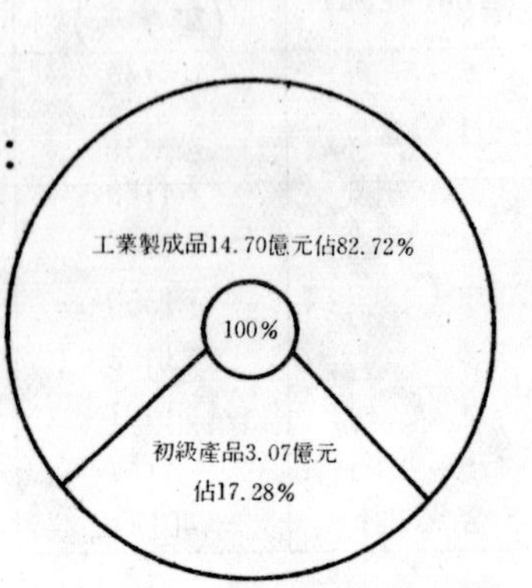

自營出口總額18005萬美元，比1988年11295萬美元增長59.41%，佔浙江省出口總額的9.58%。

出口商品有26個大類683個品種。出口額在100萬美元以上的商品有32種，金額11438萬美元，佔出口總額的63.53%。出口商品銷往87個國家和地區。

十個主要出口市場

國家(地區)	出口金額(萬美元)	佔出口總額%
香港	6548	36.37
美國	3330	18.49
日本	2872	15.95
利比里亞	541	3.00
新加坡	512	2.84
聯邦德國	379	2.10
澳大利亞	355	1.97
荷蘭	273	1.52
摩洛哥	261	1.45
蘇聯	255	1.42
合計	15326	85.11

出口500萬美元以上的骨幹商品表

商品名稱	出口額(萬美元)	佔出口總額%
車用汽油	1371	7.61
罐頭	1196	6.64
棉漂布	856	4.75
化纖紗	804	4.47
棉紗	683	3.79
服裝	630	3.50
石腦油	603	3.35
茶葉	586	3.25
合計	6729	37.37

進口總額4019萬美元，比1988年3308萬美元增長21.49%，其中生產資料3227萬美元，佔進口總額的80.29%；生活資料792萬美元，佔19.71%。初級產品進口2352萬美元，佔進口總額的58.52%；工業製成品1667萬美元，佔41.48%。主要進口商品有化工原料972萬美元，家用電器652萬美元，棉花517萬美元，成套設備376萬美元，合成纖維288萬美元，紙漿227萬美元。進口商品來自香港、日本、新加坡、巴基斯坦、法國、瑞典、美國等16個國家和地區。其中香港1433萬美元，佔進口總額的35.66%；日本970萬美元，佔24.14%；意大利693萬美元，佔17.24%；巴基斯坦233萬美元，佔5.80%；美國221萬美元，佔5.5%。

[利用外資]

批准簽訂利用外資合同81項，合同外資金額8053萬美元，比1988年4728萬美元增長70.33%。其中對外借款9項，金額3995萬美元；外商直接投資62項，金額3427萬美元；外商其他投資10項，金額631萬美元。實際利用外資3432萬美元，比1988年850萬美元增長3倍，其中對外借款1716萬美元，外商直接投資1697萬美元，外商其他投資19萬美元。

外商直接投資的62個項目中，合資企業55項，合作企業2項，外資企業5項。生產型企業59項，非生產型企業3項。按行業分，工業58項，農業1項，房地產3項。投資者來自香港、美國、澳大利亞、台灣、加拿大、意大利等6個國家和地區，其中香港48項，金額1782萬美元；美國8項，906萬美元；台灣3項，198萬美元。1989年已投產和開業的外商投資企業有70家。全年外商投資企業產值51198萬元，利潤2541萬元，出口創滙1039萬美元。

[經濟技術開發區]

寧波經濟技術開發區完成基本建設投資6756萬元，其中基礎設施2490.8萬元，地面建設4265.2萬元。1989年開發區新簽項目15個，其中利用外資項目11個，合同外資金額721萬美元。實際利用外資金額515.08萬美元。開發區全年工業總產值13014.29萬元，比1988年增長48.45%；實現利潤3011.11萬元，出口額2100萬美元，其中外商投資企業出口523.67萬美元。

[技術進出口]

簽訂引進技術和進口設備合同23項，合同金額972萬美元，實際用滙1310萬美元，分別比1988年減少49.30%和48.51%。

引進項目來自7個國家和地區，其中日本434萬美元，美國162萬美元，聯邦德國117萬美元，意大利110萬美元，英國62萬美元，香港51萬美元，瑞士36萬美元。引進項目分佈在電子、捲煙、紡織等12個行業。

1989年有21個引進項目投產。每年可新增產值20173萬元，創滙能力677萬美元。

[對外經濟合作]

批准簽訂承包工程和勞務合作合同18項，合同金額1110萬美元，比1988年935萬美元增長18.72%。營業額680萬美元，比1988年517萬美元增長31.53%。主要項目有美國關島住宅工程，阿拉伯也門鋁茶壺生產綫，向美國提供服務人員，向日本提供船員等。全年共派出勞務人員1537人次，年末在外人數311人。

接受聯合國兒童基金培訓小學師資項目，金額15萬美元。

在境外興辦企業4家，合同金額379萬美元。有設在加拿大的加寧古裝修有限公司和在澳大利亞、伊朗、索馬里舉辦的漁業合作項目。

[對外經貿洽談會]

1989年3月在日本東京舉辦了寧波市出口商品展覽洽談會，共接待客商1200多人，出口成交2127萬美元。11月在寧波市舉辦寧波對外經濟貿易合作研討會，參加的中外代表1486人，成交金額3406萬美元，簽訂外商直接投資合同12項，合同外資金額480萬美元。

[港口運輸]

寧波港北侖港區新建2.5萬噸級雜貨多用途碼頭投入使用。寧波港全年貨物吞吐量2209萬噸，比1988年增長10.34%。其中進口貨物吞吐量605.6萬噸，比1988年增長16.51%。

[旅遊]

共接待來自52個國家和地區的外國人、華僑和港澳台同胞1.61萬人次，比1988年減少2.42%。全年旅遊收入1545萬元外滙人民幣，比1988年減少24.52%。

[40年經貿發展簡述]

寧波市對外貿易始於1950年，出口商品收購額爲361萬元，40年來有了較大發展，1989年出口商品的收購額已增至17.77億元，比1950年增長491倍。1984年寧波市被列爲沿海開放城市和1988年年被批准爲計劃單列市後，寧波的對外經貿工作又有新的拓展。對外貿易由出口供貨爲主發展爲直接出口，1985年開始部分直接出口，當年出口額僅爲205.46萬美元，1988年開展自營進出口業務，到1989年自營出口額已增至18005萬美元，比1985年增長86.63倍。出口商品有26類，680多個品種，銷往87個國家和地區。

1980～1989年，共批准簽訂利用外資合同267項，合同外資金額26192萬美元，其中對外借款24項，8126萬美元；外商直接投資166項，16576萬美元；外商其他投資77項，1490萬美元。實際利用外資7046萬美元，其中對外借款2747萬美元，外商直接投資3760萬美元，外商其他投資539萬美元。1979年開展來料加工業務，10年來共收取工繳費2151萬美元。

1979～1989年，共簽訂引進技術和進口設備合同287項，實際用滙10610萬美元，已投產253項，引進項目主要分佈在紡織、電子、機械及通訊等行業。

1984～1989年，共批准簽訂對外承包工程和勞務合作合同44項，合同金額2249萬美元，營業額1197萬美元，共派出勞務人員2147人次。在海外舉辦企業9家，中方投資453萬美元。接受國際組織援助6項，金額881萬美元。

1989年溫州對外經濟貿易

溫州市對外經濟貿易委員會

[對外貿易]

1989年浙江省溫州市自營出進口總額1161萬美元，比1988年861.65萬美元增長34.74％。

出口商品收購額7.25億元，比1988年5.78億元增長25.43％，佔溫州市國民生產總值的9.09％，佔工農業總產值的7.17％，佔浙江省出口商品收購總額的6.63％。其中農副產品佔收購總額的10.47％，輕工業產品佔72.13％，重工業產品佔17.40％。初級產品佔收購總額的24.82％，工業製成品佔75.18％。

出口商品已發展到12大類406個品種，比1988年增加41種。收購額在500萬元以上的商品有27種，其中收購額在1000萬元以上的骨幹商品有蘑菇罐頭、蔴底登山鞋、茶葉、十字花枱布、布膠鞋、羽絨、蔴袋、煙花、門鎖、煉乳、腈綸衫、蜂鳴片、兔羊毛衫、尼龍傘等14種，收購額達2.8億元，佔出口商品收購總額的38.62％。

自營出口額832萬美元，比1988年的335.65萬美元增長1.48倍。其中外貿公司出口249萬美元，外商投資企業出口565萬美元，對台小額貿易出口10萬美元，來料加工工繳費收入8萬美元。

外貿公司出口商品銷往28個國家和地區。其中對香港出口110萬美元，美國43萬美元，法國28萬美元，日本27萬美元，新加坡17萬美元。

自營進口到貨329萬美元，比1988年的526萬美元減少37.45％。進口商品中，生產資料253萬美元，佔進口總額的76.90％；生活資料76萬美元，佔23.10％。初級產品211萬美元，佔進口總額的64.13％；工業製成品118萬美元，佔35.87％。主要進口商品爲化工原料、電工設備、機牀工具、郵電通訊設備等。主要進口市場爲：日本121萬美元，香港89萬美元，美國78萬美元，聯邦德國38萬美元。

[利用外資]

批准簽訂利用外資合同29項，合同外資金額1146萬美元，比1988年的460.7萬美元增長1.49倍。其中對外借款1項，金額250萬美元；外商直接投資28項，合同外資金額896萬美元。實際利用外資574萬美元，比1988年103.5萬美元增長4.55倍。

外商直接投資的28個項目中，合資企業21項，合作企業3項，外資企業4項。其中，生產型項目25項，非生產型項目3項。按行業劃分：輕工17項，機電4項，服裝紡織3項，房地產3項，化工1項。投資者主要來自香港、台灣、巴西、法國、荷蘭、日本等國家和地區。其中香港10項，合同外資金額361萬美元，佔外商直接投資金額的40.29％；台灣9項，323萬美元，佔36.05％。

截至1989年底，已有28家外商投資企業投產。其中16家爲產品出口型企業，全年出口創滙769萬美元，比1988年294.2萬美元增長1.6倍。

[出口工業區]

溫州出口工業區完成基礎設施工程量240萬元，先行發展的4個小區已實現“五通一平”，竣工廠房面積2.9萬平方米，在建1.9萬平方米。全年引進內、外資出口創滙項目7項，其中外商投資項目4項，利用外資287萬美元。已有15家企業開工投產，1989年產值2091萬元，出口創滙433萬美元。

[技術進出口]

簽訂引進技術和進口設備合同10項，合同金額161.60萬美元，實際用滙161.20萬美元，分別比

1988年減少10.37%和66.98%。引進項目主要來自日本、香港、聯邦德國等國家和地區。1989年有7個引進項目投產，用滙81.79萬美元。這些項目形成生產能力後，預計年增產値192萬元，創滙46萬美元。

[對外經濟合作]

1989年溫州市同意大利、法國、台灣、日本、科威特等國家和地區簽訂勞務合作合同33項，合同金額293萬美元，比1988年188.41萬美元增長55.51%，營業額83萬美元，比1988年50.95萬美元增長62.90%。當年派出勞務人員203人次，年末在外人數194人。

[對外經貿洽談會]

1989年12月溫州市在香港舉辦了投資合作洽談會，同日本、香港、台灣等國家和地區的70多家客商進行了業務洽談，達成初步意向的投資合作項目10項，貿易合作5項。10月在日本石卷市舉辦了“中國溫州展”。參觀展覽的人數在3萬人次以上，零售額7000多萬日元。

[港口運輸]

繼龍灣港區兩個萬噸級泊位建成後，楊府山港區5000噸泊位的二期工程開始建設。1989年溫州港貨物吞吐量爲332萬噸，與1988年基本持平。其中進出口貨運量22.54萬噸，比1988年下降7.05%。國際旅客運量602人次。

[旅遊]

1989年共接待來自20多個國家和地區的外國旅遊者、華僑和港澳台同胞5429人次，比1988年7908人次減少31.35%，旅遊收入416萬元外滙人民幣，比1988年減少64.98%。

[40年經貿發展簡述]

建國40年來，溫州市對外經濟貿易獲得了較快的發展。建國初期，全市只有少量的傳統土特產品和手工藝品出口，直到1970年，外貿出口收購額僅3668萬元。1989年，全市出口商品收購額已達7.25億元，比1970年增長18.77倍，出口商品結構由以農副產品爲主轉爲以輕工工藝、糧油食品及機電產品爲主，出口商品發展到12大類406個品種；外銷市場也從東南亞地區擴展到日、歐、美、澳等近百個國家和地區。

1984年溫州被列爲對外開放城市以後，利用外資工作發展迅速。截至1989年底，共批准外商投資企業52家，合同外資金額1541萬美元，實際利用外資783萬美元。現已有28家外商投資企業正式投產開業，經營狀況良好，外滙收支平衡有餘。

對外承包工程和勞務合作業務1985年開始起步，至1989年共簽訂合同58項，合同金額540萬美元，營業額160萬美元，累計派出人員368人次。

1989年安徽對外經濟貿易

安徽省對外經濟貿易委員會

[對外貿易]

1989年安徽省出進口總額7億美元，與1988年持平。

出口總額5.7億美元，比1988年的5.5億美元增長3.6%，佔全國出口總額的1.31%。

出口商品收購額32.8億元，比1988年的26.5億元增長23.77%，佔全省國民生產總值的5.7%。

出口商品結構：農副產品出口15176萬美元，佔出口總額的26.6%，輕工業品29036萬美元，佔51%，重工業品12752萬美元，佔22.4%；與1988年相比，農副產品下降3.2個百分點，輕工業品、重工業品分別上升1.3、1.9個百分點。初級產品出口27546萬美元，佔出口總額的48.4%，工業製成品29418萬美元，佔51.6%；與1988年相比，初級產品下降4.7個百分點，工業製成品上升4.7個百分點。

出口商品770種，其中，出口額在1000萬美元以上的商品有凍豬肉、罐頭、茶葉、薄荷腦、羽毛、廠絲、棉紗、棉布、服裝、煤炭、石油成品油等11種；出口額在500～1000萬美元的商品有大米、芝蔴、山芋乾、豆粕、豬鬃、兔毛、兔毛紗、羽絨被、化纖紗、浴巾、汗衫背心、綢緞、鋼材等13種。以上24種商品，出口額3.3億美元，佔出口總額的57.89%。

出口商品銷往106個國家和地區，5個主要出口市場的比重是：港澳佔出口總額的23.4%、日本佔20.4%、蘇聯東歐佔14.5%、歐洲共同體佔12.5%、美國和加拿大佔7.4%。

進口到貨總額1.3億美元，比1988年的1.5億美元下降13.33%。進口商品中，技術設備佔34.4%，工業原材料佔57.1%，農用生產物資佔1.2%，市場物資佔6.1%，其他佔1.2%。與1988年相比，技術設備比重上升11.1個百分點，工業原材料等比重均有下降。進口商品主要來自香港、歐洲共同體、日本、美國等國家和地區。

[利用外資]

批准簽訂利用外資合同46項，合同外資金額5289萬美元，比1988年的6285萬美元下降15.8%，其中，對外借款15項，金額4474萬美元，外商直接投資34項，合同外資金額614萬美元，外商其他投資7項，金額201萬美元。全年實際利用外資8265萬美元，與1988年基本持平。

外商直接投資的34個項目中，合資企業28個，外資金額502萬美元；合作企業2個，17萬美元；外資企業4個，95萬美元。其中生產型企業32個，主要分佈於輕工、紡織、機械、化工等行業。

[技術進出口]

簽訂引進技術和進口設備合同35項，合同用滙額2534萬美元。新簽引進合同額中，出口創滙項目的合同額佔71%，比1988年有較大增長。

引進項目主要分佈於輕工、紡織、機械、化工、電子、冶金、農業、通訊等8個行業。引進項目主要來自美國、日本、歐洲共同體。

技術出口成交14項，成交額711萬美元，比1988年成交額下降26.2%，技術出口當年收滙額迅速增長，技術出口市場已擴展到美國、日本、新加坡、馬來西亞、泰國、阿聯酋、巴西，以及香港、台灣省等17個國家和地區。

[對外經濟合作]

對外簽訂承包工程和勞務合作合同13項，合同金額1829萬美元，比1988年986萬美元增長85.5%；完成營業額591萬美元，比1988年1503萬美元下降60.7%；年末在國外的工程技術人員、工人和管理人員共485人。項目分佈於斯里蘭卡、伊朗、伊拉克、科威特、布隆廸、尼日利亞、突尼斯、玻利維亞、美國、蘇聯、芬蘭、聯邦德國等地。主要項目有堤壩設計施工、水電資源考察、辦公樓和工廠的設計施工與裝修等，以及派遣油料專家、中餐廚師等。

[對外經貿洽談會]

1989年3月，安徽省第五屆對外經濟貿易洽談會在合肥市擧辦，接待了來自美國、加拿大、聯邦德國、英國、法國、意大利、奥地利、瑞士、荷蘭、日本、澳大利亞、香港、澳門、台灣省等26個國家和地區的客商600多人，簽訂進出口、利用外資合同額1.3億美元，其中出口成交額0.8億美元。

1989年7月和9月，安徽省出口商品展覽會分別在日本大阪、美國紐約和我國深圳特區擧辦，接待了來自北美、拉美、日本、東南亞的客戶3000多人次，完成對外經貿成交額0.8億美元。

[港口運輸]

蕪湖、安慶兩港口和馬鞍山外運發貨點1989年完成本省出口商品運量16.8萬噸，比1988年運量略有下降。

[旅遊]

全年接待外國人、華僑、港澳台同胞3.3萬人次，比1988年下降42.1%；旅遊收入209.4萬美元，比1988年增長25.4%。

爲把黃山旅遊區進一步推向世界，安徽省對原黃山機場進行了改造和擴建，已與北京、上海、廣州、厦門4個國際航空港銜接。

[40年經貿發展簡述]

安徽對外貿易在1949年至1976年期間的業務主要是組織出口貨源，調供沿海口岸出口。1977年起部分直接出口。1979年以後逐步開辦直接對外經濟貿易的各項業務。1950年出口商品收購額爲713萬元，1989年達32.8億元，比1950年增長459倍。1977年出口額爲335萬美元，1986年開始全面自營出口，到1989年出口額已達5.7億美元，比1977年增長169倍。出口商品結構明顯改善，1952年幾乎全部是農副產品，1989年農副產品僅佔26.6%。

改革開放促進了安徽省對外經濟合作事業的發展。1979～1989年期間簽訂利用外資合同額達4.5億美元，批准建立外商投資企業124家，合同外資金額0.5億美元，其中，合資企業105家，合作企業14家，外資企業5家。已開業的外商投資企業63家，正在投資興建35家。在已開業的外商投資企業中，產品出口企業10家，先進技術企業5家。引進國外先進技術和設備710項，合同金額5.3億美元。技術出口自1987年起步，3年成交1751萬美元。在數十個發達和發展中國家和地區開展承包工程和勞務合作業務，到1989年累計完成營業額0.4億美元。

1989年福建對外經濟貿易

福建省對外經濟貿易委員會

[對外貿易]

1989年福建省出進口總額爲239702萬美元，比1988年的219526萬美元增長9.19％。

外貿收購總額41.02億元，比1988年的31億元增長32.32％。

出口總額166171萬美元，比1988年的140573萬美元增長18.21％，佔全省國民生產總值的15.41％，佔全國出口總額的3.83％，居全國第八位。

出口商品結構：農副產品20561.42萬美元，佔出口總額的12.37％；輕工業產品118246.56萬美元，佔71.16％；重工業產品27363.02萬美元，佔16.47％。

出口1000萬美元以上的大宗商品有23種，出口額62956.78萬美元，佔出口總額的37.89％。

出口2000萬美元以上的商品表

商品名稱	單位	數量	金額(萬美元)
彩色電視機	台	710947	10880.93
蘑菇罐頭	噸	49599	7457.42
凍對蝦	噸	7579	5333.23
塑料拖鞋	雙	82269992	4058.02
金首飾			3530.87
漫步鞋	雙	3336031	2735.76
蘆笋罐頭	噸	14174	2299.49
尼龍傘	打	2810193	2238.36
PV革鞋	雙	5376342	2230.39
棉布	萬米	3177	2097.76

產品銷往120多個國家和地區。主要出口市場：香港75241.04萬美元，日本28413.17萬美元，美國18170.27萬美元，聯邦德國7494.33萬美元，新加坡4619.42萬美元，共計133938.23萬美元，佔出口總額的80.60％。

進口總額73531萬美元，比1988年的78952萬美元減少6.87％。進口商品中，生產資料61105.88萬美元，生活資料12425.12萬美元，分別佔進口總額的83.10％和16.90％。主要進口商品有化工原料、電子計算機、機械、非金屬礦產及製品、貴金屬及稀有金屬、電子儀器、砂糖、化肥、照相電影器材、鋼材等。

進口商品來自43個國家和地區，主要進口市場：香港37291萬美元，日本10978萬美元，美國2509萬美元，聯邦德國4066萬美元，新加坡2532萬美元，英國2374萬美元，瑞士1760萬美元，澳大利亞1188萬美元，意大利1079萬美元及台灣省2041萬美元，共計65818萬美元，佔進口總額的89.51％。

[利用外資]

經批准，全年利用外資合同外資金額96134萬美元，比1988年的62497萬美元增長53.82％。其中，對外借款3565萬美元，比1988年減少75.15％；外商直接投資90258萬美元，增長95.11％；外商其他投資2311萬美元，增長22.15％。

實際利用外資39110萬美元，比1988年的28892萬美元增長35.37％。其中，對外借款4307萬美元，外商直接投資32880萬美元，外商其他投資1923萬美元。

外商直接投資872個項目中，合資企業436個，合同外資金額27039萬美元；合作企業123個，5618萬美元；外資企業313個，57601萬美元。生產型項目佔項目額數的90%以上。按行業劃分，農業33項，工業773項，建築業12項，交通運輸4項，商業5項，房地產40項，文化藝術1項，其他行業4項。

外資主要來自香港、日本、美國及東南亞等國家和地區。其中香港542項，合同外資金額59684萬美元；日本10項，1319萬美元；泰國1項，1057萬美元；美國7項，505萬美元；菲律賓7項，260萬美元。

全年已投產的外商投資企業實現工業產值57.65億元，比1988年的42億元增長37%，佔全省鄉以上工業總產值的21.1%；產品出口達4.66億美元，比1988年的2.07億美元增長1.26倍，佔全省出口總額的28.9%。

[技術進出口]

簽訂引進技術和進口設備合同50項，合同金額2803.15萬美元，比1988年6670.25萬美元減少57.98%。引進的項目主要來自日本、香港、聯邦德國、美國、意大利、英國及台灣等國家和地區。全年投產項目34個。這些項目發揮效益後可新增產值49769萬元，税利22925萬元，還可擴大出口創滙能力。

[對外經濟合作]

簽訂對外承包工程和勞務合作合同338項，合同金額18637.1萬美元，比1988年的16428萬美元增長13.45%；完成營業額14275.1萬美元，比1988年的9602.41萬美元增長48.66%。當年派出勞務人員6939人次，年末在外9144人。主要派往香港、澳門、泰國、美國、加拿大、阿根廷、澳大利亞、日本、菲律賓等20多個國家和地區。承包的主要工程有：香港西九龍污水處理工程、香港天水圍道路及排水工程、澳門中福花園工程等。

承擔對外經援成套項目7個，主要有農業、水電、市政工程等，受援國是塞拉利昂、赤道幾內亞、阿爾及利亞、莫桑比克、伯利兹、貝寧，新派出工程技術人員83人，年末在外157人。

接受聯合國自然資源勘探循環基金會提供的福建葉臘石勘探項目援款300多萬美元。

批准在加拿大、聯邦德國、日本、泰國等國家和地區興辦海外企業9家，中方投資202.1萬美元。

[對外經貿洽談會]

福建省於1989年3月在新加坡舉辦了“中國福建省出口商品展銷會”；9月在厦門舉辦了“1989年福建外商投資貿易洽談會”；12月在澳門舉辦了“福建省出口商品洽談會”。共接待了來自香港、澳門、美國、聯邦德國、日本、新加坡、馬來西亞、菲律賓、泰國、澳大利亞、斯里蘭卡以及台灣省等20多個國家和地區的32600多名客商，簽訂外商投資項目534項，合同外資金額6.9億美元；出口成交2.86億美元；簽訂技術合作項目13個。

[港口運輸]

福建省海岸綫長，天然良港多。現有泊位431個，其中萬噸級以上的泊位8個，與世界20多個國家(地區)的60個港口有運輸往來。1989年吞吐量1615萬噸，比1988年的1395萬噸增長15.6%。其中進出口貨物吞吐量442.37萬噸，比1988年的413萬噸增長7.1%；進出集裝箱5.2萬標準箱，比1988年的4.12萬標準箱增長26.21%。

[旅遊]

全年接待觀光、探親訪友以及洽談貿易的各類人員50.46萬人次，其中外國人7.15萬人次，華僑和港澳台同胞43.31萬人次，比1988年減少9.52%。旅遊收入8356萬美元，比1988年增長9.17%。

[40年經貿發展簡述]

建國以來福建省對外貿易發展迅速。1955年出口商品收購額僅爲2124萬元，1989年增至41.02億元，比1955年增長192倍。1950～1989年出口總額67.65億美元，其中1989年爲16.62億美元，比1950年的196萬美元增長847倍，年平均遞增18.4%。出口商品結構由最初的農、輕、重比例爲85：14：

1，發展爲1989年的12∶71∶17。出口商品也由1950年的紙箱、松香、花茶、烏龍茶等幾個品種，發展到1989年的25大類1200多種。出口市場由50年代初期僅局限在東南亞、日本及香港、澳門等國家和地區，發展到目前的120多個國家和地區。

1979年改革開放以來，福建省充分發揮中央賦予的特殊政策和靈活措施，採取多形式、多渠道吸收外資，截至1989年底，共簽訂利用外資合同2958項，合同外資金額27.89億美元，實際利用外資13.75億美元。批准建立外商投資企業2708家，其中合資企業1482家，合作企業749家，外資企業477家；屬生產型企業2301家，佔85%，非生產型企業407家，佔15%。在已開業的1520家外商投資企業中，被確認爲產品出口企業128家，先進技術企業24家。累計出口8.43億美元。

1979年以來，批准簽訂引進技術和進口設備合同1212項，合同金額9.64億美元，實際用滙近8億美元。

自1980年開展對外承包工程和勞務合作業務，至1989年底共簽訂合同978項，合同金額6.4億美元，完成營業額3.84億美元，累計派出勞務人員33217人次。興辦海外投資企業140多家，總投資額5.76億美元。

1961年開始參與援外工作，70年代初開始獨立承擔援外項目的實施工作，先後爲28個國家承擔40多個援助項目。共派出各種工程技術人員3000多人次。派出10多批援外醫療隊。

1989年厦門對外經濟貿易

厦門市經濟貿易委員會

[對外貿易]

1989年福建省厦門市出進口總額爲97128.77萬美元，比1988年的87385.76萬美元增長11.15%。

出口總額64678.40萬美元，比1988年的57607.48萬美元增長12.27%，佔全市國民生產總值的57.17%，佔福建省出口總額的39%。其中外貿專業公司出口5670.13萬美元，市屬外貿企業出口35384.24萬美元，部屬外貿企業出口3598.32萬美元，省屬工貿公司出口1849.71萬美元，外商投資企業出口18176萬美元。出口商品中，初級產品出口26563.42萬美元，佔出口總額的41.07%；工業製成品38114.98萬美元，佔58.93%。主要出口商品有食品罐頭、水產品、彩色電視機、紡織品、茶葉、花崗石荒料、工藝美術品、電子手錶、電話機等。

出口商品銷往香港、日本、美國、聯邦德國、新加坡、英國、台灣省、澳大利亞等91個國家和地區。

進口總額32450.37萬美元，比1988年的29778.28萬美元增長8.97%。其中市屬外貿企業進口25179.67萬美元，外商投資企業進口4855.6萬美元，其他進口2415.10萬美元。主要進口商品有機器設備、工業原輔材料和化肥、農藥等。

[利用外資]

批准簽訂外商直接投資合同225項，合同外資金額76906.24萬美元，比1988年15564萬美元增長近4倍。其中合資企業55項，合作企業34項，外資企業136項。項目主要涉及農業、工業、交通運輸、飲食、房地產等行業。投資者來自香港、台灣省、美國、日本、新加坡等8個國家和地區。其中香港94項，外資金額52794.32萬美元，佔外資總額的68.65%；台灣省114項，16699.21萬美元，佔21.71%；日本4項，530萬美元，佔0.69%；美國5項，442.5萬美元，佔0.58%。

實際利用外資21062萬美元，比1988年的4917

萬美元增長3.3倍。其中外商直接投資20980萬美元，外商其他投資82萬美元。

全年有95家外商投資企業投產開業，累計已投產開業的外商投資企業達358家。全年外商投資企業工業總產值263338萬元，佔全市工業總產值的48.3%。產品60.15%外銷，出口創滙18176萬美元，比1988年增長1.16倍，佔出口商品總額的28.1%。

[經濟技術開發區]

1989年5月，國務院批准厦門經濟特區和厦門島外的杏林、海滄爲台商投資開發區。杏林和海滄總面積126平方公里，目前正在加緊進行基礎設施的建設。杏林區已批准興辦18個外商投資項目，有4個項目已建成投產。

[技術進出口]

簽訂引進技術和進口設備合同32項，合同金額4481.36萬美元，比1988年的1491.31萬美元增長2倍。設備到貨金額691.08萬美元，比1988年的1997.64萬美元下降65.41%。引進項目主要來自法國、日本、聯邦德國、西班牙、英國、台灣省等9個國家和地區。涉及的行業有化工、鋁箔加工、食品、電子、玻璃、皮鞋、印刷、機械、航運、郵電通訊、污水處理等。

[對外經濟合作]

簽訂對外承包工程和勞務合作合同23項，合同金額1914.29萬美元，比1988年的979.87萬美元增長95.36%；營業額331.35萬美元，比1988年的171.83萬美元增長92.83%；派出勞務人員729人，年末在外868人。對外承包的工程項目有香港油罐建設工程，澳門房地產開發和園藝建築工程。派出的勞務人員有海員、紡織、針織、絲綢、汽車駕駛、飛機維修和家庭女工等。主要分佈在香港、澳門、毛里求斯、萊索托、塞班島和新加坡等地。

[對外經貿洽談會]

1989年9月參加在厦門舉辦的“福建外商投資貿易洽談會”。來自25個國家和地區的客商2000多人到會。厦門市代表團在洽談會上簽訂外商投資合同116項，合同外資金額41941.4萬美元；簽訂外商投資協議19項，協議外資金額24250.5萬美元；簽訂外商投資意向書27項，意向外資金額19030萬美元。此外，出口成交額12000萬美元；簽訂勞務輸出合同3項，合同金額567.88萬美元。還以議標方式有償轉讓一塊面積爲3300平方米的國有土地的使用權，金額爲221.8萬美元。

[港口運輸]

爲適應對外貿易發展的需要，厦門市改建成2個萬噸級泊位，新建成2個千噸級泊位，目前厦門港千噸級以上的泊位達到11個，其中萬噸級泊位有6個。全年港口吞吐量512.59萬噸，其中對外貿易貨物吞吐量270.68萬噸，比1988年的258.77萬噸增長4.6%。

[旅遊]

全年共接待外國客人、海外僑胞和港澳台同胞138508人次，比1988年的152169人次下降8.98%。旅遊收入11352.35萬元外滙人民幣，比1988年的9502.51萬元增長19.47%。

[40年經貿發展簡述]

40年來，厦門對外經濟貿易有了較大的發展，特别是1980年10月國務院批准在厦門創辦經濟特區以後，對外經濟貿易發展尤其迅速。1950年，厦門市出口額僅130.41萬美元，到1989年已發展到64678.40萬美元，比1950年增長495倍。出口商品結構也有很大改善，工業製成品出口額有較大幅度的增長，由1978年佔出口總額的19.42%，提高到1989年的58.93%。出口市場由50年代初期的香港及東南亞地區發展到140多個國家和地區。

厦門自創辦經濟特區以來，投資環境日益改善。截至1989年底，累計批准外商直接投資合同718項，合同外資總額163535.24萬美元。其中合資企業327項，合同外資金額46266.27萬美元；合作企業146項，51374.15萬美元；外資企業245項，59715.83萬美元。實際利用外資累計42708萬美元。已建成投產或開業的外商投資企業358家，1989年，外商投資企業工業總產值達263338萬元，爲1983年1422萬元的185.19倍，創滙18176萬美元，比1985年的1817萬美元增長9倍。

1981年起開展對外勞務合作業務。到1989年底，累計派出勞務人員3777人次，營業額1248.96萬美元，外滙淨收入598.39萬美元。

1989年福州對外經濟貿易

福州市對外經濟貿易委員會

[對外貿易]

1989年福建省福州市出進口總額爲19906.69萬美元，比1988年16840.44萬美元增長18.21%。

出口商品收購總值60961.18萬元，比1988年55762.64萬元增長9.32%。

出口總額14124.48萬美元，比1988年9289.67萬美元增長52%，其中外貿專業公司和工貿公司出口3861.26萬美元，比1988年增長45.27%；外商投資企業出口9749.04萬美元，比1988年增長54.21%；收取來料加工工繳費514.18萬美元，比1988年增長65.86%。福州市出口額佔福建省出口總額的8.5%。

主要出口商品有對蝦、活鰻、食品罐頭、家用電器、保溫瓶、運動鞋、玩具、脫胎漆器、服裝、紡織品、珠寶首飾、化工醫藥、機械電子等16個大類100多個系列商品。出口商品銷往美國、加拿大、墨西哥、意大利、法國、英國、荷蘭、比利時、西班牙、聯邦德國、埃及、摩洛哥、阿聯酋、日本、巴基斯坦、泰國、新加坡、馬來西亞、香港等49個國家和地區。

1989年進口原輔材料、零部配件、機械、化工原料、電子元器件、農藥等生產資料5782.21萬美元，比1988年7550.44萬美元減少23.42%。進口商品主要來自香港、日本、美國、法國、英國、加拿大、瑞士等10多個國家和地區。

[利用外資]

批准簽訂外商直接投資合同214項，合同外資金額15156萬美元，比1988年11781萬美元增長28.65%。其中，合資企業131項，外資金額9262萬美元；合作企業16項，外資金額656萬美元；外資企業67項，金額5238萬美元。在外商直接投資的214項中，生產型項目約佔99.2%；按行業劃分，工業179項，農業8項，建築、房地產21項，服務行業3項，其他3項。

外商投資主要來自香港、澳門、日本、美國、新加坡、聯邦德國、荷蘭等國家和地區。其中香港140項，合同外資金額7932萬美元，佔合同外資總額的52%。

截至1989年底，已開業投產的外商投資企業265家，實現工業產值20.7億元，佔福州市工業總產值的27%，比1988年增長21.76%。外商投資企業產品出口創滙9749.04萬美元，佔全市出口總額的69%。

[經濟技術開發區]

開發區從1984年籌建以來，已進行了道路、電訊、供電、供水等基礎設施建設，基本建設投資1.7億元。現已進入生產性建設開發階段。至1989年底，開發區已批准生產型項目97項，總投資7.35億元，其中外商投資項目56項，利用外資4536萬美元。已建成投產的企業56家，其中外商投資企業29家。1989年開發區產值4.1億元，財政收入2500萬元，利潤5277萬元，出口額629.68萬美元。

[對外經濟合作]

簽訂承包工程和勞務合作合同10項，合同金額1309萬美元，營業額649.7萬美元，比1988年增長

11%。派出勞務人員1751人，比1988年增長3倍，年末在外人數1119人，主要分佈在香港、澳門、新加坡、日本、玻利維亞、塞拉利昂、聯邦德國、扎伊爾、科威特、美國、澳大利亞、毛里求斯等國家和地區。

[對外經貿洽談會]

1989年9月福州市參加福建省在厦門舉辦的外商投資貿易洽談會，簽訂外商直接投資合同121項，合同外資金額1.31億美元；出口成交額1772萬美元；勞務合作合同2項，合同金額100萬美元；土地批租成交合同1項，批租金額128萬美元。

[旅遊]

1989年接待境外旅遊者110016人次，其中華僑、港澳台同胞90453人次，外國人19563人次。旅遊收入14841萬元外滙人民幣，比1988年增長33.33%。

[40年經貿發展簡述]

福州市對外貿易機構成立於1957年，當年出口商品收購額1274萬元，1989年增加到60961.18萬元，比1957年增長46.85倍。改革開放，使福州市對外貿易有了較大的發展，1980年開始直接經營出口業務，當年出口21.5萬美元，1989年出口已發展到14124.48萬美元，比1980年增長655.95倍。10年累計出口總值34411.48萬美元。出口商品結構有了明顯變化，目前除傳統出口商品外，紡織品、機械產品、電子產品、水產品、化工產品等佔有一定比重。出口商品銷往的國家和地區，由最初以港澳地區爲主，擴大到東南亞、東歐、西歐、南北美洲、大洋洲、非洲等40多個國家和地區。

福州市自1979年開始利用外資，截至1989年底，累計批准外商直接投資合同624項，合同外資金額38388萬美元，實際利用外資19913萬美元。外資投向漸趨合理，生產型項目達543項，佔項目總數的87%。已開業投產的外商投資企業265家，累計產值54.39億元，出口創滙20292萬美元。

1984年福州市開始進入國際承包和勞務市場，截至1989年底，簽訂承包工程和勞務合作合同69項，合同金額5111.41萬美元，營業額達1671.72萬美元，派出勞務人員2574人次。在海外創辦了建築、製鞋、傢具、五金機械等19家合資、獨資企業。

1989年江西對外經濟貿易

江西省對外經濟貿易廳

[對外貿易]

1989年江西省出進口總額爲58726萬美元，比1988年59850萬美元，下降1.88%。

出口商品收購總額爲24.73億元，比1988年22.37億元，增長10.55%。出口商品收購總額中，供本省自營出口23.35億元，佔94.42%；調撥外省口岸出口1.38億元，佔5.58%。

出口總額爲51577萬美元，比1988年48938萬美元增長5.39%，佔全省國民生產總值的6.68%，佔全國出口總額的1.19%。

出口商品結構有所優化，工業製成品比重上升，機電產品出口額所佔比重由1988年的5.89%上升爲7.21%。

出口商品結構表

商品分類	金額（萬美元）	佔出口總額%	1989年比1988年增減%
農副產品	12650	24.53	－0.50
輕工業品	24484	47.47	4.36
重工業品	14443	28.00	13.17
初級產品	23642	45.84	－0.65
工業製成品	27935	54.16	11.11

出口商品已達850多種，出口額在100萬美元以上的商品68種，計42343萬美元，佔出口總額的82.1%。其中出口1000萬美元以上有13種，計25274萬美元，佔出口總額的49%。

出口1000萬美元以上的商品表

品名	出口金額（萬美元）	佔出口總額%
黑鎢砂	4838	9.38
瓷器	2727	5.29
大米	2431	4.71
服裝	2314	4.49
活大猪	1864	3.61
棉布	1861	3.60
仲鎢酸銨	1726	3.35
鞭炮煙花	1510	2.93
羽絨製品	1418	2.74
化纖混紡布	1280	2.48
蔴紗	1121	2.17
罐頭	1099	2.13
稀土	1085	2.10

出口商品銷往87個國家和地區。出口額在100萬美元以上的國家和地區36個，計48022萬美元，佔出口總額的93.11%。其中出口在1000萬美元以上的9個國家和地區，計39248萬美元，佔出口總額的76.09%。

出口1000萬美元以上的主要市場表

國家（地區）	金額（萬美元）	佔出口總額%
香港	18679	36.22
日本	5856	11.35
美國	3590	6.96
聯邦德國	3114	6.04
蘇聯	3073	5.96
新加坡	1346	2.61
民主德國	1248	2.42
英國	1193	2.31
泰國	1149	2.23

進口到貨7149萬美元，比1988年10912萬美元，下降34.48%。進口商品中生產資料佔73.58%，生活資料佔26.42%。初級產品佔56.3%，工業製成品佔43.7%。進口商品來自15個國家和地區，香港、日本分別佔進口總額的40.31%和22.08%。

[利用外資]

批准簽訂利用外資合同46項，合同外資金額8891.58萬美元，比1988年12787萬美元下降30.46%。其中對外借款11項，7143萬美元；外商直接投資24項，513.58萬美元；外商其他投資11項，1235萬美元。實際利用外資3864萬美元，比1988年增長5.23%。

在外商直接投資的24個項目中，合資企業22家，合作企業、外資企業各1家。其中生產型企業23家，非生產型企業1家。投資項目涉及服裝、輕工、電子、食品和交通運輸5個行業。外商投資來自香港、台灣、日本、澳門和新加坡等國家和地區，其中香港18項，403.4萬美元，佔外商直接投資額的78.55%。

截至1989年末，共有外商投資企業118家，其中合營企業94家，合作企業20家，外資企業4家。按類別分，生產型企業99家，非生產型企業19家。1989年，已開業、投產的45家外商投資企業出口創滙1062萬美元，獲利1878萬元，上繳稅金1001萬元。

[技術進出口]

簽訂引進技術和進口設備合同12項，合同金額1285.1萬美元，比1988年3147萬美元下降59.16%。實際用滙2053萬美元，比1988年1644.58萬美元增長24.83%。技術引進項目來自日本、聯邦德國、澳大利亞、法國、美國。引進項目主要分佈於電子、電訊、紡織、機械、輕工和冶金等6個行業。1989年有13個引進項目投產。簽訂技術出口合同2項，金額16萬美元。

[對外經濟合作]

簽訂承包工程和勞務合作合同17項，合同金額431萬美元，比1988年127萬美元增長2.39倍；完成營業額922萬美元，比1988年874萬美元增長5.49%。當年在科威特、伊拉克、利比亞、日本、贊比亞、巴基斯坦、聯邦德國等16個國家和地區承包建築、道路、橋樑、打井等工程和進行縫紉、機修等勞務合作，派出勞務人員226人，年末在外人數1003人。

承擔了毛里塔尼亞、塞拉利昂、剛果、突尼斯和乍得等國家的農業、水電技術服務和醫療衛生等5個援外項目，派出援外技術人員101人。

接受丹麥政府贈款3項，金額314萬美元，當年實際使用180萬美元。

在贊比亞、塞班島分別設立了長城飯店和環球有限公司，投資19.8萬美元。

[對外經貿洽談會]

1989年2月在南昌首次舉辦江西省出口商品展銷會和對外經濟技術合作洽談會。日本、美國、加拿大、歐洲共同體和港澳台等23個國家和地區的448位客商到會。進出口成交額11119.8萬美元，其中出口成交10123.8萬美元；簽訂利用外資合同8項，合同外資金額925萬美元；簽訂承包工程和勞務合作合同2項，合同金額31.3萬美元。並先後在新加坡、香港等地舉辦了4次江西省出口商品展銷會，接待客戶589家，出口成交4856萬美元。

[旅遊]

1989年重建的南昌滕王閣和九江潯陽樓對外開放。滕王閣與湖北黃鶴樓、湖南岳陽樓並稱江南三大名樓，位於江西省南昌市贛江與撫河滙合處。潯陽樓經過3年重建，於80年代最後一天重現在九江市長江南岸。

全年共接待來自美國、日本、香港等43個國家和地區的旅遊、參觀、訪問及從事各項經濟技術文化交流活動的外國人和港澳台同胞25986人次，比1988年26514人次下降1.99%，全年旅遊收入842.32萬元外滙人民幣，比1988年下降17.58%。

[40年經貿發展簡述]

建國40年來，江西省對外經濟貿易事業發展迅速。1950年出口商品收購額僅爲2000萬元，1989年已增加到24.73億元，比1950年增長122.65倍。1975年開始部分直接對外成交，當年出口額爲799.75萬美元，1981年全面自營進出口，到1989年出口額已發展到51577萬美元，比1975年增長63.49倍。出口商品結構由以農副產品爲主變爲以輕紡、重化工產品爲主。出口商品的種類由過去十幾種發展到目前的850多種。已與世界100多個國家和地區建立了貿易關係。

改革開放後，利用外資從無到有，1979～1989年，簽訂的利用外資合同外資金額40986萬美元，實際利用外資13880萬美元。截至1989年末，共批准外商投資企業129家，累計出口創滙8438萬美元。1982年以來，先後引進先進技術和成套設備365項，用滙23518萬美元，對13個行業的300多家企業進行了技術改造。

1964年開始，承擔了我國對24個國家和地區46個經援成套項目的任務和醫療衛生等項目，派出工程技術人員2161人次。1981年開展了對外承包工程和勞務合作業務，截至1989年底先後爲科威特、伊拉克等12個國家和地區承包港口、橋樑、建築等工程和開展紡織、縫紉等勞務合作項目，合同金額爲1693萬美元(不含中建、路橋公司簽約金額)，完成營業額5902萬美元(含中建、路橋公司完成金額)，累計派出承包勞務人員7766人次。1987～1989年共接受國際組織援助906.7萬美元。在海外舉辦12家企業，總投資1169萬美元。

1989年山東對外經濟貿易

山東省對外經濟貿易委員會
山東省對外貿易局

[對外貿易]

1989年山東省出進口總額爲40.3億美元，比1988年38.7億美元增長4%。

外貿收購總額100.3億元，比1988年94.3億元增長6.4%。

出口總額30.6億美元，比1988年29.8億美元增長2.7%；佔全省國民生產總值的9.7%；佔全國出口總額的7%，居全國第四位。

出口商品結構：農副產品11億美元，佔出口總額的35.9%，所佔比重比1988年下降5.7個百分點；輕工業產品8.8億美元，佔28.8%，比重上升1.3個百分點；重工業產品10.8億美元，佔35.5%，比重上升4.4個百分點。初級產品出口15億美元，佔出口總額的49%，工業製成品15.6億美元，佔出口總額的51%。

出口在1000萬美元以上的商品有：食用植物油、食用油籽、粉絲、花生製品、活牛、凍豬肉、水產品、蔬菜、罐頭、啤酒、棉花、棉紗、棉布、棉織品、服裝、絲類、綢緞、木材、飼料、抽紗、陶瓷、草柳製品、地毯、鞋類、塑料製品、鋼材、小五金、石墨、原油、橡膠製品、中藥材、西藥、機牀、烤煙、煤炭等46個品種，出口額24.1億美元，佔出口總額的78.8%。

出口商品銷往138個國家和地區，主要市場情況：日本9.1億美元，佔出口總額的29.7%；港澳地區4.86億美元，佔15.9%；歐洲共同體3.46億美元，佔11.3%；蘇聯、東歐2.07億美元，佔6.8%；美國2.01億美元，佔6.6%。

進口到貨9.7億美元，比1988年8.9億美元增長9%。其中生產資料9.2億美元，佔進口總額的94.8%；生活資料5000萬美元，佔5.2%。初級產品進口4億美元，佔進口總額的41%；工業製成品5.7億美元，佔59%。

主要進口商品有：成套設備及技術、汽車及摩托車、輕工機械、電子計算機及電子儀器、鋼材、柴油、橡膠、化肥、化工原料、家用電器、紙張紙漿、羊毛、化纖、木材、畜產類等。

進口商品來自21個國家和地區，主要進口市場是：日本19229萬美元，港澳地區14379萬美元，美國11257萬美元，新加坡2995萬美元，新西蘭1725萬美元，澳大利亞1380萬美元，台灣740萬美元，加拿大657萬美元。合計52362萬美元，佔進口總額的53.98%。

[利用外資]

批准簽訂利用外資合同469項，合同外資金額45426萬美元，比1988年4.16億美元增長9.19%。其中：對外借款47項，金額21725萬美元；外商直接投資240項，合同外資金額17855萬美元；外商其他投資182項，金額5846萬美元。

實際利用外資29811萬美元，比1988年11647萬美元增長1.6倍。其中：對外借款13478萬美元；外商直接投資13132萬美元；外商其他投資3201萬美元。

外商直接投資的240個項中，合資企業209個，合作企業15個，外資企業16個。其中生產型企業佔95%；按行業劃分：工業213項，農業18項，交通運輸和郵電3項，商業、科技綜合服務各2項，建築業和其他行業各1項。

投資者來自13個國家和地區。主要有：香港150項，外資金額9439萬美元；美國35項，3407萬美元；愛爾蘭1項，1520萬美元；日本25項，1257萬美元；聯邦德國1項，856萬美元；南朝鮮5項，590萬美元；澳大利亞3項，469萬美元；台灣省10項，170萬美元。

截至1989年已有252家外商投資企業開業，其中生產型企業225家，非生產型企業27家。全年共完成產值10.17億元；銷售(營業)收入9.5億元；實現利稅7571萬元；外滙收入9294萬美元，其中產品出口創滙8363萬美元。

[技術進出口]

簽訂引進技術和進口設備合同120項，合同金額9972萬美元，比1988年1.71億美元減少41.7%。其中設備費佔95%，技術費佔2.2%，其他費用佔2.8%。實際用滙8707萬美元，比1988年9328萬美元減少6.7%。引進項目主要來自聯邦德國、日本、意大利、美國、英國、瑞士、法國、香港等國家和地區。涉及的主要行業有紡織、機械、化工、電子、建材、皮革、印刷、造紙、醫藥等。

1989年有71個引進項目投產，這些項目形成生產能力後，預計增加產值12億元，利稅22866萬元，創滙13000萬美元。

[對外經濟合作]

簽訂承包工程和勞務合作合同69項，合同金額1388.99萬美元，比1988年495.34萬美元增長1.8倍；完成營業額999.82萬美元，比1988年984.61萬美元增長1.54%；年末在國外1229人。合作領域涉及工程建築、水產養殖、海員勞務、果樹種植、礦物開採、漁業捕撈、飲食服務、機械製造等。項目分佈在美國、聯邦德國、阿拉伯也門、日本、希臘、厄瓜多爾、尼日利亞、澳大利亞、新加坡、加拿大、伊拉克、泰國及香港等國家和地區。

承擔援外項目10個，涉及農業種植、果樹栽培、醫療衞生、建築設計、紡織技術管理等行業。受援國家有巴布亞新幾內亞、西薩摩亞、贊比亞、坦桑尼亞、蘇丹、尼加拉瓜等。

接受國際組織和雙邊援助項目17個，金額474.81萬美元。援助款項用於農業、畜牧業、工業、醫藥、飲水工程等。

經批准在美國、巴布亞新幾內亞、澳大利亞興辦海外企業3家，中方投資33.5萬美元。

[對外經貿洽談會]

1989年2月山東省第六屆對外經濟貿易洽談會在青島市舉行，接待了來自34個國家和地區的2300多位客商。出口成交1.57億美元；簽訂利用外資和"三來一補"合同152項，合同外資金額1.56億美元。

1989年6月分別在聯邦德國漢堡和新加坡舉辦山東省經濟貿易展覽會，出口成交2970萬美元，簽訂經濟技術合作協議和意向書49項。

[港口運輸]

山東省沿海港口有22處，青島港、煙台港、石臼所港、威海港、龍口港、嵐山港、石島港爲對外開放口岸，共有泊位85個，萬噸級以上的泊位29個，其中1989年建成的萬噸級泊位7個。全年吞吐量5317.3萬噸，比1988年增長2.1%，其中進出口貨物吞吐量2021萬噸，比1988年增長1.2%。

[旅遊]

全年接待旅遊、參觀、訪問和從事各項經濟貿易及交流活動的外賓、華僑、港澳台同胞88300多人次，比1988年下降36%；旅遊收入1.25億元外滙人民幣，比1988年增長19%。

[40年經貿發展簡述]

建國40年來，山東省對外經濟貿易發展迅速，1950年出口商品收購額僅9500萬元，出口額3490萬美元，到1989年，出口商品收購額已增加到100.3億元，出口額增加到30.6億美元，分別比1950年增長104.6倍和86.7倍。40年間累計出口304億美元，平均年遞增13.54%。出口商品由初期的10多類發展到目前的1000多個大類。出口市場由過去主銷蘇聯、東歐、港澳擴展爲目前的近140個國家和地區。

1979年改革開放後，山東省對外經濟合作事業有較快的發展，截至1989年底累計簽訂利用外資合同額15.8億美元，實際利用外資7.8億美元。批准成立外商投資企業568家，合同外資金額5.9億美元，其中合資企業485家，合作企業63家，外資企業20家。

引進技術和進口設備1809項，合同額10.53億美元。已竣工投產1170項，用滙7.07億美元。

累計簽訂對外承包工程和勞務合作合同金額6616.77萬美元，完成營業額5837.85萬美元，共派出勞務人員7464人次。承擔援外項目55個，派出援外工程技術人員約2000人次。接受各類國際無償援助項目84個，援助金額8202.62萬美元。在海外興辦企業28家，中方投資932萬美元。

1989年青島對外經濟貿易

青島市對外經濟貿易委員會

[對外貿易]

1989年山東省青島市出進口總額40859萬美元，比1988年的28101萬美元增長45.40％。

外貿收購總額191156萬元，比1988年的195421萬元減少2％。

出口額爲29329萬美元，比1988年的21735萬美元增長34.94％，佔山東省出口總額的9.58％。

出口商品結構：輕紡產品18851萬美元，佔出口總額的64.27％；工礦產品4279萬美元，佔14.59％；農副產品4076萬美元，佔13.9％；手工藝品591萬美元，佔2.02％；外商投資企業出口1532萬美元，佔5.22％。

出口商品共有486種。出口100萬美元以上的骨幹商品有48種，金額21615萬美元，佔出口總額的73.7％。其中出口1000萬美元以上的商品有啤酒、棉滌綸布、棉布、地毯等14種，金額8431萬美元，佔出口總額的28.75％。

出口商品銷往75個國家和地區。主要出口市場在亞洲、歐洲和北美洲。

10個主要出口市場情況表

國家(地區)	金額(萬美元)	佔出口總額(%)
合計	21724	74.07
香港	8331	28.41
日本	7479	25.50
美國	2237	7.63
新加坡	1260	4.30
聯邦德國	507	1.73
英國	474	1.62
蘇聯	438	1.49
澳門	375	1.27
法國	344	1.17
加拿大	279	0.95

進口總額11530萬美元，比1988年6365.88萬美元增長81％，其中：生產資料8044萬美元，佔進口總額的69.77％；生活資料3486萬美元，佔30.23％。初級產品1149萬美元，佔進口總額的9.97％，工業製成品10381萬美元，佔90.03％。主要進口商品有輕工機械、成套工業技術設備、家用電器、化工原料、電子計算機等。進口商品來自香港、日本、聯邦德國、意大利、美國、台灣等24個國家和地區。

[利用外資]

批准簽訂利用外資合同102項，合同外資金額15168萬美元，比1988年的14438.50萬美元增長5％，其中：對外借款9項，金額9908萬美元；外商直接投資44項，外資金額3189萬美元；外商其他投資49項，外資金額2071萬美元。

實際利用外資金額10815萬美元，比1988年3978萬美元增長1.7倍。其中：對外借款3540萬美元，外商直接投資5801萬美元，外商其他投資1474萬美元。

外商直接投資的44個項目中，合資企業34個，2480萬美元；合作企業6個，568萬美元；外資企業4個，141萬美元。涉及的行業有紡織、輕工、化工、農林、塑料製造、醫藥、金屬製造、水產養殖、交通運輸、電子、旅館等，其中生產型企業42個。

外資主要來自香港、日本、南朝鮮、美國、英國、台灣、新加坡、澳門、芬蘭、加拿大、印尼、泰國、菲律賓等13個國家和地區。其中：香港26項，外資金額1843萬美元；日本6項，581萬美元；南朝鮮3項，550萬美元；美國4項，164萬美元。

截至1989年底，已投產開業的外商投資企業60家。全年實現產值22372萬元，銷售(營業)收入23824萬元，出口創滙3810萬美元。

[經濟技術開發區]

開發區累計完成基建投資21024萬元，1989年爲4695萬元；竣工面積累計達到20萬平方米，1989

年爲4.9萬平方米。累計批准外引內聯項目138個，1989年爲45個，其中外商投資項目8個，利用外資272.39萬美元。截至1989年底累計投產企業達80家。全年工業產值21757萬元，創滙2153萬美元。

[技術進出口]

簽訂引進技術和進口設備合同74項，合同金額3793萬美元，比1988年的3981萬美元，減少4.7%。

引進項目來自10個國家和地區。主要有：香港28項，日本20項，聯邦德國15項，意大利4項，澳大利亞2項，法國2項。

引進的技術設備主要用於紡織、輕工、電子、機械、化工、橡膠、市政等7個行業的技術改造。

引進技術和進口設備項目已竣工投產的47項，可年增產值116000萬元，利潤10300萬元，稅金8594萬元，創滙1235萬美元。

[對外經濟合作]

簽訂承包工程和勞務合作合同10個，合同金額471.4萬美元，比1988年173.82萬美元增長1.7倍；當年營業額275.5萬美元，比1988年81.5萬美元增長2.4倍；派出勞務人員1194人，年末在外1136人，派往博茨瓦納、萊索托、科威特、日本等國。

承擔對外經援項目4個，其中新簽項目1個，續建項目3個。

[旅遊]

全年接待旅遊、觀光、訪問、從事科技文化活動的外國人、華僑和港澳台同胞57465人次，比1988年減少4.86%。旅遊收入9459萬元外滙人民幣，比1988年增長56%。

[港口運輸]

青島港現有碼頭10座，泊位63個，其中萬噸級以上的泊位21個。1989年完成吞吐量3145萬噸，與1989年基本持平。

[40年經貿發展簡述]

建國40年來，青島市的對外經濟貿易取得了較大的發展。1959外貿收購額僅爲18574萬元，1989年已增至191156萬元，比1959年增長9.3倍。1988年開始自營出口，當年出口額爲21735萬美元，1989年出口額比1988年增長34.94%，兩年累計出口51064萬美元。出口商品銷往75個國家和地區。1979年以來，批准簽訂利用外資合同335個，合同外資金額5.28億美元，實際利用外資2.74萬美元。

1989年煙台對外經濟貿易

煙台市對外經濟貿易委員會

[對外貿易]

1989年，山東省煙台市出口商品收購總額達145576萬元，比1988年141206萬元增長3%。在15大類出口商品中，收購額1000萬元以上的大宗骨幹出口商品有32個，收購額爲106864萬元，佔收購總額的73.4%。

自營出口額15221萬美元，比1988年2501萬美元增長5.09倍，佔山東省出口總額的4.97%。

出口商品結構：農副產品9352萬美元，佔自營出口額的61.44%；輕工業產品3995萬美元，佔26.25%；重工業產品1874萬美元，佔12.31%。工業製成品出口6686萬美元，佔自營出口額的43.93%；初級產品8535萬美元，佔56.07%。

出口額在300萬美元以上的出口商品有6種：花生3218萬美元，抽紗2700萬美元，凍蝦1682萬美元，凍雞621萬美元，粉絲599萬美元，齒輪箱507萬美元，合計9327萬美元，佔自營出口額的

61.28%。

出口商品銷往港澳地區、日本、東南亞、歐洲、美洲等國家和地區。

主要出口市場情況

國別(地區)	出口額(萬美元)	佔出口總額%
日　　本	4788	32
港澳地區	4385	29
歐　　洲	2541	17
美　　洲	1364	9
東 南 亞	817	5

[利用外資]

批准簽訂利用外資合同128項，合同外資金額7346.1萬美元，比1988年7327.72萬美元略有增加。其中：對外借款10項，金額2828.77萬美元；外商直接投資63項，外資金額3169.16萬美元；外商其他投資55項，外資金額1348.17萬美元。

實際利用外資2099.44萬美元，比1988年2276.6萬美元減少7.78%。其中：對外借款295.9萬美元；外商直接投資1140.68萬美元；外商其他投資662.86萬美元。

在外商直接投資的63項中，合資企業57個，合作企業2個，外資企業4個。其中生產型項目62個，非生產型項目1個。涉及的行業主要有：漁業、縫紉、工藝美術、紡織以及化工、機械、塑料、建材、電子等行業。

投資者主要來自：香港3157.81萬美元，日本1037.51萬美元，聯邦德國483.10萬美元，美國366.96萬美元，奧地利349萬美元。

已投產的60家外商投資企業，全年完成產值28319.94萬元，利稅2293.39萬元，創滙2315.62萬美元。其中經國家核准的產品出口企業23個，先進技術企業5個。

[經濟技術開發區]

全年基本建設竣工面積111600平方米，完成固定資產投資16200萬元。新簽利用外資合同12個，合同外資金額288.39萬美元。累計外商投資項目34個，合同外資金額3635.28萬美元。

截至1989年底，全區已投產的企業52家，1989年實現工業總產值1.82億元，利稅4000萬元，創滙3000萬美元。

[對外經濟合作]

簽訂對外承包工程和勞務合作合同23個，合同金額254.42萬美元，比1988年22萬美元增長10.56倍，營業收入29.51萬美元，比1988年97.42萬美元下降69.71%。全年派出勞務人員405人次，年末在外330人。主要有建築、種植、服裝、服務等人員及研修生、海員等。涉及的國家和地區有科威特、日本、墨西哥、美國、香港、聯邦德國、巴布亞新幾內亞等。

[港口運輸]

全市港口1989年吞吐量1700多萬噸，其中煙台港吞吐量703.40萬噸。

[旅遊]

全年接待港澳台同胞及外國遊客21000人次，旅遊收入628萬元外滙人民幣，比1988年560萬元外滙人民幣增長12.14%。

[40年經貿發展簡述]

建國後煙台市對外貿易發展較快。1951年外貿收購額僅94萬元，1989年增至145576萬元。自1951年起部分直接對外出口成交，當年出口額36萬美元，1988年全面自營出口，1989年出口額已增至15221萬美元，比1951年增長421.8倍。39年累計出口56924萬美元，年平均遞增20.78%。出口商品結構由1988年以前僅抽紗一種發展到目前的四大類20多種。出口市場1988年以前主要是東南亞幾個國家和地區，現已發展到五大洲43個國家和地區。

利用外資工作始於1979年，截至1989年底，共批准簽訂利用外資合同391項，合同外資總額29074萬美元，實際利用外資9543.65萬美元。外商直接投資166項，合同外資額16622.83萬美元。其中，合資企業144家，合作企業17家，外資企業5家。

自1982年開展對外承包工程、勞務合作以來，共外派勞務人員4105人次，承包合同總額爲2064.42萬美元。接受國際組織和雙邊援助項目7個，金額420萬美元。在香港興辦獨資企業一家，投資50萬美元。

1989年河南對外經濟貿易

河南省對外經濟貿易委員會

[對外貿易]

1989年河南省出進口總額90096萬美元，比1988年86681萬美元增長3.94%。

出口商品收購額爲466509萬元，比1988年364173萬元增長28.10%。

出口額81897萬美元，比1988年76772萬美元增長6.68%，佔全省國民生產總值的3.65%，佔全國出口總額的1.89%。

出口商品結構：初級產品38556萬美元，佔出口總額的47.08%(比上年下降4.46個百分點)；工業製成品43341萬美元，佔52.92%(比上年提高4.46個百分點)。農副產品出口29591萬美元，佔出口總額的36.13%；輕紡產品37353萬美元，佔45.61%；重工業產品14953萬美元，佔18.26%。與1988年相比，農副產品的比重下降8.07個百分點，輕紡產品、重工業產品的比重分別提高7.34和0.73個百分點。機電產品出口6662萬美元，佔出口總額的8.13%，比1988年上昇2.33個百分點。

出口創滙1000萬美元以上的商品由1988年的14種增加到18種，金額50518萬美元，佔出口總額的61.68%，比1988年增加5.68個百分點。

出口500萬美元以上的商品表

出口金額分類	出口商品	出口金額(萬美元)	佔出口總額%
5000萬美元以上 2種	棉花、棉織品	13869	16.93
1000～5000萬美元 16種	棉布、棉服裝、棉針織品、棉滌綸布、抽紗、棉紗、綢緞、煤炭、工業軸承、鞋類、陶瓷、飼料、活豬、凍牛肉、山羊板皮、兔毛。	36649	44.75
500～1000萬美元 19種	鋼材、磨料、矾土、紙張、自行車、皮件、汽車蓄電池、綢服裝、絲類、芝蔴、大蒜、罐頭、黃大豆、地毯、豬鬃、腸衣、裘皮製品、木材、煙草。	13115	16.01

出口市場進一步擴大，中東市場發展較快，出口商品銷往94個國家和地區。對亞洲出口47360萬美元，佔出口總額的57.83%，其中對伊朗、伊拉克、沙特阿拉伯、阿聯酋四國出口1865萬美元，比1988年增長2.74倍；歐洲26221萬美元，佔出口總額的32.02%，其中歐洲共同體9833萬美元，佔出口總額的12.01%；北美4998萬美元，佔6.10%。出口創滙1000萬美元以上的市場有13個國家和地區，比1988年增加3個。

貿易方式：現滙貿易增加，記帳貿易減少。全年現滙貿易額爲64975萬美元，佔出口總額的79.33%；記帳貿易額爲14369萬美元，佔17.55%；易貨貿易額爲2553萬美元，佔3.12%。

進口到貨8199萬美元，比1988年9909萬美元減少17.26%。其中生產資料7064萬美元，佔進口總額的86.16%；生活資料1135萬美元，佔進口總額的13.84%。

進口500萬美元以上的商品表

商品名稱	數 量 (噸)	金 額 (萬美元)	佔進口 總額%
成套設備及技術引進		1531	18.67
煙草及捲煙輔料	18360	856	10.44
化 工 原 料	8810	816	9.95
紙 張 及 紙 漿	10669	610	7.44
動 植 物 油	10473	536	6.54

進口商品來自28個國家和地區。主要集中在：香港2089萬美元，佔進口總額的25.48%；日本1781萬美元，佔21.72%；美國921萬美元，佔11.23%；聯邦德國607萬美元，佔7.40%；瑞士559萬美元，佔6.81%。

[利用外資]

全年批准簽訂利用外資合同48項，合同外資金額25122萬美元，比1988年13435萬美元增長86.99%。其中對外借款6項，合同金額23084萬美元；外商直接投資36項，合同外資金額1681萬美元；外商其他投資6項，金額357萬美元。全年實際利用外資4606萬美元，較1988年減少28.23%。

在對外借款6項合同中，主要有利用意大利政府貸款18000萬美元，建設渼陽化纖聯合工程；利用加拿大政府貸款3064.9萬美元，引進程控電話工程。

在外商直接投資的36個項目中，合資經營企業28個，合同外資金額1392萬美元；合作經營企業3個，合同外資金額152萬美元；外資企業5個，合同金額137萬美元。這些企業均爲工業生產型項目。主要涉及食品、塑料、機械、交通、紡織及化工等行業。

投資者來自香港、美國、台灣省等8個國家和地區。香港最多，有23個項目，金額爲1034萬美元，佔外商直接投資總額的61.15%。

截至1989年底，已建成投產的外商投資企業有65家，1989年出口創滙達1827萬美元，比1988年增長147.56%。多數企業經營狀況良好，效益明顯。

[技術進出口]

全年簽訂技術出口合同14項，合同金額182萬美元，比1988年減少69.05%。主要有巴基斯坦、馬來西亞、尼泊爾及世界銀行貸款招標項目。

[對外經濟合作]

簽訂承包工程和勞務合作合同35個，合同金額2306萬美元，比1988年4117萬美元減少43.99%。完成營業額2535萬美元，比1988年3655萬美元減少30.64%。主要項目有孟加拉14城鎮變電站、馬里國家電台調頻台、尼泊爾巴格曼廸水利工程等。全年派出勞務人員364人，年末在外人員956人，分別在15個國家和地區從事修建水利、公路、橋樑、電力工程及紡織技術等勞務合作。全年完成續建項目16個。

承擔對外經濟援助項目8個，其中新建項目有尼泊爾、幾內亞的水利工程和電站設施修理等3個項目。派出人員37人，年末在外人員142人。

1989年接受聯合國開發計劃署援助項目2個，金額57萬美元，用於建立鴨鵝良種繁育基地和茶葉加工設備改造。

1989年全省批准在海外開辦經濟技術合作企業3家，投資額114萬美元。截至1989年底已先後在塞內加爾、馬里、泰國、美國等9個國家和地區興辦了15家企業，共投資482萬美元，有14家已開業，經營效益較好。

[對外經貿洽談會]

河南省16家進出口公司聯合於3月28日～4月2日在美國紐約市擧辦了“河南省出口商品展銷會”。展出具有河南省特色的產品1000多種6000多件。有3000多客商參觀並洽談了貿易，結識新客戶150多家。出口成交6400萬美元，進口成交74萬美元。

[旅遊]

1989年河南省又建設了一批旅遊景點，整修了一些名勝古蹟。全年接待旅遊、訪問及從事各項交流活動的海外客人7.03萬人次，旅遊收入1449萬元外滙人民幣，分別比1988年減少38.6%和56.12%。來客中，華僑和港澳台同胞佔半數，其他客人來自日本、聯邦德國、法國、美國、英國、澳大利亞等國家。

[40年經貿發展簡述]

建國40年來，河南省的對外經濟貿易事業有了巨大的發展。1951年5月成立第一家出口貨源收購機構，當年出口商品收購額僅爲1971萬元，1989年已增加到466509萬元，比1951年增長235.69倍。自1975年開始對外直接出口，成交額爲5438萬美元，1989年出口額爲81897萬美元，比1975年增長14倍。15年來累計出口創滙達48.10億美元，年平均遞增21.38%。出口商品由最初的十幾種發展爲目前的1000多種，銷往120多個國家和地區。1975年出口商品中農副產品佔出口總額的73.65%，1989年僅佔36.13%，工業製成品的比重則相應大大提高。

實行改革、開放以來，利用外資工作取得較大成績。從1980年起步至1989年底，共簽訂利用外資合同291項；合同外資金額69065萬美元，實際利用外資17070萬美元。興辦的一批生產型外資企業發揮了出口創滙和產品進口替代作用。

截至1989年底，共承擔22個國家的66個對外經濟援助項目，派出工程技術人員2597人；簽訂承包工程和勞務合作合同97項，營業額12538萬美元；接受聯合國及民間組織援助11項，受援金額3634萬美元；在海外興辦非貿易性企業15家。

1989年湖北對外經濟貿易

湖北省對外經濟貿易廳

[對外貿易]

1989年湖北省出進口總額124525萬美元，比1988年136575萬美元下降8.8%。

外貿收購總額53.01億元，比1988年49.91億元增長6.2%。

出口總額爲102662萬美元，比1988年107420萬美元下降4.4%。出口額佔全省國民生產總值的6.9%，佔全國出口總額的2.36%，居全國第十二位。

出口商品中，農副產品23510萬美元，佔出口總額的22.9%，所佔比重比1988年下降5.1個百分點；輕紡產品61289萬美元，佔59.7%，比重持平；重化工業產品17863萬美元，佔17.4%，比重上升5.1個百分點。初級產品35213萬美元，佔出口總額的34.3%；工業製成品67449萬美元，佔65.7%。出口500萬美元以上的骨幹商品有32種，金額57889萬美元，佔出口總額的56.4%。

出口500萬美元以上的商品表

出口金額分類	商品名稱	出口額(萬美元)	佔出口總額%
3000萬美元以上 7種	活大豬、棉紗、棉蔴混紡紗、棉布、棉滌綸布、棉布服裝、棉滌綸服裝	29138	28.4
1000～3000萬美元 10種	植物性飼料、豬鬃、浴巾、生藥材、廠絲、汗衫背心、棉花、棉滌綸紗、蔴棉蔴滌服裝、醫用敷料	17378	16.9
500～1000萬美元 15種	芝蔴、茶葉、棉毛衫褲、凍豬肉、生漆、豬肉罐頭、鵝鴨絨毛、抽紗、棉蔴混紡布、熱水瓶、鞋、皮勞保手套、人革塑料箱包、金工機械、工農具	11373	11.1

出口商品銷往香港、日本、新加坡、蘇聯、波蘭、民主德國、聯邦德國、荷蘭、美國、英國、意大利、捷克斯洛伐克、台灣等111個國家和地區。主要出口市場：港澳45785萬美元，佔出口總額的44.6%；日本11368萬美元，佔11.1%；美國7725萬美元，佔7.5%；蘇聯5143萬美元，佔5%；聯邦德國4100萬美元，佔4%。

進口到貨21863萬美元，比1988年29155萬美元下降25%。進口商品中，生產資料17864萬美元，佔進口總額的81.7%；生活資料3999萬美元，佔18.3%。主要進口商品有輕工、化工和紡織的成套設備，各類機械設備，化工原料。進口商品主要來自香港、日本、美國、聯邦德國、意大利、捷克斯洛伐克、荷蘭、英國、瑞士等20多個國家和地區。主要進口市場：港澳10061萬美元，佔進口總額的46%；日本3471萬美元，佔15.9%；聯邦德國2498萬美元，佔11.4%；美國1390萬美元，佔6.4%。

[利用外資]

批准簽訂利用外資合同184項，合同外資金額14021.8萬美元，比1988年25381萬美元下降44.75%。其中對外借款12項，合同金額8755.8萬美元；外商直接投資70項，合同外資金額4781萬美元；外商其他投資102項，金額485萬美元。實際利用外資1.7億美元。其中對外借款14150萬美元，外商直接投資2295萬美元，外商其他投資566萬美元。在對外借款的12個項目中，主要有利用聯邦德國政府貸款引進的170毫米三輥軋機生產綫；利用法國政府貸款引進的分離軸承自動調心和膜片式離合器生產技術和設備；利用西班牙政府貸款引進的5萬門程控電話及其輔助設備。

在外商直接投資的70個項目中，合資企業59家，合作企業7家，外資企業4家。主要企業有中美合資湖北沙達微波爐有限公司、中澳(澳大利亞)合資湖北沙太化學工業有限公司、鄂台合資湖北咸寧鋁業開發有限公司、美商獨資武漢國際鋼鐵服務有限公司等。

全年外商投資企業共出口創滙1618萬美元，比1988年1097萬美元增長47.5%。

[技術進出口]

簽訂引進技術和進口設備合同103項，合同金額5945萬美元。引進項目分佈於鋼鐵、輕工、紡織、化工、電子等行業。

技術出口8項，金額16.3萬美元。

[對外經濟合作]

簽訂承包工程和勞務合作合同7項，合同金額3106萬美元。在近30個國家和地區承擔承包工程和勞務合作項目42個，完成營業額7135萬美元，年末在外勞務人員2623人。

承擔援外項目14個，其中1989年開始執行的項目2個，當年完成項目2個。年末在外工程技術人員393人。

批准成立海外非貿易性合資企業5家。

[對外經貿洽談會]

1989年3月在武漢市舉辦了"湖北省暨武漢市第二屆對外經濟貿易洽談會"，接待來自香港、日本、美國、聯邦德國、新加坡等22個國家和地區的客商600餘名，出口成交12700萬美元，簽訂利用外資合同7項，承包工程和勞務合作合同2項。

[旅遊]

全年接待從事各類交流、旅遊活動的外國人、華僑、港澳台同胞共5.72萬人次，旅遊收入720萬美元，分別比1988年下降34.1%和32.6%。

[40年經貿發展簡述]

湖北省對外貿易從1953年起，不僅爲外貿提供出口貨源，也承擔部分直接出口。當年出口商品收購額爲21713萬元，1989年已增至53.01億元，比1953年增長23.4倍；1953年出口額爲8243萬美元，1975年開始全面自營出口，出口額爲12304萬美元，到1989年出口額已發展爲102662萬美元，比1953增長11.45倍。36來累計出口82.58億美元，其中1978年前的近30年共出口19.05億美元，1979年改革開放後的10年共出口63.53億美元。出口商品結構也有很大變化，1978年農副產品出口佔當年出口總額的65.3%，而1989年僅佔22.9%。出口商品已發展到1500餘種。出口市場由最初的蘇聯、東歐、港澳及東南亞，發展到現在的五大洲120多個國家和地區。

改革開放促進了湖北省對外經濟合作事業的發展。截至1989年底，全省共簽訂利用外國政府貸款合同44項，貸款總額30520.8萬美元。批准外商投資企業194家。其中合資企業169家，合作企業19家，外資企業6家，合同外資總額14329萬美元，實際利用5222萬美元。

截至1989年，共承擔50多個國家和地區的援助項目142項，派出各類工程技術人員13000多人次。對外承包工程和勞務合作項目60餘項，合同總金額達2.7億美元。已在海外7個國家和地區創辦非貿易性合資或獨資企業12家。

1989年武漢對外經濟貿易

武漢市對外經濟貿易管理委員會

[對外貿易]

1989年湖北省武漢市出進口總額爲38767萬美元，比1988年39704萬美元減少2.36%。

外貿收購總額152598萬元，比1988年137333萬元增長11.12%。

出口總額31124萬美元，比1988年30041萬美元增長3.61%；佔全市國民生產總值的8.12%；佔湖北省出口總額的30.32%。

出口商品中，農副產品4617萬美元，佔出口總額的14.84%，比1988年減少7.9%；輕工業產品(包括紡織品)22186萬美元，佔71.28%，比1988年增加6.7%；重工業產品4321萬美元，佔13.88%，比1988年增長1.96%。出口商品有19大類625種，比1988年增加112種。

出口額300萬美元以上的商品表

金額分類	商品名稱	出口金額(萬美元)	佔出口總額%
1000萬美元以上 4種	棉紗、蔴棉紗、棉布、棉滌綸布	7312	23.49
300～1000萬美元 12種	棉滌綸布、布服、活大豬、凍豬肉、豆粕、棉籽仁餅、豬鬃、滌棉服、皮勞保手套、人造革塑料箱包、醫用敷料、棉毛衫褲	5484	17.62
合計		12796	41.11

主要出口市場有：港澳台地區16706萬美元，佔出口總額的53.68%；日本2763萬美元，佔8.88%；美國1220萬美元，佔3.92%；聯邦德國1213萬美元，佔3.90%；蘇聯1093萬美元，佔3.51%。合計22995萬美元，佔出口總額的73.88%。

進口到貨7643萬美元，比1988年9661萬美元減少20.89%。進口商品中，生產資料2957萬美元，佔進口總額的77.94%；生活資料1686萬美元，佔22.06%。進口的主要商品有冶金、紡織和電子工業成套設備，化工機械、輕工機械、電子儀器、電子計算機、電視機及音響設備、西藥、紙張等。進口商品來自日本、西歐、美國和香港、澳門、台灣等20多個國家和地區。

[利用外資]

批准簽訂利用外資合同83項，合同外資金額10973萬美元，比1988年12306萬美元下降10.83%。其中：對外借款21項，8178萬美元；外商直接投資33項，2329萬美元；外商其他投資29項，466萬美元。

實際利用外資金額8555萬美元，比1988年5665.8萬美元增長51%。其中：對外借款7099萬美元，外商直接投資392萬美元，外商其他投資1064萬美元。

外商直接投資的33個項目中，合資企業25個，合作企業5個，外資企業3個。其中生產型項目30個，非生產型項目3個。全年外商投資企業出口創滙382萬美元，比1988年182萬美元增長1倍多。

[技術進出口]

簽訂引進技術和進口設備合同36項，合同金額3180萬美元，比1988年5938.5萬美元減少46.45%。其中：鋼鐵行業14項，1971萬美元；電子行業5項，439萬美元；紡織行業8項，392.75萬美元；機械行業2項，257.7萬美元；輕工行業6項，105萬美元；商業1項，14萬美元。

技術出口8項，金額16.3萬美元。

[對外經濟合作]

簽訂承包工程和勞務合作合同29項，合同金額663萬美元，比1988年691.1萬美元減少4%；營業額155萬美元，比1988年203.8萬美元減少23.95%。年末在外勞務人員253人。主要有香港元朗別墅承包工程及伊拉克、香港和日本勞務合作項目。

承擔塞拉利昂農業技術項目，摩洛哥體育場維修工程，布基納法索水壩勘察設計等援外項目。

[對外經貿洽談會]

1989年3月、7月分別在武漢、澳門舉行了“湖北省暨武漢市第二屆對外經濟貿易洽談會”和“武漢市出口商品洽談會”。到會客商2000餘人，簽訂出口合同710多份，成交額8726萬美元。

[旅遊]

全年接待旅遊的外國人、華僑、港澳台同胞4.9萬人次，比1988年7.23萬人次減少32.23%；旅遊收入3665萬元外滙人民幣，比1988年4996萬元外滙人民幣下降26.64%。

[40年經貿發展簡述]

武漢市1958年出口商品收購額4143萬元，1989年已增至152598萬元，比1958年增長35.8倍。自1985年直接經營進出口業務以來，5年累計出口創滙10億美元。1989年出口額31124萬美元，比1985年出口額5264萬美元增長4.9倍。出口商品種類由1985年的213種發展到目前的625種，出口商品銷往的國家和地區由最初的45個發展爲1989年的83個。

1985～1989年，累計批准簽訂利用外資合同295項，合同外資金額36532萬美元，實際利用外資21155萬美元，興建外商投資企業81家。1986年起開展對外承包工程和勞務合作業務，至1989年底共簽訂合同42項，合同金額1666.8萬美元，營業額365.7萬美元，共向22個國家和地區派出勞務人員483人；引進技術和進口設備223項，用滙26199萬美元；技術出口12項，合同金額27.57萬美元；共舉辦境外企業6家。

1989年湖南對外經濟貿易

湖南省對外經濟貿易委員會

[對外貿易]

1989年湖南省出進口總額89472萬美元，比1988年83403萬美元增長7.28%。

外貿收購額217688萬元，比1988年197550萬元增長10.19%。

出口總額66563萬美元，比1988年63860萬美元增長4.23%；佔全省國民生產總值的5.63%，佔全國出口總額的1.53%。

出口商品結構圖

按農、輕、重分：

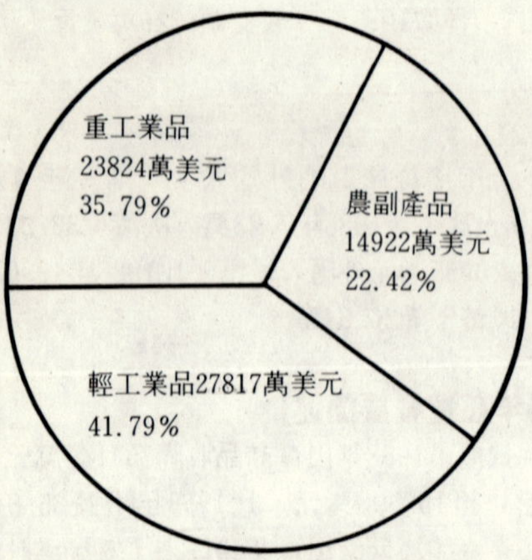

按初級產品和工業製成品分：

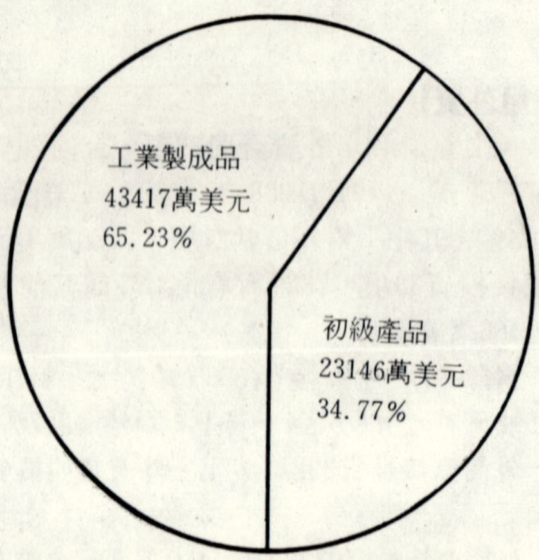

出口300萬美元以上的商品有41種，出口額爲49930萬美元，佔出口總額的75.01%。其中出口500萬美元以上的大宗、骨幹商品見下表：

出口500萬美元以上的大宗、骨幹商品表

金額分類	出口商品	出口額（萬美元）	佔出口總額%
1000萬美元以上15種	活大豬、蔴及蔴製品、鞭炮煙花、銻品、陶瓷、茶葉、鐵合金、凍豬肉、豬皮革及革製品、服裝、鎢砂、羽絨及羽絨製品、飼料、輕柴油、仲鎢酸銨	36084	54.21
500～1000萬美元13種	硬質合金、鞋類、罐頭、鋼材、立德粉、綢緞、棉花、工具、小成套設備、蛋品、硅、大米、豬鬃	8683	13.04

出口商品銷往101個國家和地區，其中港澳、日本、美國、歐洲共同體、蘇聯東歐五大市場出口共達57454萬美元，佔出口總額的86.32%。其中出口在1000萬美元以上的有港澳25840萬美元，佔出口總額的38.82%；日本7857萬美元，佔11.80%；美國6758萬美元，佔10.15%；蘇聯4189萬美元，

佔6.29%；聯邦德國3410萬美元，佔5.12%；荷蘭2093萬美元，佔3.14%；英國1642萬美元，佔2.47%；意大利1240萬美元，佔1.86%；羅馬尼亞1153萬美元，佔1.73%。

進口到貨22909萬美元，比1988年19543萬美元增長17.22%。進口商品結構爲：生產資料18517萬美元，佔進口總額的80.83%；生活資料4392萬美元，佔19.17%。初級產品6868萬美元，佔進口總額的29.98%；工業製成品16041萬美元，佔70.02%。

主要進口商品表

商品名稱	金　額（萬美元）	佔進口總額%
鋼　材	3075	13.42
捲煙輔料	2759	12.04
電視機、音響設備	2081	9.08
成套技術、設備	1915	8.36
化工原料	1673	7.30
木漿、紙漿	1519	6.63
包袋輔料	1489	6.50
輕工機械	999	4.36

進口商品來自香港、日本、美國、法國、意大利、澳大利亞、聯邦德國、英國、丹麥等25個國家和地區。

[利用外資]

1989年批准簽訂利用外資合同126項，合同外資金額15146萬美元，比1988年的7095萬美元增長1.13倍。其中，對外借款17項，金額11775萬美元；外商直接投資37項，合同外資金額1876萬美元；外商其他投資72項，合同外資金額1495萬美元。實際利用外資12238萬美元，比1988年的1434萬美元增長7.5倍。其中對外借款9910萬美元，外商直接投資643萬美元，外商其他投資1685萬美元。

外商直接投資的37個項目中，合資企業29個，合同外資金額1573萬美元；合作企業6個，181萬美元；外資企業2個，122萬美元。按行業劃分：工業33個，交通運輸業2個，教育、賓館各1個。外商投資來自港澳台、美國、日本等國家和地區，其中，香港28家，1579萬美元；台灣4家，155萬美元；美國3家，106萬美元；日本1家，25萬美元；澳門1家，11萬美元。

1989年湖南省利用外資有較大的進展。其特點：一是外商直接投資項目超過以往任何一年；二是大項目增多，投資額在500萬美元以上的項目有6個，投資總額佔利用外資總額的80%以上；三是出口創滙型項目多，126個項目中產品出口項目113個，外商直接投資的項目中35家屬生產型、出口創滙型項目；四是效益好，截至1989年底，已投產和部分投產的67家外商投資企業，年產值達3.08億元，實現利潤2908萬元，出口創滙1445萬美元。

[技術進出口]

簽訂技術引進合同37項，合同金額2708.02萬美元，比1988年的2851.27萬美元減少5.02%。實際用滙4881萬美元，比1988年3813.3萬美元增長28%。

引進項目來自10個國家和地區。其中，意大利5項，921萬美元；聯邦德國6項，554.9萬美元；日本8項，320.3萬美元；芬蘭1項，307.5萬美元；法國1項，170萬美元；香港7項，166.3萬美元。引進項目涉及機械、電子、輕工、紡織、煙草、醫療等行業。

簽訂技術出口合同15個，合同金額1161.78萬美元，比1988年的863萬美元增長34.62%。實際收滙755.34萬美元，比1988年131萬美元增長4.8倍。技術出口結構有了變化，開始出口小煉鋼、小水電、製磚等成套設備和汽車吊等大型設備。

[對外經濟合作]

簽訂對外承包工程和勞務合作合同42個，合同金額883.5萬美元，比1988年626.81萬美元增長40.95%；完成營業額566萬美元，比1988年183.5萬美元增長2.08倍；項目分佈在泰國、美國、加納、扎伊爾、津巴布韋、法國、聯邦德國、日本、香港等17個國家和地區；派出承包勞務人員130人，年末在外140人。

承擔吉布提、布基納法索、加納、萊索托、贊比亞、坦桑尼亞等11個國家(地區)的16個經援項目，其中新項目7個。派出工程技術人員70人，年末在外90人。

1989年執行的20個聯合國系統和雙邊援助項目

有13個已圓滿完成，接受援款、實物達1632萬美元。

在美國、扎伊爾興辦海外企業2家，中方投資13萬美元。

[對外經貿洽談會]

1989年1月、4月分別在澳門、聯邦德國漢堡舉辦了湖南省出口商品展銷會，共接待50幾個國家和地區的853家客戶，出口成交3290萬美元。此外，還參加了中國國際貿促會組織的11次國際博覽會和中國出口商品展銷會，出口成交3293.6萬美元。

[旅遊]

共有涉外旅遊賓館37家，旅行社29家，新建的長沙黃花民用機場已建成使用。1989年接待國外遊客、海外華僑、港澳台同胞55712人次，旅遊收入859.4萬美元，比1988年670萬美元增長28.27%。

[40年經貿發展簡述]

建國40年來，湖南省對外貿易得到了較大發展，1951年外貿收購額爲8117萬元，1989年增至217688萬元，比1951年增長25.82倍。1978年以前，湖南省的對外貿易主要是組織出口貨源，調撥給上海、天津、廣州等口岸出口，1951年開始部分直接對外成交，當年出口額僅爲710萬美元。改革開放使湖南省的對外貿易進入了新的發展階段，1979年開始全面自營出口，1989年出口總額已發展到66563萬美元，比1951年增長92.75倍。39年來累計出口創滙61.6億美元。出口商品結構有了較大變化，1951年農副產品出口佔出口總額的85%，1989年已下降到佔22.42%。出口市場由50年代的蘇聯、東歐和香港發展到美國、日本、西歐等100多個國家和地區。

1979年開始利用外資，到1989年底止，共批准利用外資合同602項，合同外資金額9.36億美元。其中，對外借款35項，金額7.74億美元；外商直接投資158項，合同外資金額10515.6萬美元；外商其他投資409項，合同外資金額5676.87萬美元。實際利用外資累計2.79億美元，其中，對外借款1558萬美元，外商直接投資6026萬美元，外商其他投資6289.6萬美元。

截至1989年底，共批准簽訂引進技術和進口設備合同560項，合同總金額5.28億美元。其中，1979年以後批准的540項，合同金額4.59億美元。技術出口始於1980年，至1989年累計對外簽訂技術出口合同34項，合同總金額2137.78萬美元，實際收滙1102.74萬美元。

1979～1989年，湖南省(包括與中央公司聯營部分)共簽訂對外承包和勞務合作合同305個，先後派出勞務人員12351人次，完成營業額3.53億美元。共承擔對45個國家和地區141個項目的援助任務。派出工程技術人員4783人次，生產供應援建項目的機電產品199萬台(套、件)；先後派出援外醫療隊16批190人次。共接受聯合國組織系統和雙邊、多邊援助項目23個，受援金額3040萬美元。

1985～1989年，累計在海外興辦生產型企業10家，其中合資7家，中方投資165萬美元。主要分佈在美國、泰國、扎伊爾、香港等國家和地區。

1989年廣東對外經濟貿易

廣東省對外經濟貿易委員會

[對外貿易]

1989年廣東省出進口總額129.99億美元，比1988年125.94億美元增長3.22%。

外貿收購總額212.45億元，比1988年209.73億元增長1.3%。

出口總額81.68億美元，比1988年74.84億美元增長9.14%，佔全省國內生產總值的23.96%，居全國第一位。其中：外貿專業公司出口33.59億美元，中央工貿公司1.95億美元，地方外貿公司16.96億美元，外商投資企業22.77億美元，"三來一補"創滙6.41億美元。

出口商品中，農副產品10.49億美元，佔出口總額的12.84%；農副產品加工品7.53億美元，佔9.22%；輕紡產品48.86億美元，佔59.82%；工礦產品14.80億美元，佔18.12%。

出口額在500萬美元以上的商品有224種，金額500072萬美元，佔全省出口總額的61.23%。

主要出口商品表

金額分類	商品名稱	出口額(萬美元)	佔出口總額(%)
1億美元以上 6種	服裝、棉布、彩色電視機、電子元器件、抽紗、收錄兩用機	120139	14.71
5000萬～1億美元 17種	皮鞋、陶瓷、成品油、玩具、醫藥原料、茶葉、吊扇、綢緞、自行車、棉汗衫、背心、傢具、皮膠鞋、船舶、棉紗、鮮凍對蝦、棉滌綸布、活大豬	120040	14.70
1000～5000萬美元 88種	半導體收音機、活雞、砂糖、活塘魚、各種人造花等	178513	21.86

出口商品銷往157個國家和地區。其中，香港63.66億美元，佔出口總額的77.94%；日本3.04億美元，佔3.72%；澳門1.48億美元，佔1.81%。

進口到貨48.31億美元，比1988年51.1億美元下降5.46%。其中生產資料等進口41.47億美元，佔進口總額的85.85%。

[利用外資]

批准簽訂利用外資合同6636項，合同外資金額36.23億美元，比1988年38.27億美元下降5.33%。其中，對外借款76項，金額8.89億美元；外商直接投資2438項，金額24.38億美元；外商其他投資4122項，金額2.96億美元。

實際利用外資23.99億美元，比1988年24.39億美元下降1.65%。其中：對外借款10.76億美元，外商直接投資11.56億美元，外商其他投資1.67億美元。

外資投向更趨合理，能源、原材料工業以及出口創滙型、先進技術型項目明顯增加。利用外商投資新上發電項目18個，投資額在500萬美元以上的大中型項目110個，外商出資比例普遍超過50%，生產型項目的產品外銷率一般在70%以上。在新批准的2438家外商投資企業中，農、林、牧、漁、水利項目佔2.18%，工業項目佔93.15%，其他佔4.67%。

外商投資主要來自香港、澳門、台灣、日本、菲律賓、泰國、聯邦德國、法國、意大利、荷蘭、英國、丹麥、巴西、阿聯酋、玻利維亞、加拿大、美國、澳大利亞、新西蘭等國家和地區。其中香港佔合同外資總額的66.88%，日本佔6.88%，台灣省佔3.03%，澳門佔2.92%。

[技術進出口]

簽訂引進技術和進口設備合同30項，合同總金額1.87億美元，引進項目主要來自以下國家和地區：法國5330萬美元，美國3478.9萬美元，聯邦德國3116萬美元，瑞士2347.8萬美元，瑞典2056萬美元，日本1252.56萬美元，香港1139萬美元。引進項目主要涉及原材料、機電、郵電、電力、化工等9個行業。

技術出口成交41項，成交額1299.92萬美元，比1988年903.6萬美元增長43.86％。其中技術出口992.51萬美元，技術產品出口307.41萬美元。

[對外經濟合作]

簽訂對外承包工程和勞務合作合同967項，合同金額1.61億美元，完成營業額8104萬美元，年末在外承包勞務人員7604人。

承擔對贊比亞、玻利維亞、斯里蘭卡、多哥、剛果、扎伊爾、坦桑尼亞、索馬里、馬達加斯加、毛里求斯、科摩羅、赤道幾內亞、岡比亞等13個國家共15個經援項目和2個醫療隊的工作。援助項目涉及農業、農墾、輕工、交通、水電、建築、衛生等部門。年末在國外的工程技術人員308人。提供援外機電產品19台(套)、4268件(隻)。

[對外經貿洽談會]

1989年1月在澳門舉辦廣東省出口商品展銷會，成交額9224萬美元；6月在巴西聖保羅舉辦廣東博覽會，成交額5430萬美元；5月參加在美國夏威夷舉辦的中國經濟貿易展覽會，廣東省成交額1300萬美元。

[港口運輸]

全年廣東省沿海主要港口貨物總吞吐量6483.4萬噸，其中進出口貨運量2803.5萬噸(進口貨運量1679萬噸，出口貨運量1124.5萬噸)。

[旅遊]

入境遊客2392.81萬人次，比1988年2888萬人次下降17.15％。其中外國人71.33萬人次，華僑4.71萬人次，港澳台同胞2316.76萬人次。

[40年經貿發展簡述]

建國40年來，廣東省對外經貿工作取得了巨大成就。1955年出口商品收購額爲2.66億元，1989年達212.45億元，比1955年增長78.8倍。出口額從1950年的1.09億美元，發展到1989年的81.68億美元，增長74倍。1979～1989年累計出口416.98億美元，比1950～1978年29年的出口總額130.31億美元還要多2.2倍。這表明，實行對外開放政策，有力地促進了廣東出口貿易的迅速發展。

1979～1989年累計批准簽訂利用外資合同94769項，合同外資金額208.92億美元，實際利用外資103.29億美元。11年累計批准外商投資企業10941家。

1955～1989年，共承擔對亞洲、非洲、拉丁美洲、歐洲等41個國家140個經援項目和派遣醫療隊的任務。35年來共派出工程技術人員1.11萬人次。全省近100家企業共生產了援外設備等28萬多台(件)。

1980～1989年共成交技術出口項目99項，成交總額2688.92萬美元。

1989年廣州對外經濟貿易

廣州市對外經濟貿易委員會

[對外貿易]

1989年廣東省廣州市出進口總額171034萬美元，比1988年177297萬美元減少3.54％。

出口商品收購446900萬元(其中外貿專業公司257917萬元，地方工貿公司188983萬元)，比1988年430179萬元增長3.89％，佔廣州市國民生產總值的15.74％。

出口總額120953萬美元(其中地方外貿公司出口73648.3萬美元，部屬公司出口10231萬美元，外商投資企業出口21506.2萬美元，“三來一補”工繳費15567.5萬美元)，佔廣東省出口總額的

14.41%，居全國計劃單列市第二位。

地方外貿公司出口商品結構：農副產品9756萬美元，佔地方外貿公司出口總額的13.25%；輕紡產品50913萬美元，佔69.13%；重工業產品12979萬美元，佔17.62%。初級產品11714萬美元，佔地方外貿公司出口總額的15.91%；工業製成品61934萬美元，佔84.09%。

出口500萬美元以上的商品表

金額分類	商品名稱	出口額（萬美元）	佔外貿公司出口額%
3000萬美元以上 4種	棉針織品、鞋類、家用電器、棉布	21448	29.12
1000～3000萬美元 14種	活畜禽、糖類、酒類、山貨、畜產品、中藥材、棉織品、棉布服裝、自行車、日用五金、日用工藝品、化工原料、醫藥原料、船舶	20857	28.32
500～1000萬美元 21種	水產類、乾果、蔬菜、罐頭、飼料、蔴紗、絲類、棉滌綸服裝、縫紉機、皮件、鐘錶、鎖、塑料製品、紙張紙漿、體育用品、樂器、玩具、特種工藝品、傢具、小五金、橡膠製品	15301	20.78
合　計		57606	78.22

出口商品銷往132個國家和地區，其中超過100萬美元的有31個。

主要出口市場情況表

國別（地區）	出口額（萬美元）	佔外貿公司出口總額%
香　港	47818	64.93
美　國	2843.5	3.86
日　本	2141.6	2.91
新加坡	2075	2.82
澳　門	1686	2.29
聯邦德國	1220	1.66
馬來西亞	906	1.23
法　國	838	1.14
英　國	722	0.98
澳大利亞	583	0.79

進口總額60312萬美元(其中外貿公司進口41773萬美元，外商投資企業進口18539萬美元)，比1988年69636萬美元減少13.39%。外貿公司進口商品主要有，成套設備及技術引進、汽車、機牀、機械、工具、鋼材、有色金屬、電子光學儀器、石油及產品、家用電器、橡膠及製品、化工原料等。其中生產資料38363萬美元，佔外貿公司進口總額的91.74%；生活資料3410萬美元，佔8.16%。主要進口市場有香港、日本、聯邦德國等29個國家和地區。

主要進口市場情況表

國別（地區）	金額（萬美元）	佔外貿公司進口總額%
香　港	21895	52.41
日　本	6679	15.99
聯邦德國	2576	6.17
新加坡	2022	4.84
馬來西亞	1991	4.77
美　國	1777	4.25
意大利	1613	3.86
英　國	382	0.91

[利用外資]

1989年批准簽訂利用外資合同2121項，合同外資金額57778萬美元，比1988年52649.8萬美元增長9.74%。其中，對外借款5項，金額12786萬美元；外商直接投資292項，金額40101萬美元；外商其他投資1824項，金額4891萬美元。實際利用外資29842萬美元，比1988年25519萬美元增長16.94%。其中，對外借款13688萬美元，外商直接投資13431萬美元，外商其他投資2723萬美元。

外商直接投資的292個項目中，合資企業149家，合同外資金額19537萬美元；合作企業110家，金額15929萬美元；外資企業33家，金額4635萬美元。其中生產型項目276項，非生產型項目16項，主要涉及農林牧漁、工業、建築業、交通、商業、房地產業、衞生體育、教育等行業。

外商直接投資主要來自：香港252項，26794萬美元；台灣15項，5838萬美元；瑞典1項，2600萬美元；澳門5項，1901萬美元；新加坡4項，1492萬美元；美國8項，1221萬美元。

1989年外商投資企業工業總產值39.4億元，佔全市工業總產值的10.25％；出口額2.15億美元，佔全市出口總額的19.42％。

[經濟技術開發區]

1989年完成基礎設施建設投資45600萬元。建築開工面積60.45萬平方米，竣工面積16萬平方米，其中工業廠房9.38萬平方米，住宅5.54萬平方米，道路舖設面積2.26萬平方米。

開發區全年工業總產值82500萬元，比1988年增長55.81％，實現利潤12600萬元，出口總值1.12億美元。

批准簽訂利用外資合同20項，合同外資金額4267萬美元，比1988年下降32.09％；實際利用外資3964萬美元，增長1.25倍。全年外商投資企業工業總產值60201萬元，實現利潤3359萬元，創滙5479萬美元。

[技術進出口]

全市工業企業完成引進技術的改造項目78項，進口生產設備453台(套)、生產綫2條。全年新增產值130058萬元，實現稅收9312萬元，利潤16705萬元，創滙4452萬美元。

[對外經濟合作]

簽訂勞務合作合同379項，合同金額148萬美元，提供勞務人員990人次，年末在外610人。營業額243萬美元，外滙淨收入147.5萬美元。勞務人員主要派往港澳、美國、英國、日本、孟加拉、毛里求斯、所羅門、加納等國家(地區)以及外國商社駐廣州的機構。

承擔對外經濟援助項目5項，受援國有厄瓜多爾、基里巴斯、赤道幾內亞、加納。派出援外人員56人。

1989年在境外舉辦企業9個，投資300.55萬美元，分佈於毛里求斯、泰國、澳大利亞、聯邦德國、美國、加拿大、日本。

[港口運輸]

1989年完成吞吐量4704萬噸，與1988年持平。外貿吞吐量1264.7萬噸，比1988年增長16.78％；集裝箱運輸完成11.3萬個標準箱，下降8.87％。

[旅遊]

全年接待外國人、華僑、港澳台同胞124.96萬人次，其中外國人26.5萬人次，華僑4.81萬人次，港澳台同胞93.65萬人次，比1988年292.15萬人次下降57.23％；旅遊收入9.48億元外滙人民幣，比1988年下降13.86％。

[40年經貿發展簡述]

1965年廣州市出口商品收購額爲28792萬元，1989年達446900萬元，比1965年增長約15倍。1972年出口額爲5408.5萬美元，1989年達120953萬美元，比1972年增長21倍。出口商品結構由以農副土特產品爲主，逐步發展到以輕紡工業產品爲主。出口商品達30大類2000多個品種。出口市場從以港澳地區爲主擴展到130多個國家和地區。

1978～1989年，廣州市累計簽訂利用外資合同9804項，合同外資金額311445萬美元，實際利用外資132596萬美元。在外商直接投資的1414個項目中，合資企業563個，合作企業813個，外資企業38個。已投產開業的外商投資企業共662家，其中有104家被確認爲技術先進型或產品出口型企業。

1989年深圳對外經濟貿易

深圳市經濟發展局

[對外貿易]

1989年廣東省深圳市出進口總額37.53億美元，比1988年的34.42億美元增長9％。

出口總額爲21.74億美元，比1988年18.49億美元增長17.58％，佔全市國民生產總值的86.49％，佔全國出口額5.65％，佔廣東省出口總額的25.9％，居全國大中城市出口額的第二位，僅次於上海市。

出口商品結構：工業產品15.97億美元，佔出口總額的73.44％；農副產品3.2億美元，佔14.75％；其他產品0.5億美元，2.29％；"三來一補"工繳費收入2.07億美元，佔9.52％。

出口商品遠銷45個國家和地區。主要市場有：香港16.96億美元，佔出口總額的78％；美國0.5億美元，佔2.3％；日本0.4億美元，佔1.84％；新加坡0.12億美元，佔0.6％；聯邦德國530萬美元，佔0.24％；英國520萬美元，佔0.23％。

進口總額15.78億美元，比1988年15.93億美元減少0.9％。其中，國營企業進口70446萬美元，比1988年減少33.9％；外商投資企業進口87385萬美元，增長65.84％。

進口商品結構：生產資料12.62億美元，佔進口總額的79.97％；生活資料3.16億美元，佔20.03％。

進口商品主要有：輕工業品3.87億美元，佔進口總額的24.52％；成套設備及技術引進1.77億美元，佔11.23％；石油、化工產品1.74億美元，佔11.03％；儀器1.08億美元，佔6.84％；五金礦產0.94億美元，佔5.95％；糧油食品0.83億美元，佔5.28％；紡織品0.68億美元，佔4.28％；機械0.66億美元，佔4.18％；土產畜產0.46億美元，佔2.94％；醫藥0.45億美元，佔2.86％；工藝品0.14億美元，佔0.91％。

進口市場主要有：香港10.66億美元，佔進口總額的67.55％；法國0.89億美元，佔5.64％；英國0.83億美元，佔5.26％；日本0.44億美元，佔2.79％；美國0.37億美元，佔2.34％；新加坡570萬美元，佔0.36％。

[利用外資]

批准簽訂利用外資合同711項，合同外資金額48904萬美元，比1988年4.87億美元增加0.4％。其中：對外借款5項，合同金額576萬美元；外商直接投資647項，合同外資金額46945萬美元；外商其他投資59項，合同外資金額1383萬美元。

實際利用外資45809萬美元，比1988年4.44億美元增長3.2％。其中，對外借款15563萬美元，比1988年增長7.9％；外商直接投資29252萬美元，增長1.9％；外商其他投資994萬美元，減少22.5％。

外商直接投資的647個項目中，合資企業473個，合作企業94個，獨資企業80個。

外資主要來自：香港630項，金額40214萬美元；泰國1項，2585萬美元；美國16項，2290萬美元；日本16項，1131萬美元；台灣25項，986萬美元；荷蘭1項，562萬美元；新加坡2項，328萬美元；法國9項，249萬美元；意大利1項，248萬美元。

截至1989年底，已投產的外商投資生產型企業532家，全年工業產值68.61億元，比1988年增長26.4％，佔全市工業總產值的58.9％；出口產值爲44.18億元，比1988年增長20％，佔全市工業產品出口產值的65％。

[對外經濟合作]

1989年深圳設在港澳的企業營業額達6億多美元，比1988年增長40％，實現利潤2000多萬美元，比1988年增長1倍以上。同時，先後在美國、日本、聯邦德國、加拿大、澳大利亞、意大利、東南亞等國家和地區，設立生產企業和貿易網點23家，1989年營業額3億多美元，實現利潤1000多萬美元，均比1988年增長1倍以上。

[旅遊]

1989年接待境外遊客85萬人次，比1988年104萬人次下降18.27%，旅遊收入4.3億元外滙人民幣，比1988年4.03億元外滙人民幣增長6.7%。

[40年經貿發展簡述]

深圳市成立於1979年，當年的出口總額爲930萬美元；1989年出口額達21.74億美元，比1979年增長232倍。出口商品從以農副土特產品爲主，逐步發展到以工業產品爲主。1979年工業產品出口只佔當年出口總額的39.18%，1989年提高到73%。1979年香港是深圳出口的單一市場，1989年出口已遠銷45個國家和地區。

1979～1989年，簽訂利用外資合同累計6890項，合同外資金額549050萬美元。外商投資企業2585家，其中合資企業1757家，合作企業607家，外資企業221家。實際利用外資27億美元。外資來自日本、美國、英國、法國、新加坡、香港、台灣等25個國家和地區，合作領域遍及工業、農業、交通運輸、電訊、商業服務、旅遊、房地產、金融、建築、科技、文教、體育、衛生等行業。

1989年珠海對外經濟貿易

珠海市對外經濟貿易委員會

[對外貿易]

1989年廣東省珠海市出進口總額52958萬美元，比1988年63625萬美元下降16.77%。

外貿收購總額29896萬元，比1988年的55858萬元下降46.48%。

出口總額36508萬美元，比1988年42105萬美元下降13.29%；出口總額佔全市國民生產總值的11.30%。其中，外貿專業公司出口3973萬美元，佔出口總額的10.88%；地方工貿公司出口19414萬美元(含邊境小額貿易96萬美元)，佔53.18%；外商投資企業出口11147萬美元，佔30.53%；"三來一補"工繳費收入1974萬美元，佔5.41%。

出口商品結構：農副產品4070.65萬美元，佔出口總額的11.15%；輕紡產品28998.3萬美元，佔79.43%；重工業品3439.05萬美元，佔9.42%。

出口商品銷往香港、澳門、日本、美國、民主德國、泰國、英國、荷蘭等19個國家和地區。其中香港28430萬美元，佔出口總額的77.87%；澳門6090萬美元，佔16.68%。

出口500萬美元以上的商品主要有：針織坯布、絲綢、電子元器件及其他電訊設備、鋼材、電視機及音響設備、電子玩具、土畜產品、輕工家電產品、工藝品、糧油食品等。

進口總額16450萬美元，比1988年的21520萬美元下降23.56%。進口商品結構爲：生產資料11745.3萬美元，佔進口總額的71.40%；生活資料4704.7萬美元，佔28.60%。

進口的主要商品有：電子計算機、電子元器件、五金礦產品、紡織原料、化工原料、汽車、汽車零件、電子儀器、石油及其製品、輕工機械、家用電器、電視機及音響、糧油食品、雜品等，金額合計12633.6萬美元，佔進口總額的76.80%。

進口商品主要來自香港和澳門，分別佔進口總額的81.90%和16.10%。

[利用外資]

批准簽訂利用外資合同1395項，合同外資金額24182萬美元，比1988年的31187萬美元下降22.47%。實際利用外資16947萬美元，比1988年的21762萬美元下降22.13%。

外資主要來自香港、澳門、日本、英國、美國、法國、葡萄牙、新加坡、加拿大、菲律賓、泰國等國家和地區。

1989年利用外資情況表

金額單位：萬美元

利用外資方式	批准簽訂的合同			實際利用外資	
	項數(個)	外資金額	金額比1988年±%	金額	金額比1988年±%
對外借款	42	11012	－31.91	11012	－31.91
外商直接投資	225	12840	－8.53	5328	＋12.41
其中：合資企業	101	3582	－15.94	1550	－14.27
合作企業	79	5114	－43.19	2516	－1.69
外資企業	45	4144	＋425.22	1262	＋238.34
外商其他投資	1128	330	－66.23	607	－28.42
其中：補償貿易	4	42	－92.98	336	－32.39
加工裝配	1124	288	－24.02	271	－22.79
合計	1395	24182	－22.47	16947	－22.13

1989年新批准的外商投資225個項目中，生產性項目215項，金額10667萬美元，其中工業項目207項，金額10420萬美元。

[技術進出口]

簽訂引進技術和進口設備合同5項，合同總金額872.8萬美元。其中，軟件技術合同金額185萬美元。主要項目有：南朝鮮化纖應時織布技術，瑞士聚脂切片生產工藝及生產設備，美國硬磁盤驅動器的製造技術，香港電子工程外圍環境淨化設施，法國動物飼料加工技術和配方工藝。

簽訂向加拿大出口全塑船軟件技術出口合同1項，成交額70萬美元。

[對外經貿洽談會]

1989年1月參加在香港舉辦的"中國沿海地區原料及加工貿易展覽會"，簽訂了4項來料加工、來樣加工、合作經營、合資經營合同和意向書以及一些出口合同。同年6月參加在巴西舉辦的"中國廣東博覽會"，出口成交近6000萬美元。

[港口運輸]

目前，珠海有外運港口2個，泊位17個，其中有萬噸級泊位1個，5000噸級泊位4個。1989年，全市港口運輸吞吐量爲231萬噸，其中進出口吞吐量55.6萬噸。

[旅遊]

全年接待海外遊客24.5萬人次，比1988年的38.3萬人次下降36.04%。其中，外國人0.71萬人次，華僑及港澳台同胞23.79萬人次。旅遊外滙收入23303萬元外滙人民幣，比1988年的32364萬元下降28%。

[40年經貿發展簡述]

1979年珠海市建市並設立經濟特區後，對外經濟貿易事業有了很大的發展。1979年出口商品收購額爲888.5萬元，1989年爲29896萬元，增長32.6倍。1979年出口額爲681.8萬美元，1989年爲36508萬美元，增長52.5倍。出口商品由建市初期的農副產品和泥、沙、石爲主轉變爲以紡織品、電子、輕工、五金礦產、食品、服裝等產品爲主。建市前，出口商品僅銷往港澳地區，到1989年，出口市場已擴大到日本、美國、聯邦德國、民主德國、新加坡、英國、泰國等20多個國家和地區。

利用外資合同總額10年累計237471萬美元，實際利用外資86995萬美元。共批准外商投資企業994家，其中已投產開業596家。外商投資企業出口額佔全市出口額的30.53%，工業總產值佔全市的27.95%。

1989年汕頭對外經濟貿易〔註〕

汕頭市對外經濟貿易委員會

[對外貿易]

1989年廣東省汕頭市出進口總額9.96億美元，比1988年增長5.5%。

出口總額7.49億美元，比1988年增長11.7%，佔廣東省出口總額的8.92%。其中，外貿、工貿公司出口47291萬美元，外商投資企業出口20476萬美元，"三來一補"工繳費收入7148萬美元。

在外貿專業公司出口中，農副產品及其加工品佔出口總額的比重由1988年的36.6%下降到33.4%；工礦產品所佔比重由63.4%上升到66.6%。出口額在500萬美元以上的商品有抽紗、服裝、生柑、漁網、陶瓷、罐頭、羽絨製品等12種；100～500萬美元的有紙製品、竹製品、凍對蝦、箱包、生豬、活三鳥、鞋類等40種。

出口市場有所擴大，有貿易往來的國家和地區已達到106個。在出口總額中，港澳地區佔57.6%，日本佔7.9%，美國佔7.2%，新加坡佔6.6%，聯邦德國佔3.6%，法國佔1.4%，泰國佔1%，英國佔0.9%。

進口總額24699萬美元，比1988年減少11.6%。其中，生產資料16400萬美元，佔進口總額的66.4%；生活資料8299萬美元，佔33.6%。主要進口商品有：成套設備、通訊設備、五金鋼材、塑料原料、化肥、糧食等。進口商品主要來自日本、美國、新加坡、馬來西亞、印度尼西亞，聯邦德國、香港、意大利等國家和地區。

[利用外資]

批准簽訂利用外資合同1000項，合同外資金額25613萬美元，比1988年增長32.9%。其中：對外借款3700萬美元，外商直接投資19809萬美元，外商其他投資2104萬美元。當年實際利用外資15741萬美元，比1988年增長61.71%。其中，對外借款4819萬美元，外商直接投資9765萬美元，外商其他投資1157萬美元。

外商直接投資的項目中，合資項目66個，合作項目127個，外資項目92個。其中生產型企業佔98%，產品出口企業佔92%。主要涉及塑料製品、紡織、化學工業、機械製造等行業。

[技術進出口]

簽訂引進技術和進口設備合同141項(其中引進技術32項)，合同額10009萬美元，當年竣工項目56項，用滙2149萬美元，實現產值8402萬元，稅利975萬元，創滙343萬美元。

[對外經濟合作]

簽訂對外勞務合作合同12項，合同額120萬美元，收滙85萬美元。主要是向新加坡、澳大利亞、香港、澳門、塞班島、阿聯酋等10個國家和地區派出勞務人員512人，從事毛織、製衣、園藝、烹飪、抽紗等。

承擔對12個國家和地區經濟援助項目的工作。

[對外經貿洽談會]

汕頭市在舉辦第三屆迎春聯歡節中，同來自港澳台、新加坡、泰國、日本、美國、意大利、聯邦德國等國家和地區的464家客商進行洽談，成交1531萬美元。

[港口運輸]

汕頭港全年貨物吞吐量617萬噸，比上年下降1.6%。其中進出口貨物吞吐量77.8萬噸。

[旅遊]

全年接待旅遊、參觀、探親及從事各種交流活動的外國人、華僑、港澳台同胞14萬人次，比1988年下降15.8%。旅遊收入1.68億元外滙人民幣，比1988年增長2.7%。

[40年經貿發展簡述]

1950年汕頭市出口額爲886萬美元，1989年達7.49億美元，比1950年增長83.5倍。40年累計出口54.85億美元。出口商品由以手工藝品、農副產品爲主發展到以工礦產品爲主。目前汕頭市已有陶瓷、輕工、紡織、五金礦產、漁業用品、土畜產品等18個大類1000多種商品出口，出口市場從原來70多個國家和地區增加到106個國家和地區。

1979～1989年，累計批准簽訂利用外資合同12994項，合同外資金額84140萬美元(其中經濟特區835項，27305萬美元)，實際利用外資44536萬美元(其中經濟特區13975萬美元)。截至1989年底，全市共有外商投資企業817家(其中汕頭經濟特區308家)。

〔注〕1989年1月潮州市從汕頭市劃出，改爲廣東省直轄，故文中1989年各項數字均不含潮州市在內；與1988年比較時，均剔除了潮州市的數字。

1989年湛江對外經濟貿易

湛江市對外經濟貿易委會

〔對外貿易〕

1989年廣東省湛江市出進口總額爲15201萬美元，比1988年15518萬美元減少2.04%。

出口商品收購額60518萬元，比1988年60837萬元減少0.52%。

出口總額11163萬美元，比1988年12900萬美元減少13.47%，佔全市國民生產總值的4.85%，佔廣東省出口總額的1.39%。

出口商品結構：農副產品3191萬美元，佔出口總額的28.59%；工業產品7972萬美元，佔71.41%。

出口額在200萬美元以上的商品有對蝦、布膠鞋、服裝、棉針織品、棉布、桉木碎片、電飯煲、漁網漁具、編織袋、電子元器件、羽毛、呢絨、菠蘿罐頭等13種，出口額3851萬美元，佔出口總額的34.50%。

出口商品銷往49個國家和地區，主要出口市場有香港、日本、美國、新加坡、泰國。其中對香港出口8811萬美元，佔出口總額的78.93%。

進口總額4038萬美元，比1988年2618萬美元增長54.24%。

進口商品中，生產資料2681萬美元，佔進口額的66.39%；生活資料1357萬美元，佔33.61%。進口100萬美元以上的商品有柴油、汽車零件、醫藥保健品、合成纖維、成套輕工設備、過濾嘴、化工原料、輕工業品及日用百貨、複印機及零配件、輕工機械設備等10種，金額3549萬美元，佔進口總額的87.89%。進口商品主要來自香港、新加坡、聯邦德國、日本、法國等國家和地區。其中，從香港進口3459萬美元，佔進口總額的85.66%。

〔利用外資〕

批准簽訂利用外資合同80項，合同外資金額4708萬美元，比1988年8056萬美元減少41.56%。其中，外商直接投資49項，合同外資金額2626萬美元；外商其他投資31項，金額2080萬美元。實際利用外資3394萬美元，比1988年4035萬美元減少15.89%。其中，外商直接投資2564萬美元，外商其他投資830萬美元。

外商直接投資的49個項目中，生產型項目48項，涉及工業44項，農業4項。

外資分別來自：香港75項，4311萬美元；澳門4項，133萬美元；日本1項，264萬美元。

1989年，已建成投產(開業)的140家外商直接投資企業銷售(營業)額共27242萬元，比1988年增長34.88%；出口創滙1391萬美元，比1988年下降12.63%。

〔經濟技術開發區〕

截至1989年底，湛江市經濟技術開發區已完成固定資產投資20646萬元。首期開發的1.2平方公里起步區，已投資9444萬元，完成地面建築18.24萬平方米，其中生產廠房14.67萬平方米；另外在建的有11.01萬平方米。

1989年開發區批准簽訂外商直接投資合同15項，合同外資金額1164.8萬美元，實際利用外資1222.62萬美元。開發區已建成投產的生產型項目共45個，其中外商投資企業14家。1989年開發區工業總產值20216萬元，比上年的17603萬元增長14.84%；出口創滙2039萬美元，比上年的2505萬美元減少18.60%。

〔技術進出口〕

簽訂引進技術和進口設備合同12項，合同金額485.56萬美元，實際用滙金額485.56萬美元，比1988年減少80.03%。共引進設備148台(套)。引進的技術和設備主要來自日本、英國、美國、台灣等國家和地區。引進的項目中：交通通訊3項，102.33萬美元；輕工3項，254.6萬美元；化工3項，82.48萬美元；機械2項，26.15萬美元；電子1項，20萬美元。1989年有9個引進項目投產。

〔對外經貿洽談會〕

1989年1月參加了中國貿促會在香港舉辦的"中國沿海地區原料及加工貿易展覽會"，共簽訂貿易合同(意向書、協議)81份，金額5194萬美元。其中出口成交4235.5萬美元；進口成交958.4萬美元。

〔港口運輸〕

全年完成貨物吞吐量1555.47萬噸，比1988年增長1.55%，其中外貿進出口貨物694.91萬噸，佔總吞吐量的44.68%。

〔旅遊〕

共接待來自20多個國家和地區的外國人、華僑、港澳台同胞3.28萬人次，比1988年增長19.71%；旅遊收入819.84萬元外滙人民幣，比1988年減少26.82%。

〔40年經貿發展簡述〕

1961年湛江市出口商品收購額1289萬元，1989年達到60518萬元，比1961年增長46倍。1951年出口額僅243萬美元，1989年達到11163萬美元，比1951年增長45倍。出口商品結構不斷優化，目前工業產品出口已佔出口總額的70%，出口商品已有12個大類的300多個品種。出口市場由建國初期僅有港澳地區擴展到58個國家和地區。

1979～1989年，全市共批准外商投資企業和"三來一補"企業792家，合同外資金額51589萬美元，實際利用外資16409萬美元。其中，外商投資企業375家，已經建成投產或開業的140家。共引進具有國際先進水平的生產線104條。

1989年廣西對外經濟貿易

廣西壯族自治區對外經濟貿易委員會

〔對外貿易〕

1989年廣西壯族自治區出進口總額75435萬美元，比1988年的80807萬美元減少6.65%。

出口商品收購總額160625萬元，比1988年的144853萬元增加10.89%。

出口總額58430萬美元，比1988年的54427萬美元增加7.35%，佔全國出口額的1.4%。出口商品中，農副產品11458萬美元，佔出口額的19.61%；工礦產品46972萬美元，佔出口額的80.39%。

出口500萬美元以上的商品共28種，出口額33305.2萬美元，佔出口總額的57%。

出口500萬美元以上的商品表

金額分類	商品名稱	出口金額(萬美元)	佔出口總額%
3000萬美元以上 1種	煉錫	3088.9	5.3
2000～3000萬美元 3種	罐頭、砂糖、松香	8236.0	14.1
1000～2000萬美元 6種	煙花炮竹、竹製品、重晶石(粉)、錫砂、活豬、水海產品	8788.4	15.0
500～1000萬美元 18種	棉布、廠絲、服裝、棉織品、羽絨製品、羽毛、茶葉、中成藥、優質米、草芒製品、煉銻、鎢砂、結晶硅、滑石(粉)、桂皮、茴油、木茹片、水泥	13191.9	22.6

出口商品銷往91個國家和地區，主要出口市場有10個。

主要出口市場表

國別(地區)	出口金額(萬美元)	佔出口總額%	比1988年增減%
港澳地區	30244	51.76	12.6
日　　本	6518	11.16	12.8
美　　國	6013	10.29	2.4
聯邦德國	2367	4.05	－6.6
英　　國	1355	2.32	－21.4
法　　國	1233	2.31	17.2
荷　　蘭	1204	2.11	－27.7
捷克斯洛伐克	1039	1.78	251.0
蘇　　聯	1031	1.76	41.0
新 加 坡	864	1.48	－28.3

進口總額17005萬美元，比1988年的26380萬美元減少35.54％。進口商品中，生產資料16430萬美元，佔進口總額的96.62％，比重比1988年增加4.53個百分點；生活資料575萬美元，佔3.38％，比1988年減少4.53個百分點。

主要進口商品有化肥、鋼材、輕化工機械和原輔料等10種，金額11211萬美元，佔進口總額的66％。

主要進口市場表

國別(地區)	進口金額(萬美元)	佔進口總額%
香　　港	6189	36.40
蘇　　聯	1637	9.63
日　　本	1332	7.83

主要進口市場表(續)

國別(地區)	進口金額(萬美元)	佔進口總額%
美　　國	1115	6.56
聯邦德國	1002	5.89
巴　　西	919	5.40
新 加 坡	786	4.62
英　　國	351	2.06
意 大 利	309	1.82
台　　灣	309	1.82

〔利用外資〕

批准簽訂利用外資合同86項，合同外資金額3467萬美元。其中，外商直接投資77項，金額

2527萬美元；外商其他投資9項，金額940萬美元。按行業劃分，輕工39項，食品10項，紡織服裝5項，機械5項，化工4項，電子3項，醫藥2項，礦山開採、建材加工3項，交通運輸7項，農林牧漁6項，其他2項。實際利用外資金額5300萬美元。1989年，已投產的外商投資企業出口額4489萬美元，比上年的1416萬美元增長2.17倍。

〔技術進出口〕

簽訂技術引進和進口設備合同24項，合同金額2059萬美元，比1988年5200萬美元減少60%。引進技術和設備主要來自意大利、聯邦德國、英國、美國、香港等國家和地區。按行業劃分，紡織851萬美元，機械808萬美元，建材266萬美元，造紙54萬美元，化工37萬美元，製藥34萬美元，其他9萬美元。

〔對外經濟合作〕

簽訂對外承包工程合同32項，合同金額8979萬美元，比1988年2528萬美元增長2.55倍；營業額1350萬美元，比1988年1058.62萬美元增長27.5%。派出各類專業技術人員195人次。承包工程分佈在乍得、索馬里、岡比亞、安哥拉、幾內亞、約旦、巴基斯坦、孟加拉、巴布亞新幾內亞、日本、美國的關島和塞班島以及香港等國家和地區。

承擔對乍得、加蓬、布隆廸和岡比亞4個國家的經援項目6項。主要是農場、工程建設和竹籐草編手工業培訓等。派出援外人員225人次。派往尼日爾的醫療隊29人。

〔港口運輸〕

廣西防城港年吞吐能力363萬噸，已建成7個萬噸級深水泊位，港口建有先進的水泥散裝中轉站和糧食中轉庫。全年進出口貨物吞吐量137萬噸。

〔旅遊〕

共接待境外遊客32.9萬人次，比1988年52萬人次減少36.7%。其中，外國人147621人次，華僑15899人次，港澳台同胞165490人次。旅遊收入18453萬元外滙人民幣，比1988年25102萬元減少26.49%。

〔40年經貿發展簡述〕

1954年廣西出口商品收購額爲4439萬元，1989年達160625萬元，比1954年增長35倍。1950年出口428.3萬美元，1989年達58430萬美元，比1950年增長135倍。出口商品結構不斷得到優化，1989年工礦產品出口佔出口總額的80.4%，改變了建國初期出口以農副產品爲主的狀況。出口市場不斷擴大，與130多個國家和地區建立了經貿聯系。

1979～1989年，共批准簽訂利用外資合同627項，合同外資金額6.8億美元，實際利用外資3億多美元。其中，批准設立外商直接投資企業486家。

1966～1989年，共承擔對索馬里、布隆廸、盧旺達、加蓬等16個國家的援外項目52個，派出各類專業技術人員1.5萬多人次。

1980～1989年，共簽訂對外承包工程和勞務合作合同170項，合同總金額1.8億多美元，營業額5900多萬美元，共派出各類專業人員4300多人次。承包工程分佈在索馬里、約旦、伊拉克、美國、日本和港澳等19個國家和地區。

1983～1989年共接受世界糧農組織、聯合國兒童基金、澳大利亞等多、雙邊援助4020萬美元。

1989年北海對外經濟貿易

北海市對外經濟貿易委員會

〔對外貿易〕

1989年廣西壯族自治區北海市自營出進口總額1322萬美元，比1988年2181萬美元下降39.39％。

外貿收購總額10967.4萬元，比1988年7989.2萬元增長37.28％。

出口額777萬美元，比1988年757萬美元增長2.6％，佔全市國民生產總值的10.98％。

出口商品中，農副產品224.55萬美元，佔出口總額的28.9％；輕紡產品528.36萬美元，佔68％；其他商品24.09萬美元，佔3.1％。初級產品410萬美元，佔出口總額的52.77％；工業製成品367萬美元，佔47.23％。

主要出口商品有炮竹煙花、瓦楞紙、針紡織品、工藝品、罐頭、水產品等。出口商品主要銷往港澳地區和日本。

進口額545萬美元，比1988年1424萬美元下降61.73％。進口商品中，生產資料342萬美元，佔進口總額的62.75％；生活資料203萬美元，佔37.25％。進口商品主要有：輕工機械、鋼材、電子儀器、羊毛、玩具等。進口商品主要來自港澳地區。

〔利用外資〕

批准簽訂外商直接投資合同7項，全部是生產型項目(其中合資3個、合作3個、獨資1個)，合同外資金額133萬美元，比1988年2244.71萬美元下降94.07％。全年實際利用外資367萬美元，比1988年196.09萬美元增長87.16％。外資主要來自港澳地區。

1989年，已建成投產的外商投資企業實現工業產值3712.41萬元，出口創滙386萬美元，比1988年178萬美元增長近1.2倍。

〔技術進出口〕

1989年進口輕工機械設備等用滙126.2萬美元。

〔港口運輸〕

全年完成貨運吞吐量121萬噸，比1988年82萬噸增長47.56％，其中進出口貨物吞吐量81.22萬噸。

〔旅遊〕

共接待外國人、華僑和港澳台同胞2539人(其中外國人447人)，比1988年2589人下降1.93％。旅遊收入23.49萬元外滙人民幣，比1988年下降19％。

〔40年經貿發展簡述〕

建國40年來，特別是改革開放10年來，北海市對外經濟貿易不斷發展，1972年出口商品收購額爲380萬元，1989年達10967.4萬元，比1972年增長28倍；1989年出口額777萬美元，比1950年21萬美元增長36倍。出口商品品種發生了較大變化，從單一的土畜產品發展到輕紡、工藝、水產活鮮等50多種。出口商品過去只銷港澳地區和日本，現在已遠銷美洲、西亞、南亞和歐洲許多國家和地區。

截至1989年底，共批准開辦外商投資企業55個。其中，生產型企業41個。合同外資金額10351萬美元。已建成投產的有27個。

1989年海南對外經濟貿易

海南省貿易廳

〔對外貿易〕

1989年海南省出進口總額42153萬美元。

外貿收購總額223841萬元，比1988年151800萬元增長47.46％。

出口總額33514萬美元(不含外商投資企業出口額)，比1988年28277萬美元增長18.5％，佔全國出口額的0.77％。其中農副產品11764.92萬美元，佔出口總額的35.10％；輕工業產品9013.4萬美元，佔26.89％；重工業產品10896.63萬美元，佔32.51％；其他1839.15萬美元，佔5.49％。初級產品出口15321.8萬美元，工業製成品16353.3萬美元，其他1839.15萬美元。

出口商品共513種，比上年增加294種，其中年出口超過100萬美元的出口商品90種，比1988年增加54種。主要大宗出口商品是：對蝦、棉坯布、皮勞保手套、矾土、生鐵、錫礦砂、鉬鐵、廢鋼、銻、錫礦砂等。

1989年海南出口商品銷往42個國家和地區，市場逐步趨向多元化。

主要出口市場情況表

國家(地區)	出口金額(萬美元)	佔出口總額%
香港	23615.7	70.5
日本	3619.1	10.8
美國	1483.3	4.4
新加坡	989.6	3.0
聯邦德國	550.5	1.6
荷蘭	483.6	1.3
意大利	391.6	1.1
英國	363.4	1.0
泰國	298.1	0.9
法國	201.2	0.6

省貿易廳屬外貿專業公司、工貿公司進口額8639萬美元。其中生產資料6945萬美元，生活資料1647萬美元，其他47萬美元。主要進口市場：香港6829萬美元，日本515萬美元，阿根廷410萬美元，泰國178萬美元，瑞典120萬美元。

〔利用外資〕

批准簽訂外商直接投資合同375項，合同外資金額27691萬美元。其中，合資企業150家，金額7748萬美元；合作企業60家，金額3877萬美元；外資企業165家，金額16066萬美元。實際利用外資10942.97萬美元，比1988年11744萬美元減少6.82％。

外商直接投資的375個項目中，生產型企業253個，非生產型企業122個。主要涉及農林牧漁業、工業、建築業、交通運輸業、公用事業和文化教育等行業。

外資主要來自香港、新加坡、日本、台灣、美國、泰國、加拿大等國家和地區。

〔對外經貿洽談會〕

1989年12月參加在澳門舉辦的海南省對外經貿洽談會，會上展出200多種產品，有392家外商前來參觀洽談，簽訂成交合同82份，金額2600萬美元。

〔港口運輸〕

1989年海口、清瀾、烏場、洋埔等港口的擴建工程繼續施工，八所港防波堤西移續建開工，全年建成港口泊位4個。港口吞吐總量903萬噸，其中進出口貨物吞吐量720萬噸。

〔旅遊〕

接待旅遊的外國人、華僑、港澳台同胞110473人次。旅遊收入4430.42萬元外滙人民幣，比1988年減少23.07％。

〔40年經貿發展簡述〕

海南自1951年解放以來，對外經濟貿易事業取得較快發展，特別是1988年海南建省，成爲我國最大的經濟特區後，對外經濟貿易發展迅速。1989年海南出口商品收購額已達223841萬元，比1955年的91.17萬元增長2454倍；1989年出口額33514萬美元，比全面自營出口的1987年增長1.9倍。出口商品結構也由以農副土特產品爲主，向以輕紡、五礦產品及其他工業製成品爲主轉化。

1979～1989年，海南批准簽訂的利用外資合同總額達10億美元，實際利用外資金額3.5億美元。外資來自香港、澳門、台灣、日本、泰國、新加坡等15個國家和地區。批准外商投資企業1125家，投資領域包括能源、交通、種植養殖、電子、化工、輕紡、旅游、科教等20多個行業，其中70%是生產型項目。1989年外商投資企業出口創滙1900萬美元，是建省前的10.7倍。

1980年以來，先後在香港等地設立境外企業，開展對外經濟合作業務。

1989年四川對外經濟貿易

四川省對外經濟貿易委員會

〔對外貿易〕

1989年四川省出進口總額12.83億美元，比1988年11.35億美元增長13.04%。

出口商品收購總額48.89億元，比1988年40.19億元增長21.65%。

出口總額9.49億美元，比1988年8.63億美元增長9.97%，佔全省國民生產總值的4.43%，佔全國出口額的2.19%。

出口商品結構：農副產品11263萬美元，佔出口總額的11.86%，比1988年11560萬美元減少2.57%；輕工業產品55059萬美元，佔58.01%，比1988年52280萬美元增加5.32%；重工業產品28596萬美元，佔30.13%，比1988年22447萬美元增加27.39%。初級產品41695萬美元，佔出口總額的43.93%；工業製成品53223萬美元，佔56.07%。

1989年出口商品銷往107個國家和地區，主要出口市場居前10位的是：香港、日本、聯邦德國、美國、蘇聯、荷蘭、意大利、泰國、印度和新加坡，合計76561萬美元，佔出口總額的80.66%。

出口1000萬美元以上的商品表

金額分類	商品名稱	出口金額(萬美元)	佔出口總額%
1500萬美元以上 11種	桑蠶絲、綢緞、鋼材、凍豬肉、棉(坯)布、鐵合金、桑蠶繭、中藥材、豬肉罐頭、羽毛、鋁板	40687	42.87
1000～1500萬美元 6種	服裝、蔴紗、桑絹絲、醃製菜、棉紗、電子元器件	7023	7.40
合　計		47710	50.27

進口總額33394萬美元，比1988年27245萬美元增長22.57%。其中，生產資料24728萬美元，佔進口總額的74.05%，比1988年17247萬美元增長43.38%；生活資料8666萬美元，佔25.95%，比1988年9998萬美元減少13.32%。初級產品4885萬美元，佔進口總額的14.63%；工業製成品28509萬

美元，佔85.37%。

進口商品來自30個國家和地區，主要進口市場有日本、香港、澳大利亞、聯邦德國、意大利和美國，合計金額28657萬美元，佔進口總額的85.81%。

主要進口商品表

商品名稱	進口金額（萬美元）	佔進口總額 %
成套設備	4393	13.16
鋼材	3832	11.48
化工原料	3272	9.80
汽車及摩托車（含零配件）	3258	9.76
顯像管	2800	8.38
棉花	2043	6.12
電冰箱及配件	1897	5.68
金屬礦砂	1596	4.78
電子元器件	1344	4.02
棕櫚油	737	2.21
合　計	25172	75.39

〔利用外資〕

批准簽訂利用外資合同78項，合同外資金額9050萬美元，其中：對外借款12項，金額5164萬美元；外商直接投資38項，金額2006萬美元；外商其他投資28項，金額1880萬美元。

外商直接投資的38個項目中，合資30項，合作3項，外資5項。屬生產型項目35項，非生產型3項。涉及的行業有醫藥、建材、皮革、服裝、化工、農藥、電子等。

外商直接投資者來自香港、美國、日本、台灣、瑞士和英國。

〔技術進出口〕

簽訂引進技術和進口設備合同37項，合同金額3612萬美元。實際用滙4393萬美元，比1988年增長2.07倍。引進項目來自香港、日本、新加坡、美國、英國、奧地利、意大利等16個國家和地區。涉及的行業有：輕紡10項，金額677萬美元；機電5項，金額868萬美元；其他行業22項，金額2067萬美元。

〔對外經濟合作〕

簽訂對外承包工程和勞務合作合同67項，合同金額16571萬美元，比1988年10933萬美元增長51.57%；營業額10819萬美元，比1988年8748萬美元增長23.67%；派出承包和勞務人員3777人次，年末在外4377人。派往的國家和地區有：肯尼亞、伊拉克、馬里、利比亞、埃及、加拿大、意大利、日本、美國、英國等。承包的主要項目有：巴基斯坦拉克拉電站、伊拉克材料廠、孟加拉古爾薩化肥廠、馬里糖廠。

承擔援外項目10項，涉及的行業有公路、地質礦產、機械、輕工、建築、農業、電訊等。受援國家有尼泊爾、阿拉伯也門、蘇丹、馬里、貝寧、肯尼亞、埃塞俄比亞、赤道幾內亞。當年派出援外人員461人，年末在外656人。

接受聯合國及雙邊援助項目35個，金額471萬美元，目前項目執行情況良好。

批准在國外舉辦合營企業8家，總投資1301萬美元。

〔對外經貿洽談會〕

1989年先後在澳大利亞、聯邦德國和新加坡舉辦了展銷會和洽談會，到會客商1785人，出口成交4492萬美元，進口成交84萬美元。

〔旅遊〕

接待境外旅遊者10.13萬人次，比1988年17.08萬人次減少40.7%，其中港、澳、台同胞48451人，比1988年減少17.7%。全年旅遊收入0.99億元外滙人民幣，比1988年1.1億元外滙人民幣減少10%。

〔40年經貿發展簡述〕

1952年四川省出口商品收購額爲5841萬元，1989年達48.89億元，比1952年增長82.7倍。1983年開始全面直接對外出口，出口額1.2億美元，1989年達9.49億美元，比1983年增長6.9倍。出口商品結構不斷優化，農副產品所佔比重由1983年的14%下降到1989年的11.9%；工業產品比重1989年達到88.1%。出口商品品種由1983年的700多種發展到目前的1000餘種；出口商品銷往的國家和地區由61個發展到107個。

1979年以來，共批准簽訂利用外資合同563項，合同外資金額12.3億美元，實際利用外資4.4億美元。批准設立外商投資企業共146家，涉及工業、飲食服務、交通郵電、衛生體育、農林牧漁等行業。已建成開業的企業共創滙6000多萬美元。

1980～1989年，共承擔26個國家的援外項目55個，派出援外人員2843人次。接受國際援助項目60個，金額6173萬美元。共簽訂技術引進項目1107個，金額91112萬美元。開展承包工程和勞務合作由7個國家發展到47個國家和地區，合同金額7.86億美元，派出承包勞務人員30612人次。在海外開辦合營企業21家，總投資1680萬美元，目前已有12家開業。

1989年重慶對外經濟貿易

重慶市對外經濟貿易委員會

〔對外貿易〕

1989年四川省重慶市出進口總額46628萬美元，比1988年39888萬美元增長16.90%。

全年外貿收購總額155431萬元，，比1988年122417萬元增長26.97%。

出口總額30279萬美元，比1988年26810萬美元增長12.94%，佔全市國民生產總值的8.25%，佔國民收入的10.09%，佔四川省出口總額的32.09%。

出口商品結構：農副產品1568萬美元，佔出口總額5.18%，比1988年下降3.46個百分點；輕工業品16905萬美元，佔55.83%，比1988年下降1.89個百分點；重工業產品11806萬美元，佔38.99%，比1988年上升5.35個百分點。其中機電產品出口達5024萬美元，佔出口總額的16.59%，比1988年增長7.53%。出口額在100萬美元以上的骨幹商品有64種，比1988年增加了3種，金額22977萬美元，佔出口總額的75.88%。

主要出口商品表

商品名稱	出口額(萬美元)	佔出口總額%
桑蠶絲	3846	12.70
鋼材	2792	9.22
桑絹絲	794	2.62
二奈酚	677	2.24

主要出口商品表(續)

商品名稱	出口額(萬美元)	佔出口總額%
桑絲綢	549	1.81
棉坯布	543	1.79
收錄機	531	1.75
豬肉罐頭	530	1.75
凍豬肉	529	1.75
蔬菜罐頭	506	1.67
摩托車	405	1.34
工具	403	1.33
合計	12105	39.97

出口商品銷往83個國家和地區，比1988年增加6個，出口市場主要分佈在歐亞兩大洲，佔90%，其中亞洲佔出口總額的66.29%。

主要出口市場表

國別(地區)	出口金額(萬美元)	佔出口總額%
香港	9567	31.60
日本	7097	23.44
聯邦德國	2780	9.18
美國	1389	4.59
蘇聯	1035	3.42
印度	652	2.15

主要出口市場表(續)

國別(地區)	出口金額(萬美元)	佔出口總額%
泰　國	643	2.12
英　國	541	1.79
意大利	535	1.77
荷　蘭	531	1.75
新加坡	435	1.44
巴基斯坦	370	1.22
澳　門	361	1.19
瑞　典	255	0.84
合　計	26191	86.50

進口總額16349萬美元，比1988年13078萬美元增長25.01%。進口商品中，生產資料16056萬美元，佔進口總額的98.21%，比重比1988年上升1.22個百分點；生活資料293萬美元，佔1.79%，比1988年下降1.22個百分點。進口商品中，工業製成品11343萬美元，佔進口總額的69.38%；初級產品5006萬美元，佔30.62%。主要進口商品有：汽車及摩托車零配件3241萬美元，鋼材3184萬美元，成套設備及技術2145萬美元，電冰箱零配件1730萬美元，化工原料1406萬美元。

進口商品來自25個國家和地區。進口額與1988年相比，日本、香港分別下降22.07%和11.80%；意大利和聯邦德國分別增長18.4%和2.24倍。

主要進口市場表

國別(地區)	進口金額(萬美元)	佔進口總額%
日　本	4915	30.06
香　港	3357	20.53
澳大利亞	3214	19.66
聯邦德國	1340	8.20
意大利	888	5.43

〔利用外資〕

批准簽訂利用外資合同38項，合同外資金額3787萬美元，分別比1988年下降46.48%和92.67%。其中，對外借款3項，金額1640萬美元；外商直接投資15項，金額715萬美元；外商其它投資20項，金額1432萬美元。

實際利用外資24090萬美元，比1988年12305萬美元增長95.77%。其中，對外借款10853萬美元，外商直接投資1374萬美元，外商其他投資11863萬美元。

外商直接投資的15個項目，全部爲出口創滙型項目和生產型項目。其中合資經營企業12個，合作經營企業2個，外資企業1個。已開業投產的33家外商投資企業中，有17家已開始出口創滙，1989年出口額達1533萬美元，比1988年822萬美元增加86.50%。

〔技術進出口〕

地方企業簽訂引進技術和進口設備合同共17項，合同金額1750萬美元，比1988年減少72.89%。其中，輕紡行業成交8項，475萬美元；機電行業成交3項，398萬美元；其他行業6項，877萬美元。實際用滙472萬美元，比1988年減少81.14%。

地方企業成套設備及技術引進項目投產4項，預計年新增產值7757萬元，利稅2227萬元，創滙539萬美元。

技術出口222萬美元，比1988年130萬美元增加70.77%。其中，專利技術、專有技術及新產品出口174萬美元，技術服務出口48萬美元。

〔對外經濟合作〕

簽訂對外承包工程和勞務合作合同14項，合同金額9680萬美元，比1988年3425萬美元增加1.83倍。正在實施的項目56個，分佈在30個國家和地區。完成營業額5413萬美元，比1988年2701萬美元增加1倍。其中，對外承包工程13個，營業額2302萬美元；勞務合作項目39個，營業額3102萬美元；對外經濟援助項目4個。年末在國外1077人。外滙淨收入1535萬美元。

〔港口運輸〕

水運周轉量79.38億噸公里，港口吞吐量451萬噸，比1988年413.8萬噸增長8.99%。進出口商品的水運量達54.96萬噸。

〔對外經貿洽談會〕

1989年9月重慶舉辦首屆對外經濟技術貿易洽談會，應邀參加洽談會的客商來自30個國家，共600餘人。共簽訂出口合同136份，金額4200萬美元；簽訂利用外資合同4項，合同外資金額78萬美元；利用外資意向書11項，外資金額1439萬美元。

〔旅遊〕

接待外國人、華僑、港澳台同胞3.8萬人次，其中台灣同胞1.5萬人次。全年旅遊收入4548萬元外滙人民幣，比1988年增長5.60%。

〔40年經貿發展簡述〕

建國40年來，特別是1983年重慶市作爲全國第一個計劃單列市，直接對外開展經貿業務以來，重慶對外經濟貿易事業獲得了較快的發展。出口商品收購額由1958年的5218萬元發展到1989年的155431萬元，比1958年增長28.8倍；出口額由1983年的2844萬美元發展到1989年的30279萬美元，比1983年增長9.6倍。出口商品結構不斷優化，農副產品所佔比重逐年下降，工業產品比重逐年上升。出口商品由1983年的8個大類，107個品種，增加到1989年的24個大類，3000多個品種。出口市場由1983年的38個國家和地區擴大到1989年的83個國家和地區。

1983～1989年，共批准簽訂利用外資合同207個，合同外資金額73356萬美元；實際利用外資46013萬美元；批准設立外商投資企業58家，涉及汽車、電子、儀錶、計算機、絲綢、建材等行業；累計出口創滙4000多萬美元。

7年來，接受和承擔對6個國家的經援項目8項，派出援外人員125人次；接受11個雙邊援助項目，總金額1170萬美元；開展技術引進項目580多個，金額35000多萬美元。

還先後在20多個國家和地區開展對外承包工程和勞務合作，合同金額24224萬美元，派出勞務技術人員達5500人次；在國外興辦了30多家貿易公司、工廠、農場等。

1989年貴州對外經濟貿易

貴州省對外經濟貿易廳

〔對外貿易〕

1989年貴州省出進口總額18560.4萬美元，比1988年15546.2萬美元增長19.39%。

出口商品收購額7.07億元，比1988年5.6億元增長26.25%。

出口總額13201.3萬美元，比1988年11615.2萬美元增長13.7%，佔全省國民生產總值的2.07%，佔全國出口總額的0.25%。

出口商品結構：農副產品2966萬美元，佔出口總額的22.5%；工礦產品10235萬美元，佔77.5%。

年出口100萬美元以上的商品有雜豆、油菜籽、茅台酒、柏木油、菜籽餅粉、豬鬃、兔毛、棉坯布、T/C色布、T/C花布、棉蔴布、蔴紗、勞保手套、鞋類、動力機械、電子元器件、半夏、TMP、輪胎、礬土、重晶石、水銀、硅鐵、金屬硅、銻、粗鋅、磨料、工業軸承、微型軸承、彩色電視機、電器元件等31種。

出口商品銷往59個國家和地區。主要出口市場有香港、日本、美國、聯邦德國、荷蘭、新加坡、蘇聯、英國等國家和地區。

進口總額5359.1萬美元，比1988年3931萬美元增長36.33%。主要進口商品有：成套輕工業設備、壓縮機、包裝機械及其零件、鋼材、糧食、電子元器件、有線通訊設備、石墨、天然橡膠、合成膠、聚氯乙烯、聚丙烯、ABS樹脂、西藥原料、計算機X線斷層裝置(ct)、合成纖維、洗衣機零配件、彩色電視機散件、顯像管、化纖紗、簾子布等。

進口商品結構：生產資料3777.4萬美元，佔進口總額的70.49%；生活資料1581.7萬美元，佔29.51%。

進口商品來自21個國家和地區，主要進口市場是：香港1383.39萬美元，佔進口總額的25.81%；日本816.1萬美元，佔15.23%；意大利735萬美元，佔13.71%；聯邦德國638.59萬美元，佔11.92%；美國270.85萬美元，佔5.05%。

〔利用外資〕

批准簽訂利用外資合同19項，合同外資金額3747萬美元，比1988年4285萬美元減少12.56%。其中對外借款1項，金額2697萬美元(包括與日本政府續簽貸款)；外商直接投資15項，金額733萬美元；外商其他投資3項，金額317萬美元。

實際利用外資2566萬美元，比1988年1408萬美元增長82.24%。其中對外借款1290萬美元，外商直接投資747萬美元，外商其他投資529萬美元。

外商直接投資的15個項目中，合資經營13項，金額680萬美元；合作經營1項，金額25萬美元；外商獨資1項，金額28萬美元。上述15個項目中，生產型項目11個，非生產型項目4個。外商投資主要涉及塑料製品、食品加工、汽車維修、鐘錶、金屬、非金屬等行業。

外商主要來自：香港10項，金額561萬美元；台灣4項，100萬美元；阿根廷1項，80萬美元。

全年外商投資企業出口585萬美元，比1988年313.3萬美元增長86.7%。

〔技術進出口〕

簽訂引進技術和進口設備合同3項，合同總金額149萬美元。引進的項目來自瑞士、阿根廷、香港。

〔對外經濟合作〕

簽訂對外承包工程和勞務合作合同4項，總金額1309萬美元，比1988年1210萬美元增長8.18%。派出勞務人員361人，年末在外380人。派往國家有伊拉克、民主也門、尼泊爾、利比亞、科威特。

承擔對外經濟技術援助項目7個。其中新承擔的項目3個。派出援外人員454人，年末在外356人。此外，完成1058台(套、件)的援外機電產品任務。

接受聯合國及雙邊援助項目10個，金額4204.6萬美元。其中：執行完畢的項目4個，金額1947萬美元；繼續執行的項目5個，金額1257.6萬美元；新執行的項目1個，金額1000萬美元。

在泰國和塞浦路斯舉辦海外企業2家，中方投資金額100萬美元。

〔對外經貿洽談會〕

1989年2月參加中國國際貿易促進委員會在英國倫敦舉辦的"中國出口商品展覽會"，接待客商330多家，出口成交317.4萬美元。3月在澳門舉辦"中國貴州省出口商品洽談會"，展出商品700餘種。來自美國、日本、新加坡、泰國、南朝鮮、香港、澳門等10多個國家和地區以及台灣省的300多家客戶到會洽談，成交總額1325.76萬美元，其中：進口115萬美元，出口1210.76萬美元，還達成500萬美元來料加工協議。11月參加阿拉伯聯合酋長國舉辦的"1989年秋季迪拜博覽會"，接待客商260家，成交總額478萬美元。

〔旅遊〕

全年接待來華旅遊的外國人及港澳台同胞共13666人次，比1988年23646人次減少42.21%。旅遊收入308.34萬元外滙人民幣，比1988年363.5萬元外滙人民幣減少15.17%。

〔40年經貿發展簡述〕

1950年貴州省出口商品收購額爲57萬元，1989年達7.07億元。1978年開始部分自營出口，當年出口285.4萬美元，1989年出口13201.3萬美元，比1978年增長45倍。出口商品結構也發生很大變化，農副產品佔出口總額的比重由1978年的93.27%，降至1989年的22.5%；工礦產品由佔出口總額的6.73%，上升至77.5%。出口商品種類由1978年的5個發展到1989年的34個，出口市場由3個增加到59個。

1981～1989年，共簽訂利用外資合同82個，合同外資金額13422萬美元，實際利用外資5973萬美元；外商投資企業由1981年的1個增加到1989年的53個。

承擔對10個國家的援助項目13個，共派出援外人員973人次；簽訂對外承包工程和勞務合作合同28個，派出人員6247人次；接受聯合國多邊援助項目17個，合同總金額2694萬美元。

1989年雲南對外經濟貿易

雲南省對外經濟貿易廳

〔對外貿易〕

1989年雲南省出進口總額80209萬美元，比1988年的68081萬美元增長17.8%。

出口商品收購總額20.8億元，比1988年的16.4億元增長26.8%。

出口總額53863萬美元，比1988年的47530萬美元增長13.3%，佔全省國民生產總值的6.94%，佔全國出口總額的1.24%。

出口商品結構：農副產品9993萬美元，佔出口總額的18.6%，比1988年增長0.86個百分點；輕工業品26230萬美元，佔48.7%，比1988年增長2.1個百分點；重工業品17640萬美元，佔32.7%，比1988年下降2.96個百分點。初級產品16864萬美元，佔出口總額的31.3%；工業製成品36999萬美元，佔68.7%。

出口100萬美元以上的商品有64種，金額43644萬美元，佔出口總額的81%。其中，出口3000萬美元以上的有捲煙、精錫、滌綸布3種，金額17084萬美元，佔出口總額的31.7%；出口1000～3000萬美元的有紅茶、焊錫條、棉紗、棉布、金屬切削機床、柴油機6種，金額10328萬美元，佔19.2%；出口500～1000萬美元的有芸豆、烤煙、錫砂、鎂、鈣鎂磷肥、服裝等12種，金額7428萬美元，佔13.8%；出口100～500萬美元的有凍銀魚、核桃、綠茶、松香、香料油、鉛、鋅、鎢砂、豬鬃、黃磷、電纜線、洗衣粉等43種，金額8804萬美元，佔16.3%。

出口商品銷往60個國家和地區，年出口額1000萬美元以上的主要市場有6個，出口額37110萬美元，佔出口總額的68.9%。

主要出口市場表

國別(地區)	出口額(萬美元)	佔出口總額的%	比1988年增減%
緬　甸	17711	32.88	+35.6
香港、澳門	7953	14.77	+ 5.98
日　本	6753	12.54	+13.65
美　國	2026	3.76	+ 5.46
蘇　聯	1638	3.04	+23.8
波　蘭	1029	1.91	−14.6

進口額26346萬美元，比1988年的20551萬美元增長28.2%。其中：生產資料16120萬美元，佔進口總額的61.2%，比1988年增長89.31%；生活資料10226萬美元，佔38.8%，比1988年減少15.04%。初級產品8745萬美元，佔進口總額的33.2%；工業製成品17601萬美元，佔66.8%。

主要進口商品：農產品6896萬美元，佔進口總額的26.2%；輕工業品4618萬美元，佔17.5%；成套設備及技術3239.7萬美元，佔12.3%；各類機械2710萬美元，佔10.3%。

進口商品來自27個國家和地區，其中，緬甸8738萬美元，佔進口總額33.2%；香港3513萬美元，佔13.3%；美國2797萬美元，佔10.6%；英國2677萬美元，佔10.2%；日本2014萬美元，佔7.6%。

邊境貿易進出口總額25461萬美元，比1988年23656萬美元增長7.63%。其中，出口16440萬美元，進口9021萬美元。邊境貿易中，對緬甸進出口總額24780萬美元，其中出口16076萬美元，進口8704萬美元；對老撾進出口總額681萬美元，其中出口365萬美元，進口316萬美元。

〔利用外資〕

批准簽訂利用外資合同14項，合同外資金額436.26萬美元，比1988年的1929.7萬美元減少77.4%。其中，外商直接投資10項，金額302.1萬美元；外商其他投資4項，金額134.16萬美元。

實際利用外資1007萬美元，比1988年的1345萬美元減少25.1%。其中使用國外貸款220萬美元，外商直接投資740萬美元，外商其他投資47萬美元。

外商直接投資的10個項目中，中外合資經營企業9個，中外合作經營企業1個。其中生產型企業9個，涉及商業飲食業、工業和種植業。投資者來自香港、日本、美國及新加坡。

〔技術進出口〕

簽訂引進技術和進口設備合同20項，合同金額3183萬美元，比1988年的3822.13萬美元減少16.7%；實際用滙3239萬美元，比1988年的3023萬美元增加7.1%。主要項目有：汽車模具、製煙複合濾嘴生產線、焊料技術轉讓、程控電話和冷軋螺紋鋼筋，磷銨、粒狀鈣鎂磷肥、塗料紙、飼料、香料的生產設備及技術。引進項目的主要來自日本8項，1738.6萬美元；芬蘭1項，801.6萬美元；英國1項，257.8萬美元；香港5項，155.1萬美元。

〔對外經濟合作〕

簽訂對外承包工程和勞務合作合同11項，合同金額701.13萬美元，比1988年的188.74萬美元增長2.7倍。營業額345.25萬美元，比1988年的460萬美元減少25%。年末在外人數158人。主要承包項目有：巴基斯坦水處理廠和海德拉巴市污水處理、毛里求斯可諾曼德爾污水處理、喀麥隆雅德溫教堂基礎、伊拉克14座變電站等工程。

接受聯合國有關機構及雙邊援助項目6個，金額376萬美元。當年開始執行的項目6個，金額276萬美元。

〔對外經貿洽談會〕

1989年6月在澳門舉辦"雲南省出口商品洽談會"，接待澳門、香港、台灣、新加坡、日本、泰國、菲律賓、緬甸、美國等國家和地區的客商430多家，出口成交額1802萬美元。12月在泰國曼谷舉辦"雲南省出口商品展銷暨對外經濟技術合作洽談會"，展出雲南各類出口產品1000餘種，接待客商700多家。成交額5148萬美元，其中出口成交3031萬美元，進口成交689萬美元；對外經濟合作成交8個項目，金額1428萬美元。

〔旅遊〕

全年接待來自50多個國家和地區的旅遊者7.44萬人次，比1988年的12.13萬人次減少38.7%。全年旅遊收入1064萬美元。

〔40年經貿發展簡述〕

建國40年來，雲南省對外經貿事業有了很大的發展。1950年出口商品收購額爲0.29億元，1989年達20.8億元，比1950年增長70.5倍。1958年出口額1925萬美元，1989年達53863萬美元，比1958年增長27倍。出口商品品種由1958年的錫、鉛等幾種發展到1989年的400多種；出口市場由緬甸、越南、香港等發展到70多個國家和地區。

截至1989年共批准簽訂利用外資合同67項，合同外資金額11382萬美元，其中對外借款1223萬美元，外商直接投資4434萬美元，租賃4921萬美元，補償貿易等其他投資804萬美元。實際利用外資6439萬美元。

從1961年起，先後承擔對老撾、越南、喀麥隆、馬里等11個國家的88個援外項目，派出援外人員共4000多人次。自1984年開展對外承包工程和勞務合作業務以來，共簽訂合同49項，合同總金額4055萬美元。1980～1989年，共簽訂引進技術和成套設備進口合同222項，總金額22823萬美元。

1989年西藏對外經濟貿易

西藏自治區對外經濟貿易廳

〔對外貿易〕

1989年西藏自治區出進口總額3067萬美元，比1988年2208.45萬美元增長38.9%。

外貿收購總額11041萬元，比1988年9719.11萬元增長13.6%。

出口總額1554.59萬美元，比1988年1598.97萬美元減少2.8%，佔全國出口額的0.04%，佔全自治區國民生產總值的2.83%，佔國民收入的4.05%。

出口商品中，農副產品1421.59萬美元，佔出口總額的91.44%，比重比1988年減少6.78個百分點；輕工產品62萬美元，佔3.99%，增加2.34個百分點；重工業產品71萬美元，佔4.57%，增加4.44個百分點。初級產品1490.59萬美元，佔出口總額的95.88%；工業製成品64萬美元，佔4.12%。

出口400萬美元以上的商品有綿羊毛、山羊絨，出口額1288.13萬美元，佔出口總額的82.86%。

出口商品主要銷往尼泊爾、香港、日本、聯邦德國、意大利、荷蘭、英國、瑞士、美國等9個國家和地區。其中，尼泊爾670.76萬美元，佔出口總額的43.15%；日本418.32萬美元，佔26.91%。

進口總額1512萬美元，比1988年609.24萬美元增長1.48倍。其中，生產資料636.9萬美元，佔進口總額的42.12%，比重比1988年減少11.07個百分點；生活資料875.1萬美元，佔57.88%，增加11.07個百分點。

主要進口商品有：汽車及配件486.42萬美元，佔進口總額的32.17%；農藥238.75萬美元，佔15.79%；鋼材152.04萬美元，佔10.06%；家用電器134.53萬美元，佔8.9%；紡織品126.86萬美元，佔8.39%；電視及音響設備104.24萬美元，佔6.89%。

主要進口市場有：日本923萬美元，佔進口總額的61.05%，尼泊爾431.48萬美元，佔28.54%。

1989年西藏邊境貿易出進口額1102.23萬美元，比1988年820.45萬美元增長34.34%，主要商品有畜產品、石油產品、紡織品、輕工業品、日用百貨、糧油食品、民族用品等。

〔對外經濟合作〕

1989年接受聯合國開發計劃署和意大利政府援助的地熱項目815萬美元，目前正在執行中。接受聯合國兒童基金會和人口活動基金援助的基層婦幼衛生項目60萬美元，基本執行完畢。

〔旅遊〕

接待來自聯邦德國、法國、美國、香港、澳門、台灣、意大利、日本、英國、瑞士、尼泊爾等38個國家和地區的遊客3603人次，旅遊收滙1000萬元外滙人民幣。

〔40年經貿發展簡述〕

出口商品收購額1962年爲141萬元，1989年達11041萬元，增長77倍。1981年西藏開始部分商品自營出口，出口額11萬美元；1985年起全面實行自營出口，當年出口額493萬美元；1989年達到1554.59萬美元，比1981年增長140倍，比1985年增長2.15倍。出口商品由綿羊毛、麝香、食鹽3種擴大到山羊絨、牛絨、活羊、山羊毛、牦牛毛、地毯、皮張、蟲草、貝母、松茸、油菜籽、鉻礦等。隨着工業的發展，輕紡產品和礦產品的出口增加較快。出口市場由印度擴大到尼泊爾、日本、香港、聯邦德國、意大利、荷蘭、英國、瑞士、美國等十多個國家和地區。

西藏的利用外資和對外經濟合作工作起步於1986年。截至1989年底，共批准簽訂利用外資合同爲102.7萬美元，實際利用外資60.91萬美元，批准設立外商投資企業2家。接受雙邊、多邊援助總額爲2645萬美元，其中已完成項目的受援額630萬美元。

1989年陝西對外經濟貿易

陝西省對外經濟貿易委員會

〔對外貿易〕

1989年陝西省出進口總額爲42244萬美元，比1988年37048萬美元增長14.03％。

出口商品收購總額136823萬元，比1988年131415萬元增長4.12％

出口總額31268萬美元，比1988年27994萬美元增長11.70％。佔全省國民生產總值的3.42％，佔全國出口總額的0.73％。

出口商品結構：農副產品6484萬美元，佔出口總額的20.74％；輕紡產品17733萬美元，佔56.71％；重工業產品7051萬美元，佔22.55％。工業製成品出口19715萬美元，佔出口總額的63.05％；初級產品11553萬美元，佔36.95％。

主要出口商品有35種，金額22617萬美元，佔出口總額的72.33％。

出口額500萬美元以上的商品表

商品名稱	出口金額（萬美元）	佔出口總額％
化纖混紡布	4290	13.71
棉　　布	4288	13.71
桑蠶絲	1306	4.18
棉　紗	1262	4.04
動力煤	1240	3.97
服　裝	785	2.51
棉針織品	638	2.04
化纖紗	588	1.88
小成套設備	566	1.81
電子元器件	563	1.80

出口商品銷往70多個國家和地區，主要出口市場是香港、日本、美國、蘇聯等28個國家和地區，出口額達29092萬美元，佔出口總額的93.04％。

主要出口市場情況表

國別（地區）	出口額（萬美元）	佔出口總額％
香　港	10139	32.43
日　本	7573	24.22
美　國	2063	6.60
聯邦德國	1071	3.43
比利時	954	3.05
蘇　聯	947	3.03
合　計	22747	72.75

進口總額10976萬美元，比1988年的9054萬美元增長21.23％。其中，生產資料8171萬美元，佔進口總額的74.44％；生活資料2805萬美元，佔25.56％。初級產品4112萬美元，佔進口總額的37.46％；工業製成品6864萬美元，佔62.54％。

主要進口商品有化工原料、電子元器件、棉花、合成纖維、黏膠人造棉、電視機及音響設備、電工儀器、汽車零件、通訊設備、汽車和醫療器械等11種，合計金額6236萬美元，佔進口總額的56.81％。

進口商品來自21個國家和地區，主要市場有：日本4216萬美元，香港4093萬美元，意大利601萬美元，美國502萬美元，澳門416萬美元。

〔利用外資〕

1989年批准簽訂利用外資合同37項，合同外資金額26384萬美元，比1988年的9359萬美元增長1.8倍。其中，對外借款8項，金額19284萬美元；外商直接投資23項，金額3106萬美元(含增資1114萬美元)；外商其他投資6項，金額3993萬美元。

實際利用外資16029萬美元，比1988年的17014萬美元減少5.79%。其中：對外借款2857萬美元，外商直接投資9679萬美元，外商其他投資3493萬美元。

外商直接投資的23個項目中，合資企業21個，合作企業1個，外資企業1個。其中生產型項目22個，非生產型項目1個。主要分佈在紡織、電子、化工、輕工、冶金、光學、機械、賓館服務業。

投資者主要來自香港、澳大利亞、日本、意大利、美國、英國、比利時等7個國家和地區。

截至1989年底已建成投產(開業)的外商直接投資企業57個，全年生產總值27093萬元，銷售(營業)收入37607萬元，其中，出口額1956萬美元。

〔技術進出口〕

1989年簽訂引進技術和進口設備合同25項，合同金額1829萬美元，比1988年的5581萬美元減少67.23%；實際用滙2197萬美元，比1988年的170萬美元增加11.92倍。引進技術和進口設備來自日本、香港、美國、比利時、意大利、聯邦德國、荷蘭、瑞典等國家和地區。涉及的行業有紡織、化工、機械、電子、輕工、煙草等。

1989年對外簽訂技術產品出口合同16項，技術出口總金額292萬美元。涉及的行業有醫藥、輕工、機械、電子等。

〔對外經濟合作〕

1989年對外承包工程和勞務合作合同金額300萬美元，比1988年的1407萬美元減少78.68%。完成營業額2491萬美元，比1988年的2554萬美元減少2.47%。年末在外人數爲1303人。承包的主要項目有伊拉克的民用建築等。

承擔援外項目4個，即同喀麥隆，中非、聖多美和普林西比三國的技術合作和同馬里古塞紡織廠的管理合作項目。年末在外人數50人。

1989年執行國際組織及雙邊援助項目36個，援助金額997萬美元。涉及文教、衞生、計劃生育、農業、水利、製藥、奶牛和奶製品及職業培訓項目等。

1989年在海外舉辦企業3家，中方投資42萬美元。

〔對外經貿洽談會〕

1989年7月首次在新加坡舉辦“陝西省暨西安市出口商品展銷會”，接待來自馬來西亞、泰國、菲律賓、印度尼西亞、日本、澳大利亞、新加坡、香港、台灣等國家和地區的1500多家客商，成交額2483萬美元。同月在馬達加斯加舉辦“陝西省出口商品展銷會”，展品銷售收入11萬美元。簽訂供貨合同8份，金額148.5萬美元。

〔旅遊〕

全年共接待境外旅遊者212036人次。旅遊外滙收入14210萬元外滙人民幣。

〔40年經貿發展簡述〕

陝西省1971年出口商品收購額爲1.07億元，1989年發展到13.68億元，增長近12倍。自1976年部分商品獲得對外經營權以來，出口額增加很快，由1976年的600萬美元，增長到1989年的31268萬美元，增長51倍。出口商品結構中，工礦產品的內部結構發生了變化。紡織品的比重由1984年的71.10%下降爲41.59%，輕工和機電產品的比重分別由1984年的1.96%和3%上升到4.64%和15.65%。出口商品由1984年的300種增加到1989年的500多種。出口商品銷往的國家和地區由1976年的4個擴展到1989年的70多個。

1979～1989年共批准外商直接投資項目148個，外商其他投資項目26個，累計合同外資金額101196萬美元，實際利用外資32489萬美元。外商直接投資項目中，合資企業98個，合作企業49個，外資企業1個。已投產開業的有56家。

1978～1989年共完成對外承包工程和勞務合作營業額約2億美元，派出勞務人員約12000人次。主要從事民用建築、公路、橋樑、水利設施、紡織廠、電台等方面的工程承包和建築、交通、紡織、建材等領域的勞務合作。共承擔對14個國家的20個經援成套項目建設及技術培訓、合作管理，派出各類工程技術人員1800多人次；爲援外工程項目提供了機電產品14萬多台(件、套)。

1983～1989年在美國、香港、日本、喀麥隆、厄瓜多爾、聯邦德國等國家和地區共舉辦海外企業11家，總投資234萬美元，其中中方投資132萬美元。

1989年西安對外經濟貿易

西安市對外經濟貿易委員會

〔對外貿易〕

1989年陝西省西安市出進口總額12755.38萬美元，比1988年12250萬美元增長4.13%。

出口商品收購總額39088萬元，比1988年41810萬元下降6.5%。

出口額7015.41萬美元，比1988年8013萬美元下降12.45%，佔全市國民生產總值的3.94%。

出口商品中，農副產品507.39萬美元，佔出口總額的7.23%；輕工業產品4524.15萬美元，佔64.49%；重工業產品1983.87萬美元，佔28.28%。初級產品1003.27萬美元，佔出口總額的14.30%，工業製成品6012.14萬美元，佔85.70%。出口商品達216種，比1988年增加2個品種。出口額在100萬美元以上的商品有棉紗、棉坯布、棉滌坯布、機繡品、縫紉機頭、皮勞保手套、彩色電視機、黑白電視機、鱗片石墨、通訊電纜、敷銅板等11種商品，出口額共爲3814.71萬美元，佔出口總額的54.38%。出口商品銷往58個國家和地區。主要出口市場：香港1910.56萬美元，佔出口總額的27.23%；美國504.05萬美元，佔7.18%；日本417.27萬美元，佔5.95%；新加坡240.96萬美元，佔3.43%。

進口額5739.97萬美元。其中外貿公司進口4366.91萬美元，比1988年的4237萬美元增長3.1%。

進口商品中，生產資料4319.55萬美元，佔進口總額的98.92%；生活資料47.36萬美元，佔1.08%。初級產品106.73萬美元，佔進口總額的2.44%；工業製成品4260.18萬美元，佔97.56%。

主要進口商品有壓縮機、機牀、電線電纜、鋼材、紡織設備、鑄造設備、通訊設備、工具等。進口商品主要來自15個國家和地區，其中，日本2487.05萬美元，佔進口總額的56.95%；香港670.81萬美元，佔15.36%；意大利210.77萬美元，佔4.83%；聯邦德國165.53萬美元，佔3.79%；美國148.78萬美元，佔3.41%。

〔利用外資〕

批准簽訂利用外資合同9項，合同外資金額953.5萬美元，比1988年1165.74萬美元減少18.2%。其中：外國政府貸款1項，金額845萬美元；外商直接投資8項，合同外資金額108.5萬美元。全年實際利用外資4711.81萬美元，比1988年5169.75萬美元減少8.86%。其中外國政府貸款551萬美元，外商直接投資4160.81萬美元。

外商直接投資來自：香港5項，60.7萬美元；美國1項，34.25萬美元；日本1項，8.3萬美元；英國1項，5萬美元。

外商直接投資的8個項目中，合資經營7項，合作經營1項，均爲生產型項目，分佈在電子、服裝、機械等行業。

1989年已開業的15家外商直接投資企業中：工業企業5家，當年總產值爲1082.98萬元，出口創滙80.4萬美元；旅遊服務業10家，當年營業收入882.44萬美元，1552.25萬元人民幣。

〔技術進出口〕

簽訂引進技術和進口設備合同19項，合同金額1567.55萬美元，比1988年1306.87萬美元增長19.95%。引進的技術和設備來自芬蘭、日本、英國、美國、聯邦德國、意大利、香港等7個國家和地區，涉及紡織、機械、電力、輕工4個行業。1989年有27項引進項目相繼投產，主要項目有高强度微細漆包線生產線、空心磚生產線、等級麵粉生產線、專用麵粉生產線、萬門程控電話、高壓熔斷器生產技術與設備等，經濟和社會效益較好。

〔對外經濟合作〕

簽訂對外承包工程和勞務合作合同10項，合同金額351.88萬美元，比1988年減少48.51%。完成營業額150.9萬美元，比1988年74.56萬美元增加1倍。年末在外人數181人。主要承包項目有：烏拉圭皇家花園別墅工程及道路工程、蘇丹奧馬別墅、阿布扎比魚肉市場工程。

爲我國援助塞拉利昂、埃塞俄比亞、坦桑尼亞、幾內亞、扎伊爾、圭亞那等6個國家的項目提供了機電產品。

1989年在泰國舉辦合營企業1家，即亞安膠業有限公司，投資總額80萬美元，中方投資12萬美元。

〔對外經貿洽談會〕

1989年7月在新加坡舉辦了西安出口商品展銷會。共接待來自新加坡、馬來西亞、印度尼西亞、泰國、菲律賓和香港等國家和地區的客商500多家，簽訂出口合同98份，金額1041萬美元。同時就出口成套設備和舉辦中外合資企業簽訂了7個意向書。

〔旅遊〕

1989年共接待境外遊客212036人次，比1988年365785人次減少42.03%。全年旅遊收入14125萬元外滙人民幣，比1988年的21152萬元外滙人民幣減少33.22%。

〔40年經貿發展簡述〕

建國40年來，西安對外經濟貿易事業取得較大發展。1965年出口商品收購額僅8.82萬元，1989年達到39088萬元；1986年開始自營出口，外貿發展邁上新台階。外貿出口由1987年的2453萬美元上升爲1989年的7015萬美元，增長1.86倍。出口商品結構不斷優化，工業製成品佔出口總值的比重由1987年的70.70%上升到1989年的85.70%。出口商品品種由1987年的108種增加到1989年的216種。出口的國家和地區由1987年的30個增加到1989年的58個。

1979～1989年，西安市實際利用外資1.96億美元，其中，外國政府貸款項目6個，貸款金額1903.7萬美元；外商直接投資項目31個，實際使用外資金額1.77億美元。外商投資企業已開業投產15家，其中先進技術企業1家，產品出口企業5家，1988、1989兩年出口創滙110萬美元。

10年來，共簽訂引進技術和進口設備合同257份，合同金額1.6億美元，使13個行業的131個企業得到了技術改造。

1983～1989年，共簽訂對外承包工程和勞務合作合同33份，合同金額1842.52萬美元，對外承包工程和勞務合作累計完成營業額1841.52萬美元。自1984年以來，共接受聯合國開發計劃署、兒童基金會等多邊援助項目6個，受援金額117萬美元，受援實物折合人民幣2685萬元。同時完成了向國家援外項目提供機電產品的任務。批准舉辦海外合營企業2家，總投資118萬美元，其中中方投資12萬美元。

1989年甘肅對外經濟貿易

甘肅省對外經濟貿易委員會

〔對外貿易〕

1989年甘肅省出進口總額18674萬美元，比1988年16623萬美元增長12.34％。

出口商品收購總額84417萬元，比1988年68603萬元增長23.05％。

出口總額15338萬美元，比1988年15204萬美元增長0.88％；佔全省國民生產總值的2.6％。

出口商品中，農副產品3664萬美元，佔出口總額的23.9％，比1988年下降1.06個百分點；輕工業產品4971萬美元，佔32.4％，比1988年上升0.2個百分點；重工業產品6703萬美元，佔43.7％，比1988年上升0.86個百分點。初級產品10195萬美元，佔出口總額的66.47％，比1988年上升41.51個百分點；工業製成品5143萬美元，佔33.53％，比1988年下降41.51個百分點。

出口300萬美元以上商品表

出口金額分類	商品名稱	出口金額（萬美元）	佔出口總額%
1000萬美元以上3種	地毯、鎳、羊絨	3763	24.53
500～1000萬美元2種	雜豆、鋁	1080	7.04
300～500萬美元5種	棉紗、軸承、服裝、鋅礦砂、元明粉	1896	12.36

出口商品銷往52個國家和地區。主要市場：香港3981萬美元，佔出口總額的26％；日本3005萬美元，佔19.6％；聯邦德國881萬美元，佔5.7％；美國732萬美元，佔4.8％。

進口總額3336萬美元，比1988年的1419萬美元增長1.35倍。進口商品全部爲生產資料。其中初級產品1652萬美元，佔進口總額的49.5％；工業製成品1684萬美元，佔50.5％。主要進口商品爲鋼材、羊毛、化工原料等。進口商品來自26個國家和地區。主要進口市場爲：香港866萬美元，佔進口總額的26％；日本701萬美元，佔21％；新西蘭504萬美元，佔15％；意大利313萬美元，佔9.4％。

〔利用外資〕

批准簽訂利用外資合同12項，合同外資金額5864.09萬美元，比1988年2275.14萬美元增長1.58倍。其中，對外借款3項，金額853.8萬美元；外商直接投資5項，合同外資額445.89萬美元；外商其他投資4項，金額4564.4萬美元。實際利用外資17萬美元，比1988年減少97.1％。

1989年批准設立的5項外商直接投資項目均爲合資企業。其中，生產型4項，非生產型1項。按行業分，電子2項、紡織2項、服務業1項。外商投資來自香港、澳門、日本、新加坡。

〔技術進出口〕

共簽訂引進技術和進口設備合同6項，合同金額927萬美元，比1988年596.4萬美元增長55.4％。實際用滙332.9萬美元，比1988年296.6萬美元增長12.8％。引進的項目分別來自日本、荷蘭、聯邦德國、美國、香港、瑞士。涉及的行業有：石油化工4項，663萬美元；機械1項，100萬美元；輕工1項，164萬美元。

〔對外經濟合作〕

簽訂對外承包工程和勞務合作合同21項，合同總金額10233.94萬美元，比1988年1170.20萬美元增長7.7倍。完成營業額2185.1萬美元，比1988年增長2.6倍。全年派出勞務人員206人，主要分佈在伊拉克、津巴布韋、日本、利比亞等國家。年末在外人數爲618人。

承擔援外項目6項，派出人員30人，年末在外211人。受援國家有津巴布韋、索馬里、馬達加斯加、吉布提、佛得角。涉及的行業有醫療衞生、土建、能源開發等。完成項目5個，在建項目1個。

當年接受多、雙邊援助937.5萬美元，主要來自加拿大、歐洲共同體、澳大利亞、聯合國開發計劃署等。已完成33個項目。

開展與蘇聯、東歐國家的生產技術合作14項，金額11307.9萬瑞士法郎。

在海外舉辦企業5家，中方投資72.7萬美元。

〔旅遊〕

全年接待外國遊客和港澳台同胞16900人次；旅遊收入515萬美元，比1988年下降49.1%。

〔40年經貿發展簡述〕

甘肅省1950年出口商品收購金額爲798萬元，1989年達84417萬元，比1950年增長約105倍。1976年開始部分商品自營出口，出口額爲1979萬美元，1985年全面自營出口，1989年達15338萬美元，比1976年增長6.8倍。出口商品品種由1976年的6個大類20個品種，發展到1989年的24個大類331個品種。工業製成品和精深加工產品佔出口額的比重由1976年的7.6%上升到1989年的33.53%。出口市場由初期的幾個國家擴大到52個國家和地區。

1980～1989年，共批准簽訂利用外資合同65項，合同外資金額12340.73萬美元，其中外商直接投資項目25個，已建成投產11個。共簽訂技術進口合同325項，合同總金額36505萬美元。項目涉及輕紡、石化、機械、電子、冶金、水利、森林、糧食、醫療衞生、環境保護等行業。

1982～1989年，共簽訂對外承包工程和勞務合作合同51項，合同總金額16887.8萬美元，派出勞務人員2300人次。截至1989年底，共承擔援外項目30個，派出工程技術人員1100多人次。受援國家有索馬里、津巴布韋、多哥、埃及、巴基斯坦等27個。接受聯合國及友好國家多、雙邊援助44項，累計受援金額9375萬美元。

1989年青海對外經濟貿易

青海省對外經濟貿易廳

〔對外貿易〕

1989年青海省出進口總額6488萬美元，比1988年的5384萬美元增長21.32%。

出口商品收購總額33692萬元，比1988年的25248萬元增長33.44%。

出口總額5849萬美元，比1988年的4558萬美元增長28.32%，佔全省國民生產總値的3.67%，佔全國出口總額的0.14%。

出口商品中，農副產品2143萬美元，佔出口總額的36.6%，比重比1988年減少5.9個百分點；輕工業產品1036萬美元，佔17.7%，增加4.9個百分點；重工業產品爲2670萬美元，佔45.7%，增加1個百分點。初級產品爲2489萬美元，佔出口總額的42.55%；工業製成品3360萬美元，佔57.45%。

100萬美元以上的出口商品有：硅鐵945萬美元，鎳525萬美元，地毯427萬美元，金屬硅342萬美元，凍牛肉302萬美元，蠶豆281萬美元，蟲草277萬美元，鋅礦砂274萬美元，羊絨193萬美元，無毛絨117萬美元，綿羊腸衣102萬美元，菜籽餅102萬美元。

出口商品銷往37個國家和地區。主要出口市場是：日本2486萬美元，佔出口總額的42.5%；香港1072萬美元，佔18.33%；蘇聯420萬美元，佔7.18%；聯邦德國310萬美元，佔5.3%；新加坡259萬美元，佔4.43%；美國212萬美元，佔3.62%；意大利192萬美元，佔3.28%；英國170萬美元，佔2.9%。

進口總額639萬美元，比1988年的826萬美元減少22.64%。其中，生產資料606萬美元，佔進口總額的94.84%；生活資料33萬美元，佔5.16%。初級產品179萬美元，佔進口總額的28.01%；工業製成品460萬美元，佔71.99％。

主要進口商品是：羊毛179萬美元，佔進口總額的28.01％；鋼材157萬美元，佔24.57％；汽車零件56萬美元，佔8.76％。

主要進口市場：新西蘭179萬美元，佔進口總額的28.01％；香港175萬美元，佔27.39％；阿根廷120萬美元，佔18.78％；日本110萬美元，佔17.21％。

〔利用外資〕

1989年批准簽訂利用外資合同1項，合同外資金額130萬美元(青海骨膠廠利用日本"黑字還流"貸款)，比1988年的430萬美元減少69.77％。

〔對外經濟合作〕

1989年青海省已確定接受聯合國兒童基金會、人口活動基金、糧食計劃署、開發計劃署，加拿大、意大利政府，歐洲共同體多、雙邊援助項目20個，金額900多萬美元，項目涉及農業、牧業、漁業、衞生、教育、科技等領域。除歐洲共同體的2個項目和意大利政府的3個項目外，其他項目已陸續開始執行。

〔旅遊〕

接待旅遊的外國人及港澳台同胞4689人，比1988年減少60.05％，主要來自菲律賓、新加坡、美國、加拿大、英國、法國、聯邦德國、澳大利亞、意大利、新西蘭。全年旅遊收入112.28萬元外滙人民幣，比1988年減少70.99％。

〔40年經貿發展簡述〕

1951年青海省出口商品收購額爲945萬元，1989年達33692萬元，比1951年增長34.7倍。1980年開始部分商品自營出口，當年出口額402萬美元；1983年自營出口商品由1980年的9種增加到42種，出口額1274萬美元；1985年基本實現了自營出口，出口額2123萬美元。1989年，出口額5849萬美元，比1980年增加13.5倍。出口商品已達11大類100餘種，出口商品結構不斷優化，農業產品比重下降，輕紡和礦產品比重上升。出口市場由港澳地區擴大到日本、東南亞、蘇聯、匈牙利、聯邦德國、法國、英國、意大利、荷蘭、加拿大等37個國家和地區。

1983年青海省首次對外公佈國際經濟技術合作項目，到1989年底已批准中外合資(合作)經營企業4個，總投資額5762萬元，吸收外資協議金額313萬美元；利用外國政府貸款項目4個，貸款金額約560萬美元，涉及糧食、輕工、機械、礦產開發等行業。已接受和初步確定的聯合國及外國政府多雙邊援助金額約4128萬美元，用於農業、文教、衞生、婦女、兒童等方面的項目。

1989年寧夏對外經濟貿易

寧夏回族自治區對外經濟貿易廳

〔對外貿易〕

1989年寧夏出進口總額7542萬美元，比1988年9102萬美元減少17.14％。

出口商品收購23720萬元，比1988年29209.89萬元減少18.79％。

出口總額5942萬美元，比1988年的8018萬美元下降25.89％；出口額佔全區國民生產總值的4％，佔全國出口總額的0.14％。

出口商品結構：工礦產品出口4559.22萬美元，佔出口總額的76.73％；農副產品出口1383萬美元，佔23.27％。

出口商品有106種，其中出口額在100萬美元以上的有無煙煤、羊絨、普通輪胎、棉紗、羊毛紗

(線)、右旋藏黃素、苧蔴布、純毛提花毛毯、豆粕、工業軸承、腈綸毛紗(線)、鑽牀等12種，出口額4229.36萬美元，佔出口總額的71.17%。

出口商品銷往34個國家和地區。

主要出口市場情況表

國別(地區)	出口額(萬美元)	佔出口總額%
香港	1534	25.8
英國	797	13.4
法國	680.7	11.5
比利時	669.6	11.3
日本	551.2	9.3
波蘭	241	4.1
荷蘭	206	3.5
蘇聯	179.4	3.0

進口總額1599.82萬美元，比1988年1084萬美元增長47.58%。主要進口商品有：羊毛416萬美元，佔進口總額的26%；鋼材303.99萬美元，佔19%；合成纖維238.96萬美元，佔14.9%；化工原料146.95萬美元，佔9.2%。

主要進口市場是日本和香港。其中日本693.33萬美元，佔43.34%；香港495.9萬美元，佔31%。

〔利用外資〕

批准簽訂外商直接投資合同7項，合同外資金額694萬美元。實際利用外資1287.57萬美元，比1988年312萬美元增長3倍多。

外商直接投資的7個項目中，合資企業4個，合作企業2個，外資企業1個，均爲生產型項目。外資投向：畜牧業1個，化工工業2個，食品製造業1個，黑色金屬冶煉2個，皮革毛皮業1個。

外資來自：香港4項，616.3萬美元；美國1項，40萬美元；聯邦德國1項，31.7萬美元；澳門1項，6萬美元。

〔對外經濟合作〕

簽訂對外承包工程合同3項。年末在國外人數650人。

接受國際雙邊援助2項，金額172萬美元。執行國際多邊援助3項，金額76.1萬美元。

〔旅遊〕

全年接待外國遊客及港澳台同胞725人，比1988年2767人減少73.8%；旅遊收入41.8萬元外滙人民幣，比1988年81.52萬元外滙人民幣減少48.8%。

〔40年經濟發展簡述〕

1958年寧夏出口商品收購額爲1174.34萬元，1989年達23720萬元，比1958年增長19倍。1980年開始直接對外成交，出口額507.86萬美元；1985年全面自營出口，1989年出口達5942萬美元，比1980年增長10.7倍。1958年寧夏僅有土畜產品、糧油食品、紡織品3個大類20多個品種，其中農副土特產品佔出口總額的94.5%；到1989年出口商品已發展到紡織、輕工、工藝、五礦、化工、機械、機械設備、糧油食品、醫藥保健品、土產畜產品等10個大類106個品種，產品銷往34個國家和地區。

截至1989年底，寧夏利用外資合同外資額累計8007.9萬美元，實際利用外資3543.5萬美元。共有中外合資合作企業11家，外資企業1家。

截至1989年底，寧夏共執行國際多、雙邊無償援助項目10個，接受無償援助3567.48萬美元。簽訂對外承包工程和勞務合作合同16項，合同總金額5933.24萬美元，派出勞務人員共計3116人次。在海外舉辦企業2家，中方投資112萬美元。

1989年新疆對外經濟貿易

新疆維吾爾自治區對外經濟貿易廳

〔對外貿易〕

1989年新疆出進口總額4.86億美元，比1988年4.08億美元增長19.12%。

出口商品收購額7.6億元，比1988年7.18億元增長5.85%，佔全區國民生產總值的5.85%。

出口總額36093.5萬美元，比1988年29887.5萬美元增長20.8%，佔全國出口總額的0.83%。

出口商品中，農副產品20472萬美元，佔出口總額的57.2%，比1988年下降1.3個百分點；農副產品加工品10298萬美元，佔28.5%，比1988年上升0.2個百分點；工礦產品5323.5萬美元，佔14.3%，比1988年上升1.1個百分點。初級產品21639.1萬美元，佔出口總額的60%；工業製成品14454.4萬美元，佔40%。

年出口金額100萬美元以上的骨幹商品43種，比1988年增加4種。

出口500萬美元以上的商品表

商品名稱	出口金額(萬美元)	佔出口總額%
棉　花	15444	42.79
棉　紗	2057	5.70
羊絨衫	1735	4.80
羊毛衫	1320	3.66
棉坯布	958	2.65
毛紗線	796	2.20
棉滌綸衫裙	771	2.14
羊腸衣	635	1.76

出口商品銷往48個國家和地區，新增了對蒙古人民共和國的邊境貿易。

主要出口市場

國別(地區)	出口金額(萬美元)	佔出口總額%	比1988年增減%
日　本	13380	37.07	－ 4.77
蘇　聯	6837	18.94	＋142.38
香　港	5901	16.35	－ 13.78
聯邦德國	1302	3.61	＋ 93.87
捷克斯洛伐克	1205	3.34	
羅馬尼亞	1118	3.10	
美　國	1053	2.92	＋ 29.00

進口到貨1.25億美元，比1988年的1.08億美元增長15.7%。其中，生產資料10571萬美元，佔進口總額的84.26%，比1988年增長9.83%；生活資料1974.5萬美元，佔15.74%，比1988年增長56.33%。進口商品主要是鋼材和化肥，金額爲7040萬美元，佔進口總額的56.32%。進口超過100萬美元以上的商品還有紡織機械及零件、食品機械及零件、化工原料、醫療器械、顯像管、汽車零件、彩電散件、家用電器、錄像設備等9種。

進口商品來自18個國家和地區，其中超過1000萬美元的有：蘇聯5121萬美元，日本2650萬美元，香港1254萬美元，意大利1092萬美元，聯邦德國1040萬美元。

新疆對蘇聯貿易總額爲1.2億美元，比1988年6304.45萬美元增長90.34%，佔新疆對外貿易總額的比重，由1988年的15.45%上升到佔24.69%。其中出口6837萬美元，比1988年增長80.29%，佔新疆出口總額的比重比1988年上升9.51個百分點。

1989年新疆邊境貿易總額爲7491.41萬美元。其中，同蘇聯的邊境貿易額爲7225.9萬美元(出口爲4232.9萬美元)，同巴基斯坦的邊境貿易額242.8萬美元(出口爲163.2萬美元)，同蒙古邊境小額貿易22.71萬美元(出口爲9.71萬美元)。邊境貿易中，主要出口商品是服裝、浴巾、熱水瓶等，主要進口商品爲化肥、鋼材、電冰箱等。

〔利用外資〕

批准利用外資合同16項，合同外資金額3476.1萬美元，比1988年減少44.1%。其中：對外借款2項，2607萬美元；外商直接投資9項，276.1萬美元；外商其他投資5項，592.99萬美元。實際利用外資金額4473.5萬美元，比1988年增長7.9倍。

外資主要來自港澳地區和日本、法國、荷蘭及蘇聯(實物貸款)。主要投向輕工、紡織、食品加工、交通運輸以及農業、化工等行業的生產型項目。

1989年，已投產的外商投資企業出口2518.6萬美元，佔新疆外貿出口總額的6.98%。

〔技術進出口〕

簽訂引進技術和進口設備合同4項，金額960萬美元。主要有從意大利、美國等進口的番茄醬、大蒜粉生產設備和棉紡廠、毛紡廠的生產技術設備。

〔對外經濟合作〕

同蘇聯簽訂承包工程和勞務合作合同11項，合同金額4472萬瑞士法郎。已執行的項目有：蘇聯伏龍芝市體委賓館工程，伏龍芝市蔬菜種植項目等。派出園藝師及農工164人。

1989年新疆還以技術設備作爲投資，在蘇聯塔什干市和阿拉木圖市與蘇方合建保溫瓶廠2座，中方投資金額783.6萬瑞士法郎。

〔旅遊〕

全年共接待旅遊、參觀、訪問、探親及從事經濟貿易、科技、教育和文化交流的外國人、華僑、港澳台同胞59129人次；旅遊收入1060萬美元，比1988年下降42.71%。

〔40年經貿發展簡述〕

1950年新疆出口商品收購額爲2332.1萬元，1989年達7.6億元，比1950年增長31.6倍。1950年對外貿易總額1350.1萬美元，其中，出口爲637.4萬美元。1981年起全面自營進出口業務，當年出口額4729.5萬美元。1989年出口額爲3.6億美元，比1950年增長55.5倍，比1981年增長6.6倍。出口商品的品種，由1950年的19種增至170餘種，貿易伙伴由蘇聯擴大到48個國家和地區。

50年代初，中蘇兩國政府合資在新疆創辦了3家合營企業。從1980年起，在我國開放政策的指引下，新疆利用外資工作迅速發展，10年累計批准利用外資項目73個，合同外資金額2.4億美元，實際利用外資1.75億美元。

60年代末和80年代初，新疆先後承擔了我國援建連接巴基斯坦的中巴公路和索馬里的費爾力諾農場工程。近年來又開展了對蘇聯的承包工程、來料加工、合資辦廠業務和利用蘇聯貸款進行新疆北疆鐵路的建設。

1989年台灣對外經濟貿易

〔對外貿易〕

1989年台灣省出進口總額爲1184.72億美元，比1988年1102.37億美元增長7.5%。其中出口662.05億美元，進口522.67億美元；貿易順差爲139.38億美元，比1988年的109.37億美元增長27.4%。1989年底台灣外滙儲備732.24億美元，比1988年底738億美元減少0.8%。

1.出口

1989年台灣省出口額662.05億美元，比1988年605.87億美元增長9.3%，在世界出口貿易中居第十二位，佔該省國民生產總值的43.7%，人均出口額3281美元。

出口商品結構：工業產品631.5億美元，佔出口總額的95.4%，比重比1988年增加0.9個百分點；農產品4.7億美元，佔0.7%，比重比1988年減少0.7個百分點；農產加工品25.8億美元，佔3.9%，比重比1988年減少0.2個百分點。

台灣主要出口市場是美國、日本、香港、聯邦德國、英國，出口額447.5億美元，佔出口總額的

67.5%。

1989年台灣主要出口市場情況表

國別(地區)	出口金額(億美元)	佔出口總額%	比1988年增減%
美　　國	239.96	36.24	2.43
日　　本	90.64	13.69	3.38
香　　港	70.30	10.62	26.02
聯邦德國	25.61	3.87	9.54
英　　國	20.99	3.17	10.28
新 加 坡	19.74	2.98	17.51
加 拿 大	17.56	2.65	11.03
荷　　蘭	15.80	2.39	4.93
澳大利亞	15.36	2.32	13.21
南 朝 鮮	11.32	1.71	23.27

2.進口

1989年台灣省進口額522.67億美元，比1988年496.5億美元增長5.3%。

進口商品結構：資本設備進口85.5億美元，佔進口總額的16.36%(1988年爲28%)；農業、工業原料377.1億美元，佔72.1%(1988年爲64.5%)；消費品60.1億美元，佔11.5%(1988年爲7.5%)。

台灣主要進口市場是日本、美國、聯邦德國、香港、澳大利亞，進口額344.45億美元，佔進口總額的65.9%。

1989年台灣主要進口市場情況表

國別(地區)	進口金額(億美元)	佔進口總額%	比1988年增減%
日　　本	160.26	30.66	8.11
美　　國	119.96	22.95	－ 7.74
聯邦德國	25.94	4.96	21.67
香　　港	21.98	4.21	14.36
澳大利亞	16.31	3.12	22.04
沙特阿拉伯	13.75	2.63	11.16
南 朝 鮮	12.39	2.37	37.65
加 拿 大	9.96	1.91	4.52
英　　國	9.27	1.77	－16.60
新 加 坡	8.89	1.70	20.14

3.台灣省與大陸的貿易

據台灣和香港有關方面的資料，1989年台灣省與中國大陸的進出口貿易額爲34.8億美元，比1988年27.2億美元增長27.9%。其中台灣向大陸出口28.9億美元，比1988年22.4億美元增長29%；從大陸進口5.8億美元，比1988年4.78億美元增長21.3%。向大陸出口的主要商品有化纖紗和布、機械設備、電機與電子零部件、化工原料等；從大陸進口的主要商品有中草藥、棉紗及織物、煤炭、非金屬礦產品、鰻魚苗等。

1989年4月，台灣"經濟部"宣佈，允許螢石和鋼坯(錠)間接從大陸進口。截至1989年底，台灣已累計開放92種商品間接從大陸進口。

〔內外投資〕

1989年，核准海外華僑及外國人在台灣投資總額爲24.18億美元，比1988年11.83億美元增長1.04倍。其中日本投資6.41億美元，比1988年4.31億美元增長48.72%；歐洲國家5.31億美元，比1988年2.05億美元增長1.59倍；美國3.43億美元，比1988年1.35億美元增長1.54倍。外資投向：化學品製造業5.20億美元，佔外資總額的21.5%；電子電器製造業3.91億美元，佔16.17%；服務業3.12億美元，佔12.91%；貿易業2.22億美元，佔9.18%；食品飲料製造業2.19億美元，佔9.06%。

1989年台灣對外投資共153項，金額9.31億美元，比1988年2.18億美元增長3.27倍。其中對美國投資爲5億多美元，比1988年增長60%以上；對馬來西亞投資1.5億美元，增長57倍；對泰國投資5000多萬美元，增長3倍；對菲律賓投資6000多萬美元，增長1倍多。投資的主要行業有化學製品業、金融保險業、電子及電器製造業等。

截至1989年底，已有600多家台灣企業通過與海外公司的合資企業進入中國大陸，累計協議投資額約10億美元。

〔旅遊〕

1989年台灣共接待海外遊客200.4萬人次，比1988年193.5萬人次增長3.57%。其中，外國人170萬人次，比1988年增長4.2%；華僑30.4萬人次，減少1.2%。台灣到海外旅遊人數爲211萬人次，比1988年160萬人次增長31.88%。全年旅遊收入24億美元，比1988年22.89億美元增長4.85%。1989年台灣到中國內地探親旅遊的爲54萬人次，比1988年45萬人次增長20%。

(《年鑑》編輯部據有關資料整理)

附載：香港和澳門地區

1989年香港對外經濟貿易

〔對外貿易〕

1989年香港出進口總額爲11332.9億元(港元，下同，折1452.94億美元)，比1988年9918.7億元增長14.3%。出口總額爲5705.09億元(折731.42億美元)，比1988年4930.69億元增長15.7%；其中香港本地產品出口爲2241.04億元(折287.31億美元)，比1988年增長3%；轉口額爲3464.05億元(折444.11億美元)，比1988年增長25.8%。進口額爲5627.81億元(折721.51億美元)，比1988年增長12.8%。貿易順差77.28億元(折9.91億美元)，而1988年有貿易逆差57.32億元(折7.35億美元)。

1.港製產品出口

1989年香港產品出口增長速度顯著減慢，重要原因是主要海外市場對港製產品的需求有所減少；1989年上半年港元兌部分國家的貨幣升值，因而削弱了港製產品出口的競爭力；中國內地的緊縮政策也造成影響。此外，更多的香港產品改在中國內地生產，這使部分製成品成爲中國內地的轉口貨物而非香港的產品出口。1989年內，港製產品在各主要市場情況不同。對日本出口增幅最大，爲13.9%；其次爲中國內地，增長13.7%；而出口到英國、聯邦德國和美國的港製產品，比1988年分別減少5.7%、2.9%和1%。雖然美國仍是港製產品出口的最大市場，但所佔比重已從1988年的33.5%減至32.2%。

1989年港製產品出口情況表

商品類別	出口額(億港元)	折億美元	佔出口總額%	比1988年±%
成　衣	718.74	92.15	32.1	＋6.8
布　料	145.13	18.61	6.5	＋9.7
紡織紗線	13.92	1.78	0.6	＋8.9
紡織製成品及有關製品	8.32	1.07	0.4	－12.2
收音機	16.74	2.15	0.7	－41.4
電子零件	111.64	14.31	5	＋18
鞋　類	11.88	1.52	0.5	－19.5
金屬製品	61.64	7.90	2.8	－3.6
金屬礦物及廢料	16.51	2.12	0.7	＋11.8
鐘　錶	167.26	21.44	7.5	－0.9
其　他	969.26	124.26	43.3	＋0.6

1989年港製產品主要出口市場情況表

國家(地區)	出口額(億港元)	折億美元	佔出口總額%	比1988年±%
美　國	721.62	92.52	32.2	－1.0
中國內地	432.72	55.48	19.3	＋13.7
聯邦德國	156.89	20.11	7.0	－2.9
英　國	146.38	18.77	6.5	－5.7
日　本	130.28	16.70	5.8	＋13.9
加拿大	62.99	8.08	2.8	＋5.3
新加坡	58.04	7.44	2.6	＋11.1
荷　蘭	47.56	6.10	2.1	－3.3
其他市場	484.57	62.12	21.6	＋2.0

2.進口

1989年進口增長速度較1988年爲慢。進口增長主要是由本港轉口商品持續增加所帶動。1989年香港從中國內地進口的商品總額爲1966.76億元(折252.15億美元)，比1988年增長26.4%，佔1989年香港進口總額的34.9%，連續第八年在香港進口市場中居首位；第二位是日本，佔16.6%；以下依次爲台灣省，佔9.2%；美國，佔8.2%；南朝鮮，佔4.5%；新加坡，佔4%。

1989年香港主要進口商品情況表

商品類別	進口額(億港元)	折億美元	佔進口總額%	比1988年±%
食　品	339.69	43.55	6.0	＋5.9
消費品*	2014.82	258.31	35.8	＋22.6
燃　料	124.81	16.00	2.2	＋41.6
原料及半製成品	2304.55	295.46	40.9	＋6.5
資本貨物	843.94	108.20	15.00	＋9.3

*包括進口食用水。

1989年香港主要進口市場情況表

國家(地區)	進口額(億港元)	折億美元	佔進口總額%	比1988年±%
中國內地	1966.76	252.15	34.9	＋26.4
日　本	932.02	119.49	16.6	＋0.2
台灣省	515.87	66.14	9.2	＋16.3
美　國	462.34	59.27	8.2	＋11.8
南朝鮮	254.65	32.65	4.5	－3.0
新加坡	222.44	28.52	4.0	＋20.5
其　他	1273.73	163.30	22.6	＋6.4

3.轉口貿易

1989年香港轉口貿易仍持續上升，但增長速度較1988年慢。在過去數年連續增長的基礎上，1989年轉口貿易的增長速度，大大超過本港產品出口。轉口貿易在出口總額中所佔比重，由1988年的55.9%增至1989年的60.7%。

1989年，中國內地仍爲香港轉口貿易的最大市場，佔香港轉口貿易總額的29.9%，比1988年增長9.1%，其他主要轉口市場爲美國、日本、台灣省、南朝鮮及聯邦德國。

1989年香港五大轉口市場情況表

國家(地區)	金額(億港元)	折億美元	佔轉口總額%	比1988年±%
中國內地	1034.92	132.68	29.9	＋ 9.1
美　國	720.33	92.35	20.8	＋45.6
日　本	222.68	28.55	6.4	＋27.8
台灣省	164.78	21.13	4.8	＋16.6
南朝鮮	132.79	17.02	3.8	＋12.9

中國內地繼續是香港轉口商品最重要的來源地。1989年，來自中國內地的轉口商品額比1988年增長43.1%。中國內地商品在香港轉口商品總額中的比重，由1988年的47.8%增至54.3%。香港轉口商品的其他主要來源地爲日本、台灣省、美國和南朝鮮。

1989年香港轉口商品五大來源地情況表

國家(地區)	金額(億港元)	折億美元	佔轉口總額%	比1988年±%
中國內地	1882.71	241.37	54.3	＋43.1
日　本	389.98	50.00	11.3	＋ 3.4
台灣省	269.60	34.56	7.8	＋27.1
美　國	223.25	28.62	6.4	＋16.6
南朝鮮	112.78	14.46	3.3	－13.6

4.運輸

1989年，香港海運出口貨運量比1988年增加9%，空運出口貨運量增加4%；同年，海運進口貨運量比1988年增加3%，空運進口貨運量增加7%。

〔旅遊〕

香港是亞洲重要的旅遊區，旅遊業是香港重要的經濟支柱之一。1989年，來港旅客人數爲546萬人次，比1988年下降4%，旅遊業收入達369.05億元(折47.31億美元)，比1988年增加10.8%。1989年，經香港到中國的旅客人數爲100萬人次，比1988年下降16%。在這一年裏，日本和台灣爲香港的兩大旅客來源地區，分別佔來港旅客總數的22%和21%。其他爲美國，佔11%；英國，佔5%；澳大利亞，佔5%。與1988年相比，這五個來源地區旅客的增減比率分別爲－5%、4%、－17%、－6%和－0.1%。1989年，每名旅客在港的平均花費爲6686元(折857.18美元)，比1988年增加15%。

(《年鑑》編輯部根據香港報刊資料整理)

1989年澳門對外經濟貿易

〔對外貿易〕

1989年澳門出進口總額爲251.25億元(澳門元，下同，折31.33億美元)，比1988年223.88億元增長12.23%。貿易順差爲12.83億元(折1.61億美元)。

出口總額爲132.04億元(折16.47億美元)，比1988年120.07億元增長9.97%。

1989年澳門主要出口商品情況表

商品類別	出口額(億澳門元)	折萬美元	佔出口總額%	比1988年±%
紡織品	95.61	119221	72.46	+ 7.96
其中：製衣	74.61	93040	56.55	+12.53
毛衫	8.14	10157	6.17	− 0.37
毛紗	2.52	3148	1.91	+ 0.80
玩具	13.40	16708	10.16	+10.09
人造絲花	3.57	4452	2.71	+24.83
抽紗	1.43	1789	1.08	−33.18
女裝手袋	1.21	1505	0.92	−11.68
電器及電子	1.10	1366	0.83	−28.57
彩瓷	1.03	1287	0.78	−20.16

澳門產品出口的主要市場是美國、歐洲共同體、香港及中國內地等國家和地區。其中對美國出口有較大增長，比1988年增長20.69%。

1989年澳門產品主要出口市場情況表

國別(地區)	出口額(億澳門元)	折萬美元	佔出口總額%	比1988年±%
美國	49.46	61700	37.49	+20.69
歐洲共同體	41.38	51600	31.36	− 3.20
其中：聯邦德國	13.74	17100	10.41	− 5.57
法　國	9.94	12400	7.53	− 6.84
英　國	9.57	11900	7.25	+ 3.68
香港	19.35	24100	14.67	+14.97
中國內地	4.46	5600	3.38	− 0.89

進口總額爲119.21億元(折14.8億美元)，比1988年103.81億元增長14.84%。進口的大宗商品爲紡織原料和服裝類，佔進口總額的45.89%；其次爲輕工工藝產品、五金礦產類產品(主要是建築材料)，佔23.24%。

1989年澳門主要進口商品情況表

商品類別	進口額(億澳門元)	折萬美元	佔進口總額%	比1988年±%
紡織服裝類	54.70	68213	46.05	+10.64
輕工工藝類	16.78	20929	14.13	+15.49
五金礦產類	10.93	13633	9.20	+10.00
土產畜產類	10.07	12560	8.48	+40.06
機械設備類	9.97	12437	8.40	+11.77
糧油食品類	9.53	11885	8.02	+25.07
石油化工類	6.80	8476	5.72	+10.93

進口商品主要來自香港、中國內地、日本、台灣省、美國和葡萄牙等國家和地區，從上述六地進口的商品金額佔進口總額的84.65%。

1989年澳門主要進口市場情況表

國別(地區)	進口額(億澳門元)	折萬美元	佔進口總額%	比1988年±%
香　　港	50.06	62400	42.14	+11.17
中國內地	23.23	29000	19.56	+10.51
日　　本	12.14	15100	10.22	+11.48
台 灣 省	7.94	9900	6.68	+44.89
美　　國	6.54	8200	5.51	+38.85
葡 萄 牙	0.65	800	0.55	+ 4.84

〔旅遊〕

1989年到澳門的遊客561.93萬人次，比1988年554.29萬人次增長1.38%。其中香港遊客461.11萬人次，佔遊客總數的82.06%；日本遊客34.26萬人次，佔6.10%；西歐遊客18.55萬人次，佔3.30%；東南亞遊客16.09萬人次，佔2.86%；北美遊客10.57萬人次，佔1.88%。旅遊收入達50億元（折6.24億美元），比1988年44億元增長13.64%。

（《年鑑》編輯部據有關資料整理）

國別(地區)經貿

1989年中國內地同香港、澳門的經濟貿易關係

一、進出口貿易

1989年內地同港澳地區的貿易進一步增長。據經貿部業務統計，1989年內地同港澳地區進出口貿易總額達227.5億美元，比1988年增加0.61%。其中與香港貿易額達222.3億美元，增加0.72%；與澳門貿易額爲5.2億美元，減少3.9%。香港已持續3年爲內地最大的貿易伙伴。據香港方面統計，到1989年，在香港外貿伙伴中，內地已連續5年居首位。由此可見，內地與香港之間的貿易在各自的對外貿易中都佔有舉足輕重的地位。

1989年內地對港澳地區出口146.1億美元(其中對香港出口142.67億美元，對澳門出口3.43億美元)，比1988年增加10.6%，佔內地出口總額的比重由1988年的32.5%上升到33.6%。據香港方面統計，1989年香港從內地的進口額佔其總進口額的比重由1988年的31.2%上升到34.9%。

1989年內地自港澳地區進口81.38億美元，比1988年減少13.4%。其中從香港進口79.65億美元，比1988年減少13.6%，但香港仍然是內地最大的進口來源地和渠道；從澳門進口1.73億美元，比1988年減少6.4%。

1989年內地與港澳地區進出口貿易有以下四個特點：

1.在貿易規模繼續擴大的同時，進出口商品結構進一步改善。內地的輕紡產品仍爲最大宗出口商品，約佔對港澳地區出口總額的35%；大宗的糧油土畜產品所佔比重由上年的13.2%下降到11.3%；機械設備和電子產品所佔比重由上年的3.4%上升到5%。內地從港澳地區進口的商品中，機械設備、電子產品和儀器佔21.6%；原料性商品的進口比上年增加，如鋼材增加54.3%，有色金屬增加36.2%，棉花增加8.9倍，動物油和植物油、籽增加98.8%；而高檔耐用消費品進口比上年減少，如汽車、摩托車減少55.2%，家用電器減少16.3%，電視機及音響設備減少19.6%。

2.內地對港澳地區出口中，外商投資企業產品和補償貿易、來料加工裝配產品出口的比重迅速增長。1989年外商投資企業產品出口爲27.5億美元，比1988年14.6億美元增長88.4%；補償貿易、來料加工裝配出口創滙10.5億美元，比1988年5.8億美元增長81%。上述三方面出口創滙38億美元，佔內地對港澳地區出口總值的26%。

3.內地通過香港的轉口貿易繼續發展。香港作爲亞洲金融、貿易、航運和通訊中心之一，一直是聯繫內地和世界市場的橋樑和紐帶。據香港方面統計，1989年內地通過香港轉口到世界各地和世界各地通過香港向內地的轉口貿易額分別比1988年增長了43.1%和9.1%。

4.內地進口香港產品進一步增加。據香港方面統計，1989年香港產品對美國、聯邦德國、英國等主要市場的出口比1988年下降，而對內地出口仍穩定增長，達432.7億港元(約合55.5億美元)比上年增加13.7%，佔香港產品出口總額的比重由1988年的17.5%增至19.3%。內地仍是僅次於美國的香港產品出口第二大市場。香港產品對內地出口持續穩定增長的主要原因是，近年來香港加工業內移，加强了與內地的經濟合作，以及內地蓬勃開展多種形式的靈活貿易。

二、投資

1989年內地同香港地區簽訂利用外資協議金額共41.83億美元，比1988年減少10.4%，佔全國利用外資協議金額114.78億美元的36%。其中，借款協議金額4.88億美元，直接投資協議外資金額31.59億美元，其他投資協議外資金額4.86億美元。這一年香港地區向內地實際投入資金28.33億美元，比1988年減少4.7%。其中，貸款5.38億美元，直接投資20.37億美元，其他投資3.8億美元。

1989年內地同澳門地區簽訂利用外資協議金額共1.21億美元，比1988年減少8.7%，佔全國利用外資協議金額的1.05%。其中，借款協議金額0.33億美元，直接投資協議外資金額0.84億美元，其他投資協議外資金額484萬美元。澳門地區向內地實際投入資金0.79億美元，比1988年減少41.4%。其中，貸款0.33億美元，直接投資0.41億美元，其他投資645萬美元。

1989年港澳地區的客商與內地28個省、自治區、直轄市以及中央部門的有關公司簽訂的利用外資項目和合同外資金額仍居各國(地區)來大陸投資之首。其中，合資經營企業3503家，合作經營企業1017家，外資企業508家。各地方、各部門進一步重視引導外資投向，注意項目質量，企業投資規模有所擴大，平均每個企業的外資額比上年增加2.12%，投資額1000萬美元以上的大中型企業數比上年增加64.3%。新批准的企業90%屬生產型項目，主要分佈於農業、機械、電子、電力、化工、紡織、冶金、建材等行業，建成後將增加能源和短綫原材料供應，提高產品檔次，擴大出口。

三、經濟合作

1989年內地公司在香港地區新簽承包工程和勞務合作合同449項，合同金額3.39億美元，比1988年的4億美元減少15%；完成營業額2.95億美元，比1988年的2.6億美元增長13%；派出承包和勞務人員5821人。在澳門地區新簽訂承包工程和勞務合作合同138項，合同金額1.26億美元，比1988年的1.06億美元增長19%；完成營業額0.76億美元，比1988年的0.58億美元增長31%；派出承包和勞務人員7806人。

四、40年經貿關係簡述

建國40年來，內地與香港、澳門地區之間的經濟貿易關係有了巨大的發展，尤其是內地實行改革開放政策以後，由比較單純的內地出口爲主的貿易關係發展到進出口並重和多種形式的經濟技術合作。

40年來，內地與港澳地區之間的進出口貿易大幅度增長。1950年內地與港澳地區的貿易總值爲1.64億美元，1989年爲227.5億美元，增長137.7倍。其中，1950年內地出口爲1.55億美元(香港1.43億美元，澳門0.12億美元)，1989年爲146.1億美元(香港142.67億美元，澳門3.43億美元)，增長93.3倍；1950年內地進口爲852萬美元(香港和澳門沒有分別統計)，1989年爲81.38億美元(香港79.65億美元，澳門1.73億美元)，增長954.2倍。

實行改革開放前，內地對港澳地區的貿易一直以出口爲主。出口商品結構在50、60年代主要是供應港澳居民生活所需的農副土特產品和紡織工業所需的原料。70年代增加了石油產品的出口，輕工業品出口也有發展。80年代，內地對港澳地區出口額大幅度增長，出口商品結構不斷改善，工業製成品的比重上升，農副土特產品比重下降。目前，紡織品和輕工業品已超過糧油食品而居出口商品的首位。內地自港澳地區的進口一直較少，年均進口值約3000萬美元左右。改革開放後，內地加快現代化建設步伐，努力提高人民生活水平，對資本貨物和消費品的需求增加，加之大力開展"三來一補"等靈活貿易，需要大量的原料和零部件、半成品，使內地自港澳地區的進口迅速增長。進口商品主要是發展內地生產所需的機械設備、原材料和半成品等。

截至1989年，港澳地區客商在內地投資的企業達18000多家，其中有近半數企業已投產開業。1989年內地繼續貫徹執行治理整頓和深化改革的方針，進一步改善了投資環境，落實國務院關於集中力量辦好已有外商投資企業的指示，從資金、能源、物資等方面提供必要的條件，幫助解決困難，保證了企業的正常生產經營。1989年盈利企業數目增加，產品出口額比上年增長1倍多，多數企業外滙收支平衡有餘。港澳地區是我國吸收外商直接投資的最大資金來源地。

內地公司在港澳地區開展承包工程和勞務合作業務始於1979年。截至1989年底，累計共簽訂承包和勞務合同1923項，合同金額20.35億美元，完成營業額13.91億美元。其中：香港地區合同1240項，合同額14.95億美元，完成營業額10.94億美元；澳門地區合同683項，合同額5.4億美元，完成營業額2.97億美元。

目前，內地和香港已互爲最大貿易伙伴，香港不僅是內地的最大出口市場，而且也是內地商品進口、引進外資的最大來源地。港澳地區與內地，特別是與經濟特區和沿海開放地區多種形式的經濟技術合作蓬勃發展，經濟貿易往來日益密切，彼此優勢的結合，有利於增强國際競爭能力，促進經濟的共同發展和繁榮穩定。

(對外經濟貿易部進出口司港澳處、綜合計劃司外資處、國外經濟合作司三處供稿)

1989年中國同日本的經濟貿易關係

對外經濟貿易部地區政策二司一處

1989年上半年，中日經貿關係發展順利。中日進出口貿易呈增長勢頭。由於《中日投資保護協定》開始生效，以及我國投資環境進一步改善，日本廠商來華投資更趨踴躍，投資項目、外資金額均有增加，雙方還商定分別成立對華投資促進機構。在技術貿易方面，雙方止磋商採取實行“綜合許可證”制度及召開政府間技術協商會議等措施，以推動技術貿易的進一步開展。在資金合作方面，第二批和第三批日元貸款項目的有關工作及“黑字還流”貸款、無償援助等都進展順利。中日經貿關係呈現出較好的發展勢頭。

下半年，“六四”事件後，日本政府與美國、西歐一些國家協調步驟，對華採取了實際上的“制裁”措施，停止官方往來、撤回專家、推遲第三批日元貸款的項目調查等，使雙方原已商定的有些合作項目中斷或延期。雖然對商品進出口貿易影響不大，但對投資、技術貿易、貸款等經濟技術合作帶來了消極影響。

一、進出口貿易

1989年中國同日本的貿易基本保持了上年度水平，貿易不平衡狀況繼續得到改善。據經貿部業務統計，1989年中日進出口貿易額爲146.63億美元，與1988年持平。其中，我國出口爲81.47億美元，比1988年增加11.80%；進口爲65.16億美元，減少11.21%。

我國對日本出口商品中，原油1360萬噸，16.59億美元，比1988年數量減少5.16%，金額增加9.87%；紡織品8億美元，增加2.56%；服裝5.87億美元，增加48.98%；水產品4.59億美元，增加27.5%；成品油2.82億美元，增加9.73%；畜產品2.67億美元，增加10.79%；糧穀類1.96億美元，增加10.73%；煤炭1.92億美元，增加9.71%；蔬菜1.91億美元，增加9.77%；工藝品1.84億美元，增加10.84%；輕工業品1.7億美元，增加70%；中藥材1.06億美元，增加29.27%；木材1.05億美元，增加6.06%；地毯0.95億美元，增加26.67%。對日出口大幅度減少的商品有：紡織纖維及廢棉3.74億美元，減少11.58%；有色金屬2.15億美元，減少18.56%；黑色金屬礦產品1.1億美元，減少64.63%；生鐵0.39億美元，減少62.86%。

我國從日本進口的商品中，鋼材386萬噸，23.11億美元，比1988年分別減少18.05%和2.65%；成套設備及技術引進9.6億美元，減少15.72%；石油化工產品7.96億美元，減少22.42%；機械7.04億美元，增加18.12%(其中汽車及摩托車1.85億美元，增加25%)；輕工業品6.84億美元，減少21.20%(其中家用電器0.83億美元，減少35.16%；電視機及音響設備4.65億美元，減少15.15%)；紡織品3.48億美元，減少7.69%；儀器3.27億美元，減少2.97%。

二、經濟技術合作

1.直接投資：1989年共批准日商來華投資項目294，比1988年的237個增長23%；協議外資金額4.4億美元，增長59%。實際投入金額3.56億美元，比1988年下降31%。截至1989年，累計已批准日本廠商來華投資項目共951個，協議外資金額26.4億美元，實際投入資金19.06億美元。

2.技術貿易：1989年我國從日本引進53項，2.03億美元的技術與設備，分別佔我國當年全部技術引進項目和成交金額的16%和7%；與1988年相比，合同數減少35%，金額減少25.36%。中日技術貿易連續三年下降，在我國技術引進的國別地區中，日本現在只佔第六位。

3.日本政府貸款：1989年是第二批日元貸款的最後一個年度，貸款協議於5月在北京簽訂，金額爲971億日元，項目執行比較順利。日本前首相竹下登訪華時承諾提供的第三批日元貸款8100億日元，計劃用於42個項目，年利率2.5%；還款期30年。但因日本凍結了對華第三批日元貸款，有關工作停頓。從1988年開始實施的1000億日元"黑字還流"貸款，進度比較順利。

4.無償援助：1989年日本對華無償援助繼續執行。1988年度的項目，6月初日本專家一度撤離回國，使項目進展受到一些影響，後已恢復執行。原商定1989年度的6個項目，中日雙方於12月5日就其中的4個項目、金額約50億日元換文確認。

三、訪日團組

1989年訪日團組共1328個，總人數爲6490名，分別比1988年減少37%和37.5%。其中副部級以上團組12個，比1988年減少48%。1989年赴日研修、技術培訓團組爲653個，人數爲3818名，分別比上年減少22.6%和20.2%。

四、中日經貿關係40年回顧

新中國成立時，中日兩國只有少量的民間貿易，貿易額僅700萬美元。之後，中日貿易經歷了50年代的民間貿易協定時期、60年代的友好貿易、備忘錄貿易並舉時期，以及中日建交後的全面發展時期。進入80年代後，中國實行改革開放，中日經貿合作關係不斷擴大，合作方式日趨多樣化，除商品貿易外，投資合作、技術貿易、"三來一補"以及政府貸款、無償援助等合作方式全面展開。中日兩國是一衣帶水的鄰邦，自古以來有着密切的友好往來。因此，發展中日經貿關係，不僅是兩國人民的共同願望，也符合兩國人民的共同利益。展望未來，中日經濟貿易關係在平等互利的基礎上必將得到進一步發展。

1989年中國同東盟國家的經濟貿易關係

對外經濟貿易部地區政策二司二處

1989年，東盟的泰國、新加坡、馬來西亞等國進行了經濟調整，我國國民經濟也在治理、整頓和深化改革中繼續發展。這一年中國同東盟國家的經濟關係又邁上一個新台階。

一、貿易往來

1989年，中國同東盟6國貿易額爲41.40億美元，比1988年增長8.5%，佔我國對外貿易總額5.1%。其中我國出口額爲25.14億美元，比上年增長10.2%，佔我國出口總值的5.8%；進口額爲16.26億美元，比上年增長5.8%，佔我國進口總值的4.2%。在東盟國家中，同新加坡的貿易額最大，爲20.44億美元，其中我出口14.8億美元，進口5.64億美元。以下爲泰國、馬來西亞、印度尼西亞、菲律賓和汶萊。這一年我國同新加坡、泰國、馬來西亞的貿易額分別比1988年增長21.7%、7.7%、5.9%。由於東盟國家經濟情況好轉，國內市場轉旺，對機電產品、輕工業品的需求增加，我國1989年對東盟國家的出口除傳統商品繼續增加外，機電產品的出口顯著上升。出口的主要商品是：原油4.4億美元，紡織品2.62億美元，食品近2億美元，機械設備1.32億美元，輕工業品近1億美元，飼料7000多萬美元，化工原料7000萬美元，煤炭6710萬美元。從東盟國家進口的主要商品是：化肥3.3億美元，原油2.68億美元，大米2.1億美元，天然膠1.72億美元，膠合板1.31億美元，原糖8401萬美元，其他還有椰油、鉻礦、化纖、鋼材等。

我國與東盟國家貿易中尚存在一些問題。如中國的出口增長速度低於進口增長速度，中國同泰國、印度尼西亞、馬來西亞的貿易連續幾年出現較大逆差，且逆差額逐年增加。有關雙方應共同努力使雙邊貿易趨於大體上平衡。

二、經濟合作

我國與東盟國家不僅地理位置接近，而且經濟發展水平相當，不少適用技術和管理經驗可相互取長補短，因此，相互投資舉辦合資、合作企業成爲經濟技術合作的重要內容。1989年，新批准東盟國家廠商來華直接投資項目共133個，合同外資金額1.76億美元，比1988年增長76%；實際投入資金1.04億美元，比上年增長2.5倍。主要投資項目有：摩托車廠、養鷄養豬場、飼料廠、牀墊廠、旅遊賓館等。

三、經貿團組往來

1989年，中國與東盟一些國家經貿團組往來頻繁。2月，泰國外交部副部長巴帕·林巴攀訪華，與中國對外經濟貿易部副部長呂學儉共同主持中泰經濟合作聯合委員會第四次會議，並簽署了1989年中泰兩國政府進出口商品議定書。印度尼西亞工商會代表團訪華。馬來西亞貿工部長拉菲達、中華總商會主席等相繼來華訪問。這一年，中國對外經濟貿易部部長助理谷永江率經貿代表團首次對汶萊進行了訪問。

四、40年經貿關係回顧

新中國成立40年來，我國與東盟國家的經濟貿易關係逐步發展，由民間貿易往來到直接貿易和政府間貿易往來；由單一的貿易往來，發展到多種形式的經濟技術合作。貿易額由1950年的7372萬美元發展到1989年的41.40億美元，增長了55.2倍，其中中國出口由270.4萬美元增加到25.14億美元，增長928.8倍；進口由7100萬美元增加到16.26億美元，增長21.9倍。截至1989年底，東盟國家在華投資項目累計617個，協議外資金額9.24億美元；中國公司在東盟國家擧辦投資項目75個，中方投資金額3722萬美元。經過雙方共同努力，我國同東盟國家的經濟技術合作從無到有發展到現在已初具規模。隨着中國現代化建設的進展和東南亞地區的經濟增長，中國同東盟國家的經濟貿易關係將得到進一步發展和擴大。

1989年中國同南亞國家的經濟貿易關係

對外經濟貿易部地區政策二司二處

1989年，國務院總理李鵬首次訪問了巴基斯坦、孟加拉國和尼泊爾等南亞三國，與三國分別簽訂了經濟技術合作協定、貿易協定和避免雙重徵稅協定；人大常委會副委員長倪志福訪問了孟加拉國，出席了中國援建的中孟友誼大橋通車典禮；鄭拓彬部長應邀訪問印度，是中國對外經濟貿易部部長首次訪問印度。巴基斯坦總理貝·布托訪問了中國，簽訂了中、巴兩國投資保護協定和關於中巴貿易議定書的延期備忘錄；斯里蘭卡總理兼財政部長維杰通加出席在北京召開的亞洲開發銀行年會前順訪了中國。1989年，中國還分別與印度、巴基斯坦、孟加拉國、尼泊爾擧行了政府間經濟、貿易和科技合作聯合委員會會議。通過上述高層互訪，進一步增進了中國與南亞國家之間的相互了解，推動了中國同南亞國家之間經濟貿易關係的進一步發展。這一年，中國與南亞國家的進出口貿易額大幅度增長，創歷史最高水平，經濟技術援助進展順利，互利經濟合作規模進一步擴大。

一、進出口貿易

1989年，中國與南亞國家的貿易總額達11.32億美元，其中中國對該地區國家的出口額爲8.9億美元，進口額爲2.42億美元，分別比1988年增長了41%、32.6%和83.4%。雙邊貿易總額增長幅度比較大的國家有巴基斯坦、孟加拉國、印度、尼泊爾，分別比上年增長了45.1%、77.2%、37.1%和74.2%。中國對上述四國的出口額分別比上一年增長了25.7%、85.2%、30.6%和61%;進口額分別比上年增長了167%、33%、61%和164%。1989年中國同巴基斯坦的進出口貿易總額達6.8億美元,居南亞諸國之首,其中中國出口爲5.09億美元,進口爲1.72億美元。

中國向南亞國家出口的商品主要有日用百貨、自行車、縫紉機等輕工業品,以及紡織品、生絲、鋼材、生鐵、礦產品、染料、化工原料、橡膠製品、石油產品、醫藥、醫療器械、工具、農具、運輸工具、機械設備等。1989年,出口增長較多的商品主要有紡織品、生絲、輕工業品、運輸工具和機械設備等。機械設備的出口額達2.17億美元,佔當年對該地區出口總額的24.41%,比1988年增長46.21%。

中國從南亞國家進口的主要商品是棉花、鐵礦砂、鉻礦石、皮張、橡膠、化肥、茶葉、煙草等。1989年進口增長較多的商品有棉花、鉻礦石和黃蔴等,分別爲1988年進口額的3.54、3.25和37.84倍。

中國還與巴基斯坦、尼泊爾、印度、不丹等鄰國開展了邊境貿易和邊民互市,特別是中國西藏自治區與尼泊爾之間的邊境貿易發展尤爲迅速,1989年達1102萬美元,其中中方出口爲671萬美元,進口爲431萬美元,分別比1988年增長了34%、11%和99%。

二、經濟技術援助

1989年,中國政府繼續向南亞的巴基斯坦、孟加拉國、尼泊爾、斯里蘭卡和馬爾代夫提供經濟技術援助和救災物資。當年由中國援助的在建工程項目11個,有水利、供水、公路、工廠、會議大厦等工程;其中中孟友誼大橋和尼泊爾糖廠2個項目已竣工交付使用。同時,中國還通過聯合國有關組織在南亞國家承擔了一批多邊合作項目。過去多年來中國援助建成的項目正在繼續發揮着較好的經濟效益和社會效益,進一步密切了中國和南亞國家的友好合作關係。

三、互利經濟合作

1989年中國公司在南亞國家開展工程承包和勞務合作又上了一個新台階,共簽訂合同64份,合同總金額2.64億美元,完成營業額9000多萬美元。中國公司還在斯、孟、巴等國舉辦合資企業9個,總投資689.6萬美元,其中中方投資316.12萬美元。

綜上所述,1989年中國同南亞國家的經濟貿易關係取得了可喜的發展,但也存在一些問題。主要有:1.南亞國家有近11億人口,與我國大體相等。但由於都是發展中國家,資金和外滙都比較緊缺,因此經貿合作的規模還有限。2.中國對南亞國家的貿易每年都有較大順差,如何適當增加從南亞國家的進口,以便改善貿易平衡狀況,進一步發展與南亞國家的貿易,値得研究。

四、40年經貿關係簡述

40年來,中國與南亞國家的經貿關係是不斷發展。新中國成立不久,南亞許多國家就與中國建立了貿易往來關係。1950年,印度和巴基斯坦與中國開始直接貿易。1952年,斯里蘭卡不顧美國"禁運",與中國開展以橡膠換大米的易貨貿易。這一年,中國同印度、巴基斯坦、斯里蘭卡三國的貿易總額爲1.46億美元。現在,中國與已建交的印度、巴基斯坦、孟加拉國、斯里蘭卡、尼泊爾、馬爾代夫、阿富汗7國都有形式多樣的經貿關係。1989年,中國同南亞國家的貿易總額達到11.32億美元,比1952年增長6.75倍。

中國從1956年開始盡自己可能向南亞一些國家提供經濟技術援助。截至1989年底,共幫助巴、孟、尼、斯、馬、阿6國建成了75個成套項目。

從80年代起,中國同南亞國家的經濟技術合作,由單一的經援方式發展到多種形式的互利合作。截至1989年底,中國公司在南亞國家共簽訂了承包工程和勞務合作合同290項,合同總額8.16億美元,完成營業額4.55億美元。簽訂合同較多的國家是巴基斯坦、孟加拉國和尼泊爾。

截至1989年,中國公司在巴、孟、斯等國投資舉辦了21個合資經營項目,投資總額2023.8萬美元,其中中方投資946.12萬美元。

當前,中國和南亞國家都在致力於國內經濟建設,隨着各自國家經濟的日益繁榮,雙邊經貿關係的發展前景將更加廣闊。

1989年中國同西亞國家的經濟貿易關係

一、雙邊貿易有新發展

根據經貿部的業務統計，1989年中國同西亞國家的進出口貿易額達14.50億美元，比1988年的13.75億美元增長5.45%。其中中國從西亞各國的進口增長較快，達5.61億美元，比1988年的4.98億美元增長12.65%；中國對西亞各國的出口額爲8.89億美元，比1988年的8.77億美元增長1.37%。

1989年中國同西亞地區國家進出口貿易額增長的國家有阿曼、阿拉伯聯合酋長國、巴林、伊拉克、阿拉伯也門、敍利亞和黎巴嫩。其中中國同阿曼的進出口額從1988年的692萬美元猛增至1.39億美元；同阿拉伯聯合酋長國的進出口額增長1億美元以上。

1989年，中國對西亞地區的主要出口國是阿拉伯聯合酋長國，比1988年增長37.9%，佔中國對西亞各國出口總額的24.26%；其次是沙特阿拉伯，佔17.8%；以下是科威特、伊朗、伊拉克、土耳其和敍利亞等。中國從西亞地區的進口，主要國家是阿曼，中國進口了近百萬噸原油，價值1.31億美元，佔中國從西亞各國進口總額的23.37%；其次是土耳其，佔22.14%；以下是阿拉伯聯合酋長國、科威特、伊朗和伊拉克等。

1989年中國同西亞各國的進出口商品結構與1988年沒有明顯變化。中國出口仍然是紡織品和服裝佔第一位，金額2.80億美元，佔中國對西亞各國出口總額的31.54%。以下依次爲：輕工產品佔17.45%，五金礦產品佔10.17%，糧油食品佔6.31%，化工品和輪胎佔5.63%，以及茶葉、土畜產品、機械設備和工藝品等。進口仍然以化肥(包括尿素、氯化鉀和磷酸鹽等)佔首位，金額1.895億美元，佔中國從西亞各國進口總額的33.78%；其次是石油和石油產品佔33.69%，鋼材佔13.72%，以及小麥、高壓聚乙烯、鉻礦砂、舊船、椰棗、葡萄乾、棉花和菸葉等。

西亞地區盛產石油，資源十分豐富。兩伊停戰以後，西亞地區形勢進一步趨向緩和，經濟建設進入恢復發展時期。去年以來，世界市場石油價格上揚，西亞產油國石油出口收入增加，進口貿易額也相應增長。1989年中國對西亞國家貿易雖有增長，但是所佔比重還是很小。因此，西亞地區仍是中國有潛力的出口市場。

二、經濟技術合作進一步發展

1989年，我國公司在西亞國家共簽訂承包工程和勞務合作合同229項，比上年增加48項；合同總額爲2.55億美元，比上年增長22.6%。其中：新簽承包合同101項，比上年增加34項，合同金額1.7億美元，比上年增長11.2%；新簽勞務合同128項，比上年增加14項，金額0.85億美元，比上年增長54.5%。1989年共完成營業額2.95億美元，比上年減少14%。年末在西亞國家的承包勞務人員總數爲19500人，比上年減少12806人。1989年4月中建公司承包的最大的工程伊拉克辛迪亞水壩竣工。

三、互訪增多

1989年中國同西亞國家政府間代表團互訪十分頻繁。中國國家主席楊尚昆訪問了科威特、阿拉伯聯合酋長國和阿曼三國。訪問期間，中國同科威特簽訂了避免雙重徵稅協定和經濟技術合作協定，同阿曼修訂了兩國政府貿易協定。國務院副總理田紀雲訪問了土耳其、伊拉克、伊朗、科威特和阿拉伯聯合酋長國五國。對外經濟貿易部部長鄭拓彬率中國政府經濟貿易代表團訪問了阿拉伯聯合酋長國和伊朗，同阿拉伯聯合酋長國政府舉行了經濟、貿易和技術合作混合委員會第二屆會議，同伊朗政府舉行了經濟、貿易和科技合作聯合委員會第五屆會議。中伊雙方商定，從1990年起兩國貿易改爲現滙支付。對外經濟貿易部副部長呂學儉率政府經濟貿易代表團訪問了土耳其，雙方舉行了經濟貿易混合委員會第七屆會議。伊拉克貿易部長薩利哈率政府經濟貿易代表團訪華，雙方舉行了經濟、貿易和技術合作混合委員會第六屆會議。民主也門建設住房部副部長杜巴率政府經濟貿易代表團訪華，雙方舉行了經濟、貿易和技術合作混合委員會第二屆會議，簽訂了1989年度貿易議定書和經濟技術合作協定。

四、40年來中國同西亞經貿關係回顧

40年來，中國同西亞國家的貿易往來在平等互利、互通有無的基礎上，得到了迅速的發展。1950年，中國同西亞地區有貿易關係的國家只有2個，進出口貿易額僅72萬美元，其中中國出口54萬美元，進口18萬美元。1989年中國除同以色列沒有經貿關係外，同其他西亞國家都建立了經濟貿易關係，進出口貿易額增至14.5億美元。中國已同土耳其、阿拉伯也門、伊拉克、塞浦路斯、民主也門、伊朗、黎巴嫩、約旦、科威特、敍利亞、阿拉伯聯合酋長國和阿曼等12個國家簽訂了政府間貿易協定。還同民主也門、伊朗、土耳其、塞浦路斯、伊拉克、科威特、阿拉伯聯合酋長國、約旦等8個國家成立了雙邊政府間經濟、貿易和技術合作聯合委員會或混合委員會，定期或不定期地舉行會議研究解決雙邊經貿關係中存在的問題，探討進一步發展經貿合作的途徑和方法。

（對外經濟貿易部地區政策二司、國外經濟合作司供稿）

1989年中國同非洲國家的經濟貿易關係

一、進出口貿易

1989年，我國同非洲國家的進出口貿易總額爲95061萬美元，比1988年下降6.9%，其中，中國進口31531.5萬美元，比1988年增長42.9%；出口63529萬美元，比1988年下降20.7%。

我國從非洲國家進口的主要商品有棉花、磷酸二銨、三料過磷酸鈣、磷酸鹽、尿素、純鹼、石棉、石墨、菸葉、礦砂、生鐵、廢船、原糖、可可、咖啡、売腰果、小麥以及牛皮、羊毛等；對非洲國家出口的主要商品有輕工業品、紡織品、茶葉、化工原料、文體用品、機電產品、工農具等。1989年中國出口的機械設備、運輸工具、儀錶等機電產品較上年有所增長。同我國貿易額較大的國家有扎伊爾、津巴布韋、埃及、蘇丹、利比亞、突尼斯、利比里亞、阿爾及利亞、肯尼亞、毛里求斯等。

1989年，我國同非洲國家的經貿代表團往來增加。我國先後派出政府經貿代表團訪問博茨瓦納、突尼斯、坦桑尼亞、贊比亞、莫桑比克、安哥拉等國，接待了布隆廸、馬里、蘇丹、烏干達、布基納法索、加納、突尼斯、毛里求斯等國政府代表團或政府經貿代表團；同布隆廸、突尼斯、安哥拉、加納四國舉行了雙邊經貿混委會，同蘇丹、加納分別簽訂了貿易議定書和易貨議定書，同塞拉利昂簽訂了政府間貿易協定。

二、經濟技術援助

1989年，我國向27個非洲國家提供了新的援助，約佔當年對外新簽援款總額的65%。當年實施的成套項目共219個，其中在建項目56個，進行前期準備、收尾或其他工作的項目163個。在建項目中，當年開工項目18個，佔援外開工項目總數的55%；當年竣工項目22個，佔援外竣工項目總數的69%。在竣工項目中，埃及開羅國際會議中心和肯尼亞體育館都是大型項目，工程質量好，獲得受援國的好評。此外，還完成了8個多邊援助項目的實施工作。

在援外項目中，我國繼續通過維修、設備更新、提供零配件、接受人員培訓、技術指導、參與管理、管理合作、代管經營和租賃經營等多種形式對98個建成項目進行鞏固成果的工作，使之恢復或保持正常運營，發揮應有的經濟效益。1989年貝寧洛科薩紡織廠進行第二期管理合作，當年坯布產量達1160萬米，創歷史最高記錄，經濟效益顯著。馬

里的6個管理合作項目的年營業額合計爲108億西非法郎，比1988年增加7.5%。

1989年中國派往非洲國家工作的援外工程技術人員共1566人次，向39個受援國的88個醫療點派出1015名醫療隊員。

三、經濟技術合作

1989年我國公司在非洲國家開展的承包工程和勞務合作業務繼續發展。全年共簽訂承包勞務合同378項，合同金額3.75億美元，比1988年減少43.1%；完成營業額3.6億美元，與1988年持平。同時合作領域不斷擴大，工程承包向工業項目發展；勞務合作從提供普通勞務向技術管理型發展。

1989年，我國公司在非洲12個國家投資新開辦了14家合資、獨資企業(其中合資9家、獨資5家)，總投資435萬美元，其中我方投資222萬美元，佔51%。這些企業半數以上爲生產性企業，其他爲資源開發和服務業。

四、40年來經貿關係發展概述

建國40年來，我國一貫重視發展同非洲國家的經貿關係。我國根據平等互利的原則，採取積極措施，擴大同非洲國家的貿易往來。除南非外，我國已同非洲50多個國家和地區建立了經濟貿易關係，同40個國家簽訂了政府間貿易協定，進出口商品的品種不斷增加，貿易規模逐漸擴大。1989年我國同非洲國家的貿易額比1950年(1214萬美元)增長77倍，其中進口增長96.86倍，出口增長70.17倍。除現滙貿易外，還採取轉口貿易、易貨貿易、對銷貿易、加工裝配以及派駐貿易小組，開辦獨資、合資貿易企業，舉辦展銷會、參與投標等靈活多樣的貿易合作形式，使我國同非洲國家的貿易進入了全面發展時期。我國還向許多非洲國家提供經濟技術援助。自1956年至1989年，先後向46個非洲國家提供了援助，佔接受我國援助國家總數的46%。1960～1989年，共承擔了581個援非成套項目，已建成487個(佔84%)，其中大多數項目都發揮了良好的經濟和社會效益。1979年以後，以原來單純提供援助，發展爲包括承包工程、勞務合作、舉辦合資企業等多種形式的經濟技術合作。

目前，我國同非洲國家的貿易額僅佔非洲進出口貿易總額1%左右，尚有較大潛力，經濟技術合作還有許多事情可做。隨着對外開放政策的進一步貫徹執行，我國同非洲國家經貿合作的前景是很廣闊的。

(對外經濟貿易部地區政策二司、對外援助司、國外經濟合作司供稿)

1989年中國同西歐國家的經濟貿易關係

對外經濟貿易部地區政策三司三處、四處

同中國有經貿關係的西歐國家包括：英國、法國、聯邦德國、意大利、荷蘭、比利時、盧森堡、西班牙、葡萄牙、希臘、愛爾蘭、丹麥、瑞士、瑞典、奧地利、挪威、芬蘭、冰島、馬耳他、安道爾、摩納哥、聖馬力諾和列支敦士登。

西歐是世界上經濟發達國家最密集地區，經濟實力雄厚，科技水平高，生產設備先進。西歐國家既是中國引進資金、技術和設備的重要對象，也是中國出口產品的重要市場。中國同西歐國家的經濟貿易關係歷史悠久。特別是中國實行對外開放政策後，同西歐國家的雙邊貿易大幅度增長，經濟、科技等領域的合作迅速發展。但是，1989年“六四”事件後，西歐一些國家干涉中國內政，對中國實行“經濟制裁”，使雙邊經貿合作關係受到影響。

1989年中國同西歐各國的貿易總額爲122.4億美元，比1988年增長2%。其中，中國的出口額爲

49.33億美元，與1988年持平；進口額爲73.05億美元，比1988年增長3%。

一、中國同歐洲共同體的經貿關係

1.雙邊貿易

1989年中國同歐洲共同體(以下簡稱歐共體)12國的進出口貿易額爲104.66億美元，比1988年增長2.7%，佔1989年中國對外貿易總額的12.8%，比1988年(佔12.7%)略有增長，創中國與歐共體貿易額的最高水平。其中，中國的出口額爲43.47億美元，比1988年增長1.6%，佔中國當年出口總額的10%；進口額爲61.2億美元，比1988年增長3.5%，佔中國當年進口總額的15.6%。中國對歐洲共同體的貿易逆差爲17.72億美元，比1988年的16.35億美元有所增加。

2.經濟技術合作

1989年中國共批准歐共體各國企業來華投資項目70個，合同外資金額的2.4億美元。其中，聯邦德國17項，合同外資金額14878萬美元；法國11項，964萬美元；意大利9項，807萬美元；英國17項，1580萬美元。

1989年歐共體資助中方培訓了15名同聲傳譯人員。此外，1989年是歐共體幫助中國發展牛奶項目五年計劃的第二年，按計劃向廣州、上海、天津、福州、大連等5個城市提供了7760噸奶粉和2587噸液體黃油。

1989年中國與歐共體各國簽訂的技術設備進口合同共88項，合同金額15.48億美元，比1988年下降37%，佔中國當年對外簽訂的技術設備進口合同總金額的52.9%。

二、中國同西歐主要合作伙伴的經貿關係

1. 中國同聯邦德國的貿易在中國與西歐各國的貿易中佔第一位。1989年進出口貿易總額爲39.89億美元，比1988年下降5%。其中，中國出口15.21億美元，比1988年增長6.9%；進口24.69億美元，下降11.1%。中國對聯邦德國出口的主要商品有：蔬菜和磨菇罐頭、香料及香料油、鵝鴨絨毛、絲類、綢緞、紡織品、服裝、抽紗、地毯、陶瓷、工藝品、黑色和有色金屬、礦產品、煤炭、化工原料、醫藥、機械設備等。中國從聯邦德國進口的主要商品有：成套設備、船用設備、汽車散件和零配件、動力設備、機床、機械設備、儀器、鋼材、化肥、化工原料等。

1989年中國同聯邦德國簽訂的引進技術和成套設備合同主要有：年產5萬噸乙內酰胺成套設備，170毫米三輥無縫鋼管設備，鈔票紙生產綫，尼龍簾子布原絲生產綫設備，數字電話交換系統設備和上海地鐵設備等。1989年11月兩國簽訂了關於上海地鐵建設工程項目的貸款協議。

2. 1989年**中國同法國**進出口貿易總額爲17.7億美元，比1988年增長36.76%。其中，中國出口5.14億美元，比1988年增長4.99%；進口12.58億美元，增長56.09%。中國對法國出口的主要商品有：紡織品、服裝、糧油食品、飼料、絲綢、茶葉、抽紗、輕工業品、工藝品、煤炭、有色金屬、地毯等；中國從法國進口的主要商品有：成套設備、電力機車、儀器、鋼材、小麥、化工產品等。

1989年中國同法國簽訂的引進技術和成套設備合同主要有：重慶涪陵和遼寧錦西的合成氨尿素生產設備、北侖港電站汽輪機設備等。1989年4月，中法兩國政府在北京簽署了關於法國向中國提供16.72億法國法郎(約合2.78億美元)混合貸款的財政議定書。這批貸款主要用於廣東抽水蓄能電站等7個項目。

3. 1989年**中國同意大利**進出口貿易總額爲16.94億美元，比1988年增長5.67%。其中，中國出口6.55億美元，比1988年增長2.51%；進口10.39億美元，增長7.76%。中國對意大利出口的主要商品有：糧油食品、飼料、羽絨製品、皮革、中藥材、生絲、紡織品、綢緞、服裝、抽紗、地毯、鞋類、工藝品、矾土、硼石、煤炭、化工原料、醫藥、機床、軸承、工具等。中國從意大利進口的主要商品有：成套設備、航空設備、汽車、機械、儀器、飼料、柴油、化肥、化工原料、農藥、西藥、電冰箱及其散件和零配件等。

1989年中國同意大利簽訂的引進技術和成套設備合同主要有：電冰箱壓縮機成套設備、攀枝花1450熱軋機、聚丙烯裝置、合成氨成套設備、尿素成套設備、聚乙烯成套設備、電站燃煤機組、子午

綫輪胎技術及設備等。

4. 1989年**中國同英國**進出口貿易總額爲14.44億美元，比1988年增長3.24%。其中，中國出口7.02億美元，比1988年減少5.93%；進口7.42億美元，增長13.73%。中國對英國出口的主要商品有：紡織品、服裝、糧油食品、土畜產品、輕工業品、地毯、茶葉、工藝品等。中國從英國進口的主要商品有：成套設備和技術、機電儀產品、鋼材、有色金屬等。

1989年中國同英國簽訂的引進技術和設備合同主要有：可發性聚苯乙烯裝置、雙酚A生產專業技術、MK9-5型捲接機組等。1989年4月，中英兩國簽訂了關於北京地鐵改造工程項目的貸款協議，英方向中方提供3600萬美元貸款。

5. 1989年**中國同瑞士**進出口貿易總額爲7.76億美元，比1988年下降12.16%。其中，中國出口3.15億美元，比1988年下降9.28%；進口4.61億美元，下降14.02%。中國對瑞士出口的主要商品有：糧油食品、土畜產品、紡織品、服裝、抽紗、工藝品、輕工產品、礦產品、煤炭、輕柴油、醫藥原料、小成套設備、工具等。中國從瑞士進口的主要商品有：機械、電力工業設備、電子儀器、光學儀器、鋼材、有色金屬、化工原料及產品、鐘錶、鑽石、棉花、化纖等。

1989年中國同瑞士簽訂的引進技術和成套設備合同主要有：燃煤發電設備、鍋爐輔助設備、黏膠短纖維設備、空冷汽輪發電機製造技術等。

6. 1989年**中國同瑞典**的進出口貿易總額爲4.12億美元，比1988年增長22.97%。其中，中國出口1.3億美元，比1988年增長15.88%；進口2.82億美元，增長25.55%。中國對瑞典出口的主要商品有：食品罐頭、畜產品、紡織品、服裝、抽紗、地毯、輕工業品、工藝品、有色金屬、化工原料、醫療器械等。中國從瑞典進口的主要商品有：各種機械設備、船舶、儀器、通訊設備、鋼材、化肥、柴油、化工原料、紙漿、紙張等。

1989年中國同瑞典簽訂的引進技術和設備合同主要有：塑料泡沫生產設備與技術、電解鋁廠整流設備、程控電話交換機設備和水煤漿設備等。

7. 1989年**中國同西班牙**進出口貿易總額爲2.79億美元，與1988年持平。其中，中國出口1.21億美元，比1988年增長14.1%；進口1.57億美元，下降9.1%。中國對西班牙出口的主要商品有：輕工業品、工藝品、糧油食品、土畜產品和紡織品。中國從西班牙進口的主要商品有：鋼材、化肥、機械設備、化工原料等。

1989年1月中西兩國政府簽署了關於1989～1990年度經濟技術合作原則貸款協議，總金額爲4.5億美元。

三、中國同西歐國家40年經貿關係發展概述

中華人民共和國建立初期，中國同西歐國家的貿易量很小，主要原因是西歐許多國家追隨美國對中國實行"封鎖"、"禁運"政策。1950年瑞典、丹麥、瑞士和芬蘭先後同中國建立外交關係。1952年中國和芬蘭簽訂了政府間的貿易協定。1954年，中國同挪威建立了外交關係，並同英國、荷蘭互設代辦處。外交關係的建立對發展中國同西歐的貿易起到促進作用。至50年代後期，中國同西歐國家的貿易往來才開始活躍。1959年中國同西歐國家貿易總額達6.5億美元，相當於1950年(1.6億美元)的4倍多。

1964年法國與中國建立外交關係，西歐出現了發展對華貿易的熱潮。同年，中國分別同意大利、奧地利達成了互設商務代表處的協議。1969年中國同西歐國家貿易總額達11.3億美元。從60年代起中國開始從西歐國家引進技術和成套設備。

1970～1979年，中國先後同意大利、聯邦德國等12個西歐國家建立了外交關係，並先後同意大利、希臘、聯邦德國、瑞士、西班牙和奧地利等國簽訂了政府間的貿易協定。1975年中國和歐洲共同體建立了外交關係，並於1978年簽訂了貿易協定。70年代後期，中國又相繼同英國、法國、意大利、丹麥、聯邦德國和比利時盧森堡聯盟等簽訂了各種形式的經濟合作協定，還同瑞典簽訂了工業科技合作協定，同芬蘭簽訂了經濟、工業和科技合作協定。1979年中國同西歐國家的貿易總額達60.3億美元，比1969年增長4.3倍。這一時期中國從西歐國家引進技術和成套設備有較大增長。

隨着對外開放政策的不斷深入貫徹執行，中國

同西歐國家的經濟貿易關係迅速發展。進入80年代以後，中國先後與葡萄牙、芬蘭、挪威、冰島簽訂或重新簽訂了貿易協定；與歐共體簽訂了新的貿易和經濟合作協定；與挪威、荷蘭、希臘、法國、西班牙、英國和愛爾蘭簽訂或重新簽訂了相互鼓勵和保護投資協定以及避免雙重徵稅協定。1989年中國和西歐國家的貿易總額達122.4億美元，比1979年增長1倍多。中國和西歐國家的經濟技術合作取得了突飛猛進的發展，合作形式趨向多樣化，技術引進的規模迅速擴大；西歐國家在中國的直接投資不斷增加；許多西歐國家向中國提供了財政援助和技術援助。

1989年中國同蘇聯的經濟貿易關係

對外經濟貿易部地區政策一司五處

1989年，中國和蘇聯實現了關係正常化，兩國經濟貿易關係在平等互利基礎上繼續穩定發展。

一、雙邊貿易

在中蘇兩國的經濟貿易關係中，政府協定換貨貿易是傳統的主要形式。兩國進出口商品結構具有很大的互補性，這是兩國經貿關係穩步發展的基礎。

1989年中蘇兩國交換貨物和付款議定書規定，當年兩國貿易額爲32億美元，實際完成貿易額達36.77億美元，比1988年增長26.71%。其中，中方出口17.60億美元，比1988年增長17.76%；進口19.17億美元，比1988年增長36.27%。中國出口的主要商品有：黑鎢砂、硼石和硼石粉、重燒鎂砂、大豆、玉米、花生仁、凍豬肉、凍牛肉、豬肉罐頭、蘋菓、柑桔、棉花、廠絲、豬鬃、茶葉、電石、硫化碱、針織品和縫製品、毛毯、浴巾、棉布和滌綸布、綢緞、毛皮製品、羽絨製品、球鞋和運動鞋、熱水瓶、汽車用蓄電瓶、鐵路貨車配套裝置、軸承等。中國進口的主要商品有：鋼材、生鐵、鋁、銅、白金、柴油、汽油、木材、尿素、純碱、高壓聚乙烯、21萬千瓦電站設備、電力機車、鐵路車廂、載重汽車、小轎車、汽車零件、飛機及零件、航空器材、成套設備等。

從商品結構看，雙方出口的原材料和初級產品約佔各自出口總額的50%。其餘爲機械產品和輕紡產品。

二、經濟技術合作

根據中蘇兩國政府關於在中國建設和改造工業項目的經濟技術合作協定，在協定內的24個項目(內含33個子項)中，繼1988年前簽訂合同的11項後，1989年又簽訂了1項，已簽合同總金額爲9億瑞士法郎；已撤銷13個項目，改用政府貸款的3個項目，其餘項目仍在商談中。

中蘇兩國1988年簽訂的關於建設新疆烏蘇至阿拉山口鐵路貸款協定正在順利執行中。正式通車後，這條鐵路將成爲第二座歐亞大陸橋，它對發展中蘇兩國以及同其他國家的經濟貿易往來具有重要意義。

1989年中蘇兩國地方邊境經濟貿易往來發展順利，貿易額近10億瑞士法郎(約合7.7億美元)，與1988年持平。貿易和經濟合作形式多樣，地方邊境貿易已成爲兩國經濟貿易往來的重要補充。這對繁榮兩國毗鄰地區的經濟、增進邊民間瞭解和友誼起着重要作用。兩國地方邊境經貿關係仍有發展的潛力。

三、40年經貿關係回顧

建國40年來，中蘇兩國間的貿易一直是政府間協定貿易，採用記帳結算方式。在50年代和60年代，用盧布作爲記帳貨幣，1971年起改用瑞士法郎。具體做法是，每一年度由兩國政府簽訂換貨和付款議定書，附有進出口貨單，貨單要求進出口金額平衡，根據雙方需要和可能商定互換的商品。這種貿易方式對兩國經濟發展起到了相互補充的作用。

中蘇兩國的經濟貿易關係，隨着國家關係的變化，也經歷了曲折發展的過程。在關係友好的1950～1959年，中蘇兩國間的貿易額爲130.7億美元，佔中國對外貿易總額的一半以上。從蘇聯的進口中，包括由蘇方提供技術、設備、幫助建設的156個重點項目。在新中國建設的開始階段，這些項目的建成對發展我國國民經濟起了骨幹作用。後來由於兩黨兩國關係惡化，雙邊經濟貿易關係的發展也受到了嚴重影響，兩國的貿易額，1960～1969年爲52.1億美元，1970～1979年爲29.7億美元。中蘇貿易額一度僅佔中國對外貿易總額的1%以下，個別年份還中斷了年度換貨議定書的簽訂。雙邊經濟技術合作中斷了20多年。80年代，兩國關係逐步改善，中蘇經濟貿易關係獲得迅速恢復和發展，貿易額增加，1980～1989年達到162.5億美元。合作形式多樣化，合作領域進一步拓寬。合資建廠、政府貸款和承包工程、勞務合作等逐步開展。隨着兩國關係正常化，兩國經濟貿易關係正向多層次、多形式、多渠道的方向發展。

1989年中國同東歐社會主義國家的經濟貿易關係

對外經濟貿易部地區政策一司辦公室

1989年中國同捷克斯洛伐克、民主德國、波蘭、羅馬尼亞、匈牙利、保加利亞、南斯拉夫、阿爾巴尼亞等東歐8國的貿易額爲32.3億美元(其中進口16.3億美元，出口16億美元)，較1988年35億美元下降7.7%。這一年，中國同這些國家貿易額依次爲：捷克斯洛伐克8.2億美元，民主德國6.8億美元，波蘭6.5億美元，羅馬尼亞6.1億美元，匈牙利2億美元，保加利亞1.3億美元，南斯拉夫1億美元，阿爾巴尼亞4300萬美元。

中國同東歐8國都簽有1986～1990年長期貿易協定。貿易方式，除同南斯拉夫從1969年起改爲現滙貿易外，同其他7國均爲傳統的政府協定記帳換貨貿易；在年度貿易談判中，雙方參照長期貿易協定簽訂當年年度換貨和付款議定書，規定雙方進出口商品品種、數量，再由雙方外貿企業簽訂合同執行。1989年我國出口的主要商品有：日用輕紡工業品、茶葉、各種罐頭、棉花、大米、大豆等；進口的主要商品有：發電設備、鐵路車廂、鋼材、化肥、化工產品等。

中國同這些國家還開展了地方貿易，同羅馬尼亞進行單項商品現滙易貨貿易和生產合作，同匈牙利、民主德國、捷克斯洛伐克開展了勞務合作等多種形式的經貿往來。

隨着中國外貿體制改革的深入，以及東歐有關國家國內情況的變化，繼續沿用傳統的政府間記帳貿易方式已不相適應。波蘭、匈牙利已建議將記帳貿易改爲現滙貿易。經雙方商定，中波兩國自1990年、中匈將自1991年改爲現滙貿易方式。

中國同東歐國家有着傳統的友好合作和貿易關係。40年來，中國同這些國家本着平等互利的原則，根據雙方的需要和可能，積極發展雙邊貿易關係。1989年中國同東歐8國的貿易額比1956年(5.2億美元)增長了5.2倍。在50年代，中國同這些國家的貿易額佔當時中國對外貿易總額相當大的比重，如1959年同這8個國家貿易額達7.2億美元，佔當年中國外貿總額的16.5%。這對我國建國初期恢復和發展經濟，加强同這些國家的友好合作關係起到了積極的作用。80年代以來，中國實行全方位對外開放的政策，同東歐國家的經貿關係也進入了新的發展階段。自1986年起，每年貿易額都超過30億美元，最高年份爲1988年，達到35億美元。

在貿易穩步增長的同時，雙邊經濟技術合作領域不斷擴大。中國先後同這些國家簽訂了經濟技術合作協定，成立了經濟、貿易、科技合作委員會，並同一些國家簽訂了關於相互促進和保護投資協定、關於避免雙重徵稅和防止偷漏稅協定、民用航空運輸協定、對外貿易貨物運輸協定，以及關於經濟和科學技術長期合作協定等，爲進一步發展經貿合作奠定了基礎。

40年來，隨着中國社會主義建設的發展，中國對東歐國家的進出口商品結構也發生了明顯的變化。50年代，中國從這些國家進口商品以成套設備和一般機械爲主，約佔進口總額的80%；出口以糧穀、油脂和礦產原料爲主，約佔出口總額的85%。到了80年代，進口機械設備的比重已下降到佔60%，生產原料佔35%，生活資料佔5%；出口商品中輕紡製成品和一些機電產品的比重上升，目前我國對這些國家出口商品的構成是：農副產品佔33%，輕紡產品佔34%，工礦原料佔25%，機械產品佔8%。

1989年中國同拉丁美洲國家的經濟貿易關係

對外經濟貿易部地區政策三司一處

一、進出口貿易額保持較高水平

1989年中國和拉丁美洲國家的進出口貿易額達19.94億美元。中國出口5.01億美元，比1988年增加26.52%；進口14.93億美元，比1988年下降13.05%。中國同拉美主要貿易伙伴的貿易額爲：巴西5.89億美元，我國出口0.78億美元，進口5.11億美元；古巴4.72億美元，我國出口2.53億美元，進口2.19億美元；阿根廷3.94億美元，我國出口0.07億美元，進口3.87億美元；智利1.6億美元，我國出口0.55億美元，進口1.05億美元；烏拉圭0.82億美元，我國出口0.02億美元，進口0.8億美元；巴拿馬0.81億美元，我國出口0.2億美元，進口0.61億美元；墨西哥0.75億美元，我國出口0.22億美元，進口0.53億美元；秘魯0.73億美元，我國出口0.22億美元，進口0.51億美元。

這一年中國向拉美國家出口的紡織、輕工品和機電等產品比1988年有不同程度的增加。其中，對秘魯出口增加1.5倍，對厄瓜多爾和蘇里南各增加1倍，對墨西哥增加54.77%，對巴拿馬增加50%，對烏拉圭增加43%。1989年9月，中國北方工業公司與秘魯簽署了出口500輛公共汽車的合同，總金額4690萬美元。這對我國今後擴大對拉美國家機電產品出口開闢了新的領域。

1989年我國從拉美國家進口的主要商品有：鋼材(56萬噸、3.4億美元)、糖(83萬噸、2.3億美元)、小麥(109萬噸、1.7億美元)、羊毛(2萬噸、1.2億美元)，以及魚粉、化工原料、鐵砂、銅和銅精砂、棉花、紙漿、化肥、豆油等。

1989年6月，新開闢的中國——南美洲定期雜貨班輪航綫開通，可以到達巴西的里約熱內盧和桑托斯港、烏拉圭的蒙得維的亞港和阿根廷的布宜諾斯艾利斯等港口，從而結束了中、拉貿易史上無直達班輪的時代。這條航綫的開闢爲中、拉經貿關係的發展注入了新的活力。

二、經濟合作有新的突破

1989年5月，中國和智利的合資企業京聖銅管有限公司在北京正式投產，這是拉美國家在我國建立的第一個生產型合資經營企業。中國在墨西哥開設的第一家合資經營企業上海墨西哥服裝製作有限公司，1989年在墨西哥城正式開業，總投資120萬美元，中方佔49%，主要生產男襯衫、童裝、運動服等。中國農村信託投資公司購買了智利一家漁業公司1860萬美元的股份，主要從事魚罐頭、魚粉和魚油生產，這是我國迄今在拉美的最大投資項目。此外，福建省在安提瓜合資經營的服裝廠、湖南省在智利開採煤礦、北京市地質工程公司在厄瓜多爾開採金礦、中國同古巴合作生產自行車、電扇等項目都有一定程度的進展。

三、經濟貿易界人士互訪頻繁

1989年，阿根廷、古巴、尼加拉瓜、智利等國家的經濟貿易界領導人來華訪問，開展經貿交流活動。

我國派出的重要代表團有：錢其琛外長訪問厄瓜多爾和古巴；鄭拓彬部長率政府經貿代表團訪問古巴，出席中、古政府經貿混委會第二次會議，雙方簽署了爲期5年的中、古政府經濟合作協定和1990年中古貿易議定書；遼寧省副省長聞世震和廣東省副省長于飛分別率經貿代表團訪問智利和巴西；中國政府經貿代表團訪問烏拉圭，擧行了首次中烏經貿混委會會議；國家科委副主任蔣民寬率中國科技代表團訪問古巴和墨西哥，同兩國政府分別簽署了科技合作協定。

四、赴拉美國家展出活動明顯增加

1989年，我國有關進出口公司及省市經貿系統赴拉美國家擧辦展覽會或參加博覽會之多是歷史上罕見的。這些活動有助於促進中、拉經貿關係的發展。中國醫藥保健品進出口總公司參加了古巴哈瓦那國際醫療器械博覽會；北京市在巴西里約熱內盧，遼寧省在智利聖地亞哥，廣東省在巴西聖保羅分別擧辦了出口商品展覽會。中國國際貿易促進會在墨西哥城擧辦了出口產品展銷會。上海等地進出口公司參加了智利聖地亞哥國際博覽會，中國機械進出口總公司參加了哈瓦那國際博覽會。

五、40年經貿關係概述

新中國成立40年來，中國和拉丁美洲國家的經貿關係是逐步發展的。50年代，中國尚未同拉美國家建立外交關係，同他們只有一些民間貿易往來，貿易總額僅幾千萬美元。60年代，中國同拉美國家貿易有了一定的發展，主要標誌是我國同古巴建立了外交關係和正式貿易關係。1960～1969年，中國同拉美國家貿易總額爲20.5億美元，其中中國同古巴的貿易額爲15.7億美元，佔中、拉貿易總額的77%。1961年巴西副總統古拉特率貿易代表團訪華，雙方簽訂了銀行間支付協定；中國和古巴的國際貿易促進委員會代表團進行了互訪。70年代，隨着中國國際地位的不斷提高和國際影響的日益擴大，拉美11個國家先後同中國建交，中、拉經貿關係也迅速發展。1970～1979年貿易總額達50億美元，比60年代增長近1.5倍。1979年同墨西哥的貿易額已達1.1億美元，同阿根廷的貿易額增至2.9億美元，同巴西的貿易額達到2.2億美元。中國同拉美國家之間進出口商品結構也發生了較大變化，雙方交換的商品從50年代的幾種、幾十種發展到幾百種。中國從拉美國家主要進口銅、鉛、鋅、鐵砂、生鐵、鋼材、小麥、棉花、大豆、魚粉、蔗糖和玉米等。中國向拉美國家出口的商品主要是輕紡產品、工藝品、糧油食品、化工、醫藥和機械產品等。80年代，隨着中國經濟體制改革和對外開放政策的貫徹執行，中國同拉美國家的經貿關係進入了全面發展的新時期，經濟貿易往來更加活躍，合作形式更加靈活多樣。1980～1989年中國和拉美國家的貿易總額達167.75億美元，比70年代增長2.4倍。這期間，中國同巴西、墨西哥、圭亞那、智利、巴巴多斯、蘇里南、委內瑞拉、哥倫比亞、阿根廷等國簽訂了17個合作、合資經營項目的協議，我方投資約2200萬美元，合作範圍包括林業、漁業、採礦、石油開採、紡織業等領域，其中一部分項目已投入運營並正在取得效益。

1989年中國同加拿大的經濟貿易關係

對外經濟貿易部地區政策三司二處

一、雙邊貿易

1989年中加雙邊貿易總額爲11.95億美元，比1988年下降了34.5%。其中，中國進口8.22億美元，比上年減少42.3%；出口3.73億美元，同上年持平。

中國從加拿大進口的主要商品仍然是小麥、紙漿、紙張、化肥和木材等，成套設備和機電產品所佔比重較小。1989年，這些主要商品的進口均比上年大幅度減少：小麥2.53億美元，比上年減少61.4%；紙漿1.37億美元，比上年減少30%；紙張0.36億美元，比上年減少22.8%；化肥0.75億美元，比上年減少72.1%。

1989年中國對加拿大出口的商品中，紡織品和服裝約佔一半。其中紡織品0.98億美元，佔出口總額的26.3%，比上年減少13.4%；服裝0.88億美元，佔23.6%，比上年減少5.4%。其他主要出口商品有糧油、食品、抽紗、輕工產品、工藝品、黑色金屬和機械設備等。1989年，中國對加出口額雖然保持了上年水平，但也存在一些問題，影響出口業務的發展。

儘管1989年從加拿大進口大幅度下降，中國還是處於逆差地位。1970～1989年，中方累計逆差已超過120億美元。中方逆差一直是中加貿易中一個突出的問題。要改變這種局面，需要中加雙方共同努力，擴大中國對加的出口。中加貿易的前景是廣闊的。

二、經濟合作

1986年和1988年，中加兩國政府分別簽署了兩項優惠貸款協議，這兩項貸款多用於能源、交通、通訊、化工、冶金、造紙、機械等領域的項目。至今，第一筆貸款項下簽訂了28個項目合同，合同金額超過5.2億美元；第二筆貸款項下已簽訂了13個項目合同，合同金額約1.5億美元。

1989年，中加經濟合作的發展出現波折。北京政治風波後，加拿大政府對我國實行“經濟制裁”，取消了一些貸款和援助項目，使雙邊經濟合作的發展受到影響。

1989年，加拿大在華直接投資項目新增25個，協議外資金額4232萬美元。這樣，從1979年到1989年，加拿大在華投資項目總共爲80個，協議外資總額爲2.69億美元。中國在加設立的公司、代表處將近50個。

三、40年來中加經貿關係發展概述

新中國剛建立時，中加貿易往來只限於民間範圍，數量和金額都很小。1954年以後，中加逐漸開展了直接貿易活動，但規模還是較小。60年代兩國開始了糧食貿易，29年來，糧食貿易額累計達85億美元。1970年10月，中加兩國正式建立了外交關係，1973年，兩國政府簽署了貿易協定。從此兩國間的經貿關係進入了一個新的發展時期。1970年雙邊貿易額1.55億美元，1988年雙邊貿易額達18.25億美元，創歷史最高紀錄，比1970年增長近11倍。現在，加拿大已成爲中國的主要貿易伙伴之一。

雙邊貿易迅速發展的同時，兩國經濟合作也取得了較大的成果。1983年，兩國政府簽署了發展合作總協定；1986年和1988年，又先後簽署了兩個政府間貸款協議。根據這些協定、協議，加拿大政府向中國提供贈款和優惠貸款。

根據兩國政府貿易協定規定，中加政府建立了中加聯合貿易委員會，並多次召開會議，對兩國經貿關係的發展起了積極的推動作用。

1989年中國同美國的經濟貿易關係

對外經濟貿易部地區政策三司五處

1989年中美雙邊貿易繼續發展，雙邊經濟技術合作因美國實行“經濟制裁”而受到一定影響。

一、雙邊貿易

根據經貿部業務統計，1989年中美進出口貿易額達99.89億美元，比1988年增長20.9％。中國對美國出口為38.68億美元，比1988年增長20.5％；從美國進口為61.21億美元，比1988年增長21.2％。1989年中國從美國進口的大宗商品有較明顯的增長，如進口小麥828萬噸，比1988年增長37.3％，金額12.22億美元；飛機、飛機發動機和零配件及租賃飛機總值達5.7億美元，比1988年增長43％；化肥5.79億美元，比1988年增長16％；成套設備及技術引進金額達4.53億美元，比1988年增長32％。此外，中國從美國進口的其他主要商品有：各種機械設備、儀器、計算機、石油化工設備、五金礦產、醫藥、輕工產品及農林產品等。1989年中國對美國出口的大宗或傳統商品中，除了紡織品和服裝略低於1988年的水平外，其他原油、成品油分別比1988年增長55％和64％；輕工產品增長87％，工藝品增長31％，地毯增長27％，陶瓷增長16％，糧油食品增長5％。

近年來，從美國進口的機電儀等技術產品的比重迅速增加。1989年從美進口的機電儀產品比1988年增長25％。同期，中國對美國的出口中，機械產品和其他一些工業製成品的比重也正在逐步上升。雙方進出口商品結構出現的積極變化，為擴大雙邊貿易開闢了新的途徑。

中美進一步擴大雙邊貿易潛力還很大。1989年美國對華貿易額僅佔其對外貿易總額的1.2％左右。其中從中國的進口僅佔其進口總額的0.9％，對中國的出口僅佔其出口總額的2.2％。我國在擴大出口的基礎上，進口一直是不斷發展的，大量進口現代化建設需要的技術設備和物資。然而美國政府對於向中國出口技術設備仍設置這樣或那樣的限制；中國對美國的出口也受到各種非關稅壁壘的障礙。只要雙方共同努力，消除人為的障礙，中美貿易的前景將會更好。

二、經濟技術合作

1989年美國廠商在中國的投資項目268項，協議外資金額4.98億美元，分別比1988年增長6.3％和53.2％。

1989年6月5日美國政府宣佈對中國實行“經濟制裁”，使中美兩國合作不能正常進行。美國的制裁不僅損害了中國的利益，也損害了美國企業的利益。例如，1988年中國同美國簽訂的技術引進合同達101項，合同總金額2.56億美元，而1989年由於美國實行制裁，雙方簽訂的技術引進合同僅53項，金額1.44億美元。

三、中美經貿關係40年簡介

1949年新中國誕生後，美國對我國採取了貿易限制。1950年美國發動侵朝戰爭，我國開展抗美援朝運動。1950年底，美國商務部宣佈禁止對中國的一切出口。此後，美國對中國實行全面的“封鎖”、“禁運”，中國對美國的出口也隨即停止。從此到1971年，中美貿易關係中斷了20餘年。1971年6月，尼克松總統宣佈開放對中國的貿易，從而結束了美國對華“封鎖”、“禁運”的政策。1972年2月，尼克松總統訪華，中美兩國政府領導人在上海發表“聯合公報”，打破了兩國政治、經濟、外交關係長期僵持的局面。從此，中美兩國恢復了直接貿易往來。1972年，中美貿易額僅1000多萬美元，到1978年雙邊貿易額增長到9.9億美元。1979年中美正式建立了外交關係，為進一步發展兩國貿易奠定了良好的基礎。同年中國開始實行改革開放政策，為發展中國同美國和世界各國的經濟貿易關係創造了有利條件。經過中美兩國政府和兩國貿易界的努力，1989年中美雙邊貿易額達到99.89億美元，比1978年增長9倍多。

中美兩國的經濟技術合作進展較快，並取得了良好的成果。1979年至1989年的11年中，我國同美國共簽訂技術引進合同781項，總金額約31.6億美元，合作的領域不斷拓寬，已從輕工業等方面發展到航空、航天、電子、電力、電訊、汽車、建材、煤炭、採礦、醫藥及海洋石油勘探與開發等許多重要工業技術領域。

中美兩國在相互投資方面也不斷取得進展。據統計，截至1989年，美國投資者在中國的投資項目共949個，累計投資協議金額41億美元，實際投入18億美元。到1989年，中國公司在美國投資舉辦的非貿易性企業爲79家，中方投資3.04億美元。中美經濟技術合作的潛力也是很大的，因爲中國是一個潛在的大市場，中美兩國在經濟上可以互相補充的領域較多，進一步發展這方面合作符合兩國的共同利益。

1989年中國同澳大利亞、新西蘭的經濟貿易關係

對外經濟貿易部地區政策三司二處

一、中澳經貿關係

1989年，中國同澳大利亞的雙邊貿易額爲15.5億美元，比1988年增長31%。其中，中國出口3.8億美元，比1988年增長11.26%；進口11.7億美元，增長39%。

中國對澳出口的商品仍以紡織品、服裝爲主，金額爲1.74億美元(約佔對澳出口額的45%)；其次爲輕工產品，5425萬美元；機械設備，2363萬美元；化工產品，2100萬美元；糧油食品，1279萬美元。1989年中國對澳出口的商品中，輕工產品、機械設備、家用電器等有較多增長，分別比1988年增長24%、70%和78%。中國自澳進口的商品主要是鐵礦砂、羊毛、鋼材、有色金屬、小麥、砂糖等初級產品。其中鐵礦砂進口超過1000萬噸，創歷史最高水平，羊毛進口額較1988年有所下降。

1988年，中澳兩國政府簽署"提供優惠貸款的諒解備忘錄"。截至1989年底，雙方共簽訂了15個項目的貸款協議，總金額8009萬美元，其中1989年簽訂13項，金額3856萬美元。包括交通、電訊、畜牧、醫藥等項目。

1989年，新批准的澳大利亞在華投資項目27個，協議外資金額8362萬美元，比1988年增加約3.5倍；中國在澳投資項目11個，中方投資金額1585.4萬美元。

1989年4月，在堪培拉召開了中澳部長級經濟聯委會，鄭拓彬部長同澳大利亞工業、技術和商業部長巴頓主持了會議。北京"六四"事件後，澳方宣佈中止部長級官員互訪，但下半年雙方還舉行了聯委會下設的幾個工作小組會議，雙方副部長級官員分別參加了這些會議。中澳經濟合作因澳方對我實行"經濟制裁"而暫時受到影響。

二、中新經貿關係

1989年，中國同新西蘭雙邊貿易額爲2.12億美元，比1988年減少45%。其中，中國出口3394萬美元，比1988年減少3%；進口1.78億美元，比1988年減少49.6%。貿易額比上年大幅度下降主要是由於中國進口羊毛、紙漿減少。中國從新西蘭進口的主要商品是羊毛1.32億美元，原木2120萬美元，牛羊油1021萬美元，紙漿、紙張820萬美元。中國對新西蘭出口的主要商品是紡織品、服裝，其他是抽紗、輕工產品、化工產品、糧油食品、工藝品、土畜產品、機電設備、醫藥等。其中紡織品和服裝約佔對新出口額的一半。

1989年兩國經濟合作又有新的發展。在投資合作方面，新西蘭在華舉辦了2個投資項目，協議外

資金額37萬美元。中國在新舉辦4個合資企業，中方投資額約100萬美元。

三、40年中澳、中新經貿關係發展簡述

40年來，中澳經貿關係取得了突飛猛進的發展。1950年，中澳貿易額祇有462萬美元，1972年中澳建交後，1973年兩國政府簽訂了貿易協定。此後，雙邊貿易迅速發展，1989年的貿易額比1950年增長了近335倍，比1972年(8655萬美元)增長了近17倍。兩國進出口商品品種也不斷擴大。現在澳大利亞已成爲中國進口資源性商品的主要國家之一。中國實行對外開放政策後，中澳經濟技術合作有了很大發展，1981年雙方簽署了"經濟合作議定書"和"關於技術合作促進發展計劃的協定"，1988年簽署了"相互鼓勵和保護投資協定"。根據這些協議，澳大利亞政府向中國提供了贈款和優惠貸款。兩國企業界在對方國家開展投資活動。截至1989年底，澳在華投資項目共79個，協議外資金額超過3億美元；中國在澳投資項目共40個，中方投資額3.03億美元。

40年來，中新經濟貿易關係逐漸發展，特別是1972年兩國建交後，雙邊貿易迅速擴大。1989年貿易額比1972年970萬美元增長21倍。進出口商品品種也不斷增加。羊毛一直是中新貿易的大宗商品，1988年中國自新進口量佔新出口總量的1/4左右。中國實行對外開放以來，雙邊經濟合作穩步發展。截至1989年底，雙方已建立合資、合作、獨資企業共12家，其中新西蘭在華投資項目6個，中國在新投資項目6個。中新兩國根據雙邊貿易協定，設立了聯合貿易委員會，已開過14次會議，對促進兩國經貿關係發展起了積極作用。兩國政府還簽訂了"投資保護協定"和"避免雙重徵稅和防止偷漏稅協定"。

統　計

（經貿部業務統計）

1950-1989年進出口總額

金額單位:億美元

年份	總額	出口額	進口額
1950	11.35	5.52	5.83
1951	19.55	7.57	11.98
1952	19.41	8.23	11.18
1953	23.68	10.22	13.46
1954	24.33	11.46	12.87
1955	31.45	14.12	17.33
1956	32.08	16.45	15.63
1957	31.03	15.97	15.06
1958	38.71	19.81	18.90
1959	43.81	22.61	21.20
1960	38.09	18.56	19.53
1961	29.36	14.91	14.45
1962	26.63	14.90	11.73
1963	29.15	16.49	12.66
1964	34.63	19.16	15.47
1965	42.45	22.28	20.17
1966	46.14	23.66	22.48
1967	41.55	21.35	20.20
1968	40.48	21.03	19.45
1969	40.29	22.04	18.25
1970	45.86	22.60	23.26
1971	48.41	26.36	22.05
1972	63.01	34.43	28.58
1973	109.76	58.19	51.57
1974	145.68	69.49	76.19
1975	147.51	72.64	74.87
1976	134.33	68.55	65.78
1977	148.04	75.90	72.14
1978	206.38	97.45	108.93
1979	293.33	136.58	156.75
1980	378.22	182.72	195.50
1981	403.75	208.93	194.82
1982	392.97	218.19	174.78
1983	407.27	221.97	185.30
1984	497.72	244.16	253.56
1985	602.46	259.15	343.31
1986	600.97	270.14	330.83
1987	681.10	347.11	333.99
1988	804.90	406.40	398.50
1989	825.83	434.40	391.43

1950-1989 年進出口總額指數

(1950=100)

年份	進出口	出口	進口
1950	100.0	100.0	100.0
1951	172.2	137.1	205.5
1952	171.0	149.1	191.8
1953	208.6	185.1	230.9
1954	214.4	207.6	220.8
1955	277.1	255.8	297.3
1956	282.6	298.0	268.1
1957	273.4	289.3	258.3
1958	341.1	358.9	324.2
1959	386.0	409.6	363.6
1960	335.6	336.2	335.0
1961	258.7	270.1	247.9
1962	234.6	269.9	201.2
1963	256.8	298.7	217.2
1964	305.1	347.1	265.4
1965	374.0	403.6	346.0
1966	406.5	428.6	385.6
1967	366.1	386.8	346.5
1968	356.7	381.0	333.6
1969	355.0	399.3	313.0
1970	404.1	409.4	399.0
1971	426.5	477.5	378.2
1972	555.2	623.7	490.2
1973	967.0	1,054.2	884.6
1974	1,283.5	1,258.9	1,306.9
1975	1,299.6	1,315.9	1,284.2
1976	1,183.5	1,241.8	1,128.3
1977	1,304.3	1,375.0	1,237.4
1978	1,818.3	1,765.4	1,868.4
1979	2,584.4	2,474.3	2,688.7
1980	3,332.3	3,310.1	3,353.3
1981	3,557.3	3,785.0	3,341.7
1982	3,462.3	3,952.7	2,997.9
1983	3,588.3	4,021.2	3,178.4
1984	4,385.2	4,423.2	4,349.2
1985	5,308.0	4,694.7	5,888.7
1986	5,294.9	4,893.8	5,674.6
1987	6,000.9	6,288.2	5,728.8
1988	7,091.6	7,362.3	6,835.3
1989	7,276.0	7,869.6	6,714.1

1950-1989年進出口總額增長速度

(比上年增長%)

年份	進出口	出口	進口
1950	100.0	100.0	100.0
1951	72.2	37.1	105.5
1952	-0.7	8.7	-6.7
1953	22.0	24.2	20.4
1954	2.7	12.1	-4.4
1955	29.3	23.2	34.7
1956	2.0	16.5	-9.8
1957	-3.3	-2.9	-3.6
1958	24.8	24.0	25.5
1959	13.2	14.1	12.2
1960	-13.1	-17.9	-7.9
1961	-22.9	-19.7	-26.0
1962	-9.3	-0.1	-18.8
1963	9.5	10.7	7.9
1964	18.8	16.2	22.2
1965	22.6	16.3	30.4
1966	8.7	6.2	11.5
1967	-9.9	-9.8	-10.1
1968	-2.6	-1.5	-3.7
1969	-0.5	4.8	-6.2
1970	13.8	2.5	27.5
1971	5.6	16.6	-5.2
1972	30.2	30.6	29.6
1973	74.2	69.0	80.4
1974	32.7	19.4	47.7
1975	1.2	4.5	-1.7
1976	-8.9	-5.6	-12.1
1977	10.2	10.7	9.7
1978	39.4	28.4	51.0
1979	42.1	40.2	43.9
1980	28.9	33.8	24.7
1981	6.8	14.3	-0.3
1982	-2.7	4.4	-10.3
1983	3.6	1.7	6.0
1984	22.2	10.0	36.8
1985	21.0	6.1	35.4
1986	-0.2	4.2	-3.6
1987	13.3	28.5	1.0
1988	18.2	17.1	19.3
1989	2.6	6.9	-1.8

1950-1989年進出口總額增長速度

(按時期每年遞增%)

時期	進出口	出口	進口
恢復時期 (1950-1952)	30.8	22.1	38.5
"一五"時期 (1953-1957)	9.8	14.2	6.1
"二五"時期 (1958-1962)	-3.0	-1.4	-4.9
調整時期 (1963-1965)	16.8	14.3	19.8
"三五"時期 (1966-1970)	1.6	0.3	2.9
"四五"時期 (1971-1975)	26.3	26.3	26.3
"五五"時期 (1976-1980)	20.7	20.3	21.2
"六五"時期 (1981-1985)	9.8	7.2	11.9
"七五"時期 (1986-1990)			
1986	-0.2	4.2	-3.6
1987	13.3	28.5	1.0
1988	18.2	17.1	19.3
1989	2.6	6.9	-1.8
1950-1989	11.6	11.8	11.4

1978-1989年進出口貿易額、貿易量和價格指數

(1980=100)

年份	貿易額指數		貿易量指數		價格指數	
	出口	進口	出口	進口	出口	進口
1978	53.3	55.7	71.7	84.2	74.3	66.2
1979	74.7	80.2	87.1	96.6	85.8	83.0
1980	100.0	100.0	100.0	100.0	100.0	100.0
1981	114.3	99.7	110.9	96.3	103.1	103.5
1982	119.4	89.4	123.2	98.1	96.9	91.1
1983	121.5	94.8	140.6	123.0	86.4	77.1
1984	133.6	129.7	151.3	164.8	88.3	78.7
1985	141.8	175.6	172.5	237.3	82.2	74.0
1986	147.8	169.2	206.1	230.2	71.7	73.5
1987	189.9	170.8	249.5	236.6	76.1	72.2
1988	222.4	203.8	267.3	222.3	83.2	91.7
1989	237.7	200.2	266.5	185.0	89.2	108.2

1953-1989年中國出口總額佔世界出口總額比重和位次

金額單位:億美元

年份	世界出口總額	中國出口總額	中國出口總額佔世界出口總額%	位次
1953	829	10.22	1.23	17
1954	863	11.46	1.33	16
1955	940	14.12	1.50	15
1956	1,042	16.45	1.58	14
1957	1,123	15.97	1.42	15
1958	1,086	19.81	1.82	13
1959	1,159	22.61	1.95	12
1960	1,283	18.56	1.44	17
1961	1,344	14.91	1.11	19
1962	1,419	14.90	1.05	19
1963	1,545	16.49	1.07	19
1964	1,736	19.16	1.10	19
1965	1,872	22.28	1.19	18
1966	2,052	23.66	1.15	18
1967	2,155	21.35	0.99	19
1968	2,401	21.03	0.88	19
1969	2,744	22.04	0.80	21
1970	3,153	22.60	0.72	29
1971	3,513	26.36	0.75	25
1972	4,158	34.43	0.83	25
1973	5,764	58.19	1.01	21
1974	8,415	69.49	0.83	28
1975	8,769	72.64	0.83	28
1976	9,933	68.55	0.69	34
1977	11,269	75.90	0.67	30
1978	12,988	97.45	0.75	32
1979	16,430	136.58	0.83	32
1980	19,939	182.72	0.92	28
1981	19,745	208.93	1.06	21
1982	18,535	218.19	1.18	18
1983	18,119	221.97	1.23	18
1984	19,436	244.16	1.26	18
1985	19,578	259.15	1.32	17
1986	21,100	270.14	1.28	16
1987	24,500	347.11	1.42	16
1988	28,400	406.40	1.43	16
1989	31,000	434.40	1.40	14

世界出口總額資料來源: 1985年台灣《統計月報》
1983-1990年關稅貿易總協定秘書處報告:
1985年聯合國《統計月報》:

1978-1989年中國出口額佔主要國民經濟指標的比重

項目	單位	1978	1980	1985	1987	1988	1989
出口總額	**億美元**	97.45	182.72	259.15	347.11	406.40	434.40
國民生產總值	億元	3,588	4,470	8,562	11,351	14.015	15,677
出口所佔比重	%	4.7	6.1	9.7	11.4	10.8	10.3
國民收入	億元	3,010	3,688	7,041	9,361	11,533	13,000
出口所佔比重	%	5.6	7.4	11.8	13.8	13.1	12.4
社會總產值	億元	6,846	8,535	16,603	23,081	29,259	34,595
出口所佔比重	%	2.4	3.2	5.0	5.6	5.2	4.7
工農業總產值	億元	5,634	7,078	13,337	18,489	23,723	28,430
出口所佔比重	%	3.0	3.8	6.2	6.9	6.4	5.7

注:出口佔各指標比重，均按當年人民幣對美元匯率折算。

1953-1989 年出口商品構成(1)

(按農副產品、農副產品加工品、工礦產品劃分)　　金額單位: 億美元

年份	出口總額	一、農副產品		二、農副產品加工品		三、工礦產品	
		金額	佔總額%	金額	佔總額%	金額	佔總額%
1953	10.22	5.69	55.7	2.65	25.9	1.88	18.4
1954	11.46	5.53	48.3	3.18	27.7	2.75	24.0
1955	14.12	6.51	46.1	4.01	28.4	3.60	25.5
1956	16.45	7.01	42.6	5.15	31.3	4.29	26.1
1957	15.97	6.40	40.1	5.03	31.5	4.54	28.4
1958	19.81	7.03	35.5	7.33	37.0	5.45	27.5
1959	22.61	8.50	37.6	8.75	38.7	5.36	23.7
1960	18.56	5.75	31.0	7.85	42.3	4.96	26.7
1961	14.91	3.09	20.7	6.84	45.9	4.98	33.4
1962	14.90	2.89	19.4	6.84	45.9	5.17	34.7
1963	16.49	3.99	24.2	7.07	42.9	5.43	32.9
1964	19.16	5.37	28.0	7.49	39.1	6.30	32.9
1965	22.28	7.37	33.1	8.02	36.0	6.89	30.9
1966	23.66	8.50	35.9	8.87	37.5	6.29	26.6
1967	21.35	8.39	39.3	7.75	36.3	5.21	24.4
1968	21.03	8.41	40.0	8.03	38.2	4.59	21.8
1969	22.04	8.24	37.4	8.62	39.1	5.18	23.5
1970	22.60	8.29	36.7	8.52	37.7	5.79	25.6
1971	26.36	9.55	36.2	9.20	34.9	7.61	28.9
1972	34.43	10.77	31.3	14.10	41.0	9.56	27.7
1973	58.19	20.80	35.8	23.00	39.5	14.39	24.7
1974	69.49	25.30	36.4	20.73	29.8	23.46	33.8
1975	72.64	21.50	29.6	22.61	31.1	28.53	39.3
1976	68.55	19.46	28.4	22.41	32.7	26.68	38.9
1977	75.90	20.96	27.6	25.74	33.9	29.20	38.5
1978	97.45	26.91	27.6	34.14	35.0	36.40	37.4
1979	136.58	31.57	23.1	44.86	32.9	60.15	44.0
1980	182.72	34.19	18.7	53.97	29.5	94.56	51.8
1981	208.93	36.81	17.6	54.62	26.2	117.50	56.2
1982	218.19	32.43	14.9	53.61	24.6	132.15	60.5
1983	221.97	35.29	15.9	59.20	26.7	127.48	57.4
1984	244.16	41.20	16.9	67.16	27.5	135.80	55.6
1985	259.15	45.32	17.5	69.68	26.9	144.15	55.6
1986	270.14	52.02	19.3	84.72	31.3	133.40	49.4
1987	347.11	58.78	16.9	104.60	30.2	183.73	52.9
1988	406.40	69.54	17.1	121.87	30.0	214.99	52.9
1989	434.40	66.11	15.2	135.28	31.2	233.01	53.6

1953-1989年出口商品構成(2)

(按農副產品、輕工業產品、重工業產品劃分)　　金額單位:億美元

年份	出口總額	一、農副產品		二、輕工業產品		(一)紡織品		(二)輕工業品		三、重工業產品	
		金額	佔總額%	金額	佔總額%	金額	佔總額%	金額	佔總額%	金額	佔總額%
1953	10.22	5.69	55.7	2.75	26.9	0.62	6.1	2.13	20.8	1.78	17.4
1954	11.46	5.53	48.3	3.69	32.2	1.09	9.5	2.60	22.7	2.24	19.5
1955	14.12	6.51	46.1	4.41	31.2	1.66	11.7	2.75	19.5	3.20	22.7
1956	16.45	7.01	42.6	5.81	35.3	2.42	14.7	3.39	20.6	3.63	22.1
1957	15.97	6.40	40.1	5.69	35.6	2.83	17.7	2.86	17.9	3.88	24.3
1958	19.81	7.03	35.5	8.26	41.7	3.53	17.8	4.73	23.9	4.52	22.8
1959	22.61	8.50	37.6	9.47	41.9	5.31	23.5	4.16	18.4	4.64	20.5
1960	18.56	5.75	31.0	8.58	46.2	5.39	29.1	3.19	17.1	4.23	22.8
1961	14.91	3.09	20.7	7.92	53.1	5.25	35.2	2.67	17.9	3.90	26.2
1962	14.90	2.89	19.4	7.95	53.3	5.11	34.3	2.84	19.0	4.06	27.3
1963	16.49	3.99	24.2	8.48	51.4	5.00	30.3	3.48	21.1	4.02	24.4
1964	19.16	5.37	28.0	9.11	47.6	4.76	24.8	4.35	22.8	4.68	24.4
1965	22.28	7.37	33.1	9.69	43.5	4.49	20.1	5.20	23.4	5.22	23.4
1966	23.66	8.50	35.9	9.67	40.9	4.96	21.0	4.71	19.9	5.49	23.2
1967	21.35	8.39	39.3	8.48	39.7	4.49	21.0	3.99	18.7	4.48	21.0
1968	21.03	8.41	40.0	8.46	40.3	4.58	21.8	3.88	18.5	4.16	19.7
1969	22.04	8.24	37.4	9.08	41.2	4.89	22.2	4.19	19.0	4.72	21.4
1970	22.60	8.29	36.7	10.77	47.6	4.83	21.4	5.94	26.2	3.54	15.7
1971	26.36	9.55	36.2	11.86	45.0	5.27	20.0	6.59	25.0	4.95	18.8
1972	34.43	10.77	31.3	17.59	51.1	8.05	23.4	9.54	27.7	6.07	17.6
1973	58.19	20.80	35.8	28.27	48.6	13.26	22.8	15.01	25.8	9.12	15.6
1974	69.49	25.30	36.4	27.97	40.2	11.73	16.9	16.24	23.3	16.22	23.4
1975	72.64	21.50	29.6	30.38	41.8	12.97	17.9	17.41	23.9	20.76	28.6
1976	68.55	19.46	28.4	30.45	44.4	13.81	20.2	16.64	24.2	18.64	27.2
1977	75.90	20.96	27.6	34.92	46.0	15.21	20.0	19.71	26.0	20.02	26.4
1978	97.45	26.91	27.6	45.69	46.9	21.38	21.9	24.31	25.0	24.85	25.5
1979	136.58	31.57	23.1	61.44	45.0	28.76	21.1	32.68	23.9	43.57	31.9
1980	182.72	34.19	18.7	76.47	41.9	32.68	17.9	43.79	24.0	72.06	39.4
1981	208.93	36.81	17.6	81.56	39.0	34.92	16.7	46.64	22.3	90.56	43.4
1982	218.19	32.43	14.9	82.10	37.6	36.60	16.8	45.50	20.8	103.66	47.5
1983	221.97	35.29	15.9	91.29	41.1	41.79	18.8	49.50	22.3	95.39	43.0
1984	244.16	41.20	16.9	96.37	39.5	49.29	20.2	47.08	19.3	106.59	43.6
1985	259.15	45.32	17.5	103.02	39.7	51.04	19.7	51.98	20.0	110.81	42.8
1986	270.14	52.02	19.3	130.64	48.4	65.17	24.1	65.47	24.3	87.48	32.3
1987	347.11	58.78	16.9	171.81	49.5	81.98	23.6	89.83	25.9	116.52	33.6
1988	406.40	69.54	17.1	204.76	50.4	93.21	22.9	111.55	27.5	132.10	32.5
1989	434.40	66.11	15.2	229.97	52.9	107.84	24.8	122.13	28.1	138.32	31.9

1953-1989 年出口商品構成(3)

(按《國際貿易標準分類》劃分)　　　　金額單位: 億美元

年份	出口總額	初級產品		1. 食品		2. 飲料及煙草		3. 非食用原料		4. 礦物燃料		5. 動、植物油、脂及腊	
		金額	佔總額%	金額	佔總額%	金額	佔總額%	金額	佔總額%	金額	佔總額%	金額	佔總額%
1953	10.22	8.11	79.4	3.16	30.9	0.81	7.9	3.40	33.3	0.08	0.8	0.66	6.5
1957	15.97	10.15	63.6	4.35	27.2	0.62	3.9	4.51	28.3	0.18	1.1	0.49	3.1
1965	22.28	11.41	51.2	6.94	31.1	0.08	0.4	3.37	15.1	0.68	3.1	0.34	1.5
1966	23.66	14.27	60.3	8.11	34.3	0.11	0.4	4.97	21.0	0.68	2.9	0.40	1.7
1970	22.60	12.10	53.5	7.19	31.8	0.17	0.7	3.93	17.4	0.63	2.8	0.18	0.8
1975	72.64	40.98	56.4	20.65	28.4	0.71	1.0	8.14	11.2	10.93	15.0	0.55	0.8
1976	68.55	37.44	54.6	16.61	24.2	0.62	0.9	10.38	15.2	9.42	13.7	0.41	0.6
1977	75.90	40.65	53.6	17.97	23.7	0.71	0.9	10.88	14.3	10.68	14.1	0.41	0.6
1978	97.45	52.16	53.5	23.16	23.8	0.71	0.7	14.17	14.5	13.45	13.8	0.67	0.7
1979	136.58	73.15	53.6	27.01	19.8	0.86	0.6	18.04	13.2	26.54	19.5	0.70	0.5
1980	182.72	97.62	53.4	31.54	17.3	0.92	0.5	18.68	10.2	45.88	25.1	0.60	0.3
1981	208.93	103.60	49.6	30.71	14.7	0.85	0.4	20.62	9.9	50.54	24.2	0.88	0.4
1982	218.19	104.63	48.0	30.94	14.2	0.93	0.4	18.45	8.5	53.53	24.5	0.78	0.4
1983	221.97	102.65	46.2	32.24	14.5	1.16	0.5	21.04	9.5	47.01	21.2	1.20	0.5
1984	244.16	121.79	49.9	35.09	14.4	1.04	0.4	23.60	9.7	60.62	24.8	1.44	0.6
1985	259.15	140.34	54.2	40.27	15.6	1.60	0.6	23.82	9.2	73.34	28.3	1.31	0.5
1986	270.14	117.92	43.7	49.86	18.5	1.91	0.7	29.20	10.8	35.82	13.3	1.13	0.4
1987	347.11	134.52	38.8	50.54	14.6	2.48	0.7	31.98	9.2	48.34	13.9	1.18	0.4
1988	406.40	144.53	35.6	62.79	15.5	3.43	0.8	37.20	9.2	40.14	9.9	0.97	0.2
1989	434.40	150.86	34.7	63.07	14.5	3.90	0.9	36.95	8.5	46.15	10.6	0.79	0.2

1953-1989 年出口商品構成(3)

(按《國際貿易標準分類》劃分)

金額單位: 億美元

年份	工業制成品		1. 重化工業產品		(1)化學品及有關成品		(2)按原料分類的制成品		(3)機械及運輸設備		2. 輕紡工業產品	
	金額	佔總額%	金額	佔總額%	金額	佔總額%	金額	佔總額%	金額	佔總額%	金額	佔總額%
1953	2.11	20.6	0.85	8.3	0.07	0.7	0.78	7.6			1.26	12.3
1957	5.82	36.4	1.61	10.1	0.21	1.3	1.39	8.7	0.01	0.1	4.21	26.3
1965	10.87	48.8	3.96	17.8	0.53	2.4	1.77	7.9	1.66	7.5	6.91	31.0
1966	9.39	39.7	2.78	11.7	0.48	2.0	1.57	6.6	0.73	3.1	6.61	28.0
1970	10.50	46.5	2.89	12.8	0.67	2.9	1.53	6.8	0.69	3.1	7.61	33.7
1975	31.66	43.6	9.05	12.5	2.14	3.0	4.47	6.1	2.44	3.4	22.61	31.1
1976	31.11	45.4	8.08	11.8	1.98	2.9	3.72	5.4	2.38	3.5	23.03	33.6
1977	35.25	46.4	8.51	11.2	1.84	2.4	3.71	4.9	2.96	3.9	26.74	35.2
1978	45.29	46.5	10.10	10.4	2.34	2.4	4.44	4.6	3.32	3.4	35.19	36.1
1979	63.43	46.4	14.97	10.9	4.24	3.1	6.09	4.4	4.64	3.4	48.46	35.5
1980	85.10	46.6	23.57	12.9	6.30	3.4	8.76	4.8	8.51	4.7	61.53	33.7
1981	105.33	50.4	37.98	18.2	6.99	3.4	13.22	6.3	17.77	8.5	67.35	32.2
1982	113.56	52.0	49.11	22.5	6.24	2.8	11.53	5.3	31.34	14.4	64.45	29.5
1983	119.32	53.8	48.71	22.0	6.53	3.0	9.08	4.1	33.10	14.9	70.61	31.8
1984	122.37	50.1	46.99	19.2	7.72	3.2	8.15	3.3	31.12	12.7	75.38	30.9
1985	118.81	45.8	36.05	13.9	5.95	2.3	8.16	3.1	21.94	8.5	82.76	31.9
1986	152.22	56.3	55.29	20.4	8.28	3.0	10.80	4.0	36.21	13.4	96.93	35.9
1987	212.59	61.2	72.59	20.9	9.89	2.9	16.72	4.8	45.98	13.2	140.00	40.3
1988	261.87	64.4	99.70	24.5	13.23	3.3	28.29	7.0	58.18	14.3	162.17	39.9
1989	283.54	65.3	93.15	21.5	15.27	3.5	26.74	6.2	51.14	11.8	190.39	43.8

1953-1989年進口商品構成(1)

(按生產資料、生產資料劃分)　　　　金額單位：億美元

年份	進口總額	生產資料										生活資料	
		金額	比重(%)	機械設備		生產原料						金額	比重(%)
				金額	比重(%)	金額	比重(%)	其中：工業原料		農業生產用物資			
								金額	比重(%)	金額	比重(%)		
1953	13.46	12.40	92.1	7.62	56.6	4.78	35.5	4.53	33.7	0.25	1.8	1.06	7.9
1954	12.87	11.88	92.3	6.97	54.2	4.91	38.1	4.50	35.0	0.41	3.1	0.99	7.7
1955	17.33	16.26	93.8	10.88	62.8	5.38	31.0	4.82	27.8	0.56	3.2	1.07	6.2
1956	15.63	14.32	91.6	8.37	53.5	5.95	38.0	5.07	32.4	0.88	5.6	1.31	8.4
1957	15.06	13.85	92.0	7.90	52.5	5.95	39.5	5.21	34.6	0.74	4.9	1.21	8.0
1958	18.90	17.60	93.1	8.50	45.0	9.10	48.1	7.86	41.6	1.24	6.5	1.30	6.9
1959	21.20	20.30	95.7	11.20	52.8	9.10	42.9	8.10	38.2	1.00	4.7	0.90	4.3
1960	19.53	18.63	95.4	9.70	49.7	8.93	45.7	8.13	41.6	0.80	4.1	0.90	4.6
1961	14.45	8.95	61.9	3.30	22.8	5.65	39.1	4.98	34.5	0.67	4.6	5.50	38.1
1962	11.73	6.48	55.2	1.72	14.6	4.76	40.6	4.12	35.1	0.64	5.5	5.25	44.8
1963	12.66	7.09	56.0	1.22	9.6	5.87	46.4	4.76	37.6	1.11	8.8	5.57	44.0
1964	15.47	8.58	55.5	1.69	10.9	6.89	44.6	5.90	38.2	0.99	6.4	6.89	44.5
1965	20.17	13.42	66.5	3.58	17.6	9.84	48.9	8.08	40.1	1.76	8.8	6.75	33.5
1966	22.48	16.24	72.2	5.02	22.3	11.22	49.9	9.19	40.9	2.03	9.0	6.24	27.8
1967	20.20	15.36	76.0	4.06	20.1	11.30	55.9	9.29	46.0	2.01	9.9	4.84	24.0
1968	19.45	15.02	77.2	3.03	15.6	11.99	61.6	9.49	48.8	2.50	12.8	4.43	22.8
1969	18.25	15.04	82.4	2.17	11.9	12.87	70.5	10.43	57.2	2.44	13.3	3.21	17.6
1970	23.26	19.25	82.7	3.69	15.8	15.56	66.9	13.36	57.4	2.20	9.5	4.01	17.3
1971	22.05	18.51	83.9	4.84	21.9	13.67	62.0	11.63	52.8	2.04	9.2	3.54	16.1
1972	28.58	22.70	79.4	5.57	19.5	17.13	59.9	14.62	51.1	2.51	8.8	5.88	20.6
1973	51.57	39.40	76.4	7.88	15.3	31.52	61.1	28.26	54.8	3.26	6.3	12.17	23.6
1974	76.19	57.65	75.7	15.85	20.8	41.80	54.9	37.95	49.8	3.85	5.1	18.54	24.3
1975	74.87	63.93	85.4	24.06	32.1	39.87	53.3	34.17	45.7	5.70	7.6	10.94	14.6
1976	65.78	57.11	86.8	20.37	30.9	36.74	55.9	32.99	50.2	3.75	5.7	8.67	13.2
1977	72.14	54.92	76.1	12.77	17.7	42.15	58.4	37.23	51.6	4.92	6.8	17.22	23.9
1978	108.93	88.64	81.4	19.03	17.5	69.61	63.9	62.72	57.6	6.89	6.3	20.29	18.6
1979	156.75	127.47	81.3	39.57	25.2	87.90	56.1	78.67	50.2	9.23	5.9	29.28	18.7
1980	195.50	154.20	78.9	53.75	27.5	100.45	51.4	86.20	44.1	14.25	7.3	41.30	21.1
1981	194.82	141.83	72.8	51.05	26.2	90.78	46.6	76.69	39.4	14.09	7.2	52.99	27.2
1982	174.78	123.72	70.8	33.94	19.4	89.78	51.4	75.96	43.5	13.82	7.9	51.06	29.2
1983	185.30	145.75	78.7	32.54	17.6	113.21	61.1	95.37	51.5	17.84	9.6	39.55	21.3
1984	253.56	205.44	81.0	51.96	20.5	153.48	60.5	132.61	52.3	20.87	8.2	48.12	19.0
1985	343.31	284.39	82.8	109.65	31.9	174.74	50.9	159.83	46.6	14.91	4.3	58.92	17.2
1986	330.83	284.75	86.1	122.92	37.2	161.83	48.9	152.74	46.2	9.09	2.7	46.08	13.9
1987	333.99	266.53	79.8	108.03	32.3	158.50	47.5	142.66	42.7	15.84	4.8	67.46	20.2
1988	398.50	316.29	79.4	108.18	27.2	208.11	52.2	181.82	45.6	26.29	6.6	82.21	20.6
1989	391.43	315.36	80.6	120.72	30.8	194.64	49.8	167.01	42.7	27.63	7.1	76.07	19.4

1984-1989年進口商品構成(2)

(按《國際貿易標準分類》劃分)　　金額單位: 億美元

項　目	1984		1985		1986		1987		1988		1989	
	金額	佔總額%	金額	佔總額%	金額	佔總額%	金額	佔總額%	金額	佔總額%	金額	佔總額%
進口總額	253.56	100.0	343.31	100.0	330.83	100.0	333.99	100.0	398.50	100.0	391.43	100.0
初級產品	56.76	22.4	58.59	17.1	49.28	14.9	70.92	21.2	80.88	20.3	101.34	25.9
1. 食品	20.42	8.1	15.63	4.6	16.36	5.0	23.14	6.9	32.73	8.2	38.67	9.9
2. 飲料及煙草	0.45	0.2	1.69	0.5	1.49	0.4	2.04	0.6	2.59	0.7	0.96	0.2
3. 非食用原料	33.95	13.4	37.58	11.0	25.27	7.6	36.03	10.8	36.51	9.2	44.96	11.5
4. 礦物燃料	1.14	0.4	2.57	0.7	4.62	1.4	6.48	1.9	6.09	1.5	10.01	2.6
5. 動植物油脂及臘	0.80	0.3	1.12	0.3	1.54	0.5	3.23	1.0	2.96	0.7	6.74	1.7
工業制成品	196.80	77.6	284.72	82.9	281.55	85.1	263.07	78.8	317.62	79.7	290.09	74.1
1. 重化工業產品	176.66	69.7	251.43	73.2	238.73	72.2	220.44	66.0	259.26	65.1	273.39	69.8
(1)化學品及有關產品	43.89	17.3	38.33	11.1	31.37	9.5	42.22	12.6	77.75	19.5	60.23	15.4
(2)按原料分類制成品	70.22	27.7	88.48	25.8	81.45	24.6	59.46	17.8	57.07	14.3	83.01	21.2
(3)機械及運輸設備	62.55	24.7	124.62	36.3	125.91	38.1	118.76	35.6	124.44	31.3	130.15	33.2
2. 輕紡工業產品	20.14	7.9	33.29	9.7	42.82	12.9	42.63	12.8	58.36	14.6	16.70	4.3

1978, 1987-1989 年中國對外貿易按不同類型國家和地區分組情況

金額單位: 億美元

國家、地區	1978			1987			1988			1989		
	總額	出口額	進口額	總額	出口額	進口額	總額	出口額	進口額	總額	出口額	進口額
總額	206.38	97.45	108.93	681.10	347.11	333.99	804.90	406.40	398.50	825.83	434.40	391.43
一、發展中國家和地區	34.09	19.08	15.01	92.39	61.12	31.27	106.14	63.27	42.87	103.79	59.03	44.76
佔總額%	16.52	19.58	13.78	13.56	17.61	9.36	13.19	15.57	10.76	12.57	13.59	11.43
二、工業發達國家	115.45	36.44	79.01	341.06	138.31	202.75	382.78	161.64	221.14	395.81	175.93	219.88
佔總額%	55.94	37.39	72.53	50.07	39.85	60.71	47.56	39.77	55.49	47.93	40.50	56.17
三、中央計劃經濟國家	29.05	14.89	14.16	62.83	31.14	31.69	73.95	35.56	38.39	78.75	38.92	39.83
佔總額%	14.10	15.28	13.00	9.22	8.97	9.49	9.19	8.76	9.63	9.50	8.96	10.18
四、香港、澳門地區	27.42	26.67	0.75	170.97	104.44	66.53	226.09	132.10	93.99	227.48	146.10	81.38
佔總額%	13.29	27.37	0.69	25.10	30.09	19.92	28.09	32.50	23.58	27.55	33.63	20.79
香港	27.42	25.32	0.75	166.25	100.62	65.63	220.72	128.57	92.15	222.32	142.67	79.65
澳門		1.35		4.72	3.82	0.90	5.37	3.52	1.85	5.16	3.43	1.73

1989年中國對外貿易分國家、地區總值

金額單位: 萬美元

國家、地區	1989			1988		
	總額	出口	進口	總額	出口	進口
總額	8,258,231	4,343,970	3,914,261	8,048,932	4,063,952	3,984,980
亞洲	4,575,564	2,801,244	1,774,320	4,565,654	2,604,105	1,961,549
其中:						
香港	2,223,243	1,426,684	796,559	2,207,238	1,285,734	921,504
澳門	51,577	34,308	17,269	53,693	35,238	18,455
阿富汗	622	622		710	670	40
巴林	1,224	1,224		912	912	
孟加拉國	20,672	18,278	2,394	11,668	9,868	1,800
文萊	303	303		262	262	
緬甸	28,740	18,427	10,313	25,562	14,083	11,479
塞浦路斯	1,572	1,111	461	2,041	1,060	981
印度	14,806	11,065	3,741	10,796	8,471	2,325
印度尼西亞	44,188	14,188	30,000	52,270	17,045	35,225
伊朗	13,092	9,171	3,921	16,444	8,857	7,587
伊拉克	10,765	7,377	3,388	6,757	6,757	
日本	1,466,336	814,725	651,611	1,462,621	728,716	733,905
約旦	34,217	31,191	3,026	102,629	98,884	3,745
朝鮮民主主義人民共和國	45,746	25,497	20,249	47,665	24,426	23,239
科威特	20,911	14,278	6,633	23,443	13,767	9,676
黎巴嫩	3,006	2,576	430	2,728	2,728	
馬來西亞	56,015	30,648	25,367	52,874	25,939	26,935
馬爾代夫	25	25		8	8	
蒙古	2,864	2,019	845	2,127	1,412	715
尼泊爾	2,937	2,367	570	1,686	1,470	216
阿曼	13,909	796	13,113	695	695	
巴基斯坦	68,032	50,861	17,171	46,901	40,464	6,437
菲律賓	20,700	17,626	3,074	26,376	19,985	6,391
卡塔爾	457	453	4	764	669	95
沙特阿拉伯	21,418	15,831	5,587	29,615	17,141	12,474
新加坡	204,423	148,010	56,413	167,989	125,532	42,457
斯里蘭卡	6,078	5,830	248	8,486	6,147	2,339
叙利亞	15,813	15,657	156	37,204	36,797	407
泰國	88,408	40,647	47,761	82,051	39,399	42,652
土耳其	17,079	4,654	12,425	19,435	7,363	12,072

1989年中國對外貿易分國家、地區總值

金額單位: 萬美元

國家、地區	1989			1988		
	總額	出口	進口	總額	出口	進口
阿拉伯聯合酋長國	30,602	23,642	6,960	19,157	16,093	3,064
阿拉伯也門共和國	2,410	2,410		2,283	2,283	
也門民主人民共和國	2,116	2,116		3,435	3,435	
非洲	95,061	63,529	31,532	102,154	80,082	22,072
其中:						
阿爾及利亞	3,788	3,694	94	1,710	1,573	137
安哥拉	85	84	1	33	33	
貝寧	1,363	623	740	905	893	12
博茨瓦納	84	70	14	94	39	55
布基納法索	1,068	93	975	79	79	
布隆迪	322	166	156	210	210	
喀麥隆	2,377	171	2,206	651	197	454
加那利羣島	984	984		1,097	1,097	
中非	49	49		1	1	
休達	136	136		153	153	
乍得	161	161		32	32	
科摩羅	5	5		13	13	
剛果	136	136		99	99	
吉布提	716	716		784	784	
埃及	7,390	6,661	729	16,459	15,736	723
埃塞俄比亞	644	404	240	594	567	27
加蓬	486	108	378	738	228	510
岡比亞	1,128	1,128		760	760	
加納	1,105	915	190	1,095	1,064	31
幾內亞	174	174		129	129	
幾內亞(比紹)	46	46		50	50	
科特迪瓦	1,224	713	511	1,147	1,129	18
肯尼亞	2,178	1,718	460	2,186	1,748	438
萊索托	51	51		62	40	22
利比里亞	4,427	4,089	338	8,759	3,493	5,266
利比亞	5,518	4,251	1,267	7,290	6,180	1,110
馬達加斯加	572	572		461	461	
馬里	521	311	210	361	155	206
毛里塔尼亞	911	911		1,603	1,603	

1989年中國對外貿易分國家、地區總值

金額單位:萬美元

國家、地區	1989			1988		
	總額	出口	進口	總額	出口	進口
毛里求斯	2,546	2,546		2,717	1,622	1,095
摩洛哥	13,823	7,075	6,748	9,678	6,563	3,115
莫桑比克	1,264	318	946	511	305	206
尼日爾	376	376		561	561	
尼日利亞	2,019	1,720	299	1,623	1,262	361
留尼汪	347	347		327	327	
盧旺達	380	380		634	532	102
塞內加爾	1,317	1,109	208	1,038	1,038	
塞舌爾	49	49		71	71	
塞拉利昂	250	250		140	140	
索馬里	1,413	1,366	47	1,489	1,334	155
蘇丹	6,594	2,133	4,461	4,827	3,357	1,470
坦桑尼亞	750	750		848	848	
多哥	1,174	1,174		1,559	1,559	
突尼斯	4,579	1,937	2,642	5,241	2,675	2,566
烏干達	791	791		1,495	1,495	
扎伊爾	9,971	9,971		16,746	16,627	119
贊比亞	308	308		236	236	
津巴布韋	9,279	1,690	7,589	4,621	852	3,769
歐洲	1,916,579	830,781	1,085,798	1,840,950	803,823	1,037,127
其中:						
阿爾巴尼亞	4,352	2,422	1,930	4,420	2,888	1,532
安道爾	46	46		35	35	
奧地利	26,087	3,286	22,801	21,393	3,277	18,116
比利時	36,561	18,487	18,074	37,467	20,065	17,402
保加利亞	13,316	5,303	8,013	12,195	4,244	7,951
捷克斯洛伐克	82,337	39,479	42,858	86,426	37,757	48,669
丹麥	15,611	8,979	6,632	20,081	11,922	8,159
芬蘭	12,920	6,484	6,436	18,741	6,952	11,789
法國	176,960	51,380	125,580	129,391	48,937	80,454
德意志民主共和國	68,215	33,458	34,757	68,249	31,660	36,589
德意志聯邦共和國	398,945	152,056	246,889	419,856	142,261	277,595
直布羅陀	1,137	1,137		1,089	1,089	
希臘	8,162	4,464	3,698	7,606	4,077	3,529

1989年中國對外貿易分國家、地區總值

金額單位：萬美元

國家、地區	1989			1988		
	總額	出口	進口	總額	出口	進口
匈牙利	19,956	8,882	11,074	30,174	14,074	16,100
冰島	48	48		79	79	
愛爾蘭	1,535	986	549	1,845	1,144	701
意大利	169,406	65,463	103,943	160,317	63,858	96,459
列支敦士登	87	83	4	50	50	
盧森堡	2,339	91	2,248	2,372	151	2,221
馬耳他	361	361		811	379	432
摩納哥	7	7		5	5	
荷蘭	63,274	48,989	14,285	69,508	48,179	21,329
挪威	18,631	3,675	14,956	17,669	7,379	10,290
波蘭	64,827	36,170	28,657	66,078	33,718	32,360
葡萄牙	1,573	1,520	53	3,174	2,164	1,010
羅馬尼亞	61,159	32,118	29,041	71,314	33,296	38,018
西班牙	27,862	12,124	15,738	27,947	10,625	17,322
瑞典	41,213	13,040	28,173	33,516	11,253	22,263
瑞士	77,599	31,523	46,076	88,339	34,747	53,592
蘇聯	367,725	176,063	191,662	290,151	149,507	140,644
英國	144,413	70,181	74,232	139,876	74,605	65,271
南斯拉夫	9,908	2,468	7,440	10,771	3,441	7,330
拉丁美洲	199,474	50,153	149,321	211,288	39,604	171,684
其中:						
阿根廷	39,432	691	38,741	36,505	772	35,733
阿魯巴	122	122		52	52	
巴哈馬	35	35		48	48	
巴巴多斯	61	61		30	30	
伯利茲	34	34		367	26	341
玻利維亞	444	444		379	379	
巴西	58,979	7,798	51,181	61,347	6,055	55,292
智利	16,072	5,548	10,524	14,681	5,153	9,528
哥倫比亞	718	186	532	2,631	116	2,515
多米尼加聯邦	34	34		36	36	
哥斯達黎加	147	147		241	166	75
古巴	47,179	25,369	21,810	49,923	19,193	30,730
庫拉索	58	58		79	79	

1989年中國對外貿易分國家、地區總值

金額單位: 萬美元

國家、地區	1989			1988		
	總額	出口	進口	總額	出口	進口
多米尼加共和國	191	191		156	156	
厄瓜多爾	925	525	400	406	263	143
薩爾瓦多	167	167		206	206	
格林那達	3	3		4	4	
危地馬拉	322	263	59	1,270	213	1,057
圭亞那	14	14		11	11	
洪都拉斯	314	314		275	275	
牙買加	111	111		95	95	
墨西哥	7,481	2,204	5,277	11,624	1,424	10,200
尼加拉瓜	1	1		115	115	
巴拿馬	8,159	2,053	6,106	2,920	1,386	1,534
巴拉圭	2,029	439	1,590	464	464	
秘魯	7,270	2,155	5,115	11,461	856	10,605
波多黎各	150	150		174	174	
聖盧西亞	6	6		11	11	
蘇里南	106	106		52	49	3
特立尼達和多巴哥	144	144		186	186	
烏拉圭	8,232	246	7,986	12,890	172	12,718
委內瑞拉	484	484		2,616	1,406	1,210
北美洲	1,118,429	424,041	694,388	1,008,743	358,339	650,404
加拿大	119,496	37,264	82,232	182,554	37,343	145,211
美國	998,933	386,777	612,156	826,189	320,996	505,193
大洋洲及太平洋島嶼	179,788	43,973	135,815	160,814	39,735	121,079
其中:						
澳大利亞	155,568	38,321	117,247	118,707	34,440	84,267
斐濟	1,113	914	199	1,934	650	1,284
新喀里多尼亞羣島	408	7	401	183	11	172
新西蘭	21,197	3,394	17,803	38,613	3,296	35,317
巴布亞新幾內亞	1,143	978	165	1,111	1,072	39
所羅門羣島	96	96		44	44	
湯加	8	8		6	6	
瓦努阿圖	76	76		71	71	
基里巴斯	31	31		14	14	

1989年各省、自治區、直轄市出口總值

金額單位: 萬美元

地　區	1989	1988
總額	4,343,970	4,063,952
其中:		
北京市	113,346	99,912
天津市	168,541	170,263
河北省	159,643	153,398
山西省	39,886	34,510
內蒙古自治區	33,346	30,966
遼寧省	437,328	379,819
吉林省	66,880	51,359
黑龍江省	101,833	93,688
上海市	501,683	457,580
江蘇省	238,308	227,650
浙江省	176,696	156,009
安徽省	55,187	53,784
福建省	164,129	136,221
江西省	51,677	48,878
山東省	304,564	298,150
河南省	80,783	75,745
湖北省	101,106	117,501
湖南省	66,083	63,786
廣東省	839,339	778,382
廣西自治區	58,512	54,156
海南省	34,275	28,607
四川省	94,357	84,974
貴州省	13,186	11,340
雲南省	53,740	46,706
西藏自治區	1,334	1,054
陝西省	38,104	31,079
甘肅省	14,979	15,054
青海省	5,663	4,287
寧夏自治區	5,874	7,863
新疆自治區	34,516	29,423

1989年出口商品按金額分組情況

金額單位: 萬美元

品　　名	1989	1988
出口總值	**4,343,970**	**4,063,952**
十億美元以上商品	697,500	638,311
原　油	295,871	263,831
服　裝	258,126	237,004
棉　布	143,503	137,476
一億到十億美元商品	1,975,612	1,904,394
棉針織品	85,457	69,531
成品油	80,554	63,342
飼　料	78,186	94,036
抽　紗	70,885	68,692
棉滌綸布	70,208	63,527
綢　緞	68,815	61,917
棉織品	63,218	57,030
家用電器	56,351	50,846
煤	55,943	54,927
桑蠶絲	46,337	32,286
棉　花	45,379	74,595
醫藥原料	44,958	42,839
玉　米	44,457	35,317
地　毯	42,330	35,344
茶　葉	40,193	39,019
棉　紗	40,089	47,965
凍對蝦	39,922	38,514
彩色電視機	37,864	45,274
電訊設備	36,003	23,300
黃大豆	34,914	37,933

1989年出口商品按金額分組情況

金額單位：萬美元

品名	1989	1988
蔬菜罐頭	32,135	30,978
毛針織品	29,704	32,390
耐火材料	29,469	22,313
工　具	29,293	23,647
鋼　材	28,903	20,656
小五金	28,706	24,458
生　藥	26,851	26,153
陶瓷類	25,857	22,522
鐵合金	25,045	31,275
玩　具	23,528	26,758
活大豬	22,781	22,112
皮　件	22,091	19,096
羽絨製品	21,924	20,835
體育用品	21,053	17,086
各種工藝鞋	20,963	17,918
紙張紙漿	20,942	20,970
金屬切削機床	19,787	11,226
小成套設備	19,732	14,779
日用五金、百貨	19,080	16,086
皮　鞋	18,868	11,657
卷　煙	18,601	15,045
造　船	17,814	21,645
草製品	17,376	16,502
自行車	17,219	9,825
布膠鞋	16,126	11,682
首　飾	15,265	18,946

1989年出口商品按金額分組情况

金額單位：萬美元

品　　名	1989	1988
木　　材	15,170	13,629
各種染料	14,918	11,470
收錄兩用機	14,879	9,302
豬肉罐頭	14,865	14,366
雜　　豆	14,520	13,716
鵝鴨絨毛	14,402	10,312
凍 豬 肉	14,110	10,647
棉滌綸紗	13,842	12,800
腌 製 菜	13,787	11,096
人造革、塑料箱包	13,525	17,779
建築材料	13,251	9,295
砂　　糖	12,625	9,940
滾動軸承	12,556	9,013
家 具 類	12,198	11,626
呢　　絨	12,062	11,365
兔　　毛	11,894	14,917
鞭炮煙花	11,888	11,439
焦　　炭	11,480	6,511
滌棉針織品	10,523	9,906
顔　　料	10,486	8,982
人造棉布	10,412	7,996
大　　米	10,395	18,463
絲 製 品	10,360	8,168
凍 牛 肉	10,288	11,019
五千萬到一億美元商品	527,174	479,739
羧酸化工品	9,800	9,497

1989年出口商品按金額分組情況

金額單位: 萬美元

品　　名	1989	1988
松　香	9,744	10,163
輪　胎	9,534	7,743
滌棉織品	9,486	9,163
工藝玩具	9,251	8,579
硅	9,213	13,216
豬　鬃	9,122	10,379
酒　類	9,091	8,937
文教用品	8,991	9,186
醇、醛化工品	8,982	5,888
中成藥	8,946	8,848
集裝箱	8,904	6,383
羊　絨	8,834	8,085
花生製品	8,773	8,507
黑鎢砂	8,693	9,275
棉型腈綸針織品	8,460	8,953
無毛絨	8,449	7,406
醫用敷料	8,413	7,055
黑白電視機	8,312	6,633
生　鐵	8,055	22,956
塑料編織袋	8,050	11,333
漫步鞋	7,873	7,850
鱗片石墨	7,872	4,279
重燒鎂	7,738	7,470
錫	7,687	7,345

1989年出口商品按金額分組情況

金額單位：萬美元

品　名	1989	1988
礬　土	7,582	6,194
凍貝肉	7,562	4,489
棉麻混紡紗	7,454	6,033
清潔用品	7,454	4,820
活家禽	7,401	8,984
金屬器皿	7,174	6,189
革皮服裝	7,157	6,512
錫礦砂	7,133	5,798
農藥類	7,056	5,946
發電設備	6,851	730
凍家禽	6,846	5,748
汽車零件	6,805	4,660
石　蠟	6,742	5,235
豬腸衣	6,558	7,642
各種傘及傘零件	6,507	4,602
牛肉罐頭	6,462	6,329
保溫瓶	6,440	5,842
紙製品	6,379	5,270
平板玻璃	6,354	2,171
醫療器械	6,353	5,689
栗　子	6,320	5,880
竹製品	6,296	5,498
鎖　類	6,242	6,223
起重機械	6,226	3,807
鑄鐵製品	6,160	4,542
凍　魚	6,150	4,666

1989年出口商品按金額分組情況

金額單位：萬美元

品　　名	1989	1988
汽　車	6,115	5,307
鐵　絲	6,076	6,234
高　粱	6,036	2,249
鑽　石	5,929	4,982
米、麵、豆製品	5,922	5,084
活　牛	5,920	6,124
仲鎢酸銨	5,899	5,270
滌虎混紡布	5,815	5,332
裘皮服裝	5,654	6,175
桑絹絲	5,584	5,823
各種人造花	5,551	5,495
人造棉紗	5,461	4,643
銻	5,444	6,233
飲　料	5,419	5,821
半導體收音機	5,381	2,243
內燃機	5,354	2,750
蜂　蜜	5,316	4,010
烤　煙	5,311	4,051
紡織機械	5,287	2,934
水果罐頭	5,247	6,138
照像機及電影器材	5,181	4,563
柳製品	5,122	5,471
薄荷腦	5,115	3,417
塑料拖鞋	5,098	4,356
其它商品	1,143,684	1,041,508

1989年出口主要商品數量金額

金額單位: 萬美元

品　名	單　位	1989		1988	
		數量	金額	數量	金額
出口總額	金額		4,343,970		4,063,952
糧食	公噸	6,220,517	116,899	6,542,342	111,795
大米	公噸	339,209	10,395	704,928	18,463
小麥	公噸	942	14	2,794	38
玉米	公噸	3,496,714	44,457	3,521,505	35,317
高粱	公噸	589,794	6,036	229,117	2,249
雜糧	公噸	109,380	2,668	111,209	2,052
小米	公噸	230	5	126	3
蕎麥	公噸	79,159	2,120	65,959	1,392
谷子	公噸	18,071	275	18,234	234
谷穗	公噸	2,122	128	1,633	87
其它雜糧	公噸	9,798	140	25,257	336
大豆	公噸	1,170,513	34,914	1,458,515	37,933
雜豆	公噸	378,169	14,520	425,374	13,716
蠶豆	公噸	74,676	1,776	89,730	1,984
青豆	公噸	998	39	1,359	43
黑大豆	公噸	29,704	691	47,679	1,114
豌豆	公噸	18,723	411	28,186	523
綠豆	公噸	78,811	3,311	111,406	4,178
紅小豆	公噸	36,742	2,644	43,932	2,264
豇豆	公噸	1,095	51	346	13
芸豆	公噸	105,349	4,606	68,963	2,776
扁豆	公噸	12,069	339	15,600	319
竹豆	公噸	289	8	498	10
其它雜豆	公噸	19,713	644	17,675	492
轉口糧食	公噸	135,796	3,896	88,900	2,027

1989年出口主要商品數量金額

金額單位：萬美元

品名	單位	1989		1988	
		數量	金額	數量	金額
大米	公噸	135,296	3,888	70,000	1,873
小麥	公噸	500	8	18,900	154
食用植物油	公噸	57,120	4,056	82,801	4,818
花生油	公噸	20,399	1,812	58,557	3,489
豆油	公噸	10,495	487	598	41
棉油	公噸	—	—	509	24
菜油	公噸	22,142	1,353	14,295	685
茶油	公噸	616	56	496	45
芝蔴油	公噸	1,461	238	855	101
玉米油	公噸	704	44	2,049	105
葵花籽油	公噸	44	4	3,393	222
其它食用油	公噸	1,259	62	2,049	106
食用油籽	公噸	381,841	23,040	528,369	25,843
花生仁	公噸	205,586	14,301	213,363	13,768
花生果	公噸	47,236	3,096	46,772	3,183
芝蔴	公噸	48,825	3,542	122,136	6,155
葵花籽	公噸	19,959	544	20,194	496
大蔴籽	公噸	5,326	168	7,416	223
芥菜籽	公噸	3,100	97	5,817	198
油菜籽	公噸	16,284	446	40,320	939
棉籽	公噸	27,897	322	71,469	829
其它食用油籽	公噸	7,628	524	882	52
工業用油	公噸	43,869	3,635	50,380	4,754
桐油	公噸	23,976	1,992	28,303	2,792
蓖蔴油	公噸	19,615	1,594	21,836	1,828
工業用油籽	公噸	41,353	1,690	103,823	3,155

1989年出口主要商品數量金額

金額單位：萬美元

品名	單位	1989		1988	
		數量	金額	數量	金額
蓖麻籽	公噸	40,592	1,650	92,003	2,832
蘇籽	公噸	113	7	115	7
活畜禽	金額		39,321		40,645
活豬	頭	2,264,656	22,781	2,365,199	22,112
中豬	頭	385,914	1,668	362,552	1,624
乳豬	頭	258,997	297	244,661	298
活牛	頭	171,440	5,920	188,852	6,139
活羊	頭	41,678	129	89,793	342
活家禽	萬隻	3,113	7,401	4,252	8,983
活雞	萬隻	2,366	5,054	3,355	6,464
活鴨	萬隻	163	305	245	376
活鵝	萬隻	238	1,277	303	1,341
活塡鴨	萬隻	304	724	347	798
其它活動物	金額		1,124		1,147
活鴿	萬隻	582	594	618	613
活蛇	萬條	31	94	30	78
肉食類	金額		42,179		38,878
凍豬肉	公噸	80,912	14,110	58,547	10,648
凍牛肉	公噸	55,847	10,288	54,693	11,019
凍綿羊肉	公噸	785	134	1,491	183
凍山羊肉	公噸	1,527	207	2,019	320
凍家兔肉	公噸	21,056	3,584	19,897	3,870
其它凍肉	公噸	9,983	2,079	9,393	2,024
凍家禽	公噸	39,473	6,846	36,842	5,747
凍全雞	公噸	1,836	323	1,408	191
凍分割雞	公噸	31,730	5,480	30,099	4,839

1989年出口主要商品數量金額

金額單位：萬美元

品名	單位	1989		1988	
		數量	金額	數量	金額
凍鴨	公噸	2,054	308	1,139	166
凍鵝	公噸	737	120	839	112
凍塡鴨	公噸	2,952	563	3,357	439
臘板鴨	公噸	1,030	325	1,879	199
豬肉製品	公噸	8,804	2,149	16,975	2,051
咸、臘肉	公噸	552	136	674	147
火腿	公噸	1,306	645	1,456	565
其它豬肉製品	公噸	6,946	1,368	11,555	697
豬副產品	公噸	2,176	275	3,457	477
野禽野味	金額		1,710		1,505
蛋品	金額		3,995		5,536
鮮蛋	公噸	32,264	2,595	48,791	3,968
雞蛋	公噸	29,232	2,337	45,238	3,654
鴨蛋	公噸	3,032	259	3,553	314
冰蛋	公噸	2,073	157	2,047	165
乾蛋	公噸	181	51	232	79
再製蛋	萬枚	25,567	1,191	17,785	1,324
皮蛋	萬枚	6,296	576	5,632	537
咸蛋	萬枚	9,271	615	12,153	787
水產品	公噸	266,582	89,879	275,307	81,016
活塘魚	公噸	27,222	4,379	30,911	4,941
淡水活雜魚	公噸	7,223	1,756	8,078	1,810
活鰻魚	公噸	11,451	2,513	4,113	2,907
活海魚	公噸	1,454	546	815	403
活鰻魚苗	公噸	18	1,138	13	2,713
冰鮮魚	公噸	15,356	3,648	11,699	1,935

1989年出口主要商品數量金額

金額單位：萬美元

品名	單位	1989 數量	1989 金額	1988 數量	1988 金額
凍魚	公噸	22,768	6,150	19,531	4,666
凍魚片	公噸	3,576	859	3,061	503
凍對蝦	公噸	61,939	39,922	58,276	38,513
冰鮮蝦	公噸	5,187	2,085	8,882	3,822
凍小蝦	公噸	703	203	776	200
凍蝦仁球	公噸	6,096	3,604	3,899	2,021
凍小蝦仁	公噸	8,754	3,698	5,385	2,278
凍貝肉	公噸	22,369	7,562	25,184	4,489
活貝	公噸	43,299	3,813	68,515	3,183
海蜇皮	公噸	4,501	1,958	2,663	1,743
乾咸魚	公噸	823	359	476	208
鯡魚籽	公噸	7	12	128	64
海味品	公噸	3,569	1,489	3,495	1,017
水果	公噸	237,014	10,192	308,006	12,468
蘋果	公噸	71,322	3,090	94,587	3,953
桔、柑、橙	公噸	63,500	3,015	82,635	3,923
柚子	公噸	2,371	108	3,373	107
梨	公噸	57,568	2,136	70,912	2,533
香蕉	公噸	3,043	68	6,658	69
甘蔗	公噸	1,849	16	3,975	24
荔枝	公噸	3,050	500	3,031	435
荸薺	公噸	2,837	103	4,661	161
葡萄	公噸	354	19	493	16
李子	公噸	356	6	474	13
桃子	公噸	503	28	624	25
柿子	公噸	54	2	166	4

1989 年出口主要商品數量金額

金額單位：萬美元

品名	單位	1989		1988	
		數量	金額	數量	金額
哈蜜瓜	公噸	7,481	407	7,357	398
西瓜	公噸	15,823	369	22,599	531
速凍水果	公噸	1,370	143	1,369	126
果乾果脯類	公噸	71,581	10,682	73,108	10,696
栗子	公噸	38,062	6,320	33,935	5,881
葡萄乾	公噸	450	78	458	53
荔枝乾	公噸	45	14	22	9
杏乾	公噸	434	35	535	40
柿餅	公噸	4,046	621	6,362	945
蜜餞	公噸	7,364	804	6,426	585
蜜棗	公噸	2,314	258	2,868	306
桂元肉	公噸	423	286	143	148
欖製品	公噸	2,747	275	3,457	336
梅製品	公噸	2,385	356	1,720	226
李製品	公噸	1,828	189	2,460	229
杏脯	公噸	549	118	556	94
蘋果脯	公噸	1,196	205	1,209	204
乾果及製品	金額		13,652		13,554
核桃	公噸	7,708	759	8,220	790
桃仁	公噸	8,378	1,984	8,163	1,866
苦杏仁	公噸	6,293	714	5,582	634
甜杏仁	公噸	191	71	144	40
黑瓜子	公噸	5,228	511	7,452	614
白瓜子	公噸	6,824	863	8,753	751
紅瓜子	公噸	1,189	169	1,255	178
蓮子	公噸	2,256	701	2,916	870

1989年出口主要商品數量金額

金額單位：萬美元

品名	單位	1989		1988	
		數量	金額	數量	金額
松子仁	公噸	3,753	1,685	2,755	887
腰果仁	公噸	2,190	887	2,186	1,128
白果	公噸	3,154	986	2,990	1,246
紅棗	公噸	5,592	498	5,057	481
烏棗	公噸	1,619	185	1,417	152
糖棗	公噸	921	114	723	81
芡實	公噸	451	53	598	88
苡米	公噸	1,204	102	553	40
山桃仁	公噸	200	56	1,016	278
脫皮杏仁	公噸	306	63	193	34
百合乾	公噸	390	103	542	112
芋角	公噸	1,056	112	794	70
蔬菜	公噸	749,082	38,053	715,112	34,933
土豆	公噸	76,723	1,003	71,481	936
洋葱	公噸	5,834	108	4,403	83
蘿蔔	公噸	10,238	283	13,062	305
鮮姜	公噸	2,223	93	1,671	77
芋頭	公噸	6,392	224	7,584	312
粉葛	公噸	4,595	147	4,710	176
蓮藕	公噸	7,105	276	7,335	291
菜心	公噸	22,679	601	21,956	552
白菜	公噸	11,522	302	15,310	369
椰菜	公噸	11,145	205	14,804	249
蕃茄	公噸	7,707	280	5,047	143
鮮筍	公噸	3,788	257	1,868	223
大頭菜	公噸	1,272	39	1,053	38

1989年出口主要商品數量金額

金額單位：萬美元

品名	單位	1989		1988	
		數量	金額	數量	金額
豆角	公噸	5,516	156	5,099	150
瓜類	公噸	42,732	1,032	42,158	980
大蒜	公噸	94,556	3,935	99,867	3,982
薇菜乾	公噸	2,208	1,480	3,435	2,312
筍乾、絲	公噸	496	153	440	144
水煮筍	公噸	57,133	4,011	59,771	4,753
蘿蔔乾	公噸	4,307	166	4,048	137
咸蕎頭	公噸	6,681	512	6,473	575
咸蕨菜	公噸	9,299	655	6,943	344
咸水蘑菇	公噸	35,467	4,399	26,987	3,186
冬菜	公噸	2,774	195	2,608	161
速凍蔬菜	公噸	45,950	3,979	36,914	2,999
乾菜及製品	金額		15,504		12,934
黑木耳	公噸	1,246	956	1,239	1,063
金針菜	公噸	1,443	164	1,316	142
榨菜	公噸	6,439	211	8,391	351
髮菜	公噸	57	199	51	161
山野菜	公噸	3,057	297	1,437	152
梅菜	公噸	2,428	83	2,639	83
香菇	公噸	4,442	2,074	3,545	2,848
蘑菇	公噸	849	105	911	162
辣椒乾	公噸	31,896	3,847	25,921	2,378
椒粉	公噸	3,729	375	2,589	238
脫水蔬菜	公噸	22,176	4,001	23,271	3,068
罐頭	公噸	532,525	63,187	562,644	62,443
豬肉罐頭	公噸	85,327	14,865	81,486	14,367

1989年出口主要商品數量金額

金額單位：萬美元

品名	單位	1989		1988	
		數量	金額	數量	金額
牛肉罐頭	公噸	31,712	6,462	28,205	6,329
羊肉罐頭	公噸	748	142	479	92
家禽罐頭	公噸	2,832	443	2,101	288
水產罐頭	公噸	7,189	1,394	9,695	1,679
水果罐頭	公噸	81,769	5,247	101,596	6,138
菠蘿罐頭	公噸	32,430	1,768	38,902	1,859
桔柑罐頭	公噸	15,695	1,402	24,652	2,029
桃子罐頭	公噸	4,322	324	5,252	379
荔枝罐頭	公噸	2,732	363	3,548	462
其它水果罐頭	公噸	26,590	1,390	29,242	1,409
果汁罐頭	公噸	3,607	210	2,319	117
果醬罐頭	公噸	3,758	241	4,996	310
蔬菜罐頭	公噸	302,953	32,135	316,744	30,979
蘑菇罐頭	公噸	133,553	18,570	112,314	15,298
青刀豆罐頭	公噸	12,754	666	18,199	954
蕃茄醬罐頭	公噸	15,851	1,196	15,393	1,102
蘆筍罐頭	公噸	42,849	6,058	53,554	6,524
其它蔬菜罐頭	公噸	97,946	5,645	117,284	7,101
乾果罐頭	公噸	5,385	1,304	4,442	1,096
其它罐頭	公噸	7,245	744	10,581	1,048
砂糖	公噸	350,217	12,625	428,202	9,939
冰糖	公噸	4,473	271	5,796	292
冰片糖	公噸	2,452	132	3,594	165
中式糖果	公噸	2,878	442	3,521	274
西式糖果	公噸	6,495	843	6,518	778
巧克力	公噸	4,684	1,387	3,270	987

1989年出口主要商品數量金額

金額單位：萬美元

品名	單位	1989		1988	
		數量	金額	數量	金額
餅乾	公噸	9,477	816	6,804	539
糕點	公噸	453	171	582	80
酒類	公噸	132,438	9,091	128,770	8,937
啤酒	公噸	108,574	5,206	86,761	4,273
白酒	公噸	1,049	630	2,005	1,206
米酒及黃酒	公噸	14,192	1,678	16,924	1,741
葡萄酒	公噸	1,351	199	2,213	259
改製酒	公噸	1,737	845	2,522	672
汽水	公噸	36,740	1,178	47,240	1,880
礦泉水	公噸	2,715	157	3,498	161
食鹽	公噸	350,440	1,500	368,349	1,328
味素	公噸	6,129	1,128	8,525	1,536
醬油	公噸	38,847	1,237	35,502	1,288
魚露	公噸	1,316	57	1,405	55
醋	公噸	2,102	110	2,632	119
鮮奶	公噸	3,483	192	1,723	88
奶粉	公噸	1,408	371	1,854	446
煉乳	公噸	2,046	210	2,045	178
樂口福	公噸	441	82	685	125
米粉乾	公噸	28,278	1,639	28,521	1,313
快熟米粉	公噸	801	49	790	42
黏、糯米粉	公噸	4,801	144	8,963	198
麵條	公噸	4,445	245	3,684	189
快熟麵條	公噸	1,473	99	1,052	67
粉絲	公噸	15,924	2,324	17,252	2,117
腐竹	公噸	978	181	927	152

1989年出口主要商品數量金額

金額單位：萬美元

品　　名	單　位	1989		1988	
		數量	金額	數量	金額
油炸豆瓣	公噸	2,800	249	2,557	218
花生製品	公噸	67,629	8,773	66,237	8,509
速凍食品	公噸	2,762	362	2,789	300
蜂蜜	公噸	67,397	5,316	48,846	4,010
大豆磷脂	公噸	357	20	203	11
澱粉	公噸	20,847	501	31,063	662
液體葡萄糖	公噸	14,142	491	4,660	131
飼料	金額		78,186		94,036
紅薯乾	公噸	289,498	3,073	616,202	7,166
木薯乾片	公噸	196,909	2,079	310,381	3,563
麥麩	公噸	53,217	519	96,098	702
豆粕	公噸	1,549,498	35,881	1,723,471	35,893
甜菜粕	公噸	182,546	2,312	175,412	2,024
豆餅碎	公噸	95,812	1,944	358,177	6,173
豆餅	公噸	6,218	136	94,099	862
棉籽仁餅	公噸	617,667	7,173	556,238	5,977
芝蔴餅	公噸	20,163	372	39,342	589
花生餅	公噸	50,798	1,060	96,525	1,525
菜籽餅	公噸	360,765	4,235	530,231	5,353
葉草（粉）粒	公噸	22,113	194	33,493	288
紅花子	公噸	3,040	118	4,600	161
茶葉	公噸	204,089	40,193	195,953	39,019
紅茶	公噸	97,994	15,365	100,542	15,534
綠茶	公噸	90,446	20,234	79,842	18,556
花茶	公噸	2,833	925	2,762	886
白茶	公噸	396	150	399	152

1989年出口主要商品數量金額

金額單位：萬美元

品名	單位	1989		1988	
		數量	金額	數量	金額
緊壓茶	公噸	122	38	158	60
烏龍茶	公噸	11,517	3,267	11,829	3,663
其它茶	公噸	781	214	421	168
咖啡豆	公噸	5,103	1,028	6,214	1,331
可可製品	公噸	10,514	2,520	11,421	3,337
桂皮	公噸	9,875	1,999	10,577	2,116
八角	公噸	1,691	229	1,729	241
花椒	公噸	214	48	159	33
胡椒	公噸	1,373	303	98	44
小茴香	公噸	2,041	102	2,524	97
安息茴香	公噸	276	25	327	44
香料油	金額		14,767		12,372
薄荷腦	公噸	2,715	5,115	2,764	3,418
薄荷素油	公噸	1,590	1,737	1,507	1,073
薄荷原油	公噸	516	911	629	568
留蘭香油	公噸	311	435	287	335
香茅油	公噸	1,419	893	1,012	912
桂油	公噸	208	491	164	524
山蒼子油	公噸	869	1,218	1,089	1,214
桉葉油	公噸	1,344	956	6,498	867
柏木油	公噸	1,728	480	1,603	478
茴油	公噸	614	729	498	663
松油	公噸	1,729	172	909	88
檸檬桉油	公噸	451	141	1,308	130
黃樟油	公噸	968	325	745	329
天然樟腦（粉、塊）	公噸	515	259	264	128

1989年出口主要商品數量金額

金額單位：萬美元

品名	單位	1989		1988	
		數量	金額	數量	金額
合成香料	金額		9,495		9,191
檸檬酸	公噸	33,367	3,362	35,283	3,863
檸檬酸鈣	公噸	5	1	718	39
合成樟腦（粉、塊）	公噸	4,543	1,100	4,704	1,067
香蘭素	公噸	715	977	302	470
香豆素	公噸	389	551	397	575
洋茉莉醛	公噸	131	212	145	356
二甲苯麝香	公噸	285	161	310	186
葵子麝香	公噸	67	104	73	107
柳酸甲酯	公噸	777	150	871	167
乙酸乙酯	公噸	—	—	14	1
煙草	金額		5,782		4,395
烤煙	公噸	24,698	5,311	18,940	4,051
晒煙	公噸	500	75	523	75
白肋煙	公噸	1,803	395	1,515	268
卷煙	萬支	1,137,046	18,601	1,212,160	15,045
松香	公噸	182,975	9,744	193,383	10,163
松節油	公噸	24,323	1,466	6,769	431
五倍子	公噸	1,608	518	699	110
生漆	公噸	474	968	396	799
骨膠	公噸	7,119	516	8,044	625
明膠	公噸	1,248	190	1,950	289
皮膠	公噸	9,637	980	1,089	133
蜂蠟	公噸	860	177	573	117
鞭炮煙花	萬箱	479	11,888	434	11,439
土紙	公噸	720	124	1,020	167

1989年出口主要商品數量金額

金額單位：萬美元

品名	單位	1989		1988	
		數量	金額	數量	金額
蚊香	箱	180,197	981	278,397	1,154
衞生香	箱	370,946	592	386,166	567
蠟燭	公噸	28,280	2,180	24,968	1,892
竹葉	公噸	391	35	574	56
毛竹	金額		14		17
蒿竹	萬支	190	86	337	125
籬竹	公噸	21,750	698	85,939	463
雜竹	公噸	1,792	45	1,351	32
竹製品	金額		6,296		5,499
花類及觀賞動物	金額		2,771		3,344
鳥魚獸食	金額		852		1,159
其它	金額		1,919		2,185
鬃尾	金額		15,454		16,733
豬鬃	箱	253,149	9,122	239,452	10,379
馬鬃尾	箱	25,284	894	21,995	891
漆刷	萬打	894	2,076	1,184	2,643
日用刷	萬打	424	953	449	921
毛筆	萬支	362	203	984	186
細尾毛	金額		1,501		1,474
腸衣	金額		10,645		11,470
豬腸衣	桶	105,034	6,558	101,762	7,642
綿羊腸衣	桶	4,927	1,912	4,435	1,908
山羊腸衣	桶	4,765	1,224	4,076	1,001
豬大腸頭	桶	9,618	224	9,877	278
絨毛	金額		35,071		36,985
粗次綿羊毛	公噸	2,163	660	2,593	708

1989年出口主要商品數量金額

金額單位: 萬美元

品名	單位	1989		1988	
		數量	金額	數量	金額
羊絨	公噸	1,443	8,834	1,708	8,085
無毛絨	公噸	601	8,449	840	7,405
山羊毛	公噸	4,005	884	2,615	711
駝毛	公噸	466	490	795	669
兔毛	公噸	6,513	11,894	8,482	14,917
羽絨及製品	金額		39,904		34,076
羽毛	公噸	22,072	14,402	14,706	10,312
公鷄三把毛	公噸	187	175	146	166
鷄毛掃	萬支	532	280	395	140
羽絨製品	金額		21,924		20,835
羽絨被	條	1,383,354	4,809	1,286,638	4,707
羽絨枕	個	1,083,571	1,193	1,122,035	891
羽絨服裝	萬件	611	13,285	546	12,423
羽絨睡袋	個	185,084	665	177,177	613
動物性肥飼料	金額		2,231		2,206
蒸製骨粒粉	公噸	72,706	1,431	94,885	1,605
脱膠骨粒粉	公噸	12,998	261	15,983	208
蹄角粒粉	公噸	2,333	98	3,380	108
革皮及其製品	金額		19,887		21,858
山羊板皮	萬張	787	3,216	1,291	5,327
豬革皮	萬張	687	2,559	858	2,988
羊革皮	萬張	240	943	206	881
革皮服裝	件	1,338,149	7,159	1,238,762	6,511
裘皮及其製品	金額		14,988		16,225
小湖羊皮	萬張	46	180	39	163
黃狼皮	萬張	18	76	34	169

1989年出口主要商品數量金額

金額單位：萬美元

品名	單位	1989		1988	
		數量	金額	數量	金額
水貂皮	萬張	255	3,029	165	3,028
雜皮	萬張	66	438	65	659
皮褥子	萬條	127	1,832	195	2,593
裘皮服裝	萬件	85	5,654	89	6,175
皮帽子	萬頂	36	423	40	454
木材	金額		15,170		13,629
原木	立方米	61,193	3,378	77,705	4,513
梧桐木	立方米	25,903	703	20,167	502
板及製品	金額		7,015		5,751
雪條棒	萬支	422,551	365	424,789	423
火柴梗	金額		18		43
梧桐木拼板	立方米	43,162	2,183	37,066	1,703
生藥	金額		26,851		26,154
圓參	公噸	1,495	3,888	978	3,910
三七	公噸	55	204	61	310
當歸	公噸	589	176	1,003	379
甘草	公噸	11,022	1,219	13,957	1,278
黃芪	公噸	950	373	1,842	597
黨參	公噸	706	219	1,110	291
茯苓	公噸	1,453	373	2,299	495
枸杞	公噸	1,763	363	1,522	495
川芎	公噸	869	112	909	349
生地	公噸	650	72	1,287	114
白朮	公噸	218	49	626	98
白芍	公噸	996	207	1,113	185
黃連	公噸	134	110	388	298

1989年出口主要商品數量金額

金額單位：萬美元

品名	單位	1989		1988	
		數量	金額	數量	金額
貝母	公噸	51	109	141	335
厚樸	公噸	43	20	62	25
麥冬	公噸	280	80	377	101
杜仲	公噸	183	182	527	362
金銀花	公噸	86	20	117	24
桔梗	公噸	166	27	228	38
天麻	公噸	27	32	103	75
元胡	公噸	90	27	62	15
丹皮	公噸	463	132	548	111
澤瀉	公噸	274	57	361	91
山藥	公噸	595	128	798	128
附子	公噸	36	6	27	4
山參	公噸	8	81	1	116
連翹	公噸	120	13	137	15
紅花	公噸	395	221	192	74
柴胡	公噸	1,181	616	3,194	513
菊花	公噸	943	218	2,235	375
姜黃	公噸	1,144	58	5,183	261
白姜	公噸	79	8	335	17
茛姜	公噸	162	25	218	28
豬苓	公噸	124	75	128	27
土茯苓	公噸	94	15	172	11
蟲草	公噸	27	643	317	933
半夏	公噸	1,557	1,695	1,680	1,344
大黃	公噸	983	172	719	130
甘草膏	公噸	3,149	612	3,049	532

1989年出口主要商品數量金額

金額單位：萬美元

品名	單位	1989		1988	
		數量	金額	數量	金額
羅漢果	萬個	278	86	341	53
槐米	公噸	5,498	1,227	4,357	1,089
啤酒花	公噸	1,721	335	1,878	435
銀耳	公斤	86,695	52	203,591	88
鮮王漿	公斤	376,200	1,699	262,935	1,262
田鷄（包括油）	金額		33		43
中成藥	金額		8,946		8,848
蜂王精（漿）	萬打	83	306	31	282
蜂乳漿	萬打	26	47	1	9
蜂乳精	萬打	2	26	6	65
人參精	萬打	5	112	8	255
蟲草鷄精	萬打	55	237	45	247
人參鷄精	萬打	4	22	7	38
當歸鷄精	萬打	3	16	6	34
滋補水鴨精	萬打	12	58	20	78
竹蔗茅根精	萬打	8	19	13	26
傷濕寶珍膏	萬盒	80	22	135	38
傷濕止痛膏	萬盒	149	17	156	18
狗皮膏	萬盒	10	19	6	22
當歸養血膏	萬打	2	18	2	13
銀翹解毒片	萬打	29	72	39	132
正骨水	萬打	17	106	20	91
阿膠	公噸	9	9	29	26
人參補丸	萬盒	12	162	12	182
田七製品	金額		76		83
羅漢果沖劑	萬盒	151	77	147	48

1989年出口主要商品數量金額

金額單位: 萬美元

品名	單位	1989		1988	
		數量	金額	數量	金額
白鳳丸	萬盒	103	138	120	161
片仔癀	粒	863,715	1,073	787,134	970
白藥	萬瓶	85	48	65	40
田七粉	萬瓶	21	52	21	59
清凉油	萬盒	8,108	519	8,604	497
菊花晶	萬盒	271	54	18	42
藥酒	金額		1,310		1,455
人參露酒	箱	24,769	74	16,236	48
人參酒	箱	3,172	11	2,567	5
人參白蘭地酒	箱	18,730	23	39,113	29
靈芝補酒	箱	21,826	67	16,445	61
當歸北芪酒	箱	6,538	11	7,454	14
至寶三鞭酒	箱	107,703	314	114,788	337
十全大補酒	箱	39,461	71	22,990	38
三蛇酒	箱	21,058	36	17,691	29
固本酒	箱	14,347	37	9,670	25
種籽、種畜類	金額		1,353		757
繭類	金額		2,092		1,329
桑蠶繭	公噸	1,108	2,081	1,026	1,320
絲類	金額		63,321		49,855
桑蠶絲	公噸	10,143	46,337	10,200	32,285
加工絲	公噸	1,007	4,820	1,513	5,213
脫膠加工絲	公噸	162	798	217	782
雙宮絲	公噸	430	1,189	639	1,240
柞蠶絲	公噸	538	1,992	433	1,161
桑土絲	公噸	298	937	304	667

1989年出口主要商品數量金額

金額單位：萬美元

品名	單位	1989		1988	
		數量	金額	數量	金額
柞土絲	公噸	39	100	118	150
桑絹絲	公噸	1,430	5,584	1,895	5,823
柞絹絲	公噸	111	311	178	335
桑綿絲	公噸	905	636	1,443	1,052
絲半製品及副產品	金額		7,096		5,097
桑綿球	公噸	579	1,792	491	987
柞棉球	公噸	42	114	28	87
桑綿條	公噸	56	192	29	60
柞綿條	公噸	195	505	243	403
桑絲綿	公噸	559	1,049	533	499
柞絲綿	公噸	90	105	86	90
桑廢絲	公噸	1,148	1,331	1,626	1,505
柞廢絲	公噸	194	163	75	58
桑落綿	公噸	839	493	677	348
柞落棉	公噸	588	404	627	368
桑廢繭	公噸	495	444	274	134
脫膠繭	公噸	140	207	80	74
其它絲副產品	公噸	326	297	1,005	484
棉花	公噸	285,511	45,379	492,525	74,595
蔴及製品	金額		11,326		13,249
大蔴	公噸	129	8	261	21
苧蔴	公噸	964	83	703	87
紅黃蔴	公噸	50,956	1,510	41,467	1,183
亞蔴	公噸	3,191	436	3,785	594
苧蔴條	公噸	6,006	1,997	6,586	3,316
黃蔴紗	公噸	11,559	660	2,007	138

1989年出口主要商品數量金額

金額單位：萬美元

品名	單位	1989 數量	1989 金額	1988 數量	1988 金額
黃蔴線	公噸	223	11	217	11
蔴線（繩）	公噸	6,913	265	3,010	196
蔴絲	公噸	181	10	173	13
亞蔴絮	公噸	13,023	500	12,159	615
蔴袋	萬條	13,321	4,346	14,842	5,034
白棕繩	公噸	970	72	811	55
廢棉	公噸	6,149	415	10,195	595
短絨	公噸	13,616	609	18,809	668
苧蔴落棉	公噸	40	15	210	69
棉紗	件	959,292	40,089	1,118,009	47,964
棉滌綸紗	件	306,282	13,842	281,546	12,800
純滌綸紗	件	28,212	1,471	59,372	1,351
人造棉紗	件	161,727	5,461	112,543	4,643
滌黏混紡紗	件	50,504	2,117	71,218	2,888
棉型腈綸紗	件	4,216	184	8,530	428
維棉紗	件	1,717	35	1,254	37
棉蔴混紡紗	件	249,694	7,454	211,503	6,033
苧蔴紗	件	40,915	3,915	29,920	3,184
羊毛線	公斤	3,064,237	2,816	7,128,715	3,888
棉布	萬米	223,094	143,503	204,928	137,476
棉滌綸布	萬米	120,550	70,208	106,207	63,528
純滌綸布	萬米	894	334	645	239
人造棉布	萬米	18,726	10,412	16,485	7,996
腈綸布	萬米	42	61	17	20
滌黏混紡布	萬米	9,810	4,380	9,293	3,977
滌虎混紡布	萬米	12,399	5,815	11,472	5,332

1989年出口主要商品數量金額

金額單位：萬美元

品名	單位	1989		1988	
		數量	金額	數量	金額
虎木棉混紡布	萬米	82	36	348	136
維尼綸混紡布	萬米	703	275	548	176
中長纖維	萬米	1,865	1,387	2,285	1,476
其它混紡布	萬米	3,650	1,942	1,883	992
亞麻帆布	萬米	154	418	74	117
亞麻細布	萬米	736	1,930	793	2,094
棉麻混紡布	萬米	5,776	4836	5,686	5,087
苧麻布	萬米	2,525	3,779	1,987	2,654
呢絨	萬米	3,295	12,062	2,352	11,365
精紡	萬米	1,212	8,252	1,545	8,268
全毛	萬米	826	6,428	1,203	6,925
毛滌綸	萬米	159	904	138	617
毛混紡	萬米	155	736	101	488
純化纖	萬米	61	143	99	196
粗紡	萬米	785	2,771	517	2,916
全毛	萬米	240	1,305	36	1,038
毛混紡	萬米	544	1,404	480	1,872
棉織品	金額		63,218		57,030
毛巾	萬打	2,014	5,267	1,966	5,108
浴巾	萬打	2,113	18,732	25,905	17,468
枕巾	萬打	6	15	127	154
方巾	萬打	2,895	3,396	3,131	3,566
毛巾被	萬條	1,185	5,042	366	2,995
地巾	萬打	24	79	23	68
餐巾	萬打	539	1,113	366	789
茶巾	萬打	716	1,680	1,146	1,347

1989年出口主要商品數量金額

金額單位：萬美元

品名	單位	1989		1988	
		數量	金額	數量	金額
茶托	萬打	11	27	24	60
毛巾布	萬碼	89	63	117	85
圍裙	打	252,920	107	69,417	54
毛巾浴衣	打	77,736	686	266,161	534
毛巾尿布	打	616,504	147	324,683	106
床單	金額		6,881		6,352
被套	萬條	109	531	71	355
床墊套	萬條	39	99	38	78
床罩	萬條	121	348	21	86
枱布	萬條	303	568	602	509
枕套	萬對	313	333	223	273
床單連枕套	萬套	116	276	111	311
床單枕套抱枕	萬套	6	34	2	12
床單床墊套枕套	萬套	35	244	21	115
床單枕套四件套	萬套	25	141	14	63
被套、枕套	萬套	6	37	12	51
童毯	萬條	448	422	420	375
絨毯	萬條	193	642	229	717
線毯	萬條	80	221	43	114
廢棉毯	萬條	72	131	64	117
床單布	萬碼	1,374	1,036	1,941	1,279
手帕	萬打	2,465	4,641	2,211	4,386
木紗團	羅	58,908	37	69,605	20
寶塔線	打	553,082	898	404,076	855
紙芯線	羅	230,090	301	440,563	524
紙版線	羅	1,171,200	384	1,103,720	313

1989年出口主要商品數量金額

金額單位: 萬美元

品名	單位	1989		1988	
		數量	金額	數量	金額
綉花線	羅	354,734	127	180,410	65
線球	盒	337,600	50	360,279	44
鬆緊帶	羅碼	506,926	127	451,541	114
鞋帶	雙羅	139,025	43	138,534	39
扁帶	羅碼	1,548,648	178	1,408,265	182
帆布褲帶	萬打	31	51	41	73
尿布	萬打	320	1,337	358	1,242
揩布	萬打	534	869	504	792
燭芯	磅	51,200	9	85,201	12
繩	磅	794,005	92	995,351	98
手帕布	萬碼	249	126	344	187
尿布布	萬碼	346	153	374	165
揩布布	萬碼	560	119	692	164
滌棉織品	金額		9,486		9,163
滌棉床單	條	8,597,509	2,324	7,179,048	1,724
滌棉被套	條	2,269,192	867	1,578,069	605
滌棉枕套	對	4,941,178	646	3,961,368	499
滌棉紙芯線	打	5,844,940	295	4,610,527	225
滌棉寶塔線	打	994,638	1,049	1,056,329	1,042
滌棉線	打	336,467	379	351,084	340
人棉織品	金額		276		200
棉針織品	金額		85,457		69,530
汗衫背心	打	40,119,453	33,328	36,364,639	28,618
運動衫褲	打	747,637	1,532	761,753	1,491
棉毛衫褲	打	8,109,866	11,686	6,587,766	10,786
棉絨衣褲	打	3,259,078	9,224	3,991,328	11,483

1989年出口主要商品數量金額

金額單位: 萬美元

品名	單位	1989		1988	
		數量	金額	數量	金額
線襪	打	2,423,598	1,088	2,721,272	1,190
紗手套	打	2,643,490	656	2,594,939	580
縫製手套	打	14,929,019	4,539	11,317,349	3,300
睡衣套	套	6,183,637	1,918	4,537,208	1,255
針織外衣	件	14,179,040	2,343	27,560,151	3,231
羊毛針織品	金額		8,879		9,128
羊毛衫	萬件	951	8,695	1,433	8,871
羊毛圍巾	打	5,884	14	15,872	30
羊毛手套	打	16,423	19	52,007	23
毛型腈綸針織品	金額		9,271		10,421
腈綸衫	萬件	1,866	7,908	1,986	8,499
腈綸圍巾	打	741,729	657	986,783	847
腈綸襪子	打	632,449	317	715,611	424
腈綸帽子	打	50,536	32	84,637	63
腈綸圍巾帽子	套	89,407	24	65,449	20
腈綸手套	打	357,610	204	457,599	271
羊絨針織品	金額		5,496		4,601
羊絨衫	萬件	89	5,258	100	4,532
羊絨圍巾	打	499	17	608	17
兔毛針織品	金額		2,921		2,516
兔毛衫	萬件	302	2,760	252	2,416
駝毛針織品	金額		112		120
駝毛衫	件	49,629	112	65,514	120
混紡毛針織品	金額		2,997		5,582
混紡毛衫	萬件	702	2,418	1,812	4,492
尼龍針織品	金額		3,700		3,393

1989年出口主要商品數量金額

金額單位：萬美元

品　　名	單　位	1989		1988	
		數量	金額	數量	金額
尼龍襪子	打	8,058,345	1,863	5,550,803	1,211
尼龍運動衫褲	打	12,598	75	9,054	19
尼龍衫褲	打	42,760	96	366,892	178
尼龍針織外衣	金額		6		10
尼龍游泳衣褲	打	140,166	149	303,949	354
尼龍蚊帳	頂	5,500	4	7,860	5
芭蕾舞襪	打	14,850	13	14,500	15
胸罩	打	695,736	842	1,012,694	830
滌棉針織品	金額		10,523		9,906
汗衫背心	打	1,144,672	2,530	2,273,180	2,665
睡衣套	套	853,794	278	1,467,943	476
運動衫褲	打	151,822	443	53,237	200
棉毛衫褲	打	913,010	2,255	839,076	2,017
棉絨衣褲	打	1,237,861	4,021	1,085,290	3,293
針織外衣	打	310,729	517	649,248	672
滌棉針織布	公斤	1,442,393	356	1,294,060	409
人棉針織品	金額		2,751		3,346
汗衫背心	打	2,276,270	1,174	3,634,017	1,850
棉毛衫褲	打	274,441	233	518,830	498
棉絨衣褲	打	239,492	333	343,394	434
棉型腈綸針織品	金額		8,460		8,953
汗衫背心	打	299,728	204	378,072	242
運動衫褲	打	173,804	413	37,923	120
棉毛衫褲	打	1,303,774	1,693	1,527,484	1,942
棉絨衣褲	打	2,160,292	5,892	2,489,431	6,600
毛毯	條	2,971,354	3,933	3,413,039	4,530

1989年出口主要商品數量金額

金額單位：萬美元

品名	單位	1989		1988	
		數量	金額	數量	金額
純毛提花毛毯	條	400,069	1,355	610,847	2,112
純毛普通毛毯	條	37,384	115	105,421	285
人造毛毛毯	條	973,090	584	1,229,919	766
腈綸毛毯	條	1,072,197	1,472	688,988	895
混紡毛毯	條	40,738	69	156,404	260
綢緞	萬米	19,245	68,815	21,999	61,918
桑蠶絲綢	萬米	12,587	51,701	13,601	44,369
桑絹綢	萬米	625	2,720	755	2,624
桑綿綢	萬米	441	1,184	637	1,513
柞絲綢	萬米	283	1,102	381	1,149
柞絹綢	萬米	40	148	150	451
交織綢	萬米	722	3,191	1,094	3,281
人絲人棉綢	萬米	1,767	1,555	2,017	1,402
人造絲綢	萬米	881	1,397	1,216	1,815
合纖綢	萬米	400	330	690	598
札染綢	萬米	756	2,770	724	2,428
被面	萬米	4	9	5	11
眞絲針織品	金額		4,681		3,463
絲綢製品	金額		10,360		8,168
頭圍巾	萬條	1,506	2,821	937	1,422
領帶	萬條	96	180	39	47
枱布、床罩	萬條	74	565	29	245
座靠墊	對	267,846	92	270,826	63
綉品	金額		587		676
綢絲棉被	萬條		12	5	141
和服腰帶	萬條	25	2,893	38	2,171

1989年出口主要商品數量金額

金額單位：萬美元

品名	單位	1989		1988	
		數量	金額	數量	金額
服裝	金額		258,126		237,004
棉布服裝	金額		103,141		89,727
襯衫	萬件	5,124	14,803	4,275	12,662
綉衣	萬件	28	147	9	22
長西褲	萬條	5,641	20,214	5,077	18,420
短西褲	萬條	2,686	4,236	2,270	4,356
內褲	萬條	1,953	1,590	1,344	1,059
運動短褲	萬條	1,047	1,308	1,318	1,573
睡衣套	萬套	2,629	9,175	1,797	6,678
西服套	萬套	90	383	10	103
西服上衣	萬件	170	909	155	937
茄克	萬件	1,276	9,040	1,215	7,702
其它上裝	萬件	894	3,925	1,030	3,249
其它套裝	萬套	1,807	7,620	1,945	8,648
其它童裝	萬件	1,794	3,880	1,785	3,595
衫裙	萬件	1,850	6,188	1,783	6,274
工作服	萬件	1,482	5,424	1,141	4,472
大衣	萬件	100	938	138	1,229
晨衣、浴衣、睡袍	萬件	840	3,387	665	2,867
阿拉伯袍	萬件	112	156	20	46
馬甲	萬件	42	166	96	322
棉滌綸服裝	金額		58,286		60,997
襯衫	萬件	3,746	10,459	3,759	10,041
綉衣	萬件	25	68	37	119
長西褲	萬條	2,104	8,125	2,286	8,667
短西褲	萬條	1,064	1,380	1,117	1,593

1989年出口主要商品數量金額

金額單位：萬美元

品名	單位	1989		1988	
		數量	金額	數量	金額
內褲	萬條	905	514	839	406
運動短褲	萬條	620	730	983	1,198
睡衣套	萬套	724	2,095	772	2,180
西服套	萬套	34	256	15	191
西服上衣	萬件	33	311	69	779
茄克	萬件	1,180	9,159	1,201	8,555
其它上裝	萬件	426	2,379	445	2,913
其它套裝	萬套	688	3,302	972	4,807
其它童裝	萬件	802	1,754	970	2,088
衫裙	萬件	1,163	3,699	1,292	4,120
工作服	萬件	855	3,440	602	2,313
大衣	萬件	113	1,084	91	911
晨衣、浴衣、睡袍	萬件	1,038	3,425	1,495	3,851
雨衣、斗篷	萬件	222	2,292	176	1,683
阿拉伯袍	萬件	363	1,124	346	947
阿拉伯褲	萬條	300	396	351	457
蔴及蔴滌綸服裝	金額		8,996		8,437
襯衫	萬件	336	1,092	417	1,173
綉衣	萬件	63	409	72	379
長西褲	萬條	586	2,262	538	2,180
短西褲	萬條	470	1,314	533	1,362
運動短褲	萬條	36	66	3	5
睡衣套	萬套	17	87	27	101
西服上衣	萬件	29	234	35	259
茄克	萬件	85	576	89	579
其它上裝	萬件	37	215	40	226

1989年出口主要商品數量金額

金額單位：萬美元

品名	單位	1989 數量	1989 金額	1988 數量	1988 金額
其它套裝	萬套	177	869	220	631
衫裙	萬件	213	838	95	545
工作服	萬件	19	104	13	55
晨衣、浴衣、睡袍	萬件	14	58	6	44
中長纖維服裝	金額		3,879		3,405
襯衫	萬件	79	208	54	128
長西褲	萬條	399	1,327	440	1,399
短西褲	萬條	23	58	30	64
西服套	萬套	1	8	0.5	16
西服上衣	萬件	7	60	11	96
茄克	萬件	48	350	36	242
其它上裝	萬件	7	74	0.2	2
阿拉伯袍	萬件	189	746	202	723
其它化纖混紡服裝	金額		39,398		29,741
呢絨服裝	金額		13,853		9,315
襯衫	萬件	75	302	15	103
長西褲	萬條	549	4,598	446	3,371
短西褲	萬條	5	38	5	38
西服套	萬套	63	1,852	23	647
西服上衣	萬件	77	1,345	43	710
茄克	萬件	122	1,565	81	917
其它上裝	萬件	18	245	32	388
其它套裝	萬套	93	1,604	64	1,191
其它童裝	萬件	6	30	10	60
衫裙	萬件	110	824	84	595
大衣	萬件	66	1,097	45	778

1989年出口主要商品數量金額

金額單位：萬美元

品名	單位	1989		1988	
		數量	金額	數量	金額
真絲綢服裝	金額		18,804		15,233
其它綢服裝	金額		4,175		4,346
合纖綢服裝	金額		7,593		15,803
抽紗	金額		70,885		68,692
手工綉花製品	金額		16,915		15,847
枱布	套	8,752,043	8,341	8,273,022	8,058
被套	套	1,051,967	1,957	1,354,067	2,125
枕套	對	965,803	242	1,126,924	273
手帕	打	1,421,180	1,092	883,010	711
面巾	打	142,418	110	273,385	133
圍裙	條	643,480	158	728,163	189
盤布	金額		1,309		1,257
絨綫綉花	金額		812		415
靠墊	金額		181		204
手工編織	金額		10,425		10,073
枱布	套	8,521,051	6,102	7,549,856	6,156
被套	套	98,561	151	119,315	216
枕套	對	110,671	41	150,866	64
花邊	金額		591		730
機綉	金額		10,225		8,936
枱布	套	9,203,301	4,091	10,270,402	3,714
被套	套	3,756,658	1,731	3,751,721	1,538
枕套	對	5,363,924	756	5,488,302	808
手帕	打	1,475,506	239	702,333	114
面巾	打	1,952	1	51,156	12
圍裙	條	934,209	149	996,911	167

1989年出口主要商品數量金額

金額單位：萬美元

品名	單位	1989		1988	
		數量	金額	數量	金額
窗帘	金額		534		697
靠墊	金額		192		135
機織	金額		3,152		4,923
枱布	金額		343		350
被套	金額		11		2
枕套	金額				4
窗帘	金額		25		42
揩巾	萬打	797	1,850	1,264	1,902
花邊	金額		19		20
連片	金額		55		60
印花	金額		1,297		1,232
枱布	套	316,150	183	373,959	219
枕套	對	519,451	49	289,250	24
被套	套	247,700	126	117,704	68
圍裙	條	1,559,610	90	1,014,683	48
揩巾	金額		301		274
工藝手套	金額		6,228		5,189
車縫手套	打	4,367,490	2,996	2,692,182	2,366
手工手套	打	84,986	87	140,243	103
機製手套	打	2,077,081	1,973	2,283,466	2,220
工藝帽	金額		5,146		5,296
縫製帽	打	5,086,792	2,942	4,726,035	2,670
針織帽	打	433,017	280	645,884	491
鈎針帽	打	1,073,507	404	763,445	282
其它抽紗品	金額		17,497		17,196
地毯	金額		42,330		35,344

1989年出口主要商品數量金額

金額單位: 萬美元

品　　名	單 位	1989		1988	
		數量	金額	數量	金額
高級手工地毯	平方米	3,034,905	22,721	2,952,067	19,209
仿古地毯	平方米	135,901	955	147,895	1,048
民族地毯	平方米	197,828	1,095	191,110	1,029
絲織地毯	平方米	330,437	5,061	229,047	3,450
羊毛膠背地毯	平方米	1,187,274	4,144	1,019,443	3,863
化纖膠背地毯	平方米	55,127	116	45,343	87
機織地毯	平方米	69,255	192	61,425	231
天鵝絨毯	條	1,236,242	198	1,323,579	200
自行車類	金額		22,878		14,843
自行車	輛	4,154,910	17,219	2,536,586	9,825
自行車外胎	條	3,000,729	505	3,767,178	592
自行車內胎	條	4,058,293	259	4,293,617	254
自行車零配件	金額		4,680		4,151
縫紉機類	金額		5,111		3,469
家用縫紉機	架	628,293	1,760	452,707	1,342
縫紉機頭	個	631,112	1,684	329,470	844
縫紉機針	萬枚	35,205	388	31,174	329
搪瓷器皿	金額		3,431		3,532
搪瓷面盆	打	448,296	385	471,090	474
搪瓷口杯	打	624,475	202	629,947	206
搪瓷雜件	打	4,471,812	1,970	4,167,152	1,892
搪瓷燒鍋	打	157,598	493	163,448	591
保溫瓶	金額		6,440		5,842
熱水瓶	打	2,211,793	3,839	1,950,717	3,810
冰瓶	打	20,706	96	20,326	95
瓶膽	打	622,765	566	277,297	555

1989年出口主要商品數量金額

金額單位：萬美元

品名	單位	1989		1988	
		數量	金額	數量	金額
玻璃器皿	金額		2,883		2,696
機壓杯	打	4,754,740	292	5,345,692	336
吹製杯	打	784,174	169	1,215,038	297
鋼化杯	打	364,349	44	626,235	73
花瓶	打	209,088	215	207,140	225
雜件	金額		1,984		1,690
金屬器皿	金額		7,174		6,189
不銹鋼餐具	打	9,864,981	2,596	12,329,087	2,207
不銹鋼器皿	金額		2,188		2,628
不銹鋼厨具	打	1,498,349	679	200,247	218
鋁製品	金額		1,076		640
壓力鍋	個	184,836	189	115,038	107
印鐵茶盤	打	11,960	6	32,169	13
鞋類	金額		67,506		49,100
布膠鞋	萬雙	12,680	16,126	9,116	11,681
球鞋	萬雙	2,286	4,384	2,143	3,588
漫步鞋	萬雙	1,184	7,873	1,269	7,850
全膠鞋	萬雙	801	2,267	616	1,703
布鞋	萬雙	2,993	2,908	3,123	2,607
塑料拖鞋	萬雙	10,648	5,098	10,424	4,356
塑料凉鞋	萬雙	377	149	406	132
橡膠拖鞋	萬雙	43	42	49	40
皮鞋	萬雙	3,904	18,868	2,259	11,658
合成革鞋	萬雙	1,244	2,868	1,159	1,819
皮件	金額		22,091		19,097
全皮箱	個	124,218	231	113,892	220

1989年出口主要商品數量金額

金額單位：萬美元

品名	單位	1989		1988	
		數量	金額	數量	金額
全皮包	個	1,477,453	681	4,191,768	999
皮帆布箱	個	337,382	306	284,416	221
皮帆布包	個	1,931,605	317	5,028,218	560
皮公文箱	個	202,184	390	174,196	262
皮票夾	打	1,254,574	2,105	1,429,279	2,066
勞保手套	打付	15,025,844	13,028	13,648,744	9,930
日用手套	打付	2,001,074	2,603	1,563,227	2,057
人造革塑料箱包	金額		13,525		17,780
人造革箱	個	571,906	547	633,385	499
人造革包	個	15,596,629	2,057	45,950,465	4,648
帆布包	個	18,986,767	3,370	28,269,024	3,785
鐘錶	金額		17,449		13,090
鬧鐘	個	9,702,622	2,286	9,503,988	2,476
木鐘	個	168,722	227	84,965	113
石英鐘	個	1,082,459	497	578,542	237
機械手錶	個	7,149,446	2,685	2,051,171	1,041
機械錶芯	個	11,405,434	2,536	11,451,562	1,923
電子手錶	個	39,783,743	4,514	28,752,066	2,443
金屬錶帶	打	418,294	176	957,538	223
清潔用品	金額		7,454		4,820
洗衣粉	公噸	47,402	2,261	38,076	1,717
香皂	箱	822,181	1,308	441,940	707
肥皂	箱	917,734	854	556,827	392
藥皂	箱	52,047	50	14,637	19
牙膏	打	6,970,737	1,750	5,879,803	1,266
洗頭膏	打	66,876	108	28,003	26

1989年出口主要商品數量金額

金額單位：萬美元

品名	單位	1989		1988	
		數量	金額	數量	金額
去污粉	打	32,230	7	39,331	7
鞋油	打	1,058,908	223	1,181,662	176
化粧品	金額		2,039		1,264
爽身粉	打	374,516	112	244,986	79
痱子粉	箱	4,090	6	8,570	13
髮乳	打	453,550	281	256,649	208
頭臘	打	87,062	29	125,004	51
雪花膏	打	77,800	46	145,067	86
粉餅	打	78,469	63	63,721	37
日用金屬器皿	金額		19,080		16,086
汽油打火機	打	2,733,870	399	4,150,828	517
汽體打火機	打	2,943,410	449	1,669,431	272
打火機汽瓶	打	222,920	76	118,900	34
煙斗	打	18,019	5	31,180	10
火石	公斤	210,380	158	176,918	132
金屬煙灰缸	打	42,000	12	42,801	15
小刀	打	3,964,162	1,842	4,017,095	1,708
指甲鉗	打	2,437,306	262	1,670,341	166
開罐刀	打	514,837	73	471,469	69
旅行刀具	打	38,322	22	89,068	62
髮夾	大羅	202,979	199	215,998	211
別針	大羅	1,486,841	420	1,416,578	344
揿鈕	大羅	500,026	129	351,755	79
鑰匙鏈	羅	291,936	28	599,393	47
手縫衣針	萬枚	350,196	198	348,885	203
金屬拉鏈	萬打吋	8,508	291	13,216	373

1989年出口主要商品數量金額

金額單位：萬美元

品名	單位	1989 數量	1989 金額	1988 數量	1988 金額
尼龍拉鍊	萬打吋	6,433	255	7,650	349
裁縫剪刀	打	90,355	48	54,879	37
小折剪	打	1,766,573	180	1,702,199	222
理髮剪子	打	202,619	135	172,161	99
理髮推子	打	23,730	34	72,220	57
剃刀	打	30,850	16	20,810	14
刮臉刀架	打	1,091,770	214	1,316,442	228
刮臉刀片	萬片	46,266	345	47,327	247
炭熨斗	打	41,109	109	45,729	63
噴霧器	打	13,080	6	9,177	6
煤油爐	個	3,238,500	923	3,684,268	906
泡釘	箱	7,490	56	8,973	62
鞋釘	箱	116,903	372	127,017	384
汽燈	打	43,523	545	34,134	390
汽燈玻璃罩	打	36,462	20	25,355	13
汽燈紗罩	打	2,832,849	266	1,914,691	149
汽燈零件	金額		43		55
槍燈	打	1,024,484	873	1,531,980	976
槍燈玻璃罩	打	181,047	43	245,709	54
煤油燈	打	24,571	20	25,502	18
煤油燈零件	金額		5		15
火柴	件	597,021	472	734,008	524
鎖類	萬打	1,929	6,242	2,064	6,223
銅鎖	萬打	433	2,309	478	2,192
鐵包鎖	萬打	494	1,754	433	1,641
鐵皮鎖	萬打	487	406	651	528

1989年出口主要商品數量金額

金額單位: 萬美元

品名	單位	1989		1988	
		數量	金額	數量	金額
合金鎖	萬打	11	37	6	41
抽屜鎖	萬打	200	696	179	645
千層鎖	萬打	165	308	191	337
漁網漁具	金額		2,217		2,528
漁網	公噸	2,054	1,063	2,675	1,233
漁線	公噸	1,304	436	1,089	343
漁網繩	公噸	1,477	329	2,097	381
漁網浮	公噸	141	43	211	73
塑料製品	金額		27,296		28,009
塑料雨衣	打	915,532	1,395	1,158,300	1,228
塑料衣架	打	2,407,920	130	2,215,593	68
塑料水桶	個	52,251	10	20,000	1
尼龍牙刷	羅	723,035	418	335,154	234
聚乙烯薄膜	公噸	21,318	1,262	7,999	822
聚氯乙烯薄膜	公噸	1,232	172	472	54
聚乙烯袋筒	公噸	967	147	325	39
塑料編織袋	萬條	46,347	8,050	53,113	11,333
塑料垃圾袋	萬條	6,650	208	6,475	237
塑料裂膜繩	公噸	770	148	1,128	209
紙張和紙漿	公噸	378,574	20,942	399,189	20,971
本色漂白漿	公噸	1,274	46	11,297	345
新聞紙	公噸	2,844	171	9,952	378
單面膠版紙	公噸	4,176	296	4,915	250
雙面膠版紙	公噸	13,621	983	15,281	987
凸版紙	公噸	6,802	400	11,238	557
書寫紙	公噸	30,170	2,162	37,808	2,167

1989年出口主要商品數量金額

金額單位：萬美元

品名	單位	1989		1988	
		數量	金額	數量	金額
招貼紙	公噸	3,538	224	4,895	291
打字紙	公噸	8,084	697	8,725	655
銅版紙	公噸	1,788	171	1,916	178
拷貝紙	公噸	3,172	405	3,308	367
牛皮卡紙	公噸	6,410	302	9,344	411
條紋牛皮紙	公噸	10,572	780	13,333	911
白有光紙	公噸	5,437	426	7,068	540
色有光紙	公噸	927	66	512	36
薄頁紙	公噸	2,784	305	2,279	245
防油紙	公噸	4,584	449	4,296	380
紙袋紙	公噸	870	33	4,912	272
柏油紙	公噸	848	65	1,064	66
郵封紙	公噸	3,269	281	3,436	264
卷煙紙	公噸	3,575	516	4,683	536
鷄皮紙	公噸	1,575	151	2,009	161
透明紙	公噸	750	176	599	119
半透明紙	公噸	1,625	243	557	60
瓦楞芯紙	公噸	148,483	3,,881	126,838	3,262
灰底白板紙	公噸	10,965	468	10,988	455
白底白版紙	公噸	1,628	74	976	43
雙面灰版紙	公噸	2,756	87	3,187	105
衛生紙	公噸	39,053	3,701	47,142	4,273
面巾紙	公噸	1,562	191	1,370	161
餐巾紙	公噸	723	75	137	22
紙製品	金額		6,379		5,270
軟面本	打	790,614	147	677,320	134

1989年出口主要商品數量金額

金額單位：萬美元

品名	單位	1989		1988	
		數量	金額	數量	金額
硬面本	打	1,343,652	420	1,892,517	441
日記本	打	2,200,810	565	1,817,257	416
練習本	打	4,118,744	422	6,251,933	299
拍紙本	打	468,854	112	274,180	27
信封	萬隻	23,381	103	19,117	77
信箋	羅	243,132	82	68,998	175
像册	打	107,297	156	66,529	82
集郵簿	打	37,450	37	53,591	49
牛皮膠紙帶	筒	66,603	46	119,272	85
撲克牌	羅	620,452	882	407,325	622
文件夾	打	154,632	68	285,587	121
印刷製品	金額		320		327
文教用品	金額		8,991		9,187
鋼筆	打	159,549	23	240,030	75
銥金筆	打	2,359,185	1,164	2,126,617	972
圓珠筆	打	4,526,133	400	3,495,772	322
圓珠筆芯	打	459,202	70	593,221	47
鉛筆	羅	13,252,642	3,063	12,791,679	3,045
對筆	打對	34,820	76	17,313	38
彩色水筆	打	317,134	96	359,309	42
活動鉛筆	打	164,555	125	191,111	150
活動鉛筆芯	盒	5,055,646	128	3,372,003	137
筆零件	金額		120		116
墨水	羅	53,184	84	55,450	62
蠟筆	羅	358,419	230	293,219	207
粉筆	盒	2,192,415	31	2,947,201	42

1989年出口主要商品數量金額

金額單位：萬美元

品名	單位	1989		1988	
		數量	金額	數量	金額
玉石筆	盒	602,172	29	460,156	23
油畫筆	打	2,477,907	313	2,440,276	320
水彩畫筆	打	757,493	36	150,998	26
水彩色	打	463,724	137	577,864	152
廣告色	打	67,718	67	75,232	56
油畫色	打	129,460	103	113,118	81
油畫棒	打	91,523	14	58,575	9
塑料捲筆刀	羅	1,141,073	357	1,078,715	355
石膏捲筆刀	羅	23,855	29	34,344	46
竹木捲筆刀	羅	7,321	14	7,033	13
成套繪圖儀	套	218,015	75	236,960	104
學生繪圖儀	打	304,888	167	323,535	204
單件繪圖儀	打	143,638	58	140,617	31
木尺	打	1,512,512	80	1,695,002	85
其它量尺	金額		47		33
橡膠橡皮塊	盒	1,374,688	62	1,771,540	97
塑料橡皮塊	盒	689,558	100	609,071	81
橡皮泥	打盒	495,972	82	475,434	91
文具盒	打	348,403	220	412,041	252
文具剪	打	1,046,102	271	839,213	155
學生書包	萬個	116	180	477	521
辦公用品	金額		4,023		3,794
釘書機	打	860,775	162	423,120	134
釘書釘	萬盒	4,180	304	4,624	308
大頭針	萬磅	89	72	148	104
圖釘	萬小盒	1,276	83	1,944	138

1989年出口主要商品數量金額

金額單位: 萬美元

品名	單位	1989		1988	
		數量	金額	數量	金額
打洞機	打	268,884	73	114,367	73
曲別針	萬小盒	6,937	520	4,273	262
外文打字機	架	63,236	210	93,826	260
電子計算器	台	2,090,173	1,246	1,404,013	1,725
打字臘紙	盒	297,859	59	134,300	40
複寫紙	盒	946,901	99	1,207,177	100
複印機	台	468	491	410	42
算盤	把	156,337	10	180,370	10
膠水	羅	52,404	54	42,226	33
鐵票夾	羅	263,890	25	90,768	15
體育用品	金額		21,053		17,086
手縫皮製球	個	462,866	265	348,428	232
膠黏皮製球	個	1,376,472	423	1,110,727	350
人造皮製球	個	1,322,381	544	801,121	374
膠製球	個	3,908,041	476	2,960,210	392
球打氣筒	打	22,159	14	14,132	16
乒乓球	羅	1,177,580	682	1,368,042	710
乒乓球拍	付	1,485,670	377	1,546,490	306
乒乓球架	套	135,130	18	274,420	76
羽毛球	萬打	290	720	232	549
羽毛球拍	付	899,903	83	740,854	102
網球	打	191,214	123	185,912	162
網球拍	付	131,448	160	17,400	11
各種球網	金額		43		36
溜冰鞋	雙	21,128	9	11,252	2
滑冰鞋	雙	22,710	25	78,994	56

1989年出口主要商品數量金額

金額單位：萬美元

品名	單位	1989		1988	
		數量	金額	數量	金額
技巧鞋	雙	114,364	11	358,123	49
運動手套	萬付	176	497	426	558
護身用品	金額		176		56
健身用品	金額		1,128		1,066
口哨	打	193,017	19	202,022	22
跳繩	打	312,355	80	331,720	92
秒錶	隻	29,470	19	26,630	17
汽槍	隻	272,533	232	161,075	137
氣墊床	個	3,207,215	1,870	3,900,064	2,145
帳蓬	頂	634,919	2,346	1,063,457	1,877
樂器	金額		2,662		2,520
鋼琴	台	8,180	446	14,484	901
口琴	打	450,460	415	263,074	256
手風琴	架	74,571	249	26,686	133
提琴	套	203,781	292	129,411	244
六弦琴	個	185,854	120	135,030	95
四弦琴	個	104,280	25	121,120	20
管樂器	金額		174		106
銅響樂器	金額		26		38
民族樂器	金額		48		30
玩具	金額		23,528		26,757
電動玩具	金額		2,083		2,112
電子玩具	金額		1,673		678
塑料玩具	金額		2,389		5,706
布絨玩具	金額		8,208		8,170
童車	輛	474,105	516	262,200	214

1989年出口主要商品數量金額

金額單位：萬美元

品名	單位	1989		1988	
		數量	金額	數量	金額
建材雜品	金額		14,463		7,405
平板玻璃	標箱	4,854,373	6,354	1,873,471	2,171
花玻璃	標箱	361,666	106	2,725	3
磁磚	平方米	4,329,097	1,075	3,236,057	775
鋪地磚	平方米	2,324,509	522	1,401,986	340
玻璃地磚	平方米	1,135,394	209	1,449,631	272
衛生潔具	個	713,556	397	401,650	201
陶瓷管	條	10,454	5	20,735	11
膠合板	標張	628,322	109	780,778	143
纖維板	公噸	2,485	75	2,427	46
塑料貼面板	平方米	402,415	85	373,138	76
油毛毡	卷	1,123,224	472	1,102,011	461
磅秤	台	24,921	46	40,688	59
玻璃絲窗紗	卷	254,521	247	367,042	310
家用電器	金額		56,351		50,845
電風扇	台	3,596,197	4,328	3,301,656	3,964
吊扇	個	7,190,518	8,649	4,779,602	5,477
排氣扇	台	296,697	254	266,156	230
電扇零件	金額		256		394
電冰箱	台	232,127	6,265	560,620	13,951
洗衣機	台	231,421	1,760	226,745	1,643
電吹風	個	6,802,805	1,932	4,107,154	1,341
日光燈支架	萬套	494	1,039	379	729
小日光燈管	萬支	365	74	286	81
台燈	萬個	153	489	86	277
普通燈泡	萬個	234,919	957	6,175	871

1989年出口主要商品數量金額

金額單位: 萬美元

品名	單位	1989		1988	
		數量	金額	數量	金額
節日燈泡	萬串	1,939	2,650	598	764
彩色燈泡	萬個	2,950	253	1,951	189
繼電器	打	1,196,143	94	570,580	50
鎮流器	萬個	666	633	645	548
電池	萬打	10,721	7,579	6,212	5,658
炭精棒	萬打	2,056	88	1,890	54
金屬電筒	萬打	567	2,655	562	2,603
塑料電筒	萬打	68	215	51	153
電珠	萬粒	39,047	555	34,144	615
電飯鍋	萬個	114	697	43	394
電水壺	萬個	4	30	7	30
電爐	萬個	21	56	22	64
電烤爐	萬個	35	568	39	293
花電線	盤	104,346	91	117,531	147
塑料電線	盤	1,944,847	888	378,527	353
膠木製品	萬打	982	1,625	1,222	1,684
電焊烙鐵	隻	96,830	12	127,951	18
電熨斗	隻	2,288,895	864	783,854	285
測電筆	萬個	602	101	620	94
電視機及音響設備	金額		87,922		74,406
半導體收音機	萬個	702	5,381	579	2,243
揚聲器	萬個	9,803	1,850	7,667	1,291
錄音機	台	2,095,243	1,439	1,913,060	1,222
收錄兩用機	台	6,851,238	14,879	4,375,579	9,302
錄音帶	金額		3,330		818
彩色電視機	台	2,070,145	37,864	2,307,567	45,274

1989年出口主要商品數量金額

金額單位: 萬美元

品　　名	單位	1989		1988	
		數量	金額	數量	金額
黑白電視機	台	1,948,455	8,312	1,561,449	6,633
照像機及電影器材	金額		5,181		4,562
照像機	架	1,497,697	2,222	2,057,771	1,282
照像紙	盒	116,665	108	535,381	183
黑白膠卷	卷	1,353,650	62	1,155,060	59
彩色膠卷	卷	3,310,592	502	6,285,618	1,011
黑白電影膠片	萬米	326	24	416	32
彩色電影膠片	萬米	1,986	220	1,899	476
陶瓷類	金額		25,857		22,522
新花日用瓷	金額		13,385		11,208
其它瓷	金額		10,272		9,680
日用精陶	金額		601		476
其它陶	金額		1,596		1,158
特種工藝品	金額		24,777		22,946
玉石雕刻	金額		2,081		2,504
石刻	金額		799		727
木刻	金額		808		692
竹刻	金額		21		29
其它雕刻品	金額		69		30
琺瑯	金額		1,862		1,582
燒瓷	金額		91		84
人造花	金額		5,551		5,495
絹花	金額		2,099		1,415
塑料花	金額		81		121
滌綸花	金額		1,888		2,383
紙花	金額		320		268

1989年出口主要商品數量金額

金額單位: 萬美元

品　名	單　位	1989		1988	
		數量	金額	數量	金額
膠花串	金額		193		184
其他花	金額		969		1,124
各種畫	金額		1,129		1,057
貝雕畫	金額		133		144
軟木畫	金額		337		335
其他畫	金額		459		578
字畫	金額		616		637
國畫	金額		351		386
絹畫	金額		168		202
仿古玩	金額		3,337		3,110
仿陶瓷器	金額		1,322		1,113
其它仿古玩	金額		2,006		1,997
古玩	金額		61		175
舊陶瓷器	金額		56		132
其它舊貨	金額		6		41
漆器	金額		1,363		866
雕漆	金額		17		1
綉片	金額		1,338		931
仿古毯	金額		468		514
金絲毯	金額		1,617		1,325
各種工藝鞋	萬雙	16,601	20,963	16,220	17,918
綉花布鞋	萬雙	838	700	421	346
拖鞋	萬雙	5,471	4,842	5,490	4,637
珠拖鞋	萬雙	191	232	121	141
蔴底鞋	萬雙	1,157	720	2,289	1,409
其它工藝鞋	萬雙	7,407	9,782	7,899	11,385

1989年出口主要商品數量金額

金額單位：萬美元

品　　名	單位	1989		1988	
		數量	金額	數量	金額
各種扇	金額		973		862
檀香扇	金額		31		36
降香扇	金額		24		21
宮絹扇	金額		29		23
竹骨扇	金額		194		213
鐵折扇	金額		66		85
其它扇	金額		630		484
各種燈	金額		1,330		442
各種傘及零件	金額		6,507		4,602
布傘	打	131,129	178	146,370	164
尼龍傘	打	5,297,157	5,221	2,365,071	3,097
紙傘	打	148,998	186	180,627	217
傘零件	金額		370		302
其它傘	金額		552		822
各種髮製品	金額		1,608		2,368
檔髮	金額		609		1,173
色髮	金額		124		65
髮渣	金額		70		148
髮製品	金額		450		629
工藝玩具	金額		9,251		8,579
長毛絨玩具	金額		3,096		2,211
木玩具	金額		1,662		1,263
布玩具	金額		338		402
文房四寶	金額		1,634		1,381
毛筆	萬支	1,141	479	1,542	492
墨錠	金額		46		43

1989年出口主要商品數量金額

金額單位：萬美元

品名	單位	1989		1988	
		數量	金額	數量	金額
宣紙	刀	77,708	329	67,243	257
書畫紙	金額		103		120
名貴硯	金額		195		198
學生硯	金額		63		62
印泥	金額		49		31
其它文具	金額		362		178
其它日用工藝品	金額		12,207		14,463
珠綉品	金額		1,153		1,153
絨製品	金額		413		440
竹篦	金額		95		69
棉線毯	金額		137		164
鏡木條	金額		14		24
線結製品	金額		16		61
絹製品	金額		48		26
羽毛製品	金額		227		170
料器	金額		442		467
銅製品	金額		375		364
納紗製品	金額		43		59
首飾櫃盒	金額		229		190
木衣架	金額		64		46
木衣夾	金額		203		172
各種筷子	金額		1,020		881
各種棋	金額		10		5
首飾	金額		15,265		18,946
金首飾	金額		11,264		13,881
銀首飾	金額		589		1,022

1989年出口主要商品數量金額

金額單位：萬美元

品名	單位	1989		1988	
		數量	金額	數量	金額
銅首飾	金額		1,011		1,038
玉石首飾	金額		877		655
其它首飾	金額		1,524		2,350
珠寶	金額		2,425		2,170
鑽石	金額		5,929		4,982
養殖珍珠	公斤	45,087	1,343	22,516	1,225
家具	金額		12,198		11,626
木家具	金額		4,258		3,619
鋼家具	金額		1,998		2,354
鋼木家具	金額		796		383
紅木家具	金額		2,165		2,014
漆木家具	金額		1,164		1,435
樟木雕家具	金額		660		511
其它家具	金額		1,114		1,310
草製品	金額		17,376		16,501
水草	公噸	355	28	897	20
草帽辮	包	12,612	281	9,207	244
草提籃	打	327,981	290	378,386	250
草地毯	金額		794		1,442
草帽辮製品	金額		63		8
草床席	萬條	2,175	1,136	2,872	1,504
草墊	金額		1,314		1,336
草門簾	金額		220		236
草牆蓆	金額		172		221
龍鬚草床蓆	金額		28		1
龍鬚草製品	金額		32		61

1989年出口主要商品數量金額

金額單位：萬美元

品名	單位	1989		1988	
		數量	金額	數量	金額
玉米皮地毯	金額		450		28
玉米皮提籃	打	725,284	1,068	852,409	1,018
玉米皮製品	金額		165		148
蓏帽	金額		307		150
各種草帽、胚	金額		2,180		1,556
藺草製品	金額		1,440		707
葦草製品	金額		328		170
葦帘	金額		1,669		2,201
籍籍草製品	金額		14		19
蓏製品	金額		502		428
棕葵製品	金額		305		285
芒草製品	金額		1,652		1,726
籐製品	金額		4,823		5,666
柳製品	金額		5,122		5,471
竹編製品	金額		2,783		2,379
鋼材	公噸	891,496	28,903	657,971	20,656
型鋼	公噸	315,597	9,144	251,808	6,892
圓鋼	公噸	72,324	1,926	54,404	1,450
方鋼	公噸	32,278	851	2,010	58
扁鋼	公噸	8,848	267	8,291	232
角鋼	公噸	51,149	1,475	43,397	1,162
工字鋼	公噸	3,328	105	2,045	56
槽鋼	公噸	14,560	443	16,583	453
螺紋鋼	公噸	121,554	3,686	115,628	3,102
鋼窗料	公噸	6,436	259	9,450	378
中厚鋼板	公噸	222,180	7,756	191,861	6,280

1989年出口主要商品數量金額

金額單位：萬美元

品　　名	單　位	1989		1988	
		數量	金額	數量	金額
優質鋼	公噸	15,435	881	2,102	253
盤條	公噸	18,639	552	6,061	151
鋼坯	公噸	120,138	2,218	8,495	177
銲縫管	公噸	74,663	3,580	52,260	2,152
無縫管	公噸	2,520	174	1,351	82
廢鋼	公噸	160,816	1,878	474,330	4,960
金屬製品	金額		23,504		19,165
鋼帶	公噸	9,352	425	8,815	364
鋼絲	公噸	8,253	492	5,170	257
鋼絲繩	公噸	24,522	1,992	14,104	933
鐵釘	公噸	86,176	4,172	83,885	3,462
鐵絲	公噸	130,778	6,076	153,549	6,233
黑鐵絲	公噸	19,875	837	18,421	703
鍍鋅鐵絲	公噸	97,784	4,557	119,124	4,863
刺鐵絲	公噸	400	18	1,974	77
扁鐵絲	公噸	1,980	110	2,177	114
電焊條	公噸	33,842	1,427	35,060	1,513
鋼瓶	個	57,060	220	57,140	188
水管零件	公噸	21,346	1,792	29,904	2,526
鐵錨	公噸	723	77	702	64
電線管零件	金額		219		188
法蘭盤	個	3,066,347	917	7,119,266	555
小五金	金額		28,706		24,458
建築小五金	金額		8,674		7,872
木螺絲	萬羅	6,265	1,854	4,759	1,781
合頁	萬對打	1,139	736	1,086	726

1989年出口主要商品數量金額

金額單位：萬美元

品名	單位	1989 數量	1989 金額	1988 數量	1988 金額
花式合頁	對	24,440,909	1,040	10,469,188	386
門鎖	打	1,248,196	2,440	1,505,907	2,299
插銷	打	3,245,599	227	4,027,805	273
窗紗	卷	452,050	640	549,261	842
門拉手	打	1,373,735	83	757,640	53
百頁窗架	付	944,720	163	1,365,358	211
彈簧鉸鏈	付	563,615	68	496,393	60
閉門器	隻	61,415	39	99,039	62
窗鈎	羅	132,168	38	168,386	41
鎖芯	打	12,603	8	13,710	6
窗簾彈簧	盒	199,110	41	202,780	40
鍍鉻鐵管	金額		20		9
瓦楞釘	公噸	9,103	538	9,641	521
緊固件	金額		11,011		8,965
機螺絲	羅	26,905,977	829	29,225,930	873
螺釘	千隻	1,618,105	372	2,097,950	217
自攻螺絲	千隻	2,677,182	392	7,869,316	247
螺絲門	公噸	4,450	249	5,224	256
螺絲門	千隻	1,220,194	1,338	1,017,281	1,323
瓦楞螺絲門	公噸	52	6	82	5
瓦楞螺絲門	羅	1,507,732	126	1,925,354	131
光六角帽	公噸	2,838	174	9,968	96
光六角帽	千隻	41,512,301	5,032	12,654,896	4,265
四方帽	羅	2,830,702	74	1,945,683	47
鉚釘	公噸	144	9	124	6
平墊圈	公噸	21,273	786	12,629	630

1989年出口主要商品數量金額

金額單位：萬美元

品　　名	單　位	1989		1988	
		數量	金額	數量	金額
彈簧墊圈	羅	11,984,479	375	12,714,574	339
金屬網	金額		3,127		1,955
電焊網	匹	689,070	1,420	434,630	826
方眼網	匹	195,399	441	131,063	276
菱形網	匹	432	1	450	1
六角網	卷	1,199,189	903	938,393	646
銅網	卷	11,719	89	25,002	71
閥門	金額		1,052		1,112
鑄鐵法蘭閥門	個	107,890	95	13,406	35
銅閥門	打	436,786	678	699,043	857
銅水龍頭	打	170,146	169	171,078	158
索具	金額		1,306		1,087
花籃螺絲	萬個	388	278	359	211
鋼絲繩卡頭	萬個	1,944	206	2,732	181
卸甲	萬個	2,711	640	2,586	567
三角圈	萬個	527	102	599	83
家俬小五金	金額		1,043		1,320
鎖牌	打	1,366,491	84	1,405,595	92
鐵絲鎖牌	打	632,170	32	1,228,585	46
色扣	打	266,860	11	614,253	22
萬能角鋼	隻	1,017,770	208	1,327,457	177
三角架	對打	335,721	106	441,222	111
羊眼圈	羅	431,762	22	605,783	35
燈鈎	羅	220,099	21	236,610	27
脚輪	套	3,762,237	389	2,055,697	247
黑色金屬礦產品	金額		422		315

1989年出口主要商品數量金額

金額單位：萬美元

品名	單位	1989		1988	
		數量	金額	數量	金額
鉻礦砂	公噸	5,993	68	4,113	42
硬錳砂	公噸	20,528	76	29,010	103
軟錳粉	公噸	6,701	90	6,977	85
鑄造生鐵	公噸	400,142	5,187	1,335,021	14,968
鐵合金	公噸	259,864	25,045	417,412	31,274
鑄鐵製品	金額		6,160		4,543
有色金屬礦產品	金額		51,798		72,575
錫	公噸	9,611	7,687	11,135	7,346
水銀	公噸	396	332	1,444	955
銻	公噸	28,910	5,444	29,423	6,233
硫化銻	公噸	13,451	958	9,253	754
氧化銻	公噸	11,514	2,192	8,343	1,702
鋁	公噸	5,883	1,098	105,520	15,780
鋅	公噸	12,767	1,237	21,245	1,369
鎳	公噸	1,097	1,686	5,738	3,557
黑鎢砂	公噸	21,362	8,693	24,013	9,274
白鎢砂	公噸	1,525	620	1,204	460
低度鎢砂	公噸	3,987	426	1,525	167
銻砂	公噸	2,088	174	1,259	114
鉬砂	公噸	481	131	2,836	759
錫礦砂	公噸	19,074	7,133	15,753	5,798
仲鎢酸銨	公噸	9,022	5,899	8,439	5,269
有色金屬材料及製品	金額		11,565		17,735
銅材	公噸	11,571	3,122	42,472	6,648
鋁材	公噸	12,746	3,467	33,572	6,856
銲錫條	公噸	5,026	2,407	5,824	2,324

1989年出口主要商品數量金額

金額單位：萬美元

品名	單位	1989		1988	
		數量	金額	數量	金額
碳化鎢粉	公斤	361,450	498	137,932	193
鑄造碳化鎢粉	公斤	129,100	180	96,770	130
鎢杆（條）	公斤	59,525	158	49,059	149
建築材料	金額		13,251		9,295
水泥	公噸	401,791	1,513	222,604	844
白水泥	公噸	40,683	361	23,604	198
石膏	公噸	108,447	238	121,432	281
生石灰	公噸	1,874	6	2,174	8
熟石灰粉	公噸	56,155	254	45,022	161
石粉	公噸	82,103	136	94,125	132
石米	公噸	17,200	50	22,425	59
方階磚	萬塊	14	4	28	6
水泥磚	萬塊	864	48	5,406	203
紅磚	萬塊	11,919	440	13,724	393
防潮磚	萬塊	717	58	146	18
釉面磚	萬塊	3,462	201	2,264	229
大理石板料	平方米	415,862	901	242,719	534
大理石荒料	立方米	2,196	73	2,287	71
花崗石板料	平方米	347,355	1,217	175,582	628
花崗石荒料	立方米	1,242,160	2,854	2,346,179	1,308
水磨石	平方米	323,437	95	147,693	74
板石	平方米	1,621,786	879	1,224,530	529
麻石子	立方米	153,465	87	243,029	136
淡水砂	立方米	839,559	508	1,029,504	587
海砂	立方米	71,281	28	68,740	31
蛭石	公噸	22,031	198	17,166	148

1989年出口主要商品數量金額

金額單位：萬美元

品名	單位	1989		1988	
		數量	金額	數量	金額
耐火材料	金額		29,469		22,313
礬土	公噸	1,474,299	7,582	1,132,682	6,194
焦寶石	公噸	155,356	661	102,206	426
重燒鎂	公噸	896,331	7,738	757,365	7,471
高鋁磚	公噸	12,988	255	15,825	249
黏土耐火磚	公噸	20,159	351	19,362	530
耐火土	公噸	1,813	17	2,151	20
石墨坩堝	號	986,412	26	1,013,059	29
鱗片石墨	公噸	109,927	7,872	88,542	4,279
無定形石墨	公噸	21,066	235	22,037	230
剛玉砂	公噸	35,956	1,186	23,449	775
非金屬礦產品及製品	金額		25,548		20,673
滑石塊	公噸	589,777	3,047	509,142	2,591
滑石粉	公噸	266,780	2,028	195,209	1,585
瓷土	公噸	108,502	394	40,029	207
長石塊	公噸	45,799	102	37,071	78
長石粉	公噸	26,429	119	12,673	72
石英石	公噸	49,989	123	39,632	143
黑白泥	公噸	221,640	358	158,330	277
石棉	公噸	64	4	337	5
石棉製品	公噸	2,030	390	1,703	286
石棉繩	公噸	423	75	370	68
石棉線	公噸	265	53	329	48
石棉布	公噸	671	126	342	72
石棉橡膠板	公噸	620	66	533	62
石棉板	公噸	45	3	122	7

1989年出口主要商品數量金額

金額單位：萬美元

品名	單位	1989		1988	
		數量	金額	數量	金額
雲母	公噸	1,367	23	22	1
雲母製品	公噸	197	31	170	21
雲母渣	公噸	20,910	260	13,662	184
輕燒鎂	公噸	212,550	1,497	216,830	1,648
砩石塊	公噸	564,498	3,498	501,648	3,076
砩石粉	公噸	430,536	3,991	385,202	3,181
雄黃	公噸	33	3	92	6
重晶石	公噸	1,103,519	2,926	1,146,806	2,887
重晶石粉	公噸	63,138	309	61,618	326
球石	公噸	3,205	37	2,466	24
燧石	公噸	4,240	48	6,990	88
浮石	公噸	596	8	1,373	15
紅色土	公噸	1,449	17	1,964	17
膨潤土	公噸	16,280	95	9,009	49
石刻品	金額		2,332		1,305
煤	公噸	15,164,186	55,943	16,259,720	54,927
焦炭	公噸	1,565,943	11,480	891,883	6,510
原油	公噸	25,681,622	295,871	27,494,813	263,831
成品油	公噸	5,034,925	80,554	4,705,036	63,342
航空汽油	公噸	1,577	78	1,005	58
車用汽油	公噸	1,404,205	22,217	1,117,060	14,952
航空煤油	公噸	378,989	7,161	382,991	5,800
燈用煤油	公噸	65,459	1,121	69,802	1,084
輕柴油	公噸	1,417,908	23,669	1,331,525	18,328
重柴油	公噸	21,411	297	14,630	183
通用柴油	公噸	29,881	568	29,137	427

1989年出口主要商品數量金額

金額單位：萬美元

品名	單位	1989		1988	
		數量	金額	數量	金額
燃料油	公噸	579,451	5,403	553,317	4,149
潤滑油	公噸	24,303	756	27,750	973
潤滑脂	公噸	1,533	198	981	193
潤滑油基礎油	公噸	266,565	6,100	144,608	3,212
石腦油	公噸	729,995	11,101	936,374	12,677
液化氣	公噸	10,583	169	15,825	237
化工原料	金額		77,929		68,031
硫酸	公噸	8,497	70	6,868	53
硝酸	公噸	1,678	36	1,375	27
磷酸	公噸	16,427	898	20,185	890
硼酸	公噸	2,360	175	1,997	159
燒碱	公噸	10,691	438	10,527	308
純碱	公噸	16,438	237	11,532	161
硫化碱	公噸	39,232	826	48,354	700
元明粉	公噸	217,864	1,761	245,551	1,919
冰晶粉	公噸	4,444	281	6,721	357
無水亞硫酸鈉	公噸	2,167	63	2,343	61
焦亞硫酸鈉	公噸	8,912	271	9,044	245
大蘇打	公噸	6,201	147	5,629	92
食用小蘇打	公噸	16,363	340	17,458	319
硝酸鈉	公噸	4,986	88	3,380	60
亞硝酸鈉	公噸	7,872	241	6,466	164
磷酸三鈉	公噸	4,196	116	5,730	132
磷酸五鈉	公噸	3,013	181	6,314	310
六偏磷酸鈉	公噸	1,079	82	2,452	160
次亞磷酸鈉	公噸	567	130	520	112

1989年出口主要商品數量金額

金額單位：萬美元

品　　名	單　位	1989		1988	
		數量	金額	數量	金額
硼砂	公噸	3,037	129	1,496	70
氟矽化鈉	公噸	5,086	90	5,693	99
硫氰化鈉	公噸	3,749	130	3,968	128
氰化鈉	公噸	448	88	161	21
黄血鹽鈉	公噸	2,319	202	1,190	99
赤血鹽鉀	公噸	63	20	65	20
氯酸鉀	公噸	3,900	181	4,368	200
硝酸鉀	公噸	3,828	139	5,459	202
碳酸鉀	公噸	1,896	94	1,999	88
過硫酸鉀	公噸	172	19	123	12
高錳酸鉀	公噸	7,781	841	6,836	725
輕質碳酸鈣	公噸	10,450	83	12,112	98
磷酸氫鈣	公噸	8,805	247	7,813	201
牙膏級磷酸氫鈣	公噸	349	22	576	38
電石	公噸	35,189	1,181	49,229	1,650
氯化鈣	公噸	3,146	28	2,662	23
活性白土	公噸	5,408	76	4,458	69
漂粉精	公噸	5,318	382	7,919	532
漂白粉	公噸	3,759	70	5,184	72
硫酸鋇	公噸	13,890	408	10,716	306
硝酸鋇	公噸	4,223	118	2,586	74
碳酸鋇	公噸	74,993	1,620	68,131	1,499
八水氫氧化鋇	公噸	1,258	36	858	22
二水氯化鋇	公噸	10,093	182	10,446	170
硫酸錳	公噸	10,410	335	10,602	313
碳酸錳	公噸	1,265	58	914	43

1989年出口主要商品數量金額

金額單位：萬美元

品　名	單位	1989 數量	1989 金額	1988 數量	1988 金額
電解二氧化錳	公噸	5,128	455	3,878	330
鉻酸	公噸	2,534	462	2,835	596
硫酸鎳	公噸	290	69	698	117
硫酸鎂	公噸	3,134	33	4,543	49
碳酸鎂	公噸	800	26	1,343	49
氯化鎂	公噸	13,293	101	14,617	118
氟矽化鎂	公噸	125	6	215	9
一水硫酸鋅	公噸	4,877	192	2,888	104
氯化鋅	公噸	5,791	295	10,685	514
硫酸鋁	公噸	21,445	196	17,336	142
工業氫氧化鋁	公噸	11,268	264	7,790	108
氟化鋁	公噸	2,534	155	2,746	147
鉬酸銨	公噸	1,618	821	1,123	543
鉬酸鈉	公噸	200	81	146	57
鎢酸	公噸	1,975	1,197	1,901	1,084
鎢酸鈉	公噸	402	171	471	209
硝酸鉛	公噸	656	61	387	27
明礬	公噸	3,095	40	4,275	55
碳酸鋰	公噸	1,278	416	1,583	459
氫氧化鋰	公噸	775	286	767	277
五氧化二礬	公噸	3,960	5,189	4,223	3,010
信精	公噸	866	54	1,036	58
硝酸銨	公噸	14,963	203	9,368	127
過硫酸銨	公噸	3,013	258	746	62
碳酸氫銨	公噸	7,565	78	6,104	67
氯化銨	公噸	68,040	730	27,893	371

1989年出口主要商品數量金額

金額單位：萬美元

品名	單位	1989		1988	
		數量	金額	數量	金額
活性炭	公噸	16,144	1,190	11,784	854
炭黑	公噸	17,254	680	14,739	640
乙炔黑	公噸	2,333	299	1,865	267
硫磺	公噸	11,829	190	30,517	383
赤磷	公噸	539	173	929	173
黃磷	公噸	2,441	346	7,063	862
液氯	公噸	2,357	40	2,857	31
石蠟	公噸	136,427	6,742	118,774	5,236
氯化石蠟	公噸	4,371	215	5,554	301
石油焦	公噸	124,844	1,058	62,809	480
瀝青焦	公噸	217	6	468	11
石油瀝青	公噸	1,298	21	15,655	195
煤焦瀝青	公噸	43,449	466	49,481	644
黃凡士林	公噸	1,195	57	2,088	99
白凡士林	公噸	2,348	136	2,002	118
黃磺油	公噸	1,228	41	1,253	44
白油	公噸	14,710	695	13,213	649
塔爾油	公噸	2,400	47	2,098	36
松焦油	公噸	1,712	46	1,889	47
軟皮油	公噸	4,006	183	6,110	266
酒精	公噸	25,764	1,026	2,488	123
二乙二醇	公噸	3,264	201	4,114	279
聚乙烯醇	公噸	16,406	2,246	11,819	1,350
異丙醇	公噸	7,230	300	5,575	201
甘油	公噸	317	38	259	35
糠醇	公噸	4,942	764	2,319	317

1989年出口主要商品數量金額

金額單位：萬美元

品名	單位	1989		1988	
		數量	金額	數量	金額
糠醛	公噸	29,590	2,677	31,026	2,954
木糖醇	公噸	720	193	408	100
木糖	公噸	717	198	283	63
甲酸	公噸	2,955	195	4,900	326
苯甲酸鈉	公噸	1,377	131	1,898	180
工業苯甲酸	公噸	50	4	112	9
冰醋酸	公噸	17,860	848	26,295	1,295
有水醋酸鈉	公噸	1,188	40	1,163	41
草酸	公噸	21,989	2,216	18,484	1,151
己二酸	公噸	2,636	311	2,839	329
癸二酸	公噸	6,906	1,953	6,816	1,545
對苯二甲酸	公噸	11,132	877	35,908	2,148
硬脂酸	公噸	1,744	123	1,586	115
油酸	公噸	328	25	343	24
碳 5-碳 9	公噸	62,294	590	47,160	517
碳 10-碳 20	公噸	53,066	829	41,808	606
苯二甲酸二辛脂	公噸	882	75	1,251	112
磷酸三丁脂	公噸	26	8	57	16
丙烯酸酯	公噸	2,585	385	2,460	257
環己酮	公噸	1,095	125	1,178	117
苯酚	公噸	1,386	172	2,797	311
對苯二酚	公噸	1,041	347	1,408	454
雙氰胺	公噸	527	87	678	128
三聚氰胺	公噸	8,621	1,095	7,620	857
鄰甲苯磺酰胺	公噸	221	44	305	67
對甲苯磺酰胺	公噸	35	8	175	46

1989年出口主要商品數量金額

金額單位：萬美元

品名	單位	1989		1988	
		數量	金額	數量	金額
水合肼	公噸	412	91	515	106
硫脲	公噸	1,023	199	684	119
純苯	公噸	32,538	1,253	28,518	877
粗苯	公噸	13,475	362	16,185	355
混合苯	公噸	35,160	827	2,774	33
甲苯	公噸	814	32	6,022	190
二甲苯	公噸	7,681	458	5,765	257
羧甲基纖維素	公噸	1,517	98	1,856	121
烏洛托品	公噸	4,398	293	3,553	189
促進劑	公噸	614	90	733	119
防老劑	公噸	352	73	344	57
發孔劑	公噸	2,418	469	2,362	395
拷膠	公噸	1,070	54	617	32
蟲膠	公噸	96	44	128	44
喹啉	公噸	462	80	158	30
食用大豆蛋白	公噸	20,133	551	24,008	850
葉綠素	公噸	123	42	122	37
各種染料	公噸	36,317	14,918	31,479	11,471
染料助劑	公噸	12,642	2,891	13,290	2,071
保險粉	公噸	5,652	576	6,762	628
海藻酸鈉	公噸	3,461	1,814	3,428	1,114
染料中間體	公噸	32,067	9,688	23,340	6,499
H酸	公噸	596	375	477	350
J酸	公噸	238	145	182	112
r酸	公噸	444	338	357	252
顏料	公噸	212,055	10,486	162,626	8,983

1989年出口主要商品數量金額

金額單位: 萬美元

品　名	單位	1989 數量	1989 金額	1988 數量	1988 金額
立德粉	公噸	103,966	2,931	96,363	2,833
鈦白粉	公噸	20,887	2,873	20,463	2,245
氧化鋅	公噸	20,940	1,810	18,576	1,312
氧化鐵紅	公噸	9,900	328	6,620	208
氧化鐵黃	公噸	45,269	504	7,629	353
紅鉛丹	公噸	1,228	104	1,835	124
黃鉛丹	公噸	182	15	2,230	152
鉻綠	公噸	237	72	62	18
鉻黃	公噸	246	36	296	39
酞菁藍	公噸	542	374	519	323
酞菁綠	公噸	290	222	309	228
羣青	公噸	2,062	187	2,819	232
油漆	金額		1,179		1,175
油墨	公噸	4,452	777	3,183	632
塑料原料	公噸	36,460	3,493	46,268	4,258
電木粉	公噸	4,083	337	3,979	277
電玉粉	公噸	341	27	759	54
聚氯乙烯樹脂	公噸	8,999	748	14,300	1,244
聚苯乙烯	公噸	2,934	254	1,269	101
化肥	公噸	181,609	2,005	233,930	2,059
農藥	公噸	29,377	7,056	30,907	5,945
橡膠及製品	金額		16,966		13,506
合成橡膠	公噸	15,604	1,693	8,910	871
輪胎	套	1,727,233	9,534	1,311,945	7,743
膠管	金額		671		486
運輸帶	金額		120		110

1989年出口主要商品數量金額

金額單位: 萬美元

品名	單位	1989		1988	
		數量	金額	數量	金額
三角帶	金額		406		235
傳動帶	金額		114		209
家用手套	打	1,944,782	300	3,046,982	402
工業手套	打	1,392,821	376	5,181,847	654
夾布膠片	公噸	1,358	86	1,507	67
醫藥原料	金額		44,958		42,839
抗菌素	金額		12,179		11,556
氯霉素鹽	公斤	203,860	667	225,791	736
氯霉素碱	公斤	85,845	372	78,550	327
金霉素	公斤	257,525	932	106,716	360
10億强力霉素	公斤	77,203	897	56,963	647
紅霉素	公斤	6,550	62	10,420	112
10億硫酸慶大霉素	瓶	35,384	786	36,065	533
灰黄霉素	公斤	46,149	212	57,107	275
10億硫酸卡那霉素	瓶	23,498	175	17,503	131
潔霉素	瓶	34,468	572	29,495	813
土霉素	公斤	1,141,807	1,568	474,137	702
鹽酸土霉素	公斤	665,700	1,095	707,268	1,398
四環素	公斤	994,387	2,309	702,069	1,675
鹽酸四環素	公斤	13,020	37	256,660	631
磺胺藥	金額		4,288		5,019
磺胺嘧啶	公斤	460,360	624	656,817	985
磺胺雙甲基嘧啶	公斤	1,089,036	948	1,015,160	898
磺胺雙甲基嘧啶鈉	公斤	151,734	145	106,500	74
磺胺咪	公斤	179,600	113	242,400	153

1989年出口主要商品數量金額

金額單位：萬美元

品名	單位	1989		1988	
		數量	金額	數量	金額
磺胺甲基異惡唑	公斤	281,875	490	495,485	896
長效磺胺	公斤	7,750	21	2,475	4
結晶磺胺	公斤	169,100	74	334,971	169
磺胺噻唑	公斤	305,300	300	269,650	272
周效磺胺	公斤	81,450	433	68,780	359
三甲氧苄氨嘧啶	公斤	291,770	822	366,535	889
抗結核藥	金額		593		653
異菸肼	公斤	114,050	115	110,700	105
利福平	公斤	26,173	371	42,040	519
對氨基水揚酸鈉	公斤	82,520	105	29,500	24
抗寄生蟲藥	金額		2,055		2,179
磷酸氯喹	公斤	213,856	558	209,350	416
鹽酸左旋咪唑	公斤	133,376	461	92,182	430
滅滴靈	公斤	399,850	463	367,400	493
鹽酸四咪唑	公斤	65,844	121	73,790	179
心血管藥及利尿藥	金額		1,873		1,380
潘生丁	公斤	65,485	507	62,775	516
雙氫氯噻嗪	公斤	22,300	34	25,583	40
橙皮甙	公斤	167,388	143	164,580	146
肌醇	公斤	279,085	639	346,430	462
甘露醇	公斤	749,764	197	478,050	72
路丁	公斤	248,420	308	56,438	111
激素	金額		1,418		1,139
氫化可的松	公斤	6,605	306	4,740	235
去氫可的松	公斤	1,604	105	990	62
薯芋皂素	公斤	74,660	180	71,000	163

1989年出口主要商品數量金額

金額單位：萬美元

品名	單位	1989		1988	
		數量	金額	數量	金額
番麻皂素	公斤	12,003	120	20,000	157
維生素	金額		3,896		3,907
維生素C	公斤	2,134,479	2,090	1,819,034	1,883
葉酸	公斤	2,780	27	3,610	33
維生素E	公斤	101,730	195	80,820	151
解熱止痛藥	金額		3,901		4,028
阿斯匹林	公斤	564,250	147	1,350,100	303
氨基比林	公斤	130,875	104	124,975	119
安乃近	公斤	1,628,505	889	1,519,110	967
無水咖啡因	公斤	1,112,062	1,178	985,050	1,203
咖啡因	公斤	33,000	45	42,602	50
消炎痛	公斤	163,170	450	80,521	184
扑熱息痛	公斤	1,610,070	675	1,956,935	802
鎮靜安定藥	金額		613		599
異戊巴比妥	公斤	10,020	15	8,400	13
巴比妥	公斤	37,970	38	42,830	35
安定	公斤	33,475	70	18,098	43
眠爾通	公斤	264,500	218	219,100	173
呼吸系統藥	金額		2,050		1,726
鹽酸左旋麻黃素	公斤	60,050	329	42,925	189
鹽酸右旋麻黃素	公斤	92,600	605	81,000	429
胃腸道藥	金額		2,281		2,202
呋喃唑酮	公斤	669,491	494	928,900	631
胰酶	公斤	56,745	142	31,225	70
酚酞	公斤	155,950	72	105,600	56
糖精鈉	公斤	1,912,063	749	1,835,609	601

1989年出口主要商品數量金額

金額單位：萬美元

品名	單位	1989		1988	
		數量	金額	數量	金額
禽畜飼料藥	金額		906		883
生化藥物	金額		2,723		2,787
絨毛膜激素	億單位	227	458	180	217
肝素鈉	億單位	25,728	946	56,927	1,547
尿激酶	億單位	1,712	400	1,938	485
胱胺酸	公斤	600,209	1,082	472,745	649
西藥成藥	金額		3,638		3,409
醫療器械	金額		6,353		5,689
人體磅	台	2,460	10	8,810	19
體溫計	隻	9,987,054	272	8,916,768	211
血壓計	隻	131,330	73	156,338	139
玻璃注射器	隻	3,266,124	165	7,569,572	118
注射針頭	打	417,408	87	3,224,977	98
X光機	台	684	126	261	39
X光膠片	盒	63,493	175	17,673	36
療養車	輛	1,946	13	4,206	24
熱水袋	隻	833,627	58	1,128,159	82
醫用手套	打	3,969,102	1,162	4,911,062	421
醫用檢查手套	打	30,269	1,070	71,532	3,264
醫用膠製品	金額		95		62
醫用敷料	金額		8,413		7,055
藥用紗布	萬米	21,679	2,779	20,588	2,678
藥用綳帶	金額		317		369
月經棉	萬打	200	82	222	85
藥棉	金額		288		253
橡皮膏	萬打	114	316	115	282

1989年出口主要商品數量金額

金額單位：萬美元

品　　名	單　位	1989		1988	
		數量	金額	數量	金額
船舶	金額		34,105		34,246
造船	艘	117	17,814	158	21,645
修船	金額		4,759		3,829
船用設備	金額		2,249		1,298
集裝箱	金額		8,904		6,382
船用配件	金額		158		83
航空設備	金額		2,496		1,684
鐵路車輛零件	金額		467		365
汽車	輛	6,266	6,115	5,571	5,307
載重汽車	輛	3,678	3,260	2,447	1,814
吉普車	輛	674	459	601	401
小轎車	輛	181	427	1,356	1,933
旅行車	輛	116	88	23	27
汽車配件	金額		6,805		4,660
摩托車	輛	15,817	897	22,312	1,231
動力機械	金額		21,973		9,679
柴油機	馬力	1,865,918	3,976	763,106	1,634
工業鍋爐	金額		95		208
一般交流發電機	千瓦	424,777	991	213,206	729
一般交流電動機	千瓦	2,459,654	2,786	1,462,231	2,082
潛水電機	台	14,722	75	15,697	79
分馬力電機	台	618,520	1,481	692,169	1,464
電工設備	金額		21,248		18,687
變壓器	金額		462		364
低壓電氣元件	金額		964		884
電焊機	金額		169		94

1989年出口主要商品數量金額

金額單位：萬美元

品名	單位	1989		1988	
		數量	金額	數量	金額
裸鋁線	公噸	141	52	845	149
鋼芯鋁鉸線	公噸	4,496	620	6,074	808
裸銅線	公噸	2,739	708	13,267	2,665
電磁線	公噸	4,099	1,160	4,984	1,078
布電線	金額		1,037		789
電力電纜	公里	23,465	1,824	28,155	1,839
電瓷	公噸	14,716	1,002	9,720	646
線路金具	公噸	1,747	251	1,819	157
蓄電池	千伏安	1,186,390	4,123	851,255	4,163
蓄電池極板	萬片	81	15	37	5
絕緣材料	金額		1,515		1,092
電動工具	台	108,373	377	124,079	427
起重機械	金額		6,226		3,807
金屬切削機床	台	34,924	19,787	21,857	11,225
車床	台	11,902	6,216	8,423	4,841
鑽床	台	4,942	1,630	1,795	659
鏜床	台	1,055	696	597	407
磨床	台	1,673	2,214	1,841	1,522
齒輪加工機床	台	95	177	36	74
銑床	台	5,687	3,363	3,324	1,898
刨床	台	1,192	377	1,435	493
插床	台	175	164	216	316
鍛壓設備	台	28,405	1,992	19,177	1,138
木工機械	台	8,526	147	7,533	72
量具	件	1,029,005	1,062	1,190,970	970
刃量	金額		3,253		2,494

1989年出口主要商品數量金額

金額單位：萬美元

品名	單位	1989		1988	
		數量	金額	數量	金額
磨料	公噸	87,873	4,079	72,817	2,786
台鑽	台	158,372	909	85,042	600
各種泵	台	525,431	1,200	295,361	835
工業泵	台	45,309	459	40,913	317
高眞空泵	台	1,210	22	4,324	22
手搖泵	台	194,927	139	134,907	92
家用泵	台	69,436	128	56,879	111
閥門	隻	3,174,588	1,447	2,670,169	886
低壓閥門	隻	2,242,198	977	2,072,447	661
高中壓閥門	隻	160,337	152	38,069	98
法蘭盤	公噸	23,996	795	5,696	365
塑料機械	台	8,138	953	3,155	813
印刷機械	金額		1,252		803
石油機械	金額		453		291
軸承	萬套	11,524	12,556	8,528	9,013
工業軸承	萬套	9,474	11,746	7,738	8,632
微型軸承	萬套	2,050	811	790	380
工業鏈條	金額		1,659		1,193
農業機械	金額		7,692		6,998
拖拉機	台	3,099	571	1,844	381
手扶拖拉機	台	10,743	925	5,927	412
耕作農機具	金額		355		388
收穫機械	台	930	439	5,483	398
水利排灌機械	台	34,319	405	14,846	193
土建機械	金額		1,708		791
地質機械	金額		270		76

1989年出口主要商品數量金額

金額單位：萬美元

品名	單位	1989		1988	
		數量	金額	數量	金額
紡織機械	金額		5,287		2,935
紡織用品（器材）	金額		1,603		1,215
針織機械	金額		228		188
糧油加工機械	金額		859		955
食品加工機械	金額		778		625
橡膠加工機械	金額		1,190		637
製藥機械	金額		84		57
輕工機械	金額		1,394		723
炭素製品	金額		1,357		941
石墨電極	公噸	4,958	675	3,060	486
石墨粉塊	公噸	11,479	546	7,728	360
小成套設備	金額		19,732		14,778
工具	金額		29,293		23,648
硬質合金	金額		1,589		1,101
農具	金額		4,105		3,763
儀器儀表	金額		47,875		31,679
電訊設備	金額		36,003		23,301
電子設備	金額		3,269		2,618
光學儀器	金額		2,716		2,100
物理化工儀器	金額		1,881		1,312

1989年進口商品按金額分組情況

金額單位：萬美元

品　　名	1989	1988
進口總額	3,914,261	3,984,980
十億美元以上商品	1,792,423	1,748,561
鋼材	477,632	407,470
成套設備及技術引進	435,144	409,354
化工原料	294,114	466,742
糧食	256,003	151,142
化肥	217,778	207,427
輕工機械	111,752	106,426
一億到十億美元商品	1,378,688	1,500,374
棉花	86,761	8,356
電子計算機	79,385	76,305
合成纖維	66,656	91,877
動植物油、籽(折油)	64,191	29,566
電子儀器類	56,362	54,037
汽車零件	54,962	46,160
電視機零件	51,911	66,197
木材	51,531	93,899
羊毛	51,320	96,910
織物	44,060	58,408
原油	43,602	21,314
糖	39,534	88,780
紙張	38,556	49,043
柴油	38,174	27,559
紙漿	35,910	55,304

1989年進口商品按金額分組情況

金額單位：萬美元

品　　名	1989	1988
鋁	35,075	23,422
航空設備及零件	33,615	20,498
鐵砂	33,137	24,849
天然橡膠	32,089	42,328
船舶	31,676	15,554
膠合板	31,344	34,736
飛機零件	29,536	25,449
汽車	27,963	46,528
化工機械	25,872	21,816
農藥	24,785	16,080
顯像管	23,601	28,573
西藥	20,495	32,937
銅	19,633	17,636
礦山設備	19,423	15,105
冶壓鑄造設備	18,935	17,009
電工設備	17,599	15,229
染料及中間體	15,580	19,141
飛機	15,017	14,533
電機車	14,603	10,262
醫療器械	14,579	16,596
機床	14,129	13,450
動力設備	13,103	9,087
物理化工儀器	11,792	14,388
電冰箱零配件	10,841	21,325

1989年進口商品按金額分組情況

金額單位：萬美元

品名	1989	1988
生鐵	10,692	12,529
人造棉	10,520	13,317
船用設備及零件	10,073	8,570
魚粉	10,066	16,424
五千萬到一億美元商品	102,616	112,425
唧筒壓縮機械	9,549	11,388
建築材料	8,847	12,314
土建機械	8,538	5,592
光學儀器類	8,349	7,753
合成橡膠	8,168	8,157
人造革及薄膜	7,718	16,387
起重挖掘機械	7,449	5,311
農業機械	7,351	5,974
煤	6,957	6,439
革皮	6,709	5,371
綢緞	6,199	10,173
鐘錶	6,074	5,985
電冰箱	5,458	7,019
皮張	5,250	10,252
其它商品	640,534	623,620

1989年進口主要商品數量金額

金額單位：萬美元

品名	單位	1989		1988	
		數量	金額	數量	金額
進口總額	金額		3,914,261		3,984,980
成套設備及技術引進	金額		435,144		409,354
船舶及船用設備	金額		41,749		24,123
船舶	艘	116	31,676	47	15,554
貨船	艘	20	21,455	4	2,856
船用設備及零件	金額		10,073		8,570
航空設備	金額		78,168		60,480
飛機	架	24	15,017	20	14,533
飛機零件	金額		29,536		25,449
航空設備及零件	金額		33,615		20,498
汽車及摩托車	金額		90,809		100,641
汽車	輛	29,109	27,963	52,074	46,528
卡車	輛	4,520	4,631	4,301	4,490
自卸車	輛	1,463	5,494	2,004	8,218
越野車	輛	493	688	274	399
卡車底盤	輛	643	1,059	1,042	1,177
拖車及拖車頭	輛	30	127	58	421
小轎車	輛	15,299	7,714	33,191	14,971
吉普車	輛	2,431	1,362	4,448	2,599
汽車零件	金額		54,962		46,160
摩托車	輛	15,489	1,349	29,900	3,371
鐵路車輛及設備	金額		48,250		34,506
內燃機車	輛	32	1,952	29	2,008
電機車	輛	205	14,603	63	10,262
機車零件	金額		1,090		2,717
農業機械	金額		7,351		5,974

1989年進口主要商品數量金額

金額單位：萬美元

品名	單位	1989 數量	1989 金額	1988 數量	1988 金額
聯合收割機及零件	金額		2,100		1,778
其它農業機械及零件	金額		5,251		4,196
動力設備	金額		13,103		9,087
柴油機	台	320	292	46	60
鍋爐	金額		2,501		1,511
礦山設備	金額		19,423		15,105
地質鑽機及零件	金額		604		37
石油鑽機及零件	金額		3,325		3,756
礦山機械及零件	金額		483		775
採煤機械及零件	金額		2,724		7,701
採油機械及零件	金額		7,174		1,015
冶壓鑄造設備	金額		18,935		17,009
冶金機械	金額		3,848		12,871
鑄造機械	金額		494		1,275
唧筒壓縮機械	金額		9,549		11,388
壓縮機及零件	金額		7,551		8,027
泵及零件	金額		1,615		2,830
閥門	金額		783		1,007
電動機	金額		1,172		897
電工設備	金額		17,599		15,229
機床	台	1,257	14,129	774	13,450
車床	台	49	1,672	95	1,362
鏜床	台	40	2,069	35	2,513
磨床	台	118	2,096	99	1,908
鑽床	台	24	106	18	71
製齒機	台	44	1,013	23	1,245

1989年進口主要商品數量金額

金額單位: 萬美元

品名	單位	1989		1988	
		數量	金額	數量	金額
銑床	台	211	594	53	377
其他機床	台	771	6,579	451	5,974
機床零件	金額		2,309		3,343
木工機械	台	3,356	504	531	770
鍛壓設備	台	93	2,416	61	2,324
工具	金額		2,222		2,223
軸承	金額		989		1,081
鑽石	萬克拉	43	345	31	526
起重挖掘機械	金額		7,449		5,311
起重機	台	106	553	57	1,373
起重機零件	金額		1,564		1,953
鏟車	台	661	1,155	99	117
鏟車零件	金額		385		238
挖掘機	台	24	935	23	189
挖掘機零件	金額		400		192
土建機械	金額		8,538		5,592
推土機	台	11	484	13	241
推土機零件	金額		1,164		222
其它土建機械零件	金額		555		1,587
其它土建機械	金額		6,335		3,542
化工機械	金額		25,872		21,816
化工機械及零件	金額		13,150		9,380
冷凍機械及零件	金額		5,530		3,396
橡膠機械及零件	金額		569		1,990
塑料機械及零件	金額		3,625		4,373
製藥機械及零件	金額		1,001		1,016

1989 年進口主要商品數量金額

金額單位: 萬美元

品　　名	單位	1989		1988	
		數量	金額	數量	金額
其它化工機械及零件	金額		1,997		1,661
輕工機械	金額		111,752		106,426
食品機械及零件	金額		14,026		15,981
製革、製鞋機械及零件	金額		2,563		3,165
印刷機械及零件	金額		3,399		6,394
紡織機械及零件	金額		45,306		39,607
造紙機械及零件	金額		1,948		1,498
包裝機械及零件	金額		6,889		5,226
其它輕工機械及零件	金額		37,621		34,555
電子計算機	金額		79,385		76,305
大、中型電子計算機	金額		6,960		8,709
電子元器件	金額		42,349		41,796
電子儀器類	金額		56,362		54,037
無綫電設備	金額		8,314		6,583
錄像設備	金額		2,848		4,445
有綫設備	金額		10,248		10,105
電工儀表	金額		1,359		1,211
電子儀器	金額		9,739		12,383
核子儀器	金額		493		2,399
光學儀器類	金額		8,349		7,753
光學量具	金額		165		411
顯微鏡	金額		1,538		1,621
物理光學儀器	金額		4,502		4,196
測繪儀器	金額		894		1,276
物理化工儀器類	金額		11,792		14,388
材料試驗機	金額		1,590		1,299

1989年進口主要商品數量金額

金額單位: 萬美元

品　名	單位	1989		1988	
		數量	金額	數量	金額
熱工儀表	金額		700		1,547
實驗室儀器	金額		2,864		4,444
鋼材	公噸	8,471,732	477,632	8,718,240	407,470
厚鋼板	公噸	1,319,505	56,650	1,304,554	44,382
一般厚鋼板	公噸	1,138,911	47,395	1,129,901	36,996
鍋爐鋼板	公噸	104,386	5,932	91,551	4,253
造船鋼板	公噸	68,272	2,914	64,929	2,452
大樑鋼板	公噸	4,939	295	12,205	462
花紋鋼板	公噸	2,997	114	5,968	219
薄鋼板	公噸	3,470,829	206,776	2,911,597	139,075
一般薄鋼板	公噸	2,716,299	150,938	2,123,566	91,718
鍍鋅鐵皮	公噸	380,425	27,603	308,894	17,478
馬口鐵	公噸	374,105	28,235	479,137	29,879
型材	公噸	780,815	25,359	951,872	26,441
矽鋼片	公噸	152,235	18,293	180,328	14,580
盤條	公噸	730,676	22,979	968,257	27,884
鐵道器材	公噸	28,834	2,950	46,128	2,301
優質鋼	公噸	359,752	28,568	591,903	31,049
炭素鋼板	公噸	18,804	1,279	22,356	1,008
炭素型鋼	公噸	205,742	7,457	398,619	13,259
合金鋼板	公噸	4,909	388	3,056	140
合金型鋼	公噸	45,270	2,805	52,394	2,305
滾珠軸承鋼	公噸	4,446	294	16,955	866
炭素工具鋼	公噸	6,485	375	17,355	961
合金工具鋼	公噸	2,808	318	649	111
高速工具鋼	公噸	579	248	1,646	385

1989年進口主要商品數量金額

金額單位：萬美元

品　　名	單位	1989		1988	
		數量	金額	數量	金額
不銹型鋼	公噸	7,749	1,359	3,445	732
不銹鋼板	公噸	46,338	12,949	45,784	10,541
其他優質鋼	公噸	16,622	1,096	14,844	741
管材	公噸	1,075,697	89,771	1,290,055	99,478
焊縫管	公噸	23,090	1,564	34,584	2,554
無縫管	公噸	195,783	12,468	125,656	7,779
鍋爐管	公噸	59,494	5,702	69,367	7,026
油管	公噸	151,970	13,349	225,789	17,843
石油套管	公噸	588,382	44,683	771,208	54,027
石油鑽管	公噸	8,812	1,846	3,253	723
地質套管	公噸	879	95	1,024	95
合金鋼管	公噸	32,489	5,282	36,726	5,179
不銹鋼管	公噸	6,798	4,280	9,537	3,708
金屬製品	公噸	141,759	12,215	213,590	14,852
鋼絲	公噸	10,357	1,505	10,607	1,685
鋼帶	公噸	101,086	6,954	154,443	7,906
鋼絲繩	公噸	9,674	957	18,209	1,718
鋼坯	公噸	233,813	5,706	148,623	3,450
有色金屬	金額		77,241		66,175
銅	公噸	81,237	19,633	88,306	17,636
鋅	公噸	9,489	1,428	60,186	6,775
鋁	公噸	168,305	35,075	99,409	23,422
鎳	公噸	2,083	2,377	3,884	4,822
鈷	公噸	54	96	38	59
鎂	公噸	168	69	3,218	993
鉛	公噸	19,863	1,738	3,879	272

1989年進口主要商品數量金額

金額單位：萬美元

品名	單位	1989		1988	
		數量	金額	數量	金額
有色金屬壓延材	公噸	10,905	3,783	5,452	2,974
有色金屬製品	金額		5,090		4,027
其它有色原料	金額		7,952		5,195
白金	公斤	1,059	1,770	268	813
金屬礦砂	金額		61,637		41,527
鐵砂	公噸	12,372,599	33,137	10,756,193	24,849
鉻礦石	公噸	451,198	7,474	347,398	3,878
氧化鋁	公噸	216,085	10,861	116,547	2,973
銅礦砂	公噸	61,501	4,363	108,612	7,104
鐵合金	公噸	17,802	1,532	29,802	1,193
廢鋼	公噸	48,866	703	95,848	1,228
生鐵	公噸	768,265	10,692	879,841	12,529
廢船	公噸	106,255	2,485	522,221	11,711
非金屬礦產品及製品	金額		10,280		9,925
水泥	公噸	765,251	3,257	1,086,028	3,877
耐火材料	公噸	3,368	422	5,133	809
石棉及製品	金額		117		101
煤	公噸	1,951,979	6,957	1,713,966	6,439
石油及製品	金額		91,960		54,461
柴油	公噸	2,076,330	38,174	1,729,067	27,559
原油	公噸	3,690,624	43,602	1,961,621	21,314
潤滑油脂	金額		1,469		1,486
橡膠及製品	金額		43,900		52,459
天然橡膠	公噸	325,068	32,089	390,379	42,328
合成橡膠	公噸	65,756	8,168	56,751	8,157
膠製品	金額		2,278		747

1989年進口主要商品數量金額

金額單位：萬美元

品名	單位	1989 數量	1989 金額	1988 數量	1988 金額
輪胎	金額		361		328
化肥(折標準肥)	公噸	24,271,313	217,778	25,466,957	207,427
尿素	公噸	14,127,565	102,635	15,864,180	106,963
硫銨	公噸	38,801	362	30,396	267
硝酸鈉	公噸	150	2	18,000	124
硫酸鉀	公噸	318,717	6,678	304,166	6,062
氯化鉀	公噸	1,368,545	15,257	1,865,929	18,456
複合肥	公噸	2,147,854	20,140	1,719,600	16,168
三料過磷酸鈣	公噸	296,351	2,492	205,456	1,750
磷酸二銨	公噸	5,470,871	61,580	5,144,494	50,653
其它化肥	公噸	502,459	8,632	314,736	6,984
磷酸鹽	公噸	401,722	1,887	197,764	1,074
硫酸	公噸	7,704	60	54,040	263
化工原料	金額		294,114		466,742
聚氯乙烯	公噸	73,539	4,476	69,412	8,018
聚丙烯	公噸	211,655	17,730	463,770	60,806
高壓聚乙烯	公噸	368,297	37,533	653,208	83,023
低壓聚乙烯	公噸	93,180	7,813	327,841	23,507
ABS樹脂	公噸	85,204	15,388	123,879	23,413
聚苯乙烯	公噸	71,365	10,430	147,875	23,119
聚醚樹脂	公噸	7,880	1,130	18,463	2,141
乙烯醋酸乙烯共聚物	公噸	5,051	487	6,860	969
辛醇	公噸	704	67	7,606	689
丁醇	公噸	2,780	248	11,517	574
精萘	公噸	49,113	3,729	55,353	4,184
苯二甲酸酐	公噸	12,487	761	33,567	2,217

1989年進口主要商品數量金額

金額單位: 萬美元

品　　名	單位	1989		1988	
		數量	金額	數量	金額
聚酯切片	公噸	133,009	18,186	134,863	15,450
己內酰胺	公噸	28,718	5,079	70,844	12,467
對苯二甲酸二甲酯	公噸	9,372	904	34,009	2,266
尼龍	公噸	30,820	4,441	32,643	8,595
乙二醇	公噸	105,973	12,559	73,785	7,168
丙烯酸丁酯	公噸	1,006	187	837	127
丙烯酸甲酯	公噸	2,993	276	2,082	311
直鏈烷基苯	公噸	85,713	5,145	97,595	6,785
二甲苯	公噸	14,272	692	35,467	1,589
三聚磷酸鈉	公噸	30,437	1,914	25,232	1,479
燒碱	公噸	200,003	7,371	239,768	8,176
純碱	公噸	675,849	10,520	761,955	9,661
紅礬鈉	公噸	7,398	859	24,347	2,763
氰化鈉	公噸	3,790	859	5,998	975
甘銘素	公噸	50	20	29	11
染料及中間體	金額		15,580		19,141
染料及助劑	金額		4,175		7,236
鈦白粉	公噸	13,845	3,798	10,465	2,224
油漆油墨	金額		1,252		1,206
染料中間體	金額		2,645		2,383
其它	金額		3,710		6,092
農藥	金額		24,785		16,080
除草劑	金額		3,516		3,652
利蟲劑	金額		10,752		5,971
農藥原料	金額		8,372		4,349
西藥	金額		20,495		32,937

1989年進口主要商品數量金額

金額單位：萬美元

品名	單位	1989		1988	
		數量	金額	數量	金額
粗碘	金額		80		112
碘化鉀	金額		14		209
特藥	金額		749		1,076
醫藥原料	金額		11,729		13,327
其它西藥	金額		7,923		18,213
醫療器械	金額		14,579		16,596
生藥	金額		3,115		4,837
玉果	公噸	187	133	391	288
沒藥	公噸	392	143	603	232
母丁香	公噸	29	19	134	127
公丁香	公噸	90	21	834	234
朝鮮參	公噸	7	112	10	142
西洋參	公噸	33	348	102	98
白豆蔻	公噸	375	113	613	192
西紅花	公斤	377	35	103	10
海馬	公斤	4,403	36	7,447	67
沉香	公噸	2	9	10	32
牛黃	公斤	71	180	247	576
鐘錶	金額		6,074		5,985
手錶	萬隻	5	355	33	1,349
手錶散件	金額		483		199
電冰箱	台	287,874	5,458	357,570	7,019
電冰箱零配件	金額		10,841		21,325
洗衣機	台	1,073	26	39,294	623
人造革及薄膜	金額		7,718		16,387
複印機	台	440	147	2,136	355

1989年進口主要商品數量金額

金額單位: 萬美元

品　名	單位	1989		1988	
		數量	金額	數量	金額
玩具	金額		2,525		5,717
縫紉機及零件	金額		1,982		3,389
建築材料	金額		8,847		12,314
平板玻璃	平方米	1,773,553	394	4,305,908	1,063
膠合板	立方米	945,429	31,344	948,775	34,736
體育用品	金額		2,994		10,364
紙漿	公噸	674,809	35,910	1,113,970	55,304
漂白牛皮漿	公噸	239,990	18,650	370,247	24,506
本色牛皮漿	公噸	33,814	2,000	113,843	7,789
紙張	公噸	698,829	38,556	1,126,480	49,043
新聞紙	公噸	90,967	4,632	97,141	5,412
銅版紙	公噸	37,930	3,933	53,781	5,307
白板紙	公噸	120,648	6,463	164,120	8,594
牛皮卡紙	公噸	159,289	7,471	259,435	10,954
玻璃紙	公噸	681	151	3,559	757
電視機及音響設備	金額		103,584		137,886
彩色電視機	台	83,760	2,437	346,112	10,282
顯象管	隻	6,787,524	23,601	4,945,287	28,573
電視機零件	金額		51,911		66,197
收錄機	台	92,142	386	465,138	421
照像電影器材	金額		16,072		18,312
翡翠	金額		1,138		391
棉花	公噸	626,046	86,761	73,164	8,356
棉紗	公噸	8,655	2,412	3,746	1,086
羊毛	公噸	95,299	51,320	180,538	96,910
人造絲	公噸	9,703	4,986	26,400	9,794

1989年進口主要商品數量金額

金額單位：萬美元

品名	單位	1989		1988	
		數量	金額	數量	金額
人造棉	公噸	51,499	10,520	79,055	13,317
合成纖維	公噸	336,697	66,656	573,590	91,877
錦綸	公噸	20,004	8,633	30,609	12,655
滌綸	公噸	177,984	32,569	222,719	24,256
腈綸	公噸	130,197	22,949	305,555	52,231
帘子布	公噸	8,728	4,141	8,928	3,898
織物	金額		44,060		58,408
綢緞	金額		6,199		10,173
糧食	公噸	16,402,775	256,003	14,788,245	151,142
小麥	公噸	14,703,151	220,043	13,910,240	135,933
大米	公噸	1,012,307	24,571	332,027	7,896
玉米	公噸	102,465	1,090	195,862	2,075
大麥	公噸	326,600	5,126	241,182	2,342
糯米	公噸	26,400	679	33,000	866
綠豆	公噸	17,344	879	11,254	786
大豆	公噸	774	26	32,873	1,076
動植物油、籽(折油)	公噸	1,452,934	64,191	638,546	29,566
牛羊油	公噸	71,428	2,911	84,768	3,533
椰子油	公噸	27,159	1,471	47,045	2,675
亞蔴油	公噸	3,000	201	6,000	330
棕櫚油	公噸	461,324	20,025	265,339	12,041
豆油	公噸	389,576	14,436	154,174	6,569
香蕉	公噸	12,434	442	24,200	555
水海產品	金額		18,226		21,040
凍明太魚	公噸	40,791	2,338	22,330	1,080
魚粉	公噸	193,394	10,066	334,810	16,424

1989年進口主要商品數量金額

金額單位: 萬美元

品　　名	單位	1989		1988	
		數量	金額	數量	金額
糖	公噸	1,453,896	39,534	3,789,133	88,780
奶油	金額		97		479
奶粉	公噸	53,558	1,255	42,753	1,570
可可豆	公噸	12,182	2,359	12,505	2,355
咖啡豆	公噸	12,024	2,312	11,702	1,727
売腰果	公噸	6,328	478	19,779	2,029
香料及香料油	金額		1,328		1,773
木材	立方米	5,651,793	51,531	10,114,513	93,899
皮張	金額		5,250		10,252
鉻(藍)濕牛皮	張	436,643	2,412	765,402	4,387
鹽濕牛皮	張	128,372	663	263,858	1,281
革皮	金額		6,709		5,371
綿羊服裝革	平方呎	932,767	183	373,000	72
山羊鞋面革	平方呎	2,916,349	460	6,170,490	961
牛鞋面革	平方呎	3,326,740	611	7,338,608	1,354
煙葉	金額		3,180		7,990
種畜	金額		655		2,091

1989年中國主要出口商品輸往地

大米

輸往地	1989		1988	
	數量(公噸)	金額(美元)	數量(公噸)	金額(美元)
總值	339,209	103,949,433	704,928	184,630,503
香港	82,728	30,156,100	89,345	28,143,428
澳門	2,545	937,267	11,515	3,122,672
日本	400	193,092	341	145,424
斯里蘭卡	60,784	15,650,448	102,459	25,240,869
叙利亞	186	62,822		
阿拉伯也門共和國	500	173,302	1,205	326,469
巴林	2,539	723,280	2,475	676,325
卡塔爾	751	208,071	1,310	332,865
阿拉伯聯合酋長國	4,605	1,263,076	7,177	1,916,596
阿曼	3,017	835,487	3,345	886,005
利比亞	20,186	6,419,215	19,994	5,698,486
聖多美和普林西比	400	138,335	500	158,193
毛里求斯	52,836	13,190,956	26,692	6,793,411
波蘭	27,361	8,932,134	60,584	15,893,160
捷克斯洛伐克	20,216	6,470,023	40,067	12,080,420
保加利亞	4,002	1,548,609		
羅馬尼亞	20,567	7,043,847	21,000	6,739,432
德意志民主共和國	9,918	3,354,903	22,032	7,053,915
法國	15,156	3,743,490		
芬蘭	17	5,806		
古巴	9,999	2,699,611	50,241	8,993,345
加拿大	91	34,043	285	96,044
澳大利亞	252	106,315	204	72,876
新西蘭	34	14,253	106	36,326
其他	119	44,948	441	140,343

雜豆

輸往地	1989		1988	
	數量(公噸)	金額(美元)	數量(公噸)	金額(美元)
總值	378,169	145,203,844	425,374	137,158,656
香港	65,507	23,251,989	140,432	39,329,373
澳門	1,033	411,573	95	33,790
朝鮮民主主義人民共和國	300	65,713	11	1,266
日本	79,662	44,139,261	60,030	31,007,289

1989年中國主要出口商品輸往地

雜豆

輸往地	1989		1988	
	數量(公噸)	金額(美元)	數量(公噸)	金額(美元)
泰國	2,131	629,203	4,323	937,328
馬來西亞	5,395	1,467,394	1,174	442,193
新加坡	10,034	4,032,269	22,919	7,468,407
印度尼西亞	2,723	761,968	11,762	2,586,619
巴基斯坦	15,828	5,262,064	6,142	1,803,794
孟加拉國	3,690	1,004,890	62	19,193
印度	29,228	8,951,546	37,347	12,072,460
黎巴嫩	537	176,011	878	328,610
約旦	799	206,536	295	87,192
阿拉伯也門共和國	1,941	800,203	2,994	1,191,984
也門民主人民共和國	2,532	897,249	303	93,169
科威特	887	256,458	1,478	391,597
卡塔爾	51	15,626	40	12,851
阿拉伯聯合酋長國	248	70,912	108	43,088
吉布提	100	20,472	195	99,522
毛里求斯	351	179,795	65	27,028
留尼汪	17	6,866	88	40,446
捷克斯洛伐克	5,086	2,080,753	4,150	1,589,584
德意志聯邦共和國	2,906	1,219,396	1,400	641,177
法國	1,076	443,312	4,954	785,523
意大利	45,771	10,575,636	54,899	10,704,178
荷蘭	19,592	6,691,170	17,517	6,074,072
比利時	9,097	3,396,897	5,411	1,550,064
英國	16,302	4,567,795	16,614	5,233,445
丹麥	969	374,887	855	364,176
瑞典	139	68,301	11	4,305
瑞士	1,299	389,428	2,349	796,721
葡萄牙	220	120,574	1,037	370,355
古巴	36,889	17,708,784	24,157	10,487,668
巴西	4,382	1,740,915		
智利	37	18,837	16	9,752
加拿大	178	99,242	240	110,028
美國	7,990	1,908,205	610	290,635
新西蘭	20	9,467		
其他	3,222	1,182,247		

1989年中國主要出口商品輸往地

玉米

輸往地	1989		1988	
	數量(公噸)	金額(美元)	數量(公噸)	金額(美元)
總值	3,496,714	444,566,064	3,521,505	353,166,003
香港	572,447	74,126,616	220,031	23,263,580
朝鮮民主主義人民共和國	123,478	18,160,791	123,675	11,959,883
日本	1,291,217	156,858,071	1,479,959	152,237,997
菲律賓	21,927	2,835,841		
馬來西亞	85,692	11,019,061	18,531	1,713,670
新加坡	112,364	14,567,896		
印度尼西亞	15,260	2,014,333	3,575	335,674
蘇聯	1,164,884	152,036,808	1,576,281	153,748,095
德意志民主共和國	83,196	10,059,147	98,287	9,784,184
其他	26,250	2,887,500	646	68,320

凍對蝦

輸往地	1989		1988	
	數量(公噸)	金額(美元)	數量(公噸)	金額(美元)
總值	61,939	399,215,235	58,276	385,132,817
香港	15,399	90,585,952	13,522	82,906,569
澳門	284	1,117,690	544	2,288,464
日本	27,230	185,951,288	24,532	172,623,166
新加坡	107	684,584	36	318,759
德意志聯邦共和國	92	797,763	48	578,778
法國	1,099	7,499,145	626	3,678,656
意大利	76	400,134	66	321,963
荷蘭	200	2,367,703	277	2,757,005
比利時	15	66,030	22	123,920
英國	410	3,720,781	779	5,723,590
瑞典	29	421,488	107	1,524,189
挪威	28	195,628	26	255,216
瑞士	194	1,147,072	138	1,054,086
西班牙	305	1,915,935	38	195,537
加拿大	618	3,659,468	243	1,544,160
美國	15,597	97,267,799	16,899	106,425,046
澳大利亞	248	1,330,598	367	2,751,090
其他	9	86,177	6	58,185

1989年中國主要出口商品輸往地

黃大豆

輸往地	1989		1988	
	數量(公噸)	金額(美元)	數量(公噸)	金額(美元)
總值	1,170,513	349,136,004	1,458,515	379,330,562
香港	48,622	14,124,908	107,298	26,319,195
澳門	150	54,554	127	36,543
朝鮮民主主義人民共和國	75,660	25,228,252	75,510	19,216,140
日本	260,096	80,096,945	314,294	90,661,484
馬來西亞	115,244	31,637,349	77,003	19,406,011
新加坡	5,783	1,848,610	16,685	3,879,549
印度尼西亞	136,580	39,846,921	283,183	73,221,846
阿拉伯聯合酋長國	10	2,907		
毛里求斯	23	10,171	20	6,716
蘇聯	494,977	146,050,691	502,410	125,094,283
捷克斯洛伐克	13,158	3,990,707	10,248	2,867,545
羅馬尼亞	5,000	1,519,892	5,000	1,427,456
德意志民主共和國	10,209	2,986,597	20,200	5,706,942
古巴	5,000	1,737,500	14,972	4,100,658

凍豬肉

輸往地	1989		1988	
	數量(公噸)	金額(美元)	數量(公噸)	金額(美元)
總值	80,912	141,100,546	58,547	106,479,821
香港	31,970	45,608,902	29,500	43,961,386
澳門	2,122	3,314,490	2,108	3,270,465
朝鮮民主主義人民共和國	699	1,405,263		
日本	93	202,746		
新加坡	2,023	3,503,943	1,890	2,955,230
蘇聯	32,521	65,937,215	19,225	43,414,074
捷克斯洛伐克	3,750	7,327,590	2,550	6,076,451
德意志聯邦共和國	127	230,522		
巴西	7,000	12,515,000		
其他	607	1,054,875	710	1,127,266

1989年中國主要出口商品輸往地

凍牛肉

輸往地	1989		1988	
	數量(公噸)	金額(美元)	數量(公噸)	金額(美元)
總值	55,847	102,884,609	54,693	110,191,941
香港	10,651	13,149,912	11,424	14,396,969
澳門	288	409,585	343	456,135
朝鮮民主主義人民共和國	218	464,723	105	148,994
新加坡	2,523	3,187,359	1,272	1,492,428
阿拉伯聯合酋長國	97	115,177		
蘇聯	41,935	85,321,807	41,247	93,303,377
荷蘭	8	18,455		
其他	127	217,591	135	190,149

花生仁

輸往地	1989		1988	
	數量(公噸)	金額(美元)	數量(公噸)	金額(美元)
總值	205,586	143,013,173	213,363	137,676,000
香港	33,410	21,252,776	48,560	24,395,322
澳門	351	220,591	909	518,817
日本	21,633	26,088,189	23,342	25,731,368
菲律賓	1,400	690,648	1,500	797,927
泰國	34	19,473		
馬來西亞	374	259,029	319	198,274
新加坡	21,373	13,297,194	32,100	17,420,334
印度尼西亞	1,000	595,000	1,123	556,144
塞浦路斯	162	126,255		
叙利亞	166	105,788	50	35,255
黎巴嫩	1,909	1,310,172	1,601	1,174,227
約旦	1,234	878,266	907	553,899
沙特阿拉伯	230	155,765	90	52,916
科威特	305	213,548	133	101,608
巴林	25	17,623	15	9,843
阿拉伯聯合酋長國	622	365,973	405	276,619
毛里求斯	28	21,812	96	61,209
留尼汪	6	4,760	51	24,701
蘇聯	34,188	25,124,785	43,165	32,477,120
匈牙利	1,046	756,825	1,444	1,090,013

1989年中國主要出口商品輸往地

花生仁

輸往地	1989		1988	
	數量(公噸)	金額(美元)	數量(公噸)	金額(美元)
捷克斯洛伐克	5,100	3,910,332	5,089	3,548,965
德意志聯邦共和國	513	292,804		
南斯拉夫	104	83,200	113	89,496
法國	927	557,383	788	490,141
意大利	532	326,606	43	26,060
荷蘭	43,408	25,374,530	18,221	9,759,406
英國	16,596	9,367,727	14,622	7,670,986
芬蘭	703	381,405	50	27,045
瑞士	5,269	3,361,852	9,333	5,457,487
希臘	78	52,649		
馬耳他	30	22,855	30	20,295
西班牙	5,083	3,169,525	2,842	1,777,368
特立尼達和多巴哥	100	47,759		
加拿大	4,283	2,456,476	5,565	2,828,501
美國	320	185,054	350	229,943
澳大利亞	1,986	1,237,464	116	60,553
新西蘭	630	380,190	250	135,509
其他	428	300,890		

罐頭

輸往地	1989		1988	
	數量(公噸)	金額(美元)	數量(公噸)	金額(美元)
總值	532,525	631,871,818	562,644	624,425,983
香港	111,504	117,688,883	127,302	136,109,792
澳門	768	1,030,978	678	795,539
朝鮮民主主義人民共和國	250	417,523	280	367,392
蒙古		169,869		
日本	35,403	47,545,625	30,950	40,856,303
菲律賓	2,004	2,104,390	2,566	2,591,943
泰國	24	32,953	14	48,722
馬來西亞	1,475	1,786,348	5,695	7,407,417
新加坡	22,146	27,481,574	17,828	20,842,033
文萊	17	6,027	32	30,996
印度尼西亞	138	187,210	85	123,957

1989年中國主要出口商品輸往地

罐頭

輸往地	1989		1988	
	數量(公噸)	金額(美元)	數量(公噸)	金額(美元)
巴基斯坦	117	275,638	8	5,294
印度	6	3,996	11	4,016
塞浦路斯	1,163	1,927,884	276	384,924
叙利亞	74	146,221	33	63,984
黎巴嫩	1,814	2,775,568	506	628,390
約旦	1,483	936,135	1,995	1,692,393
阿拉伯也門共和國	18,427	7,758,915	18,783	8,047,102
也門民主人民共和國	2,665	1,075,571	4,022	2,294,466
沙特阿拉伯	16,614	7,171,466	13,452	6,421,693
科威特	5,507	3,274,842	8,201	3,691,305
巴林	884	751,287	1,134	742,081
卡塔爾	2,302	1,465,000	2,795	1,580,445
阿拉伯聯合酋長國	9,357	5,218,613	10,740	5,643,741
阿曼	1,139	637,055	1,656	801,821
埃及	236	448,556	250	364,709
突尼斯	35	9,510	68	35,809
摩洛哥	19	14,240	5	3,743
利比里亞	104	146,101	387	356,513
加蓬	11	21,803	6	7,277
剛果	364	502,875	115	167,756
吉布提	118	87,152	287	220,966
肯尼亞	4	4,970		
塞舌爾	70	93,928	172	173,830
毛里求斯	408	610,899	345	425,590
留尼汪	9	14,977	66	52,246
蘇聯	66,409	125,893,049	69,703	137,742,730
波蘭	2,249	2,308,161	2,039	1,911,619
匈牙利	1,399	1,528,330	2,371	3,349,110
捷克斯洛伐克	23,306	20,756,157	10,834	10,879,072
羅馬尼亞	3,138	3,585,269	4,617	4,753,429
德意志民主共和國	12,618	10,501,341	10,672	9,734,859
德意志聯邦共和國	52,475	70,404,752	86,174	84,254,257
法國	2,772	3,403,242	2,259	3,057,166
意大利	153	142,616	283	306,638
荷蘭	4,999	3,842,027	7,226	4,798,499
比利時	2,034	3,086,295	2,913	4,040,639

1989年中國主要出口商品輸往地

罐頭

輸往地	1989		1988	
	數量(公噸)	金額(美元)	數量(公噸)	金額(美元)
英國	3,592	2,239,792	5,875	3,342,199
愛爾蘭	28	25,249	97	136,467
丹麥	1,721	1,627,868	1,650	1,835,027
芬蘭	1,445	1,906,188	1,402	1,523,051
瑞典	10,513	12,191,444	7,377	6,384,959
挪威	4,917	6,743,171	3,373	3,470,607
冰島	44	45,125	40	20,315
瑞士	4,155	5,640,601	2,355	3,072,340
奥地利	21	26,453	748	757,984
希臘	48	47,389	33	42,563
馬耳他	321	372,265	291	298,866
西班牙	290	278,956	359	252,925
葡萄牙	20	19,589	133	355,917
摩納哥	14	11,900		
直布羅陀	17	13,277	21	18,698
洪都拉斯	16	16,932		
古巴	21,404	32,668,034	13,986	19,663,225
牙買加	102	133,643	146	139,408
智利	205	241,806	71	58,185
多米尼加聯邦	6	12,534		
蘇里南	13	17,201		
加拿大	12,451	15,395,762	17,709	17,760,549
美國	48,672	56,672,583	45,393	46,366,440
澳大利亞	5,809	7,177,105	3,159	2,888,282
新西蘭	930	572,569	1,069	505,184
西薩摩亞	149	194,974	194	212,323
斐濟	25	38,451	3	5,525
巴布亞新幾內亞	2,913	4,109,881	2,943	3,230,847
基里巴斯	241	266,035	111	111,035
所羅門羣島	469	650,597	156	199,641
新喀里多尼亞	13	14,911		
瓦努阿圖	235	336,785	172	183,980
法屬波利尼西亞	10	21,019	14	18,848
其他	3,505	2,865,908	3,776	3,614,830

1989年中國主要出口商品輸往地

飼料

輸往地	1989		1988	
	數量	金額(美元)	數量	金額(美元)
總值		781,857,445		940,362,757
香港		346,252,811		440,958,842
澳門		291,978		225,447
朝鮮民主主義人民共和國		1,116,042		8,033,089
日本		94,833,479		94,402,467
菲律賓		12,475,816		37,566,358
泰國		32,367,910		40,871,554
馬來西亞		25,841,689		17,310,025
新加坡		85,426,377		93,573,192
印度尼西亞		9,342,651		6,104,850
巴基斯坦		694,655		34,166
孟加拉國		35,970		
印度		226,563		330,927
斯里蘭卡		3,690,154		1,323,694
叙利亞		120,836		
科威特		30,417		300,523
蘇聯		760,186		144,985
波蘭		6,523,886		7,455,330
捷克斯洛伐克		18,475,538		23,097,744
德意志民主共和國		6,428,355		2,710,943
德意志聯邦共和國		9,109,288		35,121,296
法國		19,782,417		14,351,623
意大利		29,111,134		23,778,319
荷蘭		9,532,027		11,660,441
比利時		125,098		16,137,145
盧森堡		116,346		
英國		21,475,961		15,355,835
丹麥		486,000		5,412,980
瑞典		325,067		247,467
瑞士		14,074,684		22,453,226
古巴		26,929,643		11,532,960
加拿大		3,820		
美國		125,530		5,061,072
其他		5,725,117		2,109,529

1989年中國主要出口商品輸往地

蔬菜

輸往地	1989		1988	
	數量(公噸)	金額(美元)	數量(公噸)	金額(美元)
總值	749,082	380,527,137	715,112	349,332,618
香港	350,375	132,827,534	358,174	128,,935,130
澳門	20,919	6,259,444	21,342	4,615,380
朝鮮民主主義人民共和國	140	470,289		
蒙古	60	5,824		
日本	246,908	191,377,613	203,615	174,259,171
菲律賓	69	44,130	273	88,972
泰國	378	406,073	1,344	490,348
馬來西亞	5,891	3,613,794	6,583	3,297,134
新加坡	39,215	14,686,673	32,627	11,473,943
印度尼西亞	2,001	848,445		
巴基斯坦	152	103,317	321	274,444
印度	440	165,437		
斯里蘭卡	1,291	603,531	1,700	703,337
科威特	66	41,105	189	198,569
阿拉伯聯合酋長國	2,986	1,359,148	606	301,054
毛里塔尼亞	100	69,216		
毛里求斯	100	53,476	100	51,949
留尼汪	20	10,320		
蘇聯	61,206	8,784,215	61,810	8,043,938
捷克斯洛伐克	40	64,108	30	24,084
德意志民主共和國	15	24,041		
德意志聯邦共和國	6,850	8,186,051	6,345	6,833,843
法國	1,912	1,155,452	12,613	3,137,715
意大利	1,901	2,550,577	732	939,355
荷蘭	900	1,780,797	308	417,982
比利時	36	95,376	383	293,086
英國	652	689,384	1,421	1,750,681
丹麥	38	50,190	15	18,047
芬蘭	120	239,288		
挪威	14	16,547	15	23,520
瑞士	20	19,302		
西班牙	40	43,756	1	7,777
巴西	5	1,825		
加拿大	403	112,307	41	33,530
美國	2,266	2,070,494	3,583	2,091,539

1989年中國主要出口商品輸往地

蔬菜

輸往地	1989		1988	
	數量(公噸)	金額(美元)	數量(公噸)	金額(美元)
澳大利亞	97	56,478	101	69,676
新西蘭	281	134,860	76	40,338
其他	1,174	1,506,720	639	852,921

茶葉

輸往地	1989		1988	
	數量(公噸)	金額(美元)	數量(公噸)	金額(美元)
總值	204,088	401,934,994	195,953	390,192,437
香港	17,230	35,508,176	21,282	49,883,272
澳門	373	792,397	303	489,593
朝鮮民主主義人民共和國	1	5,851	1	9,896
蒙古	50	76,925		
日本	7,910	23,490,865	7,500	25,513,274
泰國	8	20,873		
馬來西亞	1,434	3,162,656	639	1,706,501
新加坡	1,935	3,387,792	1,100	2,562,737
文萊	3	14,761		
巴基斯坦	8,847	8,174,345	7,564	6,865,854
尼泊爾	2	7,927		
阿富汗	3,575	5,365,253	3,898	5,323,965
伊朗	506	935,088		
塞浦路斯	2	2,074	0.3	1,566
巴勒斯坦	2	2,885		
阿拉伯也門共和國	1,364	1,994,277	516	747,390
也門民主人民共和國	500	541,281	331	275,414
伊拉克	3,000	3,511,200	7,100	8,005,201
沙特阿拉伯	119	416,352	178	621,052
科威特		308		2,402
巴林	3	5,296	1	5,283
阿拉伯聯合酋長國	15	64,595	14	58,170
阿曼	163	164,870	18	15,534
埃及	2,229	1,715,868	1,310	1,086,633
蘇丹	119	93,835	113	79,000
利比亞	6,312	12,671,205	7,515	13,275,590

1989年中國主要出口商品輸往地

茶葉

輸往地	1989		1988	
	數量(公噸)	金額(美元)	數量(公噸)	金額(美元)
突尼斯	9,149	12,134,889	10,349	13,525,266
阿爾及利亞	7,012	13,992,067	5,769	8,892,332
摩洛哥	25,590	58,254,527	22,702	51,092,283
加那利羣島	24	119,819	16	75,779
毛里塔尼亞	2,477	8,144,825	3,129	14,450,147
塞內加爾	2,653	8,650,286	1,178	4,525,930
岡比亞	1,266	4,576,724	174	866,543
幾內亞(比紹)	45	189,630		
馬里	60	243,022	20	82,432
幾內亞	21	101,228	10	65,458
科特迪瓦	596	2,495,135	160	650,469
貝寧	88	55,500	226	934,350
尼日爾	1,528	2,623,641	1,410	4,008,718
利比里亞	62	286,194	127	589,344
塞拉利昂	14	65,818	5	26,469
多哥	616	2,474,774	1,553	4,903,125
尼日利亞	1,052	942,243	305	279,258
喀麥隆	33	32,069		
乍得	1,168	1,091,301	266	230,440
埃塞俄比亞	396	221,830	274	153,538
吉布提	177	138,799	232	178,156
毛里求斯	2	14,275	4	20,934
留尼汪	0.5	6,857	1	12,675
休達	35	108,741	34	99,638
梅利利亞	5	30,203	4	26,529
蘇聯	27,961	64,433,909	23,146	56,041,286
波蘭	14,977	36,553,998	12,710	31,989,949
匈牙利	561	1,483,801	315	1,157,687
捷克斯洛伐克	496	1,311,718	257	1,059,802
保加利亞	97	808,522		
羅馬尼亞	20	76,022	7	50,028
德意志民主共和國	827	2,609,241	250	1,056,417
德意志聯邦共和國	5,589	7,367,757	4,639	7,175,843
法國	5,601	22,780,815	4,394	20,896,968
意大利	536	581,146	223	382,470
荷蘭	2,788	5,724,443	2,900	6,169,768

1989年中國主要出口商品輸往地

茶葉

輸往地	1989		1988	
	數量(公噸)	金額(美元)	數量(公噸)	金額(美元)
比利時	232	1,033,136	814	1,694,536
英國	10,498	11,488,873	8,109	9,989,452
丹麥	446	835,864	589	934,926
芬蘭	42	131,604	56	184,895
瑞典	10	32,539	2	8,803
挪威	29	78,862	14	35,966
瑞士	149	542,118	268	1,086,517
奧地利	1	5,466	1	4,000
希臘	1	9,346	4	19,545
西班牙	426	1,314,063	540	1,421,994
直布羅陀	62	159,277	34	82,405
巴拿馬	13	21,991	23	20,842
古巴	2	20,120	3	20,040
智利	2	15,122	2	9,793
烏拉圭	4	10,032		
加拿大	534	706,547	1,030	1,141,085
美國	17,071	15,397,515	21,569	16,325,192
澳大利亞	2,775	3,496,563	2,249	2,742,467
新西蘭	1,141	1,055,176	2,163	1,871,464
其他	1,426	2,728,056	2,195	3,912,057

松香

輸往地	1989		1988	
	數量(公噸)	金額(美元)	數量(公噸)	金額(美元)
總值	182,975	97,438,958	193,383	101,632,356
香港	44,190	20,488,187	62,751	28,356,405
澳門	11	5,618	7	3,543
日本	55,660	33,300,536	47,287	27,906,502
泰國	1,770	796,613	2,034	788,310
馬來西亞	154	78,051	162	74,564
新加坡	735	320,104	338	144,367
印度尼西亞	18	6,665		
巴基斯坦	2,007	759,301	2,087	871,703
孟加拉國	999	402,746	1,195	391,722

1989年中國主要出口商品輸往地

松香

輸往地	1989		1988	
	數量(公噸)	金額(美元)	數量(公噸)	金額(美元)
印度	3,757	1,511,082	4,287	1,788,606
尼泊爾	25	9,952	25	10,938
斯里蘭卡	116	56,503	42	20,067
伊朗	18	11,007		
叙利亞	116	57,847	25	14,685
黎巴嫩	35	18,920	17	9,574
巴勒斯坦	50	18,861	198	84,529
阿拉伯聯合酋長國	6	3,552	1	661
埃及	299	163,255	750	360,425
突尼斯	35	17,366	20	7,718
尼日利亞	3,086	1,553,675	1,697	802,293
肯尼亞	71	36,235		
匈牙利	800	593,697	1,679	1,292,516
捷克斯洛伐克	7,224	4,842,852	5,004	4,578,270
羅馬尼亞	7,484	4,935,233	7,749	5,513,020
德意志民主共和國	1,850	1,234,451	1,575	1,106,186
德意志聯邦共和國	22,333	10,841,881	13,773	7,434,306
法國	942	453,660	2,073	1,092,822
意大利	597	290,802	175	96,263
荷蘭	14,344	7,566,892	16,608	7,991,471
比利時	623	305,126	136	78,175
英國	6,352	3,144,639	8,175	4,165,647
愛爾蘭	316	145,725	718	345,350
挪威	100	53,610	103	50,490
奥地利	105	56,067		
西班牙	683	342,057	562	264,570
加拿大	146	83,709	612	328,085
美國	1,517	735,273	4,067	1,721,334
澳大利亞	3,987	2,009,519	5,552	2,699,750
新西蘭	61	30,718	268	116,571
其他	353	156,971		

1989 年中國主要出口商品輸往地

鞭炮煙花

輸往地	1989		1988	
	數量(箱)	金額(美元)	數量(箱)	金額(美元)
總值	4,789,311	118,882,190	4,342,772	114,388,314
香港	3,136,671	66,736,207	3,025,100	68,100,567
澳門	1,744	59,075	7,471	206,346
日本	545,660	23,435,331	548,749	22,931,420
泰國	50,778	1,469,160	64,758	2,124,716
馬來西亞	119,882	5,234,130	111,985	4,866,553
新加坡	1,000	32,222	9,355	309,135
黎巴嫩	2,220	67,753	252	6,043
約旦	320	23,176	100	9,847
毛里求斯	1,973	236,337	2,442	122,958
留尼汪	800	20,958	2,321	67,334
德意志聯邦共和國	349,865	8,457,054	264,688	7,671,346
法國	39,731	896,534	11,836	272,867
意大利	59,202	1,616,987	14,730	526,009
荷蘭	137,409	2,772,458	103,838	2,122,547
比利時	6,329	244,754	2,850	97,232
英國	64,287	1,633,969	9,049	294,644
丹麥	10,044	340,435	10,061	269,254
瑞典	24,840	642,924	14,703	436,918
挪威	5,836	208,504	15,415	501,461
瑞士	3,818	176,031	10,051	343,987
西班牙	33,828	618,712	35,139	816,221
巴拿馬	600	17,995		
特立尼達和多巴哥	480	20,683	300	15,000
委內瑞拉	542	14,333		
玻利維亞	2,080	124,680		
智利	7,271	332,360	10,467	452,474
美國	172,550	3,172,073	50,623	1,144,376
澳大利亞	3,839	138,854	1,043	32,603
新西蘭	5,712	138,501	4,770	148,757

1989年中國主要出口商品輸往地

豬鬃

輸往地	1989		1988	
	數量(箱)	金額(美元)	數量(箱)	金額(美元)
總值	253,149	91,221,603	239,452	103,791,069
香港	15,438	3,208,503	29,624	6,577,306
朝鮮民主主義人民共和國	105	17,625		
日本	4,527	1,945,067	5,130	2,206,079
泰國	680	115,758	386	66,577
馬來西亞	466	165,102	743	264,234
印度	401	117,252	130	70,366
塞浦路斯	229	144,960	300	197,816
阿拉伯聯合酋長國	128	26,324		
突尼斯	110	30,295		
肯尼亞	101	21,856		
蘇聯	32,675	20,040,031	33,418	21,814,101
波蘭	9,790	5,041,396	10,021	5,749,053
匈牙利	3,338	1,681,972	1,350	751,774
捷克斯洛伐克	9,182	4,684,603	6,085	4,029,103
保加利亞	1,720	1,076,958	2,994	2,017,005
羅馬尼亞	4,700	2,754,401	3,400	2,239,049
德意志民主共和國	12,468	5,659,646	7,251	3,769,999
德意志聯邦共和國	7,655	2,144,458	7,458	2,211,118
南斯拉夫	944	481,688		
法國	1,607	524,287	1,993	673,890
意大利	2,930	904,805	3,945	1,378,710
荷蘭	14,574	4,242,842	10,354	4,232,884
比利時	283	50,948		
英國	59,359	16,572,677	53,650	20,029,169
芬蘭	90	12,722	20	8,287
瑞典	1,132	250,299	612	192,633
瑞士	27,159	6,712,340	23,545	9,038,355
西班牙	1,894	733,875	1,833	909,740
古巴	1,498	1,226,693	1,038	807,136
智利	30	7,967	23	8,919
加拿大	500	144,967	35	25,435
美國	33,805	9,280,659	32,716	14,013,127
澳大利亞	990	290,560	475	270,731
新西蘭	45	22,398	44	27,388
其他	2,596	885,669	195	77,673

1989年中國主要出口商品輸往地

豬腸衣

輸往地	1989		1988	
	數量(桶)	金額(美元)	數量(桶)	金額(美元)
總值	105,034	65,583,749	101,762	76,420,145
香港	2,192	1,373,765	1,685	1,102,507
澳門	11	1,100		
日本	1,158	1,290,472	1,300	1,536,745
科威特	135	53,323		
波蘭	13,028	9,466,029	6,945	6,601,445
匈牙利	400	310,764	875	679,796
捷克斯洛伐克	2,050	2,353,583	2,850	3,323,800
德意志民主共和國	2,278	2,411,973	2,269	2,905,677
德意志聯邦共和國	52,972	31,610,341	51,883	38,045,928
南斯拉夫	47	34,765		
法國	3,611	1,545,651	3,603	2,076,218
意大利	6,196	3,144,322	7,825	4,425,624
荷蘭	6,351	3,458,656	6,309	4,705,139
比利時	120	52,180	110	94,066
英國	250	63,133		
愛爾蘭	200	76,630		
瑞士	870	741,108	2,373	2,187,916
西班牙	733	275,260	469	242,539
列支敦士登	95	110,580		
美國	12,337	7,210,114	12,365	7,200,444

山羊板皮

輸往地	1989		1988	
	數量(張)	金額(美元)	數量(張)	金額(美元)
總值	7,866,176	32,155,459	12,910,752	53,269,013
香港	713,716	2,804,731	2,244,334	8,618,376
日本	796,500	4,351,984	868,500	4,653,069
印度	48,363	208,919	90,000	388,331
捷克斯洛伐克	405,000	2,714,509	170,000	1,166,664
羅馬尼亞	200,000	1,201,743	200,000	1,244,084
德意志聯邦共和國	100,000	550,335	182,000	882,046
法國	25,500	65,810	50,000	142,382
意大利	2,855,572	9,599,409	4,871,060	19,698,084

1989年中國主要出口商品輸往地

山羊板皮

輸往地	1989		1988	
	數量(張)	金額(美元)	數量(張)	金額(美元)
荷蘭	350,000	1,589,261	807,162	3,714,263
瑞士	150,000	748,253	90,000	383,420
馬耳他	20,000	58,091		
西班牙	2,016,525	7,373,698	2,059,500	7,541,723
葡萄牙	25,000	111,552	55,822	266,315
美國	50,000	223,392	30,442	150,248
澳大利亞	110,000	553,772	10,000	54,543

兔毛

輸往地	1989		1988	
	數量(公噸)	金額(美元)	數量(公噸)	金額(美元)
總値	6,513	118,939,726	8,482	149,171,796
香港	2,214	43,483,249	1,771	37,883,396
澳門	13	253,034	10	155,489
日本	1,620	33,189,914	2,492	48,683,852
泰國	6	150,594		
新加坡	8	240,000		
德意志聯邦共和國	467	6,816,080	758	10,851,356
法國	13	412,660	121	2,254,665
意大利	1,524	23,211,559	2,424	34,466,411
荷蘭	34	657,840		
比利時	18	371,972		
英國	397	6,849,330	597	9,327,602
瑞典	2	68,272		
冰島	4	64,922		
瑞士	72	933,199	227	4,222,762
西班牙	32	505,342	36	855,877
加拿大	8	87,120		
美國	20	289,735	32	161,002
新西蘭	22	642,755	7	198,459
其他	40	712,149	5	81,188

1989年中國主要出口商品輸往地

鵝鴨絨毛

輸往地	1989		1988	
	數量(公噸)	金額(美元)	數量(公噸)	金額(美元)
總值	22,072	144,018,279	14,706	103,124,636
香港	9,102	72,018,469	5,391	45,,676,729
澳門	8	10,046	27	192,373
日本	1,409	20,543,697	1,077	13,344,998
泰國	38	485,077	18	146,482
新加坡	54	965,003	7	52,173
印度	15	50,250	15	116,312
捷克斯洛伐克	366	2,931,124	254	3,140,664
德意志民主共和國	377	3,752,641	384	3,869,055
德意志聯邦共和國	3,240	17,904,469	3,010	13,337,610
法國	11	39,428		
意大利	25	615,321	10	196,986
英國	43	236,480	116	357,652
丹麥	25	208,743	15	70,150
芬蘭	7	35,608	22	109,380
奧地利	10	20,203	44	202,787
西班牙	8	26,507	20	62,114
加拿大	23	50,162	7	84,097
美國	7,250	23,082,807	4,262	21,848,183
澳大利亞	20	279,059	12	128,156
其他	40	763,185		

生藥

輸往地	1989		1988	
	數量	金額(美元)	數量	金額(美元)
總值		268,508,641		261,540,259
香港		120,099,768		139,395,173
澳門		2,144,393		3,609,208
朝鮮民主主義人民共和國		1,228,242		287,327
日本		98,577,143		76,161,131
菲律賓		95,947		
緬甸		743,884		818,518
泰國		2,329,104		2,552,993
馬來西亞		2,736,969		2,478,595

1989年中國主要出口商品輸往地

生藥

輸往地	1989		1988	
	數量	金額(美元)	數量	金額(美元)
新加坡		8,458,968		10,710,879
巴基斯坦		104,365		143,822
孟加拉國		62,839		8,566
印度		45,916		14,478
斯里蘭卡		119,754		55,643
土耳其		3,805		
敘利亞		63,391		141,620
黎巴嫩		32,296		16,334
沙特阿拉伯		62,779		147,603
科威特		556,692		8,006
巴林		3,568		8,179
阿拉伯聯合酋長國		49,394		170,291
阿曼		9,905		
突尼斯		287,263		124,205
摩洛哥		273,037		430,891
吉布提		2,200		1,800
毛里求斯		8,038		
津巴布韋		9,270		1,030
蘇聯		578,502		
波蘭		281,471		
捷克斯洛伐克		1,151,240		1,304,828
保加利亞		2,828,543		3,701,968
德意志民主共和國		123,874		131,608
德意志聯邦共和國		6,694,314		6,199,569
法國		3,318,306		2,682,648
意大利		3,287,134		1,723,699
荷蘭		223,487		76,341
比利時		317,612		555,424
英國		1,230,090		734,071
丹麥		222,091		274,140
芬蘭		1,773		19,344
瑞典		7,669		32,503
瑞士		29,791		37,044
奧地利		76,510		80,513
希臘		22,926		6,816
西班牙		726,240		282,039

1989年中國主要出口商品輸往地

生藥

輸往地	1989		1988	
	數量	金額(美元)	數量	金額(美元)
葡萄牙		2,544		10,663
墨西哥		9,214		11,165
古巴		896,950		718,032
巴西		26,480		2,588
烏拉圭		5,198		
加拿大		250,672		357,410
美國		4,388,464		4,524,548
澳大利亞		313,005		97,749
新西蘭		25,935		11,081
其他		3,359,676		532,883

桑蠶絲

輸往地	1989		1988	
	數量(公噸)	金額(美元)	數量(公噸)	金額(美元)
總值	10,143	463,365,810	10,199	322,854,897
香港	1,858	80,604,723	2,468	72,509,250
澳門	175	7,704,731	148	4,636,302
日本	2,624	130,991,807	2,192	71,595,087
泰國	66	2,714,710	24	682,430
新加坡	58	2,590,447	27	916,638
巴基斯坦	1	30,510	1	33,941
孟加拉國	19	508,880	50	1,217,325
印度	887	34,443,481	701	18,260,981
土耳其	12	496,584	23	441,040
巴勒斯坦	1	58,268		
沙特阿拉伯	2	79,131		
阿拉伯聯合酋長國	63	2,692,213	4	188,913
埃及	8	292,761	5	171,810
蘇聯	469	24,509,695	601	21,100,935
捷克斯洛伐克	7	405,790	6	324,679
德意志聯邦共和國	2,246	99,776,392	1,230	43,932,558
法國	171	7,766,886	174	5,574,481
意大利	583	27,675,769	932	29,815,269
英國	31	1,286,248	7	253,743

1989年中國主要出口商品輸往地

桑蠶絲

輸往地	1989		1988	
	數量(公噸)	金額(美元)	數量(公噸)	金額(美元)
瑞士	603	27,173,229	1,421	45,833,376
墨西哥	1	53,154		
美國	258	11,510,401	147	4,538,927

棉花

輸往地	1989		1988	
	數量(公噸)	金額(美元)	數量(公噸)	金額(美元)
總值	285,511	453,790,066	492,525	745,946,752
香港	47,002	65,310,142	104,469	143,963,179
朝鮮民主主義人民共和國	2,022	2,805,379	21	5,390
日本	62,592	127,687,573	140,436	235,671,521
菲律賓	60	82,985	1,520	1,955,171
泰國	17,168	23,042,438	13,889	17,037,691
新加坡	3,354	4,788,817	5,536	7,655,239
印度尼西亞	18,421	25,007,002	33,845	44,273,222
土耳其	1,985	2,703,197	13,428	18,874,637
蘇聯	28,938	43,787,166	45,426	79,126,885
波蘭	7,040	11,295,020	10,337	17,635,204
匈牙利	7,003	10,188,280	10,074	14,302,760
捷克斯洛伐克	14,386	25,981,876	26,261	39,623,903
羅馬尼亞	4,975	12,424,990	12,298	19,681,899
德意志民主共和國	6,281	9,475,710	11,844	19,148,135
德意志聯邦共和國	7,217	9,241,166	1,159	1,686,624
南斯拉夫	300	425,695	9,196	13,213,448
意大利	3,318	4,426,601	13,383	18,993,436
比利時	302	314,284	528	531,183
英國	354	473,076	2,200	3,170,034
瑞士	24,629	35,332,260	406	560,597
西班牙	4,397	5,415,555	12,862	17,542,026
葡萄牙	2,146	2,992,647	8,089	10,720,971
美國	4,481	6,072,165		
其他	17,139	24,516,042	460	663,624

1989年中國主要出口商品輸往地

棉紗

輸往地	1989		1988	
	數量(件)	金額(美元)	數量(件)	金額(美元)
總值	959,292	400,886,060	1,118,009	479,642,445
香港	717,540	276,771,866	827,639	325,214,267
澳門	52,507	23,245,273	73,725	36,127,555
日本	112,234	54,587,519	156,546	88,174,518
緬甸	21,481	12,329,788	12,743	5,132,275
泰國	5,291	2,313,689	4,129	1,433,134
馬來西亞	5,228	3,405,197	125	78,400
新加坡	6,742	4,184,789	9,155	5,468,475
印度尼西亞	450	166,402	150	56,604
印度	72	28,927		
塞浦路斯	93	50,240	74	37,378
敘利亞	329	230,309	83	65,237
黎巴嫩	25	10,176		
喀麥隆	70	34,535		
毛里求斯	908	617,700	136	109,045
捷克斯洛伐克	5,501	3,906,187	5,600	4,785,821
保加利亞	3,070	2,021,198		
德意志聯邦共和國	1,109	545,817	7,345	3,586,314
南斯拉夫	50	37,774	558	376,827
法國	320	153,291	440	259,753
意大利	68	38,760	89	53,580
比利時	2,328	1,132,457	318	182,054
英國	1,252	545,415	547	292,551
愛爾蘭	390	212,990	408	258,500
冰島	121	51,396	177	88,860
瑞士	3,691	1,828,101	2,909	1,616,552
奧地利	1,000	483,956	344	186,721
馬耳他	112	60,192	262	136,919
西班牙	483	207,330	634	287,133
加拿大	291	110,580	976	413,066
美國	2,593	991,624	1,288	703,840
澳大利亞	8,535	8,463,905	9,107	3,463,366
其他	5,408	2,118,677	825	279,428

1989年中國主要出口商品輸往地

棉布

輸往地	1989		1988	
	數量(萬米)	金額(美元)	數量(萬米)	金額(美元)
總值	223,094	1,435,032,020	204,928	1,374,756,353
香港	114,638	718,147,652	93,295	581,112,694
澳門	3,745	22,188,699	5,031	33,143,211
朝鮮民主主義人民共和國	194	1,013,790	83	470,675
老撾	8	68,424		
蒙古	173	2,486,600	254	3,556,614
日本	33,004	193,740,621	33,071	196,544,428
菲律賓	358	1,922,435	354	2,171,112
緬甸	3,448	27,591,236	2,933	29,422,511
泰國	781	4,187,822	310	1,571,182
馬來西亞	1,774	8,471,362	2,108	10,297,007
新加坡	8,804	40,890,435	7,659	35,962,830
印度尼西亞	83	562,151	16	123,709
巴基斯坦	2	33,529	2	21,147
孟加拉國	394	2,593,881	221	1,450,565
印度	311	2,732,824	235	1,342,785
尼泊爾	21	176,275	17	160,939
斯里蘭卡	6	87,467		
馬爾代夫	16	80,454		
土耳其	305	2,068,283	1,309	7,716,747
塞浦路斯	3	26,194	9	70,899
黎巴嫩	19	106,849	20	221,798
約旦	22	117,595	279	1,397,875
也門民主人民共和國	5	33,225		
伊拉克	156	1,832,683		
沙特阿拉伯	285	1,499,962	353	1,812,043
科威特	365	1,916,173	545	2,770,082
巴林	8	41,941	20	96,471
卡塔爾	1	5,263		
阿拉伯聯合酋長國	512	2,848,803	586	3,662,998
阿曼	86	501,779	155	745,566
利比亞	647	4,060,152	684	3,751,599
突尼斯	16	81,129		
阿爾及利亞	110	1,096,452		
加那利羣島	345	1,591,669	304	1,557,854
毛里塔尼亞	167	656,347	174	810,227

1989 年中國主要出口商品輸往地

棉布

輸往地	1989		1988	
	數量(萬米)	金額(美元)	數量(萬米)	金額(美元)
塞內加爾	46	309,719	205	1,270,489
岡比亞	659	3,859,931	528	3,424,225
馬里	23	170,924	22	217,518
幾內亞	126	700,863	84	536,446
科特迪瓦	107	685,252	75	497,305
貝寧	75	501,047	22	188,609
尼日爾	16	74,857	91	598,620
利比里亞	3,237	21,650,527	3,052	20,059,871
多哥	131	605,289	77	532,298
中非	18	98,817		
扎伊爾	73	597,297	64	392,841
聖多美和普林西比	7	61,745	9	41,724
盧旺達	26	148,464	174	978,053
吉布提	10	64,515		
肯尼亞	80	381,788		
坦桑尼亞	46	90,245	14	89,775
毛里求斯	151	607,178	48	365,780
科摩羅	2	10,716	11	71,379
萊索托	26	360,593	17	266,005
蘇聯	971	22,911,929	1,288	25,360,023
波蘭	434	5,240,599	744	9,884,207
匈牙利	22	549,259	205	4,932,434
捷克斯洛伐克	217	3,504,210	376	5,386,399
保加利亞	167	2,290,883	529	6,311,646
羅馬尼亞	646	12,200,991	931	20,468,014
德意志民主共和國	3,858	42,511,543	3,591	44,019,583
德意志聯邦共和國	3,903	24,290,722	3,623	24,532,155
南斯拉夫	103	693,632	134	2,081,191
法國	3,609	22,001,120	4,469	31,142,351
意大利	1,297	8,831,235	704	6,325,087
荷蘭	494	2,835,743	517	3,806,124
比利時	426	2,279,718	367	2,559,760
英國	4,568	26,787,106	5,485	37,240,673
愛爾蘭	185	1,475,638	263	2,360,117
丹麥	36	212,730	412	3,496,491
芬蘭	106	845,489	59	462,379

1989年中國主要出口商品輸往地

棉布

輸往地	1989		1988	
	數量(萬米)	金額(美元)	數量(萬米)	金額(美元)
瑞典	363	2,546,882	570	4,153,612
挪威	76	534,881	112	895,816
冰島	2	13,934	1	13,081
瑞士	2,034	12,564,443	2,240	16,702,030
奥地利	392	2,408,725	755	5,348,552
希臘	120	1,023,908	188	1,696,210
馬耳他	41	283,454	55	342,263
西班牙	98	581,243	118	714,773
葡萄牙	2	18,620	4	38,380
墨西哥	12	183,681		964
危地馬拉	36	203,320		
哥斯達黎加	46	478,776		
巴拿馬	60	823,257	40	293,341
古巴	435	3,720,481	950	8,014,691
多米尼加共和國	8	63,893	30	293,258
牙買加	5	80,316	2	18,605
特立尼達和多巴哥	1	4,976	47	228,607
巴巴多斯		3,206	1	6,199
圭亞那	1	6,075		
玻利維亞	1	6,318		
智利	102	839,993	149	1,335,021
巴拉圭	35	253,830	41	239,530
烏拉圭	3	17,710	10	96,948
聖克里斯托弗和尼維斯		2,360		
多米尼加聯邦	9	63,670	23	247,269
聖文森特和格林納丁斯		2,043		
蘇里南	55	182,744	10	47,421
加拿大	2,510	15,441,321	2,845	20,635,510
美國	16,275	109,627,779	13,497	96,167,181
澳大利亞	2,311	17,134,499	3,519	25,228,558
新西蘭	517	3,936,288	408	2,943,332
西薩摩亞	13	70,432	8	52,781
斐濟	268	1,565,053	244	1,401,997
巴布亞新幾內亞	44	192,609	58	272,257
法屬波利尼西亞	18	104,823	9	46,723
東薩摩亞	1	5,290	13	72,278
其他	487	4,138,717	288	2,661,953

1989年中國主要出口商品輸往地

棉滌綸布

輸往地	1989		1988	
	數量(萬米)	金額(美元)	數量(萬米)	金額(美元)
總值	120,550	702,075,314	106,207	635,277,149
香港	62,849	347,415,680	49,907	284,902,569
澳門	3,162	18,553,849	4,077	23,239,373
朝鮮民主主義人民共和國	38	259,292	7	69,529
日本	19,338	95,169,031	21,249	109,138,250
菲律賓	310	1,725,763	336	2,249,095
緬甸	4,687	38,114,301	3,012	29,982,199
泰國	238	1,582,968	422	2,418,542
馬來西亞	859	5,147,468	742	4,577,933
新加坡	5,409	29,042,224	4,484	23,571,982
巴基斯坦	74	553,366		
孟加拉國	66	392,161	87	597,336
印度	31	227,868	18	152,995
尼泊爾	7	104,504	16	212,603
斯里蘭卡	38	250,160		
馬爾代夫	9	63,221		
伊朗	98	707,070		
塞浦路斯	63	537,871	164	1,207,277
叙利亞	36	224,276	27	164,867
黎巴嫩	16	105,086	55	354,330
約旦	313	1,583,527	230	1,144,258
也門民主人民共和國	11	77,888	13	78,249
伊拉克	500	5,064,021		
沙特阿拉伯	1,266	5,763,779	1,811	7,726,105
科威特	807	4,190,689	1,414	7,097,672
巴林	24	121,967	42	206,392
卡塔爾	2	9,125		
阿拉伯聯合酋長國	1,871	9,326,059	2,218	10,608,100
阿曼	86	433,382	131	661,489
埃及	4	46,496		
利比亞	388	2,856,816	563	3,336,522
加那利羣島	10	56,917	29	196,081
塞內加爾	24	180,618	7	60,527
岡比亞	62	444,319	101	733,524
貝寧	231	1,467,634	454	2,972,770
尼日爾	8	58,140		

1989年中國主要出口商品輸往地

棉滌綸布

輸往地	1989		1988	
	數量(萬米)	金額(美元)	數量(萬米)	金額(美元)
利比里亞	385	2,465,840	366	2,451,706
多哥	176	1,225,512	238	1,586,233
尼日利亞	8	56,045		
加蓬		3,044	1	10,636
扎伊爾	209	1,625,298	309	2,368,002
毛里求斯	58	340,503	49	337,942
蘇聯	922	11,282,200	912	13,372,712
波蘭	656	10,070,480	243	3,601,528
捷克斯洛伐克	119	1,945,203	174	3,477,669
羅馬尼亞	24	367,730	40	693,276
德意志民主共和國	163	2,605,663	95	1,730,517
德意志聯邦共和國	931	4,945,805	341	2,527,240
南斯拉夫	23	200,007	27	225,660
法國	132	1,028,169	76	700,061
意大利	78	839,211	66	685,857
荷蘭	260	2,958,436	304	3,716,954
比利時	70	580,986	67	574,974
英國	353	3,332,457	292	3,001,706
愛爾蘭	63	620,660	57	583,552
丹麥	64	393,878	14	175,390
芬蘭	1	7,814	18	159,121
瑞典	32	252,908	17	136,427
挪威	13	105,097	33	314,635
瑞士	96	527,764	61	610,016
奥地利	35	258,683	79	492,639
希臘	25	207,895	21	180,852
馬耳他	5	40,014	21	160,217
西班牙	331	2,606,197	128	2,387,648
墨西哥	6	41,040	3	29,370
哥斯達黎加	11	54,173		
巴拿馬	103	762,121	203	1,536,298
古巴	385	3,450,941	367	3,442,408
多米尼加共和國	25	165,696	35	225,802
特立尼達和多巴哥	18	156,729	14	101,426
巴巴多斯	1	6,669		
玻利維亞		6,499		

1989年中國主要出口商品輸往地

棉滌綸布

輸往地	1989		1988	
	數量(萬米)	金額(美元)	數量(萬米)	金額(美元)
智利	234	1,782,487	208	1,528,175
巴拉圭	33	280,323	57	446,695
阿根廷	3	18,932	94	666,716
聖克里斯托弗和尼維斯	7	51,943	2	14,851
聖文森特和格林納丁斯	6	44,896	9	65,869
伯利茲	1	10,773	3	25,702
加拿大	2,320	15,089,168	2,745	17,769,343
美國	8,323	49,688,068	5,386	34,241,531
澳大利亞	339	3,016,557	804	6,579,448
新西蘭	218	1,633,385	287	1,893,578
西薩摩亞	2	17,508		
斐濟	68	411,362	41	250,293
法屬波利尼西亞	5	37,743	8	53,596
其他	275	2,597,266	127	760,127

人造棉布

輸往地	1989		1988	
	數量(萬米)	金額(美元)	數量(萬米)	金額(美元)
總值	18,726	104,118,870	16,485	79,959,841
香港	11,217	64,533,791	7,377	36,278,201
澳門	135	730,810	199	1,076,782
日本	213	1,470,542	343	2,100,283
泰國	11	66,267		
馬來西亞	181	983,948	244	1,197,994
新加坡	356	1,831,261	315	1,656,248
約旦	92	260,614	10	42,679
也門民主人民共和國	9	45,246	23	109,579
沙特阿拉伯	965	2,835,786	1,781	4,842,824
科威特	573	2,825,820	500	2,176,074
巴林	33	153,178	56	222,554
卡塔爾	1	6,331		
阿拉伯聯合酋長國	668	2,994,830	675	2,422,698
阿曼	8	30,957	20	83,124
加那利羣島	106	456,681	110	416,432

1989年中國主要出口商品輸往地

人造棉布

輸往地	1989		1988	
	數量(萬米)	金額(美元)	數量(萬米)	金額(美元)
貝寧	11	54,238		
多哥	11	55,547		
索馬里	22	114,505		
德意志聯邦共和國	1,835	10,246,848	2,092	10,792,140
法國	268	2,096,629	127	719,236
意大利	154	1,102,105	283	1,578,199
荷蘭	110	631,824	110	605,480
比利時	484	1,589,359	218	1,151,734
英國	529	3,919,485	639	3,980,124
愛爾蘭	25	207,946	88	704,712
丹麥	85	580,706	173	809,995
瑞典	118	543,463	201	840,391
挪威	2	7,106	4	27,364
瑞士	88	400,997	118	434,860
希臘	17	97,189	12	55,128
馬耳他		1,953		
西班牙	52	388,806	29	186,935
墨西哥	5	40,020		
巴拉圭	6	33,811	12	57,734
阿根廷	14	118,456	102	623,780
加拿大	57	456,034	56	458,837
美國	250	2,092,899	457	3,703,742
新西蘭	21	112,882	21	84,696

棉織品

輸往地	1989		1988	
	數量	金額(美元)	數量	金額(美元)
總值		632,183,804		570,299,310
香港		135,396,808		114,820,170
澳門		4,173,297		7,477,551
朝鮮民主主義人民共和國		93,687		169,990
老撾		6,750		3,235
蒙古		526,364		648,921
日本		84,682,581		67,111,218

1989年中國主要出口商品輸往地

棉織品

輸往地	1989		1988	
	數量	金額(美元)	數量	金額(美元)
菲律賓		127,995		818,760
緬甸		893,426		
泰國		186,469		246,985
馬來西亞		3,558,701		5,128,754
新加坡		25,423,205		22,427,813
文萊		4,945		19,523
巴基斯坦		8,086		37,862
尼泊爾		142,315		29,750
斯里蘭卡		16,179		153,425
土耳其		14,950		
塞浦路斯		166,461		106,380
叙利亞		296,257		251,060
黎巴嫩		450,497		592,185
約旦		701,763		774,789
阿拉伯也門共和國		33,377		18,002
也門民主人民共和國		479,907		217,466
伊拉克		114,158		438,765
沙特阿拉伯		5,122,150		4,873,586
科威特		4,021,494		4,246,960
巴林		402,344		382,255
阿拉伯聯合酋長國		8,630,813		5,340,153
阿曼		258,772		154,416
蘇丹		486,530		865,423
摩洛哥		22,113		231,241
加那利羣島		2,553,050		2,295,243
塞內加爾		60,926		73,308
岡比亞		220,093		306,040
幾內亞(比紹)		86,803		
馬里		294,778		62,849
幾內亞		80,495		131,319
加納		23,204		104,750
科特迪瓦		440,934		261,364
貝寧		99,261		
利比里亞		4,763,491		3,766,836
塞拉利昂		25,648		25,015
多哥		832,598		929,507

1989年中國主要出口商品輸往地

棉織品

輸往地	1989		1988	
	數量	金額(美元)	數量	金額(美元)
尼日利亞		102,655		163,583
喀麥隆		126,705		18,771
中非		50,410		
加蓬		24,706		16,835
扎伊爾		251,048		58,816
聖多美和普林西比		8,923		132,378
布隆迪		4,085		40,611
吉布提		18,836		277,050
肯尼亞		239,885		332,715
塞舌爾		12,278		98,421
毛里求斯		1,005,417		754,207
留尼汪		96,026		222,486
休達		402,991		370,129
梅利利亞		198,515		131,462
博茨瓦納		1,978		
蘇聯		118,735,357		111,802,162
波蘭		12,014,233		8,182,666
匈牙利		729,830		1,323,502
捷克斯洛伐克		2,040,175		4,023,719
保加利亞		1,003,473		259,455
羅馬尼亞		501,785		
德意志民主共和國		9,538,137		9,128,668
德意志聯邦共和國		12,064,420		10,191,999
法國		2,629,297		2,516,460
意大利		6,360,117		5,705,481
荷蘭		3,292,895		3,392,567
比利時		2,531,717		1,894,062
英國		12,345,956		8,107,385
愛爾蘭		224,865		202,785
丹麥		1,671,772		1,988,188
芬蘭		255,022		306,846
瑞典		3,539,833		3,036,480
挪威		1,833,967		1,831,118
冰島		5,337		30,069
瑞士		765,402		99,468
奧地利		14,277		111,661

1989年中國主要出口商品輸往地

棉織品

輸往地	1989		1988	
	數量	金額(美元)	數量	金額(美元)
希臘		208,290		17,345
馬耳他		552,483		902,586
西班牙		1,182,665		733,892
直布羅陀		187,987		73,828
墨西哥		172,370		4,561
危地馬拉		31,717		66,304
巴拿馬		2,079,315		1,366,974
古巴		806,048		1,828,737
多米尼加共和國		16,303		18,612
牙買加		6,498		8,600
特立尼達和多巴哥		80,794		87,608
巴巴多斯		18,477		5,254
哥倫比亞		78,959		79,711
厄瓜多爾		89,374		2,850
玻利維亞		589,739		327,945
智利		2,179,673		1,401,687
巴拉圭		19,494		7,032
烏拉圭		7,410		5,415
波多黎各		108,752		
聖克里斯托弗和尼維斯		4,033		
多米尼加聯邦		2,052		3,788
伯利茲		4,195		11,508
蘇里南		103,287		62,460
庫拉索		56,540		97,441
加拿大		20,250,641		16,070,712
美國		96,551,570		93,381,928
澳大利亞		20,374,923		22,473,136
新西蘭		3,800,339		3,373,142
斐濟		308,947		241,270
巴布亞新幾內亞		154,251		214,628
瓦努阿圖		12,931		11,690
法屬波利尼西亞		7,069		15,757
其他		1,570,678		4,043,474

1989年中國主要出口商品輸往地

抽紗

輸往地	1989		1988	
	數量	金額(美元)	數量	金額(美元)
總值		708,845,416		686,914,321
香港		223,537,220		226,544,712
澳門		7,246,886		16,496,221
朝鮮民主主義人民共和國		66,222		
蒙古		82,196		
日本		70,163,429		54,622,495
泰國		827,042		81,671
馬來西亞		713,362		430,612
新加坡		3,487,157		4,284,119
印度尼西亞		98,000		
巴基斯坦		48,450		
尼泊爾		51,749		23,798
塞浦路斯		750,525		586,806
叙利亞		331,216		294,736
黎巴嫩		1,635,387		950,316
約旦		1,763,844		705,947
伊拉克		240,963		3,977
沙特阿拉伯		6,916,975		10,946,398
科威特		4,963,741		3,804,201
巴林		840,435		344,734
卡塔爾		107,170		17,374
阿拉伯聯合酋長國		15,708,410		13,387,292
阿曼		1,167,463		94,144
埃及		463,901		358,463
蘇丹		6,008		
摩洛哥		137,456		42,321
加那利羣島		854,220		1,297,937
毛里塔尼亞		50,285		2,111
岡比亞		96		
幾內亞		69,629		10,737
利比里亞		308,394		234,400
多哥		233,035		287,015
尼日利亞		69		2,670
喀麥隆		2,636		32,985
中非		70,000		
加蓬		12,140		

1989年中國主要出口商品輸往地

抽紗

輸往地	1989		1988	
	數量	金額(美元)	數量	金額(美元)
剛果		91,239		62,977
毛里求斯		230,880		174,268
留尼汪		234,791		275,036
休達		70,587		624,417
蘇聯		19,274,724		9,241,882
波蘭		1,758,060		1,378,055
匈牙利		72,830		18,595
捷克斯洛伐克		5,322,710		845,381
德意志民主共和國		1,950		35,159
德意志聯邦共和國		37,442,427		39,867,344
南斯拉夫		1,371,147		317,222
法國		13,005,303		13,258,053
意大利		65,519,737		65,013,788
荷蘭		5,095,522		5,347,388
比利時		8,831,647		8,290,831
英國		13,641,861		12,938,121
愛爾蘭		410,350		214,695
丹麥		1,295,819		2,118,628
芬蘭		2,941,082		3,525,492
瑞典		3,769,410		3,245,400
挪威		2,830,613		3,764,221
冰島		3,658		3,082
瑞士		5,009,884		3,280,014
奥地利		797,130		311,799
希臘		18,084,893		15,188,804
馬耳他		82,682		111,199
西班牙		10,365,397		5,264,997
葡萄牙		783,810		253,552
安道爾		195,763		15
直布羅陀		4,673,318		4,801,743
墨西哥		68,526		70,901
洪都拉斯		111,000		
巴拿馬		564,765		170,459
古巴		33,035		208,661
特立尼達和多巴哥		17,465		79,118
巴巴多斯		2,120		

1989年中國主要出口商品輸往地

抽紗

輸往地	1989		1988	
	數量	金額(美元)	數量	金額(美元)
圭亞那		1,066		
巴西		112,465		115,525
玻利維亞		1,425		
智利		56,259		54,392
庫拉索		197,970		193,275
加拿大		17,336,956		18,662,967
美國		108,410,449		115,271,613
澳大利亞		11,097,791		10,881,915
新西蘭		2,029,143		1,839,736
斐濟		35,377		15,208
巴布亞新幾內亞		25,145		84,247
法屬波利尼西亞		3,787		
其他		2,575,737		3,219,221

服裝

輸往地	1989		1988	
	數量	金額(美元)	數量	金額(美元)
總值		2,581,255,542		2,370,042,986
香港		564,101,354		525,495,680
澳門		6,287,126		6,636,474
朝鮮民主主義人民共和國		722,773		175,298
蒙古		1,031,721		909,062
日本		587,520,385		394,184,630
菲律賓		56,279		918,750
馬來西亞		631,604		871,166
新加坡		5,802,673		3,453,926
巴基斯坦		4,877		1,772
印度		90,186		
塞浦路斯		4,200		288,261
黎巴嫩		2,003,727		3,525,446
約旦		4,034,648		5,928,072
也門民主人民共和國		1,272,990		758,099
伊拉克		2,412,980		2,615,599
沙特阿拉伯		33,029,778		34,179,849

1989年中國主要出口商品輸往地

服裝

輸往地	1989		1988	
	數量	金額(美元)	數量	金額(美元)
科威特		58,953,474		56,555,668
巴林		3,543,780		875,112
卡塔爾		280,700		
阿拉伯聯合酋長國		28,180,805		22,316,613
阿曼		87,343		184,322
埃及		54,010		252,884
利比亞		2,507,573		20,203,293
摩洛哥		19,836		
加那利羣島		1,947,294		2,252,126
塞內加爾		58,034		329,791
科特迪瓦		30,956		106,020
利比里亞		204,948		536,809
多哥		248,531		194,160
尼日利亞		14,034		
盧旺達		7,600		14,665
毛里求斯		5,803		8,047
留尼汪		66,643		82,831
休達		27,878		32,199
蘇聯		120,201,327		85,802,336
波蘭		27,930,782		12,820,080
匈牙利		2,688,286		3,563,249
捷克斯洛伐克		22,304,802		27,075,887
保加利亞		1,442,693		
德意志民主共和國		66,514,308		65,488,517
德意志聯邦共和國		148,481,035		165,985,915
法國		26,068,031		28,022,978
意大利		53,814,471		49,594,004
荷蘭		29,083,990		24,191,525
比利時		8,089,411		9,247,871
英國		29,505,135		28,714,486
愛爾蘭		644,369		728,357
丹麥		19,354,651		16,578,902
芬蘭		16,242,665		16,064,458
瑞典		16,860,152		13,701,725
挪威		1,713,166		2,319,579
冰島		18,193		96,266

1989年中國主要出口商品輸往地

服裝

輸往地	1989		1988	
	數量	金額(美元)	數量	金額(美元)
瑞士		1,778,086		3,415,865
奧地利		3,591,360		3,073,867
希臘		297,535		191,557
馬耳他		329		46,284
西班牙		5,124,847		4,390,311
直布羅陀		5,603,533		5,315,493
墨西哥		4,390,826		5,165,213
巴拿馬		4,788,370		2,547,242
古巴		3,051,405		495,770
委內瑞拉		60,146		177,420
巴西		3,448		
厄瓜多爾		154,743		
智利		3,282,500		2,197,300
烏拉圭		186,276		
波多黎各		97,000		
庫拉索		6,128		5,307
阿魯巴		68,408		
加拿大		88,149,473		92,898,190
美國		500,768,858		562,595,474
澳大利亞		58,236,738		41,000,459
新西蘭		1,742,243		1,406,356
西薩摩亞		16,986		
斐濟		129,386		50,822
其他		3,522,908		9,841,901

綢緞

輸往地	1989		1988	
	數量(米)	金額(美元)	數量(米)	金額(美元)
總值	192,450,487	688,148,878	219,986,724	619,177,721
香港	90,627,341	311,766,961	121,877,443	332,270,805
澳門	3,989,430	13,631,424	3,276,083	8,204,251
蒙古	112,536	496,305	124,551	649,952
日本	20,692,703	81,851,956	20,121,559	67,011,242
泰國	1,201,594	1,548,571	1,158,240	1,319,757

1989年中國主要出口商品輸往地

綢緞

輸往地	1989		1988	
	數量(米)	金額(美元)	數量(米)	金額(美元)
馬來西亞	1,758,358	1,978,719	1,881,852	2,107,389
新加坡	5,702,747	16,995,341	3,987,659	6,937,567
巴基斯坦	30,423	58,905	31,313	49,192
印度	385,430	1,077,166	270,269	399,461
尼泊爾	9,529	52,537		
塞浦路斯	362,852	926,418	647,048	1,386,024
叙利亞	39,527	74,038	21,538	35,366
約旦	57,103	147,573	266,404	429,937
伊拉克	369,992	530,789	796,662	792,621
沙特阿拉伯	2,175,628	2,896,203	4,657,447	4,600,225
科威特	831,691	1,022,355	1,736,821	1,574,296
阿拉伯聯合酋長國	3,452,454	6,053,881	3,302,302	5,617,051
阿曼	17,132	67,873	52,207	120,568
蘇丹	335	2,461		
突尼斯	11,255	24,216	25,554	53,768
加那利羣島	843	5,780	18,737	87,232
毛里求斯	43,549	133,360	221,787	186,526
蘇聯	6,017,671	28,784,629	3,162,655	14,918,094
波蘭	4,312,407	13,475,123	3,375,926	10,377,937
匈牙利	18,978	137,234	17,254	151,581
捷克斯洛伐克	232,952	1,236,390	198,281	1,228,564
保加利亞	284,617	1,934,537	143,619	1,041,899
羅馬尼亞	49,717	101,906	100,805	467,456
德意志民主共和國	1,762,715	5,220,470	459,820	1,901,808
德意志聯邦共和國	9,522,206	37,122,354	5,461,708	15,609,821
南斯拉夫	489,268	2,989,006	906,569	4,415,481
法國	7,155,245	17,307,850	6,003,845	11,819,131
意大利	8,296,333	43,540,314	8,290,861	33,145,083
荷蘭	154,926	645,935	129,794	467,741
比利時	97,094	255,096	111,755	235,150
英國	1,248,031	5,435,214	1,256,100	4,042,300
愛爾蘭	136,505	520,498	145,518	377,309
丹麥	130,663	192,418	132,388	200,092
芬蘭	26,140	66,408	39,690	136,762
瑞典	14,246	51,461	173,041	466,485
瑞士	9,775,684	49,306,712	11,720,662	42,200,712

1989年中國主要出口商品輸往地

綢緞

輸往地	1989		1988	
	數量(米)	金額(美元)	數量(米)	金額(美元)
奥地利	138,180	414,909	181,066	462,240
希臘	7,559	45,450	12,867	52,257
西班牙	127,089	845,827	254,762	883,002
墨西哥	87,888	90,999		
古巴	46,119	149,448	156,943	368,707
玻利維亞	1,007	5,269	28,278	53,671
智利	37,498	29,458	46,161	27,237
加拿大	569,616	2,663,675	271,896	967,284
美國	6,279,972	29,574,748	6,186,666	24,028,528
澳大利亞	522,893	2,401,044	648,233	2,337,470
新西蘭	177,743	331,911	233,459	323,135
斐濟	54,451	35,460	35,739	26,637
其他	2,802,622	1,894,293	5,571,207	12,445,350

地毯

輸往地	1989		1988	
	數量	金額(美元)	數量	金額(美元)
總值		423,300,916		353,442,835
香港		38,111,796		32,203,410
澳門		15,300		40,269
朝鮮民主主義人民共和國		5,383		17,922
日本		95,195,811		74,783,134
泰國		3,108		5,254
馬來西亞		239,613		214,939
新加坡		3,278,300		1,654,885
土耳其		55,056		11,398
塞浦路斯		65,155		68,608
黎巴嫩		230,998		370,880
約旦		621,333		58,290
阿拉伯也門共和國		455,767		86,350
伊拉克		22,992		
沙特阿拉伯		6,611,853		10,979,711
科威特		1,743,154		1,356,701
巴林		22,810		178,820

1989年中國主要出口商品輸往地

地毯

輸往地	1989		1988	
	數量	金額(美元)	數量	金額(美元)
卡塔爾		85,354		62,889
阿拉伯聯合酋長國		7,008,172		3,568,755
阿曼		75,388		31,834
埃及		409,873		375,582
摩洛哥		14,174		
加蓬		10,417		
毛里求斯		1,103		1,180
留尼汪		23,337		20,150
蘇聯		1,540,000		
匈牙利		77,388		22,274
德意志聯邦共和國		72,252,980		51,367,368
法國		5,843,772		5,754,178
意大利		7,863,617		11,816,907
荷蘭		221,997		325,277
比利時		3,701,359		4,936,378
英國		38,108,403		36,822,539
愛爾蘭		88,813		7,284
丹麥		33,289		87,269
芬蘭		280,480		765,572
瑞典		8,481,639		8,398,399
挪威		279,556		658,944
冰島		533		
瑞士		5,206,067		6,575,061
奥地利		341,499		453,047
希臘		445,870		374,099
西班牙		962,246		433,710
直布羅陀		16,926		11,461
墨西哥		20,280		
巴拿馬		273,519		159,289
牙買加		2,077		
巴西		25,220		
玻利維亞		43,671		4,623
加拿大		7,412,112		7,040,705
美國		105,791,875		83,199,665
澳大利亞		4,588,519		1,151,793
新西蘭		3,157		18,796
其他		5,087,805		6,777,178

1989年中國主要出口商品輸往地

草製品

輸往地	1989		1988	
	數量	金額(美元)	數量	金額(美元)
總值		173,764,533		165,010,023
香港		47,326,658		38,854,437
澳門		199,111		124,587
朝鮮民主主義人民共和國		92,945		
日本		59,954,459		62,394,173
菲律賓		14,933		
泰國		38,196		50,192
馬來西亞		1,199,086		1,156,252
新加坡		738,977		825,573
文萊		5,020		2,395
斯里蘭卡		11,852		
土耳其		4,564		
塞浦路斯		56,703		134,613
叙利亞		68,486		97,915
黎巴嫩		61,706		46,318
約旦		6,233		49,861
沙特阿拉伯		38,484		50,645
科威特		117,470		87,000
巴林		14,589		4,368
阿拉伯聯合酋長國		65,697		97,113
阿曼		3,209		7,503
埃及		10,110		36,097
加那利羣島		12,709		72,037
岡比亞		7,287		
加納		74,976		260,734
科特迪瓦		46,771		27,945
利比里亞		33,006		9,463
塞拉利昂		11,641		9,916
多哥		48,430		73,653
尼日利亞		1,785		
喀麥隆		15,400		119,913
加蓬		1,544		17,016
吉布提		3,290		
肯尼亞		7,118		19,762
毛里求斯		38,665		89,577
留尼汪		39,059		55,082

1989年中國主要出口商品輸往地

草製品

輸往地	1989		1988	
	數量	金額(美元)	數量	金額(美元)
捷克斯洛伐克		559,091		151,450
保加利亞		133,081		73,891
德意志民主共和國		28,752		103,483
德意志聯邦共和國		9,495,887		8,775,117
南斯拉夫		688,389		122,249
法國		7,619,987		10,948,405
意大利		15,164,953		13,709,917
荷蘭		3,719,358		2,951,156
比利時		1,394,208		1,589,234
盧森堡		11,606		
英國		5,209,433		5,198,527
愛爾蘭		9,475		29,557
丹麥		771,672		718,889
芬蘭		697,056		779,576
瑞典		1,083,125		1,168,284
挪威		647,658		644,593
瑞士		292,608		478,957
奧地利		449,480		502,543
希臘		1,533,135		1,116,332
馬耳他		13,386		9,465
西班牙		4,003,065		3,580,065
葡萄牙		451,924		464,504
巴拿馬		9,029		7,224
古巴		24,816		56,620
多米尼加共和國		798		
特立尼達和多巴哥		16,514		17,414
委內瑞拉		9,460		17,921
智利		38,592		35,178
巴拉圭		55,019		36,172
烏拉圭		19,405		2,632
加拿大		333,399		475,886
美國		7,180,835		5,151,912
澳大利亞		415,440		377,256
新西蘭		257,851		272,092
斐濟		10,777		7,426
巴布亞新幾內亞		3,894		17,609
其他		1,041,206		155,603

1989年中國主要出口商品輸往地

自行車

輸往地	1989		1988	
	數量(輛)	金額(美元)	數量(輛)	金額(美元)
總值	4,154,910	172,188,708	2,536,586	98,251,501
香港	1,656,178	80,669,278	409,376	10,784,852
澳門	4,977	175,346	5,701	188,926
朝鮮民主主義人民共和國	3,643	145,019	1,434	39,970
老撾	1,731	105,121		
日本	1,780	77,281	5,184	280,262
菲律賓	1	215		
緬甸	110,729	5,865,119	82,814	4,998,358
馬來西亞	1,606	49,345	1,400	60,679
新加坡	47,224	1,700,805	65,631	2,519,631
巴基斯坦	18,986	775,584	47,202	1,879,384
孟加拉國	11,692	388,147	20,279	615,430
尼泊爾	9,582	385,913	1,450	61,203
斯里蘭卡	26,800	745,193	1,500	56,675
阿富汗	5,200	193,085	1,000	40,250
土耳其	600	16,796	150	4,500
塞浦路斯	845	21,645		
黎巴嫩	3,204	59,144	3,334	87,250
約旦	2,624	46,819	1,550	40,348
伊拉克	3,000	59,830		
沙特阿拉伯	22,224	620,494	6,618	163,828
科威特	20,135	576,852	4,762	145,533
巴林	4,360	170,879	2,630	110,169
卡塔爾	1,260	46,153	840	32,670
阿拉伯聯合酋長國	58,008	1,789,029	17,079	531,258
阿曼	250	10,019	190	7,700
埃及	16,435	619,076	9,341	363,345
蘇丹	3,200	119,262	29,885	1,149,138
塞內加爾	810	23,312	355	13,061
岡比亞	210	9,188	380	16,864
馬里	900	42,043	1,000	39,556
幾內亞	250	9,533	1,350	52,467
加納	104,340	3,972,939	90,089	3,377,266
布基納法索	1	32		
貝寧	1,470	92,107	460	15,551
利比里亞	3,840	124,936	1,440	53,369

1989年中國主要出口商品輸往地

自行車

輸往地	1989		1988	
	數量(輛)	金額(美元)	數量(輛)	金額(美元)
塞拉利昂	2,095	75,824	475	17,478
多哥	4,894	184,061	2,395	90,029
喀麥隆	100	4,260	419	7,225
扎伊爾	200	8,463	240	10,428
聖多美和普林西比	610	22,650		
盧旺達	2,980	124,984	2,500	102,350
吉布提	1,000	37,868		
肯尼亞	14,690	569,754	6,365	244,144
烏干達	4,000	166,041	5,000	309,000
坦桑尼亞	21,490	752,521	35,320	1,393,966
毛里求斯	14,800	516,076	10,375	390,388
留尼汪	3,116	48,794		
安哥拉	9,300	227,448		
莫桑比克	960	43,600		
博茨瓦納	2	353		
保加利亞	6,900	577,321		
德意志聯邦共和國	14,490	411,792	5,436	230,174
法國	49,069	1,496,604	63,603	1,903,005
意大利	410	9,538	40	1,494
荷蘭	11,422	295,670	7,385	189,406
比利時	825	26,490		
英國	6,552	175,811	33,242	1,153,352
丹麥	10,472	526,037	31,758	1,193,430
芬蘭	3,730	74,993	867	21,994
瑞典	460	10,400	204	3,810
挪威	110	4,702		
瑞士	285	11,905	550	21,588
希臘	2,825	70,175	16	748
馬耳他	593	14,942	520	13,526
西班牙	1,788	38,169	436	14,368
葡萄牙	270	6,944		
墨西哥	8,497	222,858		
危地馬拉	400	15,613	710	29,588
洪都拉斯	9,059	337,013	9,120	351,006
巴拿馬	21,251	603,871	12,826	291,280
古巴	150	5,000	150	5,364

1989年中國主要出口商品輸往地

自行車

輸往地	1989		1988	
	數量(輛)	金額(美元)	數量(輛)	金額(美元)
巴巴多斯	130	4,093	445	15,640
厄瓜多爾	1,150	45,174	2,900	118,364
玻利維亞	17,365	696,491	10,650	388,683
智利	56,310	1,667,575	17,240	679,232
巴拉圭	1,270	49,447	290	7,851
伯利茲	613	26,425	470	21,958
法屬圭亞那	1,610	34,795		
瓜德羅普	320	5,928		
蘇里南	3,280	136,068		
加拿大	29,642	895,455	58	2,648
美國	206,490	4,305,854	102,857	2,279,747
澳大利亞	4,850	142,056	11,624	1,527,663
新西蘭	6	306	1,475	33,805
湯加	540	19,366	380	14,075
斐濟	2,006	47,850	880	30,419
巴布亞新幾內亞	5,343	109,493		
基里巴斯	310	7,420	200	7,215
其他	1,445,785	56,570,828	1,305,518	56,157,794

塑料拖鞋

輸往地	1989		1988	
	數量(雙)	金額(美元)	數量(雙)	金額(美元)
總值	106,480,012	50,984,653	104,240,100	43,559,846
香港	64,184,380	29,694,674	74,094,040	29,589,760
澳門	48,600	22,930	38,400	16,266
朝鮮民主主義人民共和國	15	66		
日本	102,500	94,461	5,160	4,886
馬來西亞	48,240	24,158	53,940	19,919
新加坡	729,600	321,049	449,885	165,091
文萊	131,352	55,884	148,920	59,279
馬爾代夫	93,000	37,427	14,400	5,232
約旦	14,400	13,789	4,700	3,856
阿拉伯也門共和國	3,228,362	1,669,283	1,570,876	691,367
也門民主人民共和國	621,240	286,646	422,700	193,153

1989年中國主要出口商品輸往地

塑料拖鞋

輸往地	1989		1988	
	數量(雙)	金額(美元)	數量(雙)	金額(美元)
沙特阿拉伯	156,000	68,343	221,100	79,782
科威特	385,800	178,087	482,100	228,101
巴林	50,280	27,356	73,200	37,514
阿拉伯聯合酋長國	1,433,790	560,489	824,985	266,040
阿曼	118,980	51,554	100,800	51,687
埃及	235,200	76,397	52,800	16,863
蘇丹	17,762,274	9,135,059	12,288,585	5,828,156
加那利羣島	60,000	26,735	397,440	155,146
塞內加爾	360,000	160,197	1,266,400	486,336
岡比亞	2,660,440	1,182,758	922,800	425,434
馬里	968,400	468,901	678,000	315,867
幾內亞	59,400	36,159	30,000	10,488
加納	396,120	169,801	160,400	69,276
科特迪瓦	121,600	47,928	72,000	35,112
布基納法索	123,600	62,622	52,800	25,617
貝寧	211,200	100,777		
尼日爾	1,088,400	535,703	695,400	331,350
利比里亞	635,752	267,555	540,005	184,064
塞拉利昂	214,086	99,041	312,240	104,904
多哥	2,823,000	1,326,722	1,035,120	419,120
加蓬	55,320	28,171	19,680	10,054
索馬里	120,000	48,632	210,000	82,003
吉布提	3,373,640	1,722,314	3,137,760	1,421,715
塞舌爾	99,830	51,666	119,580	56,724
毛里求斯	11,700	10,343	2,780	1,653
留尼汪	628,373	371,834	673,140	349,267
蘇聯	6,010	8,301	5,150	6,241
匈牙利	43,824	76,453	21,576	27,174
德意志聯邦共和國	26,400	16,273	159,600	127,034
南斯拉夫	33,348	14,200		
法國	864,550	448,434	193,974	110,602
意大利	80,928	92,379	30,000	49,169
荷蘭	3,240	2,788	60,048	40,119
比利時	79,200	36,837	248,400	131,580
英國	48,000	25,646	38,400	18,412
瑞典	80,320	61,675		

1989年中國主要出口商品輸往地

塑料拖鞋

輸往地	1989		1988	
	數量(雙)	金額(美元)	數量(雙)	金額(美元)
瑞士	136,150	70,425		
奧地利	35,232	42,429	4,320	1,774
希臘	225,900	167,012	235,200	164,834
馬耳他	30,120	26,004	16,400	7,312
巴拿馬	231,780	116,912		
多米尼加共和國	59,160	31,562	17,400	5,583
波多黎各	73,800	61,173	85,500	68,211
格林納達	24,000	10,941		
伯利茲	14,040	11,355	3,000	4,186
庫拉索	21,600	9,992		
加拿大	5,196	4,223	90,480	59,893
美國	238,900	175,555	235,252	153,369
澳大利亞	30,660	24,351	60,160	39,280
西薩摩亞	64,800	31,629		
斐濟	16,680	10,715	21,420	14,980
巴布亞新幾內亞	572,580	331,740	642,180	336,349
瓦努阿圖	30,000	14,822		
東薩摩亞	5,520	4,932		
其他	43,200	20,384	43,200	19,962

球鞋

輸往地	1989		1988	
	數量(雙)	金額(美元)	數量(雙)	金額(美元)
總值	22,859,496	43,837,473	21,429,992	35,878,282
香港	8,743,072	15,750,391	8,827,234	12,083,237
澳門	4,800	4,460	27,840	29,989
日本	4,691,335	7,135,292	4,278,688	6,352,878
菲律賓	13,500	11,131	3,600	2,095
緬甸	884,892	1,488,297	1,279,951	1,462,818
馬來西亞	1,231,368	1,880,308	827,748	1,248,752
新加坡	1,237,460	2,142,036	992,610	1,253,795
文萊	30,600	56,142	24,408	47,526
尼泊爾	56,448	62,583	83,892	83,858
約旦	107,208	103,597	112,092	111,015

1989年中國主要出口商品輸往地

球鞋

輸往地	1989		1988	
	數量(雙)	金額(美元)	數量(雙)	金額(美元)
阿拉伯也門共和國	168,540	282,868	135,520	192,934
沙特阿拉伯	342,216	343,250	30,780	33,821
科威特	4,000	17,680	14,536	19,179
巴林	51,516	68,179	30,588	37,603
阿拉伯聯合酋長國	366,984	501,571	101,377	116,997
岡比亞	10,080	8,943		
馬里	20,160	30,967		
科特迪瓦	18,000	34,560	12,000	16,380
利比里亞	66,192	78,161	9,000	8,869
加蓬	8,640	10,948		
剛果	50,400	51,335	20,160	23,145
布隆迪	28,500	31,604	84,000	116,025
盧旺達	115,680	146,184	92,250	169,231
坦桑尼亞	248,550	223,039	390,901	333,305
毛里求斯	65,826	115,123	11,652	41,844
蘇聯	810,602	3,749,396	990,932	5,104,349
波蘭	475,380	1,483,708	435,462	1,335,310
匈牙利	47,992	86,070	132,696	403,433
捷克斯洛伐克	729,240	3,048,352	435,144	2,034,432
阿爾巴尼亞	1,770	7,216		
德意志民主共和國	342,300	1,007,557	266,550	997,862
德意志聯邦共和國	257,178	445,042	154,263	266,926
法國	753,790	1,228,227	830,592	800,831
意大利	58,700	61,253		
荷蘭	192,978	284,734	24,000	35,198
英國	92,578	346,936	29,304	55,975
芬蘭	4,000	23,800	4,800	7,930
瑞典	21,008	33,594	25,704	55,675
瑞士	66,600	140,962		
希臘	5,160	10,561	79,500	138,144
智利	16,128	27,609	12,096	19,534
巴拉圭	45,000	78,660	54,760	99,418
加拿大	141,018	593,306	34,020	46,628
美國	119,235	431,223	98,240	108,004
澳大利亞	102,792	156,069	124,224	167,955
湯加	3,900	4,679		
斐濟	6,180	9,870	7,712	13,096

1989年中國主要出口商品輸往地

皮鞋

輸往地	1989		1988	
	數量(雙)	金額(美元)	數量(雙)	金額(美元)
總值	39,044,855	188,678,362	22,592,382	116,575,057
香港	25,521,226	78,545,758	12,308,386	56,928,548
澳門	17,723	153,318	18,003	98,967
朝鮮民主主義人民共和國	35,870	272,677	3,350	10,117
蒙古	30	26		
日本	116,585	1,097,947	183,114	2,138,956
馬來西亞	12,850	38,745	18,725	55,485
新加坡	84,691	485,723	111,577	569,230
巴基斯坦	270	248		
黎巴嫩	7,200	28,440	5,000	7,812
沙特阿拉伯	747,898	2,121,804	442,121	1,395,843
科威特	81,348	236,202	97,789	351,495
巴林	51,644	181,694	117,023	274,281
阿拉伯聯合酋長國	428,212	1,261,033	104,647	339,068
阿曼	2,000	6,957		
埃及	8,768	51,582	3,530	55,325
多哥	1,500	3,732		
坦桑尼亞	1,000	3,458		
蘇聯	329,362	2,932,218	1,008	8,000
波蘭	27,240	32,606		
匈牙利	266,573	2,744,963	75,504	844,630
捷克斯洛伐克	551,609	6,029,564	319,800	5,004,202
保加利亞	19,368	259,709		
德意志民主共和國	36,768	285,254		
德意志聯邦共和國	882,987	3,685,000	1,221,510	6,197,535
法國	591,141	4,039,821	779,334	4,799,117
意大利	12,594	23,211	55,146	264,989
荷蘭	514,165	1,663,361	407,418	1,824,412
比利時	274,424	695,895	77,667	229,613
英國	10,864	27,878	56,990	65,333
愛爾蘭	1,050	9,859	2,400	13,021
丹麥	18,915	56,665	11,402	31,175
芬蘭	68,860	212,708	51,240	178,217
瑞典	54,451	212,814	21,126	148,314
挪威	9,991	39,855	13,144	50,677
奧地利	72,313	775,021	17,012	73,719

1989年中國主要出口商品輸往地

皮鞋

輸往地	1989		1988	
	數量(雙)	金額(美元)	數量(雙)	金額(美元)
墨西哥	51,000	41,290		
古巴	287,688	3,331,936	107,188	996,123
智利	20,036	117,685		
波多黎各	42,462	229,440	67,364	650,234
加拿大	146,221	1,121,239	155,294	1,093,724
美國	5,881,950	63,802,612	3,938,405	21,764,986
澳大利亞	1,403,042	10,194,461	1,618,285	9,368,085
新西蘭	15,000	16,178	13,518	30,531
斐濟	19,991	128,304	13,119	54,825
巴布亞新幾內亞	42,708	271,588	62,190	206,098
其他	273,267	1,207,883	24,171	129,565

紙張紙漿

輸往地	1989		1988	
	數量(公噸)	金額(美元)	數量(公噸)	金額(美元)
總值	378,574	209,422,233	399,189	209,711,413
香港	248,722	112,746,395	225,149	96,753,214
澳門	15,547	6,089,524	18,203	6,391,790
朝鮮民主主義人民共和國	493	995,108	1,074	811,177
蒙古	10	20,400	10	33,325
日本	544	546,930	362	283,821
菲律賓	336	395,045	335	303,041
緬甸	21	34,232	108	94,571
泰國	6,198	4,337,485	8,811	4,327,551
馬來西亞	18,294	12,449,002	20,765	12,169,036
新加坡	13,139	9,206,446	19,516	10,618,732
文萊	15	12,725	10	6,620
印度尼西亞	11	11,379		
巴基斯坦	14,553	11,052,893	35,516	21,533,979
孟加拉國	6,649	6,836,638	4,569	4,094,789
印度	943	377,944	2,115	629,711
尼泊爾	423	256,489	197	79,356

1989年中國主要出口商品輸往地

紙張紙漿

輸往地	1989		1988	
	數量(公噸)	金額(美元)	數量(公噸)	金額(美元)
斯里蘭卡	2,336	1,698,128	1,690	1,271,099
阿富汗	27	16,381	746	690,388
伊朗	7,969	5,912,203	7,386	4,764,168
土耳其	3	6,993		
塞浦路斯	59	48,555	219	145,984
敘利亞	518	366,460		
黎巴嫩	50	40,383	113	55,149
約旦	876	685,110	853	561,549
阿拉伯也門共和國	11	7,863		
也門民主人民共和國	108	94,700	647	486,964
伊拉克	1,118	734,445		
沙特阿拉伯	2,582	1,909,028	4,472	2,565,972
科威特	569	446,322	509	373,438
巴林	135	81,843	136	89,880
卡塔爾	88	65,092	206	133,647
阿拉伯聯合酋長國	3,817	2,887,242	1,820	1,283,612
阿曼	39	32,412	8	6,270
埃及	6,866	5,051,027	7,345	4,985,430
蘇丹	125	98,579	978	604,378
突尼斯	110	85,167		
摩洛哥	14	25,886	10	11,087
貝寧	45	33,944	40	37,469
塞拉利昂	6	5,324	11	9,616
多哥	33	29,504	39	38,899
尼日利亞	10	14,580		
加蓬	15	9,389	45	55,485
剛果	32	28,374	27	29,104
聖多美和普林西比	5	5,170		
布隆迪	54	31,493	97	69,686
吉布提	16	10,854	7	5,185
肯尼亞	301	263,958	103	70,053
坦桑尼亞	75	45,924	24	17,111
毛里求斯	72	66,914	134	118,928
留尼汪	229	176,663	279	194,903
津巴布韋	830	1,124,929	1,022	1,143,284
蘇聯	721	385,786		

1989年中國主要出口商品輸往地

紙張紙漿

輸往地	1989		1988	
	數量(公噸)	金額(美元)	數量(公噸)	金額(美元)
波蘭	218	223,569		
匈牙利	2,783	4,185,634	7,894	11,094,076
捷克斯洛伐克	3,788	4,258,070	4,382	5,389,340
德意志民主共和國	10	13,367		
德意志聯邦共和國	16	21,081	634	298,939
荷蘭	39	57,587	71	53,973
比利時	16	16,827	1	1,813
英國	2,904	2,835,000	3,849	3,479,187
丹麥	10	13,061	53	42,780
芬蘭	286	247,546	320	282,590
奧地利	290	271,921	49	38,222
馬耳他	25	24,607	118	102,696
葡萄牙	6	8,721		
危地馬拉	1	2,047		
洪都拉斯	1	1,582		
薩爾瓦多	19	34,510	23	34,838
巴拿馬	2	3,196		
古巴	1,319	1,133,883	1,694	1,334,905
多米尼加共和國	7	5,147	5	2,836
委內瑞拉	5	4,941		
圭亞那	50	21,300		
巴西	11	11,314		
秘魯	15	11,562	3	3,234
智利	9	16,711	39	38,659
烏拉圭	12	19,217	9	13,415
伯利茲	5	8,455		
加拿大	247	194,585	193	124,279
美國	1,706	2,022,215	1,297	1,283,854
澳大利亞	1,438	1,492,852	1,169	1,069,043
新西蘭	5	8,131		
西薩摩亞	20	10,963	13	15,937
湯加	7	5,034	8	5,118
斐濟	208	123,543	61	52,387
巴布亞新幾內亞	48	42,487	33	22,762
瓦努阿圖	12	9,040	10	5,698
其他	7,274	4,167,267	10,756	6,533,311

1989年中國主要出口商品輸往地

皮件

輸往地	1989		1988	
	數量	金額(美元)	數量	金額(美元)
總值		220,913,123		190,966,859
香港		91,046,036		91,199,838
澳門		461,141		243,255
朝鮮民主主義人民共和國		75,414		
老撾		6,450		
日本		19,640,908		9,061,081
菲律賓		81,883		
緬甸		1,608		
泰國		17,661		161,862
馬來西亞		394,697		178,906
新加坡		2,592,285		213,090
文萊		3,511		
孟加拉國		64,668		60,744
印度		2,461		
塞浦路斯		6,942		24,381
黎巴嫩		62,037		11,026
約旦		6,962		47,148
阿拉伯也門共和國		43,596		111,482
沙特阿拉伯		246,325		198,151
科威特		744,970		189,203
巴林		48,611		
卡塔爾		96,721		
阿拉伯聯合酋長國		280,346		207,641
埃及		7,402		
摩洛哥		1,734		
加那利羣島		4,925		17,611
幾內亞(比紹)		17,472		3,350
科特迪瓦		13,386		
利比里亞		357,866		43,446
多哥		5,974		16,253
尼日利亞		12,500		
喀麥隆		30,248		
埃塞俄比亞		9,582		
吉布提		36,020		
肯尼亞		14,802		17,256
留尼汪		10,089		

1989年中國主要出口商品輸往地

皮件

輸往地	1989		1988	
	數量	金額(美元)	數量	金額(美元)
蘇聯		699,876		17,907
匈牙利		68,065		11,799
德意志聯邦共和國		26,630,517		17,917,070
法國		8,084,849		3,995,197
意大利		3,572,930		3,607,646
荷蘭		6,995,974		7,778,167
比利時		1,660,844		1,380,200
盧森堡		48,175		
英國		6,488,640		4,558,172
愛爾蘭		18,345		91,935
丹麥		2,542,112		1,785,185
芬蘭		5,827,596		6,359,833
瑞典		11,724,272		9,721,993
挪威		2,763,967		2,443,244
瑞士		1,380,930		2,181,153
奧地利		259,207		472,891
希臘		120,007		43,639
馬耳他		2,943		
西班牙		1,156,923		820,412
葡萄牙		26,836		5,146
墨西哥		14,629		
巴拿馬		8,075		
巴巴多斯		8,329		8,770
委內瑞拉		24,675		
智利		121,736		30,012
烏拉圭		23		67,765
波多黎各		30,788		
加拿大		4,572,516		4,333,241
美國		15,756,189		18,420,904
澳大利亞		3,175,612		2,164,093
新西蘭		65,855		17,086
巴布亞新幾內亞		27,110		42,815
新喀里多尼亞		3,083		
其他		584,262		484,805

1989年中國主要出口商品輸往地

皮勞保手套

輸往地	1989		1988	
	數量(打付)	金額(美元)	數量(打付)	金額(美元)
總值	15,025,844	130,280,883	13,648,744	99,304,436
香港	8,414,151	63,475,645	8,517,490	53,944,487
澳門	1,510	2,513		
朝鮮民主主義人民共和國	26,492	72,617		
日本	1,044,201	10,941,406	406,597	3,635,239
菲律賓	6,000	81,883		
緬甸	800	1,608		
泰國	7,500	17,661		
馬來西亞	35,600	285,166	14,250	88,848
新加坡	225,607	2,479,040	16,325	105,367
孟加拉國	2,500	33,642		
黎巴嫩	8,590	61,941		
阿拉伯也門共和國	1,071	14,993	500	2,994
科威特	2,000	13,910	24,000	116,206
阿拉伯聯合酋長國	5,000	31,714	17,984	134,825
加那利羣島	500	4,925	2,100	17,611
利比里亞	2,000	15,007		
蘇聯	2,083	20,062	151	3,619
德意志聯邦共和國	1,918,511	18,594,291	1,126,822	10,433,137
法國	333,913	3,341,896	213,711	2,061,099
意大利	189,690	1,748,173	238,832	2,039,688
荷蘭	600,850	5,092,095	717,714	5,043,530
比利時	119,290	1,437,890	133,840	1,114,752
盧森堡	4,500	48,175		
英國	1,910	28,486	13,780	165,694
愛爾蘭	400	2,670	24,239	80,261
丹麥	57,019	661,309	41,214	453,222
芬蘭	202,199	2,235,713	242,006	2,497,478
瑞典	541,367	6,905,924	448,548	4,852,031
挪威	156,855	1,884,661	141,720	1,512,965
瑞士	117,370	1,355,885	191,870	2,017,509
奧地利	12,200	103,058	42,908	388,083
希臘	12,830	105,567	4,125	38,746
西班牙	93,855	998,077	141,575	625,260
墨西哥	1,250	12,192		
巴拿馬	100	8,075		

1989年中國主要出口商品輸往地

皮勞保手套

輸往地	1989		1988	
	數量(打付)	金額(美元)	數量(打付)	金額(美元)
巴巴多斯	840	8,329	1,000	8,770
智利	11,800	121,736	3,400	30,012
波多黎各	3,500	30,788		
加拿大	197,999	1,642,004	153,056	1,821,834
美國	450,102	4,561,157	586,518	4,852,162
澳大利亞	197,229	1,599,762	151,980	981,096
新西蘭	4,660	56,731	1,315	12,476
其他	10,000	142,506	1	25

玩具

輸往地	1989		1988	
	數量	金額(美元)	數量	金額(美元)
總值		235,278,916		267,574,213
香港		115,635,163		158,526,372
澳門		1,237,525		492,800
日本		2,461,697		1,897,341
菲律賓		14,665		
泰國		343,503		158,089
馬來西亞		832,989		712,167
新加坡		1,386,615		982,020
巴基斯坦		1,130		1,607
孟加拉國		13,272		50,035
斯里蘭卡		132,231		135,867
土耳其		24,552		27,145
塞浦路斯		149,713		137,372
黎巴嫩		184,683		245,667
約旦		627,418		481,141
阿拉伯也門共和國		26,588		43,515
也門民主人民共和國		53,072		107,795
伊拉克		211,028		1,041,288
沙特阿拉伯		138,219		299,893
科威特		329,503		383,311
巴林		29,717		23,633
阿拉伯聯合酋長國		1,253,431		1,113,518

1989年中國主要出口商品輸往地

玩具

輸往地	1989		1988	
	數量	金額(美元)	數量	金額(美元)
埃及		735,411		509,038
蘇丹		39,952		
利比亞		202,648		756,391
突尼斯		79,298		5,277
摩洛哥		280,923		231,460
加那利羣島		175,744		76,821
科特迪瓦		5,168		
利比里亞		43,358		29,403
塞拉利昂		17,798		
多哥		2,014		
加蓬		6,081		19,697
剛果		31,284		
扎伊爾		62,717		8,020
肯尼亞		92,706		85,049
毛里求斯		86,030		65,595
留尼汪		10,882		5,490
蘇聯		442,389		365,505
波蘭		176,574		517,421
匈牙利		3,245,495		3,428,535
捷克斯洛伐克		5,091,385		4,524,763
保加利亞		378,456		
阿爾巴尼亞		12,967		33,227
羅馬尼亞		1,846,532		2,580,278
德意志民主共和國		471,216		385,103
德意志聯邦共和國		17,796,701		21,154,898
南斯拉夫		255,083		171,459
法國		790,945		1,510,091
意大利		4,706,785		4,354,516
荷蘭		8,502,560		9,663,254
比利時		3,202,928		7,092,786
英國		12,940,813		12,859,947
愛爾蘭		211,581		253,000
丹麥		625,938		723,313
芬蘭		725,881		1,144,801
瑞典		1,184,665		1,255,986
挪威		464,867		486,234

1989年中國主要出口商品輸往地

玩具

輸往地	1989		1988	
	數量	金額(美元)	數量	金額(美元)
冰島		17,417		5,514
瑞士		98,999		194,727
奧地利		152,434		127,499
希臘		188,697		157,061
馬耳他		23,536		43,735
西班牙		1,292,308		362,888
葡萄牙		463,175		165,435
直布羅陀		8,829		2,234
墨西哥		21,122		
危地馬拉		28,785		23,368
洪都拉斯		44,291		26,274
巴拿馬		19,239		
古巴		1,046,542		996,495
多米尼加共和國		19,025		
特立尼達和多巴哥		24,706		14,262
巴巴多斯		10,026		
圭亞那		21,552		
巴西		28,875		12,698
厄瓜多爾		31,199		13,070
玻利維亞		39,992		7,394
智利		2,271,924		198,949
巴拉圭		73,012		92,758
阿根廷		105,469		29,059
烏拉圭		222,089		93,530
波多黎各		126,526		24,247
聖文森特和格林納丁斯		5,209		
加拿大		1,486,407		1,197,876
美國		33,268,342		18,722,740
澳大利亞		3,651,400		2,511,315
新西蘭		152,358		371,862
斐濟		33,432		26,056
巴布亞新幾內亞		120,087		112,771
基里巴斯		12,622		
東薩摩亞		5,662		
其他		131,139		657,456

1989年中國主要出口商品輸往地

家用電器

輸往地	1989		1988	
	數量	金額(美元)	數量	金額(美元)
總值		563,505,641		508,452,710
香港		310,632,264		274,207,336
澳門		11,511,420		1,036,213
朝鮮民主主義人民共和國		58,868		92,931
越南		16,544		
老撾		756,380		
蒙古		330,816		62,836
日本		3,924,090		990,906
菲律賓		1,426,533		941,896
緬甸		7,653,759		6,099,975
泰國		3,288,331		1,969,781
馬來西亞		2,069,960		2,537,076
新加坡		11,418,582		7,300,480
文萊		167,188		108,664
印度尼西亞		858,189		338,071
巴基斯坦		2,577,120		2,377,478
孟加拉國		899,539		920,081
印度		179,491		142,893
尼泊爾		1,227,411		635,367
斯里蘭卡		1,134,495		1,114,924
阿富汗		24,998		83,279
伊朗		273,786		477,231
土耳其		47,308		1,072,545
塞浦路斯		118,868		107,664
叙利亞		283,397		305,136
黎巴嫩		1,198,353		683,639
約旦		1,059,407		2,717,040
巴勒斯坦		5,571		1,183
阿拉伯也門共和國		318,698		373,043
也門民主人民共和國		1,531,806		1,484,376
伊拉克		321,359		3,066,352
沙特阿拉伯		415,196		91,650
科威特		1,404,744		496,675
巴林		69,736		115,775
卡塔爾		41,445		47,726
阿拉伯聯合酋長國		11,662,433		5,248,720

1989年中國主要出口商品輸往地

家用電器

輸往地	1989		1988	
	數量	金額(美元)	數量	金額(美元)
阿曼		162,108		167,634
埃及		1,109,897		1,402,691
蘇丹		1,766,667		3,037,528
突尼斯		136,473		50,089
摩洛哥		390,075		935,883
加那利羣島		2,064		69,917
毛里塔尼亞		16,787		40,142
塞內加爾		297,000		134,644
岡比亞		90,121		175,389
幾內亞(比紹)		4,551		
馬里		107,722		87
幾內亞		200,725		
加納		491,293		489,475
科特迪瓦		209,531		171,199
布基納法索		20,872		9,076
貝寧		1,998,872		3,281,401
尼日爾		166,012		194,199
利比里亞		2,231,945		1,609,754
塞拉利昂		242,305		129,337
多哥		1,033,681		961,686
尼日利亞		2,774,749		1,120,011
喀麥隆		88,246		198,443
加蓬		31,412		35,851
剛果		21,055		
扎伊爾		310,216		276,607
聖多美和普林西比		6,794		83,528
布隆迪		13,351		14,261
盧旺達		219,143		138,311
埃塞俄比亞		212,332		387,398
索馬里		124,720		133,909
吉布提		942,262		1,270,765
肯尼亞		949,710		686,524
烏干達		39,493		27,871
坦桑尼亞		717,408		570,624
塞舌爾		11,168		16,787
毛里求斯		529,473		510,791

1989年中國主要出口商品輸往地

家用電器

輸往地	1989		1988	
	數量	金額(美元)	數量	金額(美元)
留尼汪		404,617		197,735
馬達加斯加		103,519		82,423
安哥拉		21,374		79,560
贊比亞		11,240		9,221
津巴布韋		15,123		178,372
蘇聯		7,864,291		1,936,064
匈牙利		82,218		167,326
保加利亞		147,718		2,116
羅馬尼亞		1,758,924		1,430,758
德意志民主共和國		646,647		290,177
德意志聯邦共和國		976,159		741,907
南斯拉夫		1,928		
法國		877,422		964,646
意大利		1,957,835		1,796,146
荷蘭		277,387		130,212
比利時		268,617		16,292
英國		633,274		616,628
愛爾蘭		42,799		18,187
丹麥		123,031		28,404
芬蘭		45,636		93,821
瑞典		441,851		280,690
挪威		3,981		16,480
奥地利		3,626		28,694
希臘		358,043		258,373
馬耳他		75,786		42,290
西班牙		416,977		330,473
葡萄牙		282,814		101,037
聖馬力諾		8,518		
墨西哥		325,128		156,518
危地馬拉		553,532		183,745
洪都拉斯		197,075		95,335
薩爾瓦多		147,587		197,341
哥斯達黎加		10,515		6,091
巴拿馬		530,722		336,632
古巴		5,892,502		3,731,542
海地		78,960		

1989年中國主要出口商品輸往地

家用電器

輸往地	1989		1988	
	數量	金額(美元)	數量	金額(美元)
多米尼加共和國		71,027		17,002
牙買加		2,019		19,830
特立尼達和多巴哥		147,618		74,866
巴巴多斯		8,905		22,715
圭亞那		4,410		32,737
巴西		26,509		
厄瓜多爾		637,284		156,165
秘魯		181,093		5,888
玻利維亞		53,659		68,115
智利		893,745		412,101
巴拉圭		184,079		385,332
阿根廷		187,428		224,124
烏拉圭		115,262		91,325
波多黎各		43,756		181,352
巴哈馬		21,845		14,351
多米尼加聯邦		13,631		25,165
伯利茲		31,153		
法屬圭亞那		38,414		11,643
蘇里南		58,446		85,408
加拿大		396,401		450,261
美國		38,936,497		10,574,329
澳大利亞		1,630,947		915,576
新西蘭		43,653		
西薩摩亞		5,587		3,354
湯加		3,446		
斐濟		134,064		75,161
巴布亞新幾內亞		134,162		132,172
所羅門羣島		8,332		11,494
瓦努阿圖		940		5,563
其他		97,325,635		144,230,962

1989年中國主要出口商品輸往地

電池

輸往地	1989		1988	
	數量(打)	金額(美元)	數量(打)	金額(美元)
總值	107,213,388	75,792,461	62,118,167	56,580,917
香港	79,189,646	46,252,659	41,475,579	34,402,716
澳門	28,960	17,152	10,400	5,576
老撾	57,994	699,164		
蒙古	3,221	3,657		
日本	1,327,810	695,052	27,120	17,242
菲律賓	17,560	8,091	30,544	18,231
緬甸	611,286	5,856,423	218,848	4,940,790
馬來西亞	216,872	182,740	245,728	220,268
新加坡	1,448,684	1,124,859	1,299,378	974,655
巴基斯坦	543,012	540,005	156,120	123,703
孟加拉國	35,000	12,719	245,000	91,079
印度	52,224	25,919	192,206	112,973
尼泊爾	513,007	337,971	632,194	451,250
斯里蘭卡	1,960	1,272	36,083	20,072
阿富汗	29,760	24,998	93,840	83,279
黎巴嫩	771,324	384,294	555,792	257,048
阿拉伯也門共和國	12,000	11,343	164,216	129,889
也門民主人民共和國	1,133,040	909,030	1,280,232	1,038,306
伊拉克	54,000	47,925		
科威特	78,900	42,945	52,892	29,724
巴林	2,120	1,367	6,860	3,956
阿拉伯聯合酋長國	2,651,388	2,732,787	896,204	836,082
阿曼	54,480	49,263		
蘇丹	476,740	347,892	562,760	521,422
突尼斯	2,328	1,321		
摩洛哥	20,000	18,040	441,272	379,503
塞內加爾	18,000	13,683	161,280	99,137
岡比亞	94,296	90,121	8,352	26,966
馬里	15,600	14,722		
幾內亞	237,240	200,725		
加納	482,784	413,000	201,600	172,325
科特迪瓦	140,400	133,964		
貝寧	1,926,560	1,917,559	3,317,568	3,270,860
尼日爾	156,000	150,212	171,000	194,199
利比里亞	2,724,268	2,073,281	1,802,167	1,473,183

1989年中國主要出口商品輸往地

電池

輸往地	1989		1988	
	數量(打)	金額(美元)	數量(打)	金額(美元)
塞拉利昂	243,440	175,421	165,200	128,488
多哥	1,075,400	1,026,381	899,800	854,521
尼日利亞	2,616,432	2,279,236	696,791	629,322
加蓬	1,920	604	20,000	7,360
扎伊爾	13,200	20,196	46,800	50,968
盧旺達	49,800	46,418	38,560	31,779
索馬里	96,000	118,560	128,400	133,909
吉布提	870,800	897,653	1,076,160	1,098,826
肯尼亞	236,040	199,494	173,840	92,624
烏干達	27,380	26,898	31,200	27,871
坦桑尼亞	968,100	611,304	573,840	467,320
毛里求斯	132,748	84,380	126,720	70,379
留尼汪	84,280	72,054		
馬達加斯加	61,880	62,528	43,524	47,521
安哥拉	22,896	15,150	7,200	79,560
蘇聯	53,281	146,507	188,611	228,886
保加利亞	34,080	34,399		
羅馬尼亞	973,312	1,332,644		
德意志民主共和國	200,000	592,420	84,000	290,177
德意志聯邦共和國	23,474	16,039	89,376	80,478
法國	234,780	158,419	570,280	330,159
意大利	6,403	5,678	17,762	19,254
荷蘭	8,500	2,112	1,940	1,697
比利時	239,860	224,151		
英國	373,092	174,077	315,015	191,912
愛爾蘭	3,948	2,819	12,608	9,488
丹麥	6,000	2,695		
芬蘭	16,816	10,348	125,492	88,806
瑞典	41,120	35,318	32,520	30,415
希臘	40,192	26,629	67,820	57,469
葡萄牙	36,240	15,270		
墨西哥	127,400	58,842	39,240	22,618
洪都拉斯	16,440	18,832	3,500	1,959
薩爾瓦多	45,008	43,425	29,548	36,027
巴拿馬	105,256	84,594	18,100	14,446
古巴	616,862	702,635	381,302	433,846

1989年中國主要出口商品輸往地

電池

輸往地	1989		1988	
	數量(打)	金額(美元)	數量(打)	金額(美元)
海地	80,016	78,960		
多米尼加共和國	8,000	6,632	20,980	17,002
特立尼達和多巴哥	61,168	50,626	14,664	10,825
巴巴多斯	3,132	2,536	8,800	6,813
圭亞那	4,656	3,660	2,436	1,885
智利	113,520	55,408	4,188	4,090
烏拉圭	500	942		
巴哈馬	17,600	13,839	17,600	14,351
多米尼加聯邦	8,800	6,812		
伯利茲	1,200	1,190		
蘇里南	30,000	23,634	15,984	13,120
加拿大	156,968	90,003	101,892	52,902
美國	1,419,762	540,875	962,695	441,838
澳大利亞	2,300	2,089	8,504	7,261
斐濟	26,352	22,396	38,092	29,199
巴布亞新幾內亞	57,000	55,899	29,896	25,504
所羅門羣島	4,800	4,746	7,400	4,724
其他	386,770	171,929	7,526	33,336

黑鎢砂

輸往地	1989		1988	
	數量(公噸)	金額(美元)	數量(公噸)	金額(美元)
總值	21,362	86,926,974	24,013	92,744,566
香港	660	1,829,411	2,019	6,426,171
日本	189	770,528	222	846,517
新加坡	50	188,243		
蘇聯	8,381	36,987,546	8,991	38,155,824
捷克斯洛伐克	3,196	13,901,539	3,130	13,698,851
德意志民主共和國	610	2,718,823	511	2,205,956
德意志聯邦共和國	2,500	10,007,204	2,125	7,935,038
荷蘭	50	270,954	1,218	4,142,949
英國	657	2,503,380	1,242	4,477,984
瑞典	35	155,029	36	132,212
美國	5,034	17,594,317	3,817	12,130,583

1989年中國主要出口商品輸往地

鐵合金

輸往地	1989		1988	
	數量(公噸)	金額(美元)	數量(公噸)	金額(美元)
總值	259,864	250,448,324	417,412	312,744,038
香港	62,157	54,940,854	115,698	82,697,360
澳門	1,180	1,554,537	1,545	1,329,648
朝鮮民主主義人民共和國	300	379,080	4,830	1,762,779
日本	106,024	81,504,615	223,246	132,987,781
菲律賓	605	282,516	928	398,251
泰國	2,868	1,933,338	2,373	1,213,096
馬來西亞	600	397,571	1,497	858,683
新加坡	6,381	4,948,368	2,810	1,769,524
印度尼西亞	552	472,636	120	65,800
巴基斯坦	6,945	4,342,337	14,812	7,097,044
孟加拉國	848	470,220	747	322,731
印度	621	943,938		
伊朗	100	33,000	400	155,796
土耳其	250	206,935		
伊拉克	200	167,000		
阿拉伯聯合酋長國	226	158,523		
尼日利亞	50	44,000		
德意志聯邦共和國	8,962	10,890,401	3,246	7,319,924
意大利	17	26,010	136	126,790
荷蘭	11,568	23,620,282	9,112	18,862,001
比利時	192	665,560	50	72,176
英國	6,919	17,087,058	6,633	16,217,355
愛爾蘭	17	86,351		
芬蘭	27	40,454		
瑞典	2,074	4,991,353	1,464	1,708,764
瑞士	695	1,655,577	2,130	3,797,640
奧地利	400	192,000	166	783,098
加拿大	734	570,789	200	159,689
美國	36,959	36,319,900	14,250	26,209,861
澳大利亞	507	493,001	628	446,164
新西蘭	120	106,800	32	18,310
其他	766	923,320	1,500	924,242

1989年中國主要出口商品輸往地

煤

輸往地	1989		1988	
	數量(公噸)	金額(美元)	數量(公噸)	金額(美元)
總值	15,164,186	559,434,075	16,259,720	549,274,012
香港	4,098,573	145,276,479	3,854,569	110,750,151
朝鮮民主主義人民共和國	1,469,323	66,154,935	1,517,932	76,093,882
日本	4,252,254	173,315,864	4,736,256	171,566,822
菲律賓	891,330	31,019,044	1,779,380	47,271,882
泰國	124,791	3,089,891	204,666	4,941,320
馬來西亞	650,199	21,236,242	416,524	9,670,493
印度尼西亞	223,288	7,530,731	331,925	8,439,611
阿爾巴尼亞	7,205	311,640	14,480	622,619
德意志聯邦共和國	214,699	4,907,856	449,936	10,065,781
法國	643,867	24,248,169	265,356	10,496,878
意大利	182,521	5,134,020	148,098	3,919,964
荷蘭	1,115,409	29,919,016	459,095	17,077,113
比利時	487,013	18,116,717	151,572	13,441,158
英國	90,004	7,614,926	324,991	23,160,007
丹麥	95,386	2,221,440	374,300	8,686,821
芬蘭	84,519	2,669,653	153,801	3,646,656
瑞士	275,138	7,742,405	116,840	2,632,682
其他	258,667	8,925,047	147,460	4,696,535

原油

輸往地	1989		1988	
	數量(公噸)	金額(美元)	數量(公噸)	金額(美元)
總值	25,681,622	2,958,709,955	27,494,813	2,638,311,854
香港	110,457	12,555,779		
朝鮮民主主義人民共和國	1,091,778	60,984,807	1,202,021	74,223,271
日本	13,605,080	1,659,395,465	14,337,214	1,510,154,061
菲律賓	558,346	55,265,437	606,494	51,460,520
新加坡	4,027,469	423,883,711	4,499,433	385,895,643
土耳其	261,161	30,577,978	485,309	32,517,610
羅馬尼亞	376,778	45,341,477	687,016	56,482,414
巴西	471,497	51,378,590	586,494	48,220,654
美國	4,293,165	525,735,200	3,585,522	339,615,720
澳大利亞	57,509	6,702,461	38,178	4,438,664
其他	828,382	86,889,050	624,096	57,765,368

1989年中國主要出口商品輸往地

成品油

輸往地	1989		1988	
	數量(公噸)	金額(美元)	數量(公噸)	金額(美元)
總值	5,034,925	805,542,138	4,705,036	633,420,976
香港	1,101,212	167,097,386	1,081,601	140,903,443
澳門	93,413	15,449,994	86,430	11,980,812
朝鮮民主主義人民共和國	7,969	5,564,991	7,086	5,944,197
日本	1,829,337	282,375,275	1,976,148	256,959,626
緬甸	950	418,005	758	364,789
泰國	83,419	19,058,237	53,979	13,109,877
馬來西亞	2,061	581,792	559	164,596
新加坡	1,198,681	194,612,184	914,946	120,277,376
孟加拉國	70	40,705	21,033	2,811,677
印度	52	24,629	2,710	549,954
尼泊爾	440	143,950	83	28,710
馬達加斯加	3,232	627,908	11,966	2,387,638
法國	39,197	6,483,270	43,707	6,196,535
瑞士	63,136	10,562,318	99,625	13,367,684
美國	551,362	88,086,524	382,090	53,706,761
其他	60,394	14,414,970	9,988	2,065,796

船舶

輸往地	1989		1988	
	數量	金額(美元)	數量	金額(美元)
總值		341,047,762		342,463,173
香港		141,540,987		111,328,549
澳門		104,013		206,143
朝鮮民主主義人民共和國		163,677		3,822,671
日本		30,097,728		17,796,754
菲律賓		269,543		225,064
泰國		2,037,540		543,892
馬來西亞		787,449		290,389
新加坡		7,987,634		2,871,647
印度尼西亞		4,000		
巴基斯坦		391,741		146,981
孟加拉國		11,602,132		10,403,547
印度		412,600		560,000

1989年中國主要出口商品輸往地

船舶

輸往地	1989		1988	
	數量	金額(美元)	數量	金額(美元)
斯里蘭卡		4,170		
伊朗		1,980,000		2,310,000
埃及		90,000		70,000
毛里求斯		4,169		6,758
蘇聯		26,790,591		15,353,040
波蘭		470,000		11,184
匈牙利		1,479,464		
捷克斯洛伐克		24,344,000		28,194,423
保加利亞		808		
德意志民主共和國		2,004,653		1,767,558
德意志聯邦共和國		19,579,602		27,154,797
法國		224,356		
意大利		3,600		20,205
荷蘭		1,180,217		27,239
英國		172,966		98,165
丹麥		3,860,910		8,076,128
芬蘭		23,513		17,100
瑞典		761,266		22,890
挪威		31,449		38,012,289
奥地利		1,355,521		
希臘		273,990		294,055
巴拿馬		111,700		82,837
古巴		16,610,709		27,219,210
委內瑞拉		330,181		
秘魯		940,000		
智利		15,639,166		14,871
加拿大		81,752		130,340
美國		2,711,867		7,797,320
澳大利亞		57,412		324,876
巴布亞新幾內亞		371,000		3,283,500
其他		24,159,686		25,857,034

1989年中國主要出口商品輸往地

輪胎

輸往地	1989		1988	
	數量(套)	金額(美元)	數量(套)	金額(美元)
總值	1,727,233	95,343,662	1,311,945	77,434,407
香港	188,864	8,194,489	58,452	2,863,773
澳門	9,615	701,356	1,410	85,766
朝鮮民主主義人民共和國	76,759	7,049,841	52,501	5,576,471
日本	17,948	1,151,105	4,612	251,681
菲律賓	1,867	162,078	245	22,350
緬甸	14,233	1,286,130	21,497	2,645,811
泰國	1,000	12,061		
馬來西亞	100	1,620	167	28,885
新加坡	53,942	5,436,649	42,590	2,709,022
印度尼西亞	1,000	9,710		
巴基斯坦	259,323	4,434,305	155,425	2,858,258
孟加拉國	68,073	2,015,734	127,309	5,419,531
印度	6,855	266,719	2,045	68,826
尼泊爾	12,622	801,422	22,089	1,135,091
斯里蘭卡	400	7,206		
阿富汗	1,000	74,159	1,000	84,473
伊朗	24,388	1,153,351		
土耳其	9,300	628,861	50	6,215
叙利亞	2,000	229,640		
黎巴嫩	12,058	795,422	6,845	419,632
約旦	6,055	271,289	1,350	40,977
阿拉伯也門共和國	6,314	240,099	10,055	322,803
也門民主人民共和國	3,280	156,658	49,333	3,043,857
伊拉克	745	97,148		
沙特阿拉伯	127,403	5,771,883	94,360	3,550,876
科威特	6,450	423,857	4,210	196,531
巴林	2,350	198,949	4,914	432,683
卡塔爾	1,600	161,883	1,555	90,107
阿拉伯聯合酋長國	52,284	2,143,004	17,731	812,224
埃及	12,156	474,080	6,976	170,232
加納	4,458	243,729	6,174	396,105
貝寧	70	13,776		
利比里亞	135	8,568		
盧旺達	2,865	172,759	10,080	393,335
肯尼亞	770	115,990		

1989年中國主要出口商品輸往地

輪胎

輸往地	1989		1988	
	數量(套)	金額(美元)	數量(套)	金額(美元)
毛里求斯	50	1,816	115	5,966
馬達加斯加	652	83,255	600	75,029
蘇聯	40	9,354	310	80,300
波蘭	89,589	11,271,011	50,905	7,541,463
匈牙利	10,620	929,899	26,280	2,384,813
捷克斯洛伐克	40,870	6,180,376	50,000	8,530,362
保加利亞	61,000	920,397		
德意志民主共和國	19,124	3,448,096	21,000	4,134,055
德意志聯邦共和國	5,670	107,330	7,800	151,403
荷蘭	15,772	317,556	11,942	227,897
英國	67,798	1,282,610	102,438	1,962,356
丹麥	7,353	121,484	1,930	39,835
瑞典	2,416	52,491	12,010	200,579
希臘	60	5,619	308	7,926
馬耳他	150	2,945	670	10,970
洪都拉斯	865	17,219		
巴拿馬	6,430	214,302	1,830	74,363
古巴	104,099	8,784,440	114,893	10,136,393
厄瓜多爾	253	36,229	298	19,827
玻利維亞	7,400	58,047		
加拿大	1,252	528,307	494	325,766
美國	1,064	134,312	32,834	522,020
澳大利亞	105,937	2,842,697	70,620	1,967,249
其他	190,487	13,088,340	88,642	4,959,160

金屬切削機床

輸往地	1989		1988	
	數量(台)	金額(美元)	數量(台)	金額(美元)
總值	34,924	197,871,992	21,857	112,254,891
香港	8,740	21,935,400	7,109	14,231,319
澳門	8	26,945	14	32,943
朝鮮民主主義人民共和國	32	332,141		
日本	709	4,797,566	220	1,555,076
菲律賓	193	402,936	110	175,026

1989年中國主要出口商品輸往地

金屬切削機床

輸往地	1989		1988	
	數量(台)	金額(美元)	數量(台)	金額(美元)
緬甸	2	8,500		
泰國	1,489	5,131,206	1,890	6,436,120
馬來西亞	1,545	3,429,236	523	1,298,916
新加坡	2,073	5,982,884	1,001	3,024,335
印度尼西亞	841	2,765,046	663	1,383,718
巴基斯坦	305	450,449	172	448,214
孟加拉國	256	195,427	81	62,531
印度	2	38,297		
斯里蘭卡	14	30,717	4	17,159
伊朗	907	4,456,441	1,294	4,191,054
土耳其	189	211,816	60	280,067
塞浦路斯	3	18,326		
叙利亞	51	142,399	92	243,645
黎巴嫩	2	8,600	10	17,000
約旦		2,425	2	37,173
也門民主人民共和國	1	10,264	1	10,325
伊拉克	3	16,287		
沙特阿拉伯	15	81,835		
巴林	8	23,096	1	10,865
卡塔爾	12	17,855		
阿拉伯聯合酋長國	146	196,840	23	56,581
埃及	21	59,480	98	314,124
蘇丹	6	38,718	7	8,101
突尼斯	9	78,248	31	38,196
摩洛哥	1	1,973		
尼日利亞	4	26,985		9,063
盧旺達	1	5,794		
肯尼亞	9	44,906		
毛里求斯	35	17,999	4	9,324
蘇聯	3,095	8,581,692		
波蘭	1,698	29,364,715	1,093	24,906,988
匈牙利	173	4,786,588	425	10,606,165
捷克斯洛伐克	108	2,597,944		
保加利亞	32	613,546		
阿爾巴尼亞	39	1,440,650	56	471,129
羅馬尼亞	351	49,640,225	108	15,740,423

1989年中國主要出口商品輸往地

金屬切削機床

輸往地	1989		1988	
	數量(台)	金額(美元)	數量(台)	金額(美元)
德意志民主共和國	393	3,441,832	100	957,009
德意志聯邦共和國	1,789	9,880,860	1,004	7,119,217
法國	40	300,484	1,030	208,885
意大利	1,534	3,642,250	713	2,321,053
荷蘭	177	216,932	54	88,869
比利時	145	826,124	59	332,436
盧森堡	1	4,326	1	3,183
英國	25	151,001	52	178,911
丹麥	10	33,658	1	3,900
芬蘭	33	175,030	12	43,317
瑞典	12	45,087	16	77,858
挪威	11	54,947	5	26,791
瑞士	13	4,038		
奥地利	67	464,818	87	549,526
希臘	19	234,962	130	583,497
西班牙	5	61,132	2	4,822
葡萄牙	206	1,033,667	70	350,522
墨西哥	309	1,073,478	27	150,567
巴拿馬	6	2,546		
多米尼加共和國		3,986		
委內瑞拉	71	212,065	21	86,393
哥倫比亞	136	742,179	27	130,868
巴西	34	161,000		
玻利維亞	2	7,479		
智利	333	1,437,121	168	835,416
烏拉圭	38	117,371	19	63,965
加拿大	338	2,353,702	94	738,138
美國	4,057	13,371,318	2,333	8,318,621
澳大利亞	1,355	5,132,641	595	3,021,876
新西蘭	67	270,533	60	121,502
所羅門羣島	27	50,687		
其他	543	4,352,341	54	223,401

1989 年中國主要出口商品輸往地

小成套設備

輸往地	1989		1988	
	數量	金額(美元)	數量	金額(美元)
總值		197,315,818		147,783,688
香港		4,445,110		2,327,082
澳門		399,250		28,892
朝鮮民主主義人民共和國		5,322,478		
日本		10,814,702		3,206,534
菲律賓		3,576,184		172,159
緬甸		23,182		659,120
泰國		7,885,642		13,314,213
馬來西亞		55,533		88,799
新加坡		3,265,347		437,151
印度尼西亞		11,085,121		660,409
巴基斯坦		84,162,427		69,195,453
孟加拉國		954,407		3,263,107
尼泊爾		2,354,919		628,406
伊朗		2,219,958		8,800
土耳其		659,724		1,314,404
阿拉伯聯合酋長國		2,000		
埃及		1,693,343		458,342
突尼斯		1,261		
加納		36,000		
布隆迪		181,149		
肯尼亞		14,356		14,771
毛里求斯		46,167		334,073
馬達加斯加		5,434		6,595
保加利亞		5,407,142		
阿爾巴尼亞		8,114,648		15,493,631
德意志聯邦共和國		863,055		175,078
法國		221,905		288,495
意大利		958,261		1,880,480
瑞士		7,974,615		403,250
西班牙		8,341		
墨西哥		113,856		
古巴		80,806		
委內瑞拉		11,385		
哥倫比亞		101,286		
智利		363,526		234,061

1989年中國主要出口商品輸往地

小成套設備

輸往地	1989		1988	
	數量	金額(美元)	數量	金額(美元)
美國		4,884,226		6,508,131
澳大利亞		8,017		11,387
其他		29,001,055		26,038,841

電訊設備

輸往地	1989		1988	
	數量	金額(美元)	數量	金額(美元)
總值		360,033,588		233,010,449
香港		258,702,703		154,411,623
澳門		1,665,297		1,122,844
朝鮮民主主義人民共和國		975,109		601,586
蒙古		132,890		
日本		18,546,344		8,120,066
菲律賓		78,024		5,223
泰國		515,620		253,824
馬來西亞		378,236		174,639
新加坡		4,807,624		1,309,999
印度尼西亞		5,000		16,200
巴基斯坦		1,412,320		1,226,420
孟加拉國		122,087		113,065
印度		60,220		64,215
尼泊爾		18,305		4,195
斯里蘭卡		60,676		28,964
伊朗		313,474		703,573
塞浦路斯		300		
叙利亞		7,680		32,553
黎巴嫩		23,500		
約旦		9,182		
阿拉伯也門共和國		4,183		
伊拉克		68,553		7,258
科威特		34,793		282
阿拉伯聯合酋長國		138,747		9,176
阿曼		8,192		12,138
埃及		109,656		17
利比里亞		16,800		

1989年中國主要出口商品輸往地

電訊設備

輸往地	1989		1988	
	數量	金額(美元)	數量	金額(美元)
塞拉利昂		193		
加蓬		1,597		
毛里求斯		8,926		
津巴布韋		2,137		
蘇聯		15,271,582		64,933
匈牙利		3,466		4,270,737
捷克斯洛伐克		2,911,759		1,130,162
保加利亞		570,000		180,773
阿爾巴尼亞		120,081		365,507
羅馬尼亞		6,097,074		3,524,584
德意志民主共和國		2,073,126		1,080,904
德意志聯邦共和國		165,119		264,031
法國		285,775		436,855
意大利		554,669		170,611
荷蘭		96,711		184,542
比利時		39,146		307,005
英國		2,816,761		587,298
丹麥		13,262		5,294
芬蘭		238,116		20,538
瑞典		2,273,299		180,697
挪威		937,058		
冰島		800		
瑞士		1,363		78,084
奥地利		3,400		815
希臘		7,916		25,754
馬耳他		16,090		
西班牙		26,411		14,573
葡萄牙		491		16
巴拿馬		300		15,137
古巴		932,833		520,263
巴西		1,738		2,927
智利		41,869		35,624
加拿大		250,580		81,591
美國		18,126,988		11,040,338
澳大利亞		257,393		47,769
新西蘭		57,200		13,020
其他		17,612,844		39,113,019

1989年中國主要出口商品輸往地

工具

輸往地	1989		1988	
	數量	金額(美元)	數量	金額(美元)
總值		292,927,894		236,480,456
香港		42,428,717		30,302,664
澳門		64,664		84,377
朝鮮民主主義人民共和國		449,407		31,236
蒙古		497,817		389,768
日本		3,444,196		3,788,390
菲律賓		709,621		219,676
泰國		7,337,758		6,200,175
馬來西亞		6,394,963		4,182,741
新加坡		9,147,267		4,481,892
印度尼西亞		107,081		
巴基斯坦		5,225,772		5,504,118
孟加拉國		3,802,487		2,073,785
印度		66,030		104,104
尼泊爾		56,221		54,860
斯里蘭卡		1,651,844		1,122,243
伊朗		2,385,716		2,322,665
土耳其		39,927		48,069
塞浦路斯		161,505		136,767
叙利亞		810,908		587,069
黎巴嫩		243,317		180,821
約旦		529,675		563,841
巴勒斯坦		2,925		
阿拉伯也門共和國		147,614		124,068
也門民主人民共和國		2,919		6,912
伊拉克		3,523,061		3,358,543
沙特阿拉伯		3,641,223		1,829,796
科威特		1,206,340		933,481
巴林		105,030		96,326
卡塔爾		74,312		56,038
阿拉伯聯合酋長國		2,216,482		1,308,067
阿曼		46,941		19,858
埃及		2,372,048		2,634,954
蘇丹		432,800		759,422
突尼斯		494,112		1,158,292
摩洛哥		1,292,175		1,381,513

1989年中國主要出口商品輸往地

工具

輸往地	1989		1988	
	數量	金額(美元)	數量	金額(美元)
加那利羣島		63,705		63,927
毛里塔尼亞		2,487		
岡比亞		7,384		11,184
幾內亞		1,954		
加納		59,544		99,292
科特迪瓦		107,123		144,721
利比里亞		321,315		162,296
塞拉利昂		10,609		
多哥		2,744		
尼日利亞		229,002		524,005
喀麥隆		32,738		86,590
加蓬		15,720		
剛果		27,795		20,179
聖多美和普林西比		5,744		
布隆迪		46,831		12,070
盧旺達		6,811		37,568
埃塞俄比亞		98,958		62,510
索馬里		44,696		
肯尼亞		2,248,935		1,085,905
坦桑尼亞		41,607		17,797
塞舌爾		4,234		6,212
毛里求斯		420,835		209,205
留尼汪		15,044		32,623
馬達加斯加		1,071		70,195
莫桑比克		179,345		243,797
休達		3,278		
津巴布韋		103,456		86,644
萊索托		69,646		
蘇聯		2,506,143		4,453,178
波蘭		12,824,208		12,386,771
匈牙利		1,332,492		2,191,471
捷克斯洛伐克		12,642,953		8,517,203
保加利亞		569,380		
阿爾巴尼亞		362,662		35,312
羅馬尼亞		2,385,858		4,827,728
德意志民主共和國		4,311,019		4,998,308

1989年中國主要出口商品輸往地

工具

輸往地	1989		1988	
	數量	金額(美元)	數量	金額(美元)
德意志聯邦共和國		13,691,667		12,761,617
南斯拉夫		2,400		
法國		13,500,508		13,916,678
意大利		2,923,570		3,416,272
荷蘭		21,240,085		19,786,948
比利時		1,442,828		1,623,338
英國		8,477,450		5,771,563
愛爾蘭		440,575		332,437
丹麥		538,055		366,300
芬蘭		1,925,947		1,930,749
瑞典		1,114,480		796,136
挪威		432,683		371,675
冰島		7,762		16,187
瑞士		5,345,297		3,861,508
奥地利		1,031,815		668,457
希臘		2,279,427		1,974,731
馬耳他		95,195		146,627
西班牙		378,649		509,355
葡萄牙		1,712,630		1,421,636
直布羅陀		4,941		
墨西哥		509,825		223,814
危地馬拉		419,431		267,766
洪都拉斯		355,963		156,887
薩爾瓦多		315,421		416,663
尼加拉瓜		8,176		74,728
哥斯達黎加		89,530		29,331
巴拿馬		807,795		668,627
古巴		2,119,421		1,784,592
多米尼加共和國		540,888		166,408
牙買加		26,860		6,506
特立尼達和多巴哥		50,112		73,366
委內瑞拉		130,792		753,814
哥倫比亞		1,587		12,370
圭亞那		4,124		14,693
巴西		187,452		10,672
厄瓜多爾		750,325		543,217

1989年中國主要出口商品輸往地

工具

輸往地	1989		1988	
	數量	金額(美元)	數量	金額(美元)
秘魯		70,383		551,896
玻利維亞		197,909		184,273
智利		2,220,453		1,504,633
巴拉圭		210,963		149,699
阿根廷		153,318		262,284
烏拉圭		166,835		156,762
波多黎各		83,453		49,265
多米尼加聯邦		1,070		16,838
聖文森特和格林納丁斯		23		
伯利茲		5,474		3,210
馬提尼克		30,639		9,856
蘇里南		96,540		
加拿大		3,349,821		2,835,196
美國		56,462,075		35,516,634
澳大利亞		3,825,169		2,297,948
新西蘭		248,784		186,829
湯加		1,192		
斐濟		106,487		18,484
巴布亞新幾內亞		146,090		65,320
新喀里多尼亞		1,348		
瓦努阿圖		7,798		
其他		418,203		90,175

1989年中國主要進口商品來源地

成套設備及技術引進

來源地	1989		1988	
	數量	金額(美元)	數量	金額(美元)
合　計		4,351,441,157		4,093,543,324
香　港		345,763,417		367,541,121
澳　門		1,255,145		120,499
日　本		959,546,004		1,139,523,678
泰　國		132,500		
馬來西亞		4,994,842		
新加坡		12,766,847		6,032,280
利比亞		2,651,250		
蘇　聯		258,098,984		133,689,499
波　蘭		69,202,330		40,435,625
匈牙利		1,907,750		1,859,706
捷克斯洛伐克		131,042,333		185,822,161
保加利亞		301,626		
羅馬尼亞		6,405,896		22,713,974
德意志民主共和國		7,081,802		986,938
德意志聯邦共和國		396,526,096		790,050,018
南斯拉夫		1,223,635		10,254,036
法　國		508,736,525		262,398,401
意大利		367,404,744		212,373,608
荷　蘭		23,906,526		17,103,283
比利時		40,363,740		43,702,399
英　國		174,359,032		90,301,350
愛爾蘭		34,180		126,889
丹　麥		11,447,615		16,967,132
芬　蘭		5,163,988		7,698,306
瑞　典		104,509,466		85,648,845
挪　威		8,923,657		5,621,509
瑞　士		78,208,203		122,916,741
奥地利		53,693,836		24,281,980
西班牙		9,023,493		3,272,120
巴拿馬		4,639,860		6,264,088
巴　西		2,280,307		37,541
阿根廷		197,010		
加拿大		53,501,209		12,305,265
美　國		453,613,386		342,214,571
澳大利亞		6,380,226		7,658,496

1989年中國主要進口商品來源地

成套設備及技術引進

來源地	1989		1988	
	數量	金額(美元)	數量	金額(美元)
新西蘭		129,728		
其他		246,023,969		133,621,265

船舶

來源地	1989		1988	
	數量(艘)	金額(美元)	數量(艘)	金額(美元)
合計	116	316,761,859	47	155,535,072
香港	10	46,694,702	7	14,400,933
日本	5	5,178,943	6	27,109,027
新加坡	2	2,543,405		
塞浦路斯	2	4,300,000		
黎巴嫩	1	4,300,000		
利比里亞	1	2,545,000	3	28,450,000
蘇聯	9	130,371	18	501,205
保加利亞	1	7,980,000	1	9,256,800
德意志聯邦共和國	4	77,384,588	3	15,638,607
法國	1	21,747		
意大利	2	2,200,000		
比利時	1	4,500,000		
英國	33	34,976,685		
丹麥	1	4,350,000	3	15,825,000
瑞典	29	6,746,823		
挪威	1	38,300,000		
希臘	1	1,395,000	1	8,500,000
巴拿馬	6	53,900,000	1	7,500,000
美國	5	244,595	1	28,500
澳大利亞	1	19,070,000	1	5,000,000

1989年中國主要進口商品來源地

貨船

來源地	1989		1988	
	數量(艘)	金額(美元)	數量(艘)	金額(美元)
合　計	20	214,546,180	4	28,556,800
香　港	5	19,131,602		
日　本	1	444,000	1	5,300,000
新加坡	1	1,143,405		
保加利亞	1	7,980,000	1	9,256,800
德意志聯邦共和國	3	73,709,588		
英　國	1	34,817,585		
丹　麥	1	4,350,000		
巴拿馬	6	53,900,000		
澳大利亞	1	19,070,000	1	5,000,000

飛機

來源地	1989		1988	
	數量(架)	金額(美元)	數量(架)	金額(美元)
合　計	24	150,170,542	20	145,329,700
蘇　聯	4	71,230,617	1	14,987,011
法　國	18	2,665,101	8	1,496,792
美　國	2	76,274,824	6	127,796,841

汽車

來源地	1989		1988	
	數量(輛)	金額(美元)	數量(輛)	金額(美元)
合　計	29,109	279,631,476	52,074	465,281,240
香　港	1,873	23,130,885	4,238	62,231,773
澳　門	26	361,098	185	2,502,888
朝鮮民主主義人民共和國	4	92,325	36	1,973,603
日　本	1,454	22,352,332	1,730	28,121,004
新加坡	6	61,440		
印　度	2	1,000		
尼泊爾	5	125,406		
蘇　聯	11,518	76,864,127	20,738	118,851,864
波　蘭	3,637	14,063,308	11,471	46,163,765

1989年中國主要進口商品來源地

汽車

來源地	1989		1988	
	數量(輛)	金額(美元)	數量(輛)	金額(美元)
捷克斯洛伐克	1,159	50,224,363	983	47,466,008
保加利亞	300	6,306,699		
羅馬尼亞	4,957	19,802,236	6,318	44,250,624
德意志民主共和國	1,692	17,953,991	2,500	24,975,440
德意志聯邦共和國	30	3,977,709	54	8,341,903
南斯拉夫	24	1,252,148	2	61,000
法　國	5	243,720	1	44,202
意大利	1,288	25,603,164	1,254	24,961,031
英　國	4	2,113,500	3	1,233,842
芬　蘭	1	570,000		
瑞　典	3	174,001	2	168,672
奥地利	1	242,500	3	192,239
巴　西	1,100	9,003,500	1,182	8,170,060
美　國	18	1,395,666	78	1,184,014
澳大利亞	1	10,600		
其　他	1	3,705,758	1,296	44,387,308

卡車

來源地	1989		1988	
	數量(輛)	金額(美元)	數量(輛)	金額(美元)
合　計	4,520	46,312,187	4,301	44,897,660
香　港	252	1,736,546	504	4,162,964
日　本	179	2,913,206	281	3,104,967
印　度	2	1,000		
蘇　聯	291	10,511,883	500	1,355,460
波　蘭	124	2,853,871	255	6,649,431
捷克斯洛伐克	43	2,002,498		
保加利亞	300	6,306,699		
羅馬尼亞	2,436	8,319,864	1,000	3,589,216
德意志民主共和國	887	9,171,116	1,000	10,635,402
德意志聯邦共和國	1	34,802	1	571,710
美　國	4	109,894	3	93,228
其　他	1	2,350,808	757	14,735,282

1989年中國主要進口商品來源地

自卸車

來源地	1989		1988	
	數量(輛)	金額(美元)	數量(輛)	金額(美元)
合　計	1,463	54,944,844	2,004	82,182,509
蘇　聯	44	5,425,811	370	26,112,969
捷克斯洛伐克	1,012	44,286,796	937	45,617,779
德意志民主共和國	405	4,831,025	500	4,207,148
瑞　典	1	63,056		
美　國	1	338,156		

越野車

來源地	1989		1988	
	數量(輛)	金額(美元)	數量(輛)	金額(美元)
合　計	493	6,881,818	274	3,990,903
香　港	6	88,798	59	1,044,648
日　本	482	6,667,614	213	2,903,687
尼泊爾	5	125,406		

卡車底盤

來源地	1989		1988	
	數量(輛)	金額(美元)	數量(輛)	金額(美元)
合　計	643	10,586,551	1,042	11,774,364
日　本	40	611,281		
波　蘭	100	2,175,540		
捷克斯洛伐克	103	3,847,880	42	1,641,474
德意志民主共和國	400	3,951,850	1,000	10,132,890

1989年中國主要進口商品來源地

拖車及拖車頭

來源地	1989		1988	
	數量(輛)	金額(美元)	數量(輛)	金額(美元)
合　計	30	1,273,176	58	4,212,836
香　港	2	56,500	16	450,428
日　本	19	916,291	10	575,786
新加坡	6	61,440		
瑞　典	2	110,945	1	72,880
美　國	1	128,000		

小轎車

來源地	1989		1988	
	數量(輛)	金額(美元)	數量(輛)	金額(美元)
合　計	15,299	77,135,128	33,191	149,707,499
香　港	435	5,713,615	488	6,327,835
澳　門	3	52,307	13	218,996
朝鮮民主主義人民共和國	1	42,992	2	201,330
日　本	145	1,973,977	635	8,428,782
蘇　聯	10,671	57,861,176	19,813	90,726,313
波　蘭	3,413	9,033,897	11,216	39,514,334
羅馬尼亞	625	2,152,289	1,000	3,669,820
德意志聯邦共和國	5	269,875	7	222,017
美　國	1	35,000	16	392,261

吉普車

來源地	1989		1988	
	數量(輛)	金額(美元)	數量(輛)	金額(美元)
合　計	2,431	13,623,736	4,448	25,990,051
香　港	42	956,587	122	1,802,343
澳　門	1	17,948	1	13,205
朝鮮民主主義人民共和國	3	49,333	32	1,729,705
日　本	8	126,543	38	637,938
蘇　聯	467	2,685,662		
羅馬尼亞	1,895	9,330,083	4,255	21,806,860
德意志聯邦共和國	15	457,580		

1989年中國主要進口商品來源地

汽車零件

來源地	1989		1988	
	數量	金額(美元)	數量	金額(美元)
合　計		549,622,698		461,602,735
香　港		32,858,995		54,435,380
澳　門		761,024		2,002,449
日　本		106,850,804		78,839,412
泰　國		15,412		
新加坡		948,384		397,496
蘇　聯		25,425,766		18,286,098
波　蘭		6,123,841		10,039,727
匈牙利		2,755,352		1,287,098
捷克斯洛伐克		26,879,540		43,427,196
羅馬尼亞		573,277		3,575,410
德意志民主共和國		930,922		7,022,320
德意志聯邦共和國		240,019,688		146,742,474
南斯拉夫		360,759		128,160
法　國		3,620,090		47,050,287
意大利		4,468,125		1,737,267
荷　蘭		1,849		
英　國		4,440,751		305,812
丹　麥		46,442		254
瑞　典		361,207		613,882
瑞　士		2,306		
奧地利		10,799,187		444,441
巴　西		227,514		8,781
美　國		81,150,765		45,252,746
其　他		698		6,045

1989年中國主要進口商品來源地

摩托車

來源地	1989		1988	
	數量(輛)	金額(美元)	數量(輛)	金額(美元)
合　計	15,489	13,489,594	29,900	33,705,424
香　港	7,101	6,906,625	24,632	28,568,495
澳　門	22	27,706	18	25,592
日　本	992	1,162,896	4,242	4,205,142
新加坡	1	1,152		
蘇　聯	299	72,330		
德意志民主共和國	4,021	1,965,701	10	4,407
美　國	1	11,370		
其　他	3,052	3,341,814	996	890,068

聯合收割機及零件

來源地	1989		1988	
	數量	金額(美元)	數量	金額(美元)
合　計		20,999,802		17,779,134
香　港		16,401		43,945
日　本		477,531		209,544
蘇　聯		739,382		76,666
捷克斯洛伐克		17,404		
羅馬尼亞		398,214		1,084,368
德意志民主共和國		15,480,602		14,611,111
德意志聯邦共和國		1,706,000		398,500
比利時		400,000		271,000
美　國		1,764,268		1,084,000

1989年中國主要進口商品來源地

機床

來源地	1989		1988	
	數量(台)	金額(美元)	數量(台)	金額(美元)
合　計	1,257	141,287,758	774	134,502,492
香　港	206	5,212,971	154	8,224,658
日　本	92	13,361,595	75	8,486,655
蘇　聯	13	2,587,549	17	5,404,291
波　蘭	32	3,721,664	29	3,668,850
匈牙利	26	8,036,946	26	9,330,906
捷克斯洛伐克	31	19,099,636	42	17,614,579
羅馬尼亞	139	2,414,754	32	892,054
德意志民主共和國	28	10,777,272	28	12,256,728
德意志聯邦共和國	393	28,888,936	134	32,397,867
法　國	3	423,937	10	1,401,100
意大利	33	4,486,727	11	5,117,323
荷　蘭	4	130,866		
英　國	24	9,613,096	16	5,696,129
瑞　典	1	2,776,033	3	416,677
瑞　士	56	7,116,745	131	14,140,365
奥地利	1	755,375	1	635,598
加拿大	1	1,159,531		
美　國	68	16,753,323	46	4,881,849
其　他	106	3,970,802	19	3,936,863

木工機械

來源地	1989		1988	
	數量(台)	金額(美元)	數量(台)	金額(美元)
合　計	3,356	5,043,130	531	7,698,934
香　港	17	1,418,394	466	1,676,012
日　本	157	722,722	13	2,316,806
蘇　聯	3,164	416,931		
德意志聯邦共和國	5	1,639,380	13	1,510,194
法　國	6	42,468	12	692,531
意大利	3	515,328	20	1,079,017
瑞　典	1	55,300		
瑞　士	3	232,607	5	377,270

1989年中國主要進口商品來源地

車床

來源地	1989		1988	
	數量(台)	金額(美元)	數量(台)	金額(美元)
合　計	49	16,723,470	95	13,619,479
香　港	8	885,930	24	1,493,731
日　本	2	461,419	8	368,430
蘇　聯	8	1,414,616	10	3,261,546
波　蘭	5	1,615,852	15	2,235,084
捷克斯洛伐克	7	6,295,059	16	3,584,198
羅馬尼亞	6	155,273	10	179,332
德意志民主共和國	1	227,734		
德意志聯邦共和國	1	1,769,580	1	703,578
英　國	3	722,800		922,608
瑞　士	1	98,921		
美　國	7	3,076,286	3	74,940

鏜床

來源地	1989		1988	
	數量(台)	金額(美元)	數量(台)	金額(美元)
合　計	40	20,694,344	35	25,129,783
日　本	4	2,315,474		
蘇　聯	2	491,728	3	717,868
波　蘭	1	250,249	1	731,548
捷克斯洛伐克	20	12,124,579	21	13,765,880
德意志民主共和國	8	2,474,938	1	1,174,487
德意志聯邦共和國	2	736,113	4	5,484,419
瑞　士	2	927,335		169,724
美　國	1	1,373,928	2	302,758

1989年中國主要進口商品來源地

磨床

來源地	1989		1988	
	數量(台)	金額(美元)	數量(台)	金額(美元)
合　計	118	20,961,625	99	19,078,987
香　港	10	1,137,386	16	869,711
日　本	22	1,155,222	1	191,065
波　蘭	21	813,219	13	702,218
匈牙利	1	202,481		
捷克斯洛伐克	1	16,503		
羅馬尼亞	1	6,820		5,665
德意志民主共和國	5	2,312,143	18	2,936,344
德意志聯邦共和國	31	10,461,623	20	6,276,761
法　國	2	272,237	2	1,100,939
意大利	4	421,000	1	13,007
英　國	2	48,734	4	804,836
瑞　士	9	1,382,850	18	4,850,297
美　國	9	2,731,407	4	487,098

鑽床

來源地	1989		1988	
	數量(台)	金額(美元)	數量(台)	金額(美元)
合　計	24	1,060,923	18	711,204
香　港	2	43,742	9	355,866
日　本	4	216,200	5	223,200
意大利	2	307,290		
瑞　士	1	284,000		
美　國	11	29,691		
其　他	4	180,000	4	132,138

1989年中國主要進口商品來源地

製齒機

來源地	1989		1988	
	數量(台)	金額(美元)	數量(台)	金額(美元)
合　計	44	10,132,750	23	12,452,626
蘇　聯	3	681,205	3	1,282,268
匈牙利	16	3,613,702	6	1,351,825
捷克斯洛伐克	2	128,597		
德意志民主共和國	5	3,618,600	8	8,048,777
德意志聯邦共和國	5	202,032	3	1,592,091
瑞　士	2	78,558	3	175,210
美　國	11	1,810,056		

銑床

來源地	1989		1988	
	數量(台)	金額(美元)	數量(台)	金額(美元)
合　計	211	5,940,515	53	3,774,445
香　港	57	522,603	20	514,039
日　本	1	17,280		
羅馬尼亞	132	2,252,661	21	641,020
德意志聯邦共和國	6	925,717	2	1,428,230
瑞　士	4	1,093,511	6	732,852
美　國	2	628,743	1	270,198
其　他	9	500,000	3	188,106

鋼材

來源地	1989		1988	
	數量(公噸)	金額(美元)	數量(公噸)	金額(美元)
合　計	8,471,732	4,776,322,529	8,718,241	4,074,700,617
香　港	524,896	352,081,366	472,419	229,122,973
澳　門	3,073	2,358,955	4,158	2,624,978
朝鮮民主主義人民共和國	96,507	33,140,019	132,773	45,813,136
蒙　古	333	88,631	687	680,958
日　本	3,859,204	2,310,937,185	4,713,589	2,374,231,052
菲律賓	4,683	2,904,985		
新加坡	18,285	11,824,458	1,381	1,199,555
印度尼西亞	173	105,702	10,369	6,014,020
尼泊爾	110	76,914		
土耳其	139,502	77,147,629	172,647	63,764,727
蘇　聯	952,208	329,526,449	894,056	281,521,237
波　蘭	124,542	36,235,579	182,481	49,672,276
匈牙利	13,560	6,573,156	34,494	12,096,355
捷克斯洛伐克	267,579	92,337,978	204,771	63,623,930
羅馬尼亞	188,904	49,745,640	287,563	73,555,642
德意志民主共和國	34,636	11,887,187	24,625	8,334,812
德意志聯邦共和國	782,662	525,034,928	583,780	377,321,242
南斯拉夫	66,988	38,218,152	45,595	13,154,111
法　國	61,341	55,013,652	57,475	38,074,622
意大利	14,807	21,210,361	47,479	24,754,281
荷　蘭	8,032	7,249,188	2,498	1,639,211
比利時	52,259	40,577,355	49,607	28,364,172
盧森堡	25,808	14,027,426	27,922	11,900,302
英　國	60,295	47,822,662	27,547	16,137,337
丹　麥	3,380	4,860,434	42	51,238
芬　蘭	2,200	989,783		
瑞　典	5,100	8,326,030	6,736	5,174,592
瑞　士	24,785	9,468,611	10,290	10,820,068
奥地利	94,665	41,781,783	108,152	38,813,745
希　臘	1,992	1,250,697		
西班牙	95,074	65,295,983	62,681	31,188,292
墨西哥	30,540	21,517,057	18,315	12,823,506
巴　西	374,991	203,432,604	294,830	119,405,745
阿根廷	150,859	112,405,395	107,322	69,868,682
美　國	263,972	190,955,791	90,747	36,040,493

1989年中國主要進口商品來源地

鋼材

來源地	1989		1988	
	數量(公噸)	金額(美元)	數量(公噸)	金額(美元)
澳大利亞	95,968	35,194,439	15,604	13,359,196
其他	27,819	14,718,365	25,606	13,554,131

厚鋼板

來源地	1989		1988	
	數量(公噸)	金額(美元)	數量(公噸)	金額(美元)
合計	1,319,505	566,496,047	1,304,554	443,816,222
香港	16,728	9,103,779	22,291	9,310,960
朝鮮民主主義人民共和國	79,308	27,185,221	81,764	23,129,462
蒙古	81	25,124		
日本	751,972	324,216,069	732,110	249,512,433
新加坡	2,127	927,444		
土耳其	4,000	3,507,948		
蘇聯	164,310	67,250,218	161,696	59,274,183
波蘭	3,382	1,265,029	14,923	4,718,392
捷克斯洛伐克	63,952	21,992,272	48,604	15,101,708
羅馬尼亞	33,164	9,260,238	80,458	21,187,580
德意志聯邦共和國	41,133	21,710,011	36,165	19,558,247
法國	2,746	7,978,435		
意大利	71	31,057	1,805	690,990
比利時	15,279	8,382,634	19,119	7,489,535
盧森堡	1,959	773,690		
芬蘭	2,200	989,783		
瑞典	621	301,442	799	324,687
瑞士	597	260,295		
奥地利	8,341	4,253,597	3,326	1,027,159
巴西	127,490	57,054,281	83,487	27,946,028
美國	44	27,480		

1989年中國主要進口商品來源地

薄鋼板

來源地	1989		1988	
	數量(公噸)	金額(美元)	數量(公噸)	金額(美元)
合計	3,470,829	2,067,757,078	2,911,597	1,390,753,867
香港	294,661	192,237,883	193,328	91,067,108
澳門	2,670	1,721,686	2,872	1,977,640
朝鮮民主主義人民共和國	838	424,495	798	181,082
日本	1,863,166	1,074,984,826	2,048,102	937,166,216
菲律賓	4,683	2,904,985		
新加坡	10,696	6,234,320	94	69,409
印度尼西亞	173	105,702		
尼泊爾	110	76,914		
土耳其	108,568	65,585,491	46,399	30,367,478
蘇聯	162,326	80,966,820	123,082	57,502,017
波蘭	4,347	2,657,618	11,127	5,518,791
捷克斯洛伐克	50,391	23,741,219	35,158	13,517,832
羅馬尼亞	10,047	4,717,415	27,044	9,208,987
德意志民主共和國	14,769	6,734,696	10,567	4,576,070
德意志聯邦共和國	260,505	164,498,864	115,316	70,836,164
南斯拉夫	39,619	18,492,238	9,422	4,070,358
法國	22,587	14,255,505	26,859	17,921,898
意大利	3,035	2,335,280	7,779	5,298,336
荷蘭	7,159	5,597,173	2,456	1,573,677
比利時	29,800	21,308,411	23,672	14,141,480
盧森堡	17,622	10,044,649	12,359	6,287,414
英國	55,782	37,048,797	4,500	2,593,809
丹麥	787	476,215		
瑞典	2,453	1,829,931		
瑞士	2,582	1,488,277	1,124	610,092
奥地利	29,458	17,277,444	23,693	12,469,412
希臘	1,992	1,250,697		
西班牙	59,039	42,732,291	3,019	1,982,758
墨西哥	7,383	4,626,270	2,911	1,729,116
巴西	156,984	95,709,641	124,987	65,107,008
阿根廷	32,193	21,556,565	740	484,568
美國	188,671	128,834,249	23,682	14,561,005
澳大利亞	11,962	7,602,197	14,108	9,027,905
其他	13,771	7,698,314	16,399	10,906,237

1989年中國主要進口商品來源地

型材

來源地	1989		1988	
	數量(公噸)	金額(美元)	數量(公噸)	金額(美元)
合　計	780,815	253,587,776	951,872	264,412,568
香　港	46,820	19,808,823	104,258	30,305,837
蒙　古	7	1,852	640	642,560
日　本	81,385	38,229,801	122,254	48,386,849
土耳其	4,710	1,323,392	43,146	11,828,884
蘇　聯	263,909	77,715,053	261,749	66,779,026
波　蘭	76,500	21,267,874	110,954	27,433,331
捷克斯洛伐克	24,632	6,251,519	25,728	6,519,297
羅馬尼亞	103,304	24,292,202	77,339	17,213,879
德意志聯邦共和國	93,884	32,412,737	66,904	19,191,839
南斯拉夫	6,524	1,833,191	13,953	3,603,495
意大利	70	3,082,238		
盧森堡	6,227	3,209,087	14,483	5,029,005
英　國	106	105,780	9,579	2,604,725
瑞　典	1	41,600		
瑞　士	20,540	7,122,444		
奥地利	32,090	9,871,901	55,294	13,308,631
西班牙	17,070	5,709,066	30,403	7,555,884
巴　西	305	337,907	237	106,694
美　國	1,992	779,819	4,208	1,103,820
其　他	739	191,490	10,743	2,798,812

矽鋼片

來源地	1989		1988	
	數量(公噸)	金額(美元)	數量(公噸)	金額(美元)
合　計	152,235	182,926,596	180,328	145,796,782
香　港	7,481	7,196,935	8,824	5,450,820
日　本	110,180	132,066,126	149,059	122,467,117
德意志聯邦共和國	14,498	15,688,994	16,160	12,308,390
法　國	4,577	6,600,720		
意大利	6,667	8,859,235	5,495	5,201,115
比利時	3,516	3,956,148	398	233,779
英　國	851	1,232,831		
丹　麥	2,592	4,376,760	42	51,238
巴　西	1,873	2,948,847		

1989年中國主要進口商品來源地

盤條

來源地	1989		1988	
	數量(公噸)	金額(美元)	數量(公噸)	金額(美元)
合計	730,676	229,792,996	968,257	278,841,974
香港	26,500	9,106,639	45,203	13,381,048
蒙古	8	2,170		
日本	352,201	119,344,225	444,954	140,192,350
土耳其	22,129	6,680,798	48,114	13,531,123
蘇聯	100,772	29,277,808	129,123	34,327,518
波蘭	33,893	8,768,508	30,969	7,615,141
捷克斯洛伐克	59,594	15,999,642	55,128	14,629,109
羅馬尼亞	19,235	4,176,674	55,336	11,656,479
德意志民主共和國	19,867	5,152,491	8,610	2,139,452
德意志聯邦共和國	25,562	7,940,148	38,029	9,929,813
南斯拉夫	14,340	3,871,695	7,039	1,900,544
法國	1,766	814,106	14,036	3,636,548
奥地利	23,475	7,409,424	18,744	5,389,870
巴西	27,257	9,858,670	22,517	6,221,790
美國	2,330	866,000	25,667	6,993,874
其他	1,747	523,998	24,788	7,297,315

鐵道器材

來源地	1989		1988	
	數量(公噸)	金額(美元)	數量(公噸)	金額(美元)
合計	28,834	29,501,085	46,128	23,008,783
香港	5	3,200		
日本	12,422	12,363,225	26,135	14,860,436
蘇聯	10,386	3,401,352	9,993	3,648,347
南斯拉夫	6,021	13,733,308		

優質鋼

來源地	1989		1988	
	數量(公噸)	金額(美元)	數量(公噸)	金額(美元)
合計	359,752	285,676,705	591,903	310,489,160
香港	25,623	39,213,758	16,458	23,922,063

1989年中國主要進口商品來源地

優質鋼

來源地	1989		1988	
	數量(公噸)	金額(美元)	數量(公噸)	金額(美元)
朝鮮民主主義人民共和國	6,599	3,058,123	33,971	17,162,252
日　本	119,977	113,571,021	219,083	126,091,693
新加坡	11	19,800	10	40,702
蘇　聯	93,756	33,307,223	75,411	25,503,826
波　蘭	4,532	1,377,686	14,508	4,386,621
捷克斯洛伐克	28,693	8,512,815	7,916	2,408,349
羅馬尼亞	9,294	2,309,744	28,107	6,955,399
德意志聯邦共和國	42,172	48,240,490	49,942	45,771,894
法　國	862	2,589,299	2,105	1,760,323
意大利	2,244	3,792,524	29,684	8,428,360
比利時	3,189	6,154,298	1,589	3,243,899
英　國	2,311	7,055,473	2,432	4,873,933
丹　麥	1	7,459		
瑞　典	642	3,031,820	409	983,358
瑞　士		13,740		
奧地利	239	1,013,434	6,739	5,532,579
西班牙	232	253,805	175	92,364
巴　西	18,429	9,930,013	62,199	19,452,655
美　國	396	457,008	28,511	9,882,272
其　他	550	1,767,172	12,654	3,996,618

管材

來源地	1989		1988	
	數量(公噸)	金額(美元)	數量(公噸)	金額(美元)
合　計	1,075,697	897,711,997	1,290,055	994,784,375
香　港	29,389	23,586,001	10,148	8,558,962
澳　門	3	18,744	2	16,373
朝鮮民主主義人民共和國	1,899	811,012	4,078	2,032,915
日　本	476,574	424,157,198	850,592	664,848,271
新加坡	2,429	3,190,415	598	803,628
蘇　聯	11,798	4,670,795	28,186	11,953,722
匈牙利	13,560	6,573,156	12,084	5,604,504
捷克斯洛伐克	21,789	10,460,040	13,273	6,622,039
羅馬尼亞	13,860	4,989,367	11,488	4,944,321

1989年中國主要進口商品來源地

管材

來源地	1989		1988	
	數量(公噸)	金額(美元)	數量(公噸)	金額(美元)
德意志聯邦共和國	233,043	195,497,319	190,936	159,186,417
南斯拉夫	484	287,720	1,021	294,558
法國	8,272	14,192,921	4,369	9,693,941
意大利	677	649,811	508	2,181,058
瑞典	121	358,026	257	909,471
瑞士	1,066	583,855	9,150	10,137,881
奥地利	808	519,767	175	94,780
西班牙	18,733	16,600,821	26,287	19,468,302
墨西哥	23,157	16,890,787	15,404	11,094,390
巴西	30,491	23,309,817	1,404	571,570
阿根廷	118,666	90,848,830	102,557	68,010,279
美國	68,129	57,700,463	5,230	3,043,212
澳大利亞	749	1,815,132	1,296	4,167,365

金屬製品

來源地	1989		1988	
	數量(公噸)	金額(美元)	數量(公噸)	金額(美元)
合計	141,759	122,151,118	213,590	148,524,208
香港	12,875	22,123,990	26,318	32,758,994
澳門	353	585,400	46	185,879
蒙古	237	59,485	47	38,398
日本	62,093	51,517,617	111,796	66,363,372
新加坡	35	115,298	4	19,865
蘇聯	10,919	3,426,726	7,723	2,438,853
波蘭	1,888	898,864		
捷克斯洛伐克	18,528	5,380,471	18,964	4,825,596
德意志聯邦共和國	22,118	19,404,718	28,772	24,815,065
法國	25	380,120	106	561,912
意大利	2,043	2,460,216	2,208	2,954,422
荷蘭	873	1,652,015	42	65,534
比利時	475	775,864	984	1,638,072
英國	1,245	2,379,781	2,298	3,838,327
瑞典	1,262	2,763,211	5,272	2,957,076
奥地利	254	1,436,216	181	991,314

1989年中國主要進口商品來源地

金屬製品

來源地	1989		1988	
	數量(公噸)	金額(美元)	數量(公噸)	金額(美元)
巴　西	391	248,562		
美　國	2,410	2,290,772	3,449	423,734
澳大利亞	3,256	3,582,000		
其　他	479	669,792	5,380	3,647,795

鋼坯

來源地	1989		1988	
	數量(公噸)	金額(美元)	數量(公噸)	金額(美元)
合　計	233,813	57,058,230	148,623	34,496,943
香　港	10	28,358	3,237	2,943,933
朝鮮民主主義人民共和國	7,863	1,661,168	12,162	3,307,425
新加坡	87	133,266	31	8,936
蘇　聯	133,176	29,389,213	96,709	19,944,645
巴　西	10,655	3,185,924		
澳大利亞	80,000	22,195,110		
其　他	2,022	465,191	36,484	8,292,004

銅

來源地	1989		1988	
	數量(公噸)	金額(美元)	數量(公噸)	金額(美元)
合　計	81,237	196,325,732	88,306	176,361,714
香　港	16,006	26,753,552	22,749	31,775,159
澳　門	850	2,169,200		
朝鮮民主主義人民共和國	175	517,027	251	434,824
蒙　古	324	564,987		
日　本	2,966	8,967,285	6,642	15,271,424
新加坡	119	339,263		
蘇　聯	7,549	20,431,187	9,709	23,115,552
保加利亞	300	777,000	300	520,100
阿爾巴尼亞	800	2,208,830	596	1,133,816
德意志聯邦共和國	401	1,327,905	1,628	916,518
荷　蘭	515	1,408,274		

1989年中國主要進口商品來源地

銅

來源地	1989		1988	
	數量(公噸)	金額(美元)	數量(公噸)	金額(美元)
英　國	24,348	58,008,824	31,843	64,200,926
瑞　士	500	1,298,953	999	1,988,148
巴　西	2,395	4,181,688		
智　利	8,200	28,432,000	8,500	22,533,134
加拿大	2,000	4,978,000		
美　國	12,929	31,659,890	2,322	5,664,449
其　他	860	2,301,867	2,767	8,807,664

鋅

來源地	1989		1988	
	數量(公噸)	金額(美元)	數量(公噸)	金額(美元)
合　計	9,489	14,278,087	60,186	67,752,554
香　港	1,561	2,249,597	7,427	9,761,204
朝鮮民主主義人民共和國	5,032	7,575,336	10,412	8,155,749
日　本	422	542,740	1,366	1,575,784
德意志聯邦共和國	350	487,073	16,031	22,742,680
意大利	4	6,699		
比利時	209	423,521	1,107	1,438,219
加拿大	880	1,320,835	608	784,018
澳大利亞	1,031	1,672,286	5,388	4,592,112

鋁

來源地	1989		1988	
	數量(公噸)	金額(美元)	數量(公噸)	金額(美元)
合　計	168,305	350,746,300	99,409	234,216,663
香　港	60,152	117,695,509	18,261	43,726,865
澳　門	203	520,800	64	288,370
朝鮮民主主義人民共和國	231	379,641		
蒙　古	142	219,500		
日　本	4,294	10,608,810	819	2,786,554
新加坡	2,720	5,203,789	99	287,871
蘇　聯	68,093	140,402,586	44,165	103,685,324

1989年中國主要進口商品來源地

鋁

來源地	1989		1988	
	數量(公噸)	金額(美元)	數量(公噸)	金額(美元)
德意志聯邦共和國	5,773	15,068,827	4,789	12,478,169
法國	550	1,383,739	2,516	6,003,741
意大利	643	2,533,896		
荷蘭	408	820,556		
比利時	100	710,035		
英國	5,796	12,323,871	11,474	24,114,015
瑞士	2,986	7,011,198	4,732	13,091,787
加拿大	2,600	4,978,328	800	2,375,800
美國	11,138	22,591,956	9,211	19,497,809
澳大利亞	2,476	8,293,259	1,287	2,917,317

鉛

來源地	1989		1988	
	數量(公噸)	金額(美元)	數量(公噸)	金額(美元)
合計	19,863	17,381,360	3,879	2,719,374
香港	3,444	4,738,938	511	417,168
日本	740	1,177,539	99	64,884
保加利亞	2,000	1,411,054	999	704,880
德意志聯邦共和國	95	223,107		
法國	100	73,000		
比利時	400	283,606		
英國	824	593,112	475	350,864
瑞士	3,599	2,632,838		
加拿大	3,451	2,436,790		
美國	4,710	3,438,544	500	337,219
澳大利亞	500	372,832	1,295	844,359

天然橡膠

來源地	1989		1988	
	數量(公噸)	金額(美元)	數量(公噸)	金額(美元)
合計	325,068	320,894,485	390,379	423,275,299
香港	59,098	58,392,372	60,336	35,776,550

1989年中國主要進口商品來源地

天然橡膠

來源地	1989		1988	
	數量(公噸)	金額(美元)	數量(公噸)	金額(美元)
澳門	8,000	6,056,664		
朝鮮民主主義人民共和國	10,097	19,794,371	600	2,578,680
老撾	299	297,255		
日本	4,584	4,981,569	1,909	2,724,558
緬甸	56	143,498	344	452,869
泰國	124,671	118,839,223	87,472	103,489,559
馬來西亞	54,535	49,828,642	101,138	122,337,736
新加坡	59,117	58,225,456	90,897	104,424,344
印度尼西亞	4,000	3,720,186	33,607	35,067,768
德意志聯邦共和國	611	615,249	1,126	1,628,329

合成橡膠

來源地	1989		1988	
	數量(公噸)	金額(美元)	數量(公噸)	金額(美元)
合計	65,756	81,684,692	56,751	81,569,542
香港	24,801	24,909,538	12,849	12,089,300
澳門	52	67,079	50	57,630
老撾	22	18,932		
日本	25,078	33,985,069	25,966	35,748,077
緬甸	141	133,624	466	610,998
泰國	600	2,093,927	1,129	6,696,664
馬來西亞	700	652,196	170	297,143
新加坡	1,652	2,095,988	3,828	7,241,794
尼日利亞	100	111,440		
蘇聯	720	634,068		
波蘭	2,400	2,548,711	1,500	1,606,904
德意志聯邦共和國	466	789,978	309	728,801
法國	392	803,254	128	231,710
意大利	519	747,266	562	910,619
荷蘭	114	147,733	23	132,615
英國	228	219,676	247	407,796
愛爾蘭	530	617,696		
加拿大	5,106	8,557,677	7,412	11,048,701
美國	2,135	2,550,840	2,107	3,636,674

1989年中國主要進口商品來源地

輪胎

來源地	1989		1988	
	數量	金額(美元)	數量	金額(美元)
合　計		3,613,443		3,280,578
香　港		638,711		303,826
澳　門		1,230		3,593
蒙　古		140,430		188,486
日　本		1,863,344		1,857,963
蘇　聯		9,320		37,250
法　國		59,780		
美　國		349,800		492,375
其　他		550,828		397,085

尿素

來源地	1989		1988	
	數量(公噸)	金額(美元)	數量(公噸)	金額(美元)
合　計	14,127,564	1,026,353,648	15,864,180	1,069,633,032
香　港	3,398,486	251,204,428	3,189,224	243,431,911
澳　門	124,722	8,479,100		
朝鮮民主主義人民共和國	139,712	9,228,279	92,014	4,668,235
日　本	409,880	30,814,178	943,904	57,514,198
緬　甸	58,000	3,766,220	74,094	3,465,916
新加坡	296,398	20,375,818	34,946	2,912,788
印度尼西亞	50,600	3,896,200	157,062	11,146,040
孟加拉國	110,008	6,163,549	122,684	6,952,258
伊拉克	423,450	29,027,640		
沙特阿拉伯	439,298	34,327,216	542,302	32,940,039
科威特	720,242	50,018,413	1,280,418	81,136,042
阿拉伯聯合酋長國	718,368	45,155,365	393,278	26,143,275
利比亞	130,270	10,021,915	151,620	11,097,790
蘇　聯	2,218,728	151,943,288	2,124,282	121,515,840
匈牙利	221,518	14,865,233	79,922	4,731,658
保加利亞	459,236	32,103,798	291,704	18,725,900
羅馬尼亞	935,446	57,142,595	1,082,648	52,446,991
德意志民主共和國	294,838	19,535,072	45,764	2,997,509
德意志聯邦共和國	254,140	19,717,668	704,542	53,028,705
南斯拉夫	61,300	5,026,600	62,920	3,617,900

1989年中國主要進口商品來源地

尿素

來源地	1989		1988	
	數量(公噸)	金額(美元)	數量(公噸)	金額(美元)
意大利	46,066	3,501,047	160,700	9,196,330
比利時	80,800	6,503,855	83,814	7,291,991
英國	3,400	229,500		
挪威	646,062	54,442,812	717,608	58,524,977
瑞士	1,224,682	112,971,891	1,236,664	89,913,362
巴西	125,602	9,546,101	64,790	14,714,268
加拿大	42,820	2,933,219	262,762	15,479,616
美國	453,374	30,362,025	1,413,752	96,497,027
澳大利亞	40,118	3,050,623	42,000	5,214,293

聚氯乙烯

來源地	1989		1988	
	數量(公噸)	金額(美元)	數量(公噸)	金額(美元)
合計	73,539	44,764,177	69,412	80,177,783
香港	54,715	22,328,731	24,004	28,660,895
日本	7,519	9,044,512	19,805	22,567,396
新加坡	721	668,589	482	577,281
蘇聯	830	1,903,167		
德意志聯邦共和國	366	372,895	5,409	7,028,857
法國	35	113,400	18	25,768
意大利	397	618,050	4,837	4,776,706
荷蘭	20	11,585	105	135,450
比利時	79	76,725	871	821,368
英國	84	121,165	1,100	1,003,703
瑞典	162	269,075	1,065	1,136,393
墨西哥	1,878	1,904,552	1,374	1,555,169
巴西	949	876,452	2,387	2,622,379
美國	5,784	6,455,279	6,749	7,779,278

1989年中國主要進口商品來源地

聚丙烯

來源地	1989		1988	
	數量(公噸)	金額(美元)	數量(公噸)	金額(美元)
合計	211,655	177,299,219	463,770	608,056,496
香港	50,956	55,086,871	128,140	143,494,967
澳門	578	560,646	39	42,416
日本	22,567	28,077,716	68,848	95,339,417
新加坡	7,185	6,671,568	20,236	27,170,092
蘇聯	16	9,779		
匈牙利	500	51,000		
捷克斯洛伐克	7,700	6,786,966	16,052	17,339,995
保加利亞	2,957	3,244,713	3,476	3,713,608
德意志聯邦共和國	2,614	3,415,369	10,171	14,530,197
法國	1,630	1,499,972	1,977	2,685,626
意大利	300	345,000	300	438,508
荷蘭	438	308,790	3,649	5,021,493
比利時	1,660	2,258,765	2,744	3,741,285
英國	38,450	1,187,550	9,457	13,161,854
芬蘭	113	84,375		
奥地利	800	1,106,669	3,811	5,247,299
西班牙	1,009	706,475	612	861,079
古巴	30	39,000		
巴西	2,326	2,792,892	8,353	11,596,744
加拿大	5,725	5,806,615	10,600	14,249,645
美國	60,896	54,581,445	163,367	225,577,000
澳大利亞	3,205	2,677,043	2,570	9,909,548

高壓聚乙烯

來源地	1989		1988	
	數量(公噸)	金額(美元)	數量(公噸)	金額(美元)
合計	368,297	375,329,328	653,208	830,227,961
香港	61,736	70,771,870	126,985	170,819,874
澳門	2,352	3,045,213	2,067	3,033,415
朝鮮民主主義人民共和國	8	17,461	395	1,104,037
日本	14,194	15,298,554	60,928	75,320,990
新加坡	23,775	23,151,935	31,419	40,565,905
土耳其	4,000	4,980,000	14,891	19,244,067

1989年中國主要進口商品來源地

高壓聚乙烯

來源地	1989		1988	
	數量(公噸)	金額(美元)	數量(公噸)	金額(美元)
沙特阿拉伯	16,719	11,054,552	20,287	25,062,618
阿拉伯聯合酋長國	792	894,960		
蘇聯	10,896	11,751,985	10,828	12,589,305
捷克斯洛伐克	3,994	4,206,178	5,000	5,819,113
德意志民主共和國	5,000	5,059,380	6,000	5,439,328
德意志聯邦共和國	42,069	46,450,420	93,562	111,967,290
法國	44,402	46,260,222	29,801	39,211,374
意大利	2,851	2,572,398	10,893	12,190,803
荷蘭	2,200	1,523,000	4,700	4,590,182
比利時	2,640	2,737,790	5,299	6,602,579
英國	695	1,115,723	3,979	4,288,157
瑞士	698	792,700	5,674	8,087,054
西班牙	4,704	4,128,995	5,836	5,326,376
墨西哥	150	210,750		
巴西	23,741	26,537,003	51,260	64,884,753
阿根廷	6,261	6,231,789	11,556	14,898,763
加拿大	31,945	27,565,787	49,900	62,868,889
美國	62,436	58,892,793	87,704	118,742,998
其他	39	77,870	14,244	17,570,091

低壓聚乙烯

來源地	1989		1988	
	數量(公噸)	金額(美元)	數量(公噸)	金額(美元)
合計	93,180	78,133,061	327,841	235,073,274
香港	33,037	30,524,085	204,444	78,582,756
澳門	338	327,088	111	119,394
日本	20,439	20,226,519	41,848	51,342,449
新加坡	12,252	13,250,749	13,542	16,779,207
沙特阿拉伯	2,574	94,760	4,305	5,161,801
蘇聯	24	25,270	80	71,145
羅馬尼亞	3,279	2,514,870		
德意志聯邦共和國	179	366,478	4,094	4,901,756
瑞士	266	350,532	1,175	1,536,356
巴西	906	919,560	1,320	1,549,150

1989年中國主要進口商品來源地

低壓聚乙烯

來源地	1989		1988	
	數量(公噸)	金額(美元)	數量(公噸)	金額(美元)
加拿大	12,205	2,524,287	2,025	2,772,916
美　國	7,681	7,008,863	49,421	62,476,865

ABS樹脂

來源地	1989		1988	
	數量(公噸)	金額(美元)	數量(公噸)	金額(美元)
合　計	85,204	153,876,625	123,878	234,131,908
香　港	59,269	103,521,315	85,134	157,534,818
澳　門	238	517,230	100	206,000
朝鮮民主主義人民共和國	51	78,776		
日　本	12,584	23,439,124	13,828	26,260,305
新加坡	1,255	2,133,000		
德意志聯邦共和國	210	373,709	203	362,187
荷　蘭	10	17,500	200	393,568
比利時	939	1,950,137	164	273,565
英　國	48	204,938	233	314,394
美　國	4,544	11,413,456	19,402	36,783,047
其　他	6,056	10,227,440	4,614	12,004,024

聚苯乙烯

來源地	1989		1988	
	數量(公噸)	金額(美元)	數量(公噸)	金額(美元)
合　計	71,365	104,303,031	147,875	231,992,586
香　港	44,286	62,624,142	71,906	109,933,862
澳　門	819	923,722	515	697,635
日　本	9,252	14,522,665	19,261	33,750,653
泰　國	157	232,741	1,750	852,522
新加坡	100	178,000	1,299	1,756,523
德意志聯邦共和國	5,100	8,684,059	18,994	28,902,677
法　國	58	109,833	1,341	2,398,655
荷　蘭	10	17,500	1,370	3,224,279
比利時	208	294,440	101	143,000

1989年中國主要進口商品來源地

聚苯乙烯

來源地	1989		1988	
	數量(公噸)	金額(美元)	數量(公噸)	金額(美元)
英　　國	653	1,174,709	3,632	5,546,684
瑞　　士	615	1,104,002	2,762	4,313,180
墨 西 哥	270	503,609	1,829	3,023,079
巴　　西	1,143	1,481,143	1,582	2,736,953
加 拿 大	42	62,690	1,329	2,196,317
美　　國	5,617	8,365,004	11,291	18,143,906
澳大利亞	1,149	1,529,765	3,179	5,170,923
其　　他	1,886	2,495,007	5,734	9,201,738

己內酰胺

來源地	1989		1988	
	數量(公噸)	金額(美元)	數量(公噸)	金額(美元)
合　　計	28,718	50,794,443	70,844	124,674,512
香　　港	2,150	3,683,773	9,800	17,183,513
日　　本	14,766	26,634,942	15,938	24,476,471
德意志聯邦共和國	6,732	11,634,718	25,453	47,411,671
荷　　蘭	1,982	3,299,694	9,521	17,273,758
比 利 時	1,703	3,089,500	1,000	1,821,351
英　　國	788	1,418,053	1,263	2,305,285
西 班 牙	298	520,238	2,000	3,672,810
巴　　西	299	513,525	1,000	1,830,000

燒碱

來源地	1989		1988	
	數量(公噸)	金額(美元)	數量(公噸)	金額(美元)
合　　計	200,003	73,710,478	239,768	81,756,326
香　　港	37,526	17,313,447	19,401	7,555,751
澳　　門	300	141,000		
日　　本	18,444	5,654,952	16,311	4,854,295
新 加 坡	15,000	2,550,000		
蘇　　聯	600	101,541		
波　　蘭	18,408	7,428,105	21,499	6,323,808

1989年中國主要進口商品來源地

燒碱

來源地	1989		1988	
	數量(公噸)	金額(美元)	數量(公噸)	金額(美元)
羅馬尼亞	34,040	9,288,549	40,558	9,446,061
德意志民主共和國	2,992	417,224		
德意志聯邦共和國	18,193	7,055,963	34,592	14,013,016
法　國	500	231,150		
意大利	15,968	7,406,351	26,160	10,563,894
荷　蘭	5,607	2,588,016	21,020	8,659,850
英　國	2,500	1,156,981		
瑞　士	8,050	3,956,000		
西班牙	5,228	2,441,700	6,164	2,682,810
美　國	16,647	5,979,499	32,303	9,400,365

純碱

來源地	1989		1988	
	數量(公噸)	金額(美元)	數量(公噸)	金額(美元)
合　計	675,849	105,197,996	761,955	96,607,718
香　港	131,588	26,345,071	46,327	9,528,192
澳　門	4,005	439,300		
朝鮮民主主義人民共和國	1,713	309,653		
日　本	9,463	1,547,122	18,007	2,690,544
肯尼亞	10,000	1,350,000	20,400	2,088,100
蘇　聯	6,189	889,607	4,650	744,683
波　蘭	71,079	8,401,819	104,664	14,431,761
羅馬尼亞	61,445	8,678,878	195,165	23,079,654
德意志民主共和國	18,000	2,396,821	16,000	2,330,304
荷　蘭	7,999	1,496,851		
英　國	4,500	823,088		
美　國	348,598	52,242,486	319,383	36,944,878
其　他	1,270	277,300	37,359	4,769,602

1989年中國主要進口商品來源地

農藥

來源地	1989		1988	
	數量	金額(美元)	數量	金額(美元)
合　計		247,853,436		160,797,655
香　港		22,567,128		14,712,372
澳　門		3,250		
日　本		80,911,481		50,535,556
泰　國		48,290		
蘇　聯		481,056		
德意志聯邦共和國		31,843,352		17,255,546
法　國		13,981,225		9,563,730
意大利		5,103,592		4,010,246
荷　蘭		2,587,146		3,487,069
比利時		685,729		45,980
英　國		21,312,526		5,482,334
丹　麥		15,500		
瑞　士		6,129,854		5,231,035
西班牙		1,419,957		
巴　西		1,377,878		
美　國		55,575,180		49,880,453
澳大利亞		3,329,012		495,040
巴布亞新幾內亞		260,000		
其　他		221,280		98,294

西藥

來源地	1989		1988	
	數量	金額(美元)	數量	金額(美元)
合　計		204,950,456		329,372,267
香　港		81,007,404		156,833,002
澳　門		73,174		62,668
日　本		36,973,597		63,926,540
泰　國		504,340		480,000
馬來西亞		90,370		2,069,159
新加坡		1,380,547		921,366
印度尼西亞		34,000		
印　度		712,917		772,727
波　蘭		194,619		377,936

1989年中國主要進口商品來源地

西藥

來源地	1989 數量	1989 金額(美元)	1988 數量	1988 金額(美元)
匈牙利		2,512,053		1,138,800
德意志民主共和國		108,233		297,043
德意志聯邦共和國		33,939,639		42,020,405
法國		4,127,333		6,306,448
意大利		12,150,585		13,884,607
荷蘭		3,004,323		5,189,271
比利時		1,147,711		3,994,670
英國		1,812,292		4,141,365
丹麥		734,854		724,839
芬蘭		58,700		602,863
瑞典		1,506,771		2,689,248
瑞士		1,872,353		3,265,975
奥地利		2,063,676		246,729
希臘		13,700		
西班牙		8,019,869		6,361,002
墨西哥		114,570		75,224
加拿大		526,559		56,349
美國		10,086,747		11,553,623
澳大利亞		179,520		708,419

生藥

來源地	1989 數量	1989 金額(美元)	1988 數量	1988 金額(美元)
合計		31,152,076		48,369,876
香港		19,722,789		26,803,142
澳門		1,723,523		46,207
朝鮮民主主義人民共和國		8,660		
老撾		650,534		
蒙古		1,648		4,149
日本		1,500		21,516
緬甸		2,965,197		13,440,317
泰國		476,844		1,011,499
新加坡		674,943		3,479,049
巴基斯坦		1,158		147,023

1989年中國主要進口商品來源地

生藥

來源地	1989		1988	
	數量	金額(美元)	數量	金額(美元)
印　度		154,913		488,805
尼泊爾		68,788		62,497
索馬里		470,712		1,546,780
肯尼亞		331,599		155,796
蘇　聯		1,716,666		1,517
德意志聯邦共和國		766,886		
荷　蘭		540,116		
希　臘		285,000		
西班牙		80,000		117,600
美　國		510,600		35,000

紙漿

來源地	1989		1988	
	數量(公噸)	金額(美元)	數量(公噸)	金額(美元)
合　計	674,809	359,100,538	1,113,970	553,040,624
香　港	208,825	45,522,547	279,456	65,247,756
澳　門	14,141	2,022,237	15,146	3,399,898
蒙　古	112	7,145	41	2,728
日　本	10,394	8,332,162	6,329	5,581,639
印度尼西亞	6,000	4,612,713		
蘇　聯	5,079	2,944,187	1,177	620,336
捷克斯洛伐克	1,000	754,422		
德意志聯邦共和國	290	235,500	1,739	1,172,945
法　國	276	217,933	5,778	3,336,471
芬　蘭	12,722	9,276,195	45,772	37,635,020
瑞　典	24,386	18,296,788	83,989	50,484,895
挪　威	6,620	4,537,336	9,500	5,862,055
西班牙	500	335,229		
墨西哥	3,146	2,309,800	7,584	5,509,201
巴　西	3,000	2,467,105	15,000	9,473,445
智　利	32,294	21,840,553	43,202	28,132,370
加拿大	180,031	136,870,602	298,343	195,528,858
美　國	149,919	90,283,882	223,571	99,378,266
澳大利亞	2,074	1,019,185	12	5,660
新西蘭	14,000	7,215,017	54,578	28,349,809

1989年中國主要進口商品來源地

紙張

來源地	1989		1988	
	數量(公噸)	金額(美元)	數量(公噸)	金額(美元)
合　計	698,829	385,562,197	1,126,480	490,427,700
香　港	263,263	134,687,345	427,221	138,082,312
澳　門	2,364	2,155,559	2,504	1,777,162
蒙　古	643	292,266	386	187,801
日　本	57,253	33,484,654	151,054	75,897,855
泰　國	1,000	716,880	2,100	2,248,000
新加坡	4,489	3,505,037	172	257,062
印度尼西亞	5,044	2,091,360	3,734	1,830,323
蘇　聯	612	265,974	300	116,771
捷克斯洛伐克	500	200,000		
德意志聯邦共和國	36,713	38,776,310	44,184	26,790,614
法　國	2,465	1,839,642	10,285	3,566,565
意大利	37	336,834	285	422,360
荷　蘭	5,485	1,797,966	18,665	6,430,925
比利時	285	838,670	1,022	2,955,304
英　國	2,257	2,174,030	3,368	6,439,420
愛爾蘭	2	7,069		
芬　蘭	3,418	2,185,660	35,852	14,736,524
瑞　典	16,485	6,433,930	33,477	15,489,783
瑞　士	3,362	6,125,802	30	51,024
奥地利	14,022	11,926,732	35,877	25,292,465
西班牙	4,119	2,241,436	5,305	3,666,046
巴　西	6,596	4,157,092	8,881	4,396,192
智　利	4,000	2,511,961	2,500	1,352,500
阿根廷	2,400	1,839,115	500	378,500
加拿大	71,281	35,949,642	90,907	46,543,441
美　國	141,653	66,066,879	167,616	74,385,034
澳大利亞	31,675	10,274,468	49,260	15,227,551
新西蘭	2,051	986,833	2,508	1,233,922
其　他	15,355	11,693,051	28,487	20,672,244

1989 年中國主要進口商品來源地

羊毛

來源地	1989		1988	
	數量(公噸)	金額(美元)	數量(公噸)	金額(美元)
合　　計	95,299	513,201,864	180,538	969,104,186
香　　港	26,867	90,280,494	15,838	100,319,777
澳　　門	1,725	17,253,833	6,571	21,458,594
日　　本	1,524	11,001,056	1,288	9,964,620
馬來西亞	67	764,330	46	491,840
巴基斯坦	621	2,884,250	896	3,344,796
德意志聯邦共和國	877	4,152,534	1,477	10,291,088
法　　國	769	5,468,532	440	2,932,472
荷　　蘭	123	1,475,073		
英　　國	3,328	17,318,619	1,364	7,703,803
巴　　西	394	2,541,113	1,957	11,874,563
智　　利	1,442	4,872,455	390	1,664,679
巴 拉 圭	90	572,126		
阿 根 廷	6,327	32,364,113	34,105	154,897,412
烏 拉 圭	10,692	64,830,269	18,638	108,802,414
美　　國	200	1,292,651	344	1,458,837
澳大利亞	24,828	181,820,193	55,278	343,927,704
新 西 蘭	14,934	69,646,952	40,578	187,170,209
其　　他	491	4,663,271	336	2,374,538

合成纖維

來源地	1989		1988	
	數量(公噸)	金額(美元)	數量(公噸)	金額(美元)
合　　計	336,697	666,561,951	573,589	918,767,387
香　　港	88,427	169,050,951	63,665	122,425,146
澳　　門	19,393	36,877,534	31,432	35,327,028
日　　本	47,480	98,434,605	147,196	158,392,318
泰　　國	5,334	9,227,117	5,700	10,958,785
馬來西亞	2,175	3,562,152	4,794	6,450,970
新 加 坡	3	15,300		
印度尼西亞	300	513,306	700	1,027,347
印　　度	1,885	3,336,438	6	26,300
土 耳 其	330	1,587,710		
德意志聯邦共和國	7,381	12,505,190	25,951	44,099,645

1989年中國主要進口商品來源地

合成纖維

來源地	1989		1988	
	數量(公噸)	金額(美元)	數量(公噸)	金額(美元)
法國	3,354	7,105,330	8,712	17,478,635
意大利	49,302	92,918,103	90,360	162,122,249
英國	3,147	5,603,708	8,178	15,313,010
瑞士	1,252	7,666,807	2,593	13,719,666
西班牙	3,824	7,611,101	26,399	43,491,920
墨西哥	2,372	4,359,003	12,601	24,243,462
巴西	4,298	8,307,380	2,464	4,912,342
美國	27,162	51,725,789	49,062	90,455,493
澳大利亞	8	20,256	22	112,016
新西蘭	70	145,722	153	674,739
其他	69,200	145,988,449	93,601	167,536,316

織物

來源地	1989		1988	
	數量	金額(美元)	數量	金額(美元)
合計		440,599,807		584,082,166
香港		218,239,732		397,190,178
澳門		1,966,774		8,708,602
蒙古		656,987		551,630
日本		126,117,908		72,619,731
菲律賓		15,000		
泰國		987,322		322,997
馬來西亞		118,000		
新加坡		760,211		407,465
巴基斯坦		73,785		196,548
尼泊爾		1,268,630		815,150
蘇聯		907,508		
波蘭		9,373,144		10,904,016
匈牙利		4,106,496		5,022,818
德意志民主共和國		408,422		
德意志聯邦共和國		8,622,408		4,509,592
南斯拉夫		11,054,246		12,114,558
法國		403,815		
意大利		1,101,417		52,569

1989年中國主要進口商品來源地

織物

來源地	1989		1988	
	數量	金額(美元)	數量	金額(美元)
荷　蘭		440,841		
比利時		6,007		
英　國		191,231		
丹　麥		566,158		
芬　蘭		22,784		53,336
瑞　典		437,878		
瑞　士		6,366		
奥地利		36,979		58,435
加拿大		1,535,211		680,571
美　國		34,927,269		33,241,541
澳大利亞		1,787,176		277,256
其　他		14,460,102		36,355,173

糧食

來源地	1989		1988	
	數量(公噸)	金額(美元)	數量(公噸)	金額(美元)
合　計	16,402,775	2,560,033,648	14,788,245	1,511,424,416
香　港	145,749	22,363,496	69,719	9,210,405
澳　門	1,389	265,037	8,302	1,032,557
朝鮮民主主義人民共和國	62,615	16,223,346	29,662	6,281,675
蒙　古	342	47,169		
日　本	60,637	12,079,119	41,700	5,539,797
緬　甸	76,756	24,247,552	42,059	13,858,347
泰　國	869,898	210,186,813	303,305	75,832,381
新加坡	14,123	2,074,871		
巴基斯坦	30,414	7,491,655		
尼泊爾	266	101,657	11	2,445
土耳其	136,718	19,404,539	72,725	8,851,180
沙特阿拉伯	33,000	5,115,000	409,857	41,794,326
津巴布韋	297,757	43,655,862		
蘇　聯	1,275	222,535		
法　國	1,425,771	203,408,547		
英　國	205,703	29,537,801		
希　臘	66,328	9,791,714		

1989年中國主要進口商品來源地

糧食

來源地	1989		1988	
	數量(公噸)	金額(美元)	數量(公噸)	金額(美元)
阿根廷	1,049,382	162,124,568	294,148	27,791,263
烏拉圭	41,110	6,289,845		
加拿大	1,807,326	266,854,291	7,102,981	676,796,265
美國	8,275,175	1,222,071,072	6,029,744	602,853,485
澳大利亞	1,781,780	291,138,777	181,343	17,684,672
新西蘭	4,975	1,910,882	1,464	477,900
其他	14,286	3,427,500	201,225	23,417,718

小麥

來源地	1989		1988	
	數量(公噸)	金額(美元)	數量(公噸)	金額(美元)
合計	14,703,151	2,200,429,880	13,910,240	1,359,332,362
香港	13,957	2,762,100	60,606	7,006,114
蒙古	19	8,061		
土耳其	136,718	19,404,539	72,725	8,824,180
沙特阿拉伯	33,000	5,115,000	409,857	41,794,326
津巴布韋	297,757	43,655,862		
法國	1,405,771	199,208,547		
英國	205,703	29,537,801		
希臘	66,328	9,791,714		
阿根廷	1,049,382	162,124,568	294,148	27,791,263
烏拉圭	41,110	6,289,845		
加拿大	1,711,076	253,122,166	6,891,481	655,986,390
美國	8,175,878	1,211,620,091	6,029,744	602,853,485
澳大利亞	1,566,452	257,789,586	151,661	15,072,656

大米

來源地	1989		1988	
	數量(公噸)	金額(美元)	數量(公噸)	金額(美元)
合計	1,012,307	245,705,360	332,026	78,964,914
香港	21,925	6,836,085	28	9,193
澳門	43	11,289	1	1,222

1989年中國主要進口商品來源地

大米

來源地	1989		1988	
	數量(公噸)	金額(美元)	數量(公噸)	金額(美元)
朝鮮民主主義人民共和國	62,615	16,223,346	29,662	6,281,675
緬甸	39,296	8,252,063	20,045	2,675,029
泰國	843,498	203,397,765	266,540	66,028,795
巴基斯坦	30,414	7,491,655		
尼泊爾	266	101,657		
其他	14,250	3,391,500	15,750	3,969,000

動植物油籽(折油)

來源地	1989		1988	
	數量(公噸)	金額(美元)	數量(公噸)	金額(美元)
合計	1,452,934	641,914,278	638,545	295,662,549
香港	462,446	219,089,755	239,063	110,227,434
澳門	16,281	5,877,243	297	181,244
日本	10,900	4,822,464	4,486	2,607,133
菲律賓	19,751	10,405,414	30,144	16,250,322
緬甸	1,623	1,307,003	73	56,696
馬來西亞	113,384	43,602,102	45,027	19,807,982
新加坡	303,981	120,512,445	113,772	57,357,552
尼泊爾	370	222,080	64	99,357
德意志聯邦共和國	16,000	7,161,008	2,102	1,887,341
法國	40,475	18,258,886		
荷蘭	45,145	20,595,993	532	206,121
英國	19,300	5,046,776	39,913	17,517,815
瑞士	24,527	11,002,967	15,674	5,049,104
巴西	166,900	79,624,407	63,700	28,239,252
阿根廷	39,900	19,417,765	6,000	3,297,000
加拿大	29,236	13,131,380	2,520	1,470,000
美國	20,100	9,073,596	3,000	1,518,000
澳大利亞	42,840	17,969,403	50,271	20,875,630
新西蘭	25,974	10,212,006	20,934	8,539,546
其他	53,801	24,581,585	973	475,020

1989年中國主要進口商品來源地

糖

來源地	1989		1988	
	數量(公噸)	金額(美元)	數量(公噸)	金額(美元)
合　計	1,453,896	395,339,892	3,789,132	887,802,809
香　港	70,599	18,488,519	199,603	58,042,538
老　撾	16	24,676		
緬　甸	4,354	2,009,187	839	417,452
泰　國	314,117	84,014,991	719,362	174,528,524
尼泊爾	3,136	940,763		
莫桑比克	13,650	3,617,250		
英　國	20,000	1,331,265	1,000	277,000
古　巴	759,850	214,747,535	1,437,940	306,310,374
巴　西	71,227	18,021,520	205,556	55,667,172
美　國	7,601	2,927,473		
澳大利亞	188,647	48,920,473	490,884	110,162,838
其　他	699	296,240	733,348	182,152,911

木材

來源地	1989		1988	
	數量(立方米)	金額(美元)	數量(立方米)	金額(美元)
合　計	5,651,792	515,316,670	10,114,513	938,993,125
香　港	87,825	10,528,733	330,523	41,869,413
澳　門	18,052	1,953,568	1,034	433,884
朝鮮民主主義人民共和國	118,680	7,752,600	95,024	6,121,509
老　撾	329	279,025	1,484	846,348
蒙　古	25,748	2,939,298		
緬　甸	80,209	4,787,064	29,104	820,765
泰　國	741	327,252	710	468,541
馬來西亞	142,372	17,847,921	826,359	79,817,118
新加坡	1,611	197,723	1,574	300,108
印度尼西亞	2,505	364,215	35,830	6,290,212
蘇　聯	2,575,528	202,604,782	2,633,430	151,482,924
智　利	60,146	4,211,208	303,897	22,235,224
加拿大	157,002	17,288,275	558,804	61,121,300
美　國	2,067,890	219,652,860	4,940,959	532,720,769
新西蘭	286,198	21,201,386	202,149	15,562,530
斐　濟	20,202	1,994,584	5,499	533,435
巴布亞新幾內亞	6,754	1,386,176	1,300	389,963

1989年中國主要進口商品來源地

膠合板

來源地	1989		1988	
	數量(立方米)	金額(美元)	數量(立方米)	金額(美元)
合　計	945,429	313,442,848	948,775	347,357,792
香　港	331,168	105,059,324	171,722	60,151,148
澳　門	75	6,397	684	362,985
日　本	2,001	656,439		
泰　國	946	303,820	4,930	1,763,121
馬來西亞	72,442	23,368,320	36,024	13,193,987
新加坡	34,394	11,080,034	551	211,819
印度尼西亞	324,463	107,590,806	667,563	238,557,419
蘇　聯	405	48,869		
美　國	2,191	2,437,200	3,548	1,809,750
其　他	177,344	62,891,639	63,753	31,307,563

1989年中國對主要國家(地區)出口的商品

香港

金額單位:萬美元

品名	單位	1989		1988	
		數量	金額	數量	金額
總值	金額		1,426,684		1,285,734
其中:					
大米	公噸	82,728	3,016	89,345	2,814
玉米	公噸	572,447	7,413	220,031	2,326
活大豬	公噸	2,174,997	21,777	2,271,901	21,189
活牛	頭	162,750	5,692	179,740	5,935
活家禽	萬隻	2,829	6,723	3,942	8,356
活雞	萬隻	2,165	4,588	3,153	6,071
凍豬肉	公噸	31,970	4,561	29,500	4,396
活塘魚	公噸	25,569	4,162	29,359	4,746
凍對蝦	公噸	15,399	9,058	13,522	8,291
蔬菜	公噸	350,375	13,282	358,174	12,894
罐頭	公噸	111,504	11,768	127,302	13,611
豬肉罐頭	公噸	13,939	2,080	15,818	2,221
蘑菇罐頭	公噸	37,024	4,282	35,781	4,742
茶葉	公噸	17,230	3,551	21,283	4,988
砂糖	公噸	130,219	4,798	206,488	4,867
豆粕	公噸	681,024	15,333	700,791	14,338
鞭炮煙花	箱	3,136,671	6,673	3,025,100	6,810
絨毛	金額		11,237		12,672
鵝鴨絨毛	公噸	9,102	7,201	5,391	4,568
中藥材	金額		16,326		18,561
桑蠶絲	公噸	1,858	8,060	2,468	7,251
棉花	公噸	47,002	6,531	104,469	14,396
紡織品	金額		266,844		224,981
棉紗	件	717,540	27,677	827,639	32,521

1989年中國對主要國家(地區)出口的商品

香港

金額單位:萬美元

品名	單位	1989		1988	
		數量	金額	數量	金額
棉滌綸紗	件	233,264	10,296	200,207	8,770
棉布	萬米	114,638	71,814	93,295	58,111
棉滌綸布	萬米	62,849	34,741	49,907	28,490
呢絨	萬米	2,316	5,426	1,347	5,305
棉織品	金額		13,539		11,482
棉針織品	金額		29,495		16,404
綢緞	萬米	9,063	31,176	12,188	33,227
服裝	金額		56,410		52,550
抽紗	金額		22,353		22,654
鞋類	金額		29,929		22,567
布膠鞋	萬雙	8,595	9,526	5,701	6,270
皮鞋	萬雙	2,552	7,854	1,231	5,693
皮勞保手套	打付	8,414,151	6,347	8,517,490	5,394
鐘錶	金額		13,115		9,381
塑料製品	金額		14,080		12,174
紙張紙漿	公噸	248,722	11,274	225,149	9,675
玩具	金額		11,563		15,853
收錄兩用機	台	5,768,269	11,457	3,322,137	7,199
彩色電視機	台	1,149,441	18,849	1,274,928	18,408
陶瓷類	萬件	54,670	13,008	75,938	10,671
工藝品	金額		76,047		73,341
各種工藝鞋	萬雙	4,370	6,500	4,142	5,749
金首飾	金額		7,197		7,674
家具類	金額		6,428		6,478
鋼材	公噸	335,282	11,422	296,434	9,411
鐵合金	公噸	62,157	5,494	115,698	8,270

1989 年中國對主要國家(地區)出口的商品

香港

金額單位:萬美元

品名	單位	1989		1988	
		數量	金額	數量	金額
煤	公噸	4,098,573	14,527	3,854,569	11,075
成品油	公噸	1,101,212	16,709	1,081,601	14,090
化工原料	金額		18,659		15,828
各種染料	公噸	19,104	6,820	16,776	5,185
醫藥	金額		16,099		15,448
集裝箱	隻	36,791	7,930	27,302	5,492
電工設備	金額		6,284		5,243
電訊設備	金額		25,870		15,441

日本

金額單位:萬美元

品名	單位	1989		1988	
		數量	金額	數量	金額
總值	金額		814,725		728,716
其中:					
玉米	公噸	1,291,217	15,685	1,479,959	15,224
黃大豆	公噸	260,096	8,009	314,294	9,066
雜豆	公噸	79,662	4,413	60,030	3,101
食用油籽	公噸	79,199	5,568	119,177	6,610
凍家禽	公噸	28,944	5,394	20,788	3,920
凍魚	公噸	14,698	4,590	12,089	3,317
凍對蝦	公噸	27,230	18,595	24,532	17,262
凍貝肉	公噸	16,717	5,994	20,379	3,456
栗子	公噸	29,853	5,398	29,001	5,411
蔬菜	公噸	246,908	19,137	203,615	17,426
罐頭	公噸	35,403	4,754	30,950	4,086
蜂蜜	公噸	43,074	3,446	27,442	2,298

1989年中國對主要國家(地區)出口的商品

日本

金額單位:萬美元

品名	單位	1989		1988	
		數量	金額	數量	金額
豆粕	公噸	176,205	3,881	206,681	4,428
松香	公噸	55,660	3,330	47,287	2,791
兔毛	公噸	1,620	3,319	2,492	4,868
原木	立方米	52,329	3,079	70,579	4,187
中藥材	金額		10,609		8,230
桑蠶絲	公噸	2,624	13,099	2,192	7,160
棉花	公噸	62,592	12,768	140,436	23,567
棉紗	件	112,234	5,458	156,546	8,817
棉布	萬米	33,004	19,374	33,071	19,654
棉滌綸布	萬米	19,338	9,516	21,249	10,914
棉織品	金額		8,468		6,711
棉針織品	金額		16,305		13,189
毛針織品	金額		8,947		7,028
綢緞	萬米	2,069	8,185	2,012	6,701
服裝	金額		58,752		39,418
抽紗	金額		7,016		5,462
地毯	金額		9,519		7,478
鋼材	公噸	177,596	5,197	128,531	4,296
生鐵	公噸	299,841	3,908	915,640	10,546
鐵合金	公噸	106,024	8,150	223,246	13,299
硅	公噸	50,790	4,756	58,783	6,125
重燒鎂	公噸	300,909	3,052	279,012	2,980
鱗片石墨	公噸	46,581	3,839	39,933	2,108
煤	公噸	4,252,254	17,331	4,736,256	17,157
原油	公噸	13,605,080	165,938	14,337,214	151,015
成品油	公噸	1,829,337	28,237	1,976,148	25,696

1989 年中國對主要國家(地區)出口的商品

日本

金額單位:萬美元

品名	單位	1989		1988	
		數量	金額	數量	金額
焦油化工品	公噸	318,931	3,055	197,794	1,972
醇、醛化工品	公噸	51,998	3,731	29,186	2,483
羧酸化工品	公噸	102,751	3,074	113,738	3,552
醫藥	金額		4,687		3,271
磨料	公噸	51,137	2,367	40,986	1,538
電訊設備	金額		1,855		812

美國

金額單位:萬美元

品名	單位	1989		1988	
		數量	金額	數量	金額
總　值	金額		386,777		320,995
其中:					
凍對蝦	公噸	15,597	9,727	16,899	10,643
蘑菇罐頭	公噸	29,489	4,194	26,455	3,366
茶葉	公噸	17,072	1,540	21,569	1,633
香料油	金額		1,198		1,280
鵝鴨絨毛	公噸	7,250	2,308	4,262	2,185
羽絨製品	金額		3,008		2,691
棉布	萬米	16,275	10,862	13,497	9,617
棉滌綸布	萬米	8,323	4,969	5,386	3,424
棉織品	金額		9,655		9,338
滌棉織品	金額		3,920		3,566
棉針織品	金額		5,886		5,642
毛針織品	金額		7,592		9,240
滌棉針織品	金額		3,671		3,568
綢緞	萬米	628	2,957	619	2,403

1989年中國對主要國家(地區)出口的商品

美國

金額單位:萬美元

品名	單位	1989		1988	
		數量	金額	數量	金額
服裝	金額		50,077		56,260
抽紗	金額		10,841		11,527
地毯	金額		10,579		8,320
皮鞋	萬雙	588	6,380	394	2,176
體育用品	金額		4,106		2,239
玩具	金額		3,326		1,872
吊扇	個	708,683	1,228	29,959	46
彩色電視機	台	194,802	2,435	9,759	139
陶瓷類	萬件	10,962	3,602	9,012	3,110
工藝品	金額		10,523		7,753
小五金	金額		6,020		4,988
鐵合金	公噸	36,959	3,632	14,250	2,621
錫	公噸	3,506	2,735	3,959	2,696
銻	公噸	10,910	2,076	13,391	2,842
礬土	萬公噸	47.02	2,442	35.74	1,912
重晶石	萬公噸	82.90	2,076	77.83	1,722
原油	萬公噸	429	52,574	359	33,962
成品油	萬公噸	55	8,809	38	5,371
化工原料	金額		4,642		3,434
醫藥	金額		5,347		5,170
金工機械	金額		3,811		2,536
工具	金額		5,648		3,552
儀器儀表	金額		3,174		1,986

1989年中國對主要國家(地區)出口的商品

蘇聯

金額單位:萬美元

品名	單位	1989		1988	
		數量	金額	數量	金額
總值	金額		176,063		149,507
其中:					
玉米	公噸	1,164,884	15,204	1,576,281	15,375
黃大豆	公噸	494,977	14,605	502,410	12,509
花生仁	公噸	34,188	2,512	43,165	3,248
凍豬肉	公噸	32,521	6,594	19,225	4,341
凍牛肉	公噸	41,935	8,532	41,247	9,330
蘋果	公噸	58,107	2,513	86,170	3,610
桔柑橙	公噸	38,997	1,731	45,179	1,958
土豆	公噸	57,345	718	48,760	562
豬肉罐頭	公噸	31,043	7,050	34,378	7,928
牛肉罐頭	公噸	25,421	5,248	24,276	5,621
茶葉	公噸	27,962	6,443	23,146	5,604
豬鬃	箱	32,675	2,004	33,418	2,181
羽絨服裝	件	614,289	2,978	496,880	2,809
裘皮服裝	件	458,769	1,721	419,091	1,443
桑蠶絲	公噸	469	2,451	602	2,110
棉花	公噸	28,938	4,379	45,426	7,913
棉布	萬米	971	2,291	1,288	2,536
棉滌綸布	萬米	922	1,128	912	1,337
棉織品	金額		11,874		11,180
棉針織品	金額		2,314		3,271
羊毛衫	件	576,346	1,221	60,000	110
毛毯	條	373,811	1,369	470,730	1,892
綢緞	萬米	602	2,878	316	1,492
服裝	金額		12,020		8,580

1989年中國對主要國家(地區)出口的商品

蘇聯

金額單位:萬美元

品名	單位	1989		1988	
		數量	金額	數量	金額
抽紗	金額		1,927		924
熱水瓶	打	769,734	1,492	310,367	1,225
鞋類	金額		4,694		3,085
日用五金、百貨	金額		1,150		
收錄兩用機	台	88,476	1,336	12,200	208
工藝品	金額		1,051		295
黑鎢砂	公噸	8,381	3,699	8,991	3,816
化工原料	金額		1,013		809
醫療器械	金額		1,889		11
鐵道車輛及設備	金額		2,105		1,243
蓄電池	千伏安	783,172	3,826	755,753	3,954
工業軸承	萬套	848	3,700	658	3,523
電子計算機	金額		1,368		5

德意志聯邦共和國

金額單位:萬美元

品名	單位	1989		1988	
		數量	金額	數量	金額
總值	**金額**		**152,056**		**142,261**
其中:					
蔬菜	公噸	6,850	819	6,345	683
蘑菇罐頭	公噸	18,757	2,837	17,374	2,554
蘆筍罐頭	公噸	20,550	3,176	34,886	3,902
茶葉	公噸	5,590	737	4,639	718
香料油	金額		1,296		618
松香	公噸	22,333	1,084	13,773	743
豬腸衣	桶	52,972	3,161	51,883	3,805

1989年中國對主要國家(地區)出口的商品

德意志聯邦共和國

金額單位:萬美元

品名	單位	1989		1988	
		數量	金額	數量	金額
鵝鴨絨毛	公噸	3,240	1,790	3,010	1,334
羽絨製品	金額		1,513		2,505
桑蠶絲	公噸	2,246	9,978	1,231	4,393
棉花	公噸	7,217	924	1,159	169
棉布	萬米	3,903	2,429	3,623	2,453
人造棉布	萬米	1,835	1,025	2,092	1,079
棉織品	金額		1,206		1,019
棉針織品	金額		1,704		1,932
綢緞	萬米	952	3,712	546	1,561
絲製品	金額		1,025		497
服裝	金額		14,848		16,599
抽紗	金額		3,744		3,987
地毯	金額		7,225		5,137
皮勞保手套	打付	1,918,511	1,859	1,126,822	1,043
體育用品	金額		1,616		1,511
玩具	金額		1,780		2,115
彩色電視機	台	101,188	1,218	56,633	675
陶瓷類	萬件	4,024	1,061	3,459	1,037
特種工藝品	金額		2,145		1,843
各種工藝鞋	萬雙	922	1,120	1,020	874
工藝玩具	金額		1,651		1,345
緊固件	金額		1,345		1,032
鐵合金	公噸	8,962	1,089	3,246	732
黑鎢砂	公噸	2,500	1,001	2,125	794
礬土	公噸	249,995	1,384	204,462	1,023
重燒鎂	公噸	146,448	1,030	114,027	919

1989年中國對主要國家(地區)出口的商品

德意志聯邦共和國

金額單位:萬美元

品名	單位	1989		1988	
		數量	金額	數量	金額
焦炭	公噸	140,570	1,075	20,228	129
醫藥原料	金額		10,630		10,881
抗菌素	金額		2,960		2,970
磺胺藥	金額		1,386		1,599
金工機械	金額		2,140		1,385
工具	金額		1,369		1,276

新加坡

金額單位:萬美元

品名	單位	1989		1988	
		數量	金額	數量	金額
總值	金額		148,010		125,532
其中:					
玉米	公噸	112,364	1,457		
花生仁	公噸	21,373	1,330	32,100	1,742
蔬菜	公噸	39,215	1,469	32,627	1,147
罐頭	公噸	22,146	2,748	17,828	2,084
豆粕	公噸	256,055	5,897	241,653	4,972
中藥材	金額		2,009		2,129
棉布	萬米	8,804	4,089	7,659	3,596
棉滌綸布	萬米	5,409	2,904	4,484	2,357
滌虎混紡布	萬米	2,970	1,475	2,513	1,183
棉織品	金額		2,542		2,243
綢緞	萬米	570	1,700	399	694
自行車類	金額		928		876
紙張紙漿	公噸	13,139	921	19,516	1,062
家用電器	金額		1,142		730

1989年中國對主要國家(地區)出口的商品

新加坡

金額單位:萬美元

品名	單位	1989		1988	
		數量	金額	數量	金額
工藝品	金額		1,801		1,948
鋼材	公噸	35,920	1,126	37,287	1,101
錫礦砂	公噸	1,597	712	1,848	686
原油	公噸	4,027,469	42,388	4,499,433	38,590
成品油	公噸	1,198,681	19,461	914,946	12,028
化工原料	金額		3,937		3,764
橡膠製品	金額		1,038		358
金工機械	金額		1,083		585

英國

金額單位:萬美元

品名	單位	1989		1988	
		數量	金額	數量	金額
總　值	金額		70,181		74,605
其中:					
食用油籽	公噸	25,936	1,405	22,560	1,135
砂糖	公噸	60,000	1,851	36,988	780
茶葉	公噸	10,499	1,148	8,109	999
薄荷腦	公噸	631	1,179	748	884
豬鬃	箱	59,359	1,657	53,650	2,003
羊絨	公噸	497	2,796	630	2,061
無毛絨	公噸	82	1,150	77	806
棉滌綸紗	件	9,886	421	5,082	250
棉布	萬米	4,568	2,678	5,485	3,724
棉織品	金額		1,234		811
棉針織品	金額		561		1,351
毛針織品	金額		710		1,112

1989年中國對主要國家(地區)出口的商品

英國

金額單位:萬美元

品名	單位	1989		1988	
		數量	金額	數量	金額
服裝	金額		2,951		2,871
抽紗	金額		1,364		1,294
地毯	金額		3,810		3,682
玩具	金額		1,294		1,286
工藝品	金額		2,736		2,964
小五金	金額		1,371		1,057
鐵合金	公噸	6,919	1,708	6,633	1,622
仲鎢酸銨	公噸	1,355	866	2,065	1,294
鱗片石墨	公噸	17,729	924	11,144	422
煤	公噸	90,004	761	262,995	2,154
化工原料	金額		1,865		1,309
醫藥原料	金額		1,515		1,561
工具	金額		848		577

意大利

金額單位:萬美元

品名	單位	1989		1988	
		數量	金額	數量	金額
總值	金額		65,463		63,858
其中:					
雜豆	公噸	45,771	1,058	54,899	1,070
無毛絨	公噸	99	1,495	145	1,528
兔毛	公噸	1,524	2,321	2,424	3,447
羽絨服裝	件	575,863	1,193	422,643	916
桑蠶絲	公噸	583	2,768	933	2,982
棉針織品	金額		2,359		1,921
綢緞	萬米	830	4,354	829	3,315

1989年中國對主要國家(地區)出口的商品

意大利

金額單位:萬美元

品名	單位	1989		1988	
		數量	金額	數量	金額
服裝	金額		5,381		4,959
抽紗	金額		6,552		6,501
地毯	金額		786		1,182
體育用品	金額		569		510
各種工藝鞋	萬雙	3,639	3,444	3,770	3,464
小五金	金額		1,661		969
煤	公噸	182,521	513	148,098	392
化工原料	金額		427		313
醫用敷料	金額		1,494		755
金工機械	金額		720		571

法國

金額單位:萬美元

品名	單位	1989		1988	
		數量	金額	數量	金額
總值	金額		51,380		48,937
其中:					
凍兔肉	公噸	6,989	1,194	6,596	1,337
茶葉	公噸	5,602	2,278	4,394	2,090
羽絨服裝	件	497,561	1,112	408,640	788
棉布	萬米	3,609	2,200	4,469	3,114
綢緞	萬米	716	1,731	600	1,182
服裝	金額		2,607		2,802
抽紗	金額		1,301		1,326
鞋類	金額		899		917
皮件	金額		808		340
各種工藝鞋	萬雙	2,987	2,556	2,849	2,175

1989年中國對主要國家(地區)出口的商品

法國

金額單位:萬美元

品名	單位	1989		1988	
		數量	金額	數量	金額
小五金	金額		1,371		1,138
煤	公噸	643,867	2,425	265,356	1,050
農藥	公噸	1,307	693	592	335
工具	金額		1,350		1,392

荷蘭

金額單位:萬美元

品名	單位	1989		1988	
		數量	金額	數量	金額
總　值	金額		48,989		48,179
其中:					
食用油籽	公噸	60,538	3,392	37,824	2,042
茶葉	公噸	2,789	572	2,900	617
松香	公噸	14,344	757	16,608	799
豬鬃	箱	14,574	424	10,354	423
服裝	金額		2,908		2,419
塑料編織袋	萬條	5,041	1,221	10,496	2,579
抽紗	金額		510		535
皮勞保手套	打付	600,850	509	717,714	504
玩具	金額		850		966
各種工藝鞋	萬雙	652	754	677	578
鐵合金	公噸	11,568	2,362	9,112	1,886
煤	公噸	1,115,409	2,992	459,095	1,708
化工原料	金額		2,119		1,604
醫藥原料	金額		1,174		1,639
工具	金額		2,124		1,979

1989年中國從主要國家(地區)進口的商品

香港

金額單位: 萬美元

品　名	單位	1989		1988	
		數量	金額	數量	金額
進口總額	金額		796,559		921,534
其中:					
成套設備及技術引進	金額		34,576		36,754
船舶及船用設備	金額		6,543		3,012
汽車及摩托車	金額		6,626		14,806
輕工機械	金額		20,897		23,801
電子計算機	金額		45,826		40,804
電子元器件	金額		28,484		25,009
電子儀器類	金額		26,145		29,064
有綫設備	金額		5,520		4,215
鋼材	公噸	524,896	35,208	472,420	29,912
薄鋼板	公噸	294,661	19,224	22,291	931
有色金屬	金額		24,929		18,306
鋁	公噸	60,152	11,770	18,261	4,373
非金屬礦產品及製品	金額		5,944		4,061
石油及製品	金額		17,117		33,719
柴油	公噸	611,974	11,355	1,363,439	21,993
橡膠及製品	金額		11,145		5,833
天然橡膠	公噸	59,098	5,839	60,336	3,578
尿素	公噸	3,398,486	25,120	3,189,224	24,343
化工原料	金額		91,509		150,152
聚丙稀	公噸	50,956	5,509	128,141	14,349
高壓聚乙稀	公噸	61,736	7,077	12,685	17,082
ABS樹脂	公噸	59,269	10,352	85,134	15,753
聚苯乙稀	公噸	44,286	6,262	71,906	10,993
染料及中間體	金額		5,990		6,838

1989年中國從主要國家(地區)進口的商品

香港

金額單位: 萬美元

品名	單位	1989		1988	
		數量	金額	數量	金額
西藥	金額		8,101		15,683
電冰箱零配件	金額		6,957		8,106
人造革及薄膜	金額		6,368		14,112
紙張	公噸	263,263	13,469	427,222	13,808
電視機及音響設備	金額		51,814		64,453
電視機零件	金額		22,537		22,697
顯像管	隻	2,462,622	10,036	2,411,881	14,331
照像電影器材	金額		11,428		11,525
棉花	公噸	102,732	13,777	30,768	1,395
羊毛	公噸	26,867	9,028	15,839	10,032
合成纖維	公噸	88,427	16,905	63,665	12,243
織物	金額		21,824		39,719
動植物油、籽(折油)	公噸	462,446	21,909	239,063	11,023
棕櫚油	公噸	139,762	6,049	139,810	6,239
膠合板	立方米	331,168	10,506	171,723	6,015

日本

金額單位: 萬美元

品名	單位	1989		1988	
		數量	金額	數量	金額
進口總額	金額		651,611		733,905
其中:					
成套設備及技術引進	金額		95,955		113,952
汽車及摩托車	金額		18,541		14,813
汽車零件	金額		10,685		7,884
化工機械	金額		6,892		6,026
輕工機械	金額		16,788		11,595

1989年中國從主要國家(地區)進口的商品

日本

金額單位: 萬美元

品名	單位	1989		1988	
		數量	金額	數量	金額
紡織機械及零件	金額		7,331		3,969
電子計算機	金額		17,298		15,696
電子元器件	金額		11,271		12,266
電子儀器類	金額		10,682		14,034
鋼材	公噸	3,859,204	231,094	4,713,589	237,423
厚鋼板	公噸	751,972	32,422	732,111	24,951
薄鋼板	公噸	1,863,166	107,498	2,048,102	93,717
矽鋼片	公噸	110,180	13,207	149,060	12,267
盤條	公噸	352,201	11,934	444,953	14,019
優質鋼	公噸	119,977	11,357	219,083	12,609
管材	公噸	476,574	42,416	850,591	66,485
金屬製品	公噸	62,093	5,152	111,796	6,636
化工原料	金額		57,416		79,436
乙二醇	公噸	54,842	7,076	45,667	4,426
農藥	金額		8,091		5,053
殺蟲劑	金額		5,318		2,456
電冰箱零配件	金額		6,416		7,769
電視機及音響設備	金額		46,537		65,063
電視機零件	金額		25,916		36,792
顯像管	隻	4,203,669	13,354	2,488,554	14,172
合成纖維	公噸	47,480	9,843	147,196	15,839
織物	金額		12,612		7,262

1989年中國從主要國家(地區)進口的商品

美國

金額單位: 萬美元

品名	單位	1989		1988	
		數量	金額	數量	金額
進口總額	金額		612,156		505,193
其中:					
成套設備及技術引進	金額		45,361		34,221
航空設備	金額		53,003		39,927
飛機	架	2	7,627	6	12,780
飛機零件	金額		22,677		14,861
汽車及摩托車	金額		8,390		4,653
汽車零件	金額		8,115		4,525
礦山設備	金額		9,260		5,393
採油機械及零件	金額		5,851		903
電子計算機	金額		12,611		14,569
大、中型電子計算機	金額		5,361		6,320
電子儀器類	金額		8,476		7,035
物理化工儀器類	金額		5,837		8,133
鋼材	公噸	263,972	19,096	90,747	3,604
薄鋼板	公噸	188,671	12,883	23,682	1,456
管材	公噸	68,129	5,770	5,230	304
有色金屬	金額		8,608		4,761
磷酸二氨	公噸	4,565,576	50,946	3,952,436	38,353
化工原料	金額		50,930		85,712
聚丙稀	公噸	60,896	5,458	163,367	22,558
高壓聚乙稀	公噸	62,436	5,889	87,704	11,874
尼龍	公噸	184,840	13,885		
純碱	公噸	348,598	5,224	319,383	3,694

1989年中國從主要國家(地區)進口的商品

美國

金額單位: 萬美元

品名	單位	1989		1988	
		數量	金額	數量	金額
農藥	金額		5,558		4,988
紙漿	公噸	149,919	9,028	223,572	9,938
紙張	公噸	141,653	6,607	167,616	7,439
棉花	公噸	297,059	41,853	984	136
合成纖維	公噸	27,162	5,173	49,062	9,046
糧食	公噸	8,275,175	122,207	6,029,744	60,285
小麥	公噸	8,175,878	121,162	6,029,744	60,285
木材	立方米	2,067,890	21,965	4,940,959	53,272

德意志聯邦共和國

金額單位: 萬美元

品名	單位	1989		1988	
		數量	金額	數量	金額
進口總額	金額		246,889		277,595
其中:					
成套設備及技術引進	金額		39,653		79,005
船舶及船用設備	金額		10,045		2,944
船舶	艘	4	7,738	3	1,564
貨船	艘	3	7,371		
汽車及摩托車	金額		24,725		15,536
汽車零件	金額		24,002		16,474
動力設備	金額		6,700		2,194
冶壓鑄造設備	金額		6,228		5,591
機床	台	398	3,053	147	3,391
化工機械	金額		3,054		3,353
輕工機械	金額		17,073		16,782
紡織機械及零件	金額		9,721		8,624

1989年中國從主要國家(地區)進口的商品

德意志聯邦共和國

金額單位: 萬美元

品名	單位	1989		1988	
		數量	金額	數量	金額
電子儀器類	金額		3,367		2,567
鋼材	公噸	782,662	52,503	583,780	37,732
薄鋼板	公噸	260,505	16,450	115,316	7,084
型材	公噸	93,884	3,241	66,904	1,919
優質鋼	公噸	42,172	4,824	49,942	4,577
管材	公噸	233,043	19,550	190,936	15,919
有色金屬	金額		3,041		4,395
化工原料	金額		27,843		43,559
高壓聚乙稀	公噸	42,069	4,645	93,562	11,197
尼龍	公噸	58,608	4,497		
農藥	金額		3,184		1,725
西藥	金額		3,394		4,202
紙張	公噸	36,713	3,878	44,184	2,679

蘇聯

金額單位: 萬美元

品名	單位	1989		1988	
		數量	金額	數量	金額
進口總額	**金額**		**191,662**		**140,643**
其中:					
成套設備及技術引進	金額		25,810		13,369
航空設備	金額		10,504		6,340
飛機	架	4	7,123	1	1,499
飛機零件	金額		3,067		4,579
汽車及摩托車	金額		10,236		13,745
汽車	輛	11,518	7,686	20,738	11,885

1989年中國從主要國家(地區)進口的商品

蘇聯

金額單位: 萬美元

品名	單位	1989		1988	
		數量	金額	數量	金額
鐵路車輛及設備	金額		22,259		5,356
電機車	輛	39	7,372	6	1,226
鋼材	公噸	952,208	32,953	894,056	28,152
厚鋼板	公噸	164,310	6,725	161,696	5,927
薄鋼板	公噸	162,326	8,097	123,083	5,750
型材	公噸	263,909	7,772	261,749	6,678
優質鋼	公噸	93,756	3,331	75,411	2,550
有色金屬	金額		16,619		12,777
鋁	公噸	68,093	14,040	44,165	10,369
生鐵	公噸	458,831	5,601	446,194	5,711
尿素	公噸	2,218,728	15,194	2,124,282	12,152
水海產品	金額		3,261		1,035
木材	立方米	2,575,528	20,260	2,633,430	15,148

法國

金額單位: 萬美元

品名	單位	1989		1988	
		數量	金額	數量	金額
進口總額	金額		125,580		80,454
其中:					
成套設備及技術引進	金額		50,874		26,240
航空設備	金額		1,950		5,000
鐵路車輛及設備	金額		7,229		10,251
電機車	輛	164	7,229	57	9,036
冶壓鑄造設備	金額		2,970		70

1989年中國從主要國家(地區)進口的商品

法國

金額單位: 萬美元

品　　名	單位	1989		1988	
		數量	金額	數量	金額
輕工機械	金額		3,935		2,227
食品機械及零件	金額		2,237		90
鋼材	公噸	61,341	5,501	57,475	3,807
薄鋼板	公噸	22,587	1,426	26,859	1,792
管材	公噸	8,272	1,419	4,369	969
化工原料	金額		8,762		9,754
高壓聚乙稀	公噸	44,402	4,626	29,801	3,921
農藥	金額		1,398		956
糧食	公噸	1,425,771	20,341		
小麥	公噸	1,405,771	19,921		
動植物油、籽(折油)	公噸	40,475	1,826		

澳大利亞

金額單位: 萬美元

品　　名	單位	1989		1988	
		數量	金額	數量	金額
進口總額	金額		117,247		84,267
其中:					
船舶及船用設備	金額		1,910		500
船舶	艘	1	1,907	1	500
貨船	艘	1	1,907	1	500
鋼材	公噸	95,968	3,519	15,604	1,336
鋼坯	公噸	80,000	2,220		
有色金屬	金額		1,099		1,108
金屬礦砂	金額		38,481		15,623
鐵砂	公噸	10,077,197	26,441	6,704,077	14,521
氧化鋁	公噸	190,561	9,714		

1989年中國從主要國家(地區)進口的商品

澳大利亞

金額單位: 萬美元

品名	單位	1989		1988	
		數量	金額	數量	金額
煤	公噸	364,501	1,759	96,743	507
化工原料	金額		1,220		2,134
紙張	公噸	31,675	1,027	49,260	1,523
棉花	公噸	13,541	2,088		
羊毛	公噸	24,828	18,182	55,278	34,393
糧食	公噸	1,781,780	29,114	181,343	1,768
小麥	公噸	1,566,452	25,779	151,661	1,507
大麥	公噸	215,328	3,335	29,682	261
動植物油、籽(折油)	公噸	42,840	1,797	50,271	2,088
牛羊油	公噸	36,940	1,520	50,271	2,088
糖	公噸	188,647	4,892	490,884	11,016

意大利

金額單位: 萬美元

品名	單位	1989		1988	
		數量	金額	數量	金額
進口總額	金額		103,943		96,459
其中:					
成套設備及技術引進	金額		36,740		21,237
航空設備	金額		1,199		787
汽車及摩托車	金額		3,023		2,704
汽車	輛	1,288	2,560	1,254	2,496
冶壓鑄造設備	金額		1,123		344
唧筒壓縮機械	金額		1,786		1,507
壓縮機及零件	金額		1,607		1,476
化工機械	金額		3,517		2,661

1989年中國從主要國家(地區)進口的商品

意大利

金額單位: 萬美元

品　名	單位	1989		1988	
		數量	金額	數量	金額
冷凍機械及零件	金額		1,398		452
輕工機械	金額		16,920		12,903
食品機械及零件	金額		1,627		2,156
紡織機械及零件	金額		8,580		7,033
包裝機械及零件	金額		2,068		790
電子儀器類	金額		1,145		1,062
鋼材	公噸	14,807	2,121	47,479	2,475
復合肥	公噸	255,024	2,435	142,100	1,286
化工原料	金額		4,868		10,020
西藥	金額		1,215		1,388
電冰箱零配件	金額		3,341		3,533
合成纖維	公噸	49,302	9,292	90,360	16,212

加拿大

金額單位: 萬美元

品　名	單位	1989		1988	
		數量	金額	數量	金額
進口總額	**金額**		**82,232**		**145,212**
其中:					
成套設備及技術引進	金額		5,350		1,231
化工機械	金額		1,031		83
化工機械及零件	金額		1,031		61
有色金屬	金額		1,436		328
氯化鉀	公噸	647,315	7,210	1,045,153	9,917
化工原料	金額		4,351		9,362
高壓聚乙稀	公噸	31,945	2,757	49,900	6,287
紙漿	公噸	180,031	13,687	298,343	19,553
紙張	公噸	71,281	3,595	90,908	4,654

1989年中國從主要國家(地區)進口的商品

加拿大

金額單位: 萬美元

品名	單位	1989		1988	
		數量	金額	數量	金額
糧食	公噸	1,807,326	26,685	7,102,918	67,680
小麥	公噸	1,711,076	25,312	6,891,481	65,597
大麥	公噸	96,250	1,373	211,500	2,081
動植物油、籽(折油)	公噸	29,236	1,313	2,520	147
木材	立方米	157,002	1,729	558,804	6,112

英國

金額單位: 萬美元

品名	單位	1989		1988	
		數量	金額	數量	金額
進口總額	金額		74,232		65,271
其中:					
成套設備及技術引進	金額		17,436		9,030
船舶及船用設備	金額		3,577		34
船舶	艘	33	3,498		
航空設備	金額		3,366		4,385
飛機零件	金額		1,975		1,337
輕工機械	金額		6,150		6,573
紡織機械及零件	金額		1,088		1,262
包裝機械及零件	金額		2,387		1,129
電子儀器類	金額		1,073		1,202
鋼材	公噸	60,295	4,782	27,547	1,614
薄鋼板	公噸	55,782	3,705	4,500	259
有色金屬	金額		8,179		11,395
銅	公噸	24,348	5,801	31,843	6,420
鋁	公噸	5,796	1,232	11,474	2,411
化工原料	金額		5,536		7,086

英國

金額單位: 萬美元

品　　名	單位	1989		1988	
		數量	金額	數量	金額
農藥	金額		2,131		548
殺蟲劑	金額		1,532		323
羊毛	公噸	3,328	1,732	1,364	770
糧食	公噸	205,703	2,954		
小麥	公噸	205,703	2,954		

利用外資統計簡要說明

中國利用外資統計資料分類，是按我國現行《利用外資統計制度》規定確定的，由對外經濟貿易部根據國內各地方、各部門的利用外資統計報表匯總而成。

外商投資企業名錄因版面有限，本統計資料只提供在中國境內設立的部份中外合資經營企業。

本統計資料中，各表所列利用外資項目個數，是指依法批准的外國政府、國際金融組織的項目貸款個數、各外商投資企業個數以及海洋石油合作勘探開發合同個數，其它方式簽訂的利用外資協議（合同）只匯總金額，未計算項目個數。

利用外資的國家（地區），是指外資來源或投資者的法人注册地所在的國家或地區。在統計分類時，除政府貸款按貸款國家名稱統計外，其它方式吸收的外資按外國公司、企業或其它經濟組織以其法人注册所在地國家（地區）統計。

“協議外資金額”是指對外已正式簽訂或批准的協議（合同）規定，可供我國使用的貸款金額和應由外商提供的項目投資。

“實際利用外資金額”是指利用外資協議（合同）的實際執行金額，包括現匯、實物和雙方同意計價投資的勞務、技術等無形資本。

利用外資金額統一以美元計算，其它各種貨幣按業務發生時美元對各種貨幣的匯率折算爲美元。

1989年中國利用外資統計匯總表

金額單位: 萬美元

利用外資方式	批准簽訂的協議(合同)			實際利用外資	
	項目個數	外資金額	比上年增減%	金　額	比上年增減%
總　計	**5,909**	**1,147,878**	**-28.28**	**1,005,915**	**-1.64**
一. 對外借款	130	518,469	-47.17	628,570	-3.10
外國政府貸款	121	147,125	-56.17	214,902	82.24
國際金融組織貸款	9	85,580	-50.17	108,437	-3.44
出口信貸		99,139	-31.30	64,180	-27.74
外國銀行商業貸款		172,517	-29.14	226,943	-6.79
對外發行債券股票		14,108	-83.63	14,108	-83.63
二. 外商直接投資	5,779	559,976	5.71	339,257	6.23
合資經營企業	3,659	265,902	-15.15	203,716	3.13
合作經營企業	1,179	108,322	-33.30	75,179	-3.61
外資企業	931	165,378	244.09	37,142	64.23
合作開發	10	20,374	247.92	23,220	9.43
三. 外商其它投資		69,433	-22.30	38,088	-30.24
國際租賃		7,198	-53.97	6,385	-60.27
補償貿易		47,475	-10.83	26,129	-17.47
加工裝配		14,760	-27.95	5,574	-18.86

1989年中國實際利用外資分國家(地區)統計表

國家(地區)名稱	合計(萬美元)	對外借款(萬美元)	外商直接投資(萬美元)	外商其它投資(萬美元)
總計	**1,005,915**	**628,570**	**339,257**	**38,088**
香港	283,318	53,855	203,690	25,773
澳門	7,960	3,246	4,069	645
日本	300,268	259,500	35,634	5,134
菲律賓	152		152	
泰國	1,268		1,268	
馬來西亞	40		40	
新加坡	8,855	201	8,414	240
印度尼西亞	137		137	
土耳其	2		2	
科威特	1,378	1,378		
阿聯酋	74		74	
蘇聯	364	364		
聯邦德國	24,383	15,282	8,139	962
法國	80,169	79,006	460	703
意大利	15,542	12,118	3,028	396
荷蘭	5,298	3,525	1,773	
比利時	1,042	1,042		
盧森堡	483	483		
英國	37,536	34,638	2,848	50
丹麥	2,008	1,177	831	
芬蘭	3,952	2,826	1,126	
瑞典	9,621	9,241	325	55
挪威	3,478	1,612	1,866	
瑞士	4,648	3,493	872	283
奧地利	4,921	4,407	69	445
西班牙	4,641	4,229	162	250
列支敦士登	256		256	
巴拿馬	129		129	
巴西	10		10	
智利	1,771	1,771		
加拿大	6,768	4,546	1,695	527
美國	39,392	10,572	28,427	393
澳大利亞	4,646		4,442	204
世界銀行	102,677	102,677		
農業發展基金	1,112	1,112		
亞洲開發銀行	4,648	4,648		
其它	42,968	11,621	29,319	2,028

1989年中國實際利用外資分地方(部門)統計表

地方(部門)名稱	合計(萬美元)	對外借款(萬美元)	外商直接投資(萬美元)	外商其它投資(萬美元)
總　計	**1,005,915**	**628,570**	**339,257**	**38,088**
地方合計	584,821	241,088	305,645	38,088
北京市	47,704	15,688	31,846	170
天津市	16,776	13,634	2,801	341
河北省	9,291	4,918	2,686	1,687
山西省	981		882	99
內蒙古自治區	445	10	24	411
遼寧省	38,814	26,200	11,857	757
吉林省	1,496	503	335	658
黑龍江省	7,677	1,941	2,241	3,495
上海市	46,649	4,437	42,212	
江蘇省	16,116	3,423	9,358	3,335
浙江省	12,546	7,150	5,181	215
安徽省	2,641	1,766	478	397
福建省	38,792	3,989	32,880	1,923
江西省	2,204	1,281	587	336
山東省	20,833	4,500	13,132	3,201
河南省	5,949	1,343	4,266	340
湖北省	6,543	3,682	2,295	566
湖南省	13,041	10,713	643	1,685
廣東省	239,027	106,703	115,644	16,680
廣西自治區	8,271	2,971	4,594	706
海南省	9,497		9,497	
四川省	25,515	24,204	801	510
貴州省	1,389	113	747	529
云南省	1,007	220	740	47
陝西省	10,495	776	9,719	
寧夏自治區	111		111	
新疆自治區	1,011	923	88	
部門合計	421,094	387,482	33612	
經貿部	30,478	29,118	1,360	
財政部	55	55		
海洋石油總公司	23,220		23,220	
國際信托投資公司	11,464	8,710	2,754	
其　它	355,877	349,599	6278	

1989年中國批准簽訂利用外資協議(合同)分國家(地區)統計表

國家(地區)名稱	合計		對外借款		外商直接投資		外商其它投資
	項目個數	金額(萬美元)	項目個數	金額(萬美元)	項目個數	金額(萬美元)	金額(萬美元)
總　計	**5,909**	**1,147,878**	**130**	**518,469**	**5,779**	**559,976**	**69,433**
香港	4,072	413,332		48,810	4,072	315,966	48,556
澳門	172	12,119		3,246	172	8,389	484
朝鮮	1	10			1	10	
日本	295	173,137	1	121,599	294	43,861	7,677
菲律賓	12	471			12	471	
泰國	30	5,679			30	5,679	
馬來西亞	8	266			8	266	
新加坡	78	14,966		201	78	11,113	3,652
印度尼西亞	5	98			5	98	
土耳其	1	17			1	17	
塞浦路斯	1	75			1	75	
科威特		10					10
利比里亞	1	30			1	30	
毛里求斯	1	11			1	11	
蘇聯	1	307			1	32	275

1989年中國批准簽訂利用外資協議(合同)分國家(地區)統計表

國家(地區)名稱	合計		對外借款		外商直接投資		外商其它投資
	項目個數	金額(萬美元)	項目個數	金額(萬美元)	項目個數	金額(萬美元)	金額(萬美元)
聯邦德國	23	55,123	4	38,658	19	14,878	1,587
法國	31	62,568	20	60,813	11	964	791
意大利	10	17,947	1	11,613	9	6,099	235
荷蘭	17	5,992	7	4,220	10	1,772	
比利時	3	5,024	2	2,909	1	1,901	214
盧森堡	1	1,082	1	1,082			
英國	19	17,385		14,059	19	3,180	146
愛爾蘭	1	1,520			1	1,520	
丹麥	6	2,346	6	2,346			
芬蘭	7	4,546	7	4,546			
瑞典	13	14,935	8	12,178	5	2,757	
挪威	3	955	3	955			
瑞士	10	7,321	5	6,142	5	487	692
奧地利	36	36,943	35	36,002	1	6	935
西班牙	8	18,372	7	18,360	1	12	

1989年中國批准簽訂利用外資協議(合同)分國家(地區)統計表

國家(地區)名稱	合計		對外借款		外商直接投資		外商其它投資
	項目個數	金額(萬美元)	項目個數	金額(萬美元)	項目個數	金額(萬美元)	金額(萬美元)
葡萄牙	1	200			1	200	
巴拿馬	2	535			2	535	
巴西	2	13			2	13	
玻利維亞	2	27			2	27	
智利	1	4			1	4	
阿根廷	2	93			2	93	
加拿大	26	27,734	1	22,823	25	4,232	679
美國	276	75,162		10,573	276	64,052	537
澳大利亞	40	12,238	13	3,872	27	8,362	4
新西蘭	2	37			2	37	
世界銀行	4	56,240	4	56,240			
農業發展基金	1	1,730	1	1,730			
亞洲開發銀行	4	27,610	4	27,610			
其　它	680	73,668		7,882	680	62,827	2,959

1989年中國批準簽訂利用外資協議(合同)分地方(部門)統計表

地方(部門)名稱	合計		對外借款		外商直接投資		外商其它投資
	項目個數	金額(萬美元)	項目個數	金額(萬美元)	項目個數	金額(萬美元)	金額(萬美元)
總　計	5,909	1,147,878	130	518,469	5,779	559,976	69,433
地方合計	5,720	722,121		128,918	5,720	523,770	69,433
北京市	185	16,490		8,402	185	7,938	150
天津市	97	21,214		12,443	97	8,454	317
河北省	73	9,487			73	6,310	3,177
山西省	19	1,844			19	1,245	599
內蒙古自治區	6	1,819			6	823	996
遼寧省	271	44,525		10,817	271	30,109	3,599
吉林省	44	3,745		314	44	2,262	1,169
黑龍江省	60	9,091			60	4,723	4,368
上海市	199	37,646			199	35,975	1,671
江蘇省	277	22,149			277	19,287	2,862
浙江省	184	15,486		6,775	184	8,357	354

1989年中國批準簽訂利用外資協議(合同)分地方(部門)統計表

地方(部門)名稱	合計		對外借款		外商直接投資		外商其它投資
	項目個數	金額(萬美元)	項目個數	金額(萬美元)	項目個數	金額(萬美元)	金額(萬美元)
安徽省	34	815			34	614	201
福建省	872	96,134		3,565	872	90,258	2,311
江西省	24	1,667		169	24	513	985
山東省	240	25,516		1,815	240	17,855	5,846
河南省	36	3,667		1,630	36	1,680	357
湖北省	70	8,279		3,013	70	4,781	485
湖南省	37	3,951		580	37	1,876	1,495
廣東省	2,438	352,519		79,122	2,438	243,813	29,584
廣西自治區	77	3,467			77	2,527	940
海南省	375	26,691			375	26,691	
四川省	33	4,001			33	2,121	1,880
貴州省	15	1,050			15	733	317

1989年中國批準簽訂利用外資協議(合同)分地方(部門)統計表

地方(部門)名稱	合計		對外借款		外商直接投資		外商其它投資
	項目個數	金額(萬美元)	項目個數	金額(萬美元)	項目個數	金額(萬美元)	金額(萬美元)
云南省	10	436			10	302	134
陝西省	23	3,879		273	23	3,106	500
甘肅省	5	5,010			5	446	4,564
寧夏自治區	7	695			7	695	
新疆自治區	9	848			9	276	572
部門合計	189	425,757	130	389,551	59	36,206	
經貿部	122	123,480	120	122,966	2	514	
財政部	4	56,240	4	56,240			
海洋石油總公司	10	20,374			10	20,374	
國際信托投資公司	1	15,607		15,582	1	25	
其　它	52	210,056	6	194,763	46	15,293	

1989年中國批准簽訂利用外資協議(合同)分行業統計表

行業	合計		對外借款		外商直接投資		外商其它投資
	項目個數	金額(萬美元)	項目個數	金額(萬美元)	項目個數	金額(萬美元)	金額(萬美元)
總計	**5,909**	**1,147,878**	**130**	**518,469**	**5,779**	**559,976**	**69,433**
農、林、牧、漁業	185	15,576	2	2,350	183	12,138	1,088
工業	5,213	709,993	106	178,301	5,107	466,366	65,326
建築業	58	6,695			58	6,695	
交通、郵電業	58	40,267	9	35.056	49	5,211	
商業、飲食業	73	6,867	1	132	72	6,735	
房地產、公用事業	179	82,910	3	30,531	176	52,379	
衛生、體育和社會福利事業	16	6,332	6	2,768	10	3,564	
教育、文化藝術事業	20	723			20	723	
科學研究和綜合技術服務事業	10	359			10	359	
金融保險業		3,854		3,854			
其它行業	97	274,302	3	265,477	94	5,806	3,019

1989年中國批准中外合資經營企業協議（合同）一覽表

序號	企業名稱	企業所在地	合營雙方	
			中方名稱	外方名稱
1	北京國際蛋品加工有限公司	北京市	北京正大進出口服務公司，順義縣俸伯農工商聯合總公司	香港 KA-THMANN 有限公
2	紅獅—迪斯姆粉末塗料有限公司	北京市	北京紅獅塗料公司	荷蘭 DSM 公司
3	北京泛威工程塑料有限公司	北京市	北京市化工科技聯合開發中心	香港中望有限公司
4	北京安樂福塑料制品有限公司	北京市	北京廣播電視配件一廠塑料技術咨詢服務公司	法國歐洲安樂福公司直屬安限公司
5	北京京藝木刻有限公司	北京市	北京市朝陽區黄河鋼琴樂器廠，朝陽區對外貿易公司等	美國魯古齋公司
6	北京中醫健康有限公司	北京市	海淀區大海計算機技術研究所	日本國信息系統研究所
7	北京鼎泰科技有限公司	北京市	北京航空航天大學技術服務公司	美國鼎泰科技有限公司
8	北京漢京電腦有限公司	北京市	北京海淀時運電腦公司	美國恆順電腦公司
9	北京經編羊毛絨制品有限公司	北京市	北京市大興絨毛廠	日本國倉林有限會社，犟易株式會社
10	北京愛得機電技術有限公司	北京市	北京市海淀區康德機電技術開發公司	澳大利亞南北技術有限集
11	北京紳士服裝有限公司	北京市	北京市昌平縣對外經濟貿易總公司	株式會社東京 TOPMAN
12	北京力士食品有限公司	北京市	北京市朝陽區太陽宮企業服務公司	日本國經營科技研究所
13	北京萊姆電子有限公司	北京市	北京 701 廠	瑞士 LEM 公司
14	北京阿普麗佳有限公司	北京市	北京市輕工聯合開發集團公司，北京市童車二廠	日本阿普麗佳葛西株式會商事株式會社
15	北京亞洲衛星通信技術有限公司	北京市	中國科學院衛星通信技術開發公司	新加坡科新技術私人有限
16	北京麥斯塔工程有限公司	北京市	首鋼機械工程總公司	美國麥斯塔工程公司
17	北京藝澳服裝有限公司	北京市	北京藝安針織服裝聯營公司	澳大利亞菲索國際有限公
18	北京西蒙金屬制品有限公司	北京市	北京市藝海實業公司，中國機械進出口總公司	香港魏怡隆機械有限公司
19	北京三美電子有限公司	北京市	北京顯像管廠	日本帝國電子工業株式會
20	北京華美高科技發展有限公司	北京市	中國農業科學院科技開發公司	美國亞美歐工程集團總公
21	北京海資曼鋼琴有限公司	北京市	北京鋼琴廠，中國技術進出口總公司北京市分公司	加拿大泛亞綠州集團
22	北京勞動保護品有限公司	北京市	北京市昌平東風服裝廠	瑞典諾迪卡國際協作勞動限公司
23	北京宏達飼料有限公司	北京市	北京華都牧工商聯合公司飼料公司	新加坡雄鷹資源服務有限來西亞公衆股票公司等

金額單位：萬美元

經營範圍	投資總額	外商投資		合營年限(年)	註册資本
		比例(%)	金額		
加工鮮蛋，生產全蛋粉，蛋白（黄）粉等	786.0	30	235.8	15	300.0
年產各種類型粉末塗料 3000 噸	410.0	50	205.0	25	300.0
生產經營 PBT 工程塑料系列品種	966.5	26	251.3	12	778.8
生產牲畜標牌，畜用注射器等	16.0	50	8.0	10	16.0
生產高檔硬木機制木座及硬木家具等木刻制品	45.8	28	13.0	10	35.0
生產電子針炙保健儀，心電電腦分析儀等	30.0	50	15.0	10	21.0
計算機軟件技術及相關的硬件產品等	80.0	50	40.0	15	60.0
開發、生產、銷售計算機軟件及其電子產品	107.7	60	64.6	15	80.8
年產經編織物 200 噸，山羊毛分梳絨 20 噸	101.9	50	50.9	15	91.2
年產電動三輪車 6000 輛	57.0	25	14.3	10	40.0
產銷男大衣，男褲等服裝產品	65.2	50	32.6	15	65.2
產銷漢堡包，意大利餅及歐美風味糕點食品	179.0	50	89.5	10	179.0
生產電流、電壓功率傳感器模塊產品等	70.0	50	35.0	30	70.0
生產童車	214.5	55	118.0	15	214.5
開發產銷衛星地面接收系統及其終端設備等	107.2	33	35.7	15	80.4
黑色及有色冶金軋機，機械設備的設計、制造	100.0	51	51.0	20	100.0
生產，銷售針棉、滌、毛各類服裝	80.4	25	16.0	10	56.3
開發生產銷售各種金屬絲网產品	250.0	25	62.5	15	250.0
開發生產經營高分辨多色顯示管及顯示器件	2,513.7	25	628.4	10	1,005.5
開發產銷農業生物工程新技術及其產品等	357.4	50	178.7	15	214.5
年生產鋼琴 3000 台	116.3	40	46.5	15	116.3
研制生產防火工業頭盔，護耳罩等勞動保護品	180.0	56	100.8	15	180.0
年產畜禽水產飼料 5-7 萬噸	370.0	50	185.0	15	240.0

1989年中國批准中外合資經營企業協議（合同）一覽表

序號	企業名稱	企業所在地	合營雙方	
			中方名稱	外方名稱
24	北京東順木制品有限公司	北京市	順義縣馬坡鄉農工商聯合總公司，北京市木材公司	日本東亞國際貿易株式會社友好貿易株式會社等
25	北京肯特家具有限公司	北京市	北京市通縣紅星室內用品裝飾廠	美國肯特公司
26	北京金輝新材料有限公司	北京市	北京市海澱區振海農工商總公司，中國有色新金屬公司	香港華珠有限公司
27	北京新力養殖有限公司	北京市	北京市通縣北京京東果牧場，北京市力達縫制設備公司	新加坡雄鷹資源服務有限公陸國際貿易有限公司
28	北京特力冷凍設備有限公司	北京市	西城區同力空調設備安裝公司	聯邦德國根特工業品貿易股公司
29	北京祥雲包裝裝璜有限公司	北京市	海澱區振海農工商總公司，海澱區祥雲化工有限公司	日本池田仁美女士
30	北京金海皮革制品有限公司	北京市	平谷縣城關經濟總公司	美國和平貿易公司
31	天津羅素—優克福農藥有限公司	天津市	天津農藥廠，大沽化工廠	法國羅素—優克福公司
32	天津斯聯自行車有限公司	天津市	天津自行車二廠，開發區信托投資公司	香港山川科技有限公司，產業株式會社
33	天津佳福食品有限公司	天津市	天津市塘沽儲運公司　天津市工商經濟開發公司	新加坡 QUF 有限公司　香貿易有限公司
34	天津福深康斯培克控制有限公司	天津市	中國煤礦機械裝備公司，天津煤礦專用設備廠等	加拿大康斯培克控制有限
35	天津創新地毯有限公司	武淸縣	天津外貿武清津錦聯合地毯廠	聯邦德國埃米爾有限公司
36	天津中環三津有限公司	天津市	天津中環集團公司　天津顯像管廠等	香港長益投資有限公司
37	天津伸和有限公司	天津市	天津市農工商總公司雙林公司	日本國伸和興業株式會社
38	天津北洋集裝箱有限公司	天津市	天津遠洋運輸公司	香港惠航船務有限公司有限公司等四家
39	天津肯尼迪化纖制品有限公司	天津市	中國中信天津工業發展公司	美國肯尼迪美咸集團公司
40	天津塞斯計算機系統有限公司	天津市	天津市中環電子計算機公司　工商銀行天津分行	美國ISC 世界貿易公司
41	天津優尼斯電子有限公司	天津市	中信天津工業發展公司	西德 MULTI-IMEX 有限
42	天津利帆再生金屬有限公司	天津市	中國有色金屬進出口公司天津分公司等	美國 TCY 國際實業有限家
43	天津龍泰裝飾家具有限公司	寶坻縣	天津寶坻縣木器廠　天津市旅遊總公司	泰國泰藝家具建築兩合公

金額單位: 萬美元

經營範圍	投資總額	外商投資		合營年限(年)	註册資本
		比例(%)	金額		
生產銷售集成木材成品，半成品及其它木制品	107.2	30	32.2	10	107.2
產銷各類家具，家具所用五金件及木制模型	100.0	25	25.0	12	70.0
產銷水箱散熱器用銅、鉛焊管及鈦管等	459.2	30	137.8	15	459.2
飼養種狐，商品狐，加工所需飼料等	492.0	65	319.8	15	350.0
產銷空調器，風冷冷凝器，吊頂式風機等	70.0	25	17.5	10	70.0
爲紡織品，塑料器皿等印制圖案	61.8	30	18.6	10	43.3
生產經營各類皮鞋和皮革制品	70.0	25	17.5	10	50.0
年產溴氰菊酯農藥 50 噸	700.0	50	350.0	12	350.0
年產自行車 20 萬輛，零部件 30 萬件	108.0	25	27.0	10	108.0
年產辣椒粉，姜粉等食品 2400 噸	200.0	75	150.0	20	200.0
年產森透力昂監控系統 10 套	200.0	50	100.0	15	200.0
年產和銷售各種西藏地毯 2.5 萬平方米	53.0	27	14.3	10	37.0
年產工業用高分辨單色管 120 萬隻	1,073.0	25	268.0	20	560.0
年產各種鑄件 3500 噸	54.0	50	27.0	16	54.0
年產集裝箱標準箱 9000 個	1,250.0	75	938.0	10	650.0
年產化纖棉 720 萬米	108.0	25	27.0	12	76.0
年產銀行系統終端設備 2000 台套	100.0	50	50.0	15	100.0
年產節能燈具 50 萬隻	40.0	25	10.0	10	32.0
年處理含銅廢料 4200 噸	100.0	75	75.0	10	100.0
年產高檔裝飾家具 2500 套	81.0	75	60.8	11	81.0

1989年中國批准中外合資經營企業協議（合同）一覽表

序號	企業名稱	企業所在地	合營雙方	
			中方名稱	外方名稱
44	天津第吉泰克塞斯電訊合營公司	天津市	天津市煤礦專用設備廠	美國第吉泰克塞斯公司
45	天津費加羅電子有限公司	天津市	天津市中環宏達電子公司 天津市中環實業開發公司	日本德山曹達株式會社 日羅技研株式會社等三家
46	秦皇島秦太精密壓鑄有限公司	秦皇島市	河北冶金企業集團公司	美國太平洋精密壓鑄有限公
47	秦皇島英特索爾動力有限公司	秦皇島市	秦皇島市電子管修造廠等三家	美國英特索爾動力公司
48	河北四興塑料包裝制品有限公司	石家莊市	河北省糧油食品進出口公司	香港燕豐發展有限公司
49	唐山昌隆銅塑有限公司	唐山市	唐山市第一塑料廠	香港駿龍發展有限公司
50	秦皇島龍騰精密帶鋼有限公司	秦皇島市	泰皇島經濟技術開發區總公司	利德企業發展（香港）公司
51	秦皇島惠利玻璃制品有限公司	秦皇島市	秦皇島市玻璃廠	惠利企業（香港）公司
52	廊坊燕美化工有限公司	廊坊市	廊坊市第一化肥廠	香港美佳粉末塗料有限公司
53	河北石泰化工有限公司	石家莊市	河北省水利廳工地局外加劑廠	泰國世界資源有限公司
54	石家莊星辰箱包有限公司	石家莊市	河北前進機械廠	香港港辰有限公司
55	唐山普林電路板有限公司	唐山市	唐山市變壓器廠	香港普林中國有限公司
56	滄州環宇電路板有限公司	滄州市	滄州市環宇無綫電制板廠	新加坡國電化有限公司
57	河北新星水產養殖加工有限公司	滄州市	中國新興公司滄州公司	美國伊麻斯國際公司
58	保定保平皮件有限公司	保定市	保定市實業開發總公司保定市東華實業公司	美國舊金山市和平旅遊貿
59	香河友||電子通訊有限公司	廊坊市	香河縣鄉鎮企業購銷服務公司	香港達利電子通訊公司
60	河北任捷色織企業有限公司	任丘市	任丘市棉紡廠	香港常志投資有限公司
61	河北永年鐵合金有限公司	永年縣	永年縣試驗熱電廠	香港千金一企業有限公司
62	河北華夏膠粘帶有限公司	琢州市	琢州市華夏膠粘帶廠等三家	香港南地有限公司
63	沙華鋼鐵有限公司	張家口市	沙城鐵廠 中國冶金進出口公司	香港巍華礦山有限公司
64	中國山西億寶煉鐵有限公司	太原市	太原婁煩縣鐵廠	香港比菲有限公司
65	山西太原索斯沃斯升降台有限公司	太原市	太原五一機器廠	美國 ZY-AX 公司
66	太原富麗金屬制品有限公司	太原市	太原市眼鏡鐘表廠	香港富麗鐘表制造公司
67	太原高原塑料有限公司	太原市	太原塑料六廠	香港高登企業有限公司
68	赤峯伊美有限公司	赤峯市	赤峯林東化工廠	法國奧里斯公司

金額單位：萬美元

經營範圍	投資總額	外商投資		合營年限(年)	註册資本
		比例(%)	金額		
年産固體電路專用交換機 502 台	162.0	34	55.1	11	162.0
年産氣體傳感器 200 萬隻	378.0	55	208.0	11	350.0
年産精密壓鑄件 60 萬套	576.0	25	144.0	15	288.0
生産聚光陳列産品	590.0	34	201.0	15	300.0
年産塑料制品 990 噸	376.0	42	157.0	10	296.0
年産銅塑制品 2000 噸	110.0	48	53.0	15	85.0
年産精密帶鋼一萬噸	300.0	25	75.0	20	230.0
年産玻璃器皿 360 噸	110.0	25	27.5	10	110.0
年産粉末塗料 500 噸	150.3	28	42.0	10	123.0
年産各種醫藥制品 3250 噸	170.0	30	51.0	10	170.0
年産 ABS 箱包 30 萬隻	160.0	30	48.0	10	112.0
年産電路板 45000 平方米	1,650.0	40	660.0	12	660.0
年産印制綫路板 5000 平方米	34.0	35	12.0	10	24.0
年産對蝦 200 噸大蝦 500 噸	660.0	50	330.0	15	330.0
年産中低檔皮鞋 18 萬雙	50.0	25	12.5	10	50.0
年裝配電話機 36 萬台	200.0	40	80.0	10	180.0
年産色織布 320 萬碼	171.0	29	50.0	10	144.0
年産鐵合金 14900 噸	318.0	45	143.0	10	210.0
年産膠粘帶 1700 萬平方米	268.0	25	67.0	10	268.0
年産錳鐵 35000 噸　生鐵 42500 噸	1,188.0	30	356.0	15	618.0
年産鑄造生鐵三萬噸	215.0	50	107.5	10	215.0
年産五百台裝卸，重載，交起升降台	52.1	50	26.1	20	52.1
年産金屬殼石英鐘 60.5 萬隻及開發不銹鋼暖瓶	100.0	25	25.0	15	100.0
年産新型塑料制品 8000 噸	675.0	50	337.5	15	675.0
年産化妝品 500 噸	73.0	30	22.0	11	73.0

1989年中國批准中外合資經營企業協議（合同）一覽表

序號	企業名稱	企業所在地	合營雙方	
			中方名稱	外方名稱
69	沈陽東方半導體封裝有限公司	沈陽市	沈陽計算機廠	美國東方半導體封裝有限公司
70	沈陽涌源米糠有限公司	沈陽市	遼中糧食局科技開發公司	日本高麗交易（株）
71	沈陽普利司通有限公司	沈陽市	沈陽膠管廠，中國港灣工程公司	日本普利司通公司
72	沈陽華凱衛生用品有限公司	沈陽市	沈陽風華機械廠	美國玖達世界貿易公司
73	沈陽千金鋼制彎頭有限公司	沈陽市	沈陽市遼東鋼制彎頭廠	香港千金一企業有限公司
74	沈陽東野醫用器材有限公司	沈陽市	沈陽市自行車配件廠	美國野王產業集團成套設備技利公司
75	沈陽一蒙砂輪有限公司	沈陽市	中國第一砂輪廠	意大利蒙利邁普公司
76	沈陽關東食品加工有限公司	沈陽市	關東能源交通協作開發集團	日本公民木村勝美
77	沈陽北方石材有限公司	沈陽市	關東集團石材總公司	香港怡千有限公司
78	沈陽天星計算機外部設備有限公司	沈陽市	沈陽計算機外設總廠	香港得實發集團公司
79	沈陽黎富服裝有限公司	沈陽市	沈陽黎明高級服裝廠	日本富田(株),郡是(株),室谷(
80	沈陽特力石油化工有限公司	沈陽市	遼寧工業品進出口公司　撫順石化三廠	香港特力油品公司
81	沈陽文力鞋業有限公司	沈陽市	沈陽市電瓷廠	香港文力鞋業有限公司
82	瓦日畜產有限公司	大連市	大連大松食品加工廠	日本大玉名畜產（株）
83	碧宇水產品公司	大連市	碧流河水庫勞服公司	日本宇城（株）
84	大連開發區木塑制品公司	大連市	大連全達醫藥保健康復公司	美國華佳國際公司
85	大龍鞋業有限公司	大連市	大連皮革廠	香港日煜投資公司
86	現代化學公司	大連市	大連染料廠	美國現代工程公司
87	波姆儀器設備公司	大連市	大連三北經濟聯合公司	美國環太平洋公司
88	科隆自動化儀表公司	大連市	東方電腦技術開發公司	德國科隆儀表公司
89	華能—小野田水泥公司	大連市	中國華能原材料公司，大連水泥廠	日本國小野田水泥（株）
90	秀月高分子材料技術開發公司	大連市	大連塑料開發中心	日本里川孝臣
91	泰華工業公司	大連市	開發區海南集團分公司	泰國申賀工業公司
92	科隆鏈條鏈輪公司	大連市	鞍山鋼鐵公司	聯邦德國普蘭特什尼克公司
93	化美塑料工業公司	大連市	開發區瑞達公司	新加坡美亞貿易公司
94	瓦房店華美軸承公司	大連市	瓦房店軸承廠	美國華美機械設備公司
95	輝瑞制藥有限公司	大連市	大連制藥廠	美國輝瑞企業公司
96	順連儀器儀表公司	大連市	大連第四儀表廠	美國順風企業公司
97	大連阿克樂園藝公司	大連市	大連實業開發總公司	荷蘭阿克樂公司
98	大連得欣電子工程公司	大連市	金州區得勝鄉工業公司	巴拿馬中欣航運貿易公司
99	道爾曼彌契爾國際機械公司	大連市	大連起重運輸機器廠	美國道爾曼—彌契爾公司

金額單位：萬美元

經營範圍	投資總額	外商投資		合營年限(年)	註册資本
		比例(%)	金額		
年產集成電路芯片 2000 萬片	83.0	60	49.8	10	83.0
年產稻糠 12,000 噸，糠毛油 2250 噸	188.0	50	94.0	10	158.0
年產護舷 300 噸	570.0	45	256.5	15	410.0
生產純棉手術巾等	44.3	48	21.3	10	31.2
年產鋼制彎頭 7500 噸	215.0	25	53.8	15	161.2
年產注射器 5000 萬支，注射針 1 億支	624.0	25	156.0	10	312.0
年產砂輪 100 萬片	93.0	25	23.3	15	83.0
年產面包 250 噸，食品 800 噸	194.8	30	58.4	10	194.8
年產玄武巖建築裝飾板材 6 萬平方米	300.0	25	75.0	15	210.0
年產打印機 5 萬台	100.0	60	60.0	12	100.0
年產西服 1.5 萬件	210.0	36	75.6	15	150.0
年產各種油品 3 萬噸	601.9	25	150.5	10	421.3
年產男女時裝鞋 84 萬雙	150.0	40	60.0	10	126.0
年養肉牛 2000 頭	81.0	50	40.5	20	81.0
年產泥鰍魚 100 噸	26.9	25	6.7	10	26.9
年產毛刷 100 萬隻塑料制品 200 萬件	34.9	27	9.4	10	34.9
年產工作鞋 150 萬雙	280.0	66	184.8	60	200.0
年產氯化苦 1000 噸	214.2	35	74.9	30	150.0
生產儀器儀表設備	107.5	25	26.8	20	75.2
研制流量計，漏電保護開關	61.8	25	15.5	10	43.3
年產水泥 137 萬噸	15,543.0	51	7,926.9	33	5,178.0
生產聚乙烯和聚氟四乙烯	14.1	41	5.9	10	11.4
年產系列化裝品 50 萬套	70.0	30	21.0	10	50.0
生產各種鏈條，鏈輪	2,681.6	36	965.4	17	845.3
年產塑料產品 2000 噸	100.0	30	30.0	15	75.0
年產軸承 500 萬套	614.0	26	159.6	10	430.0
藥物及醫療器械	2,960.0	55	1,628.0	30	2,960.0
年產儀器儀表 5200 台	13.4	50	6.7	10	13.4
經營鮮花，蔬菜，水果	77.3	25	19.3	10	58.0
年產電器產品 12,250 個	16.1	50	8.1	15	16.1
年產集裝箱 10,000 個	171.5	50	85.7	20	150.0

1989年中國批准中外合資經營企業協議（合同）一覽表

序號	企業名稱	企業所在地	合營雙方 中方名稱	合營雙方 外方名稱
100	大連京華工業有限公司	大連市	大連天華實業總公司	香港京城貿易公司
101	大連華鋒電子工程公司	大連市	經貿部計算中心	美國先鋒國際科學公司
102	開發區遠東鋼纜公司	大連市	第三冶金建設公司物資公司	香港宏時發展有限公司
103	鞍山熱工裝自控儀表有限公司	鞍山市	鞍山熱工儀表廠	日本國工裝服務株式會社
104	大華傘業有限公司	撫順市	撫順礦務局機械廠	新加坡宏茂有限公司
105	撫順順興針織有限公司	撫順市	撫順市針織二廠	香港祝興有限公司
106	錦州東泰澱粉有限公司	錦州市	錦州小東農工商聯合企業公司	泰國挽那機械設備有限公司
107	營口三協耐火材料有限公司	營口市	營口縣聖水礦山服務公司	日本三協建設（株）
108	營口海馬水產有限公司	營口市	蓋縣農墾貿易公司	馬來西亞海馬有限公司
109	阜泰文教用品有限公司	阜新市	阜新市細河文教用品廠	暹遼（泰國）合作有限公司
110	遼定國際自動化技術有限公司	沈陽市	遼寧省儀器儀表工業公司	美國莫迪康公司
111	遼寧北方食品有限公司	沈陽市	遼寧省土產進出口（集團）公司	日本國株式會社太崛，日棉株
112	盤錦建塑營有限公司	盤錦市	盤錦市建築塑料廠	英國維德克斯有限公司
113	撫順龍利保健品有限公司	撫順市	中國遼寧撫順活性技術研究所	馬來西亞榮利企業有限公司
114	丹東銀利電力有限公司	丹東市	丹東風城煤礦　丹東金利冶金有限公司	香港榮利公司
115	錦州東遠天河塑料有限公司	錦州市	錦山塑料廠　中國機械公司	瑞士天河公司
116	盤錦遼聿針紡織實業有限公司	盤錦市	遼河油田油建一公司附屬公司	日本聿修貿易有限會社
117	吉林市華星塑膠工業制品有限公司	吉林市	吉林市供銷社經銷公司	香港華勇實業有限公司
118	延邊李華食品有限公司	延吉市	吉林省延邊光榮經濟發展總公司	美國李兄弟公司
119	吉林德大種禽有限公司	德惠縣	吉林省松遼禽業聯營公司	泰國正大國際投資有限公司
120	吉林德大飼料有限公司	德惠縣	吉林省松遼禽業聯營公司	泰國正大國際投資有限公司
121	吉林市森吉體育用品有限公司	吉林市	吉林化學工業公司試劑廠	美國專業體育用品公司
122	吉林威漢工藝禮品有限公司	長春市	吉林省新發企業集團公司	美國關鍵公司
123	黑龍江新陽木業有限公司	東寧縣	黑龍江省綏陽林業局	新加坡永利企業私營有限公司
124	黑龍江華新木業有限公司	虎林縣	黑龍江省迎春林業局	新加坡永利企業私營有限公司
125	哈爾濱三益樂器制造有限公司	呼蘭縣	黑龍江省松花江林管局	美國三益樂器株式會社
126	齊齊哈爾雙翼箱包有限公司	齊齊哈爾市	齊齊哈爾人造皮毛廠	香港高澤實業有限公司

金額單位：萬美元

經　營　範　圍	投資總額	外商投資		合營年限(年)	註册資本
		比例(%)	金額		
年產工業硅 2900 噸	185.0	30	55.5	20	130.0
年產計算機軟件終端，UPS 1180 套	30.0	30	9.0	15	30.0
年產鋼纜，鋼綫 7200 噸	300.0	50	150.0	20	300.0
年產氣動電動執行器 6000 台	92.0	49	45.0	15	65.0
年產制傘設備及零部件 40 萬打	140.0	40	56.0	10	105.0
年產針織外內衣 650 萬件	615.0	30	184.5	15	415.0
年產薯類澱粉 12,240 噸	180.0	49	88.0	10	180.0
年產鎂砂 1.5 萬噸	811.0	25	202.7	15	189.0
年加工海蟄，熟蝦仁 500 噸	11.0	55	6.0	10	11.0
年產磁性寫字板 100 萬塊	34.0	29	10.0	10	34.0
技術服務	23.0	30	7.0	10	23.0
年加工蔬菜山野菜食用菌 5000 噸	120.0	70	84.0	10	100.0
年產塑料制品 1 萬噸	1,054.0	30	316.2	15	527.0
年產保健品 200 萬片	38.0	41	15.6	15	27.0
發電	508.0	40	203.2	20	254.0
年產 ABS PS 板材 8000 噸	625.0	33	206.2	20	469.0
年產機繡繡花床罩 4 萬件	96.0	30	28.8	10	86.0
年產旅遊箱，手提箱等塑料制品 30 萬個	295.0	50	147.5	10	210.0
年產各種食品 1,200 噸	78.4	50	39.2	10	78.4
年飼養祖代種雞 9000 套等	216.3	50	108.0	50	122.1
加工飼料	998.5	50	499.0	50	499.3
年產碳纖維网球拍 30 萬支	280.0	25	70.0	10	210.0
年產各種規格畫板 5 萬幅	20.0	25	5.0	10	20.0
生產實心木門廚俱門地板條集成材百葉窗等	338.0	37	125.0	13	188.0
年產包切薄木 1200 立方米	167.0	30	50.0	10	135.0
年產鋼琴 3000 架，吉它 6000 把	999.0	55	549.9	30	500.0
年產 ABS 箱包 30 萬個	725.0	25	181.2	12	614.0

1989年中國批准中外合資經營企業協議（合同）一覽表

序號	企業名稱	企業所在地	合營雙方 中方名稱	外方名稱
127	哈爾濱現代化工建材有限公司	哈爾濱市	哈爾濱現代應用化學研究所	澳大利亞新亞華貿易有限公司
128	哈爾濱黑金剛炭工有限公司	依蘭縣	黑龍江省重點煤礦總公司	香港仲亨實業有限公司
129	哈爾濱哈雷制鞋有限公司	哈爾濱市	哈爾濱制鞋廠	英國雷克曼斯投資公司
130	上海國際油漆有限公司	上海市	上海開林造漆廠	英國高特士塗料公司
131	上海正升鍛造有限公司	上海市	上海機電實業公司	美國 SIFCO 工業公司鍛造集 泰國正大集團
132	上海小系車燈有限公司	上海市	上海拖拉機汽車公司	日本株式會社小系制作所 豐 商株式會社
133	上海一文德堡有限公司	上海市	上海市糖業煙酒公司	英國聯合利華有限公司
134	上海何維雅花式紗紡織有限公司	上海市	上海科聯花式紗綫廠 第三十棉紡廠	法國何維雅紗廠
135	上海新傑拋磨材料有限公司	上海市	上海新華化工廠	美國傑克遜公司
136	上海愛皮西兒童營養食品有限公司	上海市	靜安區糖業煙酒公司愛爾生兒童營養食品廠	美國王慧玲（旅美華僑）
137	上海埃恩激光技術有限公司	上海市	上海激光技術公司 閔行聯合發展有限公司	美國離子激光發展公司
138	上海全寶興綫帶有限公司	上海市	上海綫帶公司，錦江（集團）聯營公司	香港鼎通有限公司
139	上海金江觀賞魚有限公司	上海市	上海房產經營公司	加拿大華美投資有限公司
140	上海愛麗絲玩具有限公司	上海市	上海錦華工藝玩具廠，玩具進出口分公司	荷蘭愛麗斯有限公司
141	上海銀華餐具有限公司	上海市	上海餐具廠，聯合貿易公司	意大利餐具工程設計公司 誼代理集團
142	上海大計數據處理公司	上海市	上海上投實業公司	日本大計公司
143	上海長江毛紡織有限公司	上海市	上海奉賢縣江海鄉工業公司	日本國光洋毛系株式會社
144	上海逸仙燈飾有限公司	上海市	上海勞動局第二技工學校附屬工廠機械分公司	美國 AC 國際公司
145	上海尤尼松電子有限公司	上海市	上海半導體器件四廠	日本尤尼松株式會社
146	上海斯亞國際印務有限公司	上海市	上海市普陀紙塑印刷廠	瑞典斯亞國際公司
147	上海嘉盛保溫容器有限公司	上海市	上海保溫容器公司，輕工進出口分公司	東協實業有限公司 泰國
148	上海新世紀制衣有限公司	上海市	上海新新服裝公司 新聯紡織品進出口公司	日本產業貿易株式會社
149	上海香海紡織品發展有限公司	上海市	上海針織廠	香港港源水利電力工程有限

金額單位：萬美元

經營範圍	投資總額	外商投資		合營年限(年)	註册資本
		比例(%)	金額		
年產各種規格裝飾板 30 萬片	75.0	47	35.3	10	54.0
年產粒狀活性碳 3000 噸	930.0	50	465.0	15	470.0
年產皮鞋 15 萬雙	53.6	55	29.5	20	53.6
年產船舶海洋工程油漆 6 千噸	537.4	50	268.7	25	268.7
生產鍛件	1,950.0	30	585.0	25	975.0
生產各種車用燈	1,349.0	50	674.5	25	803.0
年產人造黃油起酥油 11000 噸	497.0	49	243.5	25	404.0
年產高級花式紗綫 200 噸	261.0	50	130.5	12	183.0
年產抛光劑 1000 噸	58.0	50	29.0	15	58.0
年產離乳食品 500 噸兒童糖果 2000 噸	64.5	29	18.7	15	45.7
年產氬離子激光器 1250 台	235.0	25	58.7	20	195.0
生產滌綸縫紐綫綫帶等制品	720.0	30	216.0	15	360.0
培育生產觀賞魚類	20.0	25	5.0	20	20.0
年產長毛絨玩具 12 萬打	50.0	45	22.5	10	50.0
年產高檔西式餐具 600 萬件	750.0	48	360.0	15	380.0
計算機軟硬件開發	41.7	85	35.9	15	32.1
年產兔羊毛紡織品 250 噸	200.0	50	100.0	15	200.0
年產玻璃片 200 萬片及各種燈具	60.0	25	15.0	10	56.0
年產半導體二極管 7200 萬隻	215.0	29	62.3	10	161.0
生產各種包裝裝潢印刷品	30.0	67	20.1	12	24.0
年產高檔保溫容器電加熱產品 104 萬隻	80.0	50	40.0	15	56.0
年產高檔童裝 25 萬件	38.5	40	15.4	10	27.0
生產各類針織產品	270.0	50	135.0	20	220.0

1989年中國批准中外合資經營企業協議（合同）一覽表

序號	企業名稱	企業所在地	合營雙方 中方名稱	外方名稱
150	上海紀本電子儀器有限公司	上海市	上海市長寧區工業總公司	日本國紀本電子工業株式會社
151	上海東亞食品工業有限公司	上海市	上海靜安區糖業煙酒公司	新加坡遠東餅干廠有限公司
152	上海康培爾服裝有限公司	上海市	上海錦樂服裝廠	日本國中國物產中心株式會社
153	上海未來軟件有限公司	上海市	上海海德技術發展公司	日本國株式會社未來
154	上海華都國際集裝箱有限公司	上海市	上海實事公司，閔行船廠	日本國上海都市開發株式會社
155	上海蘿蘭娜日用化工有限公司	上海市	上海霞飛日用化工廠	加拿大—上海金川實業公司
156	上海瑪腊豐化學制品有限公司	上海市	上海椒江試劑化學站，德福光電技術公司	新加坡瑪腊豐電子零件供應公
157	上海藍藍中國藍印花布社	上海市	上海紡織品分公司	日本京都久保麻紗中國藍印布
158	上海莊加汽車配件復蘇有限公司	上海市	上海奉賢滬鷹進口汽車修配廠	加拿大技術投資咨詢公司
159	上海交大泛太鍛壓有限公司	上海市	上海交通大學機械廠	美國泛太平洋產品公司
160	上海南山箱包有限公司	上海市	上海市金山縣絲綢工藝品總廠	香港南方物產有限公司
161	上海申富電機有限公司	上海市	上海電機廠，中信上海公司	香港富利安（集團）公司 新資有限公司
162	上海友誼電子通訊有限公司	上海市	上海嘉定科技儀表廠	香港達利電子通訊有限公司
163	上海夢鄉床墊有限公司	上海市	上海東風沙發廠，上海家具公司	馬來西亞夢鄉有限公司
164	上海埃爾凱電器有限公司	上海市	上海南空機械廠	香港時光發展有限公司丹麥 新加坡分公司
165	上海曼哈頓工藝品有限公司	上海市	上海藝術品雕刻廠	美國飛高有限公司
166	上海寶國塔水產食品有限公司	上海市	中國水產聯合總公司上海分公司食品廠	PAGOPA 食品有限公司
167	上海虹橋快速印刷有限公司	上海市	上海交通大學南洋國際技術公司	日本國風國際企畫公司
168	上海東方散貨包裝有限公司	上海市	上海港散貨包裝運輸公司等	香港方興實業有限公司
169	上海一旁氏有限公司	上海市	上海日用化學工業開發公司日用化學品二廠	英國聯合利華有限公司
170	上海藍英佳多皮鞋有限公司	上海市	上海藍棠—博步皮鞋公司	荷蘭英沛士公司
171	上海弗士特文通電腦應用發展有限公司	上海市	上海文通電腦應用發展公司	美國第一中國投資貿易公司
172	上海益昌薄板有限公司	上海市	上海第一鋼鐵廠上海實事公司物資開發投資公司	美國上海太平洋台股有限公
173	上海英華紡織品有限公司	上海市	上海長寧區工商聯經濟開發公司，華寧實業公司	日本英福貿易公司

金額單位：萬美元

經營範圍	投資總額	外商投資		合營年限(年)	註册資本
		比例(%)	金額		
生產環保測定儀器儀表	30.0	50	15.0	10	30.0
生產各類餅干新穎食品	1,075.0	90	967.5	30	538.0
年產高檔西裝西式大衣 14.7 萬套	60.0	50	30.0	10	60.0
軟件產品	34.0	50	17.0	10	34.0
生產經營集裝箱及各種配件	400.0	30	120.0	25	210.0
年產豐乳寶白發靈 20 噸	20.0	40	8.0	10	16.5
年產各類清潔劑 2400 噸	22.8	43	10.0	15	16.0
年產藍印花布一萬米	13.4	49	6.6	10	13.4
年維修汽車起動機 8 萬隻等	120.0	51	61.2	10	85.0
年產鍛壓件及輔助機加工件 1000 噸	34.0	25	8.5	10	24.0
年產箱包 31 萬只及有關小五金裝飾件	200.0	40	80.0	15	140.0
年產分馬力電機特種電機 20 萬台	340.0	25	85.0	20	240.0
年產電話 36 萬台	250.0	40	100.0	10	180.0
年產床墊 3 萬隻及相配床架	60.0	40	24.0	10	60.0
年產 DOMINU 系列電器設備 600 面	95.0	30	28.5	12	66.5
年產鏡木條 300 萬米	130.0	30	39.0	10	100.0
年產水產品 1937 噸	404.0	25	101.0	10	210.0
印刷各種技術資料	40.0	31	12.4	12	36.0
年包裝加工能力爲 120 萬噸散裝貨物	282.1	31	87.5	10	282.1
年產潤膚霜潤膚蜜 500 噸	525.6	50	262.8	25	448.6
年產各類皮鞋 10 萬雙	80.0	35	28.0	10	56.0
年產 CTS 電腦 200 台	140.0	50	70.0	20	100.0
年產冷軋薄板鍍錫板等 50 萬噸	2,994.0	25	748.5	15	1,496.0
年產服裝，床上用品 96 萬件	53.7	33	17.7	20	40.0

1989年中國批准中外合資經營企業協議（合同）一覽表

序號	企業名稱	企業所在地	合營雙方 中方名稱	合營雙方 外方名稱
174	上海金匯再生金屬有限公司	上海市	有色金屬總公司華山供銷公司周浦有色金屬廠	美國有色金屬有限公司
175	上海中新塑料發展有限公司	上海市	上海中華拉鏈廠中行信托咨詢公司	新加坡聯盛私人有限公司
176	上海未來工藝服裝有限公司	上海市	上海鼓風機廠技術應用服務部	日本株式會社貿易未來
177	上海宇虹食品工業有限公司	上海市	上海虹口經濟技術發展總公司	日本宇宙株式會社
178	上海昌華電氣有限公司	上海市	上海華豐電氣總廠	新加坡多又寶有限公司
179	上海傑尼克斯鐘表有限公司	上海市	上海雷磁儀器廠新涇分廠	美國傑尼克斯工業公司
180	上海依里申紡織有限公司	上海市	上海外經貿實業公司　虹橋鄉工業公司	日本意山株式會社
181	上海申康磁電有限公司	上海市	上海松江縣開發投資公司　華建公司	香港康揚實業公司
182	上海海欣毛紡有限公司	上海市	上海松江縣洞涇工業公司，玩具進出口公司	香港申海有限公司　福欣
183	上海亭暉塑料制品有限公司	上海市	上海松江縣九亭工業公司	香港美日華貿易公司
184	上海吉大塑料制品有限公司	上海市	松江縣大港工業公司	香港吉力投資有限公司
185	上海泰利竹制品有限公司	上海市	上海浦東新民五金廠	美國 TH & T 公司
186	上海三景服裝有限公司	上海市	上海南匯縣瓦屑鄉服裝廠	日本三景株式會社
187	上海宜華制衣有限公司	上海市	上海金山縣廊下工業公司　上海針織二十廠	英國屈來曼公司
188	上海帕卡漱精化工有限公司	上海市	嘉定縣供銷合作聯社　沈陽帕卡漱精總公司	日本帕卡漱精株式會社蝶社
189	上海哈特玩具有限公司	上海市	上海華藝玩具廠	美國 PMI 有限公司
190	上海維高塑料制品有限公司	上海市	上海東海電器廠　寶山月浦工業公司	香港維高貿易行
191	上海環球塑膠玩具有限公司	上海市	上海玩具進出口公司	香港環球集團有限公司
192	上海野尻眼鏡有限公司	上海市	上海眼鏡總廠　錦江聯營集團公司	日本野尻眼鏡工業株式會
193	上海瑞侃電纜附件有限公司	上海市	上海電纜廠	美國瑞侃公司，香港瑞侃公司
194	上海高橋—巴斯夫分散體有限公司	上海市	上海高橋石油化工公司	聯邦德國巴斯夫股份公司
195	上海國成塑料有限公司	上海市	上海氯堿總廠	香港正大化工有限公司
196	上海肯德基有限公司	上海市	上海新亞（集團）聯營公司	香港正大肯德基投資有限
197	上海華昌紗綫廠有限公司	上海市	上海第七棉紡廠	香港國際綫廠有限公司
198	上海太平國際貨柜有限公司	上海市	上海嘉定縣集裝箱廠，土產進出口公司錦江航運公司	新加坡太平船務有限公司康公司

金額單位：萬美元

經營範圍	投資總額	外商投資		合營年限(年)	註册資本
		比例(%)	金額		
年加工再生金屬 3000 噸	57.0	37	21.4	10	40.0
年產薄膜手套，保鮮袋 530 噸	74.0	30	22.2	15	74.0
年產腊染服裝，門帘等 8000 件	20.0	50	10.0	10	14.0
年產日式豆沙，中西式點心 450 噸	29.6	49	14.8	10	21.5
年產電機食物料理機換向機 60 萬台	150.0	40	60.0	20	136.0
年產石英電子鐘，鐘表配件等 150 萬件	470.0	30	141.0	12	330.0
年產毛紗 600 噸，呢絨 120 萬米	450.0	55	247.5	30	300.0
生產錄像帶及磁電記錄產品	380.0	25	95.0	12	210.0
年產各類針織紗及有關產品 1800 噸	200.0	45	90.0	15	150.0
年產塑料包裝袋及塑料制品 3000 噸	365.0	30	109.5	10	255.0
年產塑料袋等 3000 噸	350.0	30	105.0	10	277.0
年產一次性竹筷 7200 萬雙等	22.6	50	11.3	10	22.6
年加工服裝輔料 120 萬件	15.4	64	10.0	10	10.0
年產各類高級時裝 40 萬件	64.0	30	19.2	10	45.0
年產金屬表面處理的化工產品原料 1000 噸	100.0	32	32.0	10	81.0
年產軟性長毛絨玩具 100 萬打	138.0	55	75.9	20	96.6
年產以 HDPE 制品的塑料包裝袋 3000 噸	365.6	30	109.7	10	260.0
年產塑膠玩具及制品 500 萬隻	280.0	75	210.0	20	200.0
年產高級眼鏡架及眼鏡制品 18 萬付	180.0	40	72.0	15	126.0
年產電纜附件及相關產品 100 萬套	1,460.0	80	1,168.0	15	584.0
年產聚合物分散體 1 萬噸	1,670.8	50	835.4	26	1,074.8
生產百葉窗，卷帘類產品	1,076.0	90	968.4	30	500.0
肯德基炸雞快餐和其他食品	200.0	51	102.0	15	140.0
年產滌綸縫紉綫等 2400 噸	760.0	45	342.0	25	380.0
生產國際通用貨柜有關配套產品	900.0	60	540.0	30	500.0

1989年中國批准中外合資經營企業協議（合同）一覽表

序號	企業名稱	企業所在地	合營雙方 中方名稱	合營雙方 外方名稱
199	上海航空印刷有限公司	上海市	上海天章記錄紙廠民航開發服務公司閔行聯合公司	美國華宇有限公司
200	蘇州蘇盛鰻業有限公司	蘇州市	江蘇省外貿滸墅關冷庫	日本國株式會社日盛產業
201	張家港市貝貝制鞋有限公司	張家港市	張家港市振業橡膠總廠	美國新澤西州吉達企業有限公
202	昆山華弼金屬回收加工有限公司	昆山市	昆山工業開發投資總公司	美國弼元公司
203	常熟福誠絲綢工藝時裝有限公司	常熟市	常熟市福裕工貿有限公司	西班牙巴倫西亞長城飯店
204	張家港市興龍國際標準件有限公司	張家港市	張家港市沙工化機廠	香港天信用貿易代理公司
205	蘇州新平塑膠制品有限公司	吳縣	吳縣太平鄉對外經濟貿易公司	新加坡新大陸塑膠玩具私人有司
206	蘇州瑰寶箱包有限公司	蘇州市	蘇州市漆器雕刻廠	日本井石公司
207	蘇州三光電加工有限公司	蘇州市	蘇州市第三光學儀器廠	香港大同機械國際有限公司
208	蘇州意華塑料制品有限公司	吳縣	蘇州吳縣塑料六廠	香港意華發展有限公司
209	張家港金陵橡膠制品有限公司	張家港市	張家港市乳膠手套廠	西德梯勒菲爾德進出口有限公
210	蘇州太和制衣有限公司	太倉縣	太倉縣服裝廠	日本台和貿易株式會社
211	張家港協新醫療用品有限公司	張家港市	張家港大新工業公司	香港協聯機械工業有限公司
212	蘇州滬寶醫藥設備有限公司	昆山市	昆山興盛對外經濟貿易公司	新加坡集合實業私人有限公
213	吳江林氏服飾有限公司	吳江縣	吳江縣盛澤鎮外貿公司	美國林氏公司
214	吳江愛克欣醫用材料有限公司	吳江縣	工貿合營吳江醫療保健用品廠	美國愛克欣醫用工業有限公
215	蘇州寶醫衛生用品有限公司	吳縣	蘇州吳縣鎮湖油脂化工公司	新加坡集合實業私人有限公
216	昆山信成持物制藥有限公司	昆山市	昆山生物化學廠	香港大成發展有限公司
217	蘇州蘇宏工藝鞋有限公司	蘇州市	蘇州工藝鞋廠	日本本洲株式會社
218	張家港華聯幫迪管有限公司	張家港市	張家港大新對外經濟貿易公司	香港原紳集團投資有限公司
219	蘇州蘇統皮革制品有限公司	蘇州市	蘇州蛇皮制品廠	美國附屬品有限公司
220	蘇州姑蘇針灸器械有限公司	蘇州市	蘇州市姑蘇針灸用品廠	美國天神企業有限公司
221	蘇州華藍電子有限公司	吳江縣	吳江縣機械電器研究所	澳大利亞澳亞貿易咨詢公司
222	蘇州聯泰制衣有限公司	蘇州市	蘇州市服裝一廠	美國塞班聯泰國際有限公司
223	張家港金亮麻紡織有限公司	張家港市	張家港市麻紡織廠	香港金亮發展有限公司
224	吳江震港染料化工有限公司	吳江縣	工貿合營吳江染料化工廠	香港相互投資有限公司
225	蘇州合力園藝制品有限公司	吳縣	工貿合營吳縣珠寶工藝品廠	美國合力發展公司
226	蘇州北美粘膠材料有限公司	吳縣	蘇州吳縣橡膠制品廠	美國梅氏國際有限公司

金額單位：萬美元

經營範圍	投資總額	外商投資 比例(%)	外商投資 金額	合營年限(年)	註册資本
航空運輸票證及其印刷品	161.0	25	42.0	20	134.0
年產鰻魚配合飼料 5000 噸	420.0	42	176.4	12	210.5
年產高中檔各類鞋子 400 萬雙	70.0	25	17.5	10	50.0
年回收加工金屬 1 萬噸	96.0	60	57.6	20	67.2
年產各類時裝 52 萬件	30.0	40	12.0	12	21.0
年產各種自攻螺絲 7.5 億件	250.0	30	75.0	15	180.0
生產 PVC 吹氣玩具	180.0	30	54.0	10	126.0
年產包袋 90 萬隻	160.0	55	88.0	10	113.0
年產電加工機床 300—500 台	450.0	25	112.5	20	320.0
年產一次性注射器 10,200 萬支	490.0	25	122.5	10	430.0
年產乳膠手套 3600 萬隻	39.2	52	20.4	10	39.2
年產服裝 30 萬件	30.6	25	7.7	10	21.4
年產注射器 12,000 萬支	580.0	25	145.0	10	480.0
年產全自動捻棉棒機 25 台	20.0	33	6.6	11	20.0
年產服裝 1 萬套	10.0	50	5.0	10	7.0
年產醫用巾 1000 萬條	269.0	40	107.6	15	188.5
年產醫用棉花棒 500 包	26.8	30	8.0	12	20.1
年產赤霉素 5.5-10 噸	321.7	25	80.4	30	225.2
年產工藝鞋 300 萬雙	150.0	51	76.5	10	140.0
年產幫迪管 2000 噸	500.0	25	125.0	10	400.0
年產蛇皮製品 150 萬件	70.0	40	28.0	10	50.0
年產針灸針 14 萬支	22.0	50	11.0	10	22.0
年產高分辨單色管 8 萬隻	27.0	51	13.8	10	21.5
年產服裝 80 萬件	30.0	50	15.0	10	21.0
年產麻紗 900 噸	980.0	50	490.0	20	500.0
年產染料 200 噸	112.0	25	28.0	10	80.0
年產工藝品 10000 套	35.0	30	10.5	12	26.7
年產塑粘性膠帶 800 卷	173.5	30	52.1	15	135.1

1989年中國批准中外合資經營企業協議（合同）一覽表

序號	企業名稱	企業所在地	合營雙方	
			中方名稱	外方名稱
227	蘇州賽瑪克電機有限公司	蘇州市	蘇州四星電子電器公司	日本賽瑪克國際株式會社
228	昆山大多服裝有限公司	昆山市	昆山市多種經營開發投資總公司	日本包敷市大丸通商株式會
229	昆山大地玩具有限公司	昆山市	上海向陽玩具廠昆山陳墓分廠	美國大地國際有限公司
230	常熟五洋皮件有限公司	常熟市	常熟市第三皮件廠	加拿大五洋國際有限公司
231	無錫梁溪冷軋薄板有限公司	無錫縣	無錫縣高頻焊管廠	香港商橋貿易有限公司
232	華光電子工業有限公司	無錫市	國營無錫電器廠	日本光洋電子工業株式會社
233	無錫富路特包裝機械有限公司	江陰市	江陰建築工程機械廠	日本袱滬特公司
234	無錫工裝閥門鑄造有限公司	無錫市	無錫市儀表閥門廠	日本工裝株式會社
235	無錫華新可可食品有限公司	無錫市	無錫市可可食品廠	新加坡鴻貿國際私人有限公
236	宜興成俊紡織有限公司	宜興市	宜興市第三疝紡廠	美國關島太平洋建築開發有
237	宜興康達塑膠制品有限公司	宜興市	宜興市丁山紡織廠	香港義聯貿易公司
238	無錫美達織造有限公司	無錫市	無錫市旅遊總公司	日本徐永根先生
239	常州瀨藝陶瓷工藝制品有限公司	溧陽縣	溧陽縣紡織器材廠	美國藝舍精品公司
240	常州東和錄像帶制品有限公司	常州市	常州市東方實業公司	香港敦協國際有限公司
241	常州可大塑料有限公司	常州市	常州塑料編織總廠	香港可大國際貿易有限公司
242	常州金恆汽車配件有限公司	金壇縣	金壇縣消音隔熱材料廠	香港恆偉電業原料有限公司
243	南京順達商印有限公司	南京市	南京日報社	香港豐富文化企業公司
244	南京四達巖棉有限公司	南京市	南京巖棉制品廠	日本京都三興技研（株）
245	南京美陵包裝材料有限公司	南京市	南京野百合工藝美術品實業公司	美國梅氏國際貿易公司
246	南京共浦草席有限公司	南京市	南京浦口草席廠	日本產通東方株式會社
247	金陵巴斯夫樹脂有限公司	南京市	中國石油化工總公司金陵石油化工公司	聯邦德國巴斯夫股份公司
248	江蘇東星皮革有限公司	南京市	江蘇省畜產進出口（集團）公司	美國東星國際有限公司
249	南京金陵玻璃工業有限公司	南京市	南京金陵玻璃廠	香港宏加有限公司
250	南京國海生物工程有限公司	六合縣	六合縣第一化工廠	新加坡國海貿易私人有限
251	江蘇華泰抗生素有限公司	泰州市	泰州微生物化學制藥廠	香港怡堡實業有限公司
252	揚州江洋可鍛鑄鐵有限公司	江都縣	江都縣可鍛鑄鐵廠	美國泛太平洋公司
253	徐州愛力勁電子有限公司	徐州市	徐州無綫電二廠	美國依泰克有限公司
254	南通喜而奇針織服裝有限公司	南通市	南通棉紡織實驗廠	日本國西爾克株式會社
255	南通彌榮文體用品有限公司	南通市	南通經濟聯合開發公司	日本國彌榮工業株式會社
256	南通海洋巾被有限公司	海門縣	海門縣毛巾廠	美國關島太平洋建築開發
257	南通安立磁性材料有限公司	海安縣	海安縣磁性材料廠	香港獲立實業公司

金額單位: 萬美元

經營範圍	投資總額	外商投資		合營年限(年)	註冊資本
		比例(%)	金額		
年產小型家用電器200萬台	140.0	50	70.0	12	100.0
年產服裝 30 萬條	30.0	37	11.1	10	24.0
年產玩具 15 萬打	35.0	25	8.8	10	25.0
年產皮件產品 15 萬打	28.0	50	14.0	10	20.0
年產冷軋鋼板和帶鋼10 萬噸	2,390.0	25	597.5	12	956.0
年產 PC 產品 1993 台	121.0	40	48.4	15	97.0
年產包裝整機150 台套	60.0	49	29.4	12	60.0
年產鑄鋼件 750 噸	125.0	36	45.0	20	110.0
年產可可帶豆 12,000 噸	640.0	25	160.0	12	540.0
年產混紡紗 300 噸	120.0	30	36.0	15	120.0
年產塑膠製品 1,500 噸	130.0	40	52.0	11	100.0
年產毛衫 5 萬打	40.0	40	16.0	12	40.0
年產工藝裝飾品 10 萬打	10.0	40	4.0	10	10.0
年產錄像帶盒 480 萬盒	200.0	40	80.0	10	160.0
年產塑料窗帘 1600 萬平方米	140.0	30	42.0	10	100.0
年產汽車內飾材料 200 萬平方米	152.0	40	60.8	10	152.0
年印刷製品 30 萬令紙	270.0	50	135.0	20	189.0
年產巖棉管套 2100 噸	118.0	61	72.0	10	118.0
年產標準卷膠帶 840 萬米	200.0	35	70.0	10	140.0
年產草席 50 萬條	160.2	50	80.1	10	112.9
年產不飽和聚酯樹脂 10000 噸	1,624.4	50	812.2	28	844.2
年產裘皮服裝 5000 件	37.5	40	15.0	10	26.8
年產玻璃 140 萬箱	2,632.9	25	658.2	20	1,053.2
年產 L-蘋果酸 500 噸	175.0	50	88.0	15	150.0
年產土霉素鹼 100 噸，利福平 5 噸	320.0	25	80.0	10	320.0
年產可鍛鑄鐵產品 2000 噸	40.0	25	10.0	10	40.0
年產電池 4000 萬對	450.0	30	135.0	10	400.0
年產服裝 564 萬件	230.0	55	126.5	15	160.0
年產文具盒 240 萬隻	140.0	60	84.0	15	100.0
年產毛巾被 125 萬打	170.0	25	42.5	11	120.0
年產電感磁性材料 3000 萬隻	298.4	25	74.6	10	232.1

1989年中國批准中外合資經營企業協議（合同）一覽表

序號	企業名稱	企業所在地	合營雙方 中方名稱	外方名稱
258	南通順達集裝箱有限公司	南通市	南通鍋爐廠	香港順僑發展有限公司
259	鹽城達陽針織絨有限公司	射陽縣	射陽縣紡織公司	香港達利體系有限公司
260	鹽城豐泰紗綫有限公司	大豐縣	淮南第二紗廠	泰國賢成兩合公司
261	東台新曹鰻業有限公司	東台市	江蘇省新曹農場水產公司	香港華暉發展公司
262	鹽城東方時裝有限公司	大豐縣	大豐縣服裝廠	日本國東亞國際貿易公司
263	淮陰蓋克斯工具制造有限公司	淮陰市	淮陰工具廠	法國蓋克斯公司
264	連云港華茂電器有限公司	連云港市	國營七七八廠連云港分廠	香港華茂實業公司
265	鴻興皮件有限公司	甌海縣	甌海縣皮件廠	阿特斯企業有限公司（美國
266	瑞安市利華箱包配件有限公司	瑞安市	瑞安磁性五金廠	意大利利華進出口有限公司
267	溫州華龍鞋業有限公司	溫州市	溫州新橋旅遊鞋廠	（巴西）徐滿香
268	溫州珍華工藝用品有限公司	溫州市	溫州西山工藝五金制品廠	（法國）鄭珍存
269	金絲鳥絲綢時裝有限公司	杭州市	杭州東風絲綢印染廠	（瑞典）周秀貞
270	杭州大杭合成皮塑有限公司	杭州市	杭州合成塑料總廠	（香港）興望有限公司
271	杭州鑫和化學纖維有限公司	臨平縣	浙江臨平化學纖維廠	協和（香港）機械工業公司
272	新亞藥業有限公司	新昌縣	浙江新昌膠丸總廠	香港中達企業公司
273	中富塑料制品有限公司	紹興縣	上海工藝品進出口公司，紹興申越服飾公司	香港富式有限公司
274	浙江新春軸承有限公司	紹興縣	浙江新昌軸承總廠	香港富春機械設備有限公司
275	浙江龍昌電氣有限公司	紹興縣	浙江上虞多速微型電機廠	（香港）申昌馬達工程公司
276	貴寶化工有限公司	嘉興市	嘉興中華化工總廠	美國殷麗女士
277	青英鞋業有限公司	桐鄉縣	桐鄉青石制鞋工業公司，中國商品基地公司浙江分公司	（英國）英百達國際有限公
278	江山宏達塑料制品有限公司	江山市	江山老虎山水泥廠	香港華商工業器材有限公司
279	浙江一穩塑膠制品有限公司	巨州市	巨州塑料一廠	香港穩可興業有限公司
280	浙江亞東醫藥敷料有限公司	臨海市	浙江臨海衛生材料廠	美國 MAI 公司
281	浙江天美制藥有限公司	台州市	浙江天台制藥廠	美國西方醫藥公司
282	浙江康採恩塑料機械有限公司	杭州市	浙江塑料機械總廠	意大利澳拖尼鐵夫康採恩公
283	浙江東方皮件有限公司	杭州市	浙江皮革塑料供銷公司　海寧皮革服裝廠	日本若松皮毛有限公司
284	浙江善高化學有限公司	寧波市	浙江化工廠	（香港）善高投資有限公司
285	雙珠容器有限公司	蚌埠市	蚌埠市長青工業公司，珠海市灣仔公司	香港衆成貿易公司
286	雙龍石榴酒有限公司	懷遠縣	懷遠縣酒廠	香港均利建築有限公司

金額單位：萬美元

經營範圍	投資總額	外商投資		合營年限(年)	註册資本
		比例(%)	金額		
年產集裝箱 5000（TEV）	500.0	34	170.0	20	250.0
年產針織絨 330 噸	323.0	25	80.8	12	210.0
年產紗綫 750 噸	110.0	25	27.5	11	80.0
年產成鰻 320 噸	403.0	35	141.0	20	210.0
年產服裝 120 萬件	46.2	25	11.6	10	46.2
年產沖擊鑽 6000 萬件	323.0	60	193.8	20	269.0
年產微波爐 12 萬台	470.0	40	188.0	15	400.0
年產公文箱 30 萬隻	100.0	70	70.0	10	70.0
年產磁性鈕扣 160 萬隻	21.0	75	15.8	10	15.0
年產注塑鞋 100 萬雙	35.0	25	8.8	10	25.5
年產編織袋 70 萬隻等	15.0	50	7.5	10	11.0
年產高級服裝 20 萬套	60.0	43	25.8	10	42.0
年產 PU 移膜革 240 萬平方米	160.0	25	40.0	10	160.0
年產丙綸絲等 1800 噸	411.0	25	102.8	10	381.0
年產空心膠囊 6 億粒	300.0	35	105.0	10	255.0
年產中高檔 PVC 人造皮 600 萬碼	364.0	30	109.2	15	364.0
年產軸承 800 萬套	272.0	35	95.2	15	200.0
年產小功率電機 60 萬台等	141.4	35	49.5	20	141.4
年產人工檀香 100 噸，香蘭素 30 噸	33.8	25	8.4	15	23.7
年產皮鞋 100 萬雙	260.0	25	65.0	15	182.0
年產塑料微膜 1320 噸	122.0	30	36.6	15	92.0
年產塑料篷布等 2200 噸	188.0	35	65.8	11	175.0
年產手術巾 2500 萬條	100.0	31	31.0	15	71.0
年產鹽酸潔霉素 35 噸等	750.0	25	187.5	25	750.0
年產塑料和包裝機械 150 萬台	89.2	50	44.6	20	89.2
年產皮衣 4 萬件包袋 5 萬隻	40.0	30	12.0	10	40.0
年產燒碱 32000 噸	2,527.0	25	631.8	20	1,010.0
年產 1.25 公升以下聚脂瓶 2,500 萬隻	145.0	25	36.0	10	104.0
年產各類石榴酒，可樂等石榴飲料 3,000 噸	119.0	45	53.5	15	84.0

1989年中國批准中外合資經營企業協議（合同）一覽表

序號	企業名稱	企業所在地	合營雙方	
			中方名稱	外方名稱
287	淮南煤礦醫學影像中心	淮南市	淮南礦務局第三礦工醫院	美國泰索尼公司
288	同興木業有限公司	銅陵市	銅陵市林產品開發公司，上海市木材公司	美國西林公司
289	華陽針織有限公司	阜陽市	阜陽紡織印染總廠，省紡織進出口公司	香港高華貿易公司
290	博林木制品有限公司	亳州市	安徽省工藝品進出口公司，亳州市外貿公司	日本株式會社
291	百通塑膠有限公司	宿州市	宿州市塑膠工業有限公司，省出口商品基地公司	香港八達膠管有限公司
292	南洋食品有限公司	宿州市	宿州市實興機電產品經營部	菲律賓華僑莊貴生先生
293	希煒人工晶體有限公司	寧國縣	寧國密封件廠	美國晶球體國際有限公司
294	福建福華針紡織有限公司	福州市	福建省福聯紡織股份有限公司	香港集升發展有限公司
295	川隆紡織有限公司	福州市	四川省紡織工業廳進出口公司	香港遠隆實業有限公司
296	福州金匙摩托車有限公司	福州市	福州摩托車制造廠	香港金得發展有限公司等
297	福州耀福鞋業有限公司	福州市	福州鼓山來料加工裝配公司	香港耀福發展有限公司
298	福州福祿鞋業有限公司	福州市	福州市運動鞋總廠	香港順傑實業有限公司
299	福州福如工藝品有限公司	福州市	福州閩興磁性材料廠	美國田納西州中美企業有限
300	福州天益皮革制品有限公司	福州市	福州皮革廠	香港天勇發展有限公司
301	福州榕豐塑料制品有限公司	福州市	福州冷凍廠，福州馬江塑料制品廠	香港萬得豐實業有限公司
302	福建美雅磁帶工業有限公司	福州市	福州市八閩汽車廠	美雅（新加坡）磁帶工業有
303	福州飛馬汽車配件有限公司	福州市	中航技福建分公司，華燕通信機廠等	DMT國際集團　香港玉宇限公司
304	福州福興醫藥有限公司	福州市	福州第二抗菌素廠	香港興祥貿易公司
305	福建清華人造板有限公司	福清縣	福清僑鄉建設投資有限公司	香港利比利亞國際投資集團司
306	福建日山電子科技實業有限公司	莆田市	莆田縣電子廠	香港金泰力威有限公司
307	福建協豐鞋業有限公司	莆田縣	莆田縣亞天尾福利鞋廠	香港成長行貿易服務有限
308	莆田國悅化學工業股份有限公司	莆田縣	莆田合成氨廠等	香港國悅關系企業有限公
309	永耀有色金屬有限公司	永安市	永安市硅業股份有限公司	香港碧耀發展有限公司等
310	泉州大泉有限公司	泉州市	泉州賴氨酸廠等二家	正大（泉州）有限公司
311	豪盛（福建）有限公司	泉州市	泉州市區經濟發展公司等二家	豪盛石林（香港）有限公
312	晋江邦克鞋業有限公司	晋江縣	晋江縣內坑電廠	菲律賓華達地產實業有限
313	石獅達龍內衣有限公司	石獅市	石獅胸罩服裝廠	香港坦誠有限公司
314	石獅達龍織帶廠有限公司	石獅市	石獅胸罩服裝廠	香港坦誠有限公司

金額單位：萬美元

經營範圍	投資總額	外商投資		合營年限(年)	註册資本
		比例(%)	金額		
從事有償醫療保健服務	113.0	25	28.0	5	113.0
年產桐木家具等桐木製品 2,000-4,000 立方米	40.5	30	12.2	10	40.5
年產 針織面料及成衣 707.7 噸	105.0	38	39.9	10	105.0
年產桐木製家俱等其它製品 1-3 萬立方米	140.0	50	70.0	30	100.0
年產 PVC 管件 500 噸，管材 1,000 噸	138.0	30	41.4	15	98.0
產銷面包，年加工面粉 1,100 噸	40.5	50	20.2	10	32.4
年產人工球晶體 6 萬片	70.0	25	17.5	10	50.0
生產各種純棉，化纖等針織品	430.0	30	129.0	15	215.0
生產各種純棉，化纖等針織品	645.0	50	322.0	15	322.0
生產經營各種摩托車及零配件	1,155.0	65	751.0	30	578.0
生產經營各種時裝鞋	200.0	75	150.0	20	200.0
生產運動鞋以及其它鞋類產品	380.0	60	228.0	15	266.0
生產人造花，年產 10 萬打	32.0	56	18.0	10	32.0
各式皮鞋及其它皮革製品，90% 外銷	369.0	25	92.0	10	369.0
生產塑料背心袋	200.0	40	80.0	12	168.0
生產空白錄像磁帶	175.0	64	112.0	15	167.0
生產管帶式汽車系列水箱和汽車配件	375.0	30	112.0	15	267.0
生產抗菌素類原料藥，中間體和製劑等	375.0	25	94.0	10	292.0
年產蔗渣碎粒板 1 萬平方米	250.0	25	63.0	30	196.0
生產石英諧振器等	937.0	27	253.0	10	937.0
年產運動鞋 400 萬雙	298.0	50	150.0	30	298.0
生產燒碱等	877.0	55	482.0	15	877.0
年產硅鐵 1 萬噸	511.0	55	281.0	10	511.0
生產飼料等	1,921.0	55	1,057.0	15	961.0
生產建築材料等	1,000.0	60	600.0	30	1,000.0
年產旅遊鞋 15 萬雙	40.0	73	29.0	10	40.0
生產胸罩等	269.0	83	223.0	15	200.0
生產松緊帶等	269.0	83	223.0	15	200.0

1989年中國批准中外合資經營企業協議（合同）一覽表

序號	企業名稱	企業所在地	合營雙方 中方名稱	外方名稱
315	漳州國際鋁容器有限公司	漳州市	漳州市鋁容器有限公司	香港大華有色金屬有限公司
316	漳州威麗電子企業有限公司	漳州市	漳州市無綫電一廠	香港龍源實業有限公司
317	厦門欣春食品有限公司	厦門市	杏林農村經濟技術開發公司	香港杜威投資有限公司
318	厦門華隆毛紡有限公司	厦門市	厦門建設發展公河，省福興財務公司，厦門紡織工業公司	香港鑫隆有限公司
319	厦門必可電子有限公司	厦門市	厦門第二電子儀器廠，厦門半導體器件廠等4家	美國必可(H.K.)電子有限公 22家
320	厦門銀康水產開發有限公司	厦門市	同安馬巷鎮經聯水產冷凍廠	加拿大加華貿易有限公司
321	厦門黛娜密紡織有限公司	厦門市	厦門義閣賓館	菲律賓黛娜紡織廠
322	厦門厦阜電力電子有限公司	厦門市	厦門經濟華夏集團，遼寧阜新晶體管廠等3家	美國迪塔太平洋供應有限公
323	厦門金鷺特種合金有限公司	厦門市	厦門鎢品廠，中國有色金屬進出口公司	香港敏享有限公司
324	厦門福泰有限公司	厦門市	厦門畜禽（集團）公司	香港正大（厦門）有限公司
325	厦門港倉儲運輸有限公司	厦門市	厦門港務局	香港大榮貨倉有限公司
326	厦門金龍汽車車身有限公司	厦門市	厦門汽車工業公司　柳州汽車廠	香港法亞洋行
327	厦門同茂罐頭有限公司	厦門市	同安新圩興華罐頭廠，厦門經濟特區對外貿易集團公司	新加坡協茂股份有限公司
328	青島華泰五金制品有限公司	青島市	青島即墨縣室内成套用品公司	香港加華貿易投資有限公司
329	青島泰富磨具有限公司	青島市	中國第四砂輪廠	日本富士制砥（株）
330	青島金繡室內裝飾用品有限公司	青島市	青島機繡花邊廠	美國金聯貿易公司
331	青島青遠塑料有限公司	青島市	青島塑料總廠	香港遠雄貿易有限公司
332	青島明星石墨制品有限公司	青島市	青島平度日月石墨加工廠等兩家	星印國際（香港）有限公司
333	青島美爾粉末塗料有限公司	青島市	青島琴島海爾股份有限公司	香港美佳粉末塗料有限公司
334	青島嶗豐工藝有限公司	青島市	青島嶗山花邊廠	香港萬豐繡花有限公司
335	青島佳寶長毛絨有限公司	即墨縣	青島大華機器廠	香港寶暉貿易有限公司
336	長島縣長邊水產有限公司	蓬萊縣	長島海洋漁業公司	加拿大溫哥華三邊企業有限
337	煙台福美制鞋有限公司	煙台市	煙台第五制鞋廠	美國加利福尼亞州希萊斯超
338	煙台華先電磁綫有限公司	煙台市	煙台開發區華光銅綫廠	美國加州希萊斯超級市場
339	煙台東北石材有限公司	牟平縣	牟平縣永安企業公司等三家	美國東北石材有限公司
340	萊陽澳昌毛紡有限公司	萊陽市	萊陽市毛毯廠	澳大利亞新亞華貿易有限公
341	濟南宇新巾被有限公司	濟南市	濟南毛巾廠	澳洲科恩達有限公司、香港 限公司
342	濟南金磊石材有限公司	濟南市	濟南市花崗石開發公司、中國建北石材工業公司	美國北達佛爾斯公司

金額單位：萬美元

經營範圍	投資總額	外商投資		合營年限(年)	註册資本
		比例(%)	金額		
生產易開蓋容器	2,800.0	25	700.0	15	1,200.0
年產二極管3億隻	550.0	44	242.0	12	316.0
年產果蔬、水產品等1萬噸	268.0	85	228.0	50	268.0
年產毛條800噸	200.0	50	100.0	20	200.0
年產開關電源24萬台	70.0	50	35.0	15	70.0
開發對蝦100噸	80.0	25	20.0	10	59.0
年產服裝20萬件	75.2	80	60.1	10	53.7
年產晶閘管及派生器件100萬支	110.0	25	27.5	10	80.0
年產鎢粉200噸，碳化鎢粉300噸	566.9	25	141.7	20	322.4
年產配合飼料濃縮飼料9萬噸，適當規模雞場	2,042.0	60	1,225.0	50	816.0
從事集裝箱運輸業務等	298.2	33	99.4	15	214.9
年產汽車車身沖壓件1200台	1,078.1	25	269.5	40	1,078.1
年產食品罐頭2500噸	67.2	40	26.8	15	67.2
年產各種五金制品500萬件	200.0	33	66.0	15	140.0
年產切割砂輪144萬片等	81.4	60	48.9	20	81.4
年產錦代麗30.2萬件	71.0	42	30.0	10	71.0
年產手提箱等系列產品30萬個	150.0	38	57.0	15	150.0
年產鉛筆芯500萬羅等	489.3	60	293.6	20	244.6
年產粉末塗料300噸	161.2	28	45.1	10	121.0
年產花邊6萬套	140.0	40	56.0	10	100.0
年產長毛絨布150萬碼	242.0	30	72.6	10	170.0
生產經營各種貝類魚類等	116.9	25	29.2	10	116.9
年產中高檔粘注塑鞋100萬雙	52.0	25	13.0	10	52.0
年產各種繞包扁銅綫、漆包綫、裸銅綫1000噸	70.0	25	17.5	15	50.0
年產石、大理石板材等10萬平方米	128.0	44	56.3	10	107.0
年產毛毯25萬條	68.5	35	24.0	10	68.5
生產經營毛巾被、浴巾等	325.8	60	195.5	10	256.0
生產大理石、花崗石荒料及制品	139.8	40	55.9	20	100.8

1989年中國批准中外合資經營企業協議（合同）一覽表

序號	企業名稱	企業所在地	合營雙方：中方名稱	合營雙方：外方名稱
343	濟南魯希燈飾有限公司	濟南市	濟南保溫瓶廠	美國 AC 國際公司
344	濟南一天齊特種平帶有限公司	濟南市	濟南市紡織器材廠	愛爾蘭天河齊里諾有限公 維斌公司
345	威海市威麗鞋制品有限公司	威海市	威海市第三皮鞋廠、山東立達進出口公司	美國洛麗國際開發公司
346	文登寶利漁具有限公司	文登市	文登市漁具廠、山東輕工進出口公司	香港全益公司
347	榮成新美塑料有限公司	榮成市	榮成市里島遠洋漁業公司	新加坡美亞貿易（私人）
348	文登味冠味精有限公司	威海市	威海市味精廠	澳洲雪梨長榮投資進出口
349	文登海順精煉油植物油脂有限公司	文登市	文登市北海糧油工貿公司	高潤（香港）實業有限公
350	山東康威電子有限公司	威海市	威海衛市機械電子實業公司	香港鴻年電子實業公司、 實業發展有限公司
351	威海（中美）源達紡織有限公司	威海市	威海市化纖廠	美國野王產業集團成套設 利公司
352	濰坊亞洲木器有限公司	安丘縣	安丘縣木器廠	大西洋硬木公司、英特曼 國）
353	濰坊華利皮鞋有限公司	濰坊市	濰坊皮鞋廠	芒蒂卡拉公司、英特曼公
354	濰坊太平洋木制品有限公司	濰坊市	濰坊第二木器廠	英特曼公司、芒蒂卡拉公
355	淄博魯美蛋粉有限公司	淄博市	淄博禽蛋制品廠	美國食品機械公司
356	山東泰山制藥有限公司	泰安市	泰安魯中制藥廠	香港益堡實業有限公司
357	棗莊市山美羽絨制品有限公司	棗莊市	棗莊市羽絨制品公司	美國 K.A.W. 國際公司
358	濟寧康美工業包裝材料有限公司	濟寧市	濟寧市電子光學儀器廠	美國梅氏國際有限公司
359	德州龍德塑膠有限公司	德州市	德州石油化工廠	香港崇勝實業有限公司
360	新鄉新英微細漆包綫有限公司	新鄉市	河南省新鄉無氧銅材總廠	英國中東財經貿易有限公
361	河南玉美香煙濾嘴有限公司	周口市	河南省周口地區農業生產資料公司	美國紐約祥安國際貿易有
362	河南金雙環冷藏汽車有限公司	新鄉市	河南省新鄉市汽車改裝修配廠	香港大亞紙品有限公司
363	武陟信豫裘皮制品有限公司	焦作市	中國河南省畜產品進出口集團公司	香港德信行有限公司
364	河南原奇果蔬加工有限公司	鄭州市	中國中原國際集團投資公司	美國奇異開發企業公司
365	河南華瑞洗衣機有限公司	商丘市	河南商丘低溫設備廠	瑞士潘托買德公司
366	鄂港石材工業開發（集團）有限公司	武漢市	湖北省對外經貿服務公司，湖北省外運公司	香港標準土木工程公司

金額單位: 萬美元

經 營 範 圍	投資總額	外商投資		合營年限(年)	註册資本
		比例(%)	金額		
生產各類裝飾燈片及燈具	105.0	28	29.4	10	105.0
生產經營各種高速、高强度傳動帶及紡織器材	2,000.0	40	800.0	20	800.0
年產各種女式高檔皮鞋 50 萬雙	107.5	33	35.0	12	107.5
生產纖維魚竿	228.0	25	57.0	10	159.9
年產塡充劑 2000 噸	70.0	30	21.0	15	70.0
年產味精 5000 噸	833.0	30	249.9	10	672.0
生產經營精煉油及其副產品	800.0	60	480.0	10	400.0
生產電子電話機、程控電話交換機	274.2	49	134.0	10	274.2
年產醫療衛生用手術衣及其制品 100 萬件	400.0	35	140.0	30	210.0
生產木制門窗及其它產品	430.0	50	215.0	20	220.0
生產各種皮鞋、旅遊鞋等	420.0	57	239.4	20	210.0
生產木制門窗	550.0	50	275.0	20	280.0
年產蛋白粉、蛋黃粉等產品 1000T	551.6	32	176.5	15	401.1
年產硫酸慶大霉素等抗生素類醫藥產品 20 噸	376.3	30	112.9	10	268.8
生產經營羽絨制品	100.0	30	30.0	10	100.0
年產塑膠帶1100萬標準卷	200.0	25	50.0	15	160.0
年產塑膠包裝袋及塑膠制品 3200 噸	270.0	35	94.5	15	189.0
年產微細漆包綫 1000 噸	250.0	50	125.0	25	250.0
年產煙嘴 2500—3000 噸	300.0	60	180.0	15	270.0
年產載重三噸或八噸冷藏車 200 台	100.0	60	60.0	10	100.0
生產銷售綿羊皮爲原料的剪羊絨制品	100.0	40	40.0	10	100.0
加工水果蔬菜和農副產品	11.0	30	3.0	10	11.0
生產滾筒式全自動洗衣機	270.0	41	110.0	10	270.0
年產花崗石，大理石制品 10 萬平方米	400.0	30	120.0	10	200.0

1989年中國批准中外合資經營企業協議（合同）一覽表

序號	企業名稱	企業所在地	合營雙方 中方名稱	外方名稱
367	湖北黃石豪龍針織企業有限公司	黃石市	黃石市第一針織廠	香港豪龍投資有限公司
368	湖北省沙達微波爐有限公司	沙市市	沙市微波爐總廠	美國飛達國際公司
369	湖北津宏紡織有限公司	沙市市	湖北省服裝進出口公司，沙市市棉織廠	香港中宏發展有限公司
370	湖北沙太化學工業有限公司	沙市市	湖北沙市有機化工廠	澳大利亞中太平洋國際有限公
371	沙市華盛半導體有限公司	沙市市	沙市無綫電三廠	商仕科技（香港）有限公司
372	湖北沙隆標準件有限公司	沙市市	沙市紡織標準件廠	香港生隆（國際）貿易公司
373	湖北宜泰快餐食品工業有限公司	宜昌市	宜昌市快餐食品廠	香港大通華泰集團有限公司
374	湖北寧和彩印皮制品有限公司	咸寧市	咸寧地區檸檬酸廠	香港協和機械工業公司
375	湖北當陽陶瓷有限公司	當陽市	當陽市建築陶瓷工業公司	香港意寶建築材料有限公司
376	湖南郴港食品罐頭有限公司	郴州市	湖南省郴州食品罐頭廠	香港源發貿易公司
377	湖南常輝活性炭有限公司	常寧縣	常寧縣化工三廠	美國永輝企業有限公司
378	南湘毛紡有限公司	長沙市	長沙毛紡織廠	香港宇恆有限公司
379	湖南長島電路有限公司	長沙市	湖南計算機廠	香港歐業有限公司
380	廣州珠江特種紙有限公司	廣州市	珠江造紙廠	香港高力國際企業有限公司
381	嘉新陶瓷工業有限公司	廣州市	廣東省華僑實業發展公司	新加坡嘉豐投資私人有限公 大利納斯第意托爾公司
382	勝家—華南縫紉機有限公司	廣州市	華南縫紉機工業公司	美國勝家縫紉機公司
383	廣州市（中美實業）廣風鑄造有限公司	廣州市	廣州鑄鍛工業公司	美國鳳凰集團、美國美中貿有限公司
384	廣東南方制碱有限公司	廣州市	廣州國信托投資公司等五個單位	香港越信隆財務有限公司
385	廣州華美檸檬酸有限公司	廣州市	花縣檸檬酸廠	香港邦億國際有限公司
386	廣州東紡床單紡織品有限公司	廣州市	廣州床單廠	香港東紡信實業有限公司
387	番禺冠移皮業有限公司	廣州市	番禺二輕工業（集團）公司	香港冠道有限公司
388	華蘭德(廣州)集團有限公司	廣州市	廣州華蘭德公司等8家	香港高泰發展有限公司等3
389	廣州現代通信技術工程有限公司	廣州市	廣州開發區新技術開發綜合公司等	香港工業控制公司
390	萬寶—紐帕爾斯乳業機械有限公司	廣州市	廣州萬寶集團番禺公司	新西蘭紐，帕爾斯公司
391	深圳健康機電有限公司	深圳市	蛇口工業有限公司	美國科教電腦系統有限公司
392	蛇口盛利磁電有限公司	深圳市	蛇口漢盛有限公司	香港佳利精密制造有限公司

金額單位：萬美元

經營範圍	投資總額	外商投資		合營年限(年)	註册資本
		比例(%)	金額		
年產面料 1,200 噸、色紗 700 噸	497.5	50	248.8	15	497.5
年產微波爐 40 萬台	499.0	25	124.8	10	249.5
年產色織布 650 萬碼	300.0	30	90.0	10	240.0
年產氰化鈉 4,000 噸，有機玻璃 1,000 噸	498.0	65	323.7	10	498.0
年產汽車二級管 1,200 萬隻	150.0	25	37.5	11	120.0
年產標準和非標準緊固件 10 億件	268.0	25	67.0	10	240.0
年產碗（杯）裝快餐面等快餐食品 3,000 萬份	162.0	35	56.7	15	162.0
年產印花皮革，皮件等皮制品 25.5 萬張	150.0	30	45.0	11	150.0
生產銷售建築陶瓷，日用陶瓷	452.0	30	135.6	15	371.0
年產食品罐頭及飲料 3000 噸	168.9	30	50.7	10	168.9
年產活性炭 1000 噸	150.0	50	75.0	20	150.0
年產晴綸毛條 3000 噸	230.0	40	60.0	10	150.0
年產雙面和多面電路版 3 萬平方米	600.0	25	150.0	10	500.0
年產復寫紙 3000 噸	403.0	25	100.8	15	282.0
年產二次燒成壁磚 200 萬平方米等	1,500.0	80	1,200.0	50	600.0
生產銷售縫紉機	970.0	51	494.7	30	810.0
年產汽車鑄件、零件和部件等 30000 噸	510.0	40	204.0	15	255.0
生產經營純碱及副產品芒硝等	6,448.8	25	1,612.0	25	1,612.0
生產檸檬酸	735.1	50	367.6	15	500.0
產銷加工各類紡織裝飾產品和他配套紡織產品	498.7	40	199.5	20	369.0
生產經營各種裘皮、皮革系列產品	384.0	60	230.4	30	320.0
年產微型電子計算機公用网絡系統 3000 套	2,702.7	30	810.7	15	2,702.7
年產移動電話機 36,000 台	300.0	30	90.0	50	300.0
年產擠奶機 600 台	54.0	50	27.0	10	54.0
生產計算機，傳眞機等	100.0	25	25.0	10	100.0
生產計算機軟盤及塑料配制件	208.0	50	104.0	15	208.0

1989年中國批准中外合資經營企業協議（合同）一覽表

序號	企業名稱	企業所在地	合營雙方 中方名稱	外方名稱
393	深圳愛義模具設計制造有限公司	深圳市	中國北方工業公司深圳分公司	美國唐—艾文斯國際公司
394	布吉生物化學實驗有限公司	深圳市	寶安布吉科技開發公司	柏特沃酶類香港有限公司
395	深圳飛龍紡織有限公司	深圳市	深圳市紡織工業公司等	香港依事成發展有限公司
396	深圳新竹輕工業品有限公司	深圳市	深圳外貿集團深茂實業發展公司等	菲律賓晨光公司
397	深圳光明熒光材料有限公司	深圳市	深圳科技工業園總公司	美國 AMERZCAN LUMI 公
398	深圳福成建材化工有限公司	深圳市	山西省社會福利企業公司	日本國際技研開發株式會社
399	深圳維科生物技術有限公司	深圳市	深圳科技工業園總公司	新加坡維用科技有限公司
400	深圳萬事達磁帶有限公司	深圳市	深圳富華企業有限公司	香港達利亞有限公司
401	深圳威誠電器有限公司	深圳市	寶電有限公司等	香港昌誠工業有限公司
402	深圳中昌稀土礦產有限公司	深圳市	深圳市沙頭角中昌投資開發公司	香港聯發公司
403	深圳先進邏輯研究開發有限公司	深圳市	深圳科用開發有限公司	美國先進邏輯研究公司
404	深圳杜亥特箱包有限公司	深圳市	深圳華南電力技術開發服務公司	美國杜亥特箱包公司
405	深圳澳科電纜有限公司	深圳市	深圳科技工業園總公司、中國郵電器材總公司深圳公司	香港太平洋鄧祿普(亞洲)有限公司
406	深圳東安電子有限公司	深圳市	廣東省東方進出口公司新城分公司	安而佳有限公司
407	深圳大立皮革制品有限公司	深圳市	深圳市羅湖區工業發展公司、黑龍江齊隆 pu 革有限公司	香港商僑實業有限公司
408	深圳深益紡織有限公司	深圳市	深圳中工實業有限公司、廣東省經濟特區發展公司等	香港皇都實業有限公司
409	深圳富康精密電子陶瓷有限公司	深圳市	深圳美芝工業公司、湖北大學電子儀器廠	美利堅合衆國 HUNG HU[illegible]司
410	深圳華南食用菌有限公司	深圳市	福建省食用菌技術聯合開發總公司	玻利維亞共和國南美中國[illegible]口公司
411	深圳富利達電子有限公司	深圳市	中國北方工業公司深圳分公司、北京金星電腦工程公司	巴拿馬埃特爾投資有限公[illegible]
412	深圳海曼電光有限公司	深圳市	深圳科技工業園總公司	德意志聯邦共和國 HEIMA[illegible] CMBH 等
413	深圳益合塑膠有限公司	深圳市	中國燕興深圳實業公司	澳大利亞哈貝爾有限公司
414	深圳東洋金屬制品有限公司	深圳市	中信深圳公司	日本機械株式會社等
415	深圳華美通訊電纜有限公司	深圳市	深圳中工實業有限公司	美國通訊電纜公司
416	深圳宏陽金屬再生開發有限公司	深圳市	深圳宏茂拆船貿易有限公司	美國新世界聯合企業公司

金額單位：萬美元

經營範圍	投資總額	外商投資		合營年限(年)	註册資本
		比例(%)	金額		
設計制造模具及模架	30.0	51	15.3	20	30.0
生產木瓜旦白酶及其綜合利用加工	288.0	35	100.8	20	202.0
生產純棉，化纖及混紡紗等	519.0	25	129.7	20	269.0
生產工藝扇，皮制品等工藝制品	27.0	30	8.1	10	27.0
生產彩電熒光粉等	1,000.0	70	700.0	15	600.0
生產建築材料	59.0	55	32.4	10	59.0
生產醫用診斷試劑	31.0	90	27.9	20	31.0
生產空白錄像帶	390.0	50	195.0	10	210.0
生產電風扇等	458.0	65	297.7	20	250.0
生產單一稀土氧化物、永磁材料等	258.0	25	64.5	12	181.0
生產計算機軟件、CPU 板、控制卡等	50.0	85	42.5	18	50.0
生產高檔箱包及其裝飾件	30.0	50	15.0	15	28.0
生產電綫電纜	2,100.0	80	1,680.0	20	1,100.0
生產磁控管、磁控管續電器	280.0	49	137.2	20	280.0
生產 pu 革皮鞋	210.0	30	63.0	12	150.0
生產毛型化纖針織品等	417.0	40	166.8	20	210.0
生產電陶瓷變壓器等	150.0	25	37.5	15	122.0
生產香菇、銀耳等食用菌干制品	27.0	25	6.7	10	27.0
生產計算機軟件、開關電源等	27.0	25	6.7	15	27.0
生產電子閃光燈及其相關的元器件等	53.0	90	47.7	20	53.0
生產塑膠制品	69.0	33	22.7	15	69.0
生產金屬閥門、管道等	40.0	60	24.0	10	30.0
生產同軸電纜等	300.0	25	75.0	20	300.0
從廢舊電子元器件中提取稀貴金屬	54.0	44	23.7	10	54.0

1989年中國批准中外合資經營企業協議（合同）一覽表

序號	企業名稱	企業所在地	合營雙方 中方名稱	合營雙方 外方名稱
417	深圳協和電力有限公司	深圳市	深圳供電服務公司、華北電力聯合公司北京電力開發公司	香港向嘉有限公司
418	深圳凌通機電工業有限公司	深圳市	深圳華通工業有限公司等	加拿大華僑富蘭克林
419	深圳金鳳電工有限公司	深圳市	深圳中機實業開發中心等	香港金桂實業有限公司
420	深圳賽姆機械制造有限公司	深圳市	深圳華勝綫纜電工機械制造企業有限公司等	美國威特數控系統公司
421	深圳海洋保健滋補食品有限公司	深圳市	蛇口深珠工貿公司	澳大利亞 KRUSWOOD PT' 公司
422	深圳華樂開發有限公司	深圳市	深圳市黃金台科技創業村等	香港樂豐實業公司
423	廣宇打火機廠	珠海市	珠海斗門造船廠	香港奮華有限公司
424	遠東面粉廠有限公司	珠海市	珠海珠明集團公司	香港遠東發展有限公司
425	國際圖文傳眞機（珠海）有限公司	珠海市	特區電子工業公司，中國國營長江機器制造廠	香港向達實業有限公司
426	惠東廣興氨綸有限公司	汕頭市	惠東縣經濟發展公司	香港國際廣興行有限公司
427	惠東縣浩城磁電制品有限公司	汕頭市	惠東縣惠城鎮企業發展公司	香港浩然磁電實業公司
428	潮陽海燕自動洋傘廠	汕頭市	潮陽工業發展總公司	香港匯邁有限公司　香港百公司
429	汕頭春秋鰻魚食品有限公司	汕頭市	汕頭養鰻公司	香港春秋大業有限公司
430	偉達包裝材料有限公司	汕頭市	汕頭特區企業貿易公司	香港萬達發有限公司
431	廣陵（中國）電子有限公司	惠州市	惠州市荔浦實業總公司	香港勁偉實業有限公司
432	東富食品有限公司	惠州市	惠東縣糖廠	香港富東建設有限公司
433	陸豐大港養殖實業公司	汕尾市	陸豐縣甲西養殖場	香港聯豐制衣廠
434	東莞嘉利電器有限公司	東莞市	廣東常平鎮農工商聯合公司東莞市風扇總廠	（香港）旱利達有限公司
435	東莞銘東油脂有限公司	東莞市	東莞市穗東糧油實業公司	香港銘宇有限公司
436	東莞遠東集裝箱制造有限公司	東莞市	廣東省東莞鍋爐廠、中國機械設備進出口公司廣東分公司	香港銳成發展有限公司
437	東莞喜時來時裝有限公司	東莞市	東莞市供銷社實業發展公司	香港福忠實業有限公司
438	東莞漢威體育用品有限公司	東莞市	東莞市道並鎮工業公司、東莞市道並供銷社	香港始澤有限公司
439	東莞嘉利寶塑膠地磚有限公司	東莞市	凱利實業有限公司、東莞市東寶電子實業公司	岱嘉國際（香港）有限公司
440	中山益中電子有限公司	中山市	中山市坦背鎮經濟發展總公司	香港益通電子有限公司
441	中山永寧塑料制品有限公司	中山市	中山市小欖鎮永寧工業總公司	香港添利電子（集團）有限

金額單位：萬美元

經營範圍	投資總額	外商投資		合營年限(年)	註册資本
		比例(%)	金額		
發供電	3,224.0	25	806.0	20	1,075.0
生產電話機用的變壓器等	40.0	31	12.4	10	28.0
生產電綫電纜、小型變壓器等	253.0	25	63.2	15	177.0
生產金屬切削機床、工模具等	81.0	25	20.2	15	81.0
海產品系列的保健滋補食品及飲料	100.0	25	25.0	20	100.0
塑料制品等	200.0	30	60.0	30	140.0
年產各種打火機 3600 萬隻	200.0	25	50.0	10	200.0
年產各種面粉制品 1.9 萬噸	423.0	90	380.7	50	423.0
年產圖文傳眞機五萬台	389.1	40	155.6	10	389.1
生產氨綸產品	1,487.0	25	371.7	20	1,487.0
年產錄音帶 1375 卷	240.0	55	132.0	10	240.0
年產各式雨傘 60 萬打	300.0	40	120.0	10	300.0
養殖加工各種鰻魚食品	240.0	50	120.0	15	240.0
生產復膜包裝材料及香煙濾咀	300.0	40	120.0	10	300.0
年產電話系列產品 300 萬台塑料燈具 500 萬套	420.0	90	378.0	50	210.0
年產嗜喱粉 400 噸	400.0	50	200.0	15	400.0
年產腊鴨 54 萬隻，魚產品 500 噸	300.0	80	240.0	15	210.0
年產轉頁式風扇 20 萬台石英鐘 15 萬隻防水日光燈	256.4	25	64.1	10	256.4
年產精煉植物油 15000 噸	368.4	30	110.5	10	257.8
年產鋼質集裝箱 12000 個	485.0	25	121.2	10	340.0
年產時裝 16 萬打	360.0	35	126.0	15	210.0
年產球拍 78 萬支	225.0	72	162.0	10	157.5
年產塑膠地磚 5475 萬平方英尺	882.3	58	511.7	10	441.1
年產中周磁性材料磁帽磁芯 1.5 億（粒）	284.0	60	170.0	15	210.0
年產薄膜 6000 噸	1,350.0	50	675.0	10	1,350.0

1989年中國批准中外合資經營企業協議（合同）一覽表

序號	企業名稱	企業所在地	合營雙方 中方名稱	外方名稱
442	新光電池有限公司	江門市	新會縣國營商業總公司　廣東省商業發展總公司	澳門正興貿易行，澳門立業限公司
443	台山金彩邑有限公司	江門市	台山縣工藝制品廠	美國金彩邑企業有限公司
444	佛山雅麗家具裝飾有限公司	佛山市	佛山市家具廠	香港路綫投資公司
445	南海皇興電子實業有限公司	佛山市	南海平北經濟發展公司	香港中興實業公司
446	南方鋁搪瓷制品有限公司	佛山市	南海縣南方五金廠	香港宇宙展覽集團有限公司
447	南海鷹龍塑料制品有限公司	佛山市	廣州鋼琴廠勞動服務公司、里水鋼琴部件廠	美國騰龍國際貿易公司
448	柳州依泰克電子有限公司	柳州市	柳州市自動化控制設備總廠	美國依泰克有限公司
449	廣西維用石材有限公司	岑溪縣	廣西五金礦產（集團）公司，廣西岑溪縣勞動服務公司	新加坡維用私技（私人）有
450	廣西華宏鈦白粉廠	百色市	廣西大華化工廠，廣西國際經濟技術合作公司	桂宏工程實業有限公司
451	海南黃海美實業股份有限公司	海口市	海南黃海美機電公司	美國協和公司
452	海口金橋紡織絲綢實業有限公司	海口市	四川納溪縣絲廠	富林（利比里亞）有限公司
453	海南澳蘭德礦業發展有限公司	海口市	中國華蘭德國際工程技術公司海南公司	香港美德利有限公司
454	海南蘭迪國際電子有限公司	海口市	海南通海貿易公司	美國T&E公司
455	海南華意腰果開發有限公司	海口市	海南華信集團有限公司	香港瓦倫布魯沙公司
456	海南亞藤有限公司	海口市	海南亞昌工貿股份有限公司	日本國伊藤株式會社
457	海南美利加電子有限公司	海口市	海南省電子工業總公司	美國路脫斯有限公司
458	四川川村中藥材有限公司	成都市	中國四川省醫藥保健品進出口公司	日本國株式會社津村
459	成都平和粉末冶金有限公司	成都市	成都電機廠	香港平和精機有限公司
460	重慶3S精密壓鑄加工有限公司	重慶市	重慶冶金十八冶建設公司	美國太平洋精密壓鑄加工公
461	重慶三友永磁有限公司	重慶市	重慶三友永磁材料廠	美國隆盛有限公司
462	四川華瑞電位器有限公司	新都縣	國營永星無綫電器材廠	瑞士電位器有限公司
463	四川海星蝦業有限公司	廣漢市	四川省自然資源技術開發公司，廣漢市水產公司	美國海星國際公司
464	貴州波斯通話塞有限公司	貴陽市	貴州汽車制造廠	阿根廷波士頓公司
465	昆亞有限公司	昆明市	昆明市塑料工業公司	新加坡美亞貿易私人有限公
466	云力機械有限公司	昆明市	云南省第三機床廠，云南省機械設備進出口公司	美國動力有限公司

金額單位：萬美元

經營範圍	投資總額	外商投資		合營年限(年)	註册資本
		比例(%)	金額		
年產鎳鋅電池 1500 萬隻	750.0	48	360.0	16	750.0
生產塑料制品等	100.0	90	90.0	20	70.0
年產木家具 15 萬件、通用木工機械設備 100 台	640.0	55	352.0	15	320.0
年產電腦周邊組件、鍵盤 400 萬套	250.0	50	125.0	15	200.0
年產鋁搪瓷制品及廚具 144 萬套	280.0	48	134.4	10	200.0
年產再生塑料　薄膜袋玩具鋼琴塑料件 800 噸	135.0	35	47.0	10	100.0
生產銷售系列鎳鎘電池、電子產品	266.0	30	79.8	10	200.0
花崗巖荒材，板材生產銷售及有關的加工制造	577.0	55	306.0	20	351.0
生產及銷售鈦白粉及與此有關的其它產品	299.7	25	74.9	10	209.8
進行新技術、新產品的開發、引進	134.0	30	40.0	24	134.0
年產絲綢服裝 60 萬件	100.0	30	30.0	15	100.0
年產鈦精礦砂 36000 噸	500.0	25	125.0	30	250.0
生產和經營計算機軟件	25.0	64	16.0	15	20.0
腰果的種植、改良、加工	450.0	30	135.0	30	300.0
年產聚烯烴發泡材料 300 噸	150.0	40	60.0	15	100.0
年產單色 12″，14″顯示管 110 萬隻	1,000.0	25	250.0	20	1,000.0
年經銷，加工，出口藥材 700 噸	50.0	26	13.0	10	50.0
年產含油軸承 1.5-1.7 億隻	451.0	51	230.0	10	424.0
生產微型電子計算機	311.0	25	77.8	20	210.0
生產永磁材料系列品	17.0	25	4.3	10	12.0
年產電位器 420 萬隻	160.0	50	80.0	15	112.0
年產蝦苗 1500 萬尾，成蝦 300 噸，飼料 900 噸	24.0	50	12.0	15	24.0
年產汽柴油機活塞 36 萬隻	478.6	30	143.6	10	266.6
年產塑料背心袋 2500 噸	120.0	35	42.0	15	120.0
年產銑床，鑽床等產品 3000台	159.0	34	55.0	10	159.0

1989年中國批准中外合資經營企業協議（合同）一覽表

序號	企業名稱	企業所在地	合營雙方	
			中方名稱	外方名稱
467	愛華光學有限公司	昆明市	云南省光學儀器廠，云南省機械設備進出口公司	日本丸華株式會社
468	鹽紅木工有限公司	昆明市	昆明市紅光電子玩具廠	日本鹽谷木工株式會社
469	陝西澳秦技術發展有限公司	西安市	陝西秦燃料技術發展公司，惠安化工廠	澳大利亞文特公司，香港偉美限公司
470	華興服裝有限公司	安康市	陝西省安康市滬康服裝廠	意大利籍華人　羅國興
471	北方蘇拿光學有限公司	西安市	朝陽儀器廠	澳大利亞蘇拿國際股份有限公
472	陝西秦港針織有限公司	渭南市	國營西北第五棉紡織廠，陝西渭南針織廠	香港長安投資有限公司
473	咸陽麗紅電視配件制造有限公司	咸陽市	咸陽市電視配件三廠	香港沈天石投資有限公司
474	西安康帝燈飾實業有限公司	西安市	西安燈炮廠	美國康帝燈飾實業公司
475	廣州蘭星工程（有限）公司	廣州市	蘭州蘭洋工程公司	新加坡溫氏兄弟集團合用工程公司
476	太平洋比特公司	北京市	北京理工大學工廠	美國太平洋科技企業管理公司
477	新環技術開發有限公司	北京市	中國科學院三環新材料研究開發公司等	新加坡永慶（私人）有限公司
478	北京華麗精紙有限公司	北京市	中國新興公司	美國前景公司
479	前景電腦有限公司	北京市	中國新興公司	美國前景公司
480	吉林萬向節有限公司	吉林市	國營江北機械廠	聯邦德國歐亞國際貿易發展有限公司

金額單位：萬美元

經營範圍	投資總額	外商投資		合營年限(年)	註册資本
		比例(%)	金額		
年產別漢屋脊棱鏡 24 萬套	161.0	25	40.3	10	120.8
年產靈牌及祭祀木制品 36 萬塊	55.0	45	25.0	15	55.0
高純度石墨，年產一萬噸精制石墨	420.0	30	126.0	15	210.0
年產絲綢服裝 25-50 萬件等	113.0	44	50.0	10	113.0
年產樹脂鏡片等光學產品 290 萬付	421.0	50	210.5	18	280.0
年產混紡針織坯布 1274 噸	496.0	27	134.0	10	496.0
年產自粘直焊漆包綫 1000 噸	480.0	40	192.0	15	240.0
年產節日燈串 180 萬串	137.0	25	34.0	10	96.0
承包油氣田設備工程及石化等新技術開發業務	403.0	51	205.0	30	403.0
生產健身系列產品及機械零部件加工等	134.0	50	67.0	20	100.0
生產，開發，銷售釹鐵硼永磁材料等	255.3	35	89.3	15	215.0
生產精制紙品及高級包裝產品用紙	100.0	60	60.0	15	100.0
開發計算機，激光照排，輕印刷系統等技術	70.0	60	42.0	15	70.0
生產轎車用等角速萬向節等	994.0	25	249.0	15	766.0

1976-1989 年中國對外承包工程和勞務合作合同額分國家、地區總值

金額單位: 萬美元

國家、地區	合　計	承包工程	勞務合作
總計	**1,280,696**	**1,068,106**	**212,590**
1976-1988	1,059,455	890,001	169,454
1989	221,241	178,105	43,136
其中:			
香港	154,785	135,921	18,864
1976-1988	115,597	103,876	11,721
1989	39,188	32,045	7,143
澳門	62,486	52,601	9,885
1976-1988	41,417	33,900	7,517
1989	21,069	18,701	2,368
日本	17,519	376	17,143
1976-1988	12,223	350	11,873
1989	5,296	26	5,270
尼泊爾	18,680	18,518	162
1976-1988	14,163	14,001	162
1989	4,517	4,517	
新加坡	6,827	801	6,026
1976-1988	4,165	131	4,034
1989	2,662	670	1,992
泰國	31,803	31,316	487
1976-1988	29,445	29,074	371
1989	2,358	2,242	116
菲律賓	32,346	32,273	73
1976-1988	28,578	28,545	33
1989	3,768	3,728	40
巴基斯坦	43,415	43,024	391
1976-1988	31,780	31,610	170
1989	11,635	11,414	221
孟加拉國	17,211	17,093	118
1985-1988	5,718	5,600	118
1989	11,493	11,493	
土耳其	274	265	9
1986	274	265	9

1976-1989年中國對外承包工程和勞務合作合同額分國家、地區總值

金額單位：萬美元

國家、地區	合　計	承包工程	勞務合作
印度尼西亞	81	68	13
1989	81	68	13
斯里蘭卡	6,092	6,052	40
1976-1988	5,763	5,729	34
1989	329	323	6
緬甸	5,247	5,229	18
1982-1988	5,067	5,050	17
1989	180	179	1
伊拉克	185,457	110,640	74,817
1976-1988	172,404	101,171	71,233
1989	13,053	9,469	3,584
科威特	53,312	37,511	15,801
1976-1988	50,806	36,212	14,594
1989	2,506	1,299	1,207
約旦	30,908	29,185	1,723
1976-1988	30,451	28,760	1,691
1989	457	425	32
阿拉伯也門共和國	48,056	45,241	2,815
1976-1988	47,143	44,377	2,766
1989	913	864	49
伊朗	13,197	7,594	5,603
1985-1988	8,166	5,351	2,815
1989	5,031	2,243	2,788
也門民主人民共和國	12,698	12,431	267
1976-1988	10,679	10,416	263
1989	2,019	2,015	4
巴林	560	560	
1981	560	560	
馬爾代夫	513	513	
1985-1988	513	513	
阿曼	34		34
1985	24		24
1989	10		10

1976-1989 年中國對外承包工程和勞務合作合同額分國家、地區總值

金額單位: 萬美元

國家、地區	合　計	承包工程	勞務合作
阿拉伯聯合酋長國	10,036	9,304	732
1983-1988	8,982	8,671	311
1989	1,054	633	421
印度	106	98	8
1989	106	98	8
黎巴嫩	25		25
1988	25		25
馬來西亞	1,233	1,225	8
1987-1988	7		7
1989	1,226	1,225	1
塞浦路斯	371	330	41
1985-1988	352	330	22
1989	19		19
埃及	42,948	42,833	115
1976-1988	42,733	42,621	112
1989	215	212	3
蘇丹	6,775	6,067	708
1976-1988	5,043	4,460	583
1989	1,732	1,607	125
突尼斯	6,065	6,041	24
1984-1988	5,641	5,623	18
1989	424	418	6
阿爾及利亞	65,902	62,622	3,280
1976-1988	62,867	59,587	3,280
1989	3,035	3,035	
烏干達	9,038	8,990	48
1976-1988	7,311	7,263	48
1989	1,727	1,727	
盧旺達	19,439	19,356	83
1976-1988	16,707	16,701	6
1989	2,732	2,655	77

1976-1989年中國對外承包工程和勞務合作合同額分國家、地區總值

金額單位: 萬美元

國家、地區	合 計	承包工程	勞務合作
布隆迪	6,401	5,926	475
1976-1988	5,585	5,168	417
1989	816	758	58
吉布提	3,322	3,318	4
1976-1988	2,910	2,906	4
1989	412	412	
敘利亞	54	36	18
1981-1985	27	9	18
1989	27	27	
坦桑尼亞	2,409	2,318	91
1976-1988	1,675	1,617	58
1989	734	701	33
幾內亞	664	642	22
1984-1988	450	449	1
1989	214	193	21
扎伊爾	4,403	4,198	205
1976-1988	3,728	3,523	205
1989	675	675	
貝寧	2,552	2,452	100
1986-1988	2,489	2,452	37
1989	63		63
科特迪瓦	2,227	2,147	80
1986-1988	1,098	1,080	18
1989	1,129	1,067	62
馬里	7,880	7,797	83
1976-1988	3,877	3,794	83
1989	4,003	4,003	
索馬里	8,230	8,172	58
1976-1988	7,865	7,807	58
1989	365	365	
利比亞	52,313	41,037	11,276
1976-1988	48,434	37,494	10,940
1989	3,879	3,543	336

1976-1989 年中國對外承包工程和勞務合作合同額分國家、地區總值

金額單位: 萬美元

國家、地區	合　計	承包工程	勞務合作
塞內加爾	1,654	1,649	5
1985-1988	1,654	1,649	5
肯尼亞	11,080	11,076	4
1985-1988	8,711	8,707	4
1989	2,369	2,369	
加納	1,177	1,135	42
1983-1988	495	453	42
1989	682	682	
朝鮮民主主義人民共和國	1,050	1,048	2
1986	2		2
1989	1,048	1,048	
蒙古	90	89	1
1989	90	89	1
剛果	15,811	15,800	11
1976-1988	15,586	15,575	11
1989	225	225	
岡比亞	1,426	1,331	95
1984-1988	1,077	991	86
1989	349	340	9
利比里亞	918	862	56
1976-1988	880	843	37
1989	38	19	19
喀麥隆	2,465	2,081	384
1976-1988	2,194	1,817	377
1989	271	264	7
中非	2,843	2,843	
1985-1988	2,835	2,835	
1989	8	8	
毛里塔尼亞	3,339	3,110	229
1982-1988	3,267	3,060	207
1989	72	50	22

1976-1989年中國對外承包工程和勞務合作合同額分國家、地區總值

金額單位：萬美元

國家、地區	合　計	承包工程	勞務合作
馬達加斯加	2,604	2,585	19
1983-1988	2,077	2,058	19
1989	527	527	
埃塞俄比亞	1,649	1,649	
1986-1988	1,337	1,337	
1989	312	312	
摩洛哥	1,960	1,915	45
1983-1988	1,948	1,915	33
1989	12		12
科摩羅	23	21	2
1986-1987	15	13	2
1989	8	8	
留尼汪	18		18
1986-1987	18		18
津巴布韋	15,746	15,741	5
1986-1988	11,043	11,038	5
1989	4,703	4,703	
沙特阿拉伯	369		369
1989	369		369
赤道幾內亞	396	353	43
1988	21		21
1989	375	353	22
加蓬	550	458	92
1985-1988	517	428	89
1989	33	30	3
莫桑比克	191	183	8
1985-1988	191	183	8
萊索托	252	112	140
1985-1988	80		80
1989	172	112	60
尼日利亞	8,940	7,297	1,643
1976-1988	8,902	7,286	1,616
1989	38	11	27

1976-1989年中國對外承包工程和勞務合作合同額分國家、地區總值

金額單位: 萬美元

國家、地區	合　計	承包工程	勞務合作
多哥	383	380	3
1982-1988	8	5	3
1989	375	375	
乍得	2,021	2,021	
1985-1988	364	364	
1989	1,657	1,657	
聖多美和普林西比	197	197	
1987-1988	197	197	
塞舌爾	452	451	1
1985-1988	305	305	
1989	147	146	1
博茨瓦納	1,116	1,116	
1987-1988	655	655	
1989	461	461	
塞拉利昂	1,215	1,030	185
1976-1988	1,108	923	185
1989	107	107	
佛得角	525	525	
1989	525	525	
安哥拉	2		2
1989	2		2
毛里求斯	1,897	1,198	699
1976-1988	1,344	770	574
1989	553	428	125
尼日爾	717	717	
1987-1988	474	474	
1989	243	243	
贊比亞	1,206	748	458
1976-1988	1,080	667	413
1989	126	81	45
布基納法索	2,128	2,067	61
1985-1988	1,136	1,123	13
1989	992	944	48

1976-1989年中國對外承包工程和勞務合作合同額分國家、地區總值

金額單位: 萬美元

國家、地區	合 計	承包工程	勞務合作
德意志聯邦共和國	3,065	457	2,608
1976-1988	2,375	410	1,965
1989	690	47	643
荷蘭	134	30	104
1984-1988	110	30	80
1989	24		24
匈牙利	62		62
1984-1986	55		55
1989	7		7
法國	461	55	406
1983-1988	225	55	170
1989	236		236
意大利	320	236	84
1985-1988	284	213	71
1989	36	23	13
英國	478	32	446
1981-1988	412	32	380
1989	66		66
南斯拉夫	50	50	
1981	50	50	
保加利亞	29		29
1987-1988	29		29
捷克斯洛伐克	25	25	
1989	25	25	
烏拉圭	283	283	
1989	283	283	
芬蘭	38		38
1987-1988	11		11
1989	27		27
瑞典	460	433	27
1987-1988	453	433	20
1989	7		7

1976-1989年中國對外承包工程和勞務合作合同額分國家、地區總值

金額單位:萬美元

國家、地區	合 計	承包工程	勞務合作
希臘	1,484		1,484
1983-1988	938		938
1989	546		546
比利時	2		2
1988	1		1
1989	1		1
奥地利	30		30
1988	30		30
蘇聯	16,466	8,866	7,600
1987-1988	677	257	420
1989	15,789	8,609	7,180
德意志民主共和國	1,899		1,899
1986	1,845		1,845
1989	54		54
西班牙	586	269	317
1986-1988	305	19	286
1989	281	250	31
丹麥	37	35	2
1986-1988	2		2
1989	35	35	
挪威	25		25
1986-1988	16		16
1989	9		9
冰島	11		11
1985-1988	8		8
1989	3		3
瑞士	20		20
1985-1988	13		13
1989	7		7
馬耳他	1,990	185	1,805
1976-1988	1,990	185	1,805

1976-1989年中國對外承包工程和勞務合作合同額分國家、地區總值

金額單位: 萬美元

國家、地區	合 計	承包工程	勞務合作
所羅門	26		26
1988	10		10
1989	16		16
墨西哥	7,031	7,024	7
1976-1988	6,551	6,549	2
1989	480	475	5
厄瓜多爾	189	170	19
1985-1988	186	167	19
1989	3	3	
巴布亞新幾內亞	3,495	3,480	15
1984-1988	2,776	2,765	11
1989	719	715	4
哥倫比亞	3,350	3,284	66
1984-1988	3,350	3,284	66
湯加	8		8
1989	8		8
秘魯	603	581	22
1984-1987	575	553	22
1989	28	28	
安提瓜和巴布達	437		437
1985-1987	221		221
1989	216		216
澳大利亞	2,795	1,896	899
1983-1988	1,857	1,139	718
1989	938	757	181
斐濟	2,052	1,762	290
1983-1988	2,050	1,762	288
1989	2		2
美國	45,895	31,742	14,153
1978-1988	37,367	28,548	8,819
1989	8,528	3,194	5,334
加拿大	2,229	1,723	506
1981-1988	1,877	1,519	358
1989	352	204	148

1976-1989 年中國對外承包工程和勞務合作合同額分國家、地區總值

金額單位: 萬美元

國家、地區	合　計	承包工程	勞務合作
牙買加	199	6	193
1984-1987	164	6	158
1989	35		35
阿根廷	23		23
1989	23		23
瓦努阿圖	2,246	2,184	62
1986-1988	1,681	1,678	3
1989	565	506	59
巴拿馬	49		49
1987-1988	21		21
1989	28		28
圭亞那	146	142	4
1985-1987	69	65	4
1989	77	77	
玻利維亞	557	453	104
1987-1988	529	453	76
1989	28		28
聖盧西亞	17		17
1987	17		17
馬里亞納	394		394
1987	394		394
洪都拉斯	1		1
1988	1		1
巴巴多斯	532	530	2
1988	402	402	
1989	130	128	2
格林納達	5		5
1988	5		5
伯利茲	53		53
1988	44		44
1989	9		9

1976-1989年中國對外承包工程和勞務合作合同額分國家、地區總值

金額單位: 萬美元

國家、地區	合 計	承包工程	勞務合作
新西蘭	30		30
1988	16		16
1989	14		14
西薩摩亞	4		4
1988	4		4
古巴	11	11	
1989	11	11	
尼加拉瓜	44	44	
1989	44	44	
巴西	38		38
1989	38		38
蘇里南	8	6	2
1982	2		2
1989	6	6	

1976-1989年中國對外承包工程和勞務合作營業額分國家、地區總值

金額單位: 萬美元

國家、地區	合 計	承包工程	勞務合作
總計	777,674	645,446	132,228
1976-1988	609,037	497,016	112,021
1989	168,637	148,430	20,207
其中:			
香港	116,377	109,400	6,977
1976-1988	79,917	75,215	4,702
1989	36,460	34,185	2,275
澳門	33,169	29,984	3,185
1976-1988	22,131	20,740	1,391
1989	11,038	9,244	1,794
日本	5,210	294	4,916
1976-1988	3,506	219	3,287
1989	1,704	75	1,629
尼泊爾	11,513	11,422	91
1976-1988	8,294	8,213	81
1989	3,219	3,209	10
新加坡	2,662	114	2,548
1976-1988	1,720	114	1,606
1989	942		942
泰國	12,980	12,833	147
1976-1988	9,937	9,830	107
1989	3,043	3,003	40
菲律賓	5,114	5,107	7
1976-1988	3,773	3,767	6
1989	1,341	1,340	1
孟加拉國	5,025	4,955	70
1985-1988	4,433	4,372	61
1989	592	583	9
土耳其	4		4
1985-1986	4		4
巴基斯坦	28,049	27,887	162
1976-1988	21,738	21,598	140
1989	6,311	6,289	22

1976-1989年中國對外承包工程和勞務合作營業額分國家、地區總值

金額單位: 萬美元

國家、地區	合 計	承包工程	勞務合作
蒙古	51	50	1
1989	51	50	1
馬來西亞	108	106	2
1988	1		1
1989	107	106	1
斯里蘭卡	2,718	2,679	39
1976-1988	2,328	2,292	36
1989	390	387	3
朝鮮民主主義人民共和國	2		2
1986	2		2
伊朗	1,980	326	1,654
1986-1988	1,288	114	1,174
1989	692	212	480
敘利亞	20	16	4
1983-1986	8	5	3
1989	12	11	1
塞浦路斯	303	275	28
1986-1988	181	161	20
1989	122	114	8
緬甸	5,140	5,138	2
1983-1988	4,329	4,329	
1989	811	809	2
伊拉克	165,369	90,052	75,317
1976-1988	150,980	80,073	70,907
1989	14,389	9,979	4,410
科威特	47,158	35,311	11,847
1982-1988	41,229	30,894	10,335
1989	5,929	4,417	1,512
約旦	26,418	26,121	297
1976-1988	24,701	24,444	257
1989	1,717	1,677	40

1976-1989年中國對外承包工程和勞務合作營業額分國家、地區總值

金額單位: 萬美元

國家、地區	合 計	承包工程	勞務合作
阿拉伯也門共和國	38,704	37,030	1,674
1976-1988	35,931	34,405	1,526
1989	2,773	2,625	148
也門民主人民共和國	8,614	8,331	283
1982-1988	6,481	6,201	280
1989	2,133	2,130	3
印度	6		6
1989	6		6
巴林	658	658	
1976-1986	658	658	
黎巴嫩	6		6
1988	2		2
1989	4		4
巴勒斯坦	187	187	
1988	81	81	
1989	106	106	
阿曼	80		80
1984-1988	69		69
1989	11		11
馬爾代夫	459	459	
1985-1988	378	378	
1989	81	81	
阿拉伯聯合酋長國	3,457	3,272	185
1984-1988	1,858	1,723	135
1989	1,599	1,549	50
埃及	18,992	18,968	24
1976-1988	14,647	14,624	23
1989	4,345	4,344	1
突尼斯	5,601	5,578	23
1984-1988	4,595	4,579	16
1989	1,006	999	7

1976-1989 年中國對外承包工程和勞務合作營業額分國家、地區總值

金額單位: 萬美元

國家、地區	合 計	承包工程	勞務合作
蘇丹	4,384	4,054	330
1982-1988	2,852	2,648	204
1989	1,532	1,406	126
阿爾及利亞	22,141	21,434	707
1976-1988	17,563	16,861	702
1989	4,578	4,573	5
摩洛哥	299	259	40
1985-1988	156	121	35
1989	143	138	5
烏干達	3,568	3,498	70
1985-1988	2,053	1,983	70
1989	1,515	1,515	
佛得角	171	171	
1989	171	171	
盧旺達	15,587	15,568	19
1976-1988	14,049	14,043	6
1989	1,538	1,525	13
布隆迪	5,287	5,139	148
1976-1988	5,208	5,101	107
1989	79	38	41
幾內亞	409	402	7
1988	171	170	1
1989	238	232	6
吉布提	2,683	2,679	4
1983-1988	2,366	2,362	4
1989	317	317	
坦桑尼亞	1,813	1,772	41
1976-1988	1,505	1,489	16
1989	308	283	25
扎伊爾	2,932	2,842	90
1982-1988	1,652	1,569	83
1989	1,280	1,273	7

1976-1989年中國對外承包工程和勞務合作營業額分國家、地區總值

金額單位: 萬美元

國家、地區	合 計	承包工程	勞務合作
岡比亞	1,202	1,147	55
1985-1988	878	842	36
1989	324	305	19
馬里	4,174	4,104	70
1976-1988	2,485	2,429	56
1989	1,689	1,675	14
索馬里	6,491	6,358	133
1982-1988	5,735	5,602	133
1989	756	756	
利比亞	16,247	10,215	6,032
1982-1988	13,317	8,384	4,933
1989	2,930	1,831	1,099
剛果	1,370	1,355	15
1976-1988	909	894	15
1989	461	461	
所羅門	15		15
1988	3		3
1989	12		12
尼日爾	2,207	2,207	
1986-1988	1,765	1,765	
1989	442	442	
科特迪瓦	1,192	1,129	63
1986-1988	1,101	1,100	1
1989	91	29	62
赤道幾內亞	33		33
1986-1988	24		24
1989	9		9
多哥	5	5	
1988	5	5	
埃塞俄比亞	1,338	1,338	
1986-1988	479	479	
1989	859	859	

1976-1989年中國對外承包工程和勞務合作營業額分國家、地區總值

金額單位: 萬美元

國家、地區	合 計	承包工程	勞務合作
科摩羅	15	9	6
1986-1988	12	6	6
1989	3	3	
肯尼亞	5,621	5,619	2
1986-1988	3,173	3,173	
1989	2,448	2,446	2
布基納法索	1,040	1,033	7
1985-1988	319	312	7
1989	721	721	
留尼汪	7		7
1985-1988	7		7
莫桑比克	180	176	4
1985-1988	176	176	
1989	4		4
津巴布韋	4,242	4,150	92
1986-1988	1,275	1,183	92
1989	2,967	2,967	
萊索托	33	1	32
1985-1988	13		13
1989	20	1	19
貝寧	1,669	1,640	29
1986-1988	1,115	1,115	
1989	554	525	29
加納	465	455	10
1985-1988	282	277	5
1989	183	178	5
利比里亞	447	431	16
1982-1988	232	221	11
1989	215	210	5
聖多美和普林西比	11	11	
1988	5	5	
1989	6	6	

1976-1989年中國對外承包工程和勞務合作營業額分國家、地區總值

金額單位: 萬美元

國家、地區	合計	承包工程	勞務合作
喀麥隆	1,841	1,754	87
1982-1988	1,599	1,522	77
1989	242	232	10
塞內加爾	1,178	1,172	6
1985-1988	1,043	1,037	6
1989	135	135	
幾內亞(比紹)	19	19	
1987-1988	10	10	
1989	9	9	
乍得	616	616	
1987-1988	239	239	
1989	377	377	
加蓬	52	50	2
1987-1988	37	36	1
1989	15	14	1
博茨瓦納	931	931	
1987-1988	612	612	
1989	319	319	
聖盧西亞	51		51
1988	14		14
1989	37		37
毛里塔尼亞	2,360	2,292	68
1983-1988	1,883	1,847	36
1989	477	445	32
中非	1,426	1,426	
1985-1988	959	959	
1989	467	467	
尼日利亞	6,532	6,056	476
1976-1988	5,269	4,837	432
1989	1,263	1,219	44
塞拉利昂	413	228	185
1976-1988	211	116	95
1989	202	112	90

1976-1989年中國對外承包工程和勞務合作營業額分國家、地區總值

金額單位: 萬美元

國家、地區	合　計	承包工程	勞務合作
馬達加斯加	2,486	2,459	27
1985-1988	2,026	2,001	25
1989	460	458	2
毛里求斯	2,471	2,217	254
1982-1988	2,319	2,128	191
1989	152	89	63
塞舌爾	277	276	1
1988	23	23	
1989	254	253	1
贊比亞	1,004	733	271
1983-1988	838	622	216
1989	166	111	55
德意志聯邦共和國	1,762	311	1,451
1976-1988	1,353	239	1,114
1989	409	72	337
法國	229	80	149
1984-1988	115	45	70
1989	114	35	79
荷蘭	92	20	72
1985-1988	68	20	48
1989	24		24
瑞士	17		17
1985-1988	12		12
1989	5		5
愛爾蘭	2		2
1989	2		2
蘇聯	4,183	2,610	1,573
1986-1988	481	286	195
1989	3,702	2,324	1,378
德意志民主共和國	1,324		1,324
1987-1988	735		735
1989	589		589

1976-1989年中國對外承包工程和勞務合作營業額分國家、地區總值

金額單位：萬美元

國家、地區	合　計	承包工程	勞務合作
芬蘭	24		24
1987-1988	13		13
1989	11		11
冰島	19		19
1987-1988	16		16
1989	3		3
丹麥	2		2
1986-1988	2		2
挪威	5		5
1986-1987	4		4
1989	1		1
比利時	12		12
1986-1988	9		9
1989	3		3
西班牙	201	39	162
1986-1988	163	19	144
1989	38	20	18
瑞典	59	50	9
1988	20	17	3
1989	39	33	6
奥地利	42		42
1988	13		13
1989	29		29
英國	258	34	224
1983-1988	243	34	209
1989	15		15
南斯拉夫	12	11	1
1976-1985	12	11	1
意大利	85	17	68
1984-1988	39		39
1989	46	17	29

1976-1989年中國對外承包工程和勞務合作營業額分國家、地區總值

金額單位: 萬美元

國家、地區	合 計	承包工程	勞務合作
尼加拉瓜	33	33	
1989	33	33	
希臘	905		905
1983-1988	534		534
1989	371		371
馬耳他	1,148	171	977
1976-1988	1,109	171	938
1989	39		39
匈牙利	122		122
1984-1988	81		81
1989	41		41
墨西哥	6,701	6,701	
1982-1987	6,698	6,698	
1989	3	3	
蘇里南	32	6	26
1982-1987	26		26
1989	6	6	
哥倫比亞	3,184	3,099	85
1984-1988	2,895	2,810	85
1989	289	289	
巴巴多斯	137	129	8
1984-1988	12	4	8
1989	125	125	
美國	17,788	13,953	3,835
1976-1988	12,582	9,817	2,765
1989	5,206	4,136	1,070
加拿大	903	646	257
1984-1988	545	350	195
1989	358	296	62
澳大利亞	967	721	246
1985-1988	226	44	182
1989	741	677	64

1976-1989年中國對外承包工程和勞務合作營業額分國家、地區總值

金額單位: 萬美元

國家、地區	合 計	承包工程	勞務合作
斐濟	505	434	71
1983-1988	442	390	52
1989	63	44	19
巴布亞新幾內亞	243	216	27
1985-1988	161	145	16
1989	82	71	11
厄瓜多爾	202	187	15
1986-1988	112	100	12
1989	90	87	3
圭亞那	487	476	11
1985-1988	412	401	11
1989	75	75	
秘魯	645	635	10
1985-1988	611	602	9
1989	34	33	1
安提瓜和巴布達	95	95	
1985-1988	95	95	
瓦努阿圖	142	140	2
1986-1988	131	130	1
1989	11	10	1
巴拿馬	19		19
1987-1988	16		16
1989	3		3
牙買加	61		61
1985-1988	15		15
1989	46		46
玻利維亞	265	237	28
1987-1988	156	130	26
1989	109	107	2
智利	1		1
1987	1		1

1976-1989年中國對外承包工程和勞務合作營業額分國家、地區總值

金額單位: 萬美元

國家、地區	合　計	承包工程	勞務合作
洪都拉斯	1		1
1988	1		1
格林納達	3		3
1988	1		1
1989	2		2
伯利茲	5		5
1988	2		2
1989	3		3
新西蘭	2		2
1988	2		2
西薩摩亞	103	99	4
1988	100	99	1
1989	3		3
古巴	10	10	
1989	10	10	

1989年中國對外承包工程和勞務合作簽訂的合同分公司總值

名稱	合同數(個)			合同額(萬美元)		
	合計	承包工程	勞務合作	合計	承包工程	勞務合作
總計	3,100	776	2,324	221,241	178,105	43,136
中國建築工程總公司	228	204	24	31,688	30,487	1,201
中國土木工程公司	91	60	31	6,375	6,075	300
中國公路橋樑工程公司	19	16	3	9,953	9,856	97
中國港灣工程公司	45	39	6	13,414	13,327	87
中國成套設備出口公司	73	11	62	12,666	9,908	2,758
中國水利電力對外公司	18	16	2	5,712	5,669	43
中國冶金建設公司	22	16	6	12,509	12,256	253
中國航空技術進出口公司	12	11	1	704	380	324
中國輕工業對外經濟技術合作公司	12	1	11	285	20	265
中國石油工程建設公司	33	15	18	2,104	1,774	330
中國地質勘探和打井工程公司	5	4	1	1,312	1,267	45
中國農牧漁業國際合作公司	12	1	11	330	45	285
中國有色金屬工業對外工程公司	7	6	1	3,702	3,672	30
中國紡織工業對外經濟技術合作公司	7	3	4	1,124	846	278
中國建材工業對外經濟技術合作公司	60	52	8	919	739	180
中國瑞寶開發公司	8	8		352	352	
中國國際技術智力合作公司	69		69	194		194
國華國際工程承包公司	15	15		785	785	
中國長城工業公司	7	3	4	3,386	3,047	339
中國國際海洋石油工程公司	2	2		606	606	
中國電子進出口公司	12	10	2	223	210	13
中國海員對外技術服務公司	95		95	1,238		1,238
中國煤炭海外開發公司	3	3		474	474	

1989年中國對外承包工程和勞務合作簽訂的合同分公司總值

名稱	合同數(個)			合同額(萬美元)		
	合計	承包工程	勞務合作	合計	承包工程	勞務合作
中國四達國際經濟技術合作公司	36		36	1,018		1,018
中國化學工程總公司	2	2		1,577	1,577	
中國商業對外經濟技術合作公司	22	4	18	280	117	163
中國通信建設對外工程公司	8	2	6	280	223	57
中國石化國際事業公司	4		4	28		28
中國廣播電影電視對外工程公司	6	6		415	415	
光大國際勞務合作公司	6	1	5	933	861	72
中國萬寶工程公司	6	6		7,104	7,104	
中國房屋地產開發總公司	6	2	4	166	86	80
中國國際工程和材料公司	13	10	3	5,595	5,571	24
中國機械對外經濟技術合作公司	10		10	100		100
中國化工建設總公司	6	4	2	1,401	1,383	18
中國北京國際經濟合作公司	111	7	104	1,685	235	1,450
中國天津國際經濟技術合作公司	103	1	102	3,627	665	2,962
中國河北國際經濟技術合作公司	22	3	19	737	422	315
中國山西國際經濟技術合作公司	4	4		4	4	
中國內蒙古國際經濟技術合作公司	27	8	19	5,767	939	4,828
中國遼寧國際經濟技術合作公司	9	6	3	2,510	2,184	326
中國瀋陽國際經濟技術合作公司	18	13	5	2,502	2,366	136
中國大連國際經濟技術合作公司	49	9	40	1,842	1,344	498
中國吉林國際經濟技術合作公司	49	8	41	1,954	637	1,317
中國黑龍江國際經濟技術合作公司	21	11	10	4,094	2,495	1,599
中國哈爾濱國際經濟技術合作開發公司	11	5	6	1,385	875	510
中國上海對外經濟技術合作公司	40	9	31	7,196	4,161	3,035

1989年中國對外承包工程和勞務合作簽訂的合同分公司總值

名稱	合同數(個)			合同額(萬美元)		
	合計	承包工程	勞務合作	合計	承包工程	勞務合作
中國江蘇國際經濟技術合作公司	55	17	38	3,663	2,081	1,582
中國浙江國際經濟技術合作公司	25	13	12	812	625	187
中國寧波國際經濟技術合作公司	13	1	12	789	110	679
中國安徽國際經濟技術合作公司	13	3	10	1,829	1,717	112
中國福建國際經濟技術合作公司	315	28	287	16,723	12,738	3,985
中國厦門國際經濟技術合作公司	23	8	15	1,912	147	1,765
中國江西國際經濟技術合作公司	7	1	6	450	241	209
中國山東國際經濟合作公司	26	8	18	460	303	157
中國河南國際經濟技術合作公司	15	8	7	1,275	1,222	53
中國湖北國際經濟技術合作公司	11	2	9	106	33	73
中國武漢國際經濟技術合作公司	29	1	28	663	465	198
中國湖南國際經濟技術合作公司	42	9	33	883	764	119
中國廣東國際經濟技術合作公司	90	10	80	9,578	8,489	1,089
中國廣州國際經濟技術合作公司	379		379	148		148
廣東省對外勞動服務公司	507		507	4,192		4,192
中國深圳國際經濟技術合作公司	10	2	8	1,638	1,570	68
中國廣西國際經濟技術合作公司	12	12		3,800	3,800	
中國四川國際經濟技術合作公司	33	17	16	4,359	3,662	697
中國重慶國際經濟技術合作公司	9	2	7	3,219	2,902	317
中國貴州國際經濟技術合作公司	5	4	1	131	126	5
中國雲南國際經濟技術合作公司	11	8	3	702	692	10
華秦國際經濟技術合作公司	10	2	8	152	9	143
中國西安國際經濟技術貿易公司	7	2	5	322	283	39
中國甘肅國際經濟技術合作公司	9	1	8	1,180	667	513

1989年中國對外承包工程和勞務合作營業額分公司總值

金額單位：萬美元

名　　稱	合計	承包工程	勞務合作
總計	168,637	148,430	20,207
中國建築工程總公司	40,858	40,163	695
中國土木工程公司	5,168	4,343	825
中國公路橋樑工程公司	10,117	9,831	286
中國港灣工程公司	7,810	7,772	38
中國成套設備出口公司	4,135	3,311	824
中國水利電力對外公司	7,371	7,314	57
中國冶金建設公司	6,689	5,894	795
中國航空技術進出口公司	490	483	7
中國輕工業對外經濟技術合作公司	937	785	152
中國石油工程建設公司	730	533	197
中國地質勘探和打井工程公司	1,362	1,362	
中國農牧漁業國際合作公司	117	69	48
中國有色金屬工業對外工程公司	2,696	2,671	25
中國紡織工業對外經濟技術合作公司	820	739	81
中國建材工業對外經濟技術合作公司	1,798	381	1.417
中國瑞寶開發公司	115	102	13
中國國際技術智力合作公司	409		409
國華國際工程承包公司	3,488	3,488	
中國長城工業公司	2,964	2,930	34
中國國際海洋石油工程公司	1,320	1,320	
中國電子進出口公司	465	458	7
中國海員對外技術服務公司	972		972
中國煤炭海外開發公司	350	350	

1989年中國對外承包工程和勞務合作營業額分公司總值

金額單位：萬美元

名　　稱	合計	承包工程	勞務合作
中國四達國際經濟技術合作公司	111		111
中國化學工程總公司	650	650	
中國商業對外經濟技術合作公司	128	113	15
中國通信建設對外工程公司	65	30	35
中國石化國際事業公司	12		12
中國廣播電影電視對外工程公司	246	246	
光大國際勞務合作公司	32		32
中國萬寶工程公司	2,078	2,078	
中國房屋地產開發總公司	168	150	18
中國國際工程和材料公司	2,556	2,541	15
中國機械對外經濟技術合作公司	230		230
中國化工建設總公司	741	729	12
中國中原對外工程公司	2,329	2,327	2
中國北京國際經濟合作公司	1,018	459	559
中國天津國際經濟技術合作公司	1,953	781	1,172
中國河北國際經濟技術合作公司	983	902	81
中國山西國際經濟技術合作公司	532	459	73
中國內蒙古國際經濟技術合作公司	479	191	288
中國遼寧國際經濟技術合作公司	865	832	33
中國瀋陽國際經濟技術合作公司	2,137	2,056	81
中國大連國際經濟技術合作公司	642	256	386
中國吉林國際經濟技術合作公司	1,400	1,256	144
中國黑龍江國際經濟技術合作公司	2,180	1,597	583
中國哈爾濱國際經濟技術合作開發公司	641	470	171

1989年中國對外承包工程和勞務合作營業額分公司總值

金額單位：萬美元

名　　稱	合計	承包工程	勞務合作
中國上海對外經濟技術合作公司	6,139	4,648	1,491
中國江蘇國際經濟技術合作公司	3,365	1,743	1,622
中國浙江國際經濟技術合作公司	1,198	896	302
中國寧波國際經濟技術合作公司	129	15	114
中國安徽國際經濟技術合作公司	593	389	204
中國福建國際經濟技術合作公司	13,942	11,816	2,126
中國厦門國際經濟技術合作公司	331	41	290
中國江西國際經濟技術合作公司	944	675	269
中國山東國際經濟合作公司	433	258	175
中國河南國際經濟技術合作公司	1,028	992	36
中國湖北國際經濟技術合作公司	275	242	33
中國武漢國際經濟技術合作公司	155	61	94
中國湖南國際經濟技術合作公司	567	513	54
中國廣東國際經濟技術合作公司	6,415	6,121	294
中國廣州國際經濟技術合作公司	242		242
廣東省對外勞動服務公司	1,163		1,163
中國深圳國際經濟技術合作公司	177	171	6
中國廣西國際經濟技術合作公司	1,244	1,228	16
中國四川國際經濟技術合作公司	5,544	5,165	379
中國重慶國際經濟技術合作公司	749	494	255
中國貴州國際經濟技術合作公司	13	13	
中國雲南國際經濟技術合作公司	345	345	
華秦國際經濟技術合作公司	97	12	85
中國西安國際經濟技術貿易公司	73	60	13
中國甘肅國際經濟技術合作公司	119	110	9

1989年年末中國在國外從事對外承包工程和勞務合作的人數

單位: 人

名稱	合計	承包工程	勞務合作	其它
總計	67,066	23,951	41,867	1,248
中國建築工程總公司	8,671	6,606	1,411	654
中國土木工程公司	2,311	982	1,005	324
中國公路橋樑工程公司	2,132	1,772	360	
中國港灣工程公司	2,521	1,342	1,092	87
中國成套設備出口公司	1,048	364	684	
中國水利電力對外公司	2,168	2,123	45	
中國冶金建設公司	1,939	932	1,007	
中國航空技術進出口公司	146	126	20	
中國輕工業對外經濟技術合作公司	483	152	331	
中國石油工程建設公司	399	293	106	
中國地質勘探和打井工程公司	161	161		
中國農牧漁業國際合作公司	156	82	74	
中國有色金屬工業對外工程公司	367	313	44	10
中國紡織工業對外經濟技術合作公司	227	116	111	
中國建材工業對外經濟技術合作公司	1,516	132	1,384	
中國瑞寶開發公司	30	30		
中國國際技術智力合作公司	355		355	
中國電子進出口公司	16		16	
中國海員對外技術服務公司	2,037		2,037	
中國煤炭海外開發公司	318	318		
中國四達國際經濟技術合作公司	512		512	

單位: 人

1989年年末中國在國外從事承包工程和勞務合作的人數

單位：人

名　稱	合計	承包工程	勞務合作	其它
中國化學工程總公司	110	110		
中國商業對外經濟技術合作公司	17	2	15	
中國通信建設對外工程公司	45		45	
中國石化國際事業公司	31		31	
中國廣播電影電視對外工程公司	34	34		
光大國際勞務合作公司	44		44	
中國萬寶工程公司	340	340		
中國房屋地產開發總公司	10	10		
中國國際工程和材料公司	240	44	196	
中國機械對外經濟技術合作公司	95		95	
中國化工建設總公司	139	139		
中國中原對外工程公司	671	658		13
中國北京國際經濟合作公司	600	83	517	
中國天津國際經濟技術合作公司	1,906	205	1,701	
中國河北國際經濟技術合作公司	616	244	372	
中國山西國際經濟技術合作公司	151	28	123	
中國內蒙古國際經濟技術合作公司	1,956	119	1,837	
中國遼寧國際經濟技術合作公司	143	61	82	
中國瀋陽國際經濟技術合作公司	358	235	123	
中國大連國際經濟技術合作公司	1,019	475	544	
中國吉林國際經濟技術合作公司	1,132	310	761	61
中國黑龍江國際經濟技術合作公司	882	327	555	
中國哈爾濱國際經濟技術合作開發公司	135	79	56	
中國上海對外經濟技術合作公司	2,301	64	2,237	

1989年年末中國在國外從事對外承包工程和勞務合作的人數

單位: 人

名稱	合計	承包工程	勞務合作	其它
中國江蘇國際經濟技術合作公司	3,662	771	2,846	45
中國浙江國際經濟技術合作公司	884	434	450	
中國寧波國際經濟技術合作公司	418		418	
中國安徽國際經濟技術合作公司	485	194	291	
中國福建國際經濟技術合作公司	8,276	142	8,134	
中國厦門國際經濟技術合作公司	868	21	847	
中國江西國際經濟技術合作公司	634	278	356	
中國山東國際經濟合作公司	410	90	320	
中國河南國際經濟技術合作公司	292	199	39	54
中國湖北國際經濟技術合作公司	38	12	26	
中國武漢國際經濟技術合作公司	253	69	184	
中國湖南國際經濟技術合作公司	146	64	82	
中國廣東國際經濟技術合作公司	2,111	209	1,902	
中國廣州國際經濟技術合作公司	591		591	
廣東省對外勞動服務公司	4,259		4,259	
中國深圳國際經濟技術合作公司	34	3	31	
中國廣西國際經濟技術合作公司	284	263	21	
中國四川國際經濟技術合作公司	2,064	1,390	674	
中國重慶國際經濟技術合作公司	402	33	369	
中國貴州國際經濟技術合作公司	4	4		
中國雲南國際經濟技術合作公司	158	155	3	
華秦國際經濟技術合作公司	98	11	87	
中國西安國際經濟技術合作公司	157	154	3	
中國甘肅國際經濟技術合作公司	50	44	6	

1989年中國對外援助成套項目建成情況

行　業	建成項目數	新增生產能力	受援國家
公用和民用建築	7	(1)建築面積約23,000平方米高級法院大樓一座； (2)建築面積約57,000平方米國際會議中心一座; (3)建築面積約8,700平方米職業訓練中心一座; (4)建築面積2,500平方米難民小學一座; (5)建築面積約600平方米紡織工業公司官員住宅三棟; (6)建築面積約600平方米機動車修理廠廠房一座; (7)人民宮"三通一平"。	斯里蘭卡、埃及、蘇丹、約旦、貝寧、乍得、毛里求斯
輕工業	3	(1)日處理甘蔗1,000噸，日產酒精12,000公升糖廠一座;並包括3,000千瓦熱電站一座; (2)向一服裝廠提供設備零配件，部分面料及輔料，進行安裝並提供技術服務; (3)日加工稻谷33噸碾米廠三個。	尼泊爾、莫桑比克、加納
文教衛生	1	(1)爲一座婦產兒醫院擴建120張床位。	索馬里
交通運輸	3	(1)917米長公路橋一座; (2)20米長立交橋一座; (3)更新鐵路85公里。	孟加拉、博茨瓦納

1989年中國對外援助成套項目建成情況

行　業	建成項目數	新增生產能力	受援國家
水利電力	3	(1)11千伏輸電綫路26公里並發電100千瓦電力工程一個; (2)溢洪道設施一個; (3)24眼井供水設施一個。	斐濟、 喀麥隆、 莫桑比克
農牧漁業	7	(1)7,500公頃農場一個; (2)墾荒300公頃,灌溉面積800公頃,房建面積1,770平方米農場一個; (3)耕種面積110公頃農業合作項目一個; (4)種植面積108公頃農業項目一個; (5)對7公頃蔬菜種植進行技術指導; (6)對一個大豆、花生種子和一個稻谷、蔬菜試驗站傳授育種及農機維修技術。	索馬里、烏干達、 巴布亞新幾內亞、 玻利維亞、加蓬、 中非
改造更新和大修項目	8	(1)對文化之家、青年之家和國家劇場各一座進行維修; (2)維修388公里公路一條; (3)爲一個制冰廠更新設備; (4)返修水利工程干渠; (5)對兩座電站進行大修。	毛里塔尼亞、 贊比亞、 烏干達、 剛果、索馬里、 幾內亞
合　計	32		

1989年中國對外援助建成成套項目進行技術合作情況

行　業	技術合作項目數	派出專家人數	受援國家
農牧漁業	23	245	圭亞那、坦桑尼亞、贊比亞、蘇丹、幾內亞(比紹)、莫桑比克、布基納法索、中非、剛果、扎伊爾、烏干達、毛里求斯、索馬里、毛里塔尼亞、萊索托
公用民用建築	17	159	肯尼亞、毛里塔尼亞、塞內加爾、幾內亞(比紹)、利比里亞、多哥、布基納法索、剛果、喀麥隆、扎伊爾、吉布提、岡比亞、佛得角、尼日爾、盧旺達、貝寧、聖多美和普林西比
輕工業	16	338	馬里、貝寧、扎伊爾、坦桑尼亞、莫桑比克、馬達加斯加、塞拉利昂、尼日爾、盧旺達、贊比亞
文教衛生	5	33	瓦努阿圖、馬里、西薩摩亞、中非、布基納法索
能源工業	4	162	圭亞那、蘇里南、坦桑尼亞
交通運輸	8	327	毛里塔尼亞、坦桑尼亞、贊比亞、布隆迪
廣播通訊	5	32	幾內亞、中非、馬里、赤道幾內亞
水利電力	9	152	赤道幾內亞、剛果、布隆迪、塞內加爾、塞拉利昂、坦桑尼亞、喀麥隆、索馬里
紡織工業	8	116	貝寧、布隆迪、馬里、圭亞那、斐濟、蘇丹、贊比亞
工藝和手工業	8	35	幾內亞、幾內亞(比紹)、布隆迪、聖多美和普林西比、津巴布韋、埃塞俄比亞、吉布提、格林納達
其他	3	86	烏干達、贊比亞
合計	106	1,685	

1989年中國承擔援外成套項目和提供單項設備情況

行　業	承擔項目數	受　援　國　家
農牧漁業	2	布基納法索、喀麥隆
公用民用建築	6	馬達加斯加、馬里、幾內亞、毛里塔尼亞、埃及、莫桑比克
文教衛生	2	盧旺達、巴基斯坦
交通運輸	2	博茨瓦納、毛里塔尼亞
廣播通訊	1	馬里
水利電力	5	喀麥隆、坦桑尼亞、莫桑比克、尼日爾、朝鮮民主主義人民共和國
合　計	18	

1989年中國承擔援外技術合作項目情況

行業	承擔項目數	受援國家
農牧漁業	10	幾內亞(比紹)、毛里塔尼亞、坦桑尼亞、索馬里、塞拉利昂、萊索托、毛里求斯、剛果、蘇丹
公用民用建築	8	毛里塔尼亞、岡比亞、幾內亞(比紹)、布基納法索、佛得角、吉布提、安哥拉
輕工業	7	貝寧、加納、莫桑比克、尼泊爾、也門民主人民共和國
文教衛生	4	布基納法索、坦桑尼亞(桑給巴爾)、中非、厄瓜多爾
機械工業	1	坦桑尼亞
交通運輸	9	赤道幾內亞、贊比亞、坦桑尼亞、也門民主人民共和國、毛里塔尼亞、尼泊爾
廣播通訊	4	馬里、赤道幾內亞
水利電力	5	幾內亞、塞拉利昂、莫桑比克、毛里塔尼亞、孟加拉國
紡織工業	3	馬里、貝寧、坦桑尼亞
能源	1	坦桑尼亞
建築材料	1	盧旺達
其他	2	馬里、古巴
合計	55	

1989年中國派遣援外醫療隊情況

序號	派往國家	始派時間	1989年年末人數	醫療點數
1	阿爾及利亞	1963年4月	184	12
2	坦桑尼亞 (桑給巴爾)	1964年8月	57	6
3	索馬里	1965年6月	22	2
4	阿拉伯也門共和國	1966年7月	176	1
5	剛果	1967年2月	30	4
6	馬里	1968年2月	31	3
7	毛里塔尼亞	1968年4月	32	3
8	幾內亞	1968年6月	16	3
9	也門民主人民共和國	1970年1月	64	4
10	蘇丹	1971年4月	33	1
11	赤道幾內亞	1971年10月	20	2
12	塞拉利昂	1973年3月	15	1
13	突尼斯	1973年6月	47	3
14	扎伊爾	1973年9月	34	3
15	埃塞俄比亞	1974年4月	15	1
16	多哥	1974年11月	21	2
17	喀麥隆	1975年6月	26	2
18	塞內加爾	1975年7月	17	1
19	馬達加斯加	1975年8月	27	3
20	摩洛哥	1975年9月	74	6
21	尼日爾	1976年1月	29	3

1989 年中國派遣援外醫療隊情況

序號	派往國家	始派時間	1989 年年末人數	醫療點數
22	莫桑比克	1976 年 4 月	7	1
23	聖多美和普林西比	1976 年 6 月	14	1
24	布基納法索	1976 年 6 月	16	1
25	幾內亞(比紹)	1976 年 7 月	19	1
26	科威特	1976 年 11 月	7	1
27	加蓬	1977 年 5 月	26	2
28	岡比亞	1977 年 10 月	20	3
29	貝寧	1978 年 1 月	18	2
30	贊比亞	1978 年 1 月	26	2
31	中非	1978 年 6 月	18	2
32	乍得	1978 年 12 月	9	1
33	博茨瓦納	1981 年 1 月	19	2
34	吉布提	1981 年 2 月	4	1
35	盧旺達	1982 年 2 月	10	1
36	烏干達	1983 年 1 月	12	1
37	利比亞	1983 年 12 月	13	1
38	佛得角	1984 年 7 月	5	1
39	利比里亞	1984 年 7 月	14	
40	津巴布韋	1985 年 5 月	15	1
41	塞舌爾	1985 年 5 月	8	1
42	布隆迪	1986 年 12 月	12	1
	合 計		1,262	93

中國同聯合國開發計劃署技術合作項目

年度	項目總數	項目分類											
		機械	電子	能源	交通	化工、冶金	輕工、紡織、食品	建築、地質、礦產	電信、廣播、電視	科教文、衛生	貿易、財政、商業	農、林、牧、漁	其他
1979	27	1	2	1	1		3	2	2	3	4	5	3
1980	72	3	1	4	3	5	6	5	1	19	8	10	7
1981	40	3	1	6	2	2	2	4		10		7	3
1982	21			4	1		3	3		1	3	3	3
1983	5	1		2				1		1			
1984	20	5	2	1		3	5	1		2			1
1985	28	2	1	1	1	3	2	2		10		5	1
1986	93	5	1	14	3	6	11	3	6	19	4	10	11
1987	23	1		2	1		2	1	1	4	2	3	6
1988	17		1	3		1	1	2		2	3	1	3
1989	46	3	2	5		3	2	2	2	7	5	15	
合計	392	24	11	43	12	23	37	26	12	78	29	59	38

中國接受聯合國無償技術援助情況(經貿部主管部分)

聯合國援助機構	援助名稱	期限	金額(萬美元)		執行額(至1989年底)
			分期承諾數	合計	
開發計劃署	指規數	1979-1981 1982-1986 1986-1991	1,500 7,810 16,200	25,510	18,288
工業發展組織	正常方案 特別工業服務 工業發展基金	1979-1989 1980-1989 1979-1989	43.5 164.8 828	1,036.3	930.38
人口活動基金	總資源	1979-1984 1985-1989	5,000 5,000	10,000	10,461.2
兒童基金	總資源	1980-1981 1982-1984 1985-1989	700 2,016 6,250	8,966	9,100
救災協調員辦事處	救災	1982-1989	4,530	4,530	4,530
跨國公司中心		1979-1989	85.9	85.9	70
國際貿易中心	信託基金	1982 1983-1984 1985-1986 1987-1988 1988-1989	12.1 55.5 71.8 99.0 29.0	267.4	267.4
志願人員方案		1982-1989	69.9	69.9	69.9
科技發展基金		1980-1989	1,200	1,200	950
技術合作部	正常方案	1982-1989	1,226.1	1,226.1	743.5
總　計			**52,891.6**	**52,891.6**	**45,410.38**

中國向聯合國發展系統捐款金額

年度	幣別	合計	開發計劃署	工業發展組織	人口活動基金	兒童基金	志願人員方案	資本發展基金
總計	萬美元	3,386	2,144	239	463	427	16	6
	萬人民幣	3,087	1,480	941	82	26		374
1973	萬美元	40	40					
	萬人民幣	380	320	40				20
1974	萬美元							
	萬人民幣	505	440	45				20
1975	萬美元							
	萬人民幣	70		50				20
1976	萬美元							
	萬人民幣	515	440	55				20
1977	萬美元							
	萬人民幣	75		55				20
1978	萬美元							
	萬人民幣	75		55				20
1979	萬美元	55	40	5		10		
	萬人民幣	243	140	47	20	16		20
1980	萬美元	50	45	5				
	萬人民幣	250	140	50	40			20
1981	萬美元	184	140	7	15	15		
	萬人民幣	104		50	20	10		20
1982	萬美元	212	150	7	30	25		
	萬人民幣	72		50				22
1983	萬美元	241	165	7	33	30	2	
	萬人民幣	77		55				22
1984	萬美元	284	175	17	40	35	2	
	萬人民幣	210		140				30
1985	萬美元	312	188	25	45	40	2	
	萬人民幣	130		30				30
1986	萬美元	340	204	27	50	45	2	
	萬人民幣	135		35				30
1987	萬美元	366	221	30	55	50	2	
	萬人民幣	70		40				30
1988	萬美元	399	240	32	60	52	2	
	萬人民幣	74		44				30
1989	萬美元	433	258	37	65	60	2	3
	萬人民幣	50		48	2			
1990	萬美元	470	278	40	70	65	2	3
	萬人民幣	52		52				

國際貿易中心	跨國公司中心	婦女發展基金	訓練研究所	發展中國家技術合作	貿發會議普惠利	國際黃蔴組織	救災協調員辦事處	自然資源勘探循環基金
35	12	15	10 4	6 180	4	5	2	2
		5	2 4					
		2	2					
5		2	2	6 40				
5	2	3	2	70				
5	2	3	2	70				
5	2				1			
5	2				1	5		
5	2				1			
5	2				1		2	2

專　題

出口創匯

中國機電產品出口持續增長

1985年10月，國務院批轉國家計委、國家經委、財政部、經貿部等8個部門關於擴大機電產品出口的報告，確定了發展我國機電產品出口的戰略指導思想和奮斗目標，提出了較完整的扶植鼓勵機電產品出口的政策措施，極大地調動了部門和地方以及出口生產企業和外貿企業的積極性。經過四年的努力，我國機電產品出口已逐步走上持續、穩定、健康發展的軌道。

一、出口額連續四年大幅度增長，出口產品結構趨向優化。1985年，我國機電產品出口額按經貿部業務統計(下同)爲14.2億美元，約佔出口總額的5.5%；1989年達到61億美元，比1985年增長3.3倍，在出口總額中的比重上升到14.3%。特別是1989年，經濟環境嚴峻，資金短缺，原材料、能源和運輸緊張，物價上漲，給機電產品出口帶來嚴重困難。但是，由於部門和地方以及出口生產企業和外貿企業的共同努力，在三年連續大幅度增長的基礎上，這一年出口額又比1988年增長了27%。

在出口額大幅度增長的同時，出口產品結構也趨向優化，一批主要出口商品正在形成。1989年出口額超過3億美元的商品有電視機、收錄機、鐘錶、日用及建築五金、手用和機用工具；出口額超過2億美元的商品有電話機、電子元器件、金屬加工機牀；出口額超過1億美元的商品有紡織機械及零件、標準緊固件、自行車及零件、電機、船舶、電子計算器、軸承、電風扇、電池、電工器材、檢測儀器及零件。在出口商品中，技術比較密集的產品出口增長較快。1989年，特種工業專用機械、通用機械設備、辦公機械及自動數據處理設備、電訊器材及收錄重放裝置、電力機械及電器、陸用車輛、儀器儀錶、攝影器材及鐘錶的出口額比1988年增長40%以上，大大高於平均增長速度；以消耗原材料爲主的金屬製品出口則增長19.8%，低於平均增長速度。機電設備及儀器儀錶出口在機電產品出口中的比重由1988年的49%，上升到52%。向遠洋市場和工業發達國家出口增長較快，如向北美和西歐市場出口增長41%，向日本市場出口增長108%。

二、物質技術實力明顯增强。爲了改變長期以來出口機電產品的生產以中小企業爲主的狀況，近四年來着力抓了出口生產體系的建設，積極把一批大中型生產企業推向國際市場。到1989年，全國年出口額達到100萬美元的擁有外貿自營權的企業和出口基地企業共有1280個，其中出口基地企業313個。

爲了提高出口生產企業技術水平和適應國際市場的能力，圍繞技術開發、生產薄弱環節以及檢測條件等，對出口基地企業和擁有外貿自營權企業重點進行技術改造。四年中共投入16億元貸款，安排改造項目1063個，目前已陸續竣工投產。

經過四年的努力，一批大中型出口生產企業和企業集團開始在出口中發揮骨幹作用。據不完全統計，已有50多個生產企業年出口額達到1000萬美元以上，如常州柴油機廠、濟南第一機牀廠、瀋陽第一機牀廠、山東推土機廠、昆明銑牀廠、洛陽軸承廠、南京無綫電廠、上海自行車三廠等。

出口企業結構的改善和企業素質的提高，說明我國機電產品出口持續穩定增長有了越來越强的物質技術基礎，出口的後勁也將越來越大。

三、對外經銷能力逐步增强。一是機電產品出口對外經銷隊伍逐漸形成。機電外貿、工貿專業公司已成爲我國機電產品出口的主力；享有對外經營權的出口生產企業和出口企業集團的經銷力量正在壯大，其中一些出口企業集團是外貿企業和生產企業通過投資參股建立的松散或緊密的聯合體，具有工貿結合的特點；機電行業中外商投資企業的進一步發展，也成爲一支不可忽視的力量。二是海外銷售和服務力量逐步加强。機電外貿、工貿專業總公司和主要地方機電外貿、工貿公司在世界主要市場都設立了駐外銷售機構，增强了對外推銷、信息反饋和售後服務工作。三是通過這幾年學校培養和在職培訓，機電外貿人員的業務素質進一步提高，特別是經營觀念發生了很大變化，“用戶第一、市場第一”的觀念逐步形成。

四、採用靈活多樣的貿易方式和渠道。⑴“三來一補”和進料加工出口不斷發展。據海關統計，1989年來料來件加工裝配出口達到25.8億美元(未扣除進口料、件成本)。我國船舶工業多年來採取進料和進口關鍵部件加工裝配出口，既擴大了出口，又促進了船舶工業管理和技術水平的提高。⑵合作生產和OEM[註]方式取得進展。我國機牀工業的大中型企業多數都與國外廠商建立了合作生產的關係，利用外國廠家技術，通過外國廠家銷售網絡和渠道擴大出口。西安飛機製造公司爲美國波音飛機公司製造小艙門、垂直尾翼等部件，擴大了民用飛機零部件的出口，也提高了企業的管理和技術水平。⑶易貨貿易、三角貿易正在摸索經驗。向伊朗出口的機電產品，對方用石油抵款。⑷支付方式逐步靈活。信用證貿易是我國機電產品出口的主要方式。1989年中國人民保險公司在國家支持下，開始試辦出口信用保險，經營者承擔風險的能力增强，付款方式也開始變得靈活。

黨的十三屆五中全會決定明確指出，按照內外銷兼顧的原則，繼續調整出口商品結構，控制和減少短缺的資源性產品和初加工產品的出口，積極增加機電產品等工業製成品以及深度加工和高技術產品的出口。回顧過去四年，我國機電產品出口取得了很大成就，但同工業發達國家和一些新興工業化國家和地區比較，還有很大差距，遠遠不能適應對外開放的需要，必須堅持不懈地努力，使機電產品出口能夠持續穩定較快地發展。

(國務院機電產品出口辦公室　弋　輝)

〔註〕OEM方式即採用外國的技術和名牌生產出產品，用返銷的方式出口。

我國鄉鎮企業出口成績斐然

1984年以來，我國鄉鎮企業在發展出口貿易和擴大對外經濟技術合作方面成績很大，對我國農業和農村各項事業以及對外經濟貿易事業的發展起到重要的作用。中國鄉鎮企業的發展，已引起世界上許多國家和地區經濟貿易界的注視。

1984～1989年，全國鄉鎮企業6年累計出口創匯353億美元，年均遞增27.2%；“三來一補”工繳費收入佔全國工繳費收入的80%以上。1989年全國鄉鎮企業出口創匯達103億美元，比1988年增長23%，佔全國出口總額的23.7%，成爲我國出口創匯的一支重要力量。

截至1989年底，全國鄉鎮企業中出口生產企業42500多家。其中，“三來一補”企業14500家；專業出口廠和產品80%以上出口的企業16500家。1978年以來，全國鄉鎮企業合辦中外合資、合作企業近5000家，累計利用外資32億美元，其中廣東省26億多美元。據沿海11個省、自治區、直轄市統計，已建立工貿聯營企業1260個，國務院機電產品出口辦公室批准的擴權和基地企業112個，經貿部和農業部聯合批准的貿工農出口基地企業193個。全國鄉鎮企業中出口生產企業累計從國外引進各種設備110萬台套，從事出口生產的職工有453萬人；出口創匯500萬美元以上的有134家，外貿收購額在1億元人民幣以上的有13家。收購額5億元人民幣以上的縣10個。廣東順德北滘鎮1989年出口創匯達到1億美元；江蘇江陰市祝塘針織總廠1989年外貿收購達1.2億元人民幣；江蘇、山東兩省鄉鎮企業的出口額均佔全省出口額的1/3以上。

1989年鄉鎮企業出口產品的構成是：服裝18.4%，工藝品14.5%，化工8.8%，絲綢7.9%，輕工7.1%，紡織品6.1%，畜產加工品6%，機械4.8%，食品4%，其他22.4%。

我國沿海地區的鄉鎮企業發展出口貿易具有獨特的優勢是：①分佈地域遼闊，生產門類齊全；②靠近原料產地，運輸成本低；③勞務成本較低，職工素質較好，一般都具有初中以上文化水平；④經營靈活，自主權大，效率高，適應性强，特別是能適應國際市場小批量、多品種、快交貨等要求；⑤開拓國際市場的積極性高，建廠投資少、速度快、效益好，資金回收快，綜合創匯成本低；⑥同海外華人、華僑有較廣泛的聯系。

近兩年來，鄉鎮企業出口創匯出現了新的變化，其主要特點是：①涌現出一大批設備先進、規模較大、管理良好、產品質量上乘、競爭力强的企業。經貿部、農業部聯合批准的193家貿工農出口基地企業，1988年平均每個企業創匯405萬美元，人均創匯4700美元，其中創匯1000萬美元以上的6家，500萬美元以上的56家。②創立了一批名牌出口產品，有25種產品獲得了各種國際博覽會的金質、銀質獎。如上海市北蔡繡衣廠的眞絲繡衣、江鎮絲綢時裝廠的眞絲時裝、白鶴服裝廠的夾克衫，廣東順德美的牌、裕華牌電扇及TMT吊扇等，都在海外享有盛譽。③機電產品出口平均每年以50%的速度遞增，其中家用電器、手工工具、汽車零件、蓄電池、翻砂件等都已成爲大宗出口商品。④由單純的勞動密集型產品向技術密集型和深加工產品方向發展，如精密互感器、高壓水泵、精密儀錶、小型錄音機、電子元件、高檔時裝、精細化工等產品開始批量出口。

（農業部鄉鎮企業司　周涵達）

中國輕工業品進出口總公司在改革中開拓前進

1988年以來，在全國外貿體制改革過程中，具有近40年經營歷史的中國輕工業品進出口總公司(簡稱中輕總公司)面臨着原有“功能”和“形態”兩方面必須“轉軌”的激烈變化。近兩年來，在經貿部的直接領導和統一部署下，中輕公司貫徹落實國家有關規定，在轉變職能、自負盈虧等方面，進行了改革試點和有益的探索，取得了可喜的進展。

首先，在企業職能方面，基本上實現了從協調管理型向充滿活力的自主經營型的新體制的轉變。結束了原來通過計劃、財務、業務三條紐帶緊密聯系的、由全國各地58個分公司組成的輕工業品進出口貿易的傳統體系。1988年，中輕總公司大刀闊斧地對內部機構進行了調整，成立了若干個具有法人資格的、以出口創匯爲中心的直屬子公司。同時，將設在國外的管理型機構逐步轉化爲獨資或合資經營的公司。經過一年多的努力，一個實行自身羣體經營機制的集團性中輕總公司已經形成。

第二，在經營體制上，開始由國家財政統負盈虧向企業自負盈虧轉變。過去單純依靠中央財政彌補虧損的辦法，現在已被自籌資金和利用外資等多元化運籌資金所取代。與兩年前相比，中輕總公司自我積累、自我改造、自我發展的能力和資金實力都有了明顯提高，實現了自負盈虧試點的要求。

第三，在業務做法上，逐步由專營國家下達的進出口任務向以對外貿易爲主，在輕工業品進出口行業內實行綜合性、多功能經營的轉變。目前，中輕總公司有以進口業務爲主的中國紙張紙漿進出口公司，中國家用電器進出口公司，中輕建材進出口公司；也有以出口創匯爲主的中輕箱包、勞保用品進出口公司，中輕文敎體育用品進出口公司，中輕日用五金進出口公司，中輕鞋帽進出口公司，中輕日用百貨進出口公司，以及中輕技術服務進口公司。此外，宣傳廣告、信息諮詢等也進入了總公司經營業務的範圍。在過去的兩年裏，進出口貿易都取得了較好成績。1988年是公司體制改革的第一年，出口創匯2200多萬美元；1989年翻了一番，達到4800多萬美元。兩年進口貿易總値近25億美元，其中大部分爲代理進口，依靠多年積累的進口渠道、經驗等優勢和良好的服務，在國內外客戶中贏得了良好信譽。

第四，在發展方向方面，中輕總公司確立了以國內爲基礎，國外爲重點，逐步把工作重點向外轉移的經營戰略。目前，分佈在美國、加拿大、聯邦德國、法國、澳大利亞、阿聯酋、日本、香港、澳門等地的境外公司，除積極經營進出口貿易外，正在努力探討開辦開發當地資源的實業，向生產領域滲透。同時，還與國外一些經營能力强，資金雄厚，有實力的公司搞多種形式的合資企業，向國際化經營邁進。

1988、1989兩年，中輕總公司在全面深化改革，克服困難，艱苦創業中實現了本公司40年發展史上的一個新的轉折。跨入90年代，中輕總公司將繼續在"自主經營、自負盈虧"的改革試點基礎上探索前進。

（中國輕工業品進出口總公司　楊建武）

開拓創新　出口持續增長

廣東省紡織品進出口（集團）公司自1988年實行"自主經營、獨立核算、自負盈虧"的外貿承包經營責任制後，積極進取，使出口創匯兩年跨了兩大步。1988年該公司出口收匯額爲2.4億美元，比1987年增長31%；1989年又比上年增長24%，達到3億美元，爲擴大我國紡織品和服裝出口作出了積極的貢獻。

揚長避短　發揮優勢

廣東省是我國對外通商口岸最多的省份，且毗鄰港澳，交通便利，爲發展對外貿易提供了有利的條件。然而，廣東發展紡織品和服裝出口存在着原材料"先天不足"的問題，加之近兩年國內原材料和資金嚴重不足等不利因素，完成國家下達的出口承包任務困難重重。該公司憑藉廣東得天獨厚的優勢，充分發揮其經營歷史悠久，對外信譽良好，有穩定的國外銷售渠道等有利條件，在經營上刻意創新。如積極發展"兩頭在外"，利用國外客戶的原材料經加工製成產品後出口。全年利用客戶原材料實現的出口佔出口總額的24%。由於採取這種週期短、交貨期快、效益好的貿易方式，1988年秋交會上簽訂的近3000萬美元的合同，在1989年上半年即全部履約，其他方式的貿易業務也取得新的進展。他們還同一批彼此充分信任的客戶，採取先結匯後出口，在價格上給予適當優惠的做法。

採取措施　擴大出口

該公司1989年出口創匯額和銀行結匯額分別比1988年增加5%和24%，尤以銀行結匯比1988年上了一個台階。主要措施是：1. 克服困難，增加自營出口。雖然受到原材料和資金緊缺的制約，但公司通過多渠道、多形式籌措資金，使公司自營出口佔出口總額的比重上升到70%，比1988年增加6個百分點。2. 抓產品的深加工。改革開放十年多來，通過吸收外資，引進技術和設備，廣東的紡織工業有了長足的進步，以紡織、印染和後整理爲基礎的紡織工業已具相當規模。該公司在承接出口業務中，側重選擇深加工的產品，包括工藝新、技術要求高的品種，使出口產品的檔次不斷提高，花色品種不斷增多。1989年推銷和承接了23個新品種，增加收匯近100萬美元。3. 抓出口生產基地的生產。隨着業務的不斷拓展，該公司共投資1億元人民幣和1.1億美元，興建了46個以紡織、印染爲主體的出口生產基地，爲擴大出口打下了扎實的基礎。1989年生產基地提供的出口貨源達3000萬元人民幣。

綜合運籌　提高效益

近年來，廣東和全國經營紡織品出口的單位較多，該公司在嚴峻的挑戰面前，發揮集團經營優勢，在綜合運籌，提高效益上下功夫。自1988年以來，該公司紡織品和服裝出口創匯連續兩年居廣東省同類公司的榜首。

作爲一個承包經營的外貿企業，在擴大出口創匯，努力完成各項承包任務的過程中，必須以確保盈虧平衡爲前提。爲此，他們在經營活動中採取了一系列行之有效的措施：

1. 對集團公司系統的資金、外匯、成本實行統籌；經營中既發揮集團羣體優勢，又注意調動下屬26個公司的積極性。

2. 對下屬26個市、縣公司的出口成本實行“超虧不補、盈利全留”的政策。在堅持統一對外的基礎上，對下放權，允許他們放開手脚經營。

3. 從出口數量型向出口效益型轉變。在經營上一抓產品結構的調整；二抓配額的使用效益；三抓產品的深加工層次。

4. 眼睛向內，加强企業內部管理，加速資金周轉。結合清倉查庫，向倉庫要資金，向管理要效益。通過對資金的運籌，企業管理有了較大的改善。

5. 把競爭機制引入企業內部，推行層層承包經營責任制，在資金分配上拉開檔次，調動了職工的積極性，增强了企業的經營活力。

（趙長網　周樹德）

深化改革　加强管理　促進出口

1989年，福建省輕工進出口公司貫徹治理整頓、深化改革的方針，克服資金不足、原輔材料短缺、收購價格上漲、出口成本上升等困難，超額完成全年進出口計劃，出口實績8461萬美元，創歷史最好水平。

一、深化改革，增强企業活力。

該公司從改善企業內部的經營機制入手，落實承包經營責任制。第一、實行經理負責制。制定了《經理任期目標責任制實施方案》，明確規定公司經理在外貿經營中的經濟責任、職權和利益，保證承包指標的落實和實現。第二、層層分解出口計劃，以承包經營合同的形式，把出口任務、收匯金額、出口成本等經濟指標分解到各業務部。業務部再按不同商品落實到各商品組及個人，使公司、業務部、個人的責權利緊密結合。第三，改革勞動人事制度，重新組建了科、室、分公司和業務部。部門經理、科長按照公開、平等、競爭、擇優的原則實行聘任制；其他幹部、職工實施優化勞動組合，做到幹部不坐鐵交椅，工人不端鐵飯碗，共負責任，共擔風險。第四、改革分配制度，開展出口創匯和經濟效益流動紅旗競賽。實現工資、獎金同出口創匯和經濟效益掛鈎，增强了公司的凝聚力和經營活力。

二、加强管理，提高經濟效益。

1. 樹立商品經濟觀念，加强全面計劃管理。以出口承包計劃爲中心，分別制定各項專業計劃，形成完整的綜合計劃體系，並貫穿於進出口活動的全過程，統一協調公司各部門的業務工作。

2. 實行嚴格的經濟核算，努力降低收購價格、出口成本和倉儲運輸費用。公司開展了清倉利庫工作；建立換匯目標成本，加强出口成本核算；清理拖欠貨款，抓緊出口退稅，加速資金周轉；定期檢查合同，督促催證，及時組織出口。與1988年同期相比，費用水平下降0.04％，資金周轉次數加快0.42次。

3. 完善勞動人事制度。先後修訂了經理崗位責任制、職代會職責、外事紀律、幹部職工考核、考勤等十多種規章制度，形成規範化的勞動人事管理體系。同時，把職工的政治思想教育和崗位培訓、考核、晋升、工資、獎懲等緊密結合。

4. 建立健全既民主又集中的領導體制。職工代表大會要審議經理任期目標、公司經營决策和主要規章制度，經理自覺接受黨組織、職代會和工會的監督，依靠全體職工搞改革、促發展。這樣，既保證業務工作有統一領導，又使職工能充分享有當家作主和民主管理的權力。

三、工貿聯營，增强出口創匯能力。

近年來，該公司實行工貿結合，抓出口生產基地建設，爲擴大出口提供堅實的物質基礎，不斷提高出口創匯能力。一是從全省數千家輕工出口生產企業中，選擇30多家素質好、產品質量高、經營作風正、工貿配合好的工廠組成輕工產品出口生產基地，每年提供近8000萬元人民幣出口商品。二是從資金、技術、管理等方面積極扶持出口生產基地企業，公司先後提供資金1000多萬元人民幣，引進先進技術設備1314台(套)；還利用外資670萬美元，建立8家中外合資企業。三是以鞋類、包袋、勞保手套、文體用品、玩具等拳頭產品爲龍頭，分批建立橫向聯營企業，使這些商品有了穩定的生產、加工和供貨能力。1989年已有9種輕工產品出口創匯在百萬美元以上。

四、重合同、守信用，樹立艮好的對外信譽。

幾年來，該公司始終把“重合同，守信用”作爲企業生存與發展的重要原則，嚴格合同管理，提高履約率。首先，建立進出口合同分級管理和把關制度，由公司經理和業務部負責人履行合同的洽談和簽約手續。其次，在計劃部和進出口部設專人管理合同，定期檢查履約情況，做到心中有數，均衡安排履約。第三，掌握材料供應、生產能力、價格水準、客戶資信、市場動向等信息，使簽訂的合同有可靠的貨源基礎，杜絕草率簽約。同時，合同條款對商品規格、質量、包裝、運輸及索賠作詳盡的規定。第四，加强思想教育，提高全體職工履約意識，把“重合同、守信用”貫穿於進出口工作的全過程。多年來，該公司對外合同履約率一直保持在90％以上，樹立了艮好的信譽。

(林昌忠)

發展外向型經濟　振興輕工業生產

深圳市萊英達輕工(集團)公司是在原深圳市輕工業公司基礎上於1984年3月組建的一家新興的工貿企業集團。

六年來，該公司走外引內聯、工貿結合的道路，開拓創新，擴大出口，經濟實力大大增强，現已成爲深圳特區發展外向經濟的支柱企業之一。

——從生產水平看，工業總產值由1984年的1727萬元增加到1989年的42359萬元，提高23.5倍，其中出口產值27486萬元，佔工業總產值的64.9％。

——從出口創匯看，1984年僅690萬美元，1989年增加到9284萬美元，提高12.5倍，其中工業品出口收匯7853萬美元，佔創匯總額的84.6％。

——從經濟效益看，利潤總額由1984年的488萬元增加到1989年的5223萬元，提高9.7倍。其中工業利潤由268萬元增加到4799萬元，提高16.9倍；每百元固定資產原值實現利潤30.21元；人均全員勞動生產率95522元。

——從產品質量看，公司生產的自行車、鐘錶、搪瓷、塑料用品、食品包裝容器、水果啫喱、瓦楞芯紙、油墨、中空玻璃、書刊印刷、包裝裝潢印刷等12類53種產品獲省級以上產品質量獎。這些產品的產值佔集團公司工業總產值的90％以上，並涌現出中華牌自行車、嘉年印刷品、幸運牌搪瓷製品、SAA牌啫喱、GHG中空玻璃、DIC油墨等一批在國內外有較高知名度的產品。

萊英達集團公司能夠迅速騰飛，取得顯著成效，主要是由於抓了以下幾項工作：

一、堅持外引內聯，大力發展外向型輕工企業。

該集團公司積極利用外資、引進國外先進技術，並開展國內橫向聯合。他們選擇項目的原則是：項目投資少、見效快、效益好；產品適銷對路，以外銷爲主；技術先進適用，產品有較强的競爭力和應變力。六年來，公司先後與泰國、美國、日本、香港、台灣、加拿大等12個國家和地區及國內30個省市的幾十家企業簽訂了90多項協議、合同，利用外資4390萬美元，吸收內聯資金6013萬元，自籌資金8127萬元，興辦了78家企業，其中中外合資企業43家，內聯企業24家，自辦企業11家。產品由原來的4種，發展到有中高檔自行車、高級油墨、中空玻璃、搪瓷製品、塑料製品、石英鐘錶、瓊膠啫喱、旅行箱、電池、膠合板等40個類別500多種，暢銷美國、英國、法國、聯邦德國、日本、澳大利亞等20多個國家和地區。

二、堅持工貿結合，開拓遠洋貿易，擴大出口創匯。

萊英達集團公司不僅成功地發展了一批技術先進、競爭力較强的工業企業及一系列暢銷的拳頭產品，而且還重視工貿結合，開展對外貿易，擴大出口創匯。1989年，公司下屬有進出口經營權的企業利用國內外貿易業務的廣泛聯系，推動企業向外向型發展。同時，該集團公司在當前治理整頓、深化改革的情況下，不失時機地調整經營策略，積極參與國際競爭。(一)大力發展兩頭在外、進料加工復出口業務，利用境外資金、原料和市場，利用國內技術加工能力，大進大出；(二)堅持平等互利、遵守信譽原則，與國內60多家有實力的廠家實行多形式、多層次的横向聯合，建立出口貨源基地，聯營出口；(三)在批准的經營範圍內，大力發展輕工、機電等非許可證商品貿易，使出口商品由原來較單一的輕紡產品，擴大到化工、醫藥、建材、五礦、土畜產品等上百種商品。從而形成了以深圳爲樞紐、內地爲基地、國外爲市場的出口創匯新格局，有力地促進了對外貿易的發展。

三、深化改革，强化管理，增强企業活力和實力。

該集團公司於1986年底通過試點，在深圳市率先制訂了一套經理任期目標責任制，在全公司範圍內推行。近年來，他們把推行和完善以經理任期目標責任制爲主體的經營承包制作爲深化企業改革、搞活企業的中心環節來抓，引入風險競爭機制，完善配套，進一步增强了企業活力和效率。同時，重視抓好企業管理工作，推動企業升級，使企業素質逐年提高。

目前，該集團公司正在加緊健全按國際慣例經營、參與海外市場競爭的經營機制，以嶄新的姿態開拓創新，迎接新的挑戰，爭取多出口多創匯，爲深圳市輕工業的振興與騰飛作出更大的貢獻。

(嚴麗婉)

重合同 守信用

狠抓"五個環節" 確保合同履約

中國糧油食品進出口總公司吉林省分公司每年出口創匯3億美元以上。他們把重合同、守信用視爲企業的生命綫，積極採取有效措施，狠抓合同管理、貨源開拓、商品質量、出運進度、對外服務等五個環節。1986年以來，連續三年出口合同履約率達99%以上，在經貿部1989年8月召開的全國重合同、守信用，提高對外貿易信譽工作會議上受到表彰、奬勵。1989年出口創匯達3.65億美元，履約率爲99%。

一、嚴格合同管理

該公司多次修訂加强合同管理的規定，並成立了由公司副總經理任組長的進出口合同管理小組，形成上下貫通、縱橫交錯的管理網絡。

1.分級審簽合同。爲提高合同質量，他們指定由公司法人授權者簽合同，否則無效。按品種實行分級管理：主要出口商品由各商品部經理簽字，大宗商品由公司分管副總經理簽字。凡修改合同，要報公司主管副總經理審批。因此，公司簽的出口合同都較扎實，杜絶了草率簽約的現象。

2.分級管理合同。公司計劃處爲合同管理的職能部門，處內設專職人員負責全公司的合同管理工作；各商品部綜合員負責本部的合同管理。由合同專管人員將合同分類登記，造册歸檔，上下溝通，分級負責，在全公司形成了合同傳遞、反饋系統，公司經理對合同的簽訂、執行情况做到心中有數，便於及時進行調度，均衡安排履約。

3.建立檢查制度。公司計劃處根據合同檔案按月份、季度、年度製表，上報公司主管副總經理，並分發各商品部，實行商品部自查、合同管理領導小組復查。做到月月有檢查，每季一清理，年終搞總結，及時對逾期未履約的商品部提出警告，督促查明原因，推動履約。

二、穩定供貨渠道

貨源是簽約的前提、履約的基礎。該公司從年初開始就狠抓供貨計劃的落實，積極與市、縣對口公司、供貨部門和生産廠家銜接任務，落實計劃。他們在加强收購的同時，積極投入人力、物力、財力，建立和發展自屬企業15家、合資企業12家、聯營企業125家。這些企業每年爲該公司提供2億多元的出口貨源，闖出了一條興辦自屬企業，以穩定貨源、保証履約的新路子。如該公司經營的凍牛肉，在國際市場暢銷，過去因貨源不足，履約沒有保證，每年只能出口1000噸左右。近幾年，他們先後在長春、柳河、蛟河、白城等地建立了肉食出口商品加工廠，穩定和增加了貨源，1989年出口凍牛肉8197噸，創匯1367萬美元。

三、注重商品質量

爲了確保出口商品質量，維護企業信譽，該公司改變祇抓流通環節的被動做法，主動從生産抓起，逐個環節把住質量關。

1.幫助供貨部門改艮品種，提高質量。他們指導和支持供貨部門先後改艮、發展了吉林紅牛、A字綠豆、吉林蕎麥、小粒黃豆、薇菜乾、吉林紅小豆等名牌産品，提高了這些商品在國際市場的競爭力。

2.公司業務員會同商檢部門一起到供貨部門或産地看貨檢驗，發現問題及時解決，保證貨物達到質量標準才裝車出運。公司還先後在大連、秦皇島、營口等口岸辦事處增設了質量檢驗機構，對出口商品進行復驗，防止疏漏。

3.對國際市場銷量有限、外銷競爭激烈的商品更加嚴格掌握質量標準。有一段時期，薇菜乾由於水貨沖擊，客商擔心質量得不到保證，有一客戶簽約後遲遲不開証。公司對薇菜乾進行嚴格挑選，並邀請客商到口岸驗貨，贏得了客商信任。

四、强化運輸管理

吉林省是個內陸省，運輸矛盾十分突出，常因車皮落空而影響履約。該公司加强了出運工作：一是統籌安排運輸計劃。公司運輸處參照各商品部定期上報的履約計劃，與有關部門協調配合，統一安排調度，周密組織發運。二是各商品部業務員深入到鐵路沿綫車、點檢查裝車、集運情況，發現問題及時解決，保證了出運渠道通暢。三是公司運輸處劃分了貨物到達口岸後各商品部、各口岸辦事處的職責範圍，環環有人負責，做到了不丢失、不短量。四是增加運輸能力。公司在大連、秦皇島、營口3個口岸辦事處成立了車隊，肉食商品部配備了7台冷藏車，以保證凍品出口的質量和按時運抵口岸。五是加强口岸接貨、備貨工作，適時租船配艙。他們針對玉米出運量大的特點，採取提早確認船隻，減少運輸中轉等措施，既降低了費用，又加快了裝船進度，保證貨物及時出運。

五、提高服務質量

面對國際市場上的激烈競爭，該公司把提高服務質量作爲信守合同、維護企業聲譽的重要環節來抓。他們制訂各項對外交往的制度，堅持不懈地進行優質服務教育，培養職工的服務意識，要求職工熱情接待每一位客商，做到既堅持原則，照章辦事，維護國家利益，又熱情友好，互相尊重。他們不僅爲外商來訪、洽談、驗貨提供方便，而且在交貨後仍然提供服務。對已簽的合同，不論是出國推銷成交的，交易會洽談成交的，還是函電成交的，都認眞對待；無論是成交金額大小，都提供優質服務；無論合同能否履約，都做到件件有回音。該公司與一位香港客商簽訂了一份僅80箱小豆羹的合同，當時吉林市火車站沒有去廣州的車皮，爲了不使客商因展證受到損失，他們組織廠家把貨運到長春，並取得鐵路部門支持，終於按期發運，使客商深受感動。

（孟凡杰）

重質量　講信譽　出口持續增長

浙江省絲綢進出口公司認眞貫徹“質量第一，信譽至上”的方針，1989年出口商品質量有顯著提高，桑蠶絲和絲織品的一等品率分別達到99.84%和95.03%，均比上年提高。全年出口履約率達到82.4%，比上年提高9.7個百分點。年出口創匯3.77億美元，比上年增長18.38%。保持了對外經濟貿易部授予的“重合同、守信用”先進單位的光榮稱號，爲發展絲綢出口做出了新的貢獻。

一、加强行業管理，收購優質蠶繭。

浙江省政府建立了繭絲綢經營管理領導小組，從蠶繭收購工作抓起。新繭剛開始收購，由省工商、物價、財政、外貿、供銷等部門負責同志帶隊，分赴杭嘉湖平原等重點蠶繭產區，從思想教育、行政管理、經濟政策等方面採取措施，做艱苦細緻的工作。省絲綢公司派出幾十名業務骨幹，到產地參與蠶繭收烘的指導。對收購驗收人員普遍進行技術業務培訓，提高質量意識。各收購單位嚴格實行按質論價，儀器測評，促使蠶繭乾殼量的檢驗率達到80%以上，基本上消除了摻雜、摻假、摻水等現象，爲提高絲綢製成品的質量奠定了基礎。

二、採取多種措施，提高絲綢質量。

省絲綢進出口公司根據出口絲綢易發生的質量問題，會同科研、生產部門，組織繅絲無長結、印染綢色牢度質量攻關，提高繅絲、織綢、印染技術，保證了產品質量。1989年，國際市場絲、綢暢銷，公司仍堅持不懈地抓產品質量。組織全省絲織企業的質量檢驗員進行應知、應會的學習和考試；會同出口商品檢驗部門對全省出口綢緞外觀檢驗員校對統一目測標準，並對主要出口品種雙縐、斜紋綢、素縐緞、桑波緞等4大類32萬匹綢緞進行了抽驗。平時，公司負責生產和質量檢驗部門的同志經常下廠、下基層，瞭解產品的質量情況，進行質量信息交流，及時採取措施解決出現的質量問題。

三、積極組織適銷貨源，提高履約率。

1989年，國際市場對20/22白廠絲需求大而急，客商訂單不少，但工廠生產、交貨跟不上。對此，公司及時召開技術科長會議，組織技術攻關，並在經濟上給生產企業一定數額的補貼，解決了技術難題，調動了生產企業的積極性，保證了對外合同的按時、按質、按量履約。同時，制訂了出口絲符合率考核辦法，與經濟補貼掛鈎，促使各絲廠嚴格按公司下達的計劃和質量要求進行生產，提高了出口絲符合率。對生產優質出口絲綢的企業，在原材料供應上優先，廠絲原料定向下達，使有限資源發揮最大效益。

四、抓基礎工作，重視科學管理。

公司內部推廣使用電腦管理，及時反映合同履約情況。加强單證管理和出口許可證管理，指定專人負責平衡地區之間的出口。加强綢緞配單登記、記帳、核銷工作，做到有貨下單，有單領證；對有貨無證及時推銷，對無貨有證及時銜接，既保證了及時對外履約，又增加了出口。

（高玉子）

重合同　守信用
不斷擴大出口創匯

1989年，是我國國民經濟實行治理整頓的一年，同時也是外貿出口較爲艱巨和困難的一年。在市場疲軟、消費需求發生較大變化、國際市場競爭日趨激烈的情況下，青島啤酒廠克服困難，以超前的競爭意識，不斷調整產品結構，多方滿足國外客商需求，重合同，守信用，以優異的產品、優質的服務繼續保持了青島啤酒出口創匯的穩步增長，被人們譽爲“拳頭產品”。

一、重合同、守信用，滿足客戶需求。

多年來青島啤酒能以獨特的風味、較高的品質得到國內外消費者的青睞，究其原因，是嚴格的工藝、獨特的風味、優質的服務和良好的信譽起作用。特別是在1989年較爲嚴峻的形勢下，青島啤酒廠更是把重合同、守信用作爲擴大出口創滙的先決條件。首先，該廠將負責進出口業務人員按國家和地區分片包乾、專人負責，從洽談成交、合同履行到製單結匯均由一人或二人負責到底。這樣，明確了職責，減少了環節，提高了效率。二是做到一般函電三日內覆，重要函電即覆。按合約提前催開信用證，及時組織備貨、訂艙、商檢、報關和裝運，並嚴格執行“先進先出”的原則，力爭當月產品當月發運，超期酒絕不發運。全年履約率達90％以上。三是按“主隨客便”原則，多方滿足客商需求。凡是客戶提出的特殊條件，如商標、包裝及發運等，均盡最大努力使客戶滿意。如爲配合澳門、新加坡開展抽獎促銷活動，1989年分7批專門生產並及時發運了帶有中獎標記的青島啤酒13萬多箱，並派人專程赴澳門參加抽獎活動。1989年，青島啤酒在澳門、新加坡的銷量分別比1988年增長11.96％和31.92％。

二、掌握市場動態，做好促銷工作。

青島啤酒已在世界17個國家建立了經銷總代理，暢銷20多個國家和地區。然而，近年來，隨着消費結構的變化和世界科技日新月異的發展，世界啤酒工業發展迅猛，競爭日趨激烈。目前，僅在美國市場就有世界各國400多種牌號的啤酒競相角逐。在此情況下，青島啤酒廠密切注視市場動態，加快信息反饋，並採取多種措施開拓銷售渠道。特別是在1989年下半年，外銷曾一度受阻，該廠千方百計擴大出口，使貨源暢通，履約及時，赢得了客商信賴。1989年，美國政府對進口啤酒的商標圖案做了新的規定，要求1989年10月以後進口啤酒必須在商標上加註飲用含酒精飲料對消費者身體危害的説明，並要求按超級市場特殊要求加印價格標簽，以方便顧客。青島啤酒廠在與客商交往中獲得了信息，迅速按美方要求，印製了青島啤酒的新商標。10月份，第一批符合美國政府新規定的青島啤酒出現在美國各大商店、餐館及超級市場上，保持了青島啤酒在美國市場銷售的連續性和穩定性，1989年的銷量與1988年大體持平。

爲摸清市場動態，1989年青島啤酒廠先後派人考察了日本、美國、加拿大、港澳等市場，接待了16個國家和地區的客戶來廠洽談業務，還組織美國、澳門代理商到桂林、青島等地旅遊。他們還積極配合代理商加强廣告宣傳，製作了印有青島啤酒廣告的杯墊、桌卡、汗衫、杯子、打火機等實物宣傳品，不斷提高產品知名度，使廣大消費者更加熟悉、喜愛青島啤酒。

青島啤酒廠重合同、守信用，不斷擴大出口，產品聲譽和企業信用同步提高，出口創匯取得了顯著成就。1989年出口啤酒53000多噸，創匯2900多萬美元，被經貿部授予“重合同、守信用先進企業”稱號。

（耿議忠　葛寶偉）

重合同　守信用　抓管理　重質量

江蘇省棉紡針織廠是一個具有紡紗、織造、染整、服裝一條龍生產能力的中型企業。近幾年，這個廠以出口創匯爲中心，克服電力供應不足、原材料緊缺、原材料價格上漲等多種困難，努力按照國際市場需求，不斷開發新品種，加强科學管理，確保產品質量。他們突出抓了重合同、守信用這個發展出口商品生產的根本問題，多次獲外貿部門和工業主管部門的表彰，多家外國廠商贈送錦旗和獎狀。1986年，該廠生產的“金陵牌”腈綸絨衫獲國家銀質獎，1987年該廠被江蘇省政府評爲出口創匯先進單位，1988年被農業部評爲全國農墾十大創匯企業之一，1989年被經貿部評爲“重合同、守信用先進企業”。由於產品質量好，物質消耗低，經濟效益高，被評爲國家二級企業，並獲得農業部質量管理獎。

一、以國際市場爲導向，生產適銷對路產品。

80年代初期，該廠內銷產品積壓，經濟效益日漸下降，靠原來的“老三衫”（棉絨衫、棉毛衫褲、汗衫）產品已無法適應市場需要。爲使企業走出困境，該廠根據市場供求規律，提出了以化纖原料爲主、針織產品爲主、產品出口爲主的發展方向，抓了“五變”：一是變“老三衫”爲新款式，提高產品設計水平，定期瞭解國際市場服裝信息，掌握市場需求趨向，採用拼、接、鑲、嵌、滚、貼、繡、印等加工工藝，在短期內生產出多種款式新穎的時裝，受到不少客商的好評。二是變純棉產品爲混紡產品，發揮本廠紡紗、織造、染整、成衣配套的優勢，在原料結構上不斷更新換代，生產出腈／棉混紡、腈／棉花綫、滌／棉混紡、滌／棉色紡、腈／棉交織、滌／棉交織等產品，由於產品風格獨特、新穎、質地優良，倍受國內外客戶的青睞。三是變內銷爲主爲外銷爲主，走工貿聯營之路。他們藉助本省外貿口岸的優勢，發展外向型經濟，使成衣出口比重從1980年的3％增加到1988年的85％。四是變內衣生產爲外穿服裝的生產。根據國外市場“內衣外穿”的流行趨勢，研製生產了適合男女老少不同對象穿的系列外穿服裝，款式達800多種。五是變少品種爲多品種，在穩定腈綸絨生產的基礎上，研製出滌棉絨、空氣層、氨綸羅紋、絲蓋棉、彩條絨、色織絨等43種新面料，採用印花、電腦繡花和國內不多見的注塑泡沫印花新工藝，提高產品競爭能力，增加出口創匯。

二、重合同守信用，以優取勝，以快取勝。

該廠主動與省針織品進出口公司密切配合，工貿雙方同心協力，儘量滿足外商要求，擴大出口。

隨着國際市場對針織服裝的要求越來越高，產品加工的難度越來越大。外商所訂合同要求批量小、花色繁、款式多而新、尺碼和附件全。爲適應這種變化，對一般廠家不願承接的"特小"、"特快"、"特優"的訂貨，他們都樂意承接。如1989年初，一家外國客戶衹訂了2290套衣服，要做2種顏色、13個款式、多種尺碼，其中完全相同的還不到100件。對於這樣的訂貨，該廠不嫌小、不怕煩，按期保質交貨，滿足了客商的要求，從而使產品又一次打入歐洲市場。又如，有一次兩家國外客戶分別訂了1.4萬件和1.5萬件的成衣合同，這些服裝的花色款式繁雜，做工難度大。他們迎難而上，精心組織生產，僅用20天時間就把貨送到了客商手裏。加拿大一家公司在確定衣樣後，尺碼規格先後改了四次。該廠不厭其煩四次調整樣板，並且如期交貨，使客戶深受感動。

三、加强企業的內部管理，確保出口產品的質量和交貨期。

(1)樹立客戶至上思想，完善計劃管理。由於客商對交貨期、質量要求高，加上款式花色多，給計劃銜接帶來很大的困難。稍有疏忽，就會發生差錯；只要一處受阻，就會影響整批訂貨的生產和交貨期。爲此，該廠教育職工牢固樹立重合同、守信用的思想，反復强調計劃的權威性、完整性、科學性、嚴肅性，制定了出口生產管理30條細則，逐步完善全面計劃管理制度。在生產安排上，針織科對每一合同逐一分析，根據客商的要求，制定整套生產作業計劃，從紡紗、織造、染整、成衣、檢驗、包裝、出廠都有日程進度表，每天由專職調度員監督、檢查執行情況並控制生產進度，保證計劃準確執行，確保一年300多個合同都能按期交貨。

(2)建立健全質量標準和質量責任制，嚴格把關。他們參照國際標準和國家標準，結合本廠具體情況，分別制訂了腈綸絨衣、腈綸棉毛、滌棉絨衣、彩條絨等產品的質量標準和質量責任制，同時制定了生產技術工藝參數和質量評定辦法，並建立每道工序自檢、專檢人員抽檢的道道把關制度，以各道工序質量保證最終產品質量。

(3)重視設備的更新改造，注重技術進步。近年來，該廠每年用於設備更新改造資金在300萬元人民幣以上，引進了織造大圓機、高溫高壓染色機、圓筒定型機、電腦繡花機、花式縫紉機等近百台具有70年代和80年代水平的新設備，提高了產品檔次和質量。

(4)深化全面質量管理。該廠被首批列入全國推行全面質理管理的企業後，爲提高企業素質，採用電視錄像、專題質量教育等多種形式開展全面質量管理教育，使職工受教育面達90%以上。成立了113個質量管理小組，以規範制度保證工藝設計質量和工作質量，以實物質量和工作質量保證產品質量。由於全廠上下都重合同、守信用，確立"質量第一，用戶至上"思想，健全質量管理網絡和質量保證體系，生產的出口產品幾年來從未發生質量問題，受到國外客商的信任和讚揚。美國VBH公司贈送該廠"技術超羣，保質保量"的錦旗。澳大利亞一家公司授予該廠成衣產品具有高水平的證書。

(高鶴雲、高濱淮)

工貿結合

上海市針織品進出口公司實行出口代理制成效顯著

按照黨的十三大確定的外貿體制改革方向，1989年上海市人民政府決定，首先在全市紡織行業全面推行出口代理制，並實行工貿"雙綫承包"。即把出口收匯、上繳外匯和經濟效益三項承包基數，同時落實到外貿公司和有關生產企業。上海市針織品進出口公司是首批實行"出口代理、雙綫承包"的單位之一。在市經貿委、紡織局的指導、協調下，經與行業公司及生產企業反復磋商，認眞準備，市針織品進出口公司與上海針織聯合公司簽署了"出口代理制雙綫承包協議書"，與所屬有關生產企業簽訂了"代理出口協議書"。4月1日起，正式實行了出口代理制。到年底，公司出口創匯2.9億美元，超過當年承包指標的45.17%，其中約佔承包指標68%的代理出口任務，按代理撥交計劃如數完成。

(一)

1989年上海紡織行業出口生產面臨着十分嚴峻的形勢，原料緊缺，能源不足，資金短缺，嚴重影響正常的出口商品生產。加上國內外兩個市場價格不協調，使"多出不如少出，外銷不如內銷"的矛盾越來越突出，嚴重影響生產企業的出口積極性。穩定生產、擴大出口的出路何在？公司認識到，除了加快調整產品結構、企業組織結構外，必須進一步加强工貿結合，推行出口代理制，實行雙綫承包，使工貿之間在新的基礎上加强聯合，調動工貿雙方積極性，特別是生產企業擴大出口生產和參與國際市場競爭的積極性。

實行出口代理制，是外貿經營機制的一個重大變革。工貿雙方不僅在觀念上有一個轉變、適應的過程，而且在具體做法上，也要根據實際情況，保持相對穩定，採取逐步過渡的步驟。該公司與有關行業公司和生產企業，在簽訂協議基礎上，還共同研究確定了具體實施細則。其主要特點是：

(1)外貿公司按照核定的出口撥交價預付一定比例的貨款。

(2)外貿公司與生產企業之間貫徹"五代"、"五公開"原則。"五代"即：外貿公司爲生產企業代籌流動資金，代辦出口退稅，代調劑留成外匯，代核產品價格，代支付一定比例貨款。"五公開"即：在對外貿易活動中，成交合同公開、單據憑證公開、收匯用匯公開、配額使用公開、費用開支公開。

(3)定期結算，以便調節因出口成本差異過大帶來的不合理因素。

(4)按照協議，外貿公司收取一定手續費。

(二)

爲了確保代理工作的正常進行，該公司與行業公司還採取了五項措施：一是及時做好已成交合同的交接工作。在4月初，公司將所有已簽代理合同全部移交給有關生產企業，以後成交的代理合同及時分送有關企業。二是積極提供機會，讓生產企業派人直接參與外貿活動。公司先後邀請29名生產企業人員參加出國考察、推銷，還積極創造條件，讓生產企業人員參與對外談判。遇有來訪的客戶，凡同生產企業業務基本對口，或產品品種、質量有特殊要求或價格差距較大的，以及有洽談合作、技術引進、進出結合等情況的，公司儘量讓有關生產企業派員參加。三是成立財務結算小組，負責代理出口業務的財務管理，由生產部門派員參加，公司總會計師進行業務指導。雙方商定，在外貿財務總帳下專門設置代理出口業務的明細帳和有關代理結算往來帳，並設立分廠帳戶，定期結算、年終清算。四是定期交流，加强協作。該公司與針織、毛蔴行業公司經常聯系，互通情況，統一做法，遇到困難互相支持。公司儘量調劑部分資金幫助生產企業購買原料，並擠出部分自籌原料保證工廠正常生產和代理指標的完成。全年共支援工業生產用紗4698噸。五是加强服務，提高工作效率，保證代理出口業務正常進行。公司先後制訂和下發了《代理出口實施細則》，研究了有關計劃統計、原料管理、價格核算、財務結算等具體辦法。

由於採取了上述做法及相應措施，使代理出口工作逐步走上正軌。生產企業直接承擔出口創匯指標，增强了創匯意識和責任心，不少企業積極籌資購買原料，把有限的棉紗首先保出口生產的需要，年底較好地完成了上級下達的各項承包指標。

（三）

實踐證明，出口代理制這一重大改革措施方向對頭，成效顯著。但由於這一新的外貿經營機制尚處於雛型階段，需要有一個逐步完善的過程。作爲一種過渡形式，目前上海市針織品進出口公司與生產企業之間的代理關係在雙方的權利與義務的劃分上還難以完全按代理制的法定意義到位。實行出口代理制後，生產企業成爲出口生產經營的主體，但相應的措施如銀行貸款、企業盈虧、外匯留成的分配、出口產品的退稅等尚不配套，需要在今後的實踐中不斷探索、總結，並使之完善。

（郁超）

加强工貿結合　穩步擴大出口

安徽省化工醫藥保健品進出口公司(簡稱化醫公司)在實行外貿承包經營責任制的1988、1989兩年中，面對貨源價格上漲、原材料緊缺、資金緊張、出口成本上升等嚴峻形勢，加强工貿結合，持續、穩步擴大出口，1989年出口額比1987年增長87%，其中化工類商品出口額增長近3倍。1989年該公司出口額達5700多萬美元。主要工作措施有：

一、實行進出口綜合代理，提高出口效益。

安徽省一批大中型化工企業，出口供貨潛力大，但一些產品如單算出口帳，難以解決虧損，無論工廠自營出口或外貿公司收購出口都有困難。化醫公司與安徽橡膠輪胎廠坦誠相見，互通成本、價格，共商對策。在國內橡膠原料緊張情況下，工廠的計劃內原料吃不飽，計劃外原料價格漲幅大，使出口輪胎的生產成本高居不下，但工廠生產能力大，輪胎產品國內外銷路好。經反復測算，工貿雙方簽約，化醫公司對工廠實行進出口綜合代理，及時供應橡膠原料，工廠努力增加輪胎生產，降低產品成本。通過超計劃出口多得留成外匯，綜合運籌，由虧損轉爲保本微利，使輪胎出口從零開始，兩年增長到5萬多套。化醫公司也增加了進出口代理收入，並進一步把代理出口推廣到膠管、聚乙烯醇、電石、乳液等商品上。

二、發展易貨貿易，擴大出口品種。

安徽省的礦產資源豐富，日用化工、醫藥化工、基本原料化工、精細化工、煤化工等行業，具有相當規模的生產、加工能力，但部分產品做現匯出口，成本較高，束縛了工貿雙方的出口積極性。化醫公司千方百計同有關單位聯系，根據國外需求，及時向工廠提供出口貨單，開拓易貨貿易和政府間協定貿易的渠道，使聚氯乙烯、氧化鋅、潘生丁等20多種成本較高的化工醫藥品，克服出口高虧的障礙，開始或擴大了出口。

三、發揮生產潛力，開拓計劃外出口。

安徽安慶石油化工總廠具有年加工250萬噸原油的能力，出口成品油質量穩定，生產潛力大，但出口計劃安排較小。化醫公司配合工廠，積極增加超計劃出口，開發新的出口品種、規格，開闢進料加工再出口渠道，實行工廠以產頂進，外貿公司代理出口等多種貿易方式，使兩年來成品油出口實績超計劃1倍以上。從而推動工廠生產發展，經濟效益上升，技術進步加快，出口比重提高，也促進安徽外貿出口穩步發展。

四、優化出口商品結構，建設出口生產基地。

兩年來，化醫公司組織一批工廠直接參予出口談判，瞭解國外行情；工廠把握國際市場需求，提高產品質量，控制生產成本，推出了數十種出口新產品。爲了發揮安徽中、西藥品、藥材質量優良，創匯效益好的優勢，化醫公司專門成立成藥出口部，加强收購，鼓勵生產，使該類商品出口額1989年比1987年增長6倍，成爲出口額在百萬美元以上的新出口商品。爲直接參與出口商品生產，化醫公司設立了由總經理親自負責的出口生產基地建設機構，大力籌措國內外資金，已建設四個出口生產基地項目，與日本客戶合資舉辦一個中藥材出口開發公司，逐步使公司的出口商品結構向高質量、低成本、適銷對路的方向優化。

五、完善內部承包制，提高再生產服務的積極性。

實行外貿企業承包經營責任制兩年來，化醫公司打破內部原有科室建制，試行招標承包，鼓勵職工投標競爭，合理制訂承包、考核指標，制訂開發新商品出口獎勵辦法，嚴格檢查評比，使獎罰與職工工作成效掛鈎，同時加强思想政治工作和職工業務培訓。廣大業務人員從切身利益和發展外貿事業的需要上認識到爲生產服務，加强工貿結合的重要意義，積極主動深入生產企業，探索工貿結合的有效形式，互相支持，建立起公司與工廠興衰與共的誠摯關係，共同增强出口競爭能力。

（王鳳鳴）

堅持工貿結合
發展瀋陽機電產品出口

瀋陽機械設備進出口公司1985年經對外經濟貿易部批准獲得了進出口經營權，隸屬於瀋陽市機械局，進出口業務由瀋陽市對外經濟貿易委員會歸口管理。

五年來，在國內外市場激烈競爭中，該公司充分發揮與生產企業緊密結合的優勢，不斷開發國際市場，努力發展瀋陽市機電產品出口，在與企業攜手走向世界市場，促進企業發展外向型經濟方面做出了顯著的成績。1989年該公司克服各種困難，出口創匯額達到862萬美元，是1985年的7倍。出口的主要產品有：石油管件、機牀、軸承、電機、電光源、鑄鍛件、工具等，銷往世界30多個國家和地區，享有很好的信譽。該公司堅持工貿結合發展機電產品出口的主要作法是：

一、堅持與生產企業實行“四聯合”、“兩公開”。

幾年來，瀋陽機械設備進出口公司在出口工作中，堅持與工廠實行聯合辦公、聯合洽談、聯合成交、聯合推銷和辦展；外貿公司向工廠公開外銷價，工廠向外貿公司公開成本。由於工貿緊密結合，取長補短，因而在對外貿易洽談和投標中，多次中標。1989年，泰國利用世界銀行貸款進口電力設備，在國際招標中，强手如林，競爭激烈，瀋陽機械設備進出口公司與瀋陽變壓器廠緊密結合，工廠精心研究技術，外貿公司提供準確商情，工貿雙方共同出國考察，終於戰勝了國外競爭對手，連續中標，成交額達150萬美元。

工貿結合，努力開闢出口新市場。在1988年秋季廣交會上，瀋陽機械設備進出口公司在市機械局的領導下，組織瀋陽市80家企業舉辦了中國瀋陽機械產品展銷館，展出近千種型號和規格的產品。1989年，該公司又與工廠相結合，相繼在新加坡和泰國舉辦電工、工具等機電產品出口展銷會。通過這些展銷會，既擴大了瀋陽機電產品的知名度，增加了出口成交額，同時使企業走上國際市場第一綫，推動了企業向外向型經濟發展。

二、大力推行出口代理制。

瀋陽市機械局系統有300多家生產企業，擔負出口生產任務企業有70家。瀋陽機械設備進出口公司經過做工作，同具備條件的十幾家企業簽訂了出口代理協議，促進生產企業直接對外，發揮各自優勢，工貿雙方都得到了好處，調動了雙方的積極性。

三、工貿聯合在國外建立銷售網、信息網、服務網。

在市機械局的組織和協調下，瀋陽機械設備進出口公司和機械局系統內的有自營進出口權的企業第一機牀廠、中捷友誼廠、第三機牀廠、重型機器廠聯合在美國、加拿大、日本、澳大利亞、泰國、香港等國家和地區建立了銷售網、信息網和服務網。互通信息，聯合銷售，共同服務，克服了各單位單獨在國外設立派出機構所造成的銷售品種單一、力量薄弱、信息來源少、浪費資金等弊病。既發揮了羣體優勢，又防止了各企業在同一地區重複設點，節約了費用，增加了經濟效益。由於加强了推銷網、信息網、服務網的建設，擴大了瀋陽機電產品的外銷量和創匯額。

四、充分發揮外貿公司的窗口作用，積極參與組建行業集團，增强出口實力。

爲了防止和克服多頭對外，自相競爭，肥水外流的弊端，瀋陽機械設備進出口公司積極參與組織行業集團，以便對外統一價格、統一貨源、固定窗口。目前，瀋陽機械行業已建立了重型機器、基礎件、輸變電、電機、工具、機牀等行業集團。集團在出口工作中，發揮了骨幹作用。

（史向鋒、馮嘉光）

出口生產基地

建設出口生產體系
增强出口創匯能力

自1986年以來，汕頭市對外經貿部門堅持以國際市場爲導向，以出口創匯爲目標，通過參與投資、外引內聯、自辦合辦等多種方式，共投資1.51億元人民幣和3827萬美元，舉辦了106個出口商品生產項目。1989年已有101個項目投產，增加創匯額7694萬美元，佔當年該市自營出口額4.71億美元的16.3%，取得了明顯的投資效益。

在建設出口商品生產體系過程中，汕頭市的做法是：

揚長避短，因地制宜做好項目規劃工作

一是根據汕頭市水果資源和水海產資源豐富的特點，規劃發展創匯型農業，制訂了柑桔、蔬菜、乾凉果、活豬、鰻魚、對蝦等15個品種的發展規劃，促進汕頭市農村產業結構的調整，帶動整個農業經濟向集約型、加工型、外向型發展。目前，農副產品出口生產項目共有34個，佔項目總數的32%。主要有2.5萬畝柑桔生產基地、1萬畝名茶生產基地、2800畝蘆荀生產基地、年產1萬頭瘦肉型豬生產基地等，上述項目都被列入廣東省出口生產體系。同時，逐步發展農副產品深加工項目。近年來，引進了花生醬、脫膜花生、速凍水產品等加工設備，提高了產品檔次，擴大了市場，增加了外匯收入，其中飼料加工、速凍水產品等項目年創匯均在200萬美元以上。

二是根據汕頭市勞動力資源豐富,加工業發達,輕紡工業有較好基礎的優勢，大力發展創匯型輕紡工業，除了更新傳統的拳頭產品如抽紗、漁網、陶瓷、服裝等的生產設備外，爲適應市場需求，發展了石英錶、玩具、鞋類、箱包、小五金、石板材、鑽石加工及機織抽紗、針織等20多種產品共68個項目。這些新產品年出口創匯達1100萬美元。

三是根據汕頭市基礎工業薄弱、原材料工業缺門較多的情況，引進了聚苯乙烯合成樹脂、年產400噸尼龍單絲、年產60萬平方米二層皮革生產綫等設備，爲發展出口加工業配套。

四是爲了增强出口商品在國際市場上的競爭能力，投資200萬美元，從聯邦德國引進全套先進的製版印刷設備。1989年2月投產，當年產值800萬元人民幣，出口創匯55萬美元，改變了汕頭市出口商品包裝裝潢落後的狀況，有兩個產品獲首屆港、澳現代包裝博覽會的金獎和銀獎。

利用外資，發展出口生產企業

利用外資發展外向型生產企業，是該市在興辦出口商品生產體系中採取的措施之一。如近幾年來，抽紗進出口公司16個自屬企業，共利用外資504萬美元，引進先進設備1997台套，年創匯達994萬美元。至1989年上半年，已全部還淸外資本息。11個漁網廠通過租賃方式，利用外資582萬美元，引進織網機100台套，使漁網生產從手工操作逐步轉變爲機械操作，大大提高了生產效率。1989年漁網出口達1480萬美元。

發展自屬企業，開拓穩定的出口貨源渠道

爲了更好地辦好外貿自屬企業，使其在出口創匯中發揮更大的作用，該市對外經貿部門把自屬生產企業納入出口商品生產體系並作爲重點來抓。在原有66個自屬生產企業基礎上，又擠出廠倉場地5萬平方米，投資1698萬元人民幣和694萬美元，自辦出口商品生產項目39個，其中年創匯100萬美元以上的企業有21個，形成了一支出口創匯的生力軍。

加强管理，鞏固和發展出口生產體系

外貿企業實行承包經營責任制後，爲了避免承包人缺乏長遠目標，發生短期行爲的現象，該市對外經貿管理部門將建設和完善已辦出口商品生產體系，作爲承包責任制中的具體考核內容，要求各承包經營者制訂出口生產項目具體發展目標。同時，將與生產部門的松散型聯合逐步轉爲緊密型聯合，把單純的購銷關係轉變爲共擔風險、產銷一體、共負盈虧的合作關係，使出口商品生產體系得以進一步鞏固和發展，以保持出口商品生產的後勁，使全地區的出口貿易持續、穩定、協調地發展。

（姚　晗）

歷史悠久的外向型企業——厦門罐頭廠

厦門罐頭廠，是厦門市重要的出口商品生產基地之一，生產的水仙花牌和古龍牌罐頭有蔬菜、水果、豬肉、水產品等七大類80多個品種，1982年和1987年，美國食品藥物檢驗局(FDA)的專家兩次到該廠實地考察，對產品質量表示滿意。1982年第一次考察時就簽發了產品進入美國市場的許可證。負責“日本國農業標準(JAS)”的有關官員1987年在考察該廠產品質量後也表示讚賞。該廠生產的豆芽罐頭和糖水荔枝罐頭還分別榮獲1985年巴黎國際美食及旅遊金質獎和1987年巴黎國際食品博覽會金獎。1989年罐頭總產量達3.37萬噸，工業總產值1.31億元。產品近90％外銷。銷售市場已遍及北美、西歐等80多個國家和地區。全年創匯3040萬美元。該廠所以能成爲外向型企業，主要經驗是：

一、以出口爲導向，努力開發新產品。該廠早在50年代建廠初期，就以出口爲目標，以創匯爲己任，根據不同市場、不同對象開發設計新產品，增加新門類、新品種，使產品適銷對路，向多樣化發展。在50年代和60年代，他們選擇東南亞和港澳地區爲主銷區，以廣大華僑和港澳同胞爲銷售對象，選用福建名水果、土特產品爲主要原料，設計、生產具有閩粵風味、僑鄉口味的罐頭，如紅燒豬肉、香菇肉醬等豬肉類罐頭和龍眼、荔枝等水果類罐頭，適應海外僑胞、港澳同胞的需求；70年代，又根據我國對外貿易迅速發展的新形勢，瞄準遠洋市場，研製開發了以蘑菇、青刀豆、蘆筍爲主的蔬菜罐頭，遠銷北美、西歐和日本等地，從而使罐頭產量從50年代的5000多噸增到3萬多噸，增長5倍多。其中蔬菜罐頭的產量佔該廠總產量的80％左右。產品外銷量也成幾倍增長。

厦門罐頭廠生產車間一角

二、堅持質量第一，抓好質量管理。該廠生產的水仙花牌罐頭，在國際市場的激烈競爭中，不僅站穩了脚跟，而且銷路越來越廣，主要是產品質量好、牌子硬。該廠堅持以管理保質量，以優質促創匯，成立了以廠長爲首的全面質量管理領導小組，下設辦公室，大力推行全面質量管理。還建立了擁有專職檢驗人員84人、兼職檢驗人員46人的質量管理網絡，實行從原料收購、運輸進廠、加工處理到產品包裝出廠等各個環節的質量控制。在職工中廣泛開展全面質量管理活動，大力推行標準化，搞好食品工業衛生，嚴格按出口標準組織生產，從而保証了產品質量的穩定提高。

由於該廠一貫重視質量管理，使產品質量符合出口要求，產品在國內外獲得了良好的聲譽。目前，該廠已有9個產品跨進優質產品行列，其中：

香菇肉醬、425克整蘑菇罐頭獲國家銀質獎，荔枝、龍眼、豆芽罐頭及特級醬油獲輕工業部優質產品獎，香菜心、香菇豬脚、花生湯罐頭獲省優質產品獎。企業也獲得了福建省質量管理獎、福建省企業管理獎和全國輕工企業管理優秀單位獎。1988年，該廠產品質量、人均利稅率、勞動生產率、資金利稅率和物資消耗等項指標均達到全國同行業先進水平，先後被評爲省先進企業和國家二級企業。在全國輕工業出口產品展評會上，因出口創匯成績突出，又獲得“金龍騰飛金杯獎”和單項產品出口創匯金牌3枚、銀牌2枚、銅牌3枚。

三、引進先進設備，搞好技術改造。厦門罐頭廠是一個已有30多年歷史的老廠，爲了提高產量，滿足國際市場日益增長的需求，該廠近十年來已先後投資2000多萬元人民幣用於改造廠房、引進技術、更新設備。如改造和擴建了主車間、冷藏庫、成品庫、鍋爐，購置了十多台套國內較先進的專用設備，引進三台高頻電阻焊罐機等，使生產能力提高一倍以上，也使產品質量更加穩定。

（林䄂蓄、陳水木）

中國最大的玻璃出口生產基地

河北省秦皇島市的中國耀華玻璃公司是中國目前最大的綜合性玻璃聯合企業。始建於1922年，現有職工11000人，下設六個分廠，一個礦山，廠區面積158.3萬平方米，擁有浮法生產綫二條，平板玻璃九機熔窰三座，壓延玻璃熔窰一座，玻璃球窰二座，鋼化玻璃生產綫二條及生產工業技術用玻璃鋼製品和玻璃深加工等的全套設備，年產值2.35億元。該公司曾獲全國企業管理優秀獎及全國設備管理先進單位、全國思想政治工作先進單位、全國建築材料行業紅旗企業等稱號。所生產的“耀華”牌玻璃在國內外享有盛譽，平板玻璃不僅暢銷全國各地還遠銷世界70多個國家和地區。已成爲中國最大的玻璃出口生產基地。

中國耀華玻璃公司浮法玻璃生產綫

中國耀華玻璃公司經河北省經貿委批准，從1989年起自營進出口業務。在不熟悉國際市場、缺乏經驗的情況下，第一年對外成交977萬美元，完成出口創匯455.36萬美元，取得了較好的成績。他們的具體做法是：

一、適應出口需要，改進生產管理。

該公司爲保證完成出口創匯任務，加强了生產調度、質量管理、經營管理體系。

在生產調度方面，自營出口之前，外貿部門年初所定的月生產計劃一般是按2～6毫米玻璃的比例一次性安排每種厚度玻璃的要貨數量。即使國際市場需求發生變化，安排後很少進行調整，其結果是市場急需的品種有時不能及時生產交貨，市場暫無訂單的品種，生產後又積壓在倉庫裏。自營出口後加强生產調度，採取以國際市場需求安排生產計劃，做到以銷定產，減少庫存積壓。1989年國際市場對2毫米平板玻璃需求量大，公司決定多增產這種規格的玻璃，旣保證了及時交貨，又減少了佔壓資金。

在質量管理方面，重點抓制度、操作、檢驗、獎勵四個環節，嚴格質量責任制。實行優質優獎，退貨扣減產值。突出抓三個“提高”，即從滿足於達到產品等級率，提高到保證產品實物質量的高度；

從滿足於出廠檢驗實現銷售，提高到樹立"耀華"產品信譽的高度；從滿足於達到國家質量標準，提高到根據國外客戶需要制定更嚴標準的高度。

在經營管理方面，實行內外銷產品統一平衡生產供貨計劃、運輸計劃；發生矛盾時，優先保証出口玻璃按期交貨和發運。進出口業務實行崗位責任制，制定了業務銜接和單証流轉規程。海、陸運工作及公司內部工作聯系，採用程序圖，使各個工作環節緊密結合，並建立各種台帳及用戶檔案，使進出口業務工作實現程序化、標準化。

二、抓技術改造，擴大出口生產能力。

幾年來，該公司先後對1、2號平板玻璃窰及後道工序切裝系統進行技術改造，平板玻璃年生產能力由240萬標準箱提高到320萬標準箱。又新建一座年產150萬標準箱平板玻璃的九機窰和一條年產250萬標準箱玻璃的浮法生產綫，出口玻璃的生產能力進一步擴大。

三、開發新產品，增加出口品種。

該公司在大型浮法生產綫上率先生產彩色吸熱玻璃，不僅填補省內一項空白，替代了進口，而且逐步擴大出口。1986年從國外引進年產50萬平方米鋼化玻璃生產綫、年產10萬平方米的中空玻璃生產綫和玻璃鋼波紋板、型材、樹脂等三條生產綫，增加了新產品。還根據外商需求，對現有切割設備進行改進，增加出口產品的規格、花色，不斷開發新品種。該公司已從過去生產普通平板玻璃，發展到能生產壓花玻璃、彩色吸熱玻璃、中空玻璃、夾層玻璃、離子交換增强玻璃、防彈防爆玻璃、電加溫及透明導電膜玻璃、玻璃鋼波紋板材及型材、熱模壓製品和不飽和聚酯樹脂等7大系列近百個品種。出口品種也從單一的普通平板玻璃擴大到彩色吸熱玻璃、壓花玻璃、百葉窗玻璃、鏡片玻璃、鍍膜玻璃、鋼化玻璃等9個品種。

四、提高產品質量、檔次，保持出口競爭力。

該公司引進日本對輥法新工藝，改進2號平板玻璃窰，增加了特選品和A級品兩個等級。引進比利時電子秤和原料混合設備，穩定了配料比例，平板玻璃質量在全國名列前茅。1978年全國實行玻璃行業評比以來，11次榮獲全國第一，特選品玻璃榮獲國家銀質獎。"耀華"牌玻璃以優質保持了在國際市場上的競爭力。

五、改進出口包裝，增强創匯能力。

公司自營出口以來，組織專門力量對包裝的箱型、結構、襯墊材料、裝箱操作、運輸裝卸、保管等環節進行研究、攻關，作了一系列改進，改造了裝箱夾子，木箱增加了斜支撑，襯墊材料由木絲改爲甘蔗板，普通釘改爲羅紋釘等。包裝質量的改進，提高了"耀華"牌玻璃的對外信譽和創匯能力。

六、採取多種經營方式，擴大出口。

該公司獲得自營進出口權後，面對外貿業務不熟悉、對國外客戶不了解、外銷渠道少的情況，首先，將港澳地區客戶接過來自營，對遠洋地區出口暫由外貿專業公司代理。其次，與香港華遠公司聯營，公司派代表常駐華遠公司，方便了公司與客戶關係，及時了解香港及海外市場信息；與河北省外貿部門駐澳大利亞、阿聯酋等國的機構建立代理和經銷關係。第三，與中外合資經營企業聯營，由公司提供玻璃及加工費，合資企業加工成玻璃製品後由外方包銷。此外，還通過參加廣交會和國外展覽會、邀請客戶來公司參觀，廣泛接觸客戶，開闢新市場，擴大外銷渠道。

（王萬來）

一個深受國內外讚譽的出口生產企業
——南通市棉織四廠

南通市棉織四廠是生產純棉脫脂紗布的出口生產專廠，也是我國最大的生產出口醫藥紗布的企業。全年生產純棉脫脂紗布1億米，產品全部出口，佔全國出口總量1/3强。該廠從1987年起每年出口創匯近1000萬美元，實現利潤1000多萬元人民幣，成爲南通市創匯和利稅大戶之一，1988年被江蘇省評爲省級先進企業。該廠生產的“三山”牌、“雪花”牌等名牌醫藥紗布遠銷50多個國家和地區，深受國外用戶的讚揚和信賴。

南通市棉織四廠后整理車間

準期交貨率一直保持100%

這個廠承擔生產出口任務已有32年歷史。32年來，該廠始終堅持“信譽第一”的宗旨，經常對全廠幹部職工進行教育，使“重合同、守信用”成爲全廠職工的自覺行動。因此，在30多年裏，幹部職工換了一批又一批，但“守信用”這一好傳統始終不渝地得到繼承和發揚，準期交貨率始終保持100%。

爲了能準期交貨，確保出口履約，該廠在抓思想教育的同時，注意抓四個方面的工作：⑴接受貨單時堅持實事求是，充分估計可能會出現的困難和矛盾，使計劃留有餘地。⑵組織一批業務骨幹，在任務緊急的情況下突擊按時完成任務。1988年底工廠接受1989年的出口生產任務，1989年上半年，計劃內用紗遲遲不能落實，預計缺紗1000噸，眼看就要影響交貨，工廠馬上組織一支突擊隊，由廠長帶隊到省內外千方百計組織購進棉紗和坯布，又通過上海進口棉花1000噸。經過艱苦努力，在很短的時間裏解決了工廠所需的棉紗，確保了正常生產和均衡供貨。⑶走大協作的道路，積極主動地搞橫向聯合，擴大生產能力和加工檔次，適應國際市場激烈競爭的需要。隨着外貿的迅速發展，他們深感自己的產品在數量和品種上不適應國際市場的需求，有時出現外貿需要的品種工廠生產不出來，外貿急要的貨工廠來不及生產，給按期交貨造成威脅。該廠反復研究，決定走大協作的道路，以南通市棉織四廠爲主體，由12家成員廠組成集團性的企業——南通棉紡織脫脂紗布總廠，形成以出口紗布爲龍頭、以漂白整理後的紗布爲最終產品的羣體型生產結構，使出口量增加了41%，深加工能力也大大提高，同時還開發了紗布切片、紗布手術巾等新品種。一次工廠接受274萬米40S36″×20×12對折卷裝紗布的出口生產任務，交貨期只有一個月，由於供電緊張，影響生產，該廠發揮橫向聯合的優勢，組織各聯營廠進行突擊，終於按期完成任務。⑷廠領導把準期交貨作爲經濟責任制的重要內容進行考核，嚴格檢查。

產品的合格率一直保持同行業之首

南通市棉織四廠十分重視抓出口產品質量，堅持以質取勝。工廠把質量與信譽，質量與效益，質量與企業生存緊密地聯系起來，並在全廠大力推行全面質量管理，加强工藝研究，採取各種有效措施，使產品質量不斷提高。多年來，產品入庫一等品率一直穩定在98%以上，出口合格率達97%以上，從未發生過退貨、索賠。該廠被南通市命名爲質量管理先進企業，計量管理和設備管理也通過二級驗收，取得了合格證書。

這個廠在抓產品質量中，首先，堅決執行國際標準，不斷改進生產工藝。從1987年開始，國際市場對脫脂紗布的生產推行GMP的新標準，該廠得知信息後，爲使本廠產品能符合國際新標準，產品能進入歐洲市場而不會被淘汰，決定壓縮其他各項開支，不惜用1000多萬元人民幣新建了一座按國際GMP標準設計的8000平方米漂整車間，裝修了高標準的試驗室，配備了現代化的測試儀器。從而使產品在歐洲市場不僅站穩了脚跟，還擴大了銷量。其次，堅持道道把關，建立嚴格的崗位責任制。從棉紗進廠到坯布直至成品，每道工序都配有質量檢查人員，發現問題及時進行處理。第三，把質量管理列爲企業經濟責任制的內容。廠部專門設立質量管理辦公室，車間班組配備質量管理員，同時把產品質量與幹部獎懲，職工的經濟收入直接掛鈎，全廠出現了人人重視產品質量的新氣象。第四，重視智力投資和技術骨幹的培訓，從提高職工素質入手，確保產品質量的不斷提高。由於注意狠抓產品質量，該廠產品在歐美市場一直是暢銷貨，多次受到外商的好評。美國一家公司和香港庭康有限公司專門送來精美的不銹鋼匾、上面刻着"品質優良，前途無量"。

價格一直低於同類產品的水平

南通市棉織四廠在提供出口貨源時堅持實事求是，定價合理，保持價格上的競爭優勢。在原材料、電力、燃料等價格普遍上漲的時候，爲了確保產品的合理價格，該廠不是把眼睛專盯着外貿要求提高收購價格，而是狠抓內部的經營管理，立足於上調收購價格與自我消化相結合。一是教育幹部職工要有戰略眼光，不圖眼前利益，只要出口需要，有社會效益，對一時微利或無利乃至虧本的產品，都要生產，堅持做到批量大小一個樣，品種難易一個樣，盈利多少一個樣。有幾次接受的新品種訂貨量衹有幾千米，加工難度大，而產值衹有千元左右，明明是虧本的生意，工廠照樣生產，按期交貨。二是廣泛開展"雙增雙節"運動，努力挖掘企業內部潛力，通過提高經濟效益來降低產品成本。1989年產量比上年增加500萬米，卻少用燃煤962噸，電15473千瓦，萬元產值耗煤、水、電分別比上年下降11.75％，18.08％和8.44％。工廠還修舊利廢16623件，價值近10萬元人民幣，在漂洗生產流水綫上安裝了廢碱回收裝置，節約了大量的染化料，還節約棉紗21.9噸，大大降低了生產成本。三是主動配合外貿部門控制收購價格，降低換匯成本。外地許多單位願以高價格大批量購買其紗布製成品。他們認爲，如果高價將產品賣出去，本廠雖然可以得到一些實惠，但助長了抬價搶購風，既對國家不利，從長遠看也會對本企業發展帶來害處。因此，工廠在"重金"面前不見利忘義，一個個婉言謝絕，按計劃把產品提供外貿公司出口，受到外貿部門的稱讚。

（王其仁）

呼和浩特機牀附件總廠首獲國際優質獎

呼和浩特機牀附件總廠系國家機械工業大型重點骨幹企業，是目前國內最大的卡盤製造廠和卡盤研究測試開發中心。現有職工3300人，擁有生產設備1050餘台，其中精切機牀680台，固定資產5000多萬元。在山東煙台、牟平和呼和浩特設有13個分廠，年產"環球"牌卡盤24萬台，佔全國卡盤總產量的50％左右。1989年出口創匯339萬美元，佔全國卡盤出口總額的80％以上。產品遠銷美國、西歐、東歐、中東、東南亞、拉美等40多個國家和地區。1988年被國家批准爲出口生產基地企業，獲自營出口權。

該廠生產的"環球"牌卡盤已有近40年歷史，規格齊全。在理化檢驗、鑄、鍛、冷熱加工、檢測等工序擁有多項獲獎的專有技術；擁有國內最先進、最完備的卡盤性能測試手段。產品質量長期保持一等品和優等品，先後獲區優、部優、國優產品稱號。1989年5月在法國榮獲第十七屆國際優質獎。同年11月又在西班牙榮獲第十四屆國際最佳貿易信譽獎。

該廠生產的"環球"牌系列卡盤

該廠的做法是：

一、堅持以質取勝的辦廠方針。

爲使產品質量長期保持穩定並不斷提高，該廠始終抓住解決影響產品質量的關鍵問題，從人員、設備、材料方面採取有力措施，加以有效地控制。爲了提高職工的質量意識和技術水平，在堅持日常質量意識教育的基礎上，學辦質量管理、基礎標準、形位公差等各類學習班；自辦技工學校，每年培養一批合格的技術工人充實到生產第一綫；對新進廠的工人進行上崗前基礎理論培訓，加深對產品標準、質量管理的理解，並在生產中認眞貫徹執行。

爲使設備能滿足零件加工的質量要求，制定了完善的管理制度。各部門及生產班組實行全員設備管理，對設備的使用和維護保養都有明確的規定，定期進行檢查考核，保證了設備的性能、精度和正常運轉。

"環球"牌卡盤對材料有着特殊的要求。從原料採購、入庫到使用，制定了完善的管理制度。對原料採用大幅度增加理化檢驗數據，確認符合使用標準，方可投入生產。不符合標準的材料，採取特殊工藝方法處理，經檢驗合格方可使用。

由於制定了高於國際標準的內控標準和工藝規範，等效採用ISO國際標準；在生產現場、關鍵工序設立了控制點，編制了質量工序表、操作指導卡、設備點檢卡等，從而保證了關鍵工序的加工質量和裝配後的成品質量。

二、深化改革，健全企業內部機制。

(1)改革領導體制，實行廠長負責制，形成廠長全面負責，黨委保證監督，職工民主管理的新格局。(2)改革幹部管理體制，實行領導幹部聘任制和一般幹部聘用合同制；對管理機構，實行定編、定崗制度。(3)改革勞動制度，實行勞動合同制和上崗前的培訓制度，使勞動組織引入競爭機制，向優化組合過渡；改革分配制度，進一步調動職工的積極性。(4)改革生產體制，打破了關門生產的方式，發展緊密型、松散型橫向聯合，提高生產專業化程序，擴大生產規模。

三、推行以目標管理、全面質量管理爲核心的現代化企業管理。

爲加强企業管理，提高企業素質，大力推行以降低物質消耗和提高經濟效益爲重點的全面質量管理和目標管理體系。

1.質量保証體系。完善從原料進廠到產品出廠全過程的質量管理體系。在十個關鍵工序中設立質量管理點，編制作業指導書，用以指導，保證了產品的質量。

2.物質消耗保證體系。爲節約能源，提高鋼材利用率，把年度耗能、節能計劃和節能技改措施納入企業的生產經營計劃，並逐級分解到分廠(處室)、班組和機台，建立13類270項能源消耗定額和各種能耗、物耗原始記錄、統計報表，在50千瓦以上的設備上安裝計量儀錶、實行節獎超罰，從而降低了物質消耗。

3.經濟效益保證體系。實行多種形式的承包責任制，把經濟效益指標分解到企業各部門和個人，把企業經濟效益的好壞同個人的切身利益聯系起來。建立廠內銀行，加强財務、成本管理和經濟核算，使各車間、科室的成本、資金費用處於嚴格的監督、控制和考核之下。

由於推行目標管理和全面質量管理，幾年來，各項經濟技術指標一直處於全國同行業領先地位。1986年獲全國質量管理優秀單位稱號，1988年被機械電子工業部命名爲企業管理優秀單位，同年被批准爲國家二級企業。

四、依靠技術進步，重視新產品開發，趕超世界先進水平 。

爲適應機牀工業的發展和市場對卡盤質量、檔次越來越高的要求，該廠對現有設備進行了一系列技術改造。應用數控、數顯新技術改造了卡爪車牀，自行設計製造了盤體三孔鏜牀、雙頭盤絲磨牀、卡爪牙弧磨牀、卡爪拉牀等多種專用機牀，提高了機牀的自動化程度、加工精度和生產效率，對有效地控制、保證和提高卡盤的製造質量起到了重要作用。同時，依靠本廠的技術力量，在有關部門的協作下，研製成功一些國內首創的高檔檢測試驗設備。如HTF—C_{01}型微機控制光栅式平面螺紋檢查儀，解決了我國對盤絲曲綫進行全綫主動測量的課題，從而有效地保證了卡盤關鍵零件的質量。1989年研製出最高轉速6000轉／分的高速油缸性能試驗機和最高轉速7000轉／分的高速卡盤性能試驗機，結束了我國高速動力卡盤和高速回轉油缸沒有檢測試驗設備的歷史，爲國家節約了外匯。

爲滿足數控機牀和精密機牀配套需要，該廠先後研製出多種系列的高速、中速動力卡盤和回轉油缸的新產品，其中斜齒條式快換爪高速通孔動力卡盤、P25A系列高速通孔動力回轉油缸，是目前世界上少數幾個國家的個別著名廠家才能製造的高技術產品。這些新產品的開發和應用，推動了企業的技術進步，加快了產品的更新換代。有的新產品填補了國內的空白，有的達到或超過了國際先進水平。

（呂秀山）

貨 源 收 購

抓措施落實　促貨源收購

浙江省紹興縣，發揮本地經濟優勢，外貿收購迅猛增長。1989年全縣外貿收購額達3.71億元，比1988年增長74.5%，在全省67個縣(市)中居第一位。其主要措施是：

明確目標　落實任務

紹興縣政府把擴大外貿出口收購列爲全縣經濟工作的中心環節，組織力量，調查研究，明確提出當年及三年的外貿出口收購目標，把它列爲縣委、縣政府領導目標責任制的六大目標之一，並將任務分解落實到縣政府各業務主管部門和各區、鄉政府，作爲區、鄉幹部崗位責任制的考核指標之一。

制定鼓勵政策　確保兌現

紹興縣結合本地實際情況，制訂了鼓勵出口創匯的若干政策規定：(1)獎勵多供貨、多收購。對縣級主管部門，按上年提供的出口貨源金額爲基數，農副產品每增加收購2萬元，獎勵1元；工業產品每增加收購7萬元，獎勵1元。對超額完成出口產品生產的企業，給廠長精神和物質獎勵，凡超過上年實績10%的，給予記功並晋升一級工資。(2)從資金上給以支持。縣政府設法從外地籌措資金100多萬元，用於解決重點出口生產企業流動資金不足的困難；近二年，縣財政和銀行擠出1000萬元，扶持37家出口生產企業進行技術改造；對部分生產優質、適銷產品的企業發放貼息貸款。

鞏固骨幹產品　開發適銷新品種

紹興縣農業經濟發達，紡織、服裝、工藝等產品有相當基礎。這幾個行業的產品收購額達2.48億元，佔全縣出口收購總額的66.85%。該縣發揮本地優勢，對傳統的骨幹產品，在資金、物資、技術上給以扶持，爲擴大外貿貨源提供了基本保證。同時，積極鼓勵生產企業開發新產品，增强出口創匯的後勁。1989年開發的38種新產品，外貿收購額達3598萬元。如柯橋鎮輕紡機械廠，原來以生產提花襪機爲主，1989年以來由於襪機市場疲軟，產品銷路不暢，縣外貿部門提供信息，支持工廠生產出口的健身器、舉重器，試銷美國，頗受客商歡迎，外貿收購額近2000萬元，成爲新的出口創匯骨幹產品。

(浙江省經貿廳)

狠抓爲生產服務　擴大出口收購

河北省石家莊地區對外貿易局緊緊抓住爲生產服務這個根本環節，千方百計開發出口貨源，外貿出口連年持續大幅度增長。特別是1989年，儘管遇到了出口生產資金匱乏、原材料短缺、能源動力供應不足等困難，由於有豐富的貨源作後盾，外貿出口仍然保持了穩步發展。全年出口商品收購值完成2.84億元，爲計劃的156.7%，比1988年增長56.8%，創歷史最好水平。其中本地貨源達2.73億元，佔96%。他們的主要措施是：

一、積極引導，面向出口組織生產。突出抓兩個方面：一是政策引導，利用鼓勵出口政策吸引更多的廠家跨進出口生產企業的行列。1989年制定了《關於建立出口工業品生產專廠的暫行辦法》，規定達到標準、列爲出口生產專廠的企業可享受11個方面的優惠待遇。這一政策的制定和實施，調動了生產企業的出口積極性，截止1989年底，全區各類工業品出口生產企業由1988年的104家猛增到171家，供貨總額達1.98億元，佔收購總值的69.7%。二是信息引導，利用信息指導生產，逐步建立健全信息反饋網絡。他們從各公司抽調得力人員多方捕捉出口需求信息，提供給生產廠家，幫助企業針對國際市場需求發展新商品。通過提供有效信息，全區每年都能開發出五、六十個新的出口商品，增加上千萬元的收購值。1989年他們向生產企業提供有效信息87條，開發新的出口商品70個，新增出口收購值2786萬元。

二、積極扶植，促使出口生產穩步發展。爲了保證出口商品生產穩步發展，擴大出口創匯，他們急企業之所急，幫企業之所需，積極爲企業排憂解難：一是組織大批物料下鄉進廠，支持企業發展生產。1989年共向全區出口生產企業投放化肥10000噸、農藥100噸、柴油760噸、鋼材360噸、三合板2萬塊。二是千方百計廣籌資金，解決生產企業資金嚴重不足的困難。通過預付貨款、擔保貸款、跨行借貸等方式，全年共投放信貸資金5300多萬元，幫助一些重點企業緩解了生產資金嚴重短缺的壓力。三是骨幹企業，重點支持。如出口骨幹企業平山縣棉織廠曾因棉紗供應中斷而停產，他們主動到省裏求援，及時調供棉紗10噸，使其迅速恢復生產。四是在保證本省口岸出口的前提下，積極向外埠口岸推銷商品。1989年通過北京、廣州、上海等13個外省(市)口岸推銷47種商品，達2313萬元，還內銷積滯商品300多萬元。五是幫助技術落後、設備陳舊的企業引進技術，更新設備。如一家鄉鎮企業購進標準件生產設備後，因技術不過關，衹能生產低檔次的產品，且成本高、效益低，瀕臨破產倒閉。1988年底，外貿部門專門從上海請來技術人員對該廠進行技術指導，生產出了可供出口的新產品，1989年該廠爲外貿供貨30餘噸，盈利9萬多元。

三、建立出口商品生產基地，形成創匯生產羣體，變資源優勢爲商品優勢。在林業、農牧等部門的密切配合下，通過層層建立協會組織，提供信息、技術等方面的服務，先後建成了鮮梨、家兔、水貂、草編、活牛、油脂、油料等10個農副產品出口生產基地，使適銷盈利商品形成一定的生產規模。1989年這10個生產基地向外貿提供4900多萬元的出口貨源，佔農副產品出口收購總值的55.7%。還建立了44個工業品出口生產專廠，年供貨量佔全區工業品收購值的80%以上。目前，出口生產基地的產品已成爲石家莊地區出口商品的重要來源之一。

四、以入股聯營的方式建立工貿聯營企業。他們與上級外貿部門合作，選擇生產能力强、協調配合好、產品暢銷的辛集鉬鐵廠等企業爲聯營投資重點，先後投資1400萬元建立了27個工貿聯營企業。這些聯營企業積極主動地面向國際市場組織生產，不斷更新、改造設備，擴大生產規模，提高產品檔次，從而形成穩定的出口貨源體系，年出口供貨總值達2700多萬元。

（王榮君　　李國成）

利用外資

吸引外資、引進技術的窗口
——中國國際信託投資公司(集團)十年成果

1979年6月，國務院批准成立中國國際信託投資公司(簡稱中信公司)。同年10月公司正式成立。十年來，中信公司作爲我國吸引外資、引進技術的一個窗口，不斷開拓創新，逐步發展壯大，爲我國現代化建設事業做出了應有的貢獻。

一、以多種方式開展金融業務，吸引國外資金。

⑴**在國際金融市場發行債券，籌集資金**。1982年初，經過反復研究、論證，中信公司在日本成功地發行了100億日元債券。這是建國以來我國首次在國外發行金融債券。以後，又相繼在東京、法蘭克福、香港、倫敦、新加坡等海外金融市場上發行了12次不同幣種的債券。發行債券籌得的資金，通過投資、貸款用於國內經濟建設，取得了較好的經濟效益和社會效益。如：首次發行的100億日元債券，用於江蘇儀征化纖項目，使該項目於1985年順利建成投產，當年就獲利2.7億元人民幣，效益良好。幾年來，儀征化纖工業公司不但償還了投資貸款，還爲市場提供了大量優質化纖原料。

⑵**舉辦中信實業銀行，拓展多項金融業務**。十年來，中信公司的金融業務不斷擴大，包括對外發行債券、進行國際清算、經營外匯、存放款、信託、代理、擔保以及參與國際銀團貸款等多項銀行業務。1987年，根據業務發展需要，公司組建了中信實業銀行，按照國家的金融政策，配合公司總的發展，開展業務。目前，中信實業銀行已與30多個國家和地區的200餘家銀行建立了業務聯系，並在大連、上海、深圳分別設立了分行。爲在海外開拓金融業務，中信公司收購了具有80多年歷史的香港嘉華銀行95%的股份，經過三年多的努力，使這家瀕臨破產的銀行扭虧爲盈，業務不斷恢復和擴大，利潤成倍增長。香港嘉華銀行有豐富的銀行業務經驗，與中信實業銀行相互配合，成爲中信公司海外金融業務的重要支柱。

⑶**在國內首創銀行租賃業務，促進中小企業的技術改造**。1982年，中信公司與日本東方租賃公司合資成立了全國第一家租賃公司——中國東方租賃有限公司，以後又組建了國內最大的綜合性租賃公司——中國租賃公司。十年來，中信公司通過租賃業務，共引進國外技術設備1500多項。近年來，還在租賃與補償貿易相結合，運用出口租賃和槓桿租賃業務等方面做了一些嘗試。

二、以興辦實業爲主，大力吸引外資，發展生產。

⑴中信公司開展投資業務，除投資於國家急需建設的交通、能源、原材料等行業外，還注意投向能出口創匯的技術先進型企業。十年來，中信公司通過舉辦技術先進型企業，提高了生產企業的技術水平，增强了產品出口創匯的能力。如：公司與港商合資舉辦戴卡輪轂制造有限公司，運用英國80年代最新技術，生產8個系列的鋁合金車輪轂，產品全部外銷，在國際市場很有競爭力。中信公司引進美國柯達公司全套生產設備和先進技術，與國內有關方面合資經營的厦門感光材料有限公司，產品技術指標已達柯達公司標準。此外，還開辦了國嘉光電有限公司、華美生物工程公司等高技術企業。

⑵十年來，中信公司共組織並參與中外合資、合作企業100餘家，如：中美合資的山西平朔露天煤礦、中法合資的廣州標致汽車公司、中日合資的三得利食品公司等，其中絕大多數爲生產型企業；還運用自籌外資，引進先進技術、設備，與國內有關部門和地區發展橫向經濟合作，這種利用外資的

方式簡便且收效快。目前，中信公司組織的這類合資企業已發展到154家，較大的有江蘇儀征化纖工業公司、秦皇島渤海鋁業有限公司、厦門感光材料有限公司、黑龍江的北黑鐵路等。

公司投資的行業涉及能源、交通運輸、冶金礦産、化工、建材、機電、紡織、輕工、漁牧等行業，爲促進經濟建設發揮了作用。

⑶按照國務院"利用兩種資源、開闢兩個市場"的指示精神，中信公司積極、穩妥、愼重地開展了海外投資業務，主要是爲緩解國內一些資源(如銅礦、鐵礦、紙漿、木材等)供應緊張的矛盾，通過投資辦廠，使國內能獲得長期、優惠的供應。幾年來，公司先後在美國、加拿大、澳大利亞投資於木材、紙漿、鋁材等行業。通過海外投資業務，中信公司積累了在國外投資辦廠以及運用國際上常用的經濟、法律手段的經驗，也培養鍛煉了人材，爲公司邁向國際化打下了基礎。

三、開展和擴大對外貿易及其他服務業務，增加外匯收入。

⑴中信公司爲解决公司投資企業所需設備、材料、零部件、技術的進口和產品的出口，積極開展貿易業務，爲這些企業改進生產技術，提供短缺物資，同時，促進企業產品外銷，努力增加外匯收入。

隨着公司業務的不斷擴大，對外貿易業務由單純的代理出口，逐步向多種經營的方向發展。1987年底，中信公司成立了中信貿易公司，開始了全方位的貿易活動；集團公司內一些有進出口經營權的地區性和行業性子公司，也依據各自的優勢在貿易領域內開展業務，並已初具規模。到1989年，中信公司(集團)的出口額達到7800萬美元；其中中信貿易公司兩年多進出口規模由幾百萬美元擴展到1.5億多美元。中信興業公司機電產品的出口由1987年1.6萬美元躍升到1989年的163萬美元。中信公司的貿易方式也日趨靈活多樣，包括補償、易貨等對銷貿易和多邊貿易，辦理來料、來件、來樣加工以及維修、寄售和貿易諮詢業務。出口商品中，生產資料佔50%以上。目前，公司貿易範圍擴展到世界40多個國家和地區，並在海外設立了一些分支機構。

⑵爲便利外商來華投資及從事其他經濟活動，更好地發揮公司對外開放的窗口作用，十年來，中信公司把諮詢服務業務由單純爲公司自身服務，發展到爲社會服務，形成了一套完整的服務體系。

公司成立不久，就在國內最先開展了國際經濟諮詢業務，組建了中國國際經濟諮詢公司，以獨立、公正、客觀爲宗旨，爲客戶提供法律諮詢、財務分析、驗資審計、市場調查、企業診斷、可行性研究等咨詢業務。中國國際經濟諮詢公司又成立了中信律師事務所和中信會計師事務所；1988年，還與國內其他單位組成諮詢聯合體，集合了17家成員單位、4500多名專業骨幹，形成一支具有相當實力的諮詢隊伍。幾年來，公司開展的諮詢服務項目達2000多項，同國外數十家諮詢與研究機構建立了密切的合作關係，並在世界銀行、聯合國開發計劃署等國際機構中註册，在國內外同行中擁有較好的聲譽。

爲改善外商來華辦公及住宿條件，中信公司以中外合資、國內合資及獨資方式，在北京及沿海和旅遊城市興建十幾座辦公樓、公寓、賓館等，爲百餘家外商駐華機構和大批來華旅遊的外賓提供服務。中信公司在北京投資建設的國際大厦，是國內第一家供外商租用的辦公樓，1985年營業以來，以優質服務獲得好評，現已全部收回投資。中信公司還組建了中信旅遊公司，以國際商務旅遊爲特色，積極開展旅遊服務業務。

爲適應國際經濟迅速發展的需要，中信公司在國內較早地運用計算機爲公司提供信息服務，建立了金融、貿易、投資等數據庫，並和路透社等國際信息網絡建立電訊聯系。目前，公司的信息服務功能逐漸社會化。

四、積極引進先進技術，大力發展技術出口。

⑴中信公司爲投資、融資的企業引進國外先進技術和設備，促進企業的技術改造。如：爲湖南株州硬質合金廠、洛陽銅加工廠分別代理引進瑞典、聯邦德國、意大利等先進技術。其中洛陽銅加工廠經技術改造後，產品質量達到國際先進水平。中信公司還代理進口了光導通訊方面的激光器、煉鋼方面的頂底復合吹煉技術、PPO發泡放大技術等幾十項先進技術。

⑵1987年，中信公司在改組成企業集團的同時

組建了中信技術公司，旨在引進先進技術，推動技術出口，開發和推廣新技術。兩年多來，在信息、電子、生物技術和新材料等方面進行了有益的探索。該公司與英國、香港兩家企業合作開發的亞洲衛星項目進展順利，預定於1990年4月由我國的長征三號火箭發射升空，成爲第一顆中國投資並參與經營的爲亞洲地區服務的區域性通訊衛星。中信技術公司還與外商合作開發了數字程控用戶交換機、多功能中英文文字處理機、激光血球計數儀等。

中信公司在十年的業務活動中不斷成長、壯大，已發展成爲在國內外擁有一批直屬子公司(銀行)和200餘家投資企業，多層次、多功能、國際化的綜合性企業集團，爲我國的現代化建設事業做出了應有的貢獻。在90年代，中信公司將繼續堅持改革開放，發揚開拓、創新、務實的傳統，積極貫徹中央關於持續、穩定、協調地發展國民經濟的方針，大力吸引外資、引進技術，爲實現我國經濟發展的目標多做貢獻。

(中信公司供稿)

北京·松下彩色顯像管有限公司
嚴格管理　投產當年盈利

北京·松下彩色顯像管有限公司廠門

北京·松下彩色顯像管有限公司是由北京電子管廠、中國電子進出口總公司北京分公司、中國工商銀行北京信託投資公司、北京顯像管廠和日本松下電器產業株式會社、松下電子工業株式會社合資經營的企業，1987年9月成立並破土動工興建。總投資額爲4.94億元人民幣，中日雙方各佔50%。合營期20年。廠區佔地面積13.6萬平方米，其中建築面積5.2萬平方米。計劃年產21英寸和19英寸兩種平面直角彩色顯像管和14英寸普通彩色顯像管共181萬支。職工定員1292人，現有900人，是北京市與日本合資經營的企業中規模最大的企業。經中日雙方共同努力，公司於1989年7月正式投產，比原計劃提前了兩個月。原來預計投產兩年後獲利，實際上當年已有收益。1989年7～12月，生產21英寸彩色顯像管151053支，超計劃33%，並已全部售出；完成工業產值1.02億元，銷售收入9983萬元，實現利潤1382萬元；全員勞動生產率爲16.63萬元／人，人均利潤率達2.25萬元／人。中日雙方投資者對公司投產半年初見成效感到滿意。

該公司結合我國具體情況，借鑒松下的經驗，加强企業管理，取得初步成效。

一、建立精簡、效能、統一的組織體系，發揮全員參與經營的作用，適應現代化企業快節奏、高效率的要求。

參照日本松下公司機構設置原則，公司設立製造、技術、計劃財務、設備動力、物資供應、人事總務、市場經營等七個職能部，部下設科，科下根據需要設系，系下分班。製造部主管生產。這種組織機構的特點是：第一，單一首長負責制。各部、科、系、班均只有一位首長全權負責，集中指揮，下情也能及時上達。第二，全體職工分爲管理監督者、直接作業者和間接作業者三類。班長以上爲管理監督者，在生產綫上勞動的爲直接作業者，其餘(如技術部人員)均爲間接作業者。依照合同規定，科長以上管理人員佔3%，監督人員(系長、班長)佔9%，直接作業者佔72%，間接作業者佔

15.6%，黨、團、工會工作人員佔0.7%。各部門嚴格定員定編，一人要完成多項任務。第三，各級管理人員都有明確的職責範圍，並要樹立明確的横向協調意識，主動協調配合，從而提高了工作效率。第四，集中辦公，七個部在兩個大辦公室辦公，部門間情報、信息傳遞快。第五，生活服務、輔助性工作，包括司機、保衛人員、一些簡易設備操作和某些間接作業工人，儘量招聘臨時工。如食堂，除兩名管理員外，均爲臨時工。採取這種組織體系，管理機構精幹，便於統一指揮生產，從根本上杜絕了人浮於事、因人設事的現象。

二、編制嚴密、完整的事業計劃，據此開展全部生產經營活動。

新年開始，總經理發佈當年經營策略。各部門也制定出自己的經營方針。在此前提下，有關部門根據當年開工日數、設備開動率、市場預測等因素，分別制定生產、銷售和以成品爲主的在庫計劃，構成事業計劃的三大支柱。然後再制定勞動工資、物資供應、管理經費等專業計劃。最後由計劃財務部綜合平衡，匯總編出成本、資金、利潤計劃，形成事業計劃。事業計劃的三個主要作用是：第一，按計劃進行有效經營，降低成本，提高經濟效益。第二，使經營管理納入計劃軌道，並進行事前管理，避免和消除盲目的隨機管理和被動式管理。第三，各部門都要對照計劃作出評價，通過月度結算把執行結果與計劃指標進行比較，發現差異，採取措施改進。

三、實行以質量爲中心的全員、全面、全過程的生產管理體制。

從公司成立開始，就教育職工樹立競爭觀念，認識質量是企業成敗的根本。不斷加强質量控制、監督和保證系統。公司各部門嚴格按工作程序和操作規程工作。實行數量化管理方法，生產綫的直接操作者，要精確做好各種原始記錄，然後進行整理分析，繪出各種圖表，以便及時準確地掌握生產過程中的情況。製造部門制定各個生產階段的目標值，據此實行道道工序的質量控制。產品出廠前，對壽命、高壓、安全等特性作嚴格測試評定，保證質量。目前，公司產品合格率已穩定在目標值96.5%以上。1989年11月，經美國專家來廠檢驗測定，已通過國際上最嚴格的UL安全標準認證，爲今後產品出口創造了先決條件。

北京·松下彩色顯像管有限公司生產車間

四、提高職工素質，發揮人在企業中的主體作用。

第一，公司一成立，就制定了向國際市場挑戰的目標和"工業報國、實事求是、改革發展、友好合作、光明正大、團結一致、奮發向上、禮貌謙讓、自覺守紀、服務奉獻"十精神，並使之成爲企業發展的動力，全體職工的信念。在制定並執行勞動就業規則，維護正常生產秩序的同時，制定了職工的行爲準則，促使職工養成文明的習慣。

第二，尊重人，關心人，爲職工創造優良、和諧的工作氣氛和環境，使職工增强向心力，發揮潛在的聰明才智，最大限度地發揮企業的整體效能。注意改善和加强職工間、上下級間的相互信任、友好合作、協調一致的人際關係。每週一全公司舉行升旗儀式和朝會。每天各部、科分別舉行朝會、夕會。每逢職工生日、婚禮或喪事，部門負責人登門致賀或慰問。這些活動縮小了人們心理上的差距，消除了一些隔閡和誤會，增强了集體觀念和羣體意識。感情聯系成爲維系上下級和人際關係的紐帶和橋梁。

第三，嚴格組織紀律，協調地進行分工細緻、協作複雜的生產活動。一是加强入廠教育和在崗培訓。二是嚴格實行八小時工作制，每天必須完成工作定額。三是管理監督人員以身作則，對工作負全部責任，出了差錯首先追究主管的責任。四是各生產工序貫徹質量第一的原則，嚴格執行技術規範。

第四，對職工定期考核評價，激發其進取心。考核自下而上，由直接上級評定，不公佈結果，但所屬領導要向本人交底，指出努力方向。考核評價的結果作爲一年兩次發放獎金的參考和今後提升的一個重要依據。

第五，體現"公平、能力"原則，採用崗位結構工資制。這是借鑒松下公司的勞動工資模式，結合我國具體情況修訂而成。其原則是：不唯學歷、工齡，以工作實績、貢獻大小作爲確定工資級別的標準。

國務院總理李鵬於1988年12月14日和1989年10月18日兩次視察該公司，作了重要指示，並題詞："希望把北京·松下彩色顯像管有限公司辦成國際第一流的企業，中外合資企業的典範。"

（張學羣）

有償出讓土地的大膽嘗試

1989年8月8日，天津經濟技術開發區土地管理局與美國MGM商業公司簽署了土地使用權出讓合同。這是天津經濟技術開發區迄今最大的外國投資項目。在中國剛剛平息北京發生的政治風波以後，簽署這樣一個有效期長達70年、最大的土地使用權出讓合同，這件事本身就向國內外證明，中國的對外開放政策是不會改變的；表明了中國，尤其是天津市的對外開放邁出了新的步伐。

（一）

天津經濟技術開發區土地管理局向美國MGM商業公司有償出讓一塊總面積爲5.36平方公里的土地使用權的合同規定，出讓期限爲70年，出讓費爲每平方米3.25美元，總出讓費爲1742萬美元，用現匯在36個月內分期付完。MGM公司要按照天津市政府批准的總體規劃，由外商獨資開發基礎設施，建設馬利克工業綜合區。區內主要興辦生產型外商投資企業，產品主要出口；也允許興辦爲工業生產服務和配套的必要的商業、服務和生活設施。所有外商投資企業享受開發區外商投資企業的優惠待遇。合同還規定，自土地使用證頒發之日起的第六年開始，MGM公司需按當時的土地使用費標準向中方繳付土地使用費。在70年土地出讓期滿時，該區的全部土地使用權及基礎設施由中方無償收回，註銷全部使用證書。

這份出讓土地的合同，是根據我國有關法律制定的。1988年4月，七屆全國人大一次會議通過了《中華人民共和國憲法修正案》，其中規定："土地的使用權可以依照法律的規定轉讓"。同年7月，天津市人民政府發佈了《天津經濟技術開發區土地使用權有償出讓轉讓管理規定》，並授權開發區管委會制定實施細則。經過天津經濟技術開發區管委會與美國MGM商業公司反復商談，於1989年8月8日正式簽署了這一合同。合同規定，所有在該工業區內興辦的生產、服務企業，都要依中國的法律和產業政策設立，並按中國各級政府的審批權限審批；興辦的項目要遵守中國的環境保護法、勞動保護法等法規，不得設立污染環境和中國政府禁止、限制的生產、服務項目。合同還規定，MGM公司有權在工業區總體規劃範圍內對該區土地進行自主開發、銷售(土地使用權)、經營和維修，有權根據自己的選擇，隨時向與中國有外交關係或設有商務代表處的國家和地區的公民、法人轉讓土地使用權，向貸款人抵押土地使用權，但任何一項轉讓合同和抵押合同都必須在訂立之前一個月向中方報送合同規定的全套資料，並向中方登記，繳納登記費及土地增值費。合同的這些條款充分體現了維護我國國家主權、國家安全和利益的原則，也體現了互利合作的精神。

（二）

天津馬利克工業綜合區的設立，將使天津開發區利用外資工作邁上一個新台階。按照美國MGM商業公司總裁馬利克波爾先生的設想，這個工業區的開發建設分爲三個部分。第一部分是基礎設施，準備建設一個日處理4萬噸的凈水廠和污水處理廠、裝機15萬千瓦的發電廠、裝機1萬門的程控電話站、煤氣廠及各種道路管網等，需投資3億美元，計劃用5年完成。第二部分是建設一座高211米、52層的能提供多功能服務的雙塔大厦，需投資3億美元；同時建設一批公寓、商業服務設施和標準廠房等地面建築，需4億美元，計劃用5～10年完成。第三部分是吸引工業投資，計劃吸引歐美等發達國家的工業性投資20億美元，與基礎設施建設交叉進行，計劃用15年時間完成。綜合起來，共利用外資30億美元。馬利克工業區背靠中國最大的工業城市之一天津市，與國際性海港天津港毗鄰，有現成的鐵路、航空、公路運輸條件，外國投資者在這裏成片開發建設，形成生產規模，將會獲得很好的經濟效益。

對中方來說，馬利克工業區的建立和發展，不僅可以吸收數萬人就業，開發區獲得相當數量的出讓費(從第六年起，每年還可收取土地使用費和土地增值費約1000萬元人民幣)，政府將得到穩定的稅收，而且可以引進先進技術、先進設備和先進的管理經驗，帶動天津工業的發展。同時，馬利克工業區的發展同天津港的發展基本同步，必將有力地推動天津港進一步向現代化國際港口發展。因此，天津馬利克工業綜合區的開發建設成功，必將對天津市的經濟發展與繁榮起到有力的推動作用。

(張震中)

效益顯著的萬樂毛衫有限公司

天津萬樂毛衫有限公司是由中國紡織品進出口總公司、天津針織品進出口公司、天津經濟技術開發區進出口總公司、湖州第一毛紡廠與日本石井株式會社合資經營的。總投資額240萬元人民幣，日方佔31%。1987年5月簽約，當年試產成功。公司靠質量贏得信譽，獲得顯著的經濟效益，每年外銷毛衫50萬件。目前產品除主銷日本外，已擴展至美國、奧地利、波蘭、法國等十幾個國家。1989年公司生產毛衫61.6萬件，產值2836萬元，銷售額2650萬元，利潤450萬元，稅金130萬元；產品外銷55.44萬件，創匯530萬美元，幾乎相當於天津市紡織系統羊毛衫年出口供貨量的總和。

天津萬樂毛衫有限公司生產車間

一、以質量求生存，經濟效益顯著。

1988年是萬樂毛衫有限公司投產第一年，計劃年產30萬件，實際年產41.5萬件，產值1721萬元，創利203萬元，人均創利1.19萬元，上繳稅金65.8萬元，計劃內產品全部返銷出口，創匯250萬美元，人均創匯1.6萬美元。萬樂公司第一年就獲得如此顯著的經濟效益，是與嚴把質量關分不開的。萬樂公司的宗旨是“以質量求生存，用質量促發展”，日方總經理提出：即使不掙錢也要保證質量。質量成爲公司上下一致的目標。建廠初期，爲防止出現殘次品，公司層層設卡，三分之一的工人是檢驗員，漏檢率沒超過商檢5%的規定。然而過了不久，質量卻踏步不前。經過反思，他們認識到靠“人海戰術”的方式，不能保證產品質量的長期穩定和進一步提高。於是公司決定對職工進行“以質量求生存”的教育，使職工懂得次品會導致無人訂貨，危及企業生存，在這個思想基礎上開始實行全面質量管理制度，提高全體職工質量意識，產品質量有了新的突破。1989年底，萬樂毛衫的品質經國際羊毛局測試合格，頒發了“純羊毛標誌”。商檢部門1989年對該公司產品進行抽驗，頒發了“質量許可證”。正是這種優良的質量使萬樂毛衫在國際市場站住了脚。萬樂毛衫的手感、顏色、風格和做工都得到國外消費者較高評價。聞名日本的高久商社社長說：“萬樂毛衫到貨後，很快就銷售一空”。該商社1988年訂貨15萬件，1989年訂貨30萬件，1990年準備訂購50萬件。爲日本的伊勢丹、高久等高檔百貨店進口商品的客商說：“萬樂毛衫，你們生產多少，我們就要多少！”目前，萬樂公司正在按國際羊毛局的標準，組建從毛紗到成品的測試中心，用先進的監測手段控制產品的質量。

二、各方股東用利潤再投資，增强企業實力。

1989年萬樂公司在資金、原料短缺的情況下，公司的利潤仍有大幅度的提高，僅上半年就相當於1988年全年的利潤，使投資者增强了辦好企業的信心。各方股東一致要求增加投資，决定不把1988、1989年的紅利拿走，全部用於再投資，使總投資額增加到531萬元，解决了資金短缺問題，增强了企業的實力。日方還要求提高自己所佔的投資比例，使其投資的份額由佔31%增到38%。此事在日本毛衫界引起强烈反響。

三、强化服務手段，轉變經營策略，開拓國外市場。

日本毛衫進口無配額限制，每年進口1億件。而我國每年向日本出口毛衫400～500萬件，所佔比例甚少。其原因在於質量差、花色品種少、交貨期不準和服務不周到。日本消費者對毛衫的款式和顏色要求特別高。萬樂公司把向日本出口看作是改變我國在競爭中處於劣勢的契機，努力强化服務手段。他們改變生產廠家經常以“近似色”代替客戶要求製作樣品的辦法，按客戶要求做樣品。他們經多次試驗掌握了先進的成染技術。這項技術在國內成衣染色工藝中居領先地位，在日本也得到好評。無論客戶提供甚麼樣的推銷樣品，他們可以在確定期限內把樣品做得與原樣一樣，滿足了客戶要求，提高了成交率。另外在毛衫起訂量上，少到幾十件，多到幾萬件，萬樂公司均可滿足客戶要求。這種良好的服務，使萬樂的訂貨不斷增加。爲了適應國際市場的需求，及時轉變經營策略，公司迅速壓縮內銷量，1989年下半年撤銷了所有的內銷點，爲開拓國外市場提供了貨源保證。

四、實行效益工資，加强職工培訓，調動職工的積極性。

萬樂公司把生產與分配緊密結合，實行6種分配制度。如在高級管理人員中實行利潤工資制，以當月公司得的實際利潤的百分之一進行分配，把企業領導人的收入與企業經營的好壞聯在一起。注重對職工的技術培訓，公司設有染整班、編織班和檢驗班，不斷提高職工的素質。同時，打破幹部和工人的界限，鼓勵工人樹立雄心壯志，爭做青年企業家。該公司先後提拔三名工人爲經營副主任。1989年公司提出：“緊縮開支，爲企業做貢獻”的口號，舉辦“我愛萬樂，我爲萬樂爭光”演講會，使職工把企業的命運與自己的命運聯在一起，調動了全體職工的積極性，勝利地完成了1989年的任務。

(張震中)

投資少、見效快、創匯高的中外合資企業

美達針織布有限公司是廣州針織行業第一家中外合資企業，由廣州經濟技術開發區美達針織發展有限公司、香港華峯針織廠、上海第八棉紡廠合資經營。該公司1987年3月簽訂合同，同年8月正式投產，總投資750萬元人民幣，現有職工120人。兩年多來，生產發展迅速，產品100％出口，經濟效益顯著。至1989年底，公司利潤達737.3萬元人民幣，創匯1182萬美元。1988年被廣州市人民政府評爲外商投資先進企業，並被確認爲產品出口企業；同年12月，國家紡織工業部針織專業委員會組織全國針織專業廠家到該公司召開現場觀摩研討會。1989年8月獲廣州經濟技術開發區首屆"開拓者金獎"，同年10月獲廣東省外商投資企業"金匙獎"一等獎。他們取得成功的主要做法是：

廣州美達針織布有限公司引進的生產設備

一、優化組合，發揮合營各方的優勢。該公司的合營三方都各有所長：廣州經濟技術開發區美達針織發展有限公司有一定的技術力量；香港華峯針織廠是一家有20多年歷史的企業，生產針織品經驗豐富，並有較穩定的銷售渠道；上海第八棉紡廠在組織國內原材料方面有一定優勢。合營前，各方已有多年技術貿易交往，彼此比較瞭解，互相信任。組建合資企業後，集中了各方的優勢，企業的產、供、銷等環節一開始就處於良好狀態，爲企業實現投資少、見效快、創匯高提供了有力的保證。

二、堅持質量第一，以優質產品立足國際市場。爲了保證產品全部進入國際市場，美達針織布有限公司堅持以質取勝，狠抓產品質量。首先搞好專業化生產，打破國內針織行業在企業內成龍配套的模式。他們從本企業的實際出發，發揮技術上的優勢，專搞織布環節，按專業化要求組織生產。這樣做，有利於提高生產效率和穩定產品質量。其次，在引進國際先進技術設備的同時，注重專業技術培訓，提高員工的技術水平；由合作外方選派技術人員對各生產環節進行技術指導和監督，嚴格執行操作規程，加强產品質量控制。第三，在質量管理上採用香港華峯針織廠適應國際市場要求的一整套質量管理辦法，使產品優質品率一直保持在99％以上。

三、建立較穩定的原料供應基地。公司年產針織布2000噸，依靠單一渠道提供原材料無法滿足生產需要。爲保證供應高質、穩定的原材料，公司採用技術輸出和合資經營等方式，在江蘇、上海、安徽、河北、山東等地建立了原材料供應基地和相對穩定的原材料供應協作關係。例如，以補償貿易方式爲南通紡織廠引進設備，對方以產品補償方式向該公司提供綿紗。隨着美達針織布有限公司的產品打進國際市場，又能給國內協作廠家反饋最新的國際市場信息，從而帶動這些企業以國際市場爲目標進行技術改造。許多廠家願以適中的價格向該公司穩定地供應原材料。

四、合理作價，兼顧合營各方利益。合資企業的產品要儘快進入國際市場，並佔有一席之地，利用合資外方已有的銷售渠道，可收到事半功倍的效果。香港華峯針織廠在香港市場已有自己的銷售網，關鍵是制定合理價格，調動外方拓展市場的積極性。公司合營各方考慮到產品進入國際市場給企業帶來的長遠利益，本着平等互利、保證企業合理利潤的原則，根據產品成本，參照國內同類產品出口價格及國際市場行情，綜合作價，靈活掌握。這樣，合資外方和整個合資企業都能獲得合理利潤。同時，該公司也注意直接與國外客戶保持聯系，通過派員出國培訓，定購、驗收設備等渠道，收集國外經濟技術信息，瞭解市場動態，爲公司及時制定和調整經營方針，不斷開拓國際市場，贏得了主動權。

（李惠琴）

優質爭市場　信譽招客戶

華潯服裝有限公司成立於1987年3月，是由九江市華潯服裝公司與香港國威製衣廠、江西省服裝進出口公司合資建立的，總投資304.2萬元人民幣，其中港方投資26萬美元。目前，公司的產品已遠銷香港、美國、英國等30多個國家和地區。三年來，出口創匯527萬美元，其中，1989年出口創匯225萬美元，比1988年增長12.5%，成爲江西省出口服裝的重要生產基地，並分別榮獲國家輕工業部、江西省對外經濟貿易廳授予的出口創匯先進企業和外商投資先進企業稱號。

華潯服裝有限公司在短短的三年內能夠在競爭激烈、强手如林的國際服裝市場上佔有一席之地，最根本的一點就是以新的市場觀念和經營戰略作爲企業發展的生命綫。

(一)

"華潯"始終把滿足客戶的需求作爲企業經營的目標，確定了以優質爭市場，以信譽招客戶的經營方針。爲了保證產品質量，該公司制訂了一整套技術管理和質量檢測制度。每個合同、訂單在開工生產前，先由生產科派技術員到車間上技術課，講清服裝各部位的技術標準和質量要求；制定了"百分制打分法"，每一部件都有明確的扣分標準，同班、組、車間生產崗位責任制掛鈎，不合格的半成品决不進入下道工序。三年來，產品合格率均達到98.99%，沒有發生過因質量導致外商索賠事件。1989年，他們獲悉丹麥摩勒公司經營的服裝品種多、數量大而且在國際市場上有自己的信息和銷售網絡。"華潯"爲了吸引這家客戶，在技術服務、交貨時間、產品質量方面儘量滿足其要求。他們先按外商提供的圖紙，在短期內打出符合外商要求的400套樣品的紙板，共120個款式，很快得到認可，接着在不到一個月的時間內完成1.2萬件石磨水洗夾克衫的生產任務，並在西歐市場秋季銷售旺季之前順利交貨，得到外商好評。不久，該客商又續訂了4萬件石磨水洗夾克衫和2萬條長短褲，並表示願與"華潯"建立經常性的貿易關係。"華潯"採用打紙板定樣品方法，能在很短時間內讓外商直觀地了解產品的式樣及該廠的技術水平、生產能力、服務態度等，從而吸引了客商訂貨。目前，該公司的產品已全部外銷，其中西歐佔30%，美國佔40%，南美佔20%，東歐佔10%。

華潯服裝有限公司成衣生產車間

(二)

"華潯"根據本企業綜合經營能力强，管理機動靈活，"船小掉頭快"的特點，適應當前國際服裝市場向小批量、多品種、多花色、更新換代快的變化趨勢，在增加出口產品的花色品種上下功夫，形成"華潯系列產品"。他們充分利用港方提供的先進技術和設備積極參與國際競爭。注意及時掌握國際市場上服裝顏色、款式、面料的變化來調整自己的產品結構和生產規模。引進了國際上先進的水洗設備和酸洗設備，增加了石磨、雪花、酸洗牛仔褲及高檔夾克、風衣等新產品。

(三)

"華潯"注意做好合作各方的協調工作，充分發揮各自的優勢。首先發揮香港國威製衣廠在技術和市場方面的優勢，由其經常提供國外市場流行服裝的款式、色彩、面料及加工方法；選派管理人員參與公司管理，研究、開發國際市場上適銷對路的新產品；積極尋找客戶，完成合同所規定的返銷出口任務。其次，充分發揮江西省服裝進出口公司在出口經營方面的優勢，在對外洽談貿易中抓信息，把每一份訂單、每一份來樣加工合同都視爲獲得信息的機會。實踐証明，中外合作企業積極與外貿公司配合，對拓展海外市場，發展企業生產起着重要的作用。

華潯服裝有限公司勇於進取、開拓前進，目前又投資282萬元，擴大電腦繡花產品，投產後將形成年產65萬件的規模，產值可達到1300萬元，年增創滙百萬美元；同時，到深圳、海南開辦分廠，設立外銷窗口，使公司逐步向集約化、國際化發展，形成具有强大競爭力的企業集團。

（石峯）

一個質量高、效益好的中外合資企業

福新顯像管有限公司係原國營福州電子管廠與香港新利工業有限公司於1984年建立的合資經營企業，註册資本2837.8萬元。該公司引進日本黑白、彩色顯像管生產綫，生產經營35厘米、44厘米黑白顯象管和47厘米、51厘米、54厘米彩色顯像管。合資五年多來，生產年年上升，取得了良好的經濟效益與社會效益。該公司以投產快、產出多、效益好著稱。從1984年4月引進日本設備，7月投產，當年產值668.1萬元，創利潤155.6萬元，做到當年引進、當年投產、當年獲益。自投產以來至1989年底，五年多共生產各種規格的黑白顯像管和彩色顯像管293萬多隻，產值36823萬元，利潤3471.4萬元，並已出口創匯53萬美元。1989年生產黑白顯像管、彩色顯像管近78萬隻，產值14533.5萬元，利潤1206.9萬元。幾年來35厘米黑白管榮獲省優、部優及全國同行業質量評比一等獎，成爲國內許多用戶的免檢產品。該企業被評爲技術先進型企業，1989年又被市政府授予“外商投資企業先進單位”稱號。他們的經驗是：

調整產品結構　增强應變能力

該公司順應市場變化，靈活調整生產組織，開發適銷對路產品。當顯像管市場疲軟時，採取應變措施，對彩管生產綫進行改造，穿插兼容生產44厘米黑白管。爲了搞好產品結構調整，公司領導除了因公出差開會外，堅持常年在車間，解決生產中難題，他們分批學辦班組長、技術崗位培訓班，開展技術大練兵；廣泛招聘人才，解決企業生產中難題，增强企業應變能力。在改造彩管生產綫的過程中，公司各有關部門全力以赴，用了不到100天時間，完成了19台44厘米黑白管製屏設備的製造任務。如果這些設備靠進口，需用匯幾十萬美元，時間要一年以上，目前44厘米黑白管月產量已達3萬多隻，成品合格率達92.6%。產品通過省級新產品技術鑑定暨生產定型。實現了在彩管生產綫上兼容生產黑白管，增加了產品品種。

在擴大生產44厘米黑白管後，爲增强企業應變能力和競爭能力，該公司在日本專家的幫助下，主要靠自己的技術力量，又批量生產出54厘米直角平面彩色顯像管，成品率達96.4%。

1988年下半年，彩色顯像管市場銷量大落，價格下跌，不少企業措手不及，造成停產半停產，而該公司生產卻蒸蒸日上，產值比1988年增長8.8%，利潤增長8.2%。

强化企業管理　狠抓產品質量

他們在引進國外先進技術的同時，注意引進先進的管理經驗，逐步推行了“五大管理”，即：目標管理、計劃管理、微機輔助管理、質量管理和部門體系管理。

他們編制了公司生產經營目標，各部門據此制定年度計劃。公司經過綜合平衡，形成計劃大綱。各部門、車間再按計劃大綱分解制定自己的作業計劃，使公司生產經營有切實可行的計劃。爲了使企業走上科學管理的軌道，公司採用微機輔助企業管理，開發了設備檔案、生產動態統計報表等軟件。1989年公司又把全面經濟責任制承包考核納入微機管理，並逐步向全公司微機管理聯網目標邁進。他們重視對產品質量監控工作，所有產品均採用國際標準，建立了一套嚴格的檢驗制度和考核措施。如狠抓眞空工藝衛生，提出了眞空衛生=合格率=經濟效益的口號，把眞空衛生工作編入生產計劃，使顯像管合格率大大提高。該公司將各科室、車間按職責範圍分爲四大責任系統，即工程技術管理系統、設備動力工程系統、生產供應系統、行政後勤系統。各系統既分工又協作，及時解決生產中出現的問題，保證了生產任務和產品質量。經過考核，該公司產品質量、物耗、經濟效益三大主要經濟指標已達到國家二級企業標準。榮獲“省級先進企業”稱號。

幾年來，合資雙方眞誠合作，對合資協議的認眞執行感到滿意。爲了企業的發展，雙方把幾年來分得的利潤全部用作再投資，開發新產品，對公司的進一步發展充滿希望和信心。

(朱光華　王抗英)

補償貿易使濟南針織廠出口創匯能力不斷擴大

濟南針織廠是1958年興建的中型針織企業。1982年以前，該廠的設備幾乎全部是五六十年代的老設備，主要產品是童衫，出口量少，換匯率低。1981年，他們以補償貿易方式從日本郡是株式會社引進了年產350萬件的彈力衫褲生產綫，於1982年正式投產。原定補償期4年，但僅用了兩年多的時間就償還了日方的全部貸款。現已形成年產500萬件針織衫褲的生產能力，產品行銷日本、美國、法國等26個國家和地區。1989年產量達600萬件，創匯658萬美元，比1982年增長36倍，成爲國內同類企業出口創匯的大戶。1988年，濟南針織廠晋升爲國家二級企業，榮獲紡織工業部《雙文明優秀企業》稱號。

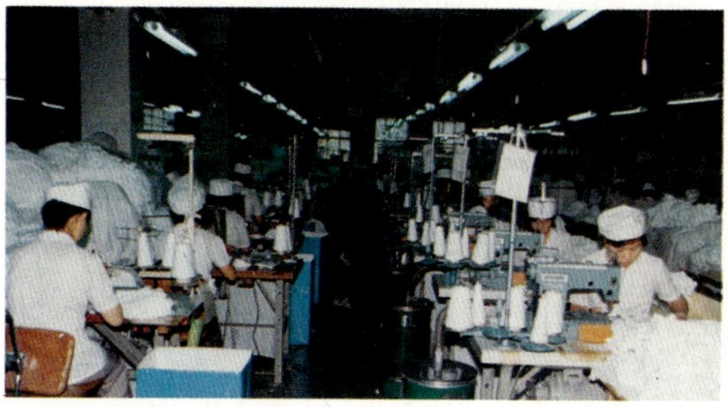

濟南針織廠生產車間

(一)

濟南針織廠從日本引進的設備具有國際上80年代的先進水平，自動化程度高，維修週期長。先進的生產設備和技術，使企業具備了較强的出口競爭優勢。一是產品質量大幅度提高，針織衫褲一等品率連續兩年在全國同行業中保持領先地位。主導產品40支精梳彈力衫褲獲國家金質獎和經貿部出口產品榮譽證書，被紡織工業部確認爲達到國外先進水平，並打入國際超級市場。二是出口產品產量比重逐年上升，由1981年的44％提高到1989年的88％；花色品種由25個增加到120個。三是提高了生產效率，降低了消耗。引進的LRB編織機同國產同類設備相比，每台班產量提高70％以上，百公斤坯布耗釘僅是國產設備的1/8。採用先進漂染工藝後，效率提高了3倍，節水70％。縫紉人均單產提高了55％；成衣千件用工僅爲13.54人，超過紡織工業部規定的一檔水平。

通過補償貿易方式進行技術改造，使濟南針織廠出口創匯能力不斷擴大，投產七年來，累計出口收匯3000萬美元，相當於引進生產綫投資的30倍。

(二)

日本郡是株式會社是世界上著名的針織公司，以技術先進、質量水平高、管理現代化聞名於世，有“彈力之王”美稱。該廠在引進這家公司先進設備的同時，注重引進其管理方法。他們本着“以我爲主，博採衆長，融合提煉，自成一家”的精神，結合自身的實踐經驗，形成了一套以質量管理爲中心，以標準化爲基礎，以源流管理爲方法，以數理統計爲手段的管理方法。主要做法是：

1. 重視提高人的素質，培養全體職工的羣體質量意識。通過思想教育與技術培訓相結合，脫產培訓與業餘學習相結合，集體上課與個別指導相結合的做法，對全體職工定期、分類進行培訓，並進行文化、智力、心理狀況的考核。把記憶力和辨別能力較强的職工安排到質量檢驗崗位；把反應快、計算能力强的職工安排到裁剪崗位；選拔質量意識濃厚，有一定管理素質，技術全面，組織能力强的職工擔任管理人員和班組長。自1982年以來，每年參加培訓、考核的職工人數佔全體職工的95%以上，1989年達到了100%，從而提高了職工素質，爲改進產品質量打下了良好基礎。

2. 建立嚴格的標準化體系。全廠共建立了產品質量標準21個，方法標準12個，工作標準18個；各個工序都制定有詳細的作業流程和作業標準，在關鍵工序還配以錄像指導操作，形成了多層次的分級管理和縱橫交錯的標準化體系。每個管理人員心中有明確的管理目標，每個工人操作有標準的規范，許多職工都達到了日本郡是株式會社的先進操作水平。

3. 運用源流管理，實行全過程控制。這是他們從日本引進的主要管理方法。源流管理的內涵是：以預防爲主，控制產品的起源和流程，用數據圖表顯示，發現異常，迅速追根求源，儘快採取對策，從根本解決問題。

源流管理的具體做法是：緊鎖源頭，票隨物流，强化重點，信息暢通。緊鎖源頭就是嚴格把住投入關，對進廠的棉紗按批進行抽樣檢測，在專機上進行小樣試機，符合標準方可入庫使用。票隨物流，即在生產過程中，採用傳票制度，傳票上註明質量情況、數量、時間、操作者，做到見物必有票，有票物必清，物清必簽名。爲了信息暢通，他們建立了原料、生產和銷售三個信息系統，保證各類質量信息、銷售信息及時反饋。

4. 全員參加管理，實行自我控制。全生產綫共有24道工序，使用了142種圖表，各工段備有繪圖儀器，按照統一規範和職責範圍，由數據收集員繪製圖表，運用圖表自主管理生產。圖表簡單明了，人人會看、會用，有利於全員參加，有效地起到了控制生產全過程的作用。

（袁家琨、陳　敏）

益力味精廠補償貿易結碩果

珠海斗門益力味精廠，是珠海市斗門白蔗糖廠以補償貿易形式建成的我國首家利用甘蔗糖蜜年產4000噸味精的專業化工廠。該廠引進了價值490萬美元的國外先進技術和設備，投入國內配套資金2000萬元。該項目經三年籌建，於1989年6月試產，一舉成功生產出優質“益力牌”味精。到1989年底，共生產味精1000噸，創產值1200多萬元。同年12月24日通過了由廣東省科委組織的技術鑒定。專家們認爲該產品各項指標均達到並超過國家頒佈的標準，在同行業中處於領先地位。

一、愼重立項和引進　塡補國內空白

斗門縣地處珠江三角洲，盛產甘蔗，有“甜縣”之稱。全縣有5家製糖廠。製糖的副產品——糖蜜，年產量均在5～6萬噸。斗門白蔗糖廠以往用糖蜜生產酒精，經濟效益較差。爲此，白蔗糖廠着手研究進一步提高甘蔗製糖綜合利用的辦法。他們瞭解到，目前國外有採用糖蜜作原料生產味精的先進技術，於是，該廠對這項技術及效益進行了認眞的分析、研究。同時考慮到國內生產味精大多是使用糧食澱粉作原料，每生產1噸味精須耗用精澱粉3噸，不僅成本高、效益低，且耗費大量糧食。爲改變我國味精工業落後面貌、提高企業經濟效益，他們從香港廣資實業有限公司引進了當今世界一流的以甘蔗糖蜜取代糧食澱粉爲主要原料生產味精的技術和設備，並簽訂了補償貿易合同，塡補了我國這

項技術的空白。

益力味精廠在引進先進的主要設備的同時，也引進了先進的配套設備。如糖蜜連消器採用了日本板式瞬間高溫殺菌機，滅菌徹底，原料成份破壞少；發酵用的空氣壓縮機是選用目前世界最新式的比利時產無油螺桿空氣壓縮機；微電腦和各種儀錶均採用日本80年代最新產品。同時，該廠引進的工藝技術也代表了80年代最高水平。生產主要工序均由電腦監控和檢驗，機械化、自動化程度高。引進的菌種適應性强，產酸率高、發酵週期短。試產期間，發酵平均產酸率爲9.72%，比國內的平均產酸率提高了49%；谷氨酸發酵週期平均爲35小時，比國內廠家縮短了5小時。

由於設備和工藝技術先進，大大降低了生產成本。該廠生產的味精，每噸耗用糖蜜4.2噸，折現價爲2000元；單位產品的總成本比用糧食澱粉生產味精下降40%。經濟效益比生產酒精提高幾倍。

益力味精廠設備先進的發酵車間

二、注重人員培訓　消化吸收引進技術

技術、設備引進後，該廠投資30萬元，挑選技術骨幹到有關大專院校進行爲期6個月的培訓，掌握了工藝技術，可以識別各種複雜圖紙。隨後又派他們到國內味精廠實習3個月，積累了實踐經驗。回廠後，即組織他們自己動手安裝設備。經過短短5個月的奮戰，原準備請外國專家安裝的設備全部自行安裝完畢，節省了外匯。經過半年多的試產，設備運轉正常可靠，達到工藝技術的要求。外商稱讚說，這是他們參與建設的7家同類工廠中安裝速度最快、質量最好的一家。

三、實行先進的管理　嚴格控制產品質量

益力味精廠引進國外同類工廠的先進管理辦法，嚴格管理，充分發揮每個員工的作用。全廠員工總數150人，僅爲國內同規模工廠的¼。每個車間祇設主任1人(不設副職)，技術員1人。現在全廠生產技術管理井然有序，車間清潔衛生，呈現出現代化工廠的面貌。

在產品質量控制方面，該廠建成了一個設備先進的質量控制中心，嚴格控制各工段的工藝技術條件，保證了產品質量。該廠生產的味精谷氨酸鈉含量高，平均達99.6%，比國家標準的99%提高了0.6個百分點；所含微量元素極少，每千克成品中，坤(As)含量爲0.017毫克，鉛(Pb)含量爲0.005毫克，金屬鋅(Zn)含量爲0.08毫克，都分別大大低於國家0.5毫克、10毫克和5毫克的標準。試產半年，產品即榮獲廣東省“四新”產品一等獎。

甘蔗糖蜜生產味精技術的引進，是該廠對國家的一大貢獻，也標誌着我國完全依賴糧食生產味精時代的結束。目前，該廠產品正以其質量高、成本低的優勢打入國內外市場，供不應求，顯示了强大的競爭力。該廠擬增加投資，將生產能力擴大到年產6000噸，以滿足市場需求。

(歐德紅)

對外經濟合作

中國與聯合國人口基金合作十年成效顯著

1989年是聯合國人口基金(UNFPA)成立20週年，也是中國政府與人口基金合作10週年。總結10年來的合作情況，深入評估人口基金援華項目的效益，中國政府主管部門與聯合國人口基金一致認爲，雙方合作10年取得了圓滿成功。人口基金援助的項目對我國控制人口增長、提高人口素質起到了積極的推動作用，發揮了令人鼓舞的社會效益，並在國際社會產生了一定的影響。

一、合作歷程

聯合國人口基金成立於1969年，經過20年的發展，它已成爲當今世界上在人口領域內對發展中國家提供多邊援助的最大國際組織，並在國際人口與發展事業中發揮着越來越重要的作用。

1979年開始實行的改革開放政策，給中國對外經濟技術合作事業帶來了勃勃生機。當年，我國與人口基金正式建立了合作關係。1980年6月，聯合國開發計劃署理事會審議通過了人口基金第一週期援華方案，决定在1980～1984年的5年內向中國提供5000萬美元的援助。雙方商定，在人口普查、計劃生育、婦幼保健、人口學研究、人口教育、避孕藥器具生產等方面安排了22個合作項目。1982年，我國進行第三次全國人口普查時，利用人口基金1560萬美元的援款引進了急需的大型計算機，培訓了大批技術人員，對順利、準確地完成這次人口普查起了重要的作用。

在第一週期合作的基礎上，聯合國開發計劃署第三十一屆理事會又於1984年6月通過了人口基金第二週期(1985～1989年)援華方案，援款額也爲5000萬美元。雙方在計劃生育宣傳與教育、人口研究、老齡人口研究、避孕藥器具研究與生產，以及婦女參與發展等方面增加了新的合作內容，共確定了36個合作項目。雙方的合作領域和合作規模得到進一步發展和擴大。

二、項目效益

在10年兩個週期的合作方案中，中國政府投入的配套資金總計達6.9億元人民幣。雖然聯合國人口基金的援助只佔我國人口方案中很小的部分，但它所起到的作用不容忽視，尤其是在人力資源開發方面起到了有效的作用。綜觀多年來的合作，人口基金的援助在下列三個方面產生的效益最爲顯著。

首先，我國避孕藥器具的生產數量和質量有了顯著的提高，品種也有所增加。在人口基金的資助下，國家醫藥管理局與美國的"避孕藥引進與協調中心"(PIACT)進行技術合作，從國外引進了先進的新型避孕藥器具生產工藝和現代化設備，使我國原來生產的避孕藥片、避孕栓、避孕劑、宮內節育器、避孕套等在生產、包裝和分發管理方面都有了很大的改進。這些高效、安全的避孕藥、器具的引進與生產，大大改善了避孕手段，受到廣大育齡夫婦的歡迎，從技術上保證了我國計劃生育工作得以持續、穩定、有效地進行。

其次，我國有20多所高等院校和政府有關部門相繼創辦了人口研究所。在人口基金的合作和支持下，這些人口研究所不僅引進了研究手段和方法，還陸續建立了人口學博士、碩士和本科生培訓基地，並選派了近百名具有一定專業理論基礎的中青年人口學者到國外進修學習，開展合作研究或出席國際學術討論會。同時，聘請了國外著名人口學專家來華講學，使我國人口學研究得以很快恢復和發展，並與國際人口學界建立和保持了良好的交流、合作關係。這些人口研究機構已在人口學、人口統計學、人口社會學、人口生態學、人口與經濟、人口與環境等領域的調查或研究方面取得了不同程度的成果，爲制定和完善我國的人口與計劃生育政策和方案提供了重要的科學依據。目前，我國人口學研究與培訓隊伍已發展成爲國際上一支不可忽視的力量。

第三，在我國建立了一套完整的計劃生育宣傳教育網和全國性的人口信息傳播系統。通過現代化的通訊傳播手段和生動翔實的宣傳資料，可以更迅速地使廣大羣衆及時了解黨和政府的方針政策，掌握計劃生育、婦幼保健的有關知識和信息，從而使育齡夫婦自覺實行計劃生育。現在，全國各主要省(區)都建立了計劃生育宣教中心和人口情報資料中心，大大加快了人口信息的傳播速度。

三、合作前景

中國與聯合國人口基金第三週期(1990～1994年)合作方案已經正式批准通過。人口基金將繼續向我國提供5700萬美元的援助，合作建立以“老、少、邊”農村地區爲主要受援對象的30個項目。根據我國“八五”經濟社會發展計劃以及新出現的人口問題，第三週期援華方案將重點放在爲提高農村基層的婦幼保健與計劃生育服務、擴大農村中學人口教育和少數民族地區的人口教育，以及進一步提高避孕藥器具的生產質量。同時，通過開展農村婦女創收活動，使更多的婦女參與生產，以提高農村婦女的社會經濟地位，進而逐步改變自身的生育觀念。

回顧過去10年的歷程，中國與聯合國人口基金合作不斷發展並取得成功的原因主要是：(一)我國政府高度重視同聯合國各機構開展的多邊經濟技術合作，並爲此制定了一系列正確的指導方針和政策；(二)聯合國人口基金重視與我國的合作，認爲中國人口問題的解決對世界具有重要的意義和影響；(三)中、外各方在互相尊重和理解的前提下通力合作，共同努力。可以相信，中國與聯合國人口基金今後的合作定將具有强大的生命力和廣闊的前景。

(經貿部國際聯絡司　張國荃)

中國專家參與管理
坦贊鐵路運營良好

我國援助建設的坦桑尼亞——贊比亞鐵路(簡稱坦贊鐵路)全長1860公里(坦桑尼亞境內977公里，贊比亞境內883公里)，1976年7月正式移交運營，13年共運輸貨物1307萬噸，運送旅客1525萬人次。1988年7月至1989年6月財政年度，坦贊鐵路貨運110.2萬噸，客運160多萬人次；營運收入43.05億坦桑先令，盈利14.5億坦桑先令，分別比上一年度增長了36.67%和31.82%。

坦贊鐵路卡沙瑪防護工程

坦贊鐵路自建成移交後，中、坦、贊三方就開始技術合作，現在正進行第六期技術合作。前三期(1976年7月至1983年7月)技術合作期間，中國專家組只負責技術指導，不參與經營管理，由於坦、贊兩方缺乏管理經驗，組織管理不力，致使鐵路運營狀況不佳，運量逐漸下降，七年累計虧損9.7億坦桑先令，使該鐵路的經營陷入困境。爲了幫助坦、贊兩國把鐵路管理好，1983年8月中、坦、贊三方在坦桑尼亞擧行了坦贊鐵路第四期技術合作會談並簽訂了《坦贊鐵路第四期技術合作議定書》，按照議定書規定，中國專家對坦贊鐵路的運輸、機車、車輛、工務、電務、物資、計劃、財務、人事勞資等9個方面進行技術指導並參與管理。中國專家在第四期(1983年7月至1986年6月)技術合作中參與管理後，經過三方共同努力，使坦贊鐵路的運營狀況迅速改觀。這三年的年均貨運、客運量分別比未參與管理的第三期增長28.7%和37.8%；財政年年有盈餘，三年累計盈利2.21億坦桑先令(約合1200萬美元)；機車和綫路等的狀況也有所改善，行車事故明顯減少，經營開始擺脫了困境。1986年7月開始的第五期技術合作仍以第四期的合作方式參與管理，取得了新的成績。三年年均貨運、客運量又比第四期分別增長了17.6%和24.5%；財政收入更爲可觀，實現淨利潤20多億坦桑先令(約合2500多萬美元)。目前坦贊鐵路已具有了一定的支付和應變能力。1986、1987年利用自己積累的資金如期償還了我國約相當4000萬元人民幣的零配件欠款。職工的工資、福利待遇年年有提高。中國專家參與全面管理的主要作法是：

一、中國專家直接參加坦贊鐵路運營管理的重大決策。專家組長及路局部門專家作爲坦贊鐵路管委會成員參加每月的辦公會議、臨時特別辦公會議，超級辦公會議，共同研究討論有關運營管理中的重大問題。專家組長還參加坦贊鐵路局董事會所有會議，並應邀出席坦、贊兩國部長理事會會議。

二、在經營管理上着重抓好五件事：一是積極組織承攬貨源、多裝、多運；二是適時調整運價，增加收入，增强適應性和支付能力；三是抓機車、車輛的維修和使用，保證各種技術設備的正常運轉；四是抓雨季防洪，保證綫路暢通；五是抓增收節支，及時調整運價，擴大資金積累。坦贊鐵路過去一直實行低運價政策，雖有競爭性，但入不敷出。特別是1985年10月份，由於贊比亞貨幣貶值，將導致坦贊鐵路的運輸收入和資金調撥蒙受很大損失。對此，專家組建議適時調整運價，制訂新的運價政策。經過周密測算提出了實行美元浮動價率，取消運費後付的規定和對坦、贊兩境分段計費的建議，得到了董事會和部長理事會的批准，結果增加了收入，避免了損失。根據坦、贊兩國貨幣交替貶值，物價上漲，運輸成本增加的實際情況，多次對客、貨運價進行相應的調整。現在坦贊鐵路已有了一套完整、合理的運價政策。

三、幫助編制和審查年度財務預算，做到以收保支，量入爲出。如編制1985～1986年度財務預算時，從基層及部門匯總上來的初步方案是一個支大於收的赤字預算。中國專家從積極方面建議，重新進行調整，編制了一個略有盈餘的預算。在執行中，又加强了運輸生產組織工作，適時調整運價，結果，當年不僅沒有虧損，還盈利6400萬坦桑先令。此外，中國專家還協助對方加强資金管理，及時催收欠款，堵漏保收，增加了資金積累。

四、積極主動幫助坦贊鐵路解決實際問題。坦贊鐵路局1983年從聯邦德國購進14台電傳動內燃機車，由於長期使用在曲綫半徑小、坡度大的地段，機車輪的輪緣非正常磨耗十分嚴重，而路局外匯短缺，一時不能購買新輪對，使運輸受到威脅。中國專家採取了倒換車輪和提高輪對旋削技術，延長車輪使用時間；將不能再旋的輪對用中國東方紅機車輪對鑲裝上繼續使用。1987年以後，聯邦德國機車又出現曲軸箱超壓，功率下降，中國專家採取保護性措施，將其牽引噸數由原定的1000噸降到900噸。採取這一措施使機車使用期延長，破損事故和空轉、坡停明顯減少。對一些當地市場買不到的急需配件，我專家就利用舊配件進行修復並擴大自製件生產。僅1987～1988年度，兩個機車車輛修理工廠就生產自製件9萬多件，解決了一部分生產中的急需問題。

五、加强調查研究，從實際出發，提出切實可行的建議。坦贊鐵路要遵循當地法規，而且由兩國共管，情況複雜，許多事情涉及兩國的政策和利益。所以中國專家在工作中注意一切從坦贊鐵路的實際出發，不生搬硬套中國鐵路的管理經驗。

六、有計劃、有針對性地對坦、贊兩方人員進行培訓。1987年，從坦贊鐵路職工中擇優選拔了50

名管理和技術人員到中國北方交通大學學習有關專業課程，提高他們的業務水平。爲配合技術合作，中國有關部門還分批邀請坦贊鐵路管理部門負責人來華參觀考察，介紹中國鐵路管理經驗，相互交流經驗。

坦桑鐵路的發展變化，得到了坦、贊兩國政府的重視和好評。兩國領導人多次贊揚坦贊鐵路經營管理得好，對其取得的經濟效益表示滿意。目前，坦贊鐵路的管理水平及經濟效益在非洲同類鐵路中居上，引起世界不少國家或有關組織的興趣和關注。在中、坦、贊三方的緊密合作共同努力下，這條鐵路將爲坦、贊兩國及南部非洲國家經濟的發展作出更大的貢獻。

（經貿部對外援助司　李婉明）

中國援建的開羅國際會議中心

埃及開羅國際會議中心是我國對外援助建設的最大的公共建築項目之一。該項目由中國建築工程總公司爲總承包單位，所屬上海分公司負責籌建和施工，上海市民用建築設計院負責設計。工程於1986年元旦破土動工，歷時三年半，先後有近700名中國工程技術人員參加施工。在埃及有關方面的積極配合和兩國工程技術人員的共同努力下，按計劃如期建成。

開羅國際會議中心是目前西亞非洲地區最大的國際會議大厦。它座落在埃及首都開羅市納賽爾城，東鄰無名英雄紀念碑和開羅體育場，南面是檢閲台和著名的愛茲海爾大學分院，西北面是開羅國際博覽會。這座會議中心大厦及其周圍的建築羣形成開羅市重要的政治文化活動中心。由我國設計施工的配套綠化工程和中國式園林建築，與會議中心主建築交相輝映，成爲開羅市區的一處遊覽勝地。

會議中心佔地25.67公頃，總建築面積爲58415平方米。包括2500座多功能會議廳兼影劇場、800座會議廳（可分隔爲400座會議廳兩個）、600座會議廳（可分隔爲200座會議廳兩個、100座會議廳兩個）、1250座宴會廳、展覽廳各一個，以及代表團辦公用房120間、總統套房、新聞發佈中心等。主要設施有自控空調系統、自控消防系統、無綫同聲傳譯、表决系統、閉路電視、電視轉播、電傳電話、內部通訊聯絡、升降樂池、旋轉舞台、燈光控制、電影放映等，是一座可供召開國際、國內各種會議，舉辦文化藝術展覽、大型宴會的多功能現代化建築。

該項目的設計有所創新，平面佈局合理，功能分區明確，立面處理和室內裝飾成功地把埃及的伊斯蘭建築風格和現代建築藝術融匯結合。以2500座會議廳和宴會廳兩個圓形建築爲主體，160米長的長方形展覽廳和一座能容納120個國家代表團辦公的大樓與主樓相連，組合成一座300多米邊長的三角形建築羣體；白色的牆面，大面積的茶色玻璃窗，虛實對比，方圓結合，既清新明快，又雄偉壯觀；內部裝飾華麗高雅，各具特色。

開羅國際會議中心外景

該工程的特點是建設規模大，建築標準高，技術要求複雜，設計、施工等難度都很大。爲了不誤工期，中國專家組採取了邊設計、邊備料、邊施工的作法，並始終把工程質量放在首位，嚴格要求，科學管理，文明施工。該會議中心的平面不規則，且地基爲濕陷性土，專家組會同設計單位進行了現場模擬試驗，確定了泡水處理方案，使大廈基礎堅實可靠。其主體結構爲現澆鋼筋混凝土框架結構，宴會廳及三個會議廳爲鋼結構屋蓋系統，特别是2500座會議廳和宴會廳分别爲直徑55米和36米放射形匯交鋼桁架，在援外工程中還是首次採用。2500座會議廳樓座的12米跨現澆鋼筋混凝土大挑梁，係我國設計和施工懸挑長度最大的鋼筋混凝土挑台，還有伊斯蘭風格的連續雙曲拱券、螺旋形樓梯等，都是施工難度較高的現澆鋼筋混凝土工程。在國内有關單位密切配合和協作下，及時解決了施工中遇到的問題。經中、埃雙方共同驗收，一致認爲該工程設計優秀，施工質量優良，設備性能良好，符合雙方協議和合同的規定。

這個項目建設過程中，一直得到兩國領導人的親切關懷。1986年3月19日，中國國家主席李先念爲工程奠基並題詞；埃及總統穆巴拉克曾先後兩次到工地視察，並把這項工程譽爲“中埃友誼紀念碑”。

1989年12月19日，應埃及政府邀請，國家主席楊尚昆率中國政府代表團出席了該會議中心的移交儀式。揭幕慶典隆重熱烈。楊尚昆主席由穆巴拉克總統陪同，爲會議中心大門柱上兩塊金色紀念牌揭幕。兩位國家元首共同爲慶典剪彩，並發表了熱情洋溢的講話。穆巴拉克總統説：“中國文明始終是富於科學和智慧的文明。今天，中國人民又爲這永恆的成就增添了一座大厦。這座雄偉大厦如此完美地建成，是中埃兩國人民合作的良好成果，是中埃友誼的象徵。”楊尚昆主席説：“讓我們中埃兩國以這座宏大的國際會議中心爲新的起點，共同努力，使我們雙方的合作綻出更多的花朵，結出更多的碩果。”

開羅國際會議中心這座巍巍大厦，將作爲中埃友誼的歷史豐碑，永遠屹立在尼羅河畔。

(經貿部對外援助司　冀京生)

其 他

發揮科技優勢　發展外向型經濟

北京市新技術產業開發試驗區(簡稱開發區)1988年5月成立，位於北京市西北郊海淀區內，以中關村地區爲中心，總面積約100平方公里。另外，在海淀區永豐鄉劃定2平方公里地域爲開發區的新技術產業中間試驗基地。

開發區內有清華大學、北京大學等高等院校50所，中國科學院等研究院、所138個，科技人員8萬人，在校大學生、研究生10萬人，是我國最大的智力密集區，區內的中關村地區已形成相當規模的“科學城”。1989年11月，世界科技園區協會已接納開發區爲成員。

經國務院批准，北京市人民政府先後頒佈了《北京市新技術產業開發試驗區暫行條例》等四個條例和辦法，對區內企業在稅收、進出口業務、銀行貸款等方面給予優惠，在政策方面爲開發區的發展創造了良好的條件。

開發區成立一年多來，取得了顯著進展。截止1989年底，共批准新技術企業864家，認定高新技術及其產品1975項，其中97項獲國際和國家獎，162項獲部、市獎，259項獲國家專利。在產業結構上，打破了原“電子一條街”大多是電子企業的單一格局，迅速發展起一批從事生物工程、新型材料、新型能源、光機電一體化等高新技術企業，開始形成多學科、多門類的新技術企業羣。1989年，開發區的技工貿總收入達17.8億元，上繳國家稅金7000萬元，分別比1988年增長27%和37%。

開發區發揮技術優勢，“引進來、打出去”，積極發展外向型經濟，取得較大進展。

開發高新技術產品　擴大出口創匯

開發區大力發展高新技術產品，並把出口創匯作爲評選新技術拳頭產品的標準之一，努力擴大出口創匯。1989年評出60項拳頭產品，其中30多個是出口創匯產品。同年開發區出口創匯額達3430萬美元，比1988年增長1.64倍。北京長城鈦金技術聯合公司研製生產的TG系列離子鍍膜機，可用於裝飾鍍和工具鍍，增强裝飾物美感，提高工具性能並延長使用壽命，達到國際先進水平，1989年已出口到美國、香港和東南亞等國家和地區，創匯150多萬美元。中國科學院電氣高技術公司開發的新一代水囊式體外震波碎石機系列產品，用於非手術治療腎結石、膽結石和上輸尿管結石，成功率達98%以上，1989年已出口東南亞地區，創匯175萬美元。北京海淀龍興醫療設備公司研製的電腦紅外光診斷儀，能對婦女乳腺疾病作安全、無損、無痛檢測，在數分鐘內確定腫瘤性質，達到國際先進水平，已與美國、聯邦德國的公司簽訂了技術合作合同，金額達數千萬美元。

發展海外投資　開拓國際市場

開發區發揮智力優勢，以技術實力爲資本到海外投資，開拓國際市場。已在美國、蘇聯、日本、新加坡、澳大利亞、泰國、香港等10多個國家和地區，建立了20多個海外企業和分支機構。北京聯想集團公司，利用公司的計算機技術優勢，以技術入股，在香港建立了合資公司，派去優秀技術人員，很快推出了設計先進的新型聯想Q286微機。在1989年漢諾威國際專業展覽會上，吸引了衆多客商，紛紛訂貨。每月訂單從3000套上升到15000套，產品供不應求，取得良好效益。

跟蹤世界先進技術　發展進口替代產品

開發區鼓勵企業跟蹤世界技術發展，加快產品更新換代，創出具有自己特色的產品，以質量高、性能好贏得國內用戶，替代進口產品。1989年進口替代產品已達60多種，可爲國家節約外匯5000多萬美元。北京大學新技術公司研製成華光系列電子出版系統，在關鍵硬件芯片的設計上取得突破，設計出適合中文排版、編輯特點的軟件，同國外同類產品相比，性能好，價格低，深受用戶歡迎。目前，在國內已擁有400多家用戶，幾乎所有全國性和省級報社都使用該系統，實現了進口替代，爲國家節約外匯3000多萬美元。此外，開發區的有些產品在我國使用世界銀行貸款項目的國際投標中中標，爲國家創匯900多萬美元。

北京市新技術產業開發試驗區一角

積極利用外資　推動技術商品化

開發區成立以來，已有30多個國家和地區的客商前來探索投資合作，申辦外商投資企業的已近百家，已經開業的有34家。在這些外商投資企業中，中方多數是以技術投資，利用外商資金和設備，形成產品批量生產。中日合資的北京四通辦公設備有限公司，是北京市第一家中方以技術入股的公司，繼成功開發MS-2401中英文打字機後，1989年又推出有漢字繁簡體轉換、可處理多種外文等功能的MS-2403文字處理機，深受國內外用戶歡迎，已成爲我國生產中外文打字機的主要基地。公司還擴展技術領域，開發出IP-100智能化通用可編程邏輯設計開發系統，可對國外10個主要集成電路芯片廠家的178種芯片進行編程和燒錄。由中國科學院衛星通信技術有限公司與新加坡客商合資舉辦的北京亞洲衛星通信技術有限公司，開業僅半年，就用中方技術開發生產了C波段、Ku波段衛星地面接收天綫，並已遠銷澳大利亞、日本、蘇聯等國。

（張學羣　羅衛平）

制止"蠶繭大戰"初見成效

1987和1988年在我國蠶絲主產區颳起的以抬價搶購、跨區搶購爲主要特徵的"蠶繭大戰"，擾亂了正常的經濟秩序，對生產、經營和外貿出口等方面造成不良影響，給國家造成重大損失。這一情況引起普遍關注。1989年，在國務院的重視和關懷下，各級政府大力支持，有關部門密切配合，採取堅決措施，初步遏制了持續兩年之久且愈演愈烈的"大戰"，開始建立起比較正常的蠶繭收購秩序。全年收購蠶繭732萬擔(合36.1萬噸)，比上年增加17%，繭價基本上沒有超出國家規定的限價。

這兩年制止"蠶繭大戰"初見成效，主要的經驗是：

一、國務院重視和地方政府支持，對遏制"蠶繭大戰"起了關鍵性的作用。早在1988年6月，國務院就發出了關於制止蠶繭多渠道收購與經營的電報。同年9月22日，國務院又發出《緊急通知》，明確規定蠶繭、絲類和坯綢的收購和出口全部由中國絲綢進出口總公司及其所屬分公司統一經營管理，其他任何單位或個人一律不得插手收購和經營，如有違反，嚴肅查處。1989年4月25日，國務院發出《補充通知》，規定外資企業所需絲綢原料由絲綢進出口公司按計劃供應，以外匯結算，原料生產廠不得自行銷售；各地必須認眞執行《緊急通知》的規定，對違法經營行爲處理不力的單位和部門，要追究有關領導人的責任。1989年4月26日，國務院委託經貿部、監察部、國家物價局、國家工商行政管理局(簡稱"兩部兩局")以國務院名義召開了有主產區省、地、縣長和有關部門領導參加的全國蠶繭收購工作電話會議，對做好蠶繭收購工作作出具體部署。

國務院的指示，爲各地加强繭絲管理提供了强有力的政策依據。各地政府對貫徹國務院的指示十分重視，結合本地實際制定出具體落實措施，由主要領導掛帥，建立起精幹的蠶繭收購臨時管理機構。

二、加强檢查指導，嚴肅查處違紀案件。在春繭和秋繭收購期間，總公司配合"兩部兩局"先後派出14個聯合工作組，分赴蠶繭主產區的省際邊界敏感地區，監督檢查收購工作。工作組在蠶繭上市前，召集有關各方制訂邊界收購工作協議。開秤後，深入繭站巡回檢查，發現問題就地處理，消除引發大戰的隱患。收購工作結束後，認眞總結經驗，針對存在問題制訂防範措施，對下期收購工作作出部署。

在檢查督促過程中，注意抓正反兩方面的典型，以維護政策的嚴肅性與權威性。春繭收購後期，浙江省違反國務院指示，提前向繭農返利，造成不良影響。國務院根據工作組的建議，除對浙江省政府通報批評外，還處以了罰款。一些地、縣領導對國務院敢抓敢管反應積極，紛紛對本地工作進行檢查，嚴肅處理了一批違反規定的案例，從而進一步推動了國務院兩個通知精神的貫徹，取得較好效果。

三、理順關係，綜合治理。"蠶繭大戰"的誘因，除了全國絲綢加工能力盲目發展，原料供需比例失調外，蠶繭的收購經營體制混亂、收購價格不夠合理及管理措施不力等也是重要原因。爲了從根本上消除"大戰"的隱患，在運用行政手段加强管理的同時，還採取了一系列綜合治理措施。這些措施主要是：

㈠理順收購體制。在國務院有關部門的支持下，大部分省(市)的蠶繭收購由過去的多行業經營，逐步歸口到絲綢進出口部門統一經營管理，從體制上改變了多渠道經營的混亂局面。

㈡調整收購價格。在調查測算的基礎上，本着按質論價、有利於提高繭質和保護繭農積極性的原則，報經國家物價局批准，將每50公斤蠶繭收購中準價(乾殼量9.2克，上繭率100%)由1988年的280元提高到480元，並適當拉大等級差價。對廠絲及絹絲收購價亦作了相應調整。

㈢嚴格許可證和徵稅管理。經貿部對繭絲出口許可證管理辦法作了調整，將原來按銷售合同一次核發可多次使用的許可證改爲按交貨一批一證。同時根據國家稅則委員會的決定，在海關的配合下，對絲綢產品出口，區別不同情況，開徵出口關稅。這一措施對控制多渠道出口起了重要作用。

㈣積極扶植蠶繭生產。通過獎售化肥、增加投資等措施，扶植蠶農生產，促進產量提高。1989年全國蠶繭產量達到839萬擔(合41.95萬噸)，比上年增長6.6%，緩解了供需緊張的矛盾。

在"治理整頓"方針的指引下，絲綢進出口公司系統將進一步貫徹國務院的有關規定，切實搞好蠶繭收購秩序，提供更多優質的出口貨源。

(中國絲綢進出口總公司　黃建謨)

新疆對蘇聯經濟貿易的新發展

1989年，新疆對蘇聯的貿易和經濟技術合作取得了突破性進展，進出口貿易總額達到1.2億美元，比1988年增長90.34%；佔全區對外貿易總額的24.69%，比1988年增加3.61個百分點。其中出口額爲6836.5萬美元，比1988年增長1.42倍；進口額5163.5萬美元，比1988年增長48%。簽訂經濟技術合作意向性協議169項，其中已簽訂合同的11項，合同金額4472萬瑞士法郎；已批准並開始實施工程承包、勞務輸出、來料加工和合資辦廠等7個項目。這些對加强雙方經濟交流和合作，促進經濟發展，活躍市場，都起了積極作用。主要的經驗和做法是：

一、發揮新疆的地緣優勢。新疆與蘇聯毗鄰，邊界綫長3300多公里，現在已開放的有兩個陸路通商口岸，一個航空口岸，交通運輸方便；雙方風土人情和消費習慣相同或相似，有的民族跨國而居；經濟交往歷史悠久，商品的互補性强，有彼此熟悉的貿易做法和合作方式。

二、建立多層次、多渠道的貿易關係。經過幾年努力，開始形成國家協定貿易、地方貿易和邊境貿易三個層次。調動了各外貿專業公司和享有對外經濟合作經營權的公司發展對蘇貿易的積極性，促進了新疆對蘇貿易的全面發展。1989年，新疆對蘇貿易中，協定貿易出口2603.6萬美元，比1988年增長1.29倍，佔新疆對蘇出口總額的38.08%；地方貿易出口4124.7萬美元，比1988年增長1.45倍，佔新疆對蘇出口總額的60.34%；邊境貿易爲第一年，出口完成108.2萬美元，佔新疆對蘇出口總額的1.58%。

來料加工也有了新的開端。石河子八一毛紡廠、烏魯木齊市民族服裝廠，從蘇聯來料加工服裝，伊犁利羣皮革廠來料加工皮鞋、皮件。三個來料加工項目金額合計爲275.4萬瑞士法郎。

三、尋求新的貿易夥伴。蘇聯政府決定，從1989年4月1日起，凡其產品在國際市場上有競爭能力的生產企業、聯合公司、生產合作社和其他生產組織，都有權經營進出口業務，開展對外貿易活動，出口本企業生產的產品，進口本企業生產所需要的物資。根據這一情況，新疆各外貿企業，在繼續保持同蘇聯各外貿公司原有的貿易關係外，積極尋找能提供我國市場適銷對路、又屬國家鼓勵進口的商品的生產廠家，同他們結爲貿易夥伴。新疆農墾進出口公司通過調查、聯系，與蘇方一家工廠一次就簽訂金額爲1000多萬瑞士法郎的貿易合同，找到了新的貿易夥伴，擴大了貿易往來。

四、開發新的進出口商品貨源。

鑒於蘇聯對主要原材料出口實行許可證管理制度，難以提供我方需要的原材料，而能供的商品，如水泥，新疆已能自給；汽車、摩托車等商品，我國進口有限制，需要國家主管部門審批；冰箱，市場開始滯銷。經過雙方洽商，新增加了棉短絨、絮棉、純碱、鋁錠、油桶半成品和日用雜貨等6類59種新進口商品。出口商品，除原出口的紡織品和輕工產品外，根據我方提出的貨單和蘇方的要求，新增加了機械、電子、建築材料、文化用品和化妝品等6大類66種出口商品。其中汽車吊、建築機械、電風扇、縫紉機、土豆等商品，都是首次進入蘇聯市場。

五、擴大經濟技術合作領域。經過兩年探索，開始邁出了步子。如承包伏龍芝市體委賓館裝修工程；派出164名園藝技術人員和農工，在伏龍芝市承包100公頃土地種植蔬菜，都取得了一定的經濟效益。合資在蘇聯辦廠的工作也有進展。新疆以技術設備投資，在塔什干市興辦年產100萬隻保溫瓶廠；並以同樣投資方式，在阿拉木圖興辦年產50萬隻保溫瓶廠。這兩家保溫瓶廠，均由新疆提供瓶膽，蘇方工廠生產鐵殼裝配成品，在蘇聯市場銷售。

六、加强出口推銷工作。爲了擴大出口推銷，除在阿拉木圖舉辦新疆出口商品展覽外，地方貿易公司、邊境貿易公司等先後派出了近30個小組赴蘇市場考察、推銷。同時，接待蘇聯商務小組來新疆訪問和洽談生意。紡織品等專業外貿公司與總公司聯合組團赴蘇開展推銷工作，不僅擴大了當年出口，並爲1990年出口開拓了路子。

1990年秋，新疆北疆鐵路修通，並與蘇聯鐵路接軌，交通運輸條件將進一步改善。新疆發展對蘇貿易和經濟技術合作的前景是十分廣闊的。

（何崇夫）

公司選介

進出口貿易公司

中國化工進出口公司河北分公司

中國化工進出口公司河北分公司成立於1974年10月25日，註册資本8470萬元人民幣。

該公司成立15年來，業務不斷發展，經營範圍逐步擴大，出口創滙額從1975年的574萬美元發展到1989年的44428萬美元，增長了76.4倍。公司設有綜合計劃等綜合性部門和6個出口部及開發公司，在秦皇島、天津、塘沽、深圳等地設有辦事處，在美國、比利時，聯邦德國、澳大利亞、日本、香港等國家和地區設立了7個海外貿易機構。公司現有職工329名，其中高級經濟師6名，經濟師86名，初級專業技術人員114名。

該公司主要經營：原油、成品油及副產品，各種有機和無機化工原料、精細化工品、化肥、農藥、塑料及塑料製品、染料及染料助劑、橡膠及橡膠製成品等進出口業務；開展易貨貿易、期貨貿易，合資、合作經營、聯營等業務；接受辦理倉儲、運輸、金融、保險、租賃、廣告、包裝、樣宣、商情諮詢等業務；承辦國外資金及技術設備引進、"三來一補"、代理進出口業務等。

公司地址：河北省石家莊市機場路8號
郵政編碼：050071
電　　話：21314　26589
電　　掛：3914 石家莊
SINAOCHEM SHIJIA ZHUANG
電　　傳：26222 HCHEM CN
傳　　眞：86311 23985
總 經 理：時克堯
副總經理：包秀遠、華有志、古樹忠

中國糧油食品進出口總公司黑龍江省(集團)公司

中國糧油食品進出口總公司黑龍江省（集團）公司成立於1954年，註册資金300萬元人民幣，具有法人地位。

公司現有職工200人，其中，具有中、高級專業技術職稱的有105人。公司設有綜合業務、糧穀、油籽、飼料、工業食品、鮮活食品、進口部，邊境貿易部、開發部等17個業務部門和行政管理部門。公司在黑龍江省內設有17個地市公司、66個縣級公司（收購站），有7個自屬的冷凍加工廠和倉庫。公司在大連、秦皇島、深圳設有辦事處，並開辦了大連經濟開發進出口公司、深圳瑞豐公司、深圳信振公司、海南興島貿易實業有限公司。在香港、日本、阿聯酋、馬來西亞、比利時等國家和地區設有海外企業或機構。

公司經營的出口商品有：糧穀、大豆，食用、工業用植物油籽；活畜禽、水產、乾果及製品；蔬菜、罐頭、糖、酒、飲料、調味品、植物性飼料等21個種類200多個品種。並開展合資、合作、聯營、代理、補償貿易、易貨貿易等業務。

公司1989年出口創滙39043萬美元，其中，出口額在1000萬美元以上的商品有黃大豆、玉米、豆粕；出口額在500～1000萬美元的商品有高粱、凍牛肉、牛肉罐頭。

公司堅持改革開放的方針及平等互利的原則，已同36個國家和地區的300餘家客戶建立了經濟貿易往來關係。1989年公司被經貿部評爲"重合同、守信用"先進單位。

公司地址：黑龍江省哈爾濱市中山路73號外貿大厦
郵政編碼：150036
電　　話：220188
電　　掛：5568 哈爾濱
電　　傳：87004　HCOFC CN
傳　　眞：（0451）229092
總 經 理：趙輔甲
副總經理：王漢卿、宋金生

中國航空技術進出口總公司

中國航空技術進出口總公司成立於1979年1月，是工貿結合具有法人資格的外貿企業，隸屬於航空航天工業部。經營航空產品及其他民用產品的進出口業務。公司註册資金3億元人民幣。

該公司成立11年來，進出口業務不斷發展，公司現有300多人，其中專業技術人員佔89%，形成了公司的骨幹力量。爲了更好地拓展進出口業務，該公司在廣州、上海、深圳、珠海、福州、厦門設

有6家子公司，在杭州和哈爾濱設有經營部。隸屬於總公司的還有設在北京的凱迪克實業公司、承包建築工程公司和燕雲有限公司。在美國、英國、聯邦德國、法國、日本、香港等18個國家和地區設立了21家子公司、辦事處和代表機構。公司各分支機構共有下屬獨資、合資企業120餘家，從業人員數千人，形成了一個門類齊全、多層次、全方位的大型工貿、技貿集團。迄今爲止，該公司已與世界上60多個國家和地區的廠商建立了貿易和合作關係。11年來的進出口成交總額達40多億美元，1989年的實際出口額3.49億美元。1986年該公司獲經貿部出口專項獎，1987年被評爲全國外貿行業先進單位，1988年被評爲全國機電產品出口先進單位、航空航天部重大貢獻單位。

該公司經營各種航空產品及非航空產品的進出口業務，承接航空零部件轉包生產及機電產品的加工裝配業務；承包航空及其他工程的設計與建設；引進國外先進技術、成套和單項設備；進口航空零部件和材料；開展航空產品及民用機電產品的合作研製、設計、生產，合資開發經營及補償貿易等業務。

公司地址：北京市東城區亮果廠5號
郵政編碼：100010
電　　話：445831　　442444
電　　掛：4563 北京
CAIO BEIJING
電　　傳：22318 AEROT CN
210403 CATIC CN
傳　　眞：4015381　　4015682
總 經 理：孫肇卿
副總經理：董　孝、劉國民，湯小平、吳明遠、孫禮鵬

深圳市對外貿易集團公司

深圳市對外貿易集團公司於1984年10月成立，註册資本爲2000萬元人民幣，是具有法人地位的綜合性外貿企業。

該公司主要經營：1.深圳地區進出口業務，接受國內有關部門和企業的委託，代理各項進出口業務；2.承辦利用外資、引進技術設備、來料加工、來樣加工、來件裝配和補償貿易業務；3.承辦進出口物資的運輸、儲存、保管和保稅倉庫業務，並爲國內外企業提供諮詢、廣告和商標註册等服務；4.接受國內外企業委託，承辦商品展銷會和技術交流會；5.開辨外貿展銷商場和各項旅遊服務。

該公司有專業進出口分公司10家，即糧油食品進出口分公司、土畜產茶葉進出口分公司、輕工業品進出口分公司、陶瓷工藝品進出口分公司、五金礦產進出口分公司、絲綢紡織品進出口分公司、化工機械進出口分公司、醫藥保健品進出口分公司、花卉進出口分公司和包裝進出口分公司；直屬公司5家，即出口商品基地公司、興發貿易公司、興業貿易公司、運輸公司和名華公司；並有合資企業56家，內聯企業51家。公司在香港設有中國興業貿易有限公司等7家公司；在美國設有美國富華有限公司等3家公司；並在香港、美國、聯邦德國設立了貿易機構。該公司與香港、日本、美國、歐洲、大洋洲、中東及東南亞等20多個國家和地區建立了貿易關係。

1989年公司進出口總額爲48422.3萬美元，其中出口32288.1萬美元。公司現有職工6669人，其中983人具有技術職稱。

公司地址：廣東省深圳市中興路2號
電　　話：223086
電　　掛：6319 深圳
電　　傳：420211 FTGCO CN
傳　　眞：223769
副總經理：鍾杰輝、曾培祥

上海市醫藥保健品進出口公司

上海市醫藥保健品進出口公司成立於1986年1月1日，是由原上海市化工進出口公司的一部分和上海市土產進出口公司的一部分合併組建的，註册資本爲707萬元人民幣。

公司設有醫藥原料、西藥製劑、醫用敷料、醫療器械、中藥材、中成藥等7個出口業務部和1個進口業務部。在國內建有保康醫用敷料廠等企業，在聯邦德國、美國和阿聯酋設立了海外企業。

公司經營範圍包括：化學藥品及製劑、獸藥、飼料添加劑、醫藥中間體、醫用敷料，衛生材料、醫療器械、醫用橡膠製品、中藥、保健品、製藥機械、製藥技術等進出口業務及來料加工、補償貿易、合作生產和加工裝配業務。

公司現有高級經濟師7人，經濟師84人，助理

經濟師112人，會計師6人，助理會計師11人。

該公司1989年出口額爲16300萬美元，比1986年增長約35%；1989年進口額達到6000萬美元，成爲全國醫藥保健品進出口系統進出口額最大的公司。

公司地址：上海市中山東一路27號
電　　話：3290161
電　　掛：MEHECOS SHANGHAI
電　　傳：33556 MHIEC CN
傳　　眞：（021）3291609　　（021）3232319
總 經 理：褚福全
副總經理：沈土林、陶佩文、舒祥華

遼寧省食品進出口公司

遼寧省食品進出口公司，是1988年從中國糧油食品進出口公司遼寧省分公司分離出來成立的，註册資本爲1223萬元人民幣。1989年出口額達13748萬美元。

公司經營範圍：以各類食品進出口業務爲主，並開展進料、來料加工、補償貿易，轉口貿易，對銷、易貨貿易，寄售、代理等業務，並根據政府間協定負責對協定貿易國家的進出口業務。

公司出口商品遠銷80多個國家和地區，許多產品在國際上享有盛譽，如“海牌”凍對蝦遠銷日本、香港、荷蘭、美國和加拿大市場，對蝦出口量佔全國出口總量的20%以上；“紅梅”牌蘋果酸甜適口，易於貯存，遠銷澳大利亞、菲律賓及東歐國家；“珍鳥”牌凍肉用雞及深加工系列產品和“珍鳥”牌分割鴨均打入國際超級市場；糖水白梨等罐頭被評爲輕工部優質產品，蘆笋罐頭榮獲1985年法國美食旅遊協會評比金像獎，成爲國際市場供不應求的暢銷商品。

公司下設11個業務科室，有職工800餘名，其中專業技術人員256名；擁有一個冷藏量1.5萬噸的冷凍加工廠及海運公司和汽車隊；建有生產基地7個，出口專廠8個，與國內外合資聯營企業13個，是遼寧省重要的進出口公司。

公司地址：遼寧省大連市中山區斯大林路145號
郵政編碼：116002
電　　話：236132
電　　掛：1964 大連
電　　傳：86216 DACOF CN
傳　　眞：805713
經　　理：田守玉
副 經 理：孫奎清、王建義、韓有順、黃達先、曹學軍、趙鳳祥

安徽省紡織品進出口（集團）公司

安徽省紡織品進出口（集團）公司的前身是中國紡織品進出口公司安徽省分公司，1981年從安徽省輕工業品紡織品進出口分公司分離而成立，同年開展直接出口貿易，1989年出口額達1.3億美元，是1981年的10倍。公司註册資金3807萬元人民幣，現有職工260人。

公司經營的主要出口商品有：棉花、棉紗、棉坯布、花色布、苧蔴紗、苧蔴布、滌棉紗、滌棉布、棉織品、毛針織品、棉針織品、化纖針織品、各種服裝等，共50多大類，上千個規格品種。其中“松月”牌棉紗、“冰川”牌滌棉紗、“峯光”牌棉布、“加羅”牌棉織品、“凡麗”牌針織品、“風車”牌服裝等，是該公司在國際市場上的暢銷商品。

該公司通過工貿聯合、進料加工、補償貿易、合資經營、技術引進等多種貿易和合作方式，擴展資源，開拓市場。在國內創辦了2個自屬企業、15個聯營企業、2個中外合資企業；在瑞士、澳大利亞、香港設立了派出機構；與世界五大洲70多個國家和地區的200多家廠商開展了貿易往來。1989年公司出口市場的比重是：港澳佔32.3%，蘇聯東歐佔17.8%，日本佔18.9%，美國佔9.1%，其他佔21.9%

公司擁有堅實的出口商品生產基礎，每年都可向國際市場推出幾十種新產品。公司的進出口運輸也十分方便，有長江水道，蕪湖和安慶的外運港口，合肥 — 香港的空運航班，以及由多條鐵路和沿海港口組成的陸海聯運線。

公司地址：安徽省合肥市金寨路194號
電　　話：331369　　331452
電　　掛：0756 合肥
電　　傳：90015 AHTEX CN
傳　　眞：（0551）332002　　332380
總 經 理：陳文秀
副總經理：倪冬初、汪鏡侖、蒯世源

江蘇省針棉織品進出口（集團）公司

江蘇省針棉織品進出口（集團）公司是1987年1月從中國紡織品進出口公司江蘇省分公司分離出來成立的，註册資本爲169萬元人民幣。

江蘇省棉紡織品工業和化纖工業實力雄厚，水陸交道發達，是中國棉紡織品出口的重要基地之一。

幾年來，該公司業務不斷發展，1989年出口額達1.2億美元，成爲江蘇省出口貿易額較大的公司之一，並以其卓著的信譽和優良的產品質量蜚聲海外。

該公司與美國、加拿大、西歐、日本、蘇聯、中東及港澳等40多個國家和地區建立了穩定的經濟貿易關係，並在美國、法國、聯邦德國、日本、科威特、香港等國家和地區有派駐代表。

公司下設針織品、毛針織品、家用紡織品3個出口商品部，主要經營範圍：各種純棉、化纖及混紡製成的服裝，各種款式的毛針織品及各類毛紗、毛線、牀上用品、裝飾布及其製成品、毛巾、浴巾、圍裙、棉毯、毛毯等的進出口業務；以及承接各種來料加工、進料加工、來樣加工和補償貿易等業務。

公司地址：江蘇省南京市中華路50號
郵政編碼：210001
電　　話：202227　202948
電　　傳：34047 KNIT CN
傳　　眞：406345
總 經 理：謝嘉榮
副總經理：孫衛國、沈沛新、陶傳江

湖南省糧油食品進出口（集團）公司

湖南省糧油食品進出口（集團）公司於1957年成立，註册資金525萬元人民幣，是歸口經營湖南省糧油食品進出口業務的外貿專業公司。

主要經營範圍：糧穀、食用油、工業油、活畜禽、凍豬肉、凍牛肉、凍畜禽及副產品、蛋類、水產品、乾鮮果品、蔬菜、罐頭、糖果、糕點、飲料等的進出口業務，開展利用外資、引進技術、“三來一補”等業務。

該公司成立30多年來，積極發展與世界各地的貿易往來，業務逐步發展，經營商品不斷增多。現有出口商品200多種，銷往港澳、新加坡、馬來西亞、日本、歐美等30多個國家和地區，1989年出口達11270萬美元。

公司設有儲運部、財基部、進口開發部、計劃物價部、生產基地部等7個部門及9個分公司和4個直屬廠（場）站；在深圳和珠海分別設立了支公司，在廣州設有辦事處；並在日本設立了三湘糧油食品分公司。此外，省內還有69個下屬企業及糧油食品類出口商品生產基地54個，出口專廠（場）、專車間24個。

公司地址：湖南省長沙市五一西路二號
電　　話：26043　47913
電　　掛：5752 長沙
HUNAN FOOD CHANGSHA
電　　傳：98105 HFIEC CN
傳　　眞：（0731）45811
總 經 理：周國權
副總經理：文東蘭、張懷磊、汪恩復

河南省服裝進出口（集團）公司

河南省服裝進出口（集團）公司是1986年6月從中國紡織品進出口公司河南省分公司中分出來成立的。該集團公司下屬有梭織服裝公司、棉織品公司、針織品公司和綜合貿易公司。註册資本1.5億元人民幣。

該公司在美國、聯邦德國、日本、香港等國家和地區設立了經銷機構，出口商品銷往美國、歐洲共同體、蘇聯及東歐等80多個國家和地區。1989年出口創滙10538萬美元，比1986年增長2.25倍。

該公司廣泛開展橫向聯合，以外貿出口企業爲龍頭，與250個生產廠家和供貨企業實行工貿結合，扶植、建設了一批出口生產專廠、專車間，興辦了25家獨資、合資、聯營企業，逐步形成產供銷一條龍的出口商品生產、供貨體系，並正在向綜合型、多功能、國際化的方向發展。

公司主要經營：各種服裝，針、棉、毛織品的原料、面料、輔料及生產技術、設備、零部件的進出口業務；承辦“三來一補”、對銷貿易、易貨貿易、租賃、代理進出口及合資、合作、聯營、內銷等業務。

公司地址：河南省鄭州市緯五路32號
郵政編碼：450003

電　　話：553018
電　　掛：2747 鄭州
電　　傳：46071 HZDET CN
傳　　眞：556943
總 經 理：董明玉
副總經理：王顯明、張憲安、羅義德

浙江省紡織品進出口公司

浙江省紡織品進出口公司成立於1980年1月1日，註册資本爲640萬元人民幣。公司現有職工199人，其中90人具有專業技術職稱。

該公司經營範圍：棉紗、坯布、漂白布、印花布、染色布、色織布、滌棉紗、滌棉布、人棉紗、人棉布、蔴棉紗、蔴棉布、呢絨等的進出口業務；並開展以進養出、補償貿易、來料加工等業務。

公司自1981年開始自營出口以來，業務發展迅速，1989年出口創滙1.01億美元，年平均遞增超過10%。目前，該公司與世界五大洲40多個國家和地區建立了貿易關係，經營出口商品近200多種。

公司設有紗布、化纖、全棉花色布、化纖花色呢絨、協定貿易、綜合貿易 6 個商品部；並在香港、澳大利亞、歐洲等國家和地區設有代表機構；有聯營生產企業20餘家，其中中外合資企業3家。

公司地址：浙江省杭州市鳳起路102號
郵政編碼：310006
電　　話：557532
電　　掛：3181 杭州
電　　傳：35026 TEX CN
傳　　眞：554046
總 經 理：劉新玉
副總經理：戚永敏

福建省糧油食品進出口公司

福建省糧油食品進出口公司成立於1955年，是福建省成立最早的外貿專業公司之一。註册資本1826萬元人民幣。

公司成立初期，年出口額僅200多萬美元。經過30多年努力，業務不斷發展，1989年出口創滙達10070萬美元，是福建省出口額最多的進出口公司。公司有自屬的車隊、冷凍船隊和5000噸級專用碼頭，以及9萬多平方米的外貿倉庫；興辦了11家裝備優良、技術力量雄厚的冷凍廠，生產各類冷凍蔬菜、食品、水產品、烤鰻等；還興辦了75家養鰻場、80多家水煮筍加工廠及其他食品加工廠；並在紐約、香港等地開辦了獨資、合資企業。

目前，公司經營的出口商品已發展到200多種。主要品種有：各種蔬菜、水果、肉類、水海產品、罐頭、蜜餞糖果、酒類、米麵製品、調味品、活畜禽、蛋品、糧食，豆類、飼料等18個大類。其中：水仙花牌罐頭，福建海牌對蝦等在國際市場久負盛名，產品遠銷100多個國家和地區。公司還經營紙張、紙板、塑料等包裝材料及食用油、工業用油、糧食、飼料、飲料等商品的進口。

公司下設罐頭、水產、果菜、糖雜、冷食、肉蛋、進口、運輸、經濟信息、計劃、財務、包裝、企業管理等18個科室。現有職工393人，其中中高級專業技術人員87人。

公司地址：福建省福州市五四路外貿中心10－11樓
郵政編碼：350001
電　　話：551405　　533784
電　　掛：5028 福州
FOODCO FUZHOU
電　　傳：92103 FOODS CN
傳　　眞：537339
副 經 理：牛小龍、徐文祥、陳夢非、鄧寶紅

陝西省紡織品進出口公司

陝西省紡織品進出口公司（原中國紡織品進出口總公司陝西省分公司）成立於1981年1月1日，具有法人資格。1984年開始自營出口，註册資金285萬元人民幣。

該公司主要經營：服裝、針棉織品，毛、蔴、化纖及混紡的紡織原料、輔料、半成品、成品等進出口業務；承辦中外合資，合作經營，代理進出口，“三來一補”，易貨貿易，引進先進技術、設備等業務。

公司設有業務、計劃、財務、行政等7個管理部門和紗布、化纖、花色布、成品等業務科。在西安、珠海、深圳等地興建了3個中外合資企業。

公司有大、中專以上文化程度的職工111名，佔職工總數的62%；具有經濟師、工程師、會計師、翻譯等中級以上技術職稱的專業技術人員32名。

公司成立以來，積極發展同世界各國和地區的經濟貿易和友好往來，與世界25個國家和地區的客戶建立了長期的貿易關係，並在港澳、日本、美國等國家和地區建立了經、包銷代理網絡。1989年出口創滙1億美元，比1984年增長66%，成爲陝西省第一家出口創滙超1億美元的進出口公司。

公司地址：陝西省西安市友誼西路33號
郵政編碼：710068
電　　話：713911　　713861
電　　掛：7035 西安
電　　傳：700222 STIE CN
傳　　眞：（029）719714
經　　理：李雅芳
副經理：朱耀林、郭曉萍

廣州紡織品進出口公司

廣州紡織品進出口公司（原中國紡織品進出口總公司廣州分公司）成立於1980年8月，是具有法人地位的外貿專業公司，註册資本100萬元人民幣。

9年來，該公司不斷發展壯大，出口額逐年上升，從1981年的3000多萬美元上升到1989年的8634萬美元。

該公司設有針織、棉織、紗布、全棉服裝、化纖服裝5個業務部，1989年還開設了商情廣告設計部。該公司在番禺縣、增城縣、花縣、從化縣和黃埔區、白雲區、天河區等地設有支公司；在香港設有越秀紡織品有限公司、經綸貿易公司、威穩有限公司。目前公司與世界80多個國家和地區建立了貿易關係。

該公司經營的主要出口商品有：棉紗、棉布、T/C紗、T/C布、印地科堅固呢，牛仔褲、棉布服裝、毛衣、男女童裝、針織服裝及各種針棉織品等，共1000多個品種規格，其中牛仔布和“先生牌”系列針織品，在國際市場上頗有聲譽。進口主要有生產所需的原輔材料、染料、包裝物料和紡織機械設備等。

該公司還開展來料加工、來樣加工、定牌生產和補償貿易等業務。公司採取“外引內聯”的方式，與外商和工業企業合資開辦了紡織廠、色織布廠、針織廠、棉織廠、服裝廠、商標織帶廠等20多個出口生產基地，這些基地廠的產品80%供出口，出口產品總值達2億元人民幣。

公司地址：廣東省廣州市東風中路438號廣德大廈
郵政編碼：510030
電　　話：348898
電　　掛：1159 廣州
KWANGTEX GUANGZHOU
電　　傳：44452 GZTEX CN
傳　　眞：（020）343898
總 經 理：溫少山
副總經理：李金調、朱　衛

武漢市紡織品進出口公司

武漢市紡織品進出口公司成立於1973年，註册資金597萬元人民幣。1985年開始自營紡織品進出口業務，1985～1989年公司累計出口創滙37229萬美元，其中1989年出口創滙8271萬美元。公司現有職工178人，其中具有高、中技術職稱的16人，初級技術職稱的43人。

該公司主要經營：棉紗、棉滌綸紗、蔴紗、蔴棉紗、棉布、棉滌綸布、漂染布和色織布等的出口及紡織生產設備、原輔材料等的進口；並開展來料加工、合資合作經營和補償貿易等業務。該公司充分利用武漢市紡織工業的優勢和便利的交通、通訊條件，一方面抓基地建設，搞產品開發，一方面開拓國際市場，在競爭中求發展。1989年該公司新開發人棉布、染色蔴布等30多個適銷品種，新增創滙400萬美元，產品行銷日本、美國、香港、澳門等30多個國家和地區，遠洋市場有了明顯的拓展。

該公司主要業務部門有：紗布部、化纖部、蔴紡部、花色布部、協定國家部、開發部等。

公司地址：湖北省武漢市航空路220號附1號
郵政編碼：430030
電　　話：554074　　554096
電　　掛：3175 武漢
電　　傳：40136 HBNTW CN
傳　　眞：（027）554060
總 經 理：舒家文
副總經理：胡三蓉、盧正濤、張聚光

江西省糧油食品進出口公司

江西省糧油食品進出口公司（原名中國糧油食品進出口公司江西省分公司）是專營糧油食品進出口業務的外貿企業，成立於1963年。註册資本爲600萬元人民幣。

該公司設有畜禽、糧油、食雜、水產果菜、罐頭、儲運、包裝、綜合業務等10部門，在省內設有9個地、市公司，51個縣級公司，2個冷凍廠、7個板鴨廠、5個食品收購站等；在廣州、深圳設有2個分公司。公司現有職工259人。其中，專業技術人員136人，具有高中級專業技術職稱的人員58人。

該公司經營的主要出口商品有：大米、雜糧豆、油脂油料、飼料、畜禽、蛋、味精、食鹽、飲料、水果、蔬菜、水產品、各類罐頭等。其中優質大米、南安板鴨多次榮獲省優、部優稱號，長青牌菖頭罐頭榮獲國際美食金獎。公司還承辦補償貿易和中外合資業務。

公司成立27年來，業務不斷發展，出口商品由10多種發展到80多種，出口國家和地區發展到40多個，出口創滙金額由幾百萬美元發展到1989年的7403萬美元，名列江西外貿專業公司的榜首。公司曾連續4年被江西省經貿廳授予全省經貿行業先進單位稱號，並多次受到經貿部、財政部和省人民政府的表彰和奬勵。

公司地址：江西省南昌市站前路60號外貿大樓五樓
郵政編碼：330002
電　　話：223237
電　　掛：7350 南昌
電　　傳：95046 JXCOF CN
傳　　眞：223843
總 經 理：楊友春
副總經理：王中陽、梁學志、舒恆清、舒三國

中國絲綢進出口公司重慶分公司

中國絲綢進出口公司重慶分公司成立於1984年10月，註册資本867萬元人民幣，是中國絲綢進出口公司在重慶的分支機構。具有法人地位。公司現有職工94人，其中有專業技術職稱的48人。

該公司經營：蠶、絲類、綢緞、絲綢服裝等產品及其製成品輔料的進出口業務；承辦有關絲、綢及其製成品的以進養出、來料進料加工、補償貿易、中外合資、中外合作、工貿合營、代理服務，以及利用外資、引進技術、設備，進行技術交流及與此有關的業務。

公司下設絲、綢、製品、儲運、內銷、綜合等9個科室；並設有金氏熊貓公司、金城實業有限公司、渝華絹紡有限公司。

公司自1985年自營出口以來，出口創滙額以每年平均35%的速度增長，1989年出口創滙達6609萬美元，成爲重慶市經貿系統出口創滙最多的公司。公司經營的優質產品“峨嵋”牌綿球、“梅花”牌白廠絲、“紅梅”牌絹絲、“鹿”牌油絲，深受國外客戶的歡迎。出口商品銷往香港、日本、聯邦德國、印度、泰國等國家和地區。

公司地址：四川省重慶市江北區建新北路65號7樓
郵政編碼：630020
電　　話：756245
電　　掛：4467 重慶
CHISIL CHONGQING
電　　傳：62230 CSC CN
傳　　眞：751666
經　　理：岑永彬
副 經 理：易正剛

內蒙古自治區糧油食品進出口公司

內蒙古自治區糧油食品進出口公司（原名中國糧油食品進出口公司內蒙古自治區分公司）成立於1953年，註册資金735萬元人民幣，現有職工160人，其中專業技術人員48人，佔33%。公司設置糧雜、油脂、活畜、肉食、儲運、商情、進口等18個科室及16個直屬加工廠；在秦皇島、深圳、中山、寧城等地分別設有派出機構；在香港設有合資經營的來勝投資有限公司，在廣東中山市建有中外合資編織袋廠。

該公司成立36年來，業務不斷發展，經營範圍日漸擴大，出口貿易額逐年增長。1989年出口額達6224萬美元，佔全自治區出口總額的18.51%。經營品種由初期的幾個發展到目前的近百個，主要有糧穀、雜豆、果菜、油料、油脂、飼料、活畜、凍肉、蛋禽、罐頭等商品。產品行銷蘇聯、日本、意大利、奧地利、法國、新加坡、古巴、香港等14個國家和地區。

公司地址：內蒙古自治區呼和浩特市中山西路24號
郵政編碼：010020
電　　話：667683　662120
電　　掛：7350 呼和浩特
電　　傳：85014 COFIM CN
傳　　眞：（0471）27615
經　　理：王海文
副 經 理：潘世光、杜才祥、李國慶

雲南省五金礦產化工進出口公司

雲南省五金礦產化工進出口公司是專營有色金屬、五金、非金屬礦產、化工產品及化學肥料進出口業務的對外貿易企業。成立於1950年5月，註册資金爲2340萬元。40年來累計出口有色金屬產品39.8萬噸，化工產品43萬噸，累計出口額16.7億美元。1989年進出口額5792萬美元，其中出口額5048萬美元，是雲南省出口創滙最多的企業之一。

公司現有職工200餘人，其中具有高、中級技術職稱的人員佔總人數的37.8%。公司下設有色金屬、黑色金屬及合金、非金屬礦產、化肥、化工、開發、進口7個業務部及運輸、包裝、計劃、財務、商情、様宣等管理和輔助部室；在廣州、深圳、連雲港設有辦事處；在黃埔、湛江、連雲港等港口設有中轉倉庫；與24個生產錫、銻、鋅、磷化工、鐵合金的工廠建立了聯營關係；並同港澳、日本、美國、西歐、東南亞、澳大利亞、蘇聯、東歐等50多個國家和地區的客戶建立了良好的貿易關係。

公司以雲南豐富的有色金屬、非金屬礦產、磷礦、煤礦等資源爲依托，積極開拓和發展進出口業務。經營的主要出口商品有：錫、銻、鋅、鉛、鍺等有色金屬；鋼材、緊固件、五金製品、生鐵、硅鐵、磷鐵、硅錳合金等；重晶石、焦炭、石膏粉、花崗石板料、大理石板料及製品；鈣鎂磷肥、磷礦石（粉）、黃磷、氧化鋅、硫酸鎳以及各種無機化工原料；食品和飼料添加劑；塑料、合成樹脂、輪胎、染料、農藥等化工產品。

公司地址：雲南省昆明市金碧路頭道巷22－23號
郵政編碼：650022
電　　掛：MINMETALS KUNMING
電　　傳：64037 CYMMC CN
傳　　眞：36193
總 經 理：李有林
副總經理：張瑞昆、朱祖保、崔現晨、王麗平

四川省畜產進出口公司

四川省畜產進出口公司成立於1953年，是四川省成立最早的外貿公司之一。公司註册資金爲3460萬元人民幣。公司創辦30多年來，業務不斷發展，經營範圍不斷擴大，現有職工133人，其中高中級專業技術人員佔14%，下設直屬加工廠25個。

1989年出口額爲3835萬美元，主要經營：羽毛、羽絨製品、皮革、皮革服裝、皮鞋、皮件、豬鬃、腸衣、兔毛、地毯、山羊板皮、裘皮等畜產品和皮革製品進出口及代理進出口業務。爲了擴大對外銷售，在香港成立了香港川洋發展有限公司。

1989年由於經營管理較好，被評爲四川省先進外貿企業。

公司地址：四川省成都市一環路北四段102號
郵政編碼：610081
電　　話：337586
電　　掛：BYPRODUCTS SICHUAN
電　　傳：60153 CNABS CN
傳　　眞：331270
經　　理：屠麟川
副總經理：周學生、趙　恒、曲　洪

廈門經濟特區建設發展公司

廈門經濟特區建設發展公司是以實業投資和對外貿易爲主，融投資、貿易、房地產、金融、諮詢等多種行業爲一體的綜合性、集團式企業。

該公司成立於1981年，註册資金爲1億元人民幣。現有6家全資子公司，62家參股的中外合資、合作和內聯企業；在美國、日本、菲律賓、香港等國家和地區設有投資企業或派駐機構。公司具有大專以上學歷的人員佔職工總數的70%，並有多名高級專業技術人員。

公司主要經營範圍：自營和代理省內外商品進出口和內貿業務；引進外資、僑資、台資和先進技術設備業務；在國內外投資興辦中外合營、內聯和獨資企業，開展來料加工、裝配和補償貿易業務；開發經營房地產業，經營保稅、倉儲、商品寄售業

務；提供投資諮詢服務，協助外商創辦獨資企業等。

該公司成立以來，參與洽談和舉辦的外引內聯項目150多個，引進國外先進技術和設備100多項。其中有：全國第一家地方航空公司——廈門航空公司，全國第一家中外合資銀行——廈門國際銀行，出口彩色電視機名列全國第一的廈門華僑電子企業有限公司以及年產3000萬卷Ⅱ型彩色膠卷、60萬筒RC-78型彩色相紙的廈門感光材料有限公司等。

該公司自1985年開展進出口業務以來，貿易額逐年遞增，1989年出口額達3499萬美元，進口額3000萬美元。主要出口商品有：食品罐頭、飼料、花崗岩荒料、石製品、金屬硅、醫藥原料、棉漂布、木材、黃樟油、錫紙等。

公司地址：福建省廈門市海濱大廈5～7層
郵政編碼：361001
電　　話：33404　33405
電　　掛：2468
電　　傳：93025 XIAMEN CONST CN
傳　　眞：33406
總 經 理：黃清泉
副總經理：王憲榕、邱允國、王本山、孫玉海

新疆糧油食品土產醫藥保健品進出口公司

新疆糧油食品土產醫藥保健品進出口公司於1974年7月1日成立，註册資金141萬元人民幣，是一家集經營糧油食品、土產品和醫藥保健品三位於一體的外貿專業進出口公司。該公司主要經營：糧穀、油脂油料、蕃茄製品罐頭，哈密瓜、葡萄及葡萄乾、香梨、大蒜、各種脫水蔬菜、蜂蜜、核桃、甜杏仁、各種瓜子、啤酒花及顆粒、甘草及甘草製品、鹿茸、鹿角、枸杞、紅花、阿膠、貝母等近百種商品。

1976年開始，自營對香港、澳門地區的瓜果出口；1981年起，全面自營進出口業務。公司先後與農場、工廠聯合或獨資，建立了一批出口商品生產基地和出口商品專廠、專車間，使出口商品的品種日益增多，商品質量日益提高。10年前，年出口收滙超過100萬美元的商品只有1種，現在發展爲15種。

公司辦事機構健全，內設經理辦公室、人事教育、計劃、財會、開發、包裝儲運、食品、菓菜、土產、藥材、酒花等、業務科室；下屬汽車運輸隊、土產藥材加工廠和鐵路運輸轉運站；在北京、天津、廣州等口岸城市設有常駐辦事處；與新疆紡織品、地毯工藝品等外貿專業進出口公司在阿拉伯聯合猶長國的迪拜合建阿哈巴瑞貿易公司。公司現有職工534人，其中有高級專業技術職稱的15人，各種中級專業技術職稱的45人，初級職稱的87人。

該公司同港澳、日本、東南亞、中東、北美、歐洲等30多個國家和地區的客戶建立了長期貿易關係，1989年出口收滙3423.8萬美元，比1978年增長了8.46倍。是新疆外貿專業進出口公司中的骨幹企業之一。

公司地址：新疆自治區烏魯木齊市團結路11號
郵政編碼：830001
電　　話：78144-409
電　　掛：2496烏魯木齊
電　　傳：79111 COFN CN
總 經 理：王志敏
副總經理：木拉迪、馬建中

寧波市紡織品進出口公司

寧波市紡織品進出口公司（原名爲中國紡織品進出口公司寧波分公司）成立於1987年，是經營紡織品的對外貿易專業公司，具有法人地位，註册資本爲1566萬元人民幣。公司現有人員91名。公司下設1室5部：經理辦公室、第一業務部、第二業務部、棉織部、針織部及服裝部，並配有計劃、財務等職能部門。公司在國內有2個中外合資企業和13家工貿聯營企業。

該公司自1988年自營進出口業務，當年出口創滙2808萬美元，1989年出口額3129萬美元，進口700萬美元。目前，該公司的出口商品已發展到4大類，50多個品種，銷往27個國家和地區，與世界上110家客戶建立了貿易合作關係。

該公司主要經營：棉紗、棉布、蔴布、人造棉紗、人造棉布、棉蔴滌綸布，服裝，棉針織品、化纖混紡針織品，全棉、化纖家用牀上用品，毛織品及紡織原料、原輔材料的進口業務；承辦來料加工，進料加工、補償貿易、租賃、諮詢、代理以及合資、合作、聯營和內銷業務。

公司地址：浙江省寧波市長春路2號

電　　話：64679　64562
電　　傳：37035　NTIEB CN
傳　　眞：（0574）64591
總 經 理：鍾光瑞
副總經理：畢滋雄、王善定

哈爾濱紡織品進出口公司

哈爾濱紡織品進出口公司成立於1985年，是對外經營紡織品進出口業務的專業公司。公司現有人員89人，其中各類專業技術人員79人。公司註册資金500萬元人民幣。

公司的業務範圍：經營各種棉紗、棉布、T/C紗、T/C布、T/R紗、T/R布、色布、花色布、亞蔴紗、亞蔴布、蔴棉紗、蔴棉布；各種毛、棉、蔴針織品；各種服裝及各種亞蔴製品；各種紡織原料的進出口業務及政策允許的各項代理進出口業務。

公司業務發展很快，1986年出口創滙1100萬美元，1989年已達3008萬美元，年均增長39.8%。

公司成立以來一直保持較高的履約率，從未因質量等問題發生索賠等事件。人均創滙水平在全國同行業名列前茅。1987年被經貿部評爲"全國經貿行業先進集體"，1988年、1989年連續被地方政府評爲"出口創滙先進企業"。

依靠哈爾濱市雄厚的工業基礎，穩定的出口貨源，公司與世界40多個國家和地區建立了穩固的貿易關係，產品主要銷往香港、東南亞、日本、美國、加拿大、英國、聯邦德國、蘇聯、蒙古、保加利亞等國家和地區。

公司設紗布、化纖、針棉毛織品、服裝、開發、進口等6個業務部和6個綜合科室。在日本、香港設有駐外機構；在深圳設有辦事處和倉庫；在國內開辦了中外合資明珠有限公司、金龍有限公司和黑天鵝成衣有限公司；在美國塞班島開辦了北馬里亞那——天鵝成衣有限公司。

總 經 理：王懷金
副總經理：王鳳翔、許志傑

山西省五金礦產進出口公司

山西省五金礦產進出口公司（原名爲中國五金礦產進出口公司山西省分公司）成立於1957年5月，已有33年歷史，1985年起實行自營和代理出口。該公司具有法人資格，註册資金爲866萬元人民幣，現有各類專業技術人員143人。

山西省有得天獨厚的礦產資源和强大的冶金、機械、能源工業的優勢，出口貨源豐富，出口生產體系不斷發展壯大，五金礦產出口不斷發展。公司在世界五大洲的30多個國家和地區建立了自己的銷售網絡，在港澳地區設有合資企業和獨資企業等。公司在天津新港及附近地區建有一批集倉儲、加工、轉運、裝船於一體的標準化倉儲、加工企業。

公司自營出口以來，出口額逐年增長。1989年出口創滙2662萬美元，比1988年的2445萬美元增長8.9%。

目前，公司經營的出口商品有50餘種，主要商品有鋼材、鋁礬土、焦炭、鑄造生鐵、銅製品、鱗片石墨、硅鐵、金屬硅、碳化硅、棕剛玉、雲母、鉀長石、燧石、黑砂石、電熔鎂、石英石、石膏、蛭石、大理石、花崗石、耐火磚、鐵釘、鐵絲、緊固件、法蘭盤、稀有金屬等。其中鋁礬土質量和出口量均居全國之首，黑砂石質量名列全國第一，焦炭質量上乘，享譽世界。

公司還從事五金礦產品的進口和代理進口業務。承辦來料加工、進料加工、補償貿易、合資經營、合作生產和內銷調撥業務。

公司地址：山西省太原市新建路6號
郵政編碼：030002
電　　話：440108　440280
電　　掛：MINMETALSHS TAIYUAN
電　　傳：282033　MINSX CN
傳　　眞：（0351）440281
經　　理：張德榮
副 經 理：張懷世、董學亮、閻文晶

海南省輕工業品紡織品進出口公司

海南省輕工業品紡織品進出口公司成立於1984年2月，原名中國輕工業品紡織品進出口公司海南分公司，是有法人地位的外貿專業公司。現有員工107人，其中高中級專業技術人員8人，其他專業技術人員36人。註册資金568萬元人民幣。

公司下設經理辦公室、業務辦公室和輕工出口部、紗布部、服裝部、進出口部、貿易發展部、財會部、儲運部、計劃統計等部及三亞分公司、海口分公司、香港南珠公司輕紡部等機構。經營的出口

商品主要有：氣墊牀、尼龍帳篷、玩具、鞋、運動衣、羽毛球、箱包、手套、自行車零件、塑料編織袋、玻璃裝飾品、燈具、紙製品、瓷磚、木摺椅，各種棉、蔴、混紡紗及布，各類男女時裝、針織內衣及衫褲等。該公司成立以來，業務發展較快，出口額大幅度增長，1987年出口創滙785萬美元，1988年爲1827萬美元，1989年達到2603萬美元，成爲1988年和1989年海南省出口創滙先進單位。

公司地址：海南省海口市大同路15號
電　　話：73138　　72008
電　　掛：2388 海口
電　　傳：490025 LIPHN CN
傳　　眞：（0750）74830
總 經 理：梁頌聲
副總經理：龔曼羣、謝怡瑩

青島市土產畜產進出口公司

青島市土產畜產進出口公司成立於1987年，註册資金281萬元人民幣。現有職工167人。兩年來，該公司以青島雄厚的工業實力爲後盾，以豐富的物產資源爲基礎，努力發展土畜產品的出口業務，1989年出口創滙2400多萬美元。

該公司主要經營：木材及其製品、棉蔴及其製品、飼料、山貨、三膠、地毯、革製品、羽絨製品、鬃毛腸衣、袭皮製品、皮毛等11大類320多個品種的進出口業務；對外承接來料加工、進料加工、補償貿易、加工裝配等業務。該公司經營的“琴島”牌地毯，品質優異，集藝術性、實用性於一體，暢銷世界14個國家和地區，年出口額逾千万美元。

爲確保充足的出口貨源，該公司設有30多家出口專廠，並與市內6縣及黃河沿岸6省（區）建立了良好的業務合作關係。

公司地址：山東省青島市小港一路十號甲
郵政編碼：266011
電　　話：226643
電　　掛：3243青島
CNNAP QINGDAO
電　　傳：32213　ANIML CN
傳　　眞：（0532）222154
總 經 理：趙懷臻
副總經理：呂崇安

甘肅省土畜產品進出口公司

甘肅省土畜產品進出口公司（原名中國土產畜產進出口公司甘肅省分公司）成立於1950年，註册資金792萬元人民幣。1985年和1986年分别將糧油食品、醫藥保健品和地毯業務劃出，專門經營土產品、畜產品兩大類250餘種商品的進出口業務。10年來，業務得到迅速發展，1978年出口額僅43萬美元，1989年達到1904萬美元，年平均增長率爲37.14%。

公司下設土產、畜產兩大業務經營部和10個職能科室（部）。在本省有4個自屬加工企業和2個具有綜合功能的倉庫及10個分公司；在西安、天津、廣州、廈門、深圳設有辦事機構；在香港、日本、聯邦德國、阿聯酋有派駐人員。公司現有職工720人，除513名倉庫和加工人員外，總公司機關207名職工中，專業技術人員占28%。

目前，公司與世界上30多個國家和地區的300多家客商建立了長期穩定的貿易關係，多年來一直保持着良好的對外信譽。經營的主要商品有：金針菜、蘭州黑瓜子、髮菜、椒乾等；畜產品中有灘羊皮、綿羊毛、山羊絨、核桃仁、苦杏仁、蜂蜜、飼料、豬羊腸衣、骨粒（粉）、豬鬃、駝毛、兔毛、袭皮服裝等商品。

公司除經營進出口業務外，還開展委託代理出口和技術引進、來料加工、補償貿易、易貨貿易、合資合作經營等業務。

近年來，公司建立了一批出口商品生產基地和加工企業，如蘭州畜產品加工廠、天水皮毛加工廠、張掖平涼綜合加工廠，爲公司擴大出口打下了可靠的基礎。

公司地址：甘肅省蘭州市東崗東路613號
郵政編碼：730020
電　　話：（0931）498611
電　　掛：0960蘭州
CHINAPROCO LANZHOU
電　　傳：72112　GTC CN
傳　　眞：（0931）497753
總 經 理：李有發
副總經理：張培民、江東濤、劉振亞、盧秉毅、
張　傑、張一軍

西安市紡織品進出口公司

西安市紡織品進出口公司（原中國紡織品進出口公司西安分公司）於1986年4月成立，註册資本200萬元人民幣。具有法人地位。

該公司設有紡織品、針棉織品和服裝經營部，蘇聯東歐貿易部，開發部，包裝儲運科和財務科，在深圳設立了對外窗口。1987年以來，進出口業務有了較大發展，1989年出口創滙1250萬美元。

兩千年前，漢朝使者從長安（今西安）出發，開闢了著名的"絲綢之路"。今天，西安已成爲我國重要的紡織工業基地之一。紡織深加工和服裝業不斷發展，有6種產品獲國家銀質奬，14種獲部優奬，不少產品在國際市場上暢銷，贏得了美國、加拿大、日本、西歐、東歐、東南亞、中東、港澳等國家和地區衆多客戶的信賴。1989年被對外經濟貿易部授予"全國重合同、守信用先進單位"稱號。

公司經營純棉紗布、化纖紗布、花色布、印染布、色織布、呢絨、服裝、毛毯、針棉織品、針織坯布、牀單、毛巾、浴巾等商品的進出口業務；開展來料加工、進料加工、補償貿易和中外合資、合作業務，代理進口各種單機及成套紡織機械。

公司地址：陝西省西安市南大街176號
郵政編碼：710001
電　　話：23765
電　　掛：1120 西安
電　　傳：70015　CTXB CN
傳　　眞：（029）718321
總 經 理：王檜舟
副總經理：儲愛林、姜健華、華　翔

青海省畜產進出口公司

青海省畜產進出口公司成立於1950年4月，是從事全省畜產品購銷和進出口業務的專業公司，註册資金1650萬元人民幣。現有專業技術人員139人，其中：高級技術職稱2人、中級技術職稱46人、初級技術職稱91人。公司下設：絨毛購銷經理部、皮張購銷經理部、畜產加工廠、飼養場、青海省複合飼料廠、青海地毯一廠、青海地毯二廠、海南江源貿易公司。

青海省是全國四大牧區之一，畜產品資源豐富，爲外貿出口提供了充足的貨源。全省年產各類絨毛2000多萬公斤，皮張300多萬張，腸衣100萬根，還有動物性肥、飼料，鬃尾，羽毛等傳統出口商品。青海地毯採用純西寧羊毛精工編製而成，已有30多年的歷史，編織工藝和生產能力都達到了一定的水平，年產量達到12萬平方米。近幾年又試製成功了圖案新穎、具有地方特色的藏毯，深受客戶的歡迎。

1980年以前，該公司主要承擔供應出口貨源的任務，出口商品全部調往沿海口岸出口。1980年開始部分商品自營出口，1984年起全部自營出口。幾年來，公司出口商品品種不斷增加，貿易額逐年增長。1989年，出口商品有絨毛、裘革皮、地毯、腸衣、肥飼料5大類、20多個品種，出口創滙1159萬美元。該公司與港澳、東南亞、日本、中東、歐美等25個國家和地區建立了長期的貿易關係。

公司地址：青海省西寧市德令哈路197號
郵政編碼：810007
電　　話：76525
電　　掛：3964　西寧
電　　傳：77006　QHAC CN
傳　　眞：（0971）76995
經　　理：余中原
副 經 理：錢榮華、閻書奇、張連俊、金寶鈺、張宗培

寧夏紡織輕工工藝品進出口公司

寧夏紡織輕工工藝品進出口公司，是寧夏統一經營紡織品、輕工業品和工藝品的對外貿易專業公司，成立於1987年4月13日。註册資金爲164萬元人民幣。該公司現有職工96人，其中具有大專以上文化程度的38人。

該公司主要經營：棉紗、棉布、羊絨製品、呢絨、服裝等紡織品，勞保手套、紙張、箱包、玩具等輕工業品，草柳製品、工藝地毯、瓷器、木製傢具及其他工藝品的進出口業務。還開展"三來一補"、易貨貿易、聯營等業務。

該公司已同50多個國家和地區建立了穩定的貿易關係。1989年，出口創滙1030萬美元，同年被經貿部評爲"重合同、守信用"先進單位。

公司地址：寧夏銀川市南環西路64號
郵政編碼：750001
電　　話：24048　34584

電　　傳：750015　NXTCL CN
傳　　眞：（0951）34586
副 經 理：宋旗生、方冠傑、孟慶平

西藏自治區對外貿易公司

西藏自治區對外貿易公司成立於1976年，是綜合性的對外貿易公司。註册資金1610萬元人民幣。

該公司設有綜合經營部、醫療保健進出口部、五金礦產化工進出口部、進口部、財務部等5個業務部和3個爲業務部服務的綜合科室。公司在拉薩設有外貿中心，在西藏樟木設有分公司，在北京設有業務部，在深圳設有辦事處。現有干部、職工147人，其中藏族以及其他少數民族職工75人，漢族職工72人，有各類專業技術人員80多人。

該公司經營的出口商品有中藥材：冬虫夏草、蘆貝、雪蓮花、大黃、天蔴、鹿角、羚羊角、黃芪等；藏中成藥：珍珠七十等；礦產品：鉻鐵、鉛鋅、銻、鉬銅等礦石，鋰、高嶺土、硼鐵石、硅鐵、鉻鐵等；木材：青杠木、白杉、紅松；民族工藝品：藏刀、唐嘎、藏裝、服飾品等。

該公司承担了自治區大部分進出口貿易，包括邊境貿易、易貨貿易的業務。

公司地址：西藏拉薩北京中路182號
郵政編碼：850001
電　　話：22570　22413
電　　掛：5261　拉薩
電　　傳：68026　FTRCT CN
總 經 理：趙映洲
副總經理：格桑曲達、吳伯讓、范純喜、李　政

國際經濟技術合作公司

中國黑龍江國際經濟技術合作公司

中國黑龍江國際經濟技術合作公司於1981年8月成立，註册資本爲2億元人民幣，具有獨立法人地位。

公司經營範圍：對外承包工程、提供技術和勞務服務，承辦雙邊及多邊經濟技術合作項目和經援項目；組織和利用國外資金在國內興辦中外合資合營企業，開展多種形式的經濟技術合作，承辦"三來一補"業務；開展對蘇聯及東歐各國的承包工程、勞務合作、經濟技術合作及貿易業務；承辦引進技術和設備；開展國際信託貿易和進出口業務，提供信息諮詢服務。

公司設有18個部、室，有職工205人，其中高級專業技術人員13人，一般技術人員150人。公司在北京、大連、深圳設有辦事處，在國內興辦企業14個，在美國、加拿大、香港、法國、泰國、扎伊爾、利比里亞、馬達加斯加、孟加拉、南斯拉夫等國家和地區設有20個企業和辦事處。公司成立以來，已經同32個國家和地區的200多個廠家、商社建立了多層次的經濟技術合作和貿易關係，取得了顯著成績。先後承建了緬甸國家第一體育館，孟加拉布里剛戈河大橋和立交橋，馬達加斯加農業部大樓和中國駐馬達加斯加、毛里塔尼亞、圭亞那使館工程；投資開發了美國關島"哈爾濱莊園"工程；幾年來輸出勞務人員近3000名；引進的技術和設備遍及省內20多個行業。

截至到1989年底，該公司共對外簽訂合同364項，合同總額達4.83億美元，其中1989年簽訂合同56項，承包和勞務營業額2180萬美元。在實施這些項目的過程中，該公司遵守合同、注重信譽，受到普遍的好評。

公司地址：黑龍江省哈爾濱市南崗區宣信街20號
郵政編碼：150001
電　　話：226032
電　　掛：3689 哈爾濱
電　　傳：87083　HIC CN
傳　　眞：227730
總 經 理：靖伯文
副總經理：高永文、于成吉、周樹仁、杜在淸、陽至儉

中國瀋陽國際經濟技術合作公司

中國瀋陽國際經濟技術合作公司於1984年11月成立，註册資本1.5億元人民幣。

該公司1989年對外簽約合同額2502.5萬美元，完成承包和勞務營業額2137萬美元，全年派出人員近千人。幾年來，公司已在日本、蘇聯、法國、巴基斯坦、布基納法索等10餘個國家和地區發展了業務，已經完成和在建工程項目23個，興辦海外獨資公司2個。

公司共有職工99人，其中有高級技術職稱的10人，中級技術職稱的41人，初級技術職稱的26人。公司設有人事業務部、海外工程部、合資合營部、經援部。公司在10多個國家和地區設有企業、辦事處等機構，並在20餘個國家和地區有業務代理人和信息網絡。

公司主要業務範圍：承包海外建設工程，開展對外勞務技術合作，興辦中外合資企業，出口與承包工程有關的成套設備，承擔國家經援項目。

公司地址：遼寧省瀋陽市瀋河區北二經街76號
郵政編碼：110014
電　　話：28550　27329
電　　掛：0013　瀋陽
傳　　眞：22841
總 經 理：莫玉斌
副總經理：李國平、程寶太、陳鐵新、劉長安

中國天津國際經濟技術合作公司

中國天津國際經濟技術合作公司於1982年成立，註册資金爲2億元人民幣。公司下設承包工程部、勞務合作部、境外合資企業部、海員業務部、綜合經營部和經援部等6個業務部；另設總經理辦公室、計劃財務部等行政部門。現有職工160人，

其中中、高級技術人員占30%左右。

公司業務範圍：1. 對外承包各類工程及承包項目的諮詢、設計、可行性研究和設備安裝等。2. 對外提供經驗豐富的各類勞務人員，派遣研修生、實習生，爲國外公司駐津機構提供翻譯、秘書等各類僱員。3. 在境內外舉辦合資、合作經營企業。4. 爲各國和地區的船務公司提供各類、各級國際海員勞務。5. 開展國際間人才、技術交流，對外提供成套設備；承辦“三來一補”及對外經濟技術援助等業務，經營與本公司業務項目有關的進出口業務。

公司在香港、阿拉伯聯合酋長國設有辦事處，在日本、希臘等國家設有代表處，在民主也門、阿拉伯也門、美國、英國、法國、新加坡、加蓬、科特迪瓦等國家設有分支機構。

公司自1982年成立以來共簽訂承包、勞務合同300多份，合同總額達1.5億美元。項目所涉及的國家和地區有美國、日本、聯邦德國、法國、英國、意大利、新加坡、阿聯酋、巴基斯坦、也門民主、泰國、科特迪瓦、加蓬、尼日爾、毛里塔尼亞、希臘和香港等30多個國家和地區。1989年公司共簽訂對外承包勞務合同103份，合同額3623.1萬美元，完成營業額1950.55萬美元。

公司地址：天津市和平區睦南道103號
郵政編碼：300050
電　　話：311632　　316851
電　　掛：CTIETCC TIANJIN
電　　傳：23259　　IETCC CN
傳　　眞：（022）316213
總 經 理：胡治經
副總經理：周克興、翟治明

中國吉林國際經濟技術合作公司

中國吉林國際經濟技術合作公司成立於1981年，具有法人資格，註册資本爲1.5億元人民幣。1989年完成承包工程和勞務合作營業額1398萬美元。

該公司技術力量雄厚，擁有大批工程師、建築師、科研人員等專家及熟練技術工人，是我國從事對外工程承包和勞務合作的骨幹企業。

該公司業務範圍廣泛，可在國內外承包工業與民用建築、基礎設施、公路橋樑、市政建設、房地產開發、能源開發、石油化工、冶金礦山、水利電力、港口碼頭、森林開發、農牧漁業、醫藥衞生等工程項目的諮詢、勘測、設計、施工、安裝、設備材料供應；對外提供多種技術服務和勞務；承擔外國公司、企業委託的人員培訓業務；興辦中外合資合作企業；開展同蘇聯及東歐各國的經濟技術合作業務和易貨貿易；開展國內外貿易及技術進出口業務；開展對外加工裝配和補償貿易等業務。

該公司自成立以來，本着平等互利、講究效益、形式多樣、共同發展的原則，與世界各國廣泛開展經濟技術合作業務，先後在美國、加拿大、法國、日本、聯邦德國、澳大利亞、泰國、菲律賓、香港、西班牙、科威特、阿聯酋、尼日爾、蘇丹、蘇聯、匈牙利等21個國家和地區設立了代表處或合資企業。在海南、深圳、大連、厦門等地設有分公司；在北京設有辦事處，與27個企業建立了聯營關係。先後承攬了尼日爾國家體育場、蘇丹辛加靑尼羅河大橋，廣東核電站土石方工程等大型項目。派出勞務人員7000多人次。

公司地址：吉林省長春市新民大街12號
郵政編碼：130021
電　　話：882208　　882321
電　　掛：1288　長春
電　　傳：83029　JIETC CN
傳　　眞：（0431）882225
總 經 理：關長玉
副總經理：單毅平、高　茜、桑江濱

中國廣西國際經濟技術合作公司

中國廣西國際經濟技術合作公司於1985年底成立，具有法人地位。註册資本2億元人民幣。

公司的業務範圍是：1. 對外承包建設各種工程，包括各種土木建築、公路、橋樑、環境保護、水利、電力、冶金、化工、建材、機械、輕工、農林、水產等各類工程的評估、勘測設計、施工、安裝、技術指導等；2. 對外技術勞務合作；3. 在國內外舉辦各種合資或獨資企業；4. 經營對外承包工程中所需的各種材料、設備等物資的進出口業務；5. 承擔國家對外經援項目以及引進外資的工程項目；6. 開展國內外貿易和在海外組織我國產品展銷業務。

公司下設開發、設計諮詢、工程、企業、物資

供應、貿易、計劃財務等11個部門；在深圳、海南、北京設有辦事處；在世界16個國家和地區設有經理部、合資公司、合營企業等機構。

公司擁有一批企業管理和工程技術人員，其中具有高、中級專業技術職稱的有30多人，各種專業技術人員占公司總人數的86%。

公司曾在亞洲、非洲、美洲10多個國家和地區承包了大、中、小型建築、公路、礦井、水電站、機場等工程70多項，以質量高、工期短、價格合理贏得了良好的信譽。1989年，公司在海外承包大、中、小型工程15項，合同額爲8600多萬美元，營業額爲1389萬美元。

該公司在海外興辦了建材、種植、養殖、飲食等10家企業，在國內興辦了建材、化工、輕工等15家出口創匯型企業。這些企業已建成投產。其中建材企業生產的花崗石板材遠銷非洲、美國和港澳等國家和地區。

公司地址：廣西自治區南寧市
電　　話：21861　　21959
電　　掛：0014　南寧
電　　傳：48135　GITEC CN
傳　　眞：21861
總 經 理：謝仲平
副總經理：盧國書、楊素華

中國地質工程公司

中國地質工程公司（原名中國地質勘探和打井工程公司）於1982年11月成立，具有法人地位，註册資本爲1.5億元人民幣。

公司的業務範圍：在國內外承接水文地質、工程地質、礦產地質的普查與勘探項目；承包打井供水、礦山開採及各類建築工程；提供技術諮詢，開展勞務合作，舉辦合營企業；提供成套設備、單項設備及維修零配件。

該公司成立以來，已在國際上承包承接各類工程和勞務技術合作項目50餘項，並以其先進的技術，優良的裝備，現代化的管理和上乘的工程質量贏得了良好的信譽。截至1989年底，累計合同額達1.1億美元，完成營業額7200萬美元。其中1989年簽訂合同額2312萬美元，完成營業額1362萬美元。

該公司總部設在北京，下設7個部室。在北京、上海、黑龍江等地設有9個子公司。在巴基斯坦、斯里蘭卡、馬里、尼日利亞、埃塞俄比亞、喀麥隆、秘魯等國家和地區設有辦事機構或合營公司。

該公司擁有一批全國聞名的地質學家和高級工程師，有一批熟悉業務，通曉英、法、俄、西班牙、阿拉伯等語種的專業人才，具有中高級職稱的專業技術人員佔總人數的65%，有25%的專業人員常駐國外，並有一支具有國內外施工經驗的技術隊伍。公司實行現代化管理，具有先進的專業施工、生產、科研能力，備有各種精良的設備和施工機械。

公司地址：北京市海淀區大慧寺20號
郵政編碼：100081
電　　話：8311639　　8311644
電　　傳：222691　CGC CN
傳　　眞：8311639
總 經 理：田占鰲
副總經理：許貴森、張玉華

中國北京國際經濟合作公司

中國北京國際經濟合作公司成立於1982年，是北京市唯一的開展對外承包工程及勞務技術合作的大型綜合性企業。公司註册資本爲2億元人民幣。1989年簽訂對外承包、勞務合同113個，合同金額2100萬美元，營業額爲1018萬美元，派出技術勞務人員578人。

公司主要業務範圍是：採取形式多樣的經營方式承包海外多種類型的工程項目，對外提供各種勞務技術合作；與外商、海外僑商及港澳台商在國內外興辦合資、合作企業，承辦國家對外經濟援助項目，以及培訓各種專業技術人員、技術工人和管理人員。

公司成立以來，對外經濟技術合作規模逐年擴大，已同世界40多個國家和地區建立了良好的業務關係，進行了廣泛的合作。該公司在國外承建了一批工程項目，包括突尼斯青年之家等援外工程項目、蘇聯莫斯科北京飯店修繕工程，美國費城藝術中心、英國曼徹斯特牌樓、日本天壽園設計、毛里塔尼亞青年之家和文化之家維修設計等等，受到了國內外的讚揚。此外，公司還在尼日利亞、斯里蘭卡、澳門等國家和地區組建了 3 家合資經營企業。截止1989年年底，公司對外簽訂各種合同258份，合同額爲1億多美元，營業額爲8861萬美元，派出技術勞務人數爲6300人。

公司現有職工100人，其中具有大專以上文化水平的佔80%。公司下設：承包工程部、勞務技術合作部、合營部、財務部、調研室等主要業務部門。

公司地址：北京市南禮士路頭條7號
郵政編碼：100045
電　　話：8013413
電　　掛：BIECO BEIJING
電　　傳：222576　BIECO CN
傳　　眞：8013441
總 經 理：童芝蓀
副總經理：姜惠比、劉友昆、程槐卿

廣東省對外勞動服務公司

廣東省對外勞動服務公司成立於1979年4月，是經營對外勞務合作的專業公司，註册資金爲450萬元人民幣。

公司成立十年來，遵循"守約、保質、薄利、重義"的方針和"平等互利、講求實效、形式多樣、共同發展"的原則，充分發揮廣東省毗鄰港澳，華僑衆多的有利條件，積極發展對外經濟合作，努力開拓國外勞務市場。目前已同30多個國家和地區的500餘家客商建立了業務聯系，共簽訂勞務合作合同499項，合同金額1.2億美元，向33個國家和地區派出勞務人員14600多人次，爲國家創滙3234萬美元；爲外國及華僑、港澳企業常駐廣東代表機構提供工作人員843人。1989年簽訂勞務合作合同217項，合同金額4118萬美元，營業額1012萬美元，年末在外勞務人員4259人，分布在27個國家和地區；並向75家在廣州的外資企業等提供各類工作人員206人。

公司下設經理室、國際業務部、外企服務部、人事部、財務部，在廣東省內各市及一些縣設有分支機構。公司現有職工27人，其中具有高、中級技術職稱的6人。

公司經營範圍：向國外和港澳地區提供技術服務、人員培訓和勞務人員；爲外國及華僑、港澳企業駐廣東代表機構提供各類專業工作人員；爲在廣東的外國人、港澳台同胞的就業提供服務、進行管理。

公司地址：廣東省廣州市教育路88號
郵政編碼：510030
電　　話：333575　　332159－25
電　　掛：4267　廣州
電　　傳：44301　YS CN
傳　　眞：（020）333575
總 經 理：蔡木秀
副總經理：張道輿

中國山東國際經濟技術合作公司

中國山東國際經濟技術合作公司於1984年9月成立，具有法人資格，是獨立經營、自負盈虧的綜合性對外經貿國營企業。註册資本2億元人民幣。1989年營業額爲1550萬美元，其中承包工程和勞務合作營業額爲468萬美元。

該公司授權統一組織、協調山東省建築、公路、橋樑、輕工、紡織、機械、化工、電子、水利、地質、海運、漁業、水產、農業、醫藥、園藝、飲食服務、手工業等各方面的力量，在世界各地廣泛開展國際經貿合作。

公司的業務範圍：1. 國際工程承包，承建國外工業、市政、路橋、水利、民用建築以及工程的勘探設計和技術指導；2. 國際勞務合作，選派各類技術專家和勞務人員；3. 國外合資合作經營，與外國公司、僑商、港澳客商在海外合作，舉辦獨資合資企業；4. 技術引進，引進國外先進技術設備及項目內的材料、軟件技術的進口業務，組織和承辦山東省合資經營、合作生產、補償貿易、加工裝配等以及項目內的進出口業務；5. 國外貿易以及對蘇聯東歐國家的生產技術合作和經貿業務；6. 承擔對外經濟援助項目。

該公司成立以來，在世界30多個國家和地區承建了110多個項目，一貫嚴守合同工期，確保工程質量，獲得多方好評。如在美國關島投標承建的皇家花園工程，由於工期短、質量好，被當地樹爲樣板工程；承建的毛里塔尼亞供水工程，受到該國總統的稱讚；派往西薩摩亞的醫療隊，以精湛的醫術和辛勤的勞動贏得該國人民的愛戴，被譽爲"神醫"。

近幾年該公司各項業務又有新的開拓和發展，在亞洲、歐洲、非洲、拉丁美洲、大洋洲的12個國家設有分支機構和業務點，與40多個國家有業務往

來。

該公司總部設在濟南。總部設有承包工程部、勞務合作部、合資經營部、國外貿易部、技術引進部等。公司在國外設有:美國魯島開發股份有限公司、西班牙中國大西洋經濟合作聯絡部、中國巴布亞新幾內亞合作公司、中國岡比亞漁業合作公司、澳大利亞華昆股份有限公司。在香港地區設有華魯貿易公司工程勞務部。國內有中外合資的山東國際經濟開發公司。

該公司擁有一批熟悉業務的高級工程師、高級經濟師和通曉英、德、日、俄、阿拉伯等語種的翻譯,具有中、高級技術職稱的專業人員佔公司總人數的56%。

公司地址:山東省濟南市石棚街15號
電　　話:25158　25584
電　　傳:39121　SIETC CN
傳　　眞:(0531)614090
總 經 理:唐壽康
副總經理:常敏春、何光明、沙惠明、陳耀熙

中國大連國際經濟技術合作公司

中國大連國際經濟技術合作公司於1984年成立,具有法人資格。註册資本1億元人民幣。

公司成立以來,已同世界50多個國家和地區的300多家客戶建立了業務聯系,承擔國際工程承包、勞務輸出、合資、合作項目200多項。1989年,簽訂各類對外經濟技術合作協議的合同金額2200萬美元,完成營業額1800萬美元;其中,完成承包工程和勞務合作營業額460萬美元,派出勞務人員1017人。公司在業務活動中以優質的服務,良好的信譽贏得了國內外客商的信任和讚譽。

該公司下設工程承包公司、航空公司、海外合作公司、國際經濟開發部、蘇聯東歐經貿部等專業公司或業務部;在美國、加拿大、泰國、日本、香港、西班牙、阿根廷、澳大利亞、摩洛哥、加蓬、蘇聯等地設有合營企業或經營機構。

公司同包括機械、石油化工、輕紡、建築、造船、漁業等行業的40多家企業和科研機構實行聯合,形成雄厚的技術力量,可以爲各類工程提供技術諮詢,承擔勘測、設計、施工和安裝任務,供應配套的設備、原材料及維修零備件,提供各類工程技術人員、管理人員、工人和從事海運技術服務的海員。

該公司的業務範圍:在國外承包各類工程,向國外提供各類技術勞務,在國外舉辦合資、合作企業,承擔國家對外經濟技術援助和聯合國多邊援助項目,在國內從事中外合資、合作和"三來一補"等業務。

公司地址:遼寧省大連市沙河口區東北路77號
郵政編碼:116021
電　　話:404082
電　　掛:2109　大連
電　　傳:86172　IMTSC CN
傳　　眞:(0411)401125
總 經 理:丁肇有
副總經理:張凱華、唐毓亭、門啓明

出口商品

出口商品

1.綠豆

中國栽培和食用綠豆的歷史源遠流長，因其顏色以綠色爲主體，故稱綠豆。我國綠豆品種繁多，質量上乘。以色澤而言，大致可分爲明光綠豆和毛綠豆兩個主要品種；按成熟期早晚有成熟較早的摘綠豆和成熟較遲的拔綠豆兩類。

綠豆爲一年生草本豆科植物，主要產於亞洲，其中印度最多，我國及日本次之。我國產地以北方爲主，其中吉林、陝西、山西、河北的張家口等地的明光綠豆久負盛名，我國南方主要以毛綠豆爲主。

綠豆可發芽、磨粉，也可加工成粉絲、粉條。用綠豆粉和麥粉及糖調制，可做成清甜爽口的綠豆糕，頗受老人和孩子們的喜愛。至於盛夏里的綠豆湯，更是解渴生津，去暑降壓的大衆飲料。

我國綠豆出口已有30多年歷史，明光綠豆主要銷往日本和歐美，毛綠豆主要銷往印度、巴基斯坦、東南亞等國家和地區。近兩年來，每年出口量均在10萬噸以上。

2.凍豬肉

多年來，凍豬肉一直是我國大宗出口商品之一。

中國是世界上豬肉產量最多的國家，年產量約1800萬噸，佔世界豬肉總產量的1/3左右，這爲我國凍豬肉出口提供了充足的貨源。我國凍豬肉產量最多的是華東、中南等地區。

50、60年代，我國以出口凍豬片肉爲主。70年代以後，爲適應國際肉食市場的需要，改爲出口凍分割肉。目前，我國凍豬肉出口規格主要是四種分割肉，按部位分爲Ⅰ號頸背肉、Ⅱ號前腿肉、Ⅲ號大排肉、Ⅳ號後腿肉。這些規格的分割肉既可直接上市銷售，又可作爲肉製品的加工原料，受到進口國家和地區的歡迎。另外，爲了適應市場的多種需要，我國還出口片肉、帶骨大排、肋排、凍乳豬等多種規格的凍豬肉。

香港、澳門是我國凍豬肉出口長期穩定的市場，蘇聯、東歐、西歐亦是我國凍豬肉出口的重要市場，我國凍豬肉還出口到東南亞及南美國家。近幾年，年出口量約10萬噸，年創滙近2億美元。

3.糖水菠蘿罐頭

菠蘿又名鳳梨，係多年生草本植物，產於熱帶、亞熱帶。果實表面呈魚鱗狀，果肉味酸甜。我國菠蘿主產區在廣東、海南、廣西、福建和雲南等省、區。

糖水菠蘿罐頭係採用新鮮優質菠蘿加工而成，具有濃厚的風味，色澤金黃，酸甜適度。

目前，我國年出口菠蘿罐頭達4萬多噸，創滙約2000萬美元。主要出口到香港、澳門、聯邦德國、英國、瑞典、捷克、民主德國、羅馬尼亞、匈牙利等20多個國家和地區。其中“象山”、“天壇”牌菠蘿罐頭約佔出口總量的90%。

我國出口的菠蘿罐頭加工品種有：全圓片、旋圓片、扇塊、碎塊和碎米等；包裝規格有425克、454克、567克、850克和2840克聽裝。

4.江蘇老酒

江蘇老酒產於久負盛名的江蘇省無錫市黃酒廠，是中國具有千余年歷史的古老黃酒品種之一，多年來深受廣大消費者的青睞。近年來，年出口量約千噸，主要銷往日本、港澳、東南亞等國家和地區。

江蘇老酒以優質糯米爲主要原料，用上等麥麯和優質黃酒酵母，採用先進的機械化生產工藝，經較長時間的低溫發酵釀造而成，酒質醇和，味正香濃，甘甜爽口。江蘇老酒曾榮獲江蘇省優質產品稱號，並榮獲1984年輕工業部酒類大賽“金杯獎”，在日本亦被列入世界名酒。

江蘇老酒含有20多種氨基酸、蛋白質、維生素、葡萄糖、脂類，營養極爲豐富，被譽爲“液體蛋糕”。它的酒精度低，酒性溫和，糖度、酸度適當，適量飲用能生津活血，促進新陳代謝，幫助消化，增進食慾。它既可冷飲，也可熱喝，佐以烹調還能去腥添味，深受中外消費者喜愛。

5.菜籽餅(粕)

我國的油菜籽主要產區是四川、湖南、湖北、江蘇、浙江、安徽等省，年產量約500萬噸。

油菜籽經浸出加工的稱菜籽粕，壓榨的稱菜籽餅。出口菜籽粕的油脂、蛋白(乾態)含量最低爲38%；菜籽餅的油脂、蛋白(乾態)含量最低爲43%。

近年，我國菜籽餅(粕)年出口量爲50～60萬噸。主要銷往丹麥等歐洲共同體國家，對日本也有一定數量出口。由四川、山東、河南、上海、江蘇等省市土畜產進出口公司經銷。

6.黃豆粕

我國出口的黃豆粕，油脂、蛋白質的含量在45%以上(乾態)，水份在13.5%以下。通常，附加說明的爲二次浸出產品，不附加說明的爲一次浸出產品。二次浸出的黃豆粕油脂、蛋白質含量更高，但不如一次浸出的色澤好，我國出口以一次浸出黃豆粕居多。

我國黃豆粕生產遍及全國各地，東北三省的產量佔全國60%以上。其中以黑龍江省生產的黑天鵝牌黃豆粕和大連市油脂總廠出產的黃豆粕最受歡迎。

我國黃豆粕出口最近幾年迅速增長，目前年出口量約150萬噸。主要銷往東南亞、日本、南朝鮮、香港、東歐和西歐等國家和地區。

7.紅薯乾

紅薯又名白薯、地瓜。國內主要用於生產澱粉、粉絲、釀酒、檸檬酸、飴糖、味精等；國外用於生產混合飼料。我國紅薯乾主要銷往意大利、聯邦德國、比利時等歐洲共同體國家，年出口量最多達70多萬噸。

我國紅薯主要產區爲山東、河南、安徽、江蘇、河北等省。由中國土畜產進出口總公司系統經營。

8.木薯乾

木薯國內用於生產澱粉、酒精、酒類、檸檬酸、味精等，國外用於生產混合飼料。

我國木薯主要生產地爲廣東、廣西、海南等省區。我國年出口木薯乾最多時達40多萬噸，佔世界第三位。主要銷往法國等歐洲共同體國家，由中國土畜產進出口總公司經營。

9.磺胺甲基異噁唑

本品又名新諾明、新磺片，是白色結晶性粉末，無臭，味微苦，幾乎不溶於水，易溶於稀鹽酸、氫氧化碱溶液或氨溶液。其抗菌譜與磺胺嘧啶相似，但抗菌作用較强，排泄作用較慢，半衰期爲11個小時，若與磺胺增效劑即甲氧苄胺嘧啶合用，其抗菌作用明顯增强，抗菌範圍亦有所擴大。本品對腦膜炎球菌、肺炎球菌、溶血性球菌以及某些革蘭氏陰性杆菌均有殺滅作用。在臨牀中主要用於支氣管炎、咽喉炎、口腔炎、肺炎、傷寒、革蘭氏陰性杆菌感染、菌痢、尿路感染等症。

磺胺甲基異噁唑是我國製藥工業的拳頭產品之一，是世界上最主要的生產國。我國該項產品在國際磺胺市場上以產品質量高，符合國際先進標準，所佔市場份額大而享有盛譽。1988年該產品出口已達500多噸，金額爲900多萬美元。出口價格較爲平穩，一直在每公斤17～20美元之間。主要銷往波蘭、民主德國、聯邦德國、香港、巴基斯坦、東南亞等國家和地區。

10.枸杞子

中藥材枸杞子是茄科植物枸杞或寧夏枸杞的成熟果實，呈橢圓形或紡錘形，略扁，表面鮮紅色或暗紅色，味甜，微酸。它產於我國大部地區，其中寧夏回族自治區中寧縣產量多，質量好，被譽爲“枸杞之鄉”。

枸杞子作爲中藥材的歷史十分久遠。在成書於2000年前的醫藥學巨著《神農本草經》中，被列爲藥材之中的“上品”。枸杞主要含甜菜碱、胡蘿蔔素、玉米黃素、煙酸，維生素B_1、B_2、C，多種氨基酸，鈣、磷、鐵、β—谷甾醇、亞油酸等成份。甜菜碱可防止肝臟中脂肪積存，有治療脂肪肝的作用；甜菜碱和玉米黃素、亞油酸能增强血管壁，對動脉硬化、高血壓有療效，也可有效地恢復疲勞。枸杞還可治療慢性肝炎、肝硬變，以及遺精、腰膝酸軟、帶下、目眩眼花、視力減退等症；枸杞具有降血糖作用，與其他藥材配伍，可治療糖尿病。

枸杞子是我國傳統大宗出口藥材，行銷港、澳、日本、東南亞、美國、加拿大等10多個國家和地區。目前，每年出口約2000噸，創滙600多萬美元。本品被國家列入出口許可證管理範圍，由各省、自治區、直轄市及計劃單列市經貿主管部門審核發證。

11.半夏

別名蠍子草、蔴草子的半夏是天南星科多年生草本植物半夏的塊莖，野生於山坡、溪邊陰濕的草叢或林下，現已有人工種植，分佈在我國大部地區，主產於四川、湖北、安徽、江蘇、浙江、河南等地，尤以四川的產量高，質量最佳。

在我國，半夏被用於醫藥已有2000多年。它的藥用成份主要有揮發油、少量脂肪、澱粉、煙碱、膽碱、黏液質、谷氨酸、精氨酸等，還含有藥理作用與毒芹碱及煙碱相似的生物碱等。因此，半夏具有鎮咳、祛痰、止吐和解毒作用。因其消痰止咳療效顯著，被醫家譽爲"祛痰之最"。在臨牀上主要用於痰多、咳嗽、哮喘、眩暈、失眠、頭痛、嘔吐、反胃、胸脘煩悶等疾病，也可外部敷用，治療癰腫等皮膚疾病。

半夏在我國中藥材出口貿易中佔有重要地位，1988年出口達1680噸，創滙1344萬美元，與1982年相比，出口量增長3.7倍，出口額增長3.1倍。近年來出口價格爲每噸7500～9800美元。其出口市場分佈在港澳、東南亞、日本和聯邦德國等國家和地區。

12.槐米

槐米爲多年生木本植物槐的乾燥花蕾，主產於我國河北、山東、江蘇、遼寧、廣西、廣東等地。其主要成份是芸香甙(即蘆丁，是維生素P屬的一種)、三萜皂甙、白樺樹醇、槐花二醇，槐花甲素、乙素和丙素，葡萄糖、葡萄糖醛酸，以及鞣質等。槐米具有保持毛細血管正常抵抗力，減少血管通透性，使因脆性增加而出血的毛細血管恢復正常彈性，擴張冠狀血管，改善心肌循環，以及抗炎、解痙、抗潰瘍等多種醫療作用。在臨牀上主要用於便血、痔血、血痢、崩漏、吐血、衄血、肝熱目赤、頭暈、目眩等症。

在我國傳統大宗出口藥材之中，槐米外銷增長較快。50年代每年出口約500多噸，收滙10萬美元左右，1988年增至4357噸，創滙1090萬美元。本品主銷日本、港澳、東南亞、聯邦德國、美國和加拿大等10幾個家和地區。國外主要用於提煉蘆丁。日本市場銷量最大，約佔我槐米每年出口總值的97%。

13.撲熱息痛

本品是白色或類白色的結晶性粉末，無毒，味微苦，在熱水或乙醇中易溶，在丙酮中溶解，在常溫水中微溶。撲熱息痛是重要的解熱鎮痛藥物之一。主治感冒發燒、關節痛、神經痛、偏頭痛等症。在世界各國均得到廣泛應用。全世界年產量約4萬噸左右。

我國是撲熱息痛主產國之一，年產約6000噸左右，出口產品質量完全符合國際通行的質量標準，在國外有着廣闊的銷路，行銷聯邦德國、香港、英國、巴基斯坦、美國、加拿大等20多個國家和地區。80年代初，我國年出口近千噸，收滙400多萬美元；1988年則達1957噸，802萬美元。

14.片仔癀

片仔癀係根據中醫傳統獨特秘方，經特殊工藝製成的名貴中成藥，至今約有300多年的醫學臨牀應用歷史。它的主要成份是3%的麝香，5%的牛黃，85%的三七和7%的蛇胆。這些均爲珍貴的中藥材，有極高的醫療价值。

麝香是鹿科動物麝的雄獸香腺囊中的分泌物，它有開竅、通路、活血、散結的功能；牛黃爲牛科動物黃牛膽中的結石，有清心、化痰、利膽、保肝、鎮驚等療效；三七是五加科植物三七的乾燥根，是重要的止血及傷科藥材；蛇膽則可明目和消炎。

上述四種藥材經巧妙與合理的配伍、加工製成的片仔癀具有消炎退熱，清凉解毒，消腫止痛等功能，適用於各種急慢性炎症、燙傷、灼傷、刀槍傷痛，跌打扭傷，無名腫痛等，療效顯著。

本品曾榮獲中國國家質量金獎，長期對外銷售。目前每年出口約80萬粒，創滙近千萬美元，銷往港澳台、東南亞、北美等國家和地區，頗受歡迎。

15.虎頭牌手電筒

虎頭牌手電筒始創於1921年，是廣州市電筒工業公司的名牌產品，產量佔全國手電筒總產量的

50％以上，出口量佔全國出口總量60％以上，產銷量和出口量都居全國首位。

虎頭牌手電筒品種規格齊全，有前校光型、固定光型等四個系列，有鐵質、銅質、塑料、活節、防水等30多種花色規格，光線射程最遠可達1500英尺。其中尤以前校光型鐵質電筒最具特色。該產品表面光亮平滑，防銹力强，焦點大小可隨意調節，光點圓實，射程遠，絕緣度高，深受用戶歡迎。多年來，虎頭牌手電筒暢銷80多個國家和地區，由廣州市電筒工業公司經銷。

16.雙縐

雙縐是用桑蠶絲爲原料製成的綢緞，因其綢面呈雙向細微縐紋而得名。

雙縐的規格很多，配套齊全。幅寬有70、90、100、114、140cm的，重量有8.5、9、10、12、14、15、16、18、20、22m/m的，品種有純白、染色、印花的。宜做男女襯衣，還可做各種綉衣及頭巾。我國江蘇、浙江、上海、四川、廣東、山東等綢緞主要產區都生產，並向全世界出口。雙縐是我國綢緞生產和出口的一個重要品種，佔我眞絲綢緞生產和出口總量的15％和10％以上。

雙縐產品問世以來，因其具有輕柔、飄逸、懸垂感强，透氣、吸濕性好等特點，深受廣大消費者歡迎，一直盛銷不衰。

17.提花綢

提花綢，是用提花機使經緯線交錯點織成各種花紋圖案的綢緞，是綢緞中的一個大類。其中在雙縐的經線上提花的稱花雙縐，在縐緞經線上提花的稱花縐緞，在紡經線上提花的稱花紡，等等。還有在各種綢緞經線上提花的，如織錦緞、花軟緞、花富紡、花大綢等。

提花綢中，除了已名聞中外的我國傳統產品如織錦緞、古香緞、克利緞、金寶地、天鵝絨外，還有目前盛銷世界的花縐緞、萬壽緞、花廣綾、九霞緞、雙波緞等。目前提花加印花的綢緞在西歐也很流行。

提花綢品種多，用途廣。可用於內衣、外衣、禮服、被面、牀罩、椅套，還可用於多種裝飾。用眞絲提花綢作糊墻綢，不僅美觀大方，而且還有透氣、調節室溫之功效。

我國綢緞產地都能生產提花綢，其產量佔綢緞總產量的35％以上，其中一半以上用於出口。由於我國提花綢品種多、花色多，質量好，深受國內外消費者的歡迎。

18.塔夫綢

塔夫綢，是以桑蠶絲先精煉脫膠後的煉絲(熟絲)作經緯線，用平紋組織成的先煉綢，又稱熟貨，分素塔夫綢、條格塔夫綢和花塔夫綢三種，都是我國的名聞於世的傳統紡織產品，也是我國蘇州和抗州的特產。特別是蘇州東吳絲織廠生產的塔夫綢，素有“塔王”之稱。

塔夫綢的生產工藝複雜。經緯線交錯點緊密，空隙微小，綢面平滑，綢身堅挺而柔軟。塔夫綢的幅寬和重量，可根據需要安排生產。常用的有90cm、13.5m/m和100、114cm、12.16m/m。塔夫綢是婦女禮服的上等面料，主要用於出口，在歐美等國家和許多地區深受歡迎。但由於塔夫綢生產複雜，因而產量不多，只能有限供應，這樣就更顯得其名貴難得了。

19.打線絲

打線絲又稱捻線絲。有用生絲加捻的，也有用雙宮絲加捻的，還有用煉絲加捻的。具體規格按照需要而定。如有根據織綢經緯線需要的原料條份、根數、捻度和捻向，用桑蠶絲經過絡絲、併絲、加捻、定型和成筒(絞)等工序而製成的20/22　2～3根100～300T/M等規格的打線絲，也有根據客戶需要定製的不同條份、根數、捻度的打線絲。

打線絲屬絲類出口商品中的深加工產品，我國的江蘇、浙江、四川、上海、廣東等省市均生產，年出口創滙近億美元。遠銷日本、美國、意大利、泰國和香港等國家和地區，深受廣大用戶的歡迎。

20.絲毯

絲毯，一般以桑蠶絲或桑絹絲爲主要材料，經傳統的手工編織、平毛、剪花、整理而成。產品分爲高、低道數兩個系列。低道數主要爲120～240道絹絲毯，高道數爲200～460道50/70生絲毯。圖案多採用京式、風景式、彩花式、敦煌式、藝術繪畫式等，也可根據客戶提供的圖案生產。

手工絲毯是我國傳統的出口商品。主要由中國絲綢進出口總公司及其所屬的上海、江蘇、浙江、四川、湖北、河南、山東、天津、江西、遼寧、新疆等分公司經營。由於我國絲毯用料考究，做工精細，圖案絢麗多彩，且既可作爲高檔工藝品供室內舖用或裝飾，又可作爲高價保值品珍藏，近年來國際市場需求量有較大增加，特別是在歐美、日本等市場很受歡迎，成爲我國一個重要的出口換滙商品，1989年出口額爲650萬美元。

21.雙宮絲

雙宮絲是由兩條桑蠶共同組成的雙宮繭繅成的絲。其特點是由於兩條蠶共同吐絲時速度上有差異，形成絲表面微細不同的疙瘩，同時繭絲纖度高於一般繭絲的一倍，絲的條份較粗。雙宮絲的規格，一般有80/100、100/150、150/200、200/250等旦尼爾。用雙宮絲織成的綢緞身骨堅挺，綢面呈現不同規則的疙瘩，別具風格，適宜做高檔服裝和裝飾用品，深受時裝界的青睞。

我國四川、江蘇、浙江等省都生產雙宮絲。主銷泰國、意大利、法國、日本、印度、香港等國家和地區。年出口額數千萬美元。

22.湘繡

湘繡是我國刺繡中的一大名繡，也是我國工藝美術品中的精品之一，具有獨特風格，名聞中外，出口國外深受消費者歡迎。

我國刺繡的起源很早，在江陵、馬王堆出土的戰國、西漢時期的文物中，有許多不同用料、不同繡法的繡品。湘繡就是在湖南民間刺繡的基礎上發展起來的。

“濃妝淡抹總相宜”，這是歷史上人們對湘繡獨特風格的概括。湘繡偏重寫實，形象生動，色調鮮明，針法多變，特別是借鑒國畫長處，線條準确，層次清楚。在針法上，除了使用齊針、牽針外，還獨創了鬅毛針、交叉針等針法。目前湘繡運用的針法有70多種，使用的不同顏色的絲線達100多種。其中以中國畫爲藍圖，經藝人創作而成的山水風景、飛鳥走獸等繡品，生動逼眞，活龍活現，達到了以假亂眞的程度。用鬅毛針繡成的獅虎，其毛剛勁，力貫毫端，根根直豎，生動傳人。近年來，湘繡又發展了雙面異繡，即在同一底料的正反兩面繡製出畫面、色彩、針法各不相同的作品。1982年湘繡雙面全異繡座屏“楊貴妃”等，在全國工藝美術品“百花獎”評審中獲”金杯獎”。湘繡主要銷往意大利、法國、瑞士、英國、美國、日本、港澳等國家和地區。

23.凝膠

凝膠取之於鎂基膨潤土、鈉基膨潤土和鋰基膨潤土等礦物黏土。這種凝膠具有奇特的膠體流變性、分散性、觸變性、熱穩定性和敷展性，可應用於衆多領域，如膏體、化妝品、醫藥、塗料、洗滌用品、陶瓷、電子及食品等，可做爲乳液穩定劑、黏結劑、吸收劑、懸浮劑、增塑劑、增稠劑、淨化脫色劑、崩解劑、上光劑和潤滑劑等。

世界上擁有這種資源的國家爲數不多，中國的新疆得天獨厚，擁有世界上最大的礦藏之一。該礦以含蒙脫石的鈉基和鎂基膨潤土爲主，含量高達70-80%，除主要成份外，其餘是非常稀少的鋰膨潤土。鋰基膨潤土(亦稱海克脫石)含有較多的鋰，這是中國新疆礦的獨特之處，它發現於1981年，隨後成爲目前生產的TOOGUM產品的主要成份。

隨着生活水平的提高，對於化妝品、洗滌用品、醫藥和食品等需求增加，無機凝膠的國際市場有着光明的前景。新疆化工進出口公司可爲各國用戶提供優質的凝膠產品。

24.硅膠

硅膠是一種密佈微孔的物質，具有巨大的吸附能力，在石油提煉中，用途極爲廣泛。硅膠還可作爲液體的淨化劑、觸媒介體、氣體的淨化劑、高溫氣體的除霧劑和除濕劑、發酵工業的高分子去除劑等等。我國硅膠出口已有30多年的歷史，深受用戶的讚揚。目前出口的硅膠主要有以下三種規格：

①硅膠TSO

高度細孔結構，呈藍色半透明的球狀和塊狀，一般與TS6細孔硅膠結合使用，作爲指示劑，亦可做乾燥劑。

②硅膠TS1

白色、粗孔結構，有球狀、塊狀及微球，主要用作氣體、油中有機酸的吸附劑及催化劑載體；在高濕度情況下，也可做乾燥劑及脫水劑，其二氧化硅含量不低於98%。

③硅膠TS6

高度細孔結構，呈白色、半透明、不規則塊狀及球狀，具有在相對濕度較低的條件下吸附力强的特點，特別適用於乾燥、防潮、防銹，也可做催化劑載體，其二氧化硅含量不低於99%。

硅膠由中國化工進出口總公司山東省分公司經營出口，1989年出口量爲1200噸，主要銷往香港、日本、菲律賓、泰國、新加坡、聯邦德國等國家和地區。

25."南中"牌水泥速凝劑

"南中"牌水泥速凝劑是我國近兩年發展起來的新商品，是加速水泥和混凝土凝結硬化的水泥附加劑，具有黏性好、無味、無毒、抑塵、腐蝕性極微的特點。在標準溫度條件下，採用0.35水灰比時對波特蘭水泥能在15分鐘內初凝，25分鐘內終凝，同時可降低粉塵50%以上，回彈量降低5～10%，而混凝土强度可提高15～30%，是噴射混凝土工程及其他需要速凝快硬的混凝土工程的理想的新型速凝劑。該產品由廣州市化工進出口公司經營。

26."南中"牌陽離子凈水劑

"南中"牌陽離子凈水劑是線型高分子化合物，是水中懸浮物的沉降劑以及有機汚泥的凝聚脫水劑，對溶液中帶電顆粒以及有機物有良好的吸附及絮凝作用，可廣泛應用於化工、鋼鐵、輕工、電子等行業的水處理以及城市汚水處理廠、河海工程和某些食品工業的固液分離。

"南中"牌陽離子凈水劑是有發展前途的新商品，受到國際上的關注，由廣州市化工進出口公司經營。

27.貴金屬

貴金屬是對金、銀及鉑族金屬釕、銠、鈀、鋨、銥、鉑這八種稀有貴重金屬的總稱。目前，我國對外出口主要是銠等鉑族金屬。

銠，元素符號Rh，銀白色，熔點1966℃，沸點3727℃；不溶於水，溶於濃硫酸及硫酸和鹽酸的混合液。主要用於電力、電子、化工、汽車工業以及儀器、儀錶、玻璃、首飾等行業。另外，鉑族金屬還廣泛應用於石油、航空航天工業，以及汚染治理、核能、信息、醫學科學等領域。

我國的鉑族金屬主要產於甘肅金川，出口成品以粉末狀爲主，銷往日本、美國、聯邦德國、香港等國家和地區。目前，我國鉑族金屬的出口剛剛起步，銷售市場有待進一步開拓。

28.稀土

稀土元素包括鑭系元素(鑭、鈰、鐠、釹、鉕、釤、銪、釓、鋱、鏑、鈥、鉺、銩、鐿、鑥)和性質與鑭系元素相近的鈧和釔，共計17種。

稀土元素具有良好的物理和化學性能，易與其他非金屬元素化合，形成氧化物、滷化物、氟化物、碳化物等化合物。除鈧、釔外，多數不抗腐蝕。稀土金屬有順磁性，純稀土金屬的導電性很强，在超低溫下具有超導性。

目前稀土主要應用領域是：石油化工、冶金、玻璃、陶瓷、發光材料、永磁、核能等方面。

我國稀土主要產地爲內蒙、江西、青海、廣東及上海。年產量居世界前列。產品銷往日本、美國，對歐洲共同體國家的貿易正在發展。

29.汞

汞，又稱水銀，是在常溫下唯一呈液態的金屬，有銀白色光澤，熔點爲－38.87℃，沸點爲357.25℃，比重爲13.596。它具有最大的電阻率和最小的溫度系數，體積膨脹均勻，表面强力大，易於同其他金屬生成汞齊，化學性能穩定。

汞可用於：化學工業、軍事工業、電器儀器工業、醫藥、新技術等方面。

我國汞礦主要產自貴州，湖南、四川、陝西、廣西、雲南、青海等地也有一定產量。

近幾年，我國汞的年出口量在1400噸左右，主要銷往歐洲國家。

30.鐵合金

鐵合金品種衆多，主要包括鉻鐵、錳鐵、鎳鐵、鉬鐵、鎢鐵、硅鐵、硅錳、釩鐵和鈦鐵，絕大部分作爲添加劑或合金元素，用於鋼鐵工業。我國硅鐵、硅錳及鎢鐵的生產與出口在世界上佔重要地位。

目前我國硅鐵年生產能力近100萬噸，年產硅鐵70萬噸左右，主要產地是山西、寧夏、甘肅、青海等地。

我國硅鐵出口始於80年代，1981年出口6萬多噸，1987～1988年達到近30萬噸。主要出口市場是日本，其次是東南亞，對歐洲有少量出口。1988年我國出口到日本近20萬噸。

我國出口硅鐵的規格是：

硅（最低）	鋁（最高）	硫（最高）	磷（最高）	碳（最高）
75%	2%	0.02%	0.04%	0.2%
粒度：10～150mm佔90%以上				

我國近年來出口較多的是硅錳，它在煉鋼中起脫硫、脫氧的作用。1987年我國硅錳的生產能力近20萬噸，出口近3萬噸。1986年我國硅錳進入日本市場，目前佔日本硅錳市場容量的1/3。出口硅錳的規格如下：

錳（最低）	硅（最高）	碳（最高）	磷（最高）	硫（最高）
65%	17～20%	1.8%	0.25%	0.14%
粒度：10～100mm佔90%以上				

我國是鎢資源最豐富的國家之一，鎢鐵出口在世界上佔重要地位。鎢鐵在鋼鐵工業中作爲添加劑用於生產堅而硬的合金鋼。我國鎢鐵主要出口到日本、美國。1988年我國出口5800噸鎢鐵，主要規格如下：

鎢（最低）	錳（最高）	銅（最高）	硫（最高）	磷（最高）	碳（最高）	硅（最高）	砷（最高）	錫（最高）
70%	0.25%	0.15%	0.08%	0.05%	0.2%	0.5%	0.05%	0.1%
粒度：(1)10mm以下佔10%以下，每塊約5公斤；(2)3～60mm佔90%以上。								

31.手工具

手工具是我國重要的出口商品之一，每年出口金額2億美元，行銷世界110多個國家和地區，西歐、美國、香港和東南亞是我國手工具出口的重要市場。

中國手工具質量優良，品種規格齊全。出口的主要品種有鉗子、台虎鉗、扳手、錘子、螺絲批、銼刀、鋸和鋸條，切削工具、泥木工具、測定工具、研磨工具以及園藝工具等。我國手工具多在超級市場、百貨商店、五金商店和汽車加油站銷售，適合於工廠、家庭的生產和維修等使用。

中國手工具資源穩定，供應及時，由中國機械進出口總公司以及各省市機械進出口公司經營出口。

32.軸承

軸承是支承轉軸或其他旋轉件的零件。按摩擦性質不同，可分爲滾動軸承和滑動軸承兩大類。軸承尺寸有國際標準，具有互換性，被廣泛應用於汽車、機車、船舶、飛機、工程、地質等機械、儀器、儀錶上。目前，我國軸承生產已具備一定能力，各類軸承年總產量已超過4億套，能生產280多種結構、720多個尺寸系列、4500多個基本型號、19000多個品種的軸承，達到G，E，D，C，B五個精度等級。我國已能生產各種特殊軸承，包括內徑0.6mm的微型軸承，外徑達5m的特大型軸承，重量達9.5噸的重型軸承，套圈最小壁厚爲0.27mm的薄壁柔性軸承以及高溫、低溫、高速、高眞空、耐腐蝕、耐輻射等特殊工作條件下的軸承。

近年來，我國軸承出口量大幅度增長，年出口達近億美元，成爲機電產品出口的拳頭產品之一，並已遠銷美國、蘇聯、西歐、中東、東南亞等國家和地區。

大事記

1989年中國對外經濟貿易大事記

業務活動

1 月

6日 全國人大常委會副委員長、人大財經委員會主任委員陳慕華在北京會見由副主席德欽奎率領的意大利參議院財政、國庫委員會代表團。陳慕華說，中國將繼續加强與世界各國的合作，鼓勵外商來華多辦獨資企業，多辦些利用中國老企業嫁接國外資金、國外先進技術和管理經驗的合資企業。

8日 中國、瑞典貿易混合委員會第十次會議8～14日在斯德哥爾摩舉行。中方代表團團長、經貿部地區政策三司副司長穆崇楷與瑞方團長、瑞外交部貿易司司長布·亨利克松就兩國的經濟形勢和雙邊貿易與合作進行會談。會議期間，瑞典工業大臣伊瓦·北山和外貿大臣阿尼塔·格拉汀會見了中國代表團。

△ 應經貿部邀請，盧森堡大公國外交、外貿和合作國務秘書羅伯特·戈貝爾斯率政府代表團8～11日訪華。9日，經貿部副部長沈覺人和戈貝爾斯代表本國政府在北京簽署了中盧兩國政府貸款協定。

9日 國務院外資領導小組會議聽取經貿部關於1988年吸收外商投資情況的匯報和今後工作意見。匯報結束後，田紀雲副總理作了重要講話。經貿部副部長沈覺人等參加了會議。

△ 經貿部代表團與蘇聯對外經濟聯絡部代表團9～14日在北京就修改《中華人民共和國政府和蘇維埃社會主義共和國聯盟政府關於相互派遣工程技術人員條件的議定書》進行了會談。14日，經貿部技術進出口司副司長劉湖和蘇聯外經部條法總局副局長季馬紹夫簽署了會談紀要。10日，經貿部部長助理劉岩會見蘇聯代表團。

13日 中國政府和西班牙政府關於特殊條件貸款協議在馬德里簽署。經貿部副部長沈覺人和西班牙商務秘書阿·魯·利赫羅代表本國政府在協議上簽字。根據這項協議，西班牙在1989～1994年間將提供4.5億美元的資金。雙方還就近幾個月內達成的一些重要合同簽署了貸款協議。

16日 中國、奥地利經貿混委會第八次會議16～21日在維也納舉行。以經貿部地區政策三司副司長穆崇楷爲團長的中方代表團與以奥聯邦經濟部約瑟夫·恰赫司長爲首的奥方代表團就兩國間貿易、經濟、技術合作等問題進行了討論，雙方都表示了進一步加强貿易、增强合作的願望。

△ 以經貿部部長助理劉岩爲團長的中國財政合作代表團16～28日訪問聯邦德國。16日，中國和聯邦德國關於上海地鐵第一階段工程的財政合作協定在波恩簽字。正在波恩的我國外長錢其琛、經貿部部長助理劉岩、聯邦德國外長根舍和經濟合作部長克萊因代表本國政府在協定上簽字。該協定規定，聯邦德國政府爲上海地鐵第一階段工程提供4.6億西德馬克的長期低息貸款，償還期40年，寬限期10年，利率爲0.75%。18日，經貿部貸款司副司長呂振和聯邦德國復興信貸銀行亞洲局局長卡爾·科恩簽署了山東電訊一期工程、湖北大冶鋼廠無縫鋼管軋機兩個項目財政合作貸款協議，金額約1億馬克。

△ 應經貿部部長鄭拓彬邀請，聯合國人口基金執行主任薩迪克博士16～21日訪華。薩迪克向我通報了人口基金總部對其第三周期（1990～1994年）援華方案的審議結果。訪問期間，鄭拓彬和外交部部長錢其琛及主要受援部門的負責人同薩迪克進行了會談。雙方就人口基金在下一周期內向我國提供5700萬美元的援助事項取得一致意見。18日，國務院副總理姚依林會見了薩迪克。

17日 以經貿部副部長沈覺人爲團長的中國政府經濟代表團17～24日訪問意大利。中國代表團同以副外長博納魯米爲團長的意大利代表團就中意第三個三年合作計劃貸款和贈款項目的執行情況以及第四個三年合作計劃的規模等事宜進行友好坦率的會談。24日，沈覺人和博納魯米在羅馬簽署會談紀要。

18日 經貿部副部長王品清和保加利亞外經部副部長科·波波夫代表本國政府在北京簽署了中國和保加利亞1989年交換貨物和付款議定書。

△ 經貿部副部長王品淸和民主德國外貿部副部長約亨·施泰埃爾在北京簽署了中國和民主德國1989年交換貨物和付款議定書。

△ 中國和意大利合作的中原乙烯聯合裝置項目的簽字儀式在羅馬舉行。該項目包括14萬噸乙烯裝置、14萬噸聚乙烯裝置和4萬噸丙烯裝置。總投資爲人民幣16億元，其中有意大利政府提供的混合貸款2.5億美元。

△ 爲執行中國、蘇聯漁業合作協定，中蘇漁業合作混合委員會第一次會議20～26日在北京舉行。

21日 經貿部副部長王品淸在北京會見蘇聯部長會議對外經濟關係委員會代表團。王品淸向蘇方介紹了我國對外經濟貿易管理體制改革等情況和開辦特區的管理辦法。

△ 經貿部決定，爲了節約時間和費用，自1989年起，每年春秋兩次中國出口商品交易會的會期由20天改爲15天。春交會從4月15日到29日，秋交會從10月15日到29日。

22日 經貿部規定，今後外商投資企業進出口商品等事宜，授權中國外商投資企業協會負責協調管理。

△ 中國援建盧旺達的體育場移交儀式在基加利舉行。盧青體部部長恩丹迪利伊馬納·奥古斯坦和中國駐盧大使安峯石出席了移交儀式。

23日 經貿部發言人答記者問時說：中國將採取積極方針，保持對外貿易適當發展速度。中國在壓縮基本建設規模中，對外商投資項目採取保護政策，對已簽合同的項目認眞履行合同。台灣投資者可享受多種特殊待遇。

△ 中國政府和南斯拉夫聯邦政府海關事務合作協定在貝爾格萊德正式簽署。

24日 毛里求斯商業海運部長根加率政府貿易代表團24～29日訪華，同中國糧油食品進出口總公司簽訂向我購大米3.6萬噸的合同。25日，經貿部副部長呂學儉同根加就兩國經貿問題進行會談。26日，全國人大常委會副委員長陳慕華會見了根加。

△ 中國贈送給坦桑尼亞的蘇基塔印刷廠正式投入生產，坦前總統朱利葉斯·坎巴拉吉·尼雷爾主持了開工儀式。

25日 經貿部副部長王品淸在北京會見美國伊士曼柯達公司董事長兼首席執行官陳道納先生。陳介紹了該公司向厦門感光材料有限公司提供的一套彩色膠卷和相紙生產綫的試用情況。

26日 經貿部部長助理谷永江和挪威駐華大使奥·博格代表本國政府在北京簽署了中國、挪威第二次紡織品貿易協議。

27日 外交部部長錢其琛、馬里外交和國際合作部部長莫迪博·凱塔代表本國政府在北京簽署了中國政府向馬里政府提供貸款的協定。同時簽署的還有關於推遲中國政府向馬里政府提供的四筆到期貸款償還期的換文。國家主席楊尚昆和馬里總統、非洲統一組織執行主席穆薩·特拉奥雷出席了簽字儀式。

△ 經貿部副部長王品淸和捷克斯洛伐克外貿部副部長涅麥茨代表本國政府在布拉格簽署了1989年中捷換貨和付款議定書。捷外貿部部長揚·什捷爾巴會見了王品淸一行。

2月

1日 經貿部副部長王品淸和波蘭對外經濟合作部副部長斯坦尼斯瓦夫·阿馬諾維奇代表本國政府在華沙簽署了中國、波蘭1989年交換貨物和付款議定書。

12日 經貿部部長鄭拓彬和巴基斯坦總理財經計劃顧問維·阿·賈夫里代表本國政府在北京簽署了中華人民共和國政府和巴基斯坦伊斯蘭共和國政府關於相互鼓勵和保護投資協定。雙方還簽署了關於延長第十三號中巴貿易議定書諒解備忘錄。國務院總理李鵬和巴基斯坦總理貝·布托出席了簽字儀式。

13日 國際農業發展基金會總裁伊德里新·雅

澤里和中國駐意大利大使杜攻代表農發基金和中國政府在羅馬簽署了四川省畜牧發展項目協議。根據這一協議，農發基金將爲該項目提供1730萬美元的優惠貸款。

14日 國務院就加强借用國際商業貸款管理問題發出通知，要求各地、各部門嚴格控制對外借款規模，認眞抓好對外借款的使用效益，保證債務按期償還。

16日 經貿部副部長李嵐清和羅馬尼亞外貿和國際經濟合作部副部長斯特凡·斯坦古代表本國政府在布加勒斯特簽署了中國、羅馬尼亞1989年交換貨物和付款議定書。

△ 經貿部部長鄭拓彬在北京會見巴西新任駐華大使羅貝特·阿布德努爾，雙方就發展雙邊貿易，增加中國向巴西出口，以及經濟技術合作問題交換了意見。

△ 經貿部部長鄭拓彬會見古巴駐華大使何塞·阿·格拉。格拉向鄭拓彬轉交了古擬向我無償轉讓食品行業技術的備忘錄。

21日 中國、布隆迪第五次經貿混委會21～22日在北京舉行。經貿部部長鄭拓彬和布隆迪工商部長博納旺蒂爾·基杜因基拉代表本國政府在北京簽署了中華人民共和國政府向布隆迪共和國政府提供貸款的協定。

△ 國家主席楊尙昆簽署第十四號主席令，公佈由七屆全國人大常委會第六次會議通過的《中華人民共和國進出口商品檢驗法》。該法共六章，三十二條，自1989年8月1日施行。

23日 以經貿部副部長李嵐清爲團長的中國政府經濟貿易代表團23日～3月4日訪問巴基斯坦並出席中巴經濟貿易及科技合作聯合委員會第五次會議。27日，李嵐清和巴財經顧問維·阿·賈夫里代表本國政府在拉瓦爾品第簽署了會議紀要。同日，巴基斯坦總理貝·布托接見了李嵐清一行。

△ 經貿部副部長呂學儉和蘇丹經貿部第一次長奥瑪爾·穆巴拉克·阿布·宰義德代表本國政府在北京簽署了1989年度兩國貿易議定書。

△ 經貿部副部長王品清和朝鮮政府貿易代表團團長、朝鮮貿易部副部長宋喜哲代表本國政府在北京簽署了1989年相互供應貨物議定書。經貿部部長鄭拓彬參加了簽字儀式。

24日 國務院機電產品出口辦公室和經貿部通報表彰140個1988年機電產品出口先進單位。這140個出口先進單位中，生產企業佔115個，其餘是外貿公司和工貿公司。

25日 中國、朝鮮、蒙古、蘇聯四國1989年鐵路進出口和過境貨物運量會議25日～3月4日在北京舉行。與會各國鐵路和外貿的代表商定了1989年各國鐵路間進出口和過境貨物運量計劃以及爲保證完成運量的技術組織措施，簽署了新的議定書。

27日 首次在英國舉辦的中國出口商品展覽會在倫敦奥林匹亞貿易展覽中心開幕。英國海外貿易局主席詹姆斯·克萊明森爵士爲展覽會剪彩。有44家中國公司，其中有14家中外合資企業的產品參加了這次展覽會。展品包括紡織、輕工、機械、化工、醫藥衛生、儀錶、金屬礦產、糧油、電子產品等。

28日 經貿部副部長沈覺人率代表團於28日～3月2日在日內瓦參加關貿總協定中國工作組第六次會議。

3月

2日 中國恢復關貿總協定締約國地位談判代表團團長、經貿部副部長沈覺人率代表團2～3日在布魯塞爾同歐洲共同體代表團就恢復中國締約國地位問題進行第三輪雙邊磋商。

3日 經貿部副部長王品清和蘇聯外經部副部長葉·伊·奥薩德丘克代表本國政府在莫斯科簽署了1989年中蘇交換貨物和付款議定書。

△ 以外交國務秘書哈比卜·本·葉海亞爲團長的突尼斯政府經貿代表團3～7日在北京參加中突經貿混合委員會會議。6日，國務院副總理吳學謙會見了葉海亞。7日，經貿部副部長李嵐清和葉海亞代表本國政府簽署了會談紀要。

△ 中國銀行與日本輸出入銀行簽訂了關於中日第三次資源開發銀行貸款的付款協定。根據這項協定，日本輸出入銀行將向中國銀行提供總額725.98億日元的貸款，用於中國遼河油田等陸地油田的開採。

△ 國務院副總理田紀雲3～19日先後訪問了伊朗、土耳其、伊拉克、科威特和阿聯酋五國，就進一步發展我國同這些國家的經貿合作關係同對方交換了意見。

4日 中國成套設備出口公司副總經理羅漢林和摩洛哥青體部秘書長蓋蘇斯代表本國政府在北京簽署了中國援助摩洛哥綜合體育設施鋼網架維修施工協議。經貿部部長助理王文東出席簽字儀式。

5日 經國務院批准，國家外匯管理局發佈《境外投資外匯管理的辦法》。該辦法旨在促進對外經濟技術合作，加强境外投資外匯管理。

6日 第五十屆全國援外機電產品訂貨會6～10日在北京召開。會上表彰了一批30多年來在援外機電產品供應工作中成績突出的先進單位和先進個人。經貿部副部長李嵐淸在表彰大會上講話，經貿部部長助理王文東作工作總結。

8日 經貿部副部長王品淸和匈牙利貿易部副部長安布魯什·亞諾什代表本國政府在布達佩斯簽署了1989年中匈交換貨物和付款議定書。

9日 中國、日本貿易混合委員會第五次會議9～10日在北京舉行。中方代表團團長是經貿部地區政策二司司長陳之孝，日方代表團團長是日本外務省亞洲局局長長谷川和年。雙方回顧了第四次混委會以來中日雙邊經貿關係的發展情況，同時就貿易、技術轉讓、投資等方面存在的問題交換了意見。10日，經貿部副部長沈覺人會見了日本代表團。

13日 經貿部部長助理王文東率中國政府經濟代表團13～19日訪問博茨瓦納，參加中國援建博鐵路更新項目的竣工典禮。17日，王文東和博財政部副部長齊魯米代表本國政府在哈博羅內簽署了中博經濟技術合作協定和兩國政府關於更新鐵路項目的議定書。

14日 我國特使、全國人大常委會副委員長倪志福14～18日對孟加拉國進行友好訪問。15日，參加我國援孟中孟（布里剛戈河）友誼大橋的竣工通車典禮。

15日 國務院公佈了《關於加强華僑、港澳台同胞捐贈進口物資管理的若干規定》。

△ 經貿部部長助理谷永江在北京會見由瓊·沃爾女士率領的美國總統高級管理人員交流委員會代表團。雙方就知識產權保護及1992年歐洲共同體統一大市場問題交換了意見。

△ 經貿部副部長沈覺人率經貿代表團15～23日訪問日本，參加日本擴大貿易協議會同中國對日經貿工作協調組之間第三次定期協商會議。雙方回顧了1988年度中日雙邊友好合作關係，商定了1989年度雙邊合作計劃。

16日 海關總署公佈《中華人民共和國海關對沿海開放地區進出境貨物的管理規定》。

17日 經貿部部長鄭拓彬在北京會見阿爾及利亞駐華大使拉茲哈里·謝里埃特。雙方就中國政府向阿提供30萬元人民幣小學生學習用品事代表本國政府換文確認。

21日 國務院總理李鵬、副總理姚依林以及經貿部部長鄭拓彬在北京分別會見了前來參加中國、歐洲共同體投資法律研討會的歐洲共同體委員會副主席班格曼一行。

△ 烏干達總統約韋里·穆塞韋尼21～25日訪華。22日，經貿部副部長李嵐淸和烏干達第二副總理兼外長保羅·卡萬加·塞莫格雷雷舉行會談，聽取了烏方關於中國政府提供貸款使用情況的介紹。24日，外交部部長錢其琛和塞莫格雷雷代表本國政府在北京簽訂了中烏經濟技術合作協定。國家主席楊尚昆和穆塞韋尼出席了簽字儀式。

22日 經貿部部長助理王文東率政府經濟代表團22～26日訪問扎伊爾。23日，王文東和扎外交國務秘書布克梯·布卡依代表本國政府在金沙薩簽署了中國向扎伊爾提供5000萬元人民幣無息貸款的協定。

23日 全國技術進出口工作會議23～26日在西安舉行。經貿部部長助理劉岩參加會議並講話。

25日 國務院召開全國外貿出口工作電話會議。國務院副秘書長白美淸主持會議。經貿部部長鄭拓彬、國家計委副主任甘子玉、中國人民銀行副行長邱晴在會上發言。國務院副總理田紀雲做重要講話，提出要動員各方面力量，抓住有利時機，克服困難，增加出口創匯。

28日 以泰國外交部副部長巴帕·林巴攀爲團

長的泰國政府代表團28～30日訪華，參加中泰經濟合作聯合委員會第四次會議。29日，經貿部副部長呂學儉同巴帕副外長舉行會談，並簽署了會議紀要；經貿部地區政策二司司長陳之孝和泰商務部外貿廳廳長奧拉努·奧沙塔暖代表本國政府簽署了1989年中泰進出口商品議定書。

30日 外交部部長錢其琛和蒙古外交部部長策倫皮勒·貢布蘇倫代表本國政府在北京簽署了關於成立中蒙經濟、貿易、科技合作委員會協定。

△ 中蘇經濟貿易科技合作委員會地方和邊境經濟、貿易合作常設工作小組第一次會議30日～4月7日在北京舉行。經貿部副部長王品清和蘇聯俄羅斯聯邦部長會議副主席、蘇方代表團團長戈爾什科夫參加會議。4月6日，王品清和戈爾什科夫簽署了會議紀要。

4月

2日 經貿部部長助理烏蘭木倫率經貿代表團2～8日訪問捷克斯洛伐克，分別同捷外貿部副部長伊·涅麥茨等捷有關部門負責人就簽署中捷政府間勞務合作協定問題交換意見。

3日 經貿部副部長沈覺人宴請歐洲共同體委員會駐華代表團團長杜俠都，雙方就恢復中國關貿總協定締約國地位問題交換意見。

4日 經貿部副部長沈覺人率中國代表團4～8日在日內瓦參加關貿總協定"烏拉圭回合"貿易談判委員會會議。會議通過包括"烏拉圭回合"全部15個議題的一攬子文件，推動了"烏拉圭回合"多邊貿易談判進程。

5日 冶金工業部部長戚元靖和朝鮮對外經濟委員會委員長金達鉉代表本國政府在平壤簽署了中國政府和朝鮮政府關於成立經濟、貿易、科技合作委員會的協定。

7日 瑞典外貿大臣阿尼塔·格拉汀率瑞典貿易和工業代表團7～15日訪華。8日，經貿部部長鄭拓彬和格拉汀就發展雙邊貿易關係問題進行會談。

8日 應經貿部邀請，英國貿易和工業大臣揚勳爵一行8～16日訪華。9日，經貿部部長鄭拓彬和楊勳爵就雙邊貿易、利用貸款等問題進行會談。11日，國務院副總理田紀雲會見了揚勳爵。

△ 經貿部副部長呂學儉會見馬里駐華大使納昆特·迪亞基特，雙方就我向馬里政府贈送20萬元人民幣小型工器具事在北京換文確認。

△ 經貿部部長鄭拓彬和多哥計劃和礦業部部長巴里-穆薩·巴凱代表本國政府在北京簽署了關於中國政府向多哥政府提供貸款的協定、中國爲多哥援建一座體育場進行考察的換文和推遲援多哥貸款償還期的換文。

9日 經貿部部長助理烏蘭木倫率經貿代表團9～13日訪問匈牙利，同受匈政府委託，以主管對外經濟合作的德士古國際技術及科學合作組織總經理伊姆雷·塞卡奇爲首的匈代表團舉行會談。12日，烏蘭木倫和塞卡奇在布達佩斯就中國工人在匈牙利企業工作或工作和培訓相結合事宜以及擬訂中的勞務工作協定問題簽署了會談紀要。

10日 國務院總理李鵬會見國際貨幣基金組織總裁米歇爾·康德蘇一行。李鵬感謝國際貨幣基金組織對中國的幫助，並向客人介紹了中國的改革情況。

12日 國務院總理李鵬12～16日訪問日本。經貿部部長鄭拓彬等隨同訪問。14日，中日互換投資保護協定生效通知書的儀式在東京舉行。交換通知書前，竹下登首相和李鵬總理分別致詞，共同祝願協定對促進中日兩國間的投資及擴大兩國經濟交流發揮重要作用。錢其琛外長和宇野宗佑外相代表本國政府在通知書上簽字。

15日 第65屆中國出口商品交易會15～29日在廣州舉行。到會客商總數近4萬人，來自100個國家和地區，其中台灣客商達2880人。據不完全統計，出口成交總額達到53億美元，超過去年春交會。

17日 經貿部部長助理烏蘭木倫17～27日訪問蘇聯，就在蘇聯開展承包工程、勞務合作和舉辦合營企業問題分別同蘇聯俄羅斯聯邦部長會議副主席馬斯林尼柯夫、蘇國家勞動和社會事務委員會第一副主席柯夫利格和副主席布依諾夫斯基舉行會談。27日，烏蘭木倫和蘇聯外經部副部長達維多夫就在蘇聯境內項目建設和利用中國工人及專家勞務合作問題在莫斯科簽署了會談紀要。

△ 聯合國兒童基金會執行局會議17～28日在紐約舉行。由全國婦聯和經貿部組成的代表團參加會議。會議通過了兒童基金會援華第四周期方案。

18日 中國駐日內瓦代表團大使、代理團長錢嘉棟率中國代表團18～19日出席在日內瓦舉行的關貿總協定中國工作組第七次會議。會上結束了對中國外貿制度的評估工作並轉入中國議定書的起草階段。

19日 中國、澳大利亞部長級經濟聯委會在堪培拉舉行。中方代表團團長、經貿部部長鄭拓彬和澳方代表團團長、澳工業技術部長、參議員約翰·諾曼·巴頓就兩國經濟貿易關係與進一步合作等問題交換意見。

20日　中國駐喀麥隆大使申連瑞和喀計劃領土整治部部長伊麗莎白・坦庫代表本國政府在雅溫得就中國承擔援喀拉格都水電站溢洪道和洩洪洞出水區保護第一期工程問題換文確認。

△　全國外商投資工作會議20～24日在北京舉行。國務院副總理田紀雲出席會議並作重要講話。會議總結了我國近年來外商投資工作的經驗；分析研究如何進一步改善投資環境，更放手、更有效地利用外資。經貿部副部長沈覺人主持會議並作總結報告，經貿部副部長李嵐清作總結發言。

24日　中國和匈牙利經濟、貿易、科技合作委員會第四次會議24～29日在北京舉行。26日，委員會中方主席、農業部部長何康和匈方主席、匈牙利副總理邁傑什・彼得代表本國政府簽署了會談紀要。

25日　經貿部副部長呂學儉率中國政府經濟代表團25～29日訪問西薩摩亞。28日，呂學儉和西代總理兼代財長帕圖・阿法埃賽代表本國政府簽署了中國政府和西薩摩亞政府經濟技術合作協定。

26日　受國務院委託，經貿部、監察部、國家物價局、國家工商局聯合召開電話會議，要求進一步貫徹國務院《關於繭絲收購和出口全部實行統一經營管理的緊急通知》及4月25日《補充通知》，防止再度發生"蠶繭大戰"。國務院副秘書長何椿霖代表國務院在會上講話。

29日　經貿部貸款司司長劉志誠和法國財政代表團團長、法國財政部國庫司副司長沙瓦納代表本國政府在北京簽署了中國、法國財政議定書。經貿部部長助理劉岩和法國駐華大使馬樂出席了簽字儀式。

△　由中國建築工程公司承建的伊拉克欣迪亞大壩落成。這項工程是中國在國外承建的最大工程之一。

30日　經貿部部長鄭拓彬會見阿聯酋前經貿部副部長、現任中東通用公司董事長阿卜杜勒・拉赫曼・塞義德・加尼姆。雙方就該公司與中國海灣貿易公司合作在沙特阿拉伯建合資公司問題交換意見。

5月

2日　經貿部副部長呂學儉和斐濟總統佩納亞・加尼勞在蘇瓦簽署了關於中國政府向斐濟政府贈款23000美元的換文，又同斐濟代理財政和經濟計劃部部長代列納多・伏尼博姆博代表本國政府簽署了中斐兩國政府經濟技術合作協定。

△　亞洲開發銀行行長藤岡眞佐夫和中國人民銀行行長李貴鮮在北京簽署了關於亞行爲中國修建鐵路提供3970萬美元貸款的協議書。

3日　經貿部副部長李嵐清和斯里蘭卡總理兼財政部部長維傑通加代表本國政府在北京簽署了關於中國政府向斯里蘭卡政府提供救災物資和贈送50萬元人民幣食品的換文。

4日　世界銀行宣佈，該行決定通過其所屬的國際開發協會向中國提供3940萬特別提款權（約合5200萬美元）的信貸。這筆款項將用於資助中國一項爲期5年的地方衛生服務網建設計劃。這項貸款爲無息貸款，償還期35年，其中包括10年的寬限期。

7日　中國、尼泊爾政府經濟貿易委員會第五次會議7～9日在北京舉行。9日，經貿部部長鄭拓彬和尼泊爾財政大臣巴拉特・巴哈杜爾・普拉丹代表本國政府簽署了會議紀要。

8日　經貿部部長助理谷永江會見來華參加中國、聯邦德國第三屆宏觀經濟與發展研討會的聯邦德國經濟部國務秘書馮・維爾岑。谷永江向客人介紹了中國外貿體制改革的情況。雙方就進出口貿易中的違約問題、恢復我關貿總協定締約國地位，以及1992年歐洲共同體大市場等問題交換了意見。

△　中國、希臘經濟技術合作混委會第二次部長級會議8～11日在雅典舉行。11日，中方代表團團長、經貿部副部長王品清和希方代表團團長、希國民經濟部部長帕・魯梅利奧蒂斯共同主持全體會議並簽署了會談紀要。

13日　中國技術進出口總公司與法國德希尼布公司在北京簽訂了一項供貨合同。根據合同，德希尼布公司將向遼寧錦西大化肥項目提供一套以天然氣爲原料，年產30萬噸合成氨、52萬噸尿素的生產裝置，使用法國政府的混合貸款付款。國務委員鄒家華、化工部部長秦仲達和法國駐華大使馬樂出席了簽字儀式。

14日　中國、伊拉克貿易和經濟技術合作混合委員會第六次會議14～22日在北京舉行。中方主席、經貿部部長鄭拓彬，副主席、經貿部部長助理烏蘭木倫，伊方主席、貿易部長穆哈默德・邁哈迪・薩利赫參加會議。19日，國務院副總理田紀雲會見了薩利赫。22日，鄭拓彬和薩利赫代表本國政府簽署會議紀要。

15日　經貿部部長助理周小川率中國政府代表團15～23日訪問美國。周小川同美國政府貿易代表就保護知識產權問題進行磋商，雙方簽署了備忘錄。美方同意今年不將我國列入重點侵犯知識產權的國家名單。

16日　經貿部副部長沈覺人在北京會見芬蘭貿易和工業部長蘇奥米寧和由他率領的芬蘭政府代表團全體成員。雙方就進一步加强兩國經濟技術合作問題交換意見。

17日　國務院副總理田紀雲和蘇聯部長會議第一副主席馬斯柳科夫在北京舉行了會談。雙方商定，中蘇經濟、貿易、科技合作委員會第四次會議將於1989年7月在莫斯科舉行。

20日　經貿部副部長沈覺人20～24日率代表團訪問日本。23日，沈覺人和日本海外經濟協力基金總裁山口光秀在東京簽署了第二批日元貸款1989年度貸款協議。

24日　應經貿部邀請，美國國務院助理國務卿、貿易代表道格拉斯・紐柯克率美國代表團24～28日訪華。經貿部副部長沈覺人和紐柯克就中美第五輪關貿總協定問題進行了磋商。

26日　英國政府向中國贈款10萬英鎊援助四川省巴塘、瀘州和自貢等地震災區。英國駐華大使唐納德爵士把10萬英鎊的支票交給經貿部副部長沈覺人。

6月

3日　經貿部部長助理王文東率政府經濟代表團訪問突尼斯，王文東和突尼斯外交國務秘書哈比卜・本・葉海亞代表本國政府在突尼斯城簽署了關於中國政府向突尼斯政府提供2000萬元人民幣無息貸款的協定。

5日　參加中國、歐洲共同體混合委員會談判的中國代表團團長、經貿部部長鄭拓彬在布魯塞爾發表聲明，對歐洲共同體當天發的新聞公報歪曲中國首都北京發生的政治風波的事實眞相，表示極大憤慨，對委員會主席取消5日的混委會談判和6日的高級磋商，深表遺憾。中國代表團認爲，本屆混委會是1987年10月間一致商定的，現在單方面中止，由此引起的損害雙邊關係的後果，應完全由歐洲共同體委員會負責。

6日　外交部部長錢其琛和厄瓜多爾外交部部長迪戈・科多韋斯代表本國政府在基多簽署了關於中國派技術組進行示範性農場、打井等項目可行性考察的換文，關於中國派針灸醫療組赴厄工作的換文，以及中國政府贈厄25台拖拉機和農機具的交接證書。

8日　外交部部長錢其琛和古巴外交部部長伊西多羅・馬爾米耶卡在哈瓦那簽署了關於中國政府向古巴贈送部分中餐廳用品的換文。

12日　國務院副總理田紀雲在北京會見蘇聯駐華大使特羅揚諾夫斯基。雙方就即將舉行的中蘇經濟、貿易、科技合作委員會第四次會議的有關問題和其他共同關心的問題交換了意見。

14日　國務院總理李鵬發佈第36號令，發佈《外國商會管理暫行規定》。

15日　經貿部部長鄭拓彬發表談話說，前一段動亂期間，全國大多數外商投資企業生產基本正常。他說，積極利用外資是我國的一項基本國策，中國對外開放政策永遠不會改變。經貿部將一如既往，更積極更有效地做好吸收外商投資工作。

21日　經貿部部長助理谷永江在北京會見英國四十八家集團副主席、英國倫敦出口公司常務董事佩里，谷永江向客人介紹了北京發生的政治風波的情況，强調我對外開放和改革政策不變。雙方還就中英經貿關係發展問題交換了意見。

22日　國務院副總理田紀雲在北京會見英國英之傑集團中國有限公司總裁愛靈頓子爵時說，中國將不會縮小而會進一步發展與外國的經濟交往和貿易往來。一些國家在貸款上卡中國是短視之學。

26日　中國、保加利亞經濟、貿易、科技合作委員會第四次會議26日～7月3日在索非亞舉行。27

日，委員會中方主席、輕工業部部長曾憲林和保方主席、保外經部部長赫·赫里斯托夫代表本國政府簽署了會議紀要。同日，經貿部副部長王品清和保外經部副部長科·波波夫代表本國政府簽署了中保相互鼓勵和保護投資協定。

28日　經貿部對台經貿關係司副司長安民發表談話說，大陸對台經貿政策不會因暫時的突發事件而受影響。兩岸經貿往來符合民心，符合全民族的利益，只有理由做得更好、更快、更穩、更完善。他說，我國的改革開放政策是多年來總結出的基本政策，沒必要也不可能改變。因此，大陸對台經貿政策堅持不變，將努力貫徹現行政策，並且認眞解決現實問題。

29日　經貿部部長鄭拓彬和聖多美和普林西比外交部長卡洛斯·達格拉薩代表本國政府在北京簽署了中國政府向聖多美和普林西比政府提供500萬元人民幣無息貸款的協定。

7月

1日　經貿部副部長沈覺人在北京會見日本財團法人國際研修交流協會理事兼事務局長金子奉義先生。沈覺人向客人介紹了中國平息北京政治風波後的形勢，表明中國長期、穩定發展同日本的友好關係和經貿合作關係的方針不會改變。

△　東北地區暨內蒙古出口商品交易會1～10日在大連市舉行。這是平息北京政治風波以後我國首次大型對外經貿活動。經貿部部長鄭拓彬參加開幕式並講話。來自歐美、日本、東南亞、港澳台等國家和地區的690多位客商出席了開幕式。

6日　中國和民主德國經濟、貿易、科技合作委員會第五次會議6～7日在北京舉行。7日，中方主席、化工部部長秦仲達和德方主席、化工部部長京特·維朔夫斯基代表本國政府簽署了會議紀要。同日，國務院副總理田紀雲會見了維朔夫斯基。

14日　首屆北京國際博覽會14～24日在中國國際展覽中心隆重舉行。這是建國以來首次由我國主辦的大型國際博覽會。國務院副總理姚依林及外國駐華使節出席了開幕儀式。本屆博覽會有24個國家和地區參展，接待觀衆近60萬人次。據不完全統計，中方參展廠家出口成交金額突破1億美元。

20日　由國務院副總理田紀雲率領的中國代表團20～28日訪問蘇聯，並參加中蘇經濟、貿易、科技合作委員會第四次會議。22日，蘇聯部長會議主席雷日科夫在莫斯科會見了田紀雲。26日，田紀雲和蘇聯部長會議第一副主席馬斯柳科夫代表本國政府簽署了會議紀要。

21日　由加納國家經濟合作委員會主席頓·阿瑟率領的加納經濟貿易代表團21～27日訪華，並出席中國、加納經濟貿易聯委會第一次會議。經貿部副部長呂學儉同阿瑟就兩國經貿合作問題交換意見。25日，國務院副總理姚依林會見了阿瑟一行。27日，經貿部部長鄭拓彬和阿瑟代表本國政府簽署了中加政府貿易協定和1989～1991年度兩國易貨貿易議定書。

24日　以貿工部長拉菲達爲首的馬來西亞經濟貿易代表團24～30日訪華。25日，經貿部部長鄭拓彬會見拉菲達，雙方對近幾年來中馬經貿關係的發展表示滿意，並就雙邊貿易、我增加從馬進口及雙方船務合作等問題交換了意見。同日，國務院副總理姚依林會見了拉菲達。

△　經貿部部長鄭拓彬在北京會見由總裁保羅率領的美國海岸公司高級訪華團。鄭拓彬向客人介紹了中國目前的政治、經濟形勢，重申中國對外開放和改革的政策不變，希望加强同美國的經貿往來。美國客人亦表達了同中國進行經貿合作的願望。

25日　經貿部副部長呂學儉率中國政府代表團25～29日訪問坦桑尼亞，參加了坦贊鐵路第六期技術合作中國、坦桑尼亞、贊比亞三國會談。28日，呂學儉和坦桑尼亞交通部部長吉博納、贊比亞財政和發展計劃部部長奇加加在達累斯薩拉姆簽訂坦贊鐵路第六期技術合作議定書、爲坦贊鐵路提供零配件和備用鋼軌的專項貸款協定和爲坦贊鐵路培訓技術人員的補充議定書。

8月

2日　經貿部部長鄭拓彬在北京會見以董事長皮埃爾·勒格里爲首的法國波坦塔式起重機公司高級訪問團。鄭拓彬向法國客人介紹了平息北京政治風波以後的形勢和中法經貿關係現狀，對波坦公司與我技術合作取得的成果表示贊賞，並歡迎他們繼續對華投資，開展各種形式的合作。

△　歐洲共同體委員會決定，向遭受水災的中國四川省提供約50萬歐洲貨幣單位（約55萬美元）的緊急援助，由"無國界醫生組織"負責實施。

4日　中蘇蒙三國鐵路局間易貨貿易技術勞務合作第二次例會4～11日在呼和浩特舉行。11日，中國呼和浩特鐵路局代表團團長道爾基、蘇聯東西伯利亞鐵路局代表團團長捷米什克、蒙古烏蘭巴托鐵路局代表團團長包勒德在三國易貨貿易合同和協議書上簽字。

8日　經貿部副部長呂學儉率中國經濟代表團8～12日訪問莫桑比克。11日，呂學儉和莫工業能源部副部長羅薩里奧·費爾南德斯在馬普托簽訂了關於建設莫桑比克議會堂的議定書。

9日　經貿部副部長李嵐清會見美國MGM公司總裁馬利克波爾。天津市經濟技術開發區向該公司有償出讓5.36平方公里土地使用權供其劃片開發的合同8月8日在天津簽字。合同規定，70年後，這塊土地及其基礎設施將無償交還中國。天津市代理市長聶璧初、副市長張昭若，美國駐華大使李潔明出席了簽字儀式。

14日　以經貿部地區政策三司副司長穆崇楷爲團長的中國經貿代表團14～18日訪問古巴，同古外貿部部長卡布里薩斯、經濟合作委員會主任梅連德舉行會談，就兩國經貿問題交換意見。

15日　由聯合國開發計劃署資助，經貿部國際聯絡司和對外經濟貿易大學聯合舉辦的關貿總協定《烏拉圭回合新議題研討會》15～17日在北京舉行。來自聯合國貿發會議、世界產權組織、聯合國跨國公司中心的七位專家參加會議，經貿部副部長李嵐清在開幕式上祝詞，並在會前會見了國際機構的專家。

21日　經國務院批准，全國重合同、守信用，提高對外貿易信譽工作會議21～24日在北京召開。國務院副總理田紀雲聽取匯報並到會作重要講話。經貿部部長鄭拓彬、副部長李嵐清、王品清先後作報告、講話。領導同志一致要求各有關方面進一步提高認識，發揚重合同、守信用的優良傳統，維護國家外貿信譽，保證外貿出口的健康發展。

△　中國、捷克斯洛伐克經濟、貿易、科技合作委員會第五次會議21～28日在布拉格舉行。24日，混委會中方主席、能源部部長黃毅誠和捷方主席、捷副總理奧布齊納代表本國政府簽署了會議紀要。

△　中國、烏拉圭首屆經濟、貿易混合委員會21～24日在蒙得維的亞舉行。23日，中方團長、經貿部地區政策三司副司長穆崇楷與烏方團長、外貿總局局長奧達拉代表本國政府簽署了會議備忘錄。

22日　聯合國工業發展組織總幹事小多明哥·夏松一行22～23日訪華。訪問期間，國務院副總理田紀雲、經貿部部長鄭拓彬、經貿部副部長沈覺人、冶金部部長戚元靖與夏松舉行會談，雙方就籌建工發組織北京中心及中國推薦高級人員等問題交換意見。

△　經貿部部長鄭拓彬在北京會見美國共和黨少數民族委員會主席陳香梅女士，雙方就恢復和加強中美經貿關係以及台灣對大陸投資問題交換了意見。

23日　經貿部副部長呂學儉和尼泊爾駐華大使卡特里代表本國政府在北京簽署關於中國向尼泊爾贈送1000噸食鹽的換文。

24日　中國、民主也門經濟、技術和貿易混合委員會第二次會議24～31日在北京舉行。25日，國務院副總理田紀雲會見了民主也門建設住房部副部長穆罕默德·阿瓦德·杜巴一行。30日，經貿部副部長呂學儉和杜巴代表本國政府簽訂了《中華人民共和國政府和也門民主人民共和國政府經濟技術合作協定》，並簽署了中國援助民主也門阿斯克利亞-拉巴歐斯公路項目費用的換文。

9月

1日　經貿部部長助理谷永江應邀於1～11日前往民主德國參加萊比錫國際博覽會。其間，谷永江同民主德國外貿部副部長施泰埃爾就發展兩國經貿問題交換了意見。

4日 經國務院批准，經貿部部分駐外參贊、領事工作會議4～9日在北京舉行。這次會議主要是進一步學習黨的十三屆四中全會有關文件，統一思想，提高認識，研究如何開拓我國對外經濟貿易的新局面。經貿部部長鄭拓彬、副部長李嵐清在會上作報告。7日，國務院總理李鵬、副總理姚依林、田紀雲、吳學謙接見與會同志，李鵬、姚依林作了重要講話。

9日 經貿部部長鄭拓彬和布基納法索計劃合作部部長帕斯卡爾·扎格雷代表本國政府在北京簽署了《中華人民共和國政府和布基納法索政府關於貸款的協定》，並就中國政府向布基納法索政府無償援助一座兒童樂園事換文確認。國家主席楊尚昆和布國家元首布萊斯·孔波雷主席出席了簽字儀式。

11日 國務院經濟技術社會發展研究中心、對外經濟貿易部國際經濟技術交流中心和聯合國開發計劃署在北京簽署了《經濟政策和發展規劃的綜合研究》項目議定書。該項目由聯合國開發計劃署資助，執行期約三年，其主要內容是綜合性的研究沿着有中國特色的社會主義道路，加速中國現代化進程的發展戰略和方針政策。重點是第八個五年計劃和到本世紀末的發展和改革。經貿部部長鄭拓彬、聯合國開發計劃署駐中國代表處代理代表柏思壽等出席簽字儀式。

13日 阿拉伯也門農業部次長姆格比爾率農業代表團13～23日訪華。經貿部副部長沈覺人和部長助理王文東分別就奈安水壩施工合同、薩那盆地水壩項目考察等問題與姆格比爾進行了會談。

14日 國務委員鄒家華率代表團14～21日訪問羅馬尼亞，參加中國、羅馬尼亞經濟技術合作委員會第十次會議。21日，鄒家華與羅政府第一副總理揚·丁卡在布加勒斯特簽署了會議議定書和關於發展經濟科技長期合作的協定。

15日 聯合國開發計劃署、聯合國救災協調員辦事處和澳大利亞政府向中國政府贈款的儀式在北京舉行。澳駐華大使沙德偉、開發署駐華副代表柏思壽和經貿部國際司司長王天策代表本國政府或組織在贈款文件上簽字。贈款總額爲15萬多美元，將用於購買食品、被子等物，救濟我國四川、江蘇、江西、浙江、安徽等省在今年7、8月份遭受特大洪災的災民。

16日 經貿部部長鄭拓彬率中國政府經貿代表團16～24日訪問印度，出席18～20日在新德里舉行的中國、印度經濟、貿易、科學技術聯合工作小組第一次會議。鄭拓彬和印度商業部部長迪內希·辛格共同主持會議。20日，鄭拓彬和辛格代表本國政府簽署了會議紀要和中國、印度1989～1998年貿易議定書。同日，印度總理拉·甘地會見了鄭拓彬。

△ 中國駐阿拉伯也門大使鄭達庸和阿拉伯也門教育部部長艾哈邁德·穆罕默德·阿尼西代表本國政府在薩那簽署了關於中國向阿拉伯也門薩那實驗中學贈送教學器材和也方聘請中國教師的換文。

△ 中國駐毛里塔尼亞大使柳白和毛裝備部長迪耶格·奧馬爾·哈羅納在努瓦克肖特代表本國政府簽署了關於建設友誼港南岸防護堤壩工程的協議。

18日 中國、瑞士經濟混合委員會第十次會議18～19日在伯爾尼舉行，中方代表、中國駐瑞士大使館商務參贊葉毅和瑞方代表、瑞士外經事務辦公室出口財務促進司副司長雅蓋爾就兩國間的經濟合作前景以及雙邊貿易等問題進行了討論。

21日 經貿部副部長沈覺人在北京會見以總經理巴德爾·胡邁迪爲團長的科威特阿拉伯經濟發展基金會代表團，雙方就該基金會繼續向我國提供貸款等問題交換意見，並簽署了會談紀要。同日，全國人大常委會副委員長陳慕華會見了胡邁迪一行。

24日 中國駐朝鮮大使溫業湛和朝鮮對外經濟事業部副部長全日春代表本國政府在平壤簽署了1990年度中國援朝9000萬元人民幣貸款使用安排的換文。

27日 經貿部部長助理谷永江率中國經貿代表團27～30日訪問文萊。代表團與文萊有關方面就建立和發展兩國直接貿易關係、開展多種形式的互利合作及促進雙邊經貿人士往來等問題交換了意見。

28日 經貿部副部長沈覺人會見法國阿爾卡特公司國際部總經理貢巴涅。貢表示，其公司與中國合作的願望不變，並願對法國政府和歐洲其他一些國家施加影響，促其儘早改善對華關係。

29日 經貿部部長鄭拓彬在北京會見美中貿易全國委員會會長沙利文。鄭拓彬向客人簡要介紹了我國國內的政治經濟形勢和我對西方國家“制裁”的立場。

29日　中國駐塞拉利昂大使高建中和塞外交部長科羅馬代表本國政府在弗里敦簽署了中國和塞拉利昂兩國政府貿易協定。

10月

2日　中外經濟合作研討會2～3日在北京舉行，來自15個國家和地區的金融界、企業界知名人士參加研討會。國務院副總理田紀雲、中國國際信託投資公司董事長榮毅仁在會上講話。荷蘭菲利浦公司董事長戴克，日中經濟協會會長河合良一，美中貿易全國委員會會長沙利文，美國環球聯合公司董事長、美國前國務卿亞歷山大・黑格，英國太古集團董事會主席施雅廸，聯邦德國西馬克公司董事長魏斯和我國有關部門的負責人在研討會上先後發言。

6日　國家外匯管理局根據《外債統計監測暫行規定》確定的外債範圍，公佈了我國1985～1988年年末全國外債餘額。1985年末全國外債餘額爲158億美元，其中中長期債務餘額94億美元，短期債務餘額64億美元；1986年末外債餘額爲215億美元，其中中長期167億美元，短期48億美元；1987年末外債餘額爲302億美元，其中中長期245億美元，短期57億美元；1988年末外債餘額爲400億美元，其中中長期327億美元，短期73億美元。

9日　對外經濟貿易部發出通知，嚴禁外商用人民幣在我國內地收購商品出口。

10日　應經貿部部長鄭拓彬邀請，聯合國兒童基金會執行主任格蘭特10～18日訪問我國。11日，鄭拓彬在京會見格蘭特一行。賓主就雙方合作問題交換意見。訪問期間，格蘭特與衛生部、國家教委、全國婦聯、外交部等舉行了會談。格蘭特一行還到新疆參觀訪問。１７日，國務院副總理田紀雲會見格蘭特。

△　1990年第一次（第五十一屆）全國援外機電產品訂貨會10～14日在煙台舉行。本次會議共安排35個受援國的45個經援項目所需的各類機電產品，另外還安排了一部分經援任務，涉及國內14個生產部門、28個省、自治區、直轄市。經貿部部長助理王文東參加了訂貨會。

11日　中國、智利經濟貿易混合委員會第十一次會議11～13日在北京舉行。12日，國務委員宋健、經貿部部長鄭拓彬分別會見了智利外交部副部長拉蒙・巴爾德斯一行。經貿部部長助理谷永江和巴爾德斯代表本國政府簽署會談紀要。

12日　經貿部副部長李嵐清和加納農業部副部長依卜拉辛・亞當代表本國政府在北京簽署了《中華人民共和國政府和加納共和國政府關於鼓勵和相互保護投資協議》、《中華人民共和國政府和加納共和國政府關於中國向加納提供無息貸款的協定》和關於加納自行車內外胎廠可行性考察的換文。

△　經貿部副部長呂學儉率中國政府代表團12～14日訪問民主也門。14日，參加我國援建的亞丁謝赫・奧斯曼體育館落成典禮，呂學儉和也國家體委主席穆罕默德・加里卜・艾哈邁德代表本國政府在交接證書上簽字。民主也門社會黨總書記比德、民主也門政府總理努曼等出席了落成典禮。同日，努曼接見了呂學儉。

13日　經貿部副部長李嵐清應約會見羅馬尼亞駐華大使米庫列斯庫，李嵐清就米致國務院副總理姚依林信中提及的有關中羅兩國經貿合作問題作了答覆。

15日　第66屆中國出口商品交易會15～30日在廣州舉行。本屆廣交會成交總額55.7億美元，超過歷屆廣交會。來自98個國家和地區的36892人次參加了本屆交易會。25日，國務院副總理田紀雲參觀廣交會。他說，我國的對外貿易必須發展，必須擴大，出口商品交易會要越辦越好。

17　中國、南斯拉夫經濟、科學和技術合作混合委員會第五次會議17～23日在北京舉行。混委會中方主席、國務委員鄒家華和南方主席、南斯拉夫聯邦執委會副主席日・普雷格爾共同主持了開幕式。經貿部部長助理谷永江出席了混委會，同南對外經濟關係部副部長約瓦諾維奇舉行了對口會談。23日，鄒家華和普雷格爾代表本國政府簽署了會議議定書和1989～1990年科技合作議定書。

△　經貿部部長助理烏蘭木倫和巴勒斯坦駐華大使尤素夫・拉吉卜代表本國政府在北京簽署了關於中國向巴勒斯坦國無償提供５００萬元人民幣一般物資

的換文。

19日 經貿部副部長呂學儉率中國政府經貿代表團19～20日訪問土耳其，參加中國、土耳其經濟貿易混合委員會第七次會議。呂學儉和土耳其國庫外貿署署長納邁克·凱馬爾·克勒契共同主持會議。20日，呂學儉同克勒契代表本國政府在安卡拉簽署了會議紀要。

23日 經貿部副部長沈覺人和聯邦德國駐華大使韓培德代表本國政府在北京簽署了上海地鐵項目中國、聯邦德國財政合作協定換文。

27日 中國、孟加拉國經濟、貿易和科技合作聯合委員會第五次會議27～31日在北京舉行，經貿部副部長呂學儉和孟計劃部外資局秘書（副部長級）依納姆·阿罕默德·喬杜里共同主持會議。31日，呂學儉和喬杜里代表本國政府簽署了會議紀要。

11月

2日 經貿部副部長李嵐清和蒙古對外經濟供應部第一副部長高陶布代表本國政府在北京簽署了中國和蒙古1990年相互供應貨物和付款議定書。

6日 經貿部部長助理谷永江在北京會見意大利參議員、意中商會主席馮塔那一行。谷永江向客人表明，中國將繼續堅持改革開放的方針。馮塔那介紹了意中商會的工作情況並轉達了意大利總理希望恢復兩國經貿關係的願望。

8日 應經貿部部長鄭拓彬邀請，芬蘭外貿部部長貝爾蒂·薩洛萊寧8～11日訪問我國。鄭拓彬與薩洛萊寧就如何進一步發展雙邊經濟貿易關係進行了會談。鄭拓彬向客人闡明了中國的改革開放政策不變，歡迎芬企業界與中國有關部門多接觸，發展合作關係。10日，國務院總理李鵬會見了薩洛萊寧一行。

9日 以河合良一爲團長的日中經濟協會1989年度訪華團9～13日訪問我國。9日，國務院副總理田紀雲在北京會見河合良一一行。10日，經貿部副部長沈覺人會見河合良一，雙方就進一步促進兩國經貿發展問題交換了意見。同日，經貿部部長鄭拓彬會見並宴請河合良一一行。11日，中日長期貿易協議委員會主任劉希文和日中長期貿易協議委員會會長河合良一在北京舉行第十次定期會晤。雙方對該協議簽訂11年來所起的重要作用給予積極評價，並就1990年期滿後的續簽問題交換意見。12日，中共中央總書記江澤民、國務院總理李鵬分別會見了河合良一。13日，鄧小平會見了河合良一等日本客人。

△ 中國外商投資企業成果展覽會9～15日在北京舉行。國務院總理李鵬爲開幕式剪彩。經貿部部長鄭拓彬、副部長沈覺人出席開幕式。參展的有來自39個省、自治區、直轄市、經濟特區、計劃單列市的850多個外商投資企業，涉及能源、交通、機械、化工、電子、紡織、農林牧漁、旅游服務等行業，國外合作者包括港澳、美、日、英、法、聯邦德國、澳大利亞等40多個國家和地區的投資者。13日，中共中央總書記江澤民、中共中央政治局常委宋平參觀了展覽會。

10日 經貿部副部長李嵐清和加納駐華大使阿法里代表本國政府在北京簽署了關於中國向加納提供一批沼氣器材的換文。

△ 中國援建乍得人民宮施工合同的簽字儀式在恩賈梅納舉行。中國駐乍得大使周振東和乍得計劃和合作部長薩萊赫代表本國政府在合同上簽字。

△ 國務院批轉經貿部《關於進一步清理整頓各類對外經濟貿易公司的意見》，要求各地、各部門遵照執行。

△ 國家外匯管理局公佈《外匯（轉）貸款登記管理辦法》和《外債登記實施細則》。

12日 國務院副總理吳學謙在北京會見了100多位各地外商投資企業的中外方代表。國務院副秘書長何椿霖、經貿部副部長李嵐清、中國外商投資企業協會會長魏玉明參加會見。

14日 國務院總理李鵬14～21日訪問巴基斯坦、孟加拉國、尼泊爾三國。陪同出訪的有外交部部長錢其琛、經貿部部長鄭拓彬等。14日，錢其琛、鄭拓彬和巴基斯坦外交部部長雅各布·汗、巴基斯坦總理財政、經濟、計劃和發展顧問維·阿·賈夫里在伊斯蘭堡簽署了中國和巴基斯坦關於對所得避免雙重徵稅和防止偷漏稅的協定、中國和巴基斯坦經濟技術合作協定、中國向巴基斯坦俾路支省提供築路機械的議定書、中國向巴基斯坦境內的阿富汗難民無償提供物資的換文。李鵬和巴基斯坦總理貝·布托出席簽字儀式。18日，鄭拓彬和孟加拉國計劃部部長孔達卡爾和商業部部長M.A.薩塔代表本國政府在達卡簽署了中國和孟加拉國經濟技術合作協定、中國和孟加拉國貿易協定、關於中國從孟加拉國進口尿素的長期安排、關於大橋可行性考察的換文。20日，鄭拓彬和尼泊爾財政大臣巴·巴·普拉丹代表本國政府在加德滿都簽署了中國和尼泊爾經濟技術合作協定。李鵬和尼泊爾首相什雷斯塔出席了簽字儀式。

14日 經貿部部長助理王文東在北京會見了以巴基斯坦旁遮普邦衛生部部長馬里克·薩里姆爲團長

的巴基斯坦醫療設備代表團。經貿部中國成套設備出口總公司總經理王明波和薩里姆代表本國政府簽署了關於中國向巴基斯坦阿拉瑪伊克巴爾醫學院提供醫療設備的會談紀要。

△ 全國經貿系統出口商品商標管理工作會議14～16日在青島召開。經貿部部長助理谷永江到會並講話。會議決定，對全國經貿企業的出口商標進行整頓，理順商標關係，使商標更好地爲擴大出口服務。

15日 經貿部部長助理王文東和民主柬埔寨聯合政府駐華大使江裕朗代表本國政府在北京簽署了關於中國政府向民柬聯合政府提供300萬元人民幣緊急援助的換文。

△ 中國贈送給在約旦的巴勒斯坦難民一所男子小學的落成典禮在安曼舉行。學校總造價80萬美元，由中國有色對外工程公司承建，建築面積2624平方米，校內教學設備均由中國政府提供。

20日 經貿部副部長沈覺人率中國政府代表團出席20～24日在維也納舉行的聯合國工業發展組織第三次大會。沈覺人和聯合國工發組織總幹事夏松代表合作雙方簽署了關於建立北京國際合作中心的協議。

△ 中國駐盧旺達大使田逸民和盧旺達外交和合作部部長比齊芒古·卡齊米爾代表本國政府在基加利簽署了關於擴建和裝備基奔戈醫院項目的換文。

21日 國務委員李鐵映和中非外交部長布里亞代表本國政府在班吉簽署了中華人民共和國政府向中非共和國政府提供貸款的協定。

22日 經貿部部長鄭拓彬率中國政府經濟貿易代表團22～26日訪問阿拉伯聯合酋長國，主持召開中阿經濟、技術和貿易合作混委會第二屆會議。25日，鄭拓彬和阿聯酋經貿部部長賈爾旺代表本國政府在阿布扎比簽署了會議紀要。

23日 經貿部副部長王品清和阿爾巴尼亞外貿部副部長康斯坦丁·霍查代表本國政府在北京簽署了中國和阿爾巴尼亞1990年交換貨物和付款議定書及兩國政府關於建立中阿經濟技術合作混合委員會的協定。

27日 經貿部部長鄭拓彬率中國政府經濟貿易代表團27～28日訪問伊朗並出席中伊經濟、貿易、科學和技術合作聯合委員會第五次會議。28日，鄭拓彬和伊朗經濟和財政部部長努爾巴赫什代表本國政府簽署了會議備忘錄。根據這份備忘錄，從1990年1月1日起，兩國所有支付都將以可兑換貨幣結算。

△ 經貿部副部長李嵐清在北京會見美國花旗銀行亞太地區高級負責人勞倫斯·格雷恩。李嵐清應客人要求介紹了我國在治理整頓期間的措施和政策，强調我國將繼續堅持改革開放政策。

△ 經貿部副部長王品清在北京會見加拿大皇家銀行副總裁愛德華·彼德·紐菲爾德，就目前中國的對外經貿政策及中加雙邊經貿合作情況向客人作了介紹。

29日 經貿部副部長李嵐清在北京會見以櫻內義雄爲團長的日本國際貿易促進協會1989年度訪華團。會見中，經貿部有關方面負責人分別就中日經貿關係現狀、中國外貿狀況、外貿政策、清理整頓公司、利用外資和貸款等問題向對方作了介紹。同日，國務院總理李鵬會見了櫻內義雄一行。

12月

1日 國務院副總理田紀雲、國務委員李貴鮮在北京會見了來自意大利、法國、荷蘭以及香港等國家和地區的14家銀行的董事長、總經理、執行董事及高級職員。田紀雲說，把着眼點放在開闢未來上，創造更好的投資和合作環境。

△ 經貿部部長助理烏蘭木倫同以蘇聯國家勞動和社會事務委員會副主席維·米·布依諾夫斯基爲首的蘇聯代表團1～8日在北京舉行談判。雙方根據《關於派遣和吸收中國公民在蘇聯企業及機構工作的原則

協定》，就《中蘇兩國政府勞動協定(草案)》的具體條款問題進行磋商。7日，經貿部部長鄭拓彬會見了布依諾夫斯基一行。

5日　經貿部副部長沈覺人和日本駐華大使橋本恕代表本國政府在北京簽署了1989年度日本政府向中國政府提供近50億日元無償援助的協議。

△　由中國國際商會和中國國際貿易促進會聯合主辦的中國出口商品展覽會5～15日在沙特阿拉伯首都利雅得舉行。中國國際商會會長鄭鴻業和中國駐沙特商務代表孫必幹主持了開幕式。沙特貿易大臣蘇萊姆爲開幕式剪彩。有56家中國進出口公司展出了機械、電子、化工、五金、礦產、紡織、糧油食品及地毯、絲綢等4000多種產品。展覽會共接待觀衆5萬多人次，成交額超過3000萬美元。

6日　以尼泊爾商業部秘書高湯姆爲首的尼泊爾王國經濟貿易代表團1～6日訪問我國西藏自治區。訪問期間，尼泊爾代表團與西藏代表團就進出口商品、雙方邊境地區官員會晤、增設邊境貿易口岸、商業貨物車輛過境運輸及經濟合作和旅遊合作等問題進行了會談並達成協議。

7日　中國政府向馬達加斯加政府贈送價值17.8萬元人民幣的藥品和醫療器械的移交儀式在塔那那利佛舉行。中國駐馬達加斯加大使韋東和馬衛生部長塞拉芬出席了移交儀式。

8日　經貿部副部長李嵐清和保加利亞對外經濟關係部副部長克·波波夫代表本國政府在索菲亞簽署了中國和保加利亞1990年交換貨物和付款議定書。

9日　經貿部副部長呂學儉和朝鮮駐華大使朱昌駿代表本國政府在北京簽署了關於中國向朝鮮提供專項貸款的協定。

△　經貿部部長助理王文東和泰國駐華大使德·汶納代表本國政府在北京簽署了關於中國向泰國贈送價值100萬元人民幣救災物資的換文。

11日　經貿部部長鄭拓彬率中國政府經貿代表團11～15日訪問古巴，參加中國、古巴部長級經貿混委會第二次會議。13日，古巴國務委員會主席菲德爾·卡斯特羅舉行招待會，歡迎鄭拓彬一行。14日，鄭拓彬和古巴外貿部長里卡多·卡布里薩斯代表本國政府在哈瓦那簽署了中國和古巴經濟合作協定、中國和古巴1990年年度貿易議定書、中國和古巴關於延長貿易協定的換文、中國和古巴關於原糖作價原則的換文以及中古部長級經濟貿易混合委員會第二次會議會談紀要。

13日　經貿部副部長李嵐清和民主德國外經部副部長施泰埃爾代表本國政府在柏林簽署了中國和民主德國1990年交換貨物和付款議定書。同日，民主德國外經部部長拜爾會見了李嵐清。

14日　澳大利亞政府向寧波市提供15萬門程控電話項目第一期合同貸款協議在北京簽字，貸款金額爲1428萬美元。經貿部部長助理劉岩和澳大利亞駐華大使沙德偉出席了簽字儀式。

16日　1990年全國外經計劃會議16～20日在北京舉行。會議的任務是銜接落實1990年對外經援項目計劃和對外承包勞務計劃。經貿部副部長呂學儉、經貿部部長助理王文東、劉岩、烏蘭木倫出席了會議。

18日　國家主席楊尚昆18～28日訪問埃及、阿聯酋、科威特和阿曼四國。陪同出訪的有國務委員兼財政部部長王丙乾、外交部副部長齊懷遠、經貿部副部長呂學儉。19日，楊尚昆和埃及總統穆巴拉克參加了由我國援建的開羅國際會議中心竣工剪彩慶典，呂學儉和埃及國際合作國務部長馬克拉馬拉代表本國政府在開羅簽署了開羅國際會議中心項目交接證書。25日，王丙乾和科威特財政大臣賈西姆·穆罕默德·哈拉菲代表本國政府在科威特簽署了中國和科威特經濟技術合作協定、中國政府和科威特政府避免雙重徵稅的協定及中科經濟技術和貿易合作混委會第一次會議紀要。27日，呂學儉和阿曼工商次大臣本·塔里布·海賴依代表本國政府在馬斯喀特簽署了中國向阿曼提供200萬元人民幣贈款協議、中國政府和阿曼政府貿易協定某些條款的修改書。

△　中國向居住在巴基斯坦的阿富汗難民提供一批價值84.5萬美元的物資援助。中國駐巴大使田丁在伊斯蘭堡將援助難民的物資移交給巴政府負責阿富汗難民事務的首席專員拉赫曼·汗。

19日　經貿部副部長李嵐清同波蘭經濟合作部副部長斯·阿馬諾維奇代表本國政府在華沙簽署了中華人民共和國政府和波蘭人民共和國政府貿易協定。協定簽署後，雙方宣佈，從1990年1月1日起中國和波蘭政府間貿易改爲自由外匯貿易。

△　中國、安哥拉經濟、技術和貿易合作混合委員會第一次會議19～22日在羅安達舉行。以經貿部部長助理烏蘭木倫爲首的中國經濟貿易代表團和以安哥拉工業和貿易部長多明戈·達斯沙加斯爲首的安哥拉代表團舉行了會談。22日，烏蘭木倫和達斯沙加斯代表本國政府簽署了會議紀要及中國向安哥拉無償提供一般物資和建設高級黨校可行性考察的換文。

20日　中國政府向阿爾及利亞政府贈送100萬元人民幣物資的簽字儀式在阿爾及爾舉行。中國駐阿大使安惠侯和阿外交部代理秘書哈法德出席了贈物簽字儀式。

23日 全國外貿出口計劃會議23～27日在北京舉行。會議主要是總結1989年的外貿出口工作；研究落實外貿工作進一步貫徹治理整頓和深化改革的方針；銜接安排1990年外貿出口計劃和具體落實完成進出口任務的有關政策措施。經貿部部長鄭拓彬作了報告，副部長王品清作了關於1990年對外貿易出口計劃安排的說明。26日，國務院副總理田紀雲聽取會議情況匯報並作重要指示。

△ 經貿部部長助理王文東率中國政府經濟代表團23～27日訪問緬甸。王文東和緬甸聯邦政府計財部副部長吳敏昂代表本國政府在仰光簽署了中國和緬甸經濟技術合作協定。

△ 中國援建的乍得人民宮奠基儀式在恩賈梅納隆重舉行。中國駐乍得大使周振東出席儀式並致辭。乍得總統哈布雷出席了奠基儀式。

人事任免

1　月

17日

任命薛哲爲經貿部駐南京特派員辦事處特派員；

任命陳泉源爲經貿部駐福州特派員辦事處特派員；

任命劉金城爲經貿部駐天津特派員辦事處副特派員；

任命侯文國爲經貿部駐武漢特派員辦事處副特派員。

21日

任命幺惠湘爲經貿部駐上海特派員辦事處特派員；

免去幺惠湘經貿部駐大連特派員辦事處特派員職務。

28日

任命孟慶雨爲紐約中國貿易中心董事長兼總經理；

免去岳繼先紐約中國貿易中心董事長兼總經理職務；

免去孟慶雨中國對外經濟貿易諮詢公司總經理職務。

2月

3日

任命呂保英爲國家商檢局副局長兼總工程師。

18日

任命張民强爲駐蘇丹使館經濟參贊；

任命劉慶豐爲駐加納使館經濟參贊；

任命陳英成爲駐尼日利亞使館經濟參贊；

任命陳振志爲駐蘇里南使館經濟商務參贊；

免去張民强上海成套設備出口分公司黨委書記職務；

免去周海濤駐加納使館經濟參贊職務；

免去陸鴻飛駐尼日利亞使館經濟參贊職務。

27日

任命曹貫林爲駐科威特使館經濟參贊；

任命楊寶生爲駐伊朗使館經濟參贊；

任命張維眞爲駐馬耳他使館經濟參贊；

任命于顯臣爲駐叙利亞使館經濟參贊；

免去曹貫林駐伊朗使館經濟參贊職務（未赴任）；

免去楊寶生駐科威特使館經濟參贊職務（未赴任）；

免去楊德海駐馬耳他使館經濟參贊職務；

免去李師牧駐叙利亞使館經濟參贊職務。

3月

9日

任命侯若伊爲審計署駐經貿部審計局副局長。

17日

任命毛洪元爲中國對外經濟貿易諮詢公司副董事長兼總經理；

任命趙公達爲中國對外經濟貿易諮詢公司副董事長。

22日

任命蘇家壽爲經貿部駐福州特派員辦事處副特派員；

根據中央辦公廳、國務院辦公廳《關於清理黨和國家機關幹部在公司（企業）兼職的有關問題的通知》精神，經貿部決定：孫會元、劉越、林連德、劉爲、宋逸民、博一在部外企業所兼任的職務自行解除；

免去于黎光、羅抱一、馮天順在本部所屬有關企業兼任的職務；

王品清兼任的中國國際信託投資公司常務董事職務自行解除；

古耕虞兼任的中國國際信託投資公司董事和中國工商經濟開發公司副董事長職務自行解除；

盧緒章兼任的中國投資銀行董事職務自行解除；

李克兼任的華僑大廈有限公司董事長職務自行解除；

免去王潤生兼任的中國海外貿易總公司董事長職務；

免去陳潔兼任的中國對外貿易開發（集團）有限公司董事長、中國醫藥保健品進出口總公司董事長職務；

免去連田畯兼任的中國對外經濟貿易信託投資公司董事長職務；

免去崔羣兼任的中國技術進出口總公司副董事長職務；

免去雷任民兼任的中國對外經濟貿易諮詢公司董事長、中國國際貿易中心名譽董事長職務；

趙重德兼任的中國農村信託投資公司董事職務自行解除。

4月

22日

任命張燕林爲駐蒙古使館商務參贊；

任命蔣振夏爲駐敍利亞使館商務參贊；

任命李東生爲駐毛里求斯使館商務參贊；

任命梁國民爲駐塞內加爾使館商務參贊；

任命屠炳泉爲駐布基納法索使館商務參贊；

任命郭進寶爲駐烏干達使館商務參贊；

免去張燕林駐蘇聯使館商務參贊職務；

免去昭日克駐蒙古使館商務參贊職務；

免去蔣振夏駐毛里求斯使館商務參贊職務；

免去李本駐敍利亞使館商務參贊職務；

免去李東生駐塞內加爾使館商務參贊職務；

免去梁國民駐布基納法索使館商務參贊職務；

免去郭進寶經貿大學副校長職務。

25日

任命孟貴榮兼任中國機械進出口總公司副總經理；

任命康麗兼任中國對外貿易運輸總公司副總經理；

任命諸玉蘭兼任中國技術進出口總公司副總經理；

任命安佩兼任中國土產畜產進出口總公司副總經理；

任命樊銓兼任中國輕工業品進出口總公司副總經理；

任命吳國光兼任中國出國人員服務公司副總經理；

任命李景泰爲經貿部駐大連特派員辦事處特派員。

26日

應國務院機電產品出口辦公室聘請，經部批准，石廣生兼任國務院機電產品出口辦公室副主任。

29日

任命王天明爲駐美國使館公使銜商務參贊；

任命盧樹棠爲駐蘇聯使館公使銜商務參贊；

任命莊玉麟爲駐英國使館商務參贊；

任命李浩然爲駐西歐共同體使團、駐比利時使館兼駐盧森堡使館商務參贊；

任命李文羣爲駐舊金山總領館參贊級商務領事；

免去黃文俊駐美國使館公使銜商務參贊職務；

免去盧樹棠經貿部地區政策一司副司長職務；

免去李浩然駐英國使館商務參贊職務；

免去李文羣駐歐洲共同體使團、駐比利時使館兼駐盧森堡使館商務參贊職務；

免去陸祖汶駐舊金山總領館參贊級商務領事職務。

5月

13日

任命徐寶賢爲經貿部駐成都特派員辦事處特派員；

任命韓例孚爲經貿部駐南寧特派員辦事處副特派員；

任命劉雲深爲經貿部駐西安特派員辦事處副特派員；

任命王永鑒爲經貿部駐青島特派員辦事處副特派員。

27日

任命王子訓爲駐美國使館商務參贊；

任命蔡鴻章爲駐泰國使館商務參贊；

任命刁占久爲駐塞拉利昂使館經濟參贊；

任命韋振綱爲駐牙買加使館經濟商務參贊；

任命楊洸爲駐毛里塔尼亞使館經濟參贊；

任命李國芬爲駐塞內加爾使館經濟參贊；

任命張克偉爲駐尼日爾使館經濟參贊；

免去陳時標駐美國使館商務參贊職務；

免去蔡鴻章澳門南光（集團）有限公司副總經理職務；

免去石志毅駐泰國使館商務參贊職務；

免去刁占久經貿部行政司副司長職務；

免去錢國安駐塞拉利昂使館經濟參贊職務；

免去韋振綱經貿部對外經濟合作研究所副所長職務；

免去朱永璋駐毛里塔尼亞使館經濟參贊職務；

免去何岑駐塞內加爾使館經濟參贊職務；

免去王質彬駐尼日爾使館經濟參贊職務。

6月

1日

任命鄭少康爲中國對外貿易開發（集團）有限公司高級顧問；

免去鄭少康中國對外貿易開發（集團）有限公司副董事長職務；

免去李恩科中國對外貿易開發（集團）有限公司副董事長職務。

10日

任命李恩科爲經貿部駐海口特派員辦事處特派員。

12日

任命孟憲剛爲經貿部地區政策一司副司長。

26日

任命曹慧聰爲經貿部駐天津特派員辦事處副特派員；

任命馬國壽爲經貿部駐青島特派員辦事處副特派員。

27日

任命傅光庭爲中國成套設備出口公司副總經理；

任命談南成爲中國出口商品基地建設總公司副總經理；

任命王練之爲中國包裝進出口總公司副總經理；

任命繆培根爲中國康力投資有限公司總會計師；

免去常學德中國出口商品基地建設總公司副總經理職務；

免去石英中國包裝進出口總公司副總經理職務。

7月

3日

任命蔡美泉爲中國康力克進出口公司副總經理。

5日

任命樓淼德爲部直屬機關工會籌備組副組長（副司級）。

20日

任命黃叔平爲中國對外貿易開發（集團）有限公司副總經理。

30日

任命俞曉松爲經貿部外國投資管理司司長；

免去劉一民經貿部外國投資管理司司長職務。

9月

6日

任命龐玉珏爲駐扎伊爾使館經濟參贊（副司級）；

任命王楓爲駐科特迪瓦使館經濟商務參贊（副司級）；

任命孫仲乾爲駐孟加拉國使館經濟參贊；

免去龐玉珏經貿部綜合計劃司副司長職務；

免去王楓駐扎伊爾使館經濟參贊職務；

免去梁柱駐科特迪瓦使館經濟商務參贊職務。

10月

17日

任命施用海爲駐日本使館公使銜商務參贊（副司級）；

任命王世眞爲駐大阪總領館商務領事（參贊級）；

任命胡楚生爲駐匈牙利使館商務參贊；

任命楊來春爲駐民主德國使館商務參贊；

任命劉玉蘭爲經貿部駐成都特派員辦事處副特派員；

免去施用海經貿部國際貿易研究所副所長兼對外經貿出版社社長職務；

免去牟永懋駐日本使館公使銜商務參贊職務；

免去王世眞經貿部配額許可證事務局局長職務；

免去魏小榮駐大阪總領館商務領事（參贊級）職務；

免去王金鳳駐匈牙利使館商務參贊職務；

免去金上林駐民主德國使館商務參贊職務。

11月

2日

國務院任免通知，免去周小川同志掛職擔任的對外經濟貿易部部長助理職務，回國家經濟體制改革委員會工作。

15日

任命毛洪元爲中國對外經濟貿易諮詢公司總經理兼中國國際經濟信息中心主任；

任命申永烈、尚建平、李潤蘭、周火高爲中國對外經濟貿易諮詢公司副總經理兼中國國際經濟信息中心副主任；

免去黃永昌中國對外經濟貿易諮詢公司副總經理職務；

免去張第謨中國國際經濟信息中心副主任職務。

12月

2日

經國務院批准，任命郭顯志爲常駐聯合國工業發展組織副代表（公使銜參贊級）；

免去葉元格常駐聯合國工業發展組織代表職務。

11日

撤銷中國海灣貿易總公司、中國拉丁美洲貿易總公司和中國非洲貿易總公司，其業務和人員併入中國海外貿易總公司。

任命顧秉節爲中國海外貿易總公司總經理，韓豐泰、杜玉書、王義民、何思聖、金梅生爲中國海外貿易總公司副總經理；

免去韓豐泰、杜玉書、王義民、何思聖、金梅生、王績、胡錦雯、千若音、高禧在原單位的職務。

經貿人物

對外經濟貿易部直屬行政事業單位正職領導人*

（1989年任命）

對外經濟貿易部外國投資管理司司長　俞曉松

1937年9月出生，浙江省杭州市人，1956年加入中國共產黨。1964年畢業於清華大學土木工程建築系，同年參加工作。歷任中國共產主義青年團北京市委統戰部部長，北京市第一輕工業局辦公室副主任，北京市經濟建設總公司副總經理，北京市市政辦公室副主任，中共北京市房地產管理局黨委書記，北京市對外經濟貿易委員會主任，北京市人民政府副秘書長。

對外經濟貿易部駐大連特派員　李景泰

1930年12月出生，河北省肅寧縣人，1946年12月參加革命工作，1953年12月加入中國共產黨。1955年9月畢業於北京俄語專科學校。建國後，歷任中國人民銀行科員，駐保加利亞大使館商參處三等秘書、二等秘書、商務參贊，對外貿易部地區政策一局副處長、處長、副局長，對外經濟貿易部地區政策一局局長，駐蘇聯大使館商務參贊。

對外經濟貿易部駐海口特派員　李恩科

1928年12月出生，河北省樂亭縣人，1946年6月參加革命工作，1947年5月加入中國共產黨。1954年8月～1958年10月在波蘭留學。歷任輕工業部鹽務總局基建科一等科員，駐波蘭大使館商務秘書、商務參贊，中國對外貿易運輸總公司科長、副處長、副總經理，中國對外貿易開發（集團）有限公司副總經理、總經理。

廣州對外貿易學院院長　石畏三

1940年11月出生，上海市奉賢縣人，1962年6月加入中國共產黨。1963年8月畢業於北京對外貿易學院。歷任北京對外貿易學院講師、副教授，駐英國大使館商務處三等秘書，北京對外貿易學院一系副主任，對外經濟貿易大學副校長。

＊凡1988、1989年版本《年鑑》已介紹過的經貿人物，今年不再刊登。

各地方對外經濟貿易廳（委、局）正職領導人*

天津市對外經濟貿易委員會主任　張士勇

1929年出生，天津市人，1951年畢業於天津政治學校，1949年參加工作，1953年加入中國共產黨。歷任天津華北骨膠廠科長，天津造胰廠、香皂廠、酒精廠廠長，天津第一輕工業局政治部辦公室主任、生產處處長、副局長、局長。

山東省對外經濟貿易委員會主任　王科三

1942年出生，山東省膠南縣人，1968年畢業於山東財經學院貿易經濟系，同年參加工作，1971年加入中國共產黨。歷任山東省對外貿易局副科長，山東省進出口委辦公室副主任，山東省人大常委會辦公廳副主任、副秘書長兼辦公廳主任，山東省對外經濟貿易委員會副主任、黨組書記，中共山東省第五屆委員會候補委員。

瀋陽市對外經濟貿易委員會主任　梁雙斌

1937年1月出生，河北省晋縣人，大學畢業，1961年參加工作，中國共產黨黨員。歷任瀋陽市對外經濟貿易委員會黨委書記、副主任。

深圳市經濟發展局局長　許　楊

1939年4月出生，黑龍江省哈爾濱市人，大學畢業，1964年參加工作，中國共產黨黨員。歷任航空部六0一研究所工程師、研究室副主任、總設計師辦公室主任工程師、部型號辦公室副主任，中國航空技術進出口公司深圳工貿中心總經理，深圳中航企業集團總經理。

連雲港市對外經濟貿易委員會主任　王廷柱（兼）

1947年出生，江蘇省連雲港市人，畢業於南京大學經濟管理專業，1970年參加工作。歷任工廠廠長，市紀委常委，區委副書記、區長等職。現任連雲港市人民政府副秘書長，市對外開放辦公室主任。

*凡1988、1989年版本《年鑑》已介紹過的經貿人物，今年不再刊登。

1989年經貿系統全國勞動模範和先進工作者【註】

＊王秉正 71歲，中國技術進出口總公司高級工程師。

石璧茹 67歲，天津市畜產進出口公司財會科副科長，高級會計師。

方春玲 35歲，江蘇省紡織品進出口(集團)公司化纖部經理，經濟師。

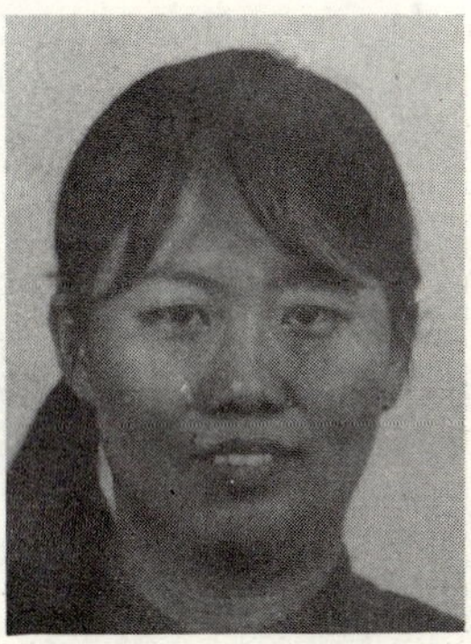

馬　熊 47歲，中國包裝進出口總公司貴州省分公司科長，高級工藝美術設計師。

田聚才 51歲，河南省扶溝縣對外貿易局繁殖場場長、黨支部書記。

陳　橋 60歲，廣東省東莞輕工業品進出口公司經理。

陳振長 58歲，海南省臨高縣國際信託投資公司經理，經濟師。

許悅 54歲，廣東省土產進出口(集團)公司東塱倉庫主任，助理經濟師。

陳清河 49歲，福建省安溪縣安星藤器企業有限公司董事、總經理，縣政協副主席。

張飛龍 39歲，四川省綿陽對外貿易運輸公司汽車隊駕駛員。

高炳炎 61歲，湖北省對外經濟貿易廳駐深圳辦事處倉庫組組長。

張葆祥 50歲，河北省畜產進出口公司科長，高級工程師。

張蘭生 61歲，上海文教體育用品進出口公司總經理，高級經濟師。

黃漢通 59歲，廣東省汕頭抽紗公司研究所副所長，高級工藝美術師。

强巴扎西 36歲，西藏自治區對外貿易運輸公司汽車隊駕駛員。

董文煥 62歲，山東省諸城市對外貿易公司經理。

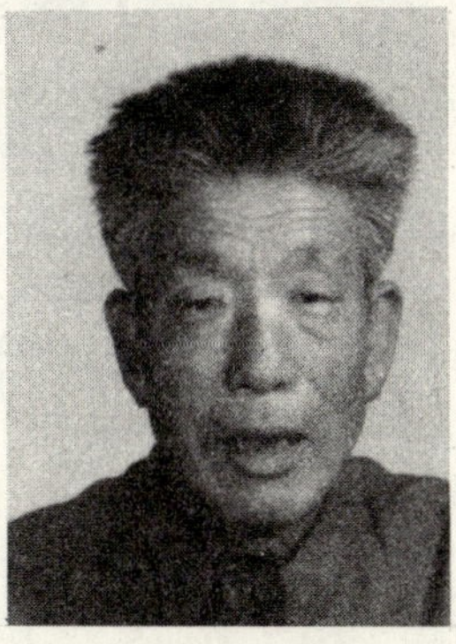

董培眞 52歲，山東省紡織品進出口公司儲運部副經理，高級經濟師。

楊仕宏 56歲，雲南省鳳慶茶廠廠長，高級工程師。

楊福盛 44歲，北京糧油食品進出口公司經理助理兼五科科長。

【註】①此表以姓氏筆劃爲序；

②有＊號者爲全國先進工作者，餘爲全國勞動模範。

中國對外經濟貿易領導機構歷任領導成員*

對外經濟貿易機構歷任正職領導人簡歷

葉季壯

（1893～1967）廣東省新興人。1925年加入中國共產黨。1925年參加省港大罷工，後任中共新興縣委、五邑地委書記。1929年參加中國工農紅軍，曾任紅七軍政治部主任，紅一方面軍供給部部長兼政委，紅軍總供給部部長、政委，參加過中央革命根據地反"圍剿"和長征。後歷任八路軍軍需處處長、總後勤部政委，陝甘寧邊區貿易公司經理，中央軍委總後勤部部長，東北財經委員會副主任，東北人民政府財政部部長兼商業部部長。建國後，歷任中央貿易部部長（1949.10～1952.8），政務院財政經濟委員會副主任，對外貿易部部長（1952.8～1967.6），國務院第五辦公室、財貿辦公室副主任。曾當選爲中共第八屆中央委員會委員，第一至第三屆全國人大代表。

方　毅

（1916～）福建省厦門人。1930年加入中國共產主義青年團，次年轉入中國共產黨。曾任共青團厦門市委宣傳部部長、書記。抗日戰爭時期，任中共湖北省委常委、民運部部長，鄂東特委、皖東省委書記，新四軍第五支隊政治部主任，淮南行署主任，蘇皖邊區政府副主席，中共中央華中分局委員。解放戰爭時期，任華東財政經濟辦事處副主任，山東省人民政府副主席。建國後，歷任福建省人民政府副主席，中共福建省委副書記，上海市副市長，財政部副部長，駐越南民主共和國經濟代表，國家計委副主任兼對外經濟聯絡總局局長（1961.3～1964.6），對外經濟聯絡委員會主任（1964.6～1970.6），對外經濟聯絡部部長（1970.6～1977.1），中國科學院院長，國家科委主任，國務院副總理，國務委員。曾當選爲中共第八、九屆中央委員會候補委員，第十屆中央委員會委員，第十一、十二屆中央政治局委員，第三至第五屆全國人大代表。現爲全國政協副主席。

林海雲

（1911－）原名林靄雲，福建省龍岩人。1932年參加革命，1934年加入中國共產黨。1937年入延安抗大學習。曾任八路軍總司令部一科參謀、四科科長，冀南太行聯合辦事處貿易局局長，冀南、冀魯豫行署工商局局長兼銀行經理，晋冀魯豫邊區政府工商總局副局長、貿易廳廳長，華北人民政府工商部副部長兼華北貿易總公司經理。建國後，歷任中央人民政府貿易部國外貿易司司長，對外貿易部辦公廳主任，海關總署署長，對外貿易部部長助理、副部長、代部長，（1965.9～1970.7）國務院財貿小組副組長。曾當選爲全國政協第五屆常委。

＊本欄所刊領導人資料一律按任職先後排列。

白相國

（1918～）山東省蓬萊人。1937年參加八路軍學兵隊，次年加入中國共產黨。抗日戰爭時期，曾任新四軍第五師十三旅團政治處主任，抗大十分校二大隊政委。解放戰爭時期，任中原江漢軍區獨立旅二團政委，湖北省軍區獨一師政治部主任、副政委。建國後，歷任湖北省軍區政治部組織部長，中南軍區直屬政治部副主任，陸軍四十一軍政委，廣州軍區政治部副主任，國家對外貿易部部長（1970.7～1973.11），總後勤部副部長、副政委兼政治部主任。

李　强

（1905～）江蘇省常熟人。上海東華大學肄業。1925年加入中國共產主義青年團，同年轉入中國共產黨。曾任中共常熟縣委書記。1931年赴蘇聯，任莫斯科郵電人民委員會研究所研究員，並在共產國際交通部工作，1937年回國。後任中央軍委軍事工業局副局長兼陝甘寧晋綏聯防軍軍事工業局局長，延安自然科學院院長。建國後，歷任郵電部電信總局局長兼廣播事業局局長，對外貿易部副部長，駐蘇聯大使館商務參贊，對外貿易部部長（1973.11～1981.9），國務院顧問，中國科學院技術科學部委員，中羅友好協會會長。曾當選爲中共八大代表，中共第九至十一屆中央委員會委員，第三至五屆全國人大代表。現爲中共中央顧問委員會委員。

陳慕華

（1921～）浙江省青田人。1938年入延安抗大學習，同年加入中國共產黨。曾任抗大三分校訓練部軍事佐理員，延安留守兵團司令部教育科參謀，陝甘寧晋綏聯防軍司令部後勤部經濟建設處秘書，熱河軍區參謀，東北鐵路總局機關政治協理員，中長鐵路中央醫院副院長。建國後，歷任國家計委交通局處長，對外經濟聯絡總局成套局副局長，對外經濟聯絡委員會副局長，對外經濟聯絡部副部長、部長（1977.1～1982.3），國家計劃生育委員會主任（兼），對外經濟貿易部部長（1982.3～1985.3），中國人民銀行行長，國務院副總理，國務委員。曾當選爲中共第十屆中央委員會委員，第十一、十二屆中央政治局候補委員。現爲中共中央委員，全國人大常委會副委員長，全國婦聯執委會主席。

谷　牧

（1914～）山東省榮城人。1931年加入中國共產主義青年團，次年轉入中國共產黨。1934年任北平左聯書記。1936年後，任東北軍一二〇師、一〇七師、一一二師中共工委書記。1940年後，任中共中央山東分局統戰部部長，中共濱海地委書記，中共中央華東局秘書長，中共新海連特委書記，魯中南區委員會副書記。建國後，歷任中共濟南市委書記，濟南市市長，中共上海市委副書記，國家建委副主任，國務院第三辦公室副主任，國家經委副主任，中共中央工業交通政治部主任，國家建委主任。1975年後，任國務院副總理兼國家進出口管理委員會、國家外國投資管理委員會主任（1979.8～1982.3），中共中央書記處書記，國務委員。曾當選爲中共第十至十二屆中央委員會委員，第二、三、五屆全國人大代表。現爲全國政協副主席。

鄭拓彬

（1924～）陝西省澄城人。1938年加入中國共產黨。1942年入延安大學學習。曾任魯藝農場場長，華北聯合大學科長，東北人民政府外貿部駐滿洲里辦事處副處長。1949年畢業於哈爾濱外語專科學校。建國後，歷任中央貿易部國外貿易司副處長，對外貿易部專員、副局長，駐蘇聯大使館商務參贊，對外貿易部局長、副部長、部長（1981.9～1982.3），對外經濟貿易部第一副部長。1985年起任對外經濟貿易部部長。當選爲中共第十二、十三屆中央委員會委員。

對外經濟貿易機構歷任領導成員名單

中央貿易部領導成員(1949.10～1952.8)

職務	姓名	性別	任職時間	備註
部長	葉季壯	男	1949.10～1952.8	
副部長	姚依林	男	1949.10～1952.8	
	沙千里	男	1949.10～1952.8	
	雷任民	男	1951.9～1952.8	

對外貿易部領導成員(1952.8～1982.3)

職務	姓名	性別	任職時間	備註
部長	葉季壯	男	1952.8～1967.6	
	林海雲	男	1965.9～1970.7	代部長
	白相國	男	1970.7～1973.11	
	李　强	男	1973.11～1981.9	
	鄭拓彬	男	1981.9～1982.3	

職務	姓名	性別	任職時間	備註
副部長	雷任民	男	1952.8～1977.12	
	李　强	男	1952.～1973.11	
	徐雪寒	男	1952.8～1956.2	
	解學恭	男	1952.11～1958.4	
	孔　原	男	1953.1～1957.9	
	李哲人	男	1953.1～1959.8	
	范子文	男	1954.6～1958.10	
	江　明	男	1955.6～1977.7	
	林海雲	男	1956.10～1965.9	
			1970.7～1978.10	
	盧緒章	男	1956.10～1977.7	
			1981.8～1982.3	
	羅成德	男	1956.12～1958.10	
	白向銀	男	1961.1～1965.11	
	楊浩廬	男	1961.4～1977.12	
	周化民	男	1964.4～1982.3	
	傅生鱗	男	1964.4～1979.6	
	賈　石	男	1964.4～1982.3	
	陳　潔	男	1971.8～1982.3	
	陳樹福	男	1971.8～1975	
	柴樹藩	男	1973.5～1978.1	
	姚依林	男	1973.11～1978.8	
	劉希文	男	1977.3～1982.3	
	王潤生	男	1977.3～1982.3	
	鄭義山	男	1977.3～1982.3	
	鄭拓彬	男	1977.12～1981.9	
	崔　羣	男	1977.12～1982.3	
	趙長春	男	1978.11～1982.3	
	趙重德	男	1980.5～1982.3	
部長助理	林海雲	男	1955.5～1956.10	
	盧緒章	男	1955.5～1956.10	
	楊浩廬	男	1956.9～1957.9	
	白　認	男	1956.12～1958.12	
	白向銀	男	1960.7～1961.1	
	傅生麟	男	1960.7～1964.4	
	賈　石	男	1960.7～1964.4	
	周化民	男	1960.7～1964.4	
	李琢之	男	1964.4～1965.7	
	劉希文	男	1964.4～1977.3	
	杜毓雲	男	1965.2～1981.3	

對外經濟聯絡總局領導成員(1961.3～1964.6)

職務	姓名	性別	任職時間	備註
總局長	方　毅	男	1961.3～1964.6	
副總局長	李　强	男	1961.3～1964.6	兼
	劉明夫	男	1961.3～1964.6	兼
	周建南	男	1961.3～1964.6	兼
	劉　鼎	男	1961.3～1964.6	兼
	李哲人	男	1961.3～1964.6	兼
	楊　琳	男	1961.3～1964.6	
	常彥卿	男	1961.3～1964.6	
	石　英	男	1961.3～1964.6	
	杜幹全	男	1961.11～1964.6	
	李應吉	男	1963.9～1964.6	

對外經濟聯絡委員會領導成員(1964.6～1970.6)

職務	姓名	性別	任職時間	備註
主任	方　毅	男	1964.6～1970.6	
副主任	汪道涵	男	1964.8～1970.6	
	楊　琳	男	1964.8～1968.12	
	李應吉	男	1964.10～1969.2	
	謝懷德	男	1964.11～1970.6	
	李　强	男	1965.2～1970.6	兼
委員	常彥卿	男	1964.10～1970.6	
	杜幹全	男	1964.10～1970.6	
	石　英	男	1964.10～1965.9	

對外經濟聯絡部領導成員(1970.6～1982.3)

職務	姓名	性別	任職時間	備註
部長	方　毅	男	1970.6～1977.1	
	陳慕華	女	1977.1～1982.3	
副部長	韓宗正	男	1971.4～1977.2	
	陳慕華	女	1971.4～1977.1	
	石　林	男	1973.1～1982.3	
	李　克	男	1973.1～1982.3	
	魏玉明	男	1977.1～1980.7	
	程　飛	男	1977.1～1982.3	
	汪道涵	男	1978.8～1979.9	
	呂學儉	男	1981.1～1982.3	
	連田畯	男	1981.1～1982.3	

國家進出口管理委員會領導成員(1979.7～1982.3)

職務	姓名	性別	任職時間	備註
主任	谷　牧	男	1979.8～1982.3	兼
第一副主任	陳慕華	女	1981.9～1982.3	兼
副主任	顧　明	男	1979.8～1981.3	兼
	汪道涵	男	1979.8～1980.5	
	周建南	男	1979.8～1982.3	
	馬　賓	男	1979.8～1981.1	
	甘子玉	男	1979.8～1982.3	兼
	賈　石	男	1979.8～1982.3	兼
	卜　明	男	1979.8～1982.3	兼
	丘純甫	男	1980.1～1982.3	兼
	謝北一	男	1980.1～1982.3	兼
	江澤民	男	1980.2～1982.3	
	周宣城	男	1980.4～1982.3	
	魏玉明	男	1980.9～1982.3	
	盧緒章	男	1981.1～1982.3	兼
	鄭拓彬	男	1981.9～1982.3	兼
委員	季崇威	男	1980.1～1982.3	
	李　灝	男	1980.10～1982.3	

對外經濟貿易部領導成員(1982.3～)

職務	姓名	性別	任職時間	備註
部長	陳慕華	女	1982.3～1985.3	兼
	鄭拓彬	男	1985.3～	
副部長	鄭拓彬	男	1982.3～1985.3	部長級
	魏玉明	男	1982.3～1985.12	
	賈　石	男	1982.3～1985.11	
	呂學儉	男	1982.3～	
	王品清	男	1985.12～	
	李嵐清	男	1986.10～	
	張皓若	男	1986.10～1988.1	
	沈覺人	男	1988.3～	
部長代表	李　克	男	1982.3～1985.12	副部長級
	陳　潔	男	1982.3～1985.12	副部長級
	王品清	男	1982.3～1985.12	副部長級
部長助理	沈覺人	男	1985.12～1988.3	
	朱友藍	女	1985.12～1988.1	
	林中鳴	男	1985.12～1986.4	
	王文東	男	1985.12～	

職務	姓名	性別	任職時間	備註
	周小川	男	1986.12～1989.11	掛職
	劉　岩	男	1987.2～	
	谷永江	男	1988.6～	
	烏蘭木倫	男	1988.6～	

機　構

對外經濟貿易部
駐地方特派員辦事處

(截至1989年底)

經貿部駐廣州特派員辦事處

工作聯系地區：廣東省(包括珠海、汕頭經濟特區)、廣州市、湖南省、雲南省、貴州省

地址：廣州市流花路對外貿易中心大樓

電話：677314

傳眞：677314

郵政編碼：510010

特派員：孫宜然

副特派員：余　浩、郭佐臣

經貿部駐上海特派員辦事處

工作聯系地區：上海市、浙江省、寧波市、安徽省、江西省

地址：上海市永福路1號

電話：4317362

傳眞：4317065

郵政編碼：200031

特派員：么惠湘

副特派員：宋貴寶

經貿部駐天津特派員辦事處

工作聯系地區：北京市、天津市、山西省、河北省、內蒙古自治區、寧夏自治區、新疆自治區、青海省、甘肅省

地址：天津市南京路59號

電話：317060

傳眞：307742

郵政編碼：300042

特派員：王永惠

副特派員：劉金城、曹慧聰

經貿部駐大連特派員辦事處

工作聯系地區：黑龍江省、吉林省、遼寧省、哈爾濱市、長春市、瀋陽市、大連市

地址：大連市中山廣場2號

電話：237196

傳眞：230213

郵政編碼：116001

特派員：李景泰

副特派員：閻清節

經貿部駐深圳特派員辦事處

工作聯系地區：深圳市

地址：深圳市紅嶺南路紅嶺大厦5樓

電話：243256

傳眞：247369

郵政編碼：518046

特派員：蔣忠奎

副特派員：郎宗耀

經貿部駐海口特派員辦事處

工作聯系地區：海南省

地址：海口市海秀路鞍海大厦7樓

電話：76186

郵政編碼：570005

特派員：：李恩科

副特派員：王慶彩

經貿部駐青島特派員辦事處
工作聯系地區：山東省、青島市
地址：青島市南海路11號
電話：270191
電傳：32232 SFQD CN
傳眞：337410
郵政編碼：266003
副特派員：王永鑑、馬國壽

經貿部駐西安特派員辦事處
工作聯系地區：陝西省、西安市
地址：西安市北關草灘路34號
電話：723372-394
郵政編碼：710014
副特派員：劉雲深

經貿部駐成都特派員辦事處
工作聯系地區：四川省、成都市、重慶市、西藏自治區
地址：成都市府青路1段34號
電話：333977
傳眞：333977
郵政編碼：610051
特派員：徐寶賢
副特派員：劉玉蘭

經貿部駐武漢特派員辦事處
工作聯系地區：湖北省、武漢市
地址：武漢市江漢北路8號
電話：565825
傳眞：565459
郵政編碼：430021
副特派員：侯文國

經貿部駐鄭州特派員辦事處
工作聯系地區：河南省
地址：鄭州市文化路115號
電話：36943
傳眞：336261
郵政編碼：450003
副特派員：黃裕康

經貿部駐福州特派員辦事處
工作聯系地區：福建省、厦門市
地址：福州市五四路福建外貿中心
電話：536049
傳眞：536473
郵政編碼：350001
特派員：陳泉源
副特派員：蘇家壽

經貿部駐南京特派員辦事處
工作聯系地區：江蘇省、南京市
地址：南京市中山路311-1
電話：402106
傳眞：401934
郵政編碼：210016
特派員：薛　哲

經貿部駐南寧特派員辦事處
工作聯系地區：廣西自治區
地址：南寧市星湖路南一里101號
電話：28922
傳眞：29123
郵政編碼：530022
副特派員：韓例季

中國駐外經濟、商務機構

亞　　洲

中華人民共和國駐阿富汗民主共和國大使館商務參贊處
地址：SARDAR SHAN MAHMOUD GHAZI WAT, KABUL, AFGHANISTAN
電掛：CHINTRADE KABUL
電話：25552 25551

中華人民共和國駐孟加拉人民共和國大使館商務處
地址：80, BLOCK-E, ROAD NO.11, BANANI MODEL TOWN, DHAKA, BANGLADESH
電掛：CHINACOMOF
電話：603491
電傳：65602 CECOF BJ
參贊：劉繼雲

中華人民共和國駐孟加拉人民共和國大使館經濟參贊處
地址：PLOT NO. CEN(H) 42, ROAD NO. 114, GULSHAN, DHAKA, BANGLADESH
電話：601217 602446
參贊：孫仲乾

中華人民共和國駐緬甸大使館商務參贊處
地址：NO.94 KAYEBIN ROAD, RANGOON, BURMA
電掛：CHINCOMOFF RANGOON
電話：21398 21399
電傳：21346 CHCOMF BM
參贊：曾德潤

中華人民共和國駐緬甸大使館經濟參贊處
地址：94, LEEDS ROAD RANGOON BURMA
電掛：CHINAMBASSY(轉經參處)
電話：77526 75865
電傳：21346 CHCOMF BM(轉經參處)
參贊：張　有

中華人民共和國駐塞浦路斯共和國大使館商務參贊處
地址：NO.3 KORINTHOS STREET, ACROPOLIS, NICOSIA, CYPRUS
信箱：P.O. BOX 7088 NICOSIA
電掛：CHINAEMB NICOSIA
電話：02-313533 02-313534
電傳：4910 CHINACOF CY
參贊：王貴一

中華人民共和國駐印度共和國大使館商務參贊處
地址：50-D, SHANTIPATH, CHANAKYAPURI, NEW DELHI-110 021, INDIA
電掛：CHINEMB NEW DELHI
電話：608944 600328
電傳：3166250 SINO IN
參贊：何　煒

中華人民共和國駐伊朗大使館商務處
地址：NO.175, DR. LAVASANI (FARMANIEH) AVE. TEHRAN, IRAN
電話：282532
電傳：213237 COMO IR
參贊：方　驥

中華人民共和國駐伊朗大使館經濟參贊處

地址：ZAFAR STREET RAISI AVE. ARASH GHARBI NO.23
信箱：P.O. BOX 19166 PEHIAN IRAN
電話：6094
電傳：212144 SSCO IR
參贊：楊寶生

中華人民共和國駐伊拉克大使館商務參贊處

地址：INTERNATIONAL AIR TERMINAL ROAD, NEW EMBASSY AREA, BAGHDAD, IRAQ
信箱：P.O. BOX 225 BAGHDAD, IRAQ.
電掛：CHINCOMOFF BAGHDAD
電話：5562740
電傳：2195 CHINCOM IK
參贊：蔡艮智

中華人民共和國駐伊拉克大使館經濟參贊處

電話：(115) 226094
電傳：212144 SFCO IR
參贊：白雲龍

中華人民共和國駐日本國大使館商務處

地址：16-8 MINAMI-AZABU 5-CHOME MINATO-KU, (〒106) TOKYO, JAPAN
電掛：CHINCOMOFF TOKYO
電話：03(440)2011
電傳：CHICOTEL J28506
傳眞：03-446-8242
參贊：施用海(公使銜)

中華人民共和國駐日本大阪總領事館

地址：〒550大阪市西區靭本町3-9-2
電話：06-445-9481
06-445-9471
傳眞：06-445-9476
領事：王世眞(參贊級)

中華人民共和國駐日本福岡總領事館

地址：福岡市中央區藥院2丁目11番27號
電話：092-713-7532
電傳：72 2222 CHICON J
領事：岳振平

中華人民共和國駐日本札幌總領事館

地址：15, NISHI 23-CHOME, MINAMI 13-JO, CHUO-KU, SAPPORO, 〒064 JAPAN
信箱：064
電掛：CHINACONSUL SAPPORO
電話：011-563-5563 011-563-1818
電傳：934250 CHICOS J

中華人民共和國駐約旦哈希姆王國大使館商務處

地址：NO.21, ZAHRAN ST. SOUTHERN UM UTHAINA, AMMAN, JORDAN
信箱：P.O. BOX 165 UM ESSOMMAQ & KHELDA, JORDAN
電掛：CHINAEMBA AMMAN
電話：817186
電傳：21700 CHINEM JO
參贊：呂文涵

中華人民共和國駐約旦哈希姆王國大使館經濟參贊處

地址：WADI-SIR DISTRICT, 7th. CIRCLE, AMMAN, JORDAN
信箱：P.O. BOX 165 UM ESSUMAQ AND KHALDA, JORDAN
電話：821727 810243
參贊：周義侯

中華人民共和國駐朝鮮民主主義人民共和國大使館商務參贊處

地址：HONG MEI DONG, MAO LANG BONG DISTRICT. PYONGYANG, KOREA.
電掛：0794
電話：390276 390275
參贊：趙仁杰

中華人民共和國駐朝鮮民主主義人民共和國大使館經濟參贊處

地址：HONG MEI DONG, MAO LANG BONG DISTRICT PYONGYANG, KOREA.
電話：390329
參贊：傅忠欣

中華人民共和國駐科威特國大使館商務處

地址：KUWAIT. SHAMIYA AREA 2. STREET 24. HOUSE 1.
信箱：P.O. BOX 25713, SAFAT KUWAIT P.O. BOX 13118, SAFAT KUWAIT
電話：4840614 4840617
電傳：22688 CHINAEM KT
參贊：李殿元

中華人民共和國駐科威特國大使館經濟參贊處

地址：HOUSE NO 12 STREET NO 1 AREA NO.6 BAYAN KUWAIT
信箱：P.O. BOX 23353 SAFAT, KUWAIT
電話：5388951
電傳：22688 CHINAEM KT
參贊：張懷韜

中華人民共和國駐老撾人民民主共和國大使館商務處

地址：RUELLE VATNAK MUONG SISATTANAK, VIENTIANE, LAOS
信箱：NO.898, VIENTIANE, LAOS
電話：3494

中華人民共和國駐黎巴嫩共和國大使館商務處

地址：72, RUE NICOLAS IBRAHIM SURSOCK, RAMLET EL-BAIDA, BEIRUT, LEBANON.
信箱：P.O. BOX 114-5098, BEIRUT
電掛：CHINAEMBA, BEIRUT
電話：830317 830316
電傳：CHINCO 21344 LE

中華人民共和國駐馬來西亞大使館商務處

地址：NOS. 35, 35A & 35B, JALAN CHAN CHIN MOOI, SETAPAK, KUALA LUMPUR, MALAYSIA
電話：4239939, 4239937, 4239940
電傳：CHIEMC MA 33675
參贊：梁碧華

中華人民共和國駐蒙古人民共和國大使館商務參贊處

地址：Г. УЛАН-БАТОР МНР, УЛ. ДРУЖБА, Д.5
信箱：672/ ПОЧТОВЫЙ ЯЩИК 672
電掛：422 ULANBATOR
電話：20955 23940

中華人民共和國駐尼泊爾王國大使館商務參贊處

地址：BALUWATAR, KATHMANDU, NEPAL
電掛：CHINCOMOFF KATHMANDU
電話：411958 411388 411740
參贊：劉冬葵

中華人民共和國駐尼泊爾王國大使館經濟參贊處

地址：TRIPURESWOR, KATHMANDU, NEPAL
信箱：4234
電話：213155
參贊：高永寶

中華人民共和國駐阿曼蘇丹國大使館商務參贊處

信箱：P.O. BOX 3315 RUWI, SULTANATE OF OMAN
電話：704343（702451使館）
電傳：3125 CHINAEMB ON

中華人民共和國駐巴基斯坦
大使館商務參贊處

地址：43-6-8, BLOCK 6, P.E.C.H.S. KARACHI, PAKISTAN
電掛：CHINCOMOFF KARACHI
電話：430594 437894
電傳：24038 CHICO PK
參贊：程忠文

中華人民共和國駐巴基斯坦
大使館經濟參贊處

地址：DIPLOMATIC ENCLAVE, RAMNA 4, ISLAMABAD PAKISTAN
電話：821115
參贊：肖國賓

中華人民共和國駐巴基斯坦卡拉奇
總領事館商務室

地址：207, AZIZ BHATTI SHAHEED ROAD KARACHI, PAKISTAN
電掛：CHINCONSUL, KARACHI
電話：510425 514934

中華人民共和國駐菲律賓共和國
大使館商務處

地址：2038, ROXAS BOULEVARD, METRO MANILA, PHILIPPINES
信箱：P.O. BOX 7430 AIRMAIL EXCHANGE OFFICE MANILA INTERNATIONAL AIRPORT 3120 PHILIPPINES
電掛：SINOCOMM MANILA
電話：57-25-55 58-46-36
電傳：27682 EPRCC PH
參贊：吳致賢

中華人民共和國駐新加坡共和國商務代表處

地址：70-76, DALVEY ROAD, SINGAPORE 1025
電掛：CHICOMER
電話：7343360 7343307
電傳：RS36878 CHICRO
傳眞：7338590
代表：王久安(大使級)
副代表：張繼興(參贊級)

中華人民共和國駐斯里蘭卡
民主社會主義共和國
大使館商務參贊處

地址：45, LAYARDS ROAD, COLOMBO-5, SRILANKA
電掛：CHINCOMOFF COLOMBO
電話：580912
電傳：22408 CHINCO CE
參贊：劉志仁

中華人民共和國駐斯里蘭卡
民主社會主義共和國
大使館經濟參贊處

地址：191, DHARMAPALA MAWATHA COLOMBO 7, SRI LANKA
電掛：CHINEMBASY
電傳：596418
參贊：方南君

中華人民共和國駐阿拉伯敘利亞共和國
大使館商務處

地址：79, AL-RACHID STREET, DAMASCUS, SYRIA
信箱：P.O.BOX 2455 DAMASCUS, SYRIA
電掛：CHINCOMOFF SY
電話：330845 333559
電傳：412647 CHINCO SY
參贊：蔣振夏

中華人民共和國駐阿拉伯敘利亞共和國
大使館經濟參贊處

地址：83, RUE ATA AYOUBI, DAMASCUS, SYRIA
信箱：P.O. BOX: 2455, DAMASCUS
電掛：CHINAEMBA DAMASCUS
電話：668782
電傳：C/O. 412647 CHINCO SY
參贊：于顯臣

中華人民共和國駐泰王國大使館商務處

地址：57 RACHAD APISAKE ROAD, BANGKOK 10310, THAILAND
電掛：CHINAEMBA BANGKOK
電話：245-7038　245-7046
參贊：蔡鴻章

中華人民共和國駐泰王國大使館經濟參贊處
地址：57 RACHAD APISAKE ROAD, BANGKOK 10310 THAILAND
電掛：CHINAEMBA BANGKOK
電話：245-7038 245-7046
參贊：陳關亭

中華人民共和國駐土耳其共和國大使館商務參贊處
地址：06700 GAZIOSMANPASA KOROGLU SOKAK NO.72 ANKARA-TURKEY
電話：1377107
電傳：46387 CHCM TR
參贊：郭寶慶

中華人民共和國駐土耳其伊斯坦布爾總領事館商務室
地址：MECIDIYEKOY, ORTAKLAR CAD. 14 ISTANBUL-TURKEY
電話：1666590
電傳：26906 CCGT TR
領事：劉國勝

中華人民共和國駐阿拉伯聯合酋長國大使館商務處
地址：FLAT NO. 1402, KHALIFA KHANDI BUILDING, CORNICHE ROAD, ABU DHABI
信箱：P.O. BOX 8179 ABU DHABI U.A.E.
電話：321677
電傳：23829 CHINCO EM
參贊：施新濱

中華人民共和國駐阿拉伯聯合酋長國大使館經濟參贊處
地址：KHALIFA KHANDI BUILDING, CORNICHC ROAD ABU DHABI
信箱：8179 ABU DHABI
電話：321603
電傳：23829 CHINCO EM
參贊：楊金波

中華人民共和國駐阿拉伯聯合酋長國迪拜總領事館商務室
地址：P.O. BOX 9374 DUBAI-U.A.E.
電掛：448099
電話：448032(off) 449445(RES)
電傳：46268 COMOF EM
領事：楊涵欣

中華人民共和國駐越南社會主義共和國大使館商務參贊處
地址：SO NHA 46.52 PHO HOANG DIEU, HA-NOI, VIET NAM
電掛：8891
電話：53736 53737

中華人民共和國駐也門共和國大使館商務參贊處
地址：AL-ZUBEIRY STREET, SANA'A YEMEN REPUBLIC
信箱：P.O. BOX NO.10385 SANA'A Y.R.
電掛：CHINCOMOFF SANA'A
電話：275411
電傳：2548 CCCOFF YE
參贊：鮑成仁

中華人民共和國駐也門共和國大使館經濟參贊處
地址：SANNA YEMEN REPUBLIC
信箱：P.O. BOX NO. 482/483
電話：275339
電傳：2548 CCCOFF YE
參贊：程紹義

中華人民共和國駐也門亞丁總領事館商務室
地址：KHORMKSAR, P.O. BOX:5213, ADEN YEMEN
信箱：P.O. BOX. NO.5213 ADEN
電掛：CHINEMBASSY ADEN
電話：32468
電傳：2500AD YTCTA FOR CHINEMBASSY
領事：尹錫庚

中華人民共和國駐也門亞丁總領事館經濟室
地址：NO. 145 ANDALUS GARDEN STREET, ADEN, YEMEN
信箱：5213 ADEN
電話：32630
電傳：2500 YD YTCA

非　洲

中華人民共和國駐阿爾及利亞民主人民共和國大使館商務參贊處
地址：34, BOULEVARD DES MARTYRS, ALGER, ALGERIE
電掛：COMCHINE ALGER
電話：60.53.62
電傳：66193 BCCAC DZ
參贊：陳亦慶

中華人民共和國駐阿爾及利亞民主人民共和國大使館經濟參贊處
地址：34, BOULEVARD DES MARTYRS, ALGER, ALGERIE
電掛：COMCHINE ALGER
電話：603189
電傳：66193 BCCAC
參贊：張景全

中華人民共和國駐安哥拉大使館經濟商務處
地址：RUA FERNAO MENDES PINTO NO. 26/28, BAIRRO ALVALADE, LUANDA, ANGOLA
信箱：CAIXA POSTAL NO. 704
電話：322803
電傳：3134 BECECHL AN
參贊：萬文修

中華人民共和國駐貝寧人民共和國大使館商務處
地址：ROUTE NO2 DE L'AEROPORT, ZONE DES AMBASSADES, COTONOU, BENIN
信箱：B.P. 196, COTONOU
電掛：CHINAEMBA COTONOU
電話：30-10-97
參贊：劉德春

中華人民共和國駐貝寧人民共和國大使館經濟參贊處
地址：ROUTE NO2 DE L'AEROPORT, ZONE DES AMBASSADES, COTONOU, BENIN
信箱：B.P. 06-2533
電掛：CHINAEMBA COTONOU
電話：30 03 36　30 05 40
參贊：李　瑛(女)

中華人民共和國駐博茨瓦納共和國大使館經濟商務參贊處
地址：NO. 3097 NORTH RING ROAD, GABORONE, BOTSWANA
信箱：P.O. BOX 1031, GABORONE, BOTSWANA
電掛：CHINAEMBA
電話：353270 3552209(使館)
電傳：2428 BD(新華社)
參贊：趙傳謨

中華人民共和國駐布基納法索大使館商務處

地址：AVENUE NO. 348, QUARTIER ROTONDE, OUAGADOUGOU, BURKINA FASO

信箱：B.P. 538 OUAGADOUGOU BURKINA FASO

電掛：CHINAEMBA OUAGADOUGOU

電話：306598

電傳：BCTR 1112 BF或BCTR 5300BF(轉商務處)

中華人民共和國駐布基納法索大使館經濟參贊處

地址：OUAGADOUGOU, BURKINA FASO

信箱：B.P. 538

電話：307301

參贊：嚴茂錦

中華人民共和國駐布隆迪共和國大使館商務處

地址：SUR LA PARCELLE 675 A VUGIZO, BUJUMBURA, BURUNDI

信箱：B.P. 2550, BUJUMBURA

電掛：CHINAEMBA BUJUMBURA

電話：22558

電傳：5137 BCCHINE BDI

參贊：李明謨

中華人民共和國駐布隆迪共和國大使館經濟參贊處

地址：SUR LA PARCELLE 675 A VUGIZO, BUJUMBURA, BURUNDI

信箱：B.P. 2550, BUJUMBURA, BURUNDI

電掛：CHINAEMEA BUJUMBURA

電話：2.4246

參贊：王國忠

中華人民共和國駐佛得角共和國大使館經濟商務處

地址：ACHADA SANTO ANTONIO PRAIA, CABO VERDE

信箱：C.P. NO.8 PRAIA

電話：613369

參贊：杜雲山

中華人民共和國駐喀麥隆共和國大使館商務處

地址：RUE JOSEPH OMGBA NSI., YAOUNDE-CAMEROUN

信箱：B.P.4019 YAOUNDE-CAMEROUN

電掛：CHINAEMBA YAOUNDE

電話：223191

電傳：AMBCHINE 8821 KN

參贊：童介民

中華人民共和國駐喀麥隆共和國大使館經濟參贊處

地址：QUARTIER BASTOS, YAOUNDE-CAMEROUN

信箱：B.P. 11608 YAOUNDE-CAMEROUN

電掛：CHINAEMBA YAOUNDE

電話：230091

參贊：房根夫

中華人民共和國駐中非共和國大使館商務處

地址：RUE DE LA GOUANGA, BANGUI, REPUBLIQUE CENTRAFRICAINE

信箱：B.P.1771, BANGUI

電掛：CHINCOMOF BANGUI

電話：61-34-74

電傳：PUBLIC 5217RC(班吉公用電話)轉CHINCOMOF

中華人民共和國駐中非共和國大使館經濟參贊處

地址：LA RUE DE KOUANGA DE BANGUI, REPUBLIQUE CENTRAFRICAINE

信箱：B.P.1430, BANGUI, REPUBLIQUE CENTRAFRICAINE

參贊：陳伯昌

中華人民共和國駐科摩羅伊斯蘭聯邦共和國大使館經濟商務處

地址：COULEE DE LAVE NO. C-109

信箱：B.P. 442, MORONI (R.F.I.) DES COMORES

電掛：AMBACHINE, MORONI

電話：73.14.21

中華人民共和國駐剛果人民共和國大使館商務處

地址：PARCELLE 196, RUE TAMBOUELE QUARTIER M' FOA BRAZZAVILLE, CONGO
信箱：B.P.13245 BRAZZAVILLE
電掛：CHINAEMBA BRAZZAVILLE
電話：810063
電傳：HSINHUA 5230 KG
參贊：吳人新

中華人民共和國駐剛果人民共和國大使館經濟參贊處

地址：AVENUE MONSEIGNEUR AUGOURD B.P. 2838, BRAZZAVILLE, CONGO
電話：830952
參贊：韓志偉

中華人民共和國駐科特迪瓦共和國大使館經濟商務處

地址：06 B.P. 206, ABIDJAN 06, COTE D'IVOIRE
電話：(225)413566
電傳：(983)27128 AMCHIN CI
備註：寄發該處郵件，必須寫明信箱號。
參贊：王　楓

中華人民共和國駐吉布提大使館經濟商務參贊處

地址：CÔTÉ NORD DU PALAIS DU PEUPLE DE DJIBOUTI DE DJIBOUTI-VILLE
信箱：B.P. 4001 DJIBOUTI
電話：350575
電傳：5926 DJ
參贊：黃金賢

中華人民共和國駐阿拉伯埃及共和國大使館商務參贊處

地址：22, BAHGAT ALY STREET, ZAMALEK, CAIRO, EGYPT
電掛：CHINCOMOFF CAIRO
電話：417423 416561
電傳：93180 CHICO UN CAIRO
參贊：陳廣明

中華人民共和國駐阿拉伯埃及共和國大使館經濟參贊處

地址：14. BAHGAT ALI STREET ZAMALEK CAIRO. EGYPT ARAB REPUBLIC
電話：3412094
參贊：張希亮

中華人民共和國駐埃及亞歷山大總領事館

地址：6. BADAWI STREET, RASSAFFA, MOHARAM BAY, ALEXANDRIA, EGYPT
電掛：CHINCONGEN ALEXANDRIA
電話：49165953
電傳：54544 CHICO UN

中華人民共和國駐埃塞俄比亞大使館商務處

地址：JIMA ROAD ZONE 07 HIGH24 KEBELE13 HOUSE 211 ADDIS ABABA, ETHIOPIA
信箱：5643
電掛：CHINAEMBA ADDIS ABABA
電話：71-00-59
電傳：21526 CHECO ET
參贊：暢景生

中華人民共和國駐埃塞俄比亞大使館經濟參贊處

地址：H24-K13-N-, JIMMA ROAD, ADDIS ABABA, ETHIOPIA
信箱：5643
電掛：CHINAEMBA, ADDIS ABABA
電話：200428
電傳：21145
參贊：霍德新

中華人民共和國駐加蓬共和國大使館商務處

地址：LE BUREAU COMMERCIAL DE L'AMBASSADE DE CHINE AU GABON
信箱：B.P.3914 LIBREVILLE GABON
電話：732873
電傳：SINOCOM 5825 GO
參贊：魏建國

中華人民共和國駐加蓬共和國
大使館經濟參贊處

地址：LE BUREAU DU CONSEILLER ECONOMIQUE DE L'AMBASSADE DE CHINA AU GABON
信箱：B.P.3914 LIBREVILLE GABON
電話：733691
電傳：AMCHINE 5276 GO
參贊：張熾鑫

中華人民共和國駐岡比亞共和國
大使館商務處

地址：NO.8 ATLANTIC ROAD, FAJARA, THE GAMBIA
信箱：P.O. BOX 784, BANJUL, GAMBIA
電話：95622
電傳：2299 CHCMRCL GV
備註：郵件務必寫明信箱號。
參贊：符孝度

中華人民共和國駐岡比亞共和國
大使館經濟參贊處

地址：FAJARA, THE GAMBIA
信箱：P.O. BOX 784 BANJUL GAMBIA
電話：95380
電傳：2299 CHCMRCL GV
參贊：伍節文

中華人民共和國駐加納共和國
大使館商務參贊處

地址：25 SIR ARKU KORSAH ROAD, AIRPORT RESIDENTIAL AREA, ACCRA, GHANA
信箱：M 344, ACCRA, GHANA
電掛：CHINCOMOFF
電話：777462
電傳：2116 EMBCHA GH
參贊：裴成華

中華人民共和國駐加納共和國
大使館經濟參贊處

地址：H. No. 14, DOTSWE DIORWWU, STREET, ACHINOTA FOREST RESIDENTIAL AERA, ACCRA GHANA
信箱：P.O. BOX 3356 ACCRA
電掛：CHINEMBA
電話：74311
參贊：劉慶豐

中華人民共和國駐赤道幾內亞大使館商務處

地址：MALABO, REPUBLICA DE GUINEA ECUATORIAL. EMBAJADA DE LA REPUBLICA POPULAR CHINA APORTADO
信箱：DE CORREOS NO.46, MALABO.(GUINEA ECUATORIAL)
電掛：CHINAEMBA MALABO
電話：2239

中華人民共和國駐赤道幾內亞
大使館經濟參贊處

地址：MALABO, REPUBLICA DE GUINEA ECUATORIAL
信箱：APORTADO DE CORREOS NO.46-MALABO (GUINEA ECUATORIAL)
電掛：CHINAEMBA MALABO
電話：3440
參贊：張盡忠

中華人民共和國駐幾內亞共和國
大使館商務參贊處

地址：DONKA, CONAKRY, REPUBLIQUE DE GUINEE.
信箱：B.P. 714, CONAKRY.
電掛：CHINEMBA CONAKRY
電話：46-13-40

中華人民共和國駐幾內亞共和國大使館經濟參贊處

地址：CITE DES EXPERTS CHINOIS A TAOUYAH CONAKRY II REPUBLIQUE DE GUINEE
信箱：B.P.714 CONAKRY
電掛：CHINAMBA CONAKRY
電話：42-10-44 46-13-42 46-13-40 46-13-47
電傳：2128, HSINHUA CONAKRY
參贊：李金華

中華人民共和國駐肯尼亞共和國大使館商務處

地址：WOODLANDSROAD, KILIMANI DISTRICT, NAIROBI KENYA.
信箱：P.O. BOX 48190, NAIROBI
電掛：CHINAEMBA NAIROBI
電話：721434
電傳：23011 CECOM KE
參贊：沈岸然

中華人民共和國駐肯尼亞共和國大使館經濟參贊處

地址：NGONG ROAD, NAIROBI, KENYA
信箱：P.O. BOX 47030 NAIROBI
電話：725435 724288
電傳：25240 COMP KE
參贊：郭永綏

中華人民共和國駐大阿拉伯利比亞人民社會主義民衆國大使館商務處

地址：ST.BEN. WAID ANDALUS. TRIPOL
信箱：P.O. BOX 633, TRIPOLI, LIBYA
電掛：CHINEMBA TRIPOLI (LIBYA)
電話：71777
電傳：20392 CHINCOM LY
參贊：賀敬安

中華人民共和國駐大阿拉伯利比亞人民社會主義民衆國大使館經濟參贊處

地址：P.O. BOX 6310, ANDALUS TRIPOLI, LIBYA
電話：73438
參贊：肖裕周

中華人民共和國駐馬達加斯加民主共和國大使館商務處

地址：P.K.12,400 VILLA“TIANA” MANDROSOA IVATO MADAGASCAR.
信箱：B.P.43 IVATO A L'AEROPORT MADAGASCAR.
電話：441-26
電傳：22573 BCACA MG
參贊：王克忠

中華人民共和國駐馬達加斯加民主共和國大使館經濟參贊處

信箱：B.P.4094-TANANARIVE
電話：445-29
參贊：查建榮

中華人民共和國駐馬里共和國大使館商務參贊處

信箱：B.P.2486 BAMAKO
電掛：AMBACHINE BAMAKO
電話：226362
電傳：BCCACM 2646 MJ
參贊：戴學忠

中華人民共和國駐馬里共和國大使館經濟參贊處

信箱：B.P.916
電話：22.3823
電傳：455 XINHUA BKO
參贊：胡加良

中華人民共和國駐摩洛哥王國大使館商務參贊處

地址：2, RUE MEKKI EL BITAOURI SOUISSI RABAT, MAROC
電話：549-40
電傳：32698 COMCHINE
參贊：常崇洋

中華人民共和國駐摩洛哥王國大使館經濟參贊處

地址：2 RUE MEKKI EL BITAOURI SOUISSI RABAT, MAROC
電掛：CHINAMBA RABAT
電話：52718
電傳：CHINAMBA 31023M
參贊：張　岐

中華人民共和國駐毛里塔尼亞伊斯蘭共和國大使館商務處

地址：NOUAKCHOTT, MAURITANIE
信箱：B.P.257 NOUAKCHOTT
電掛：CHINAEMBA NOUAKCHOTT
電話：52347
電傳：HSPNHU 541

中華人民共和國駐毛里塔尼亞伊斯蘭共和國大使館經濟參贊處

地址：BUREAU DU CONSEILLER ECONOMIQUE DE L'AMBASSADE DE CHINE B.P. 257 NOUAKCHOTT MAURITANIE
電話：51205
參贊：楊 洸

中華人民共和國駐毛里求斯大使館商務處

地址：ROYAL ROAD, BELLE ROSE, ROSE HILL MAURITIUS
電掛：CHINACOM
電話：549113
電傳：4829 CHINCOM IW
參贊：李東生

中華人民共和國駐毛里求斯大使館經濟參贊處

地址：HAPPY VALLEY, SAINT CLEMENT STREET, CUREPIPE MAURITIUS
電話：865635
電傳：4829 CHINCOM IW
參贊：何 成

中華人民共和國駐莫桑比克人民共和國大使館商務處

地址：AVENIDA KIM IL SUNG, 974 MAPUTO, MOZAMBIQUE
信箱：P.O. BOX NO.1105
電掛：CHINAEMBA MAPUTO
電話：741596
電傳：6-214 CABMP MO
（馬普托市郵局公用電傳）
參贊：李紹貴

中華人民共和國駐莫桑比克人民共和國大使館經濟參贊處

地址：AV. DO ZIMBABWE 812 MAPUTO MOCAMBIQUE
信箱：CAIXA POSTAL 2545 MAPUTO
電掛：CHINAEMBA-MAPUTO
電話：742162
參贊：何曉衞

中華人民共和國駐尼日爾共和國大使館商務處

地址：QUARTIER PLATEAU, NIAMEY, NIGER
信箱：B.P. 10180 NIAMEY NIGER
電話：72-26-66
電傳：BCAC 5452 NI.

中華人民共和國駐尼日爾共和國大使館經濟參贊處

地址：NO.20 AVENUE AMIDO, QUARTIER YANTALA, NIAMEY, NIGER.
信箱：B.P. 375 NIAMEY, NIGER
電話：72-29-31
參贊：張克偉

中華人民共和國駐尼日利亞聯邦共和國大使館商務處

地址：161A ADEOLA ODEKU STREET, VICTORIA ISLAND, LAGOS, NIGERIA.
信箱：P.O. BOX 70521 LAGOS, NIGERIA
電掛：CHINCOMOFF LAGOS
電話：612404
電傳：21541 NCNA CN
備註：寄送信件、郵件時，必須同時使用信箱號碼
參贊：廖啟誠

中華人民共和國駐尼日利亞聯邦共和國大使館經濟參贊處

地址：161A ADEOLA ODEKU STREET, VICTORIA ISLAND, LAGOS, NIGERIA.
信箱：P.O. BOX 7982, LAGOS, NIGERIA
電話：612414
備註：寄送信件、郵件時，必須同時使用信箱號碼
參贊：陳英成

中華人民共和國駐盧旺達共和國大使館商務處

地址：B.P.182, KIGALI, RWANDA
信箱：B.P.182 KIGALI-RWANDA
電掛：CHINAEMBA KIGALI
電話：75629
電傳：599 AMBACHINE RW

中華人民共和國駐盧旺達共和國大使館經濟參贊處

地址：KIGALI REPUBLIQUE RWANDAISE
信箱：B.P.519
電話：84965
參贊：唐文山

中華人民共和國駐聖多美和普林西比民主共和國大使館經濟參贊處

地址：S.TOME AVENIDA DE PRESIDENTE KWAME NKRUMAH MEP.46
信箱：C.P.(CAIXA POSTAL): 142
電話：21 785

中華人民共和國駐塞內加爾共和國大使館商務處

地址：7-8 RUE PROJETEE FENETRE MERMOZ FANN-RESIDENCE DAKAR SENEGAL
信箱：B.P.3821 DAKAR
電話：23-05-41
電傳：61188 SINOCOM SG.
參贊：梁國民

中華人民共和國駐塞內加爾共和國大使館經濟參贊處

地址：RUE PROJETEE, FANNE-RESIDENCE, DAKAR, SENEGAL
信箱：B.P.342
電話：23 03 63
參贊：李國芬

中華人民共和國駐塞舌爾共和國大使館經濟商務處

地址：PLAISANCE, MAHE SEYCHELLES
信箱：P.O.BOX 680
電掛：CHINAEMBA SEYCHELLES
電話：44729
電傳：2201 TXAGY SZ(通過電報局轉)

中華人民共和國駐塞拉利昂共和國大使館商務處

地址：NO.29 WILBERFORCE LOOP, FREETOWN, SIERRA LEONE.
信箱：P.O.BOX 778, FREETOWN
電掛：CHINAEMBA FREETOWN
電話：40490 40086
參贊：梁煥忠

中華人民共和國駐塞拉利昂共和國大使館經濟參贊處

地址：28, KINGHARMAN ROAD, FREETOWN
信箱：P.O. BOX 778
電話：40075
參贊：刁占久

中華人民共和國駐索馬里民主共和國大使館商務參贊處

地址：WADAJIR DISTRICT MOGADISHU SOMALI DEMOCRATIC REPUBLIC
信箱：P.O.BOX 548, MOGADISHU, SOMALI
電掛：CHINEMBA
電話：80585

中華人民共和國駐索馬里民主共和國大使館經濟參贊處

地址：GIZERA DISTRICT MOGADISHU SOMALIA
信箱：P.O.BOX 548 MOGADISHU SOMALIA
電話：30309
參贊：韓　麟

中華人民共和國駐蘇丹民主共和國大使館商務參贊處

地址：MANSHIAT AL GABBANI
KHARTOUM SUDAN
信箱：P.O.BOX 1447 KHARTOUM SUDAN
電話：75274
參贊：劉朝暉

中華人民共和國駐蘇丹民主共和國大使館經濟參贊處

地址：H. NO 115, 10th BLOCK AL RIYAD
TOWN, KHARTQ UM
信箱：P.O. BOX 1425
電話：224816
電傳：22806 CHINCO SD
參贊：張明强

中華人民共和國駐坦桑尼亞聯合共和國商務代表處

地址：NO.6, UPANGA ROAD, DAR ES
SALAAM TANZANIA.
信箱：P.O.BOX 9284, DAR ES SALAAM
電掛：CHINEMBASSY DAR ES SALAAM
電話：21517 22967
電傳：41036 CHINEMBA DAR ES SALAAM
代表：金宗煦

中華人民共和國駐坦桑尼亞聯合共和國經濟代表處

地址：MSASAM ROAD PLOT NO.362 DRA
ES SALAAM
信箱：9284
電話：68198
代表：陳風崗

中華人民共和國駐坦桑尼亞桑給巴爾領事館經濟商務室

地址：10, SHANGANI(ADDRESS) ZANZIBAR
TANZANIA
信箱：P.O.BOX 1200, ZANZIBAR
電話：32681 32547

中華人民共和國駐乍得共和國大使館商務處

地址：RUE HAVRE, N'DJAMENA, TCHAD
信箱：B.P.165
電掛：CHINEAMB 5325KD
電話：33-21
電傳：5325

中華人民共和國駐乍得共和國大使館經濟參贊處

地址：RUE HAVRE N'DJAMENA, TCHAD
信箱：B.P.165
電話：513321
電傳：CHINE AMB 5325 KD
參贊：劉　坦

中華人民共和國駐多哥共和國大使館商務處

地址：TOKOIN OUEST, (PRES DE
L'HOPITAL, DE LOME) LOME, TOGO
信箱：B.P.2690
電掛：CHINAEMBA LOME
電話：21-52-43
電傳：5070 SINOCOM TO.
參贊：曾祥裕

中華人民共和國駐多哥共和國大使館經濟參贊處

地址：TOKOIN OUEST, (PRES DE
L'HOPITAL DE LOME)LOME, TOGO
信箱：B.P.2690
電掛：CHINAEMBA LOME
電話：21-54-70
電傳：5070 SINOCOM TO
參贊：陳　魁

中華人民共和國駐突尼斯共和國大使館商務參贊處

地址：19, RUE AL IMAM AL OUZAI, EL
MENZAH 4, TUNIS TUNISE
電掛：COMCHINE TUNIS
電話：230 249
電傳：15471 CHICOM TN
參贊：黃寶賞

中華人民共和國駐突尼斯共和國大使館經濟參贊處

地址：20 AVENUE B:LAL-ELMENIAH VI TUNIS
電話：238123 239050
參贊：秦　健

中華人民共和國駐烏干達共和國大使館商務處

地址：37, MALCOLM X AVE. KOLOLO, KAMPALA, UGANDA
信箱：P.O.BOX 9173. KAMPALA, UGANDA
電話：259881
電傳：61383 CHINAC UGA
參贊：郭進寶

中華人民共和國駐烏干達共和國大使館經濟參贊處

地址：37, MALCOLM X AVENUE, KOLOLO, KAMPALA, UGANDA
信箱：P.O.BOX 8858 KAMPALA UGANDA
電話：259881
電傳：61383 CHINAC UGA（商務處轉）
參贊：楊先達

中華人民共和國駐扎伊爾共和國大使館商務處

地址：73, AVENUE DES TROIS "Z". KINSHASA GOMBE, ZAIRE.
信箱：B.P.5745 KINSHASA-GOMBE
電掛：CHINEAMBA KINSHASA
電話：31659
電傳：21378 SINOCOM ZR
參贊：劉章朋

中華人民共和國駐扎伊爾共和國大使館經濟參贊處

地址：6, AVENUE BUMBA, KINSHASA/BINZA ZAIRE
信箱：BUREAU DU CONSEILLER ECONOMIQUE DE L'AMBASSADE DE CHINE B.P. 20659 KINSHASA 15 C.C.I.Z. ZAIRE
電話：80217
參贊：龐玉珏

中華人民共和國駐贊比亞共和國大使館商務處

地址：UNITED NATIONS AVENUE P.O. BOX 33208, LUSAKA, ZAMBIA.
信箱：P.O. BOX 33208 LUSAKA, ZAMBIA.
電掛：CHINCOMOFF LUSAKA, ZAMBIA.
電話：253601
電傳：CHINEB ZA41360
參贊：劉巨秀

中華人民共和國駐贊比亞共和國大使館經濟參贊處

地址：19 LEOPARD HILL ROAD, LUSAKA, ZAMBIA
信箱：P.O. BOX 31205
電掛：CHINCOMOFF LUSAKA
電話：252363
參贊：曾慶超

中華人民共和國駐津巴布韋共和國大使館商務處

地址：10, CORK ROAD, HARARE, ZIMBABWE
信箱：P.O. BOX 40 HARARE
電掛：CHINCOM HARARE
電話：730516
電傳：2569 CHINEB ZW.或2310 XINHUA ZW
備註：電傳係使館和新華社電傳號
參贊：閻瑞增

中華人民共和國駐津巴布韋共和國大使館經濟參贊處

地址：36 MCLOUGHLIN ROAD, AVONDALE HARARE, ZIMBABWE
信箱：P.O. BOX 1340, HARARE
電話：735252 735194
電傳：2569 CHINEB ZW或2310 XINHUA ZW
參贊：趙玉廷

歐　洲

中華人民共和國駐阿爾巴尼亞社會主義人民共和國大使館商務參贊處

地址：ROAD "SKENDERBEJ" NR. 57
TIRANA, ALBANIA
電掛：503 TIRANA
電話：2600 2118
參贊：婁世浩

中華人民共和國駐比利時王國大使館商務處

地址：21, BOULEVARD GENERAL
JACQUES 1050 BRUXELLES,
BELGIQUE
電掛：AMBACHIN BRUXELLES
電話：(02) 6404006　(02) 6404210
電傳：23328 AMCHIN B.
備註：駐比利時大使館商務處兼駐盧森堡大公國商務處
參贊：李浩然

中華人民共和國駐歐洲共同體使團商務處

地址：21, BOULEVARD GENERAL
JACQUES 1050 BRUXELLES,
BELGIQUE
電掛：AMBACHIN BRUXELLES
電話：(02) 6404006　(02) 6404210
電傳：23328 AMCHIN B.
參贊：李浩然

中華人民共和國駐盧森堡大公國大使館

地址：RUN VAN DER MEULEN
DOMMELDANGE GRAND DUCHE DE
LUXEMBOURG
備註：商務工作由駐比利時大使館商務處兼管
參贊：李浩然(兼)

中華人民共和國駐英國大使館商務處

地址：56-60 LANCASTER GATE, LONDON
W2 3NG, BRITAIN
電掛：CHINACOM LONDON
電話：01-262 0253
電傳：896440 CLEFSL G
參贊：莊玉麟

中華人民共和國駐英國曼徹斯特總領事館

地址：DENISON HOUSE, DENISON ROAD,
VICTORIA PARK, MANCHESTER
M14 5RX, BRITAIN
電話：061-434 0907

中華人民共和國駐保加利亞人民共和國大使館商務參贊處

地址：NO. 18 RUSSIA STREET, SOFIA,
BULGARIA
電掛：CHINESE EMBASSY SOFIA
電話：882080
電傳：22545 TOOK BG
參贊：許君魯

中華人民共和國駐捷克斯洛伐克社會主義共和國大使館商務參贊處

地址：MAJAKOVSKEHO 22, 125, 26, PRAHA
6 BUBENEC CESKOSLOVENSKO,
CZECHOSLOVAKIA
信箱：125 26 PRAHA 6-BUBENEC
電掛：CHINAEMBA PRAHA
電話：326143 326141
電傳：121417 CHIEM-C
參贊：孫以科

中華人民共和國駐丹麥王國大使館商務處
地址：ϕ REGARDS ALLE 12,2900,
HELLERUP COPENHAGEN,
DENMARK.
電掛：CHINAEMBA COPENHAGEN
電話：01-611013
電傳：19106 CNCOEM DK
參贊：馬玫麗(女)

中華人民共和國駐德意志聯邦共和國大使館商務處
地址：FRIEDRICH-EBERT-STR. 59 5300
BONN-BAD GODESBERG
電話：0228-353654 0228-353622 0228-353628
電傳：885672 VRCHH D

中華人民共和國駐芬蘭共和國大使館商務參贊處
地址：VAHANITYNTIE 4. 00570 HELSINKI
57, FINLAND
電掛：KENGPLATINE, HELSINKI
電話：(90) 688416 689691 689651 689641
電傳：126055 CHINA SF
參贊：郭鵬年

中華人民共和國駐法國大使館商務參贊處
地址：21, RUE DE L'AMIRAL D'ESTAING
75016 PARIS, FRANCE
電掛：SINOCOM CHVLY PARIS
電話：47208682 47206395 47201747 47209416
電傳：649492 F SINOCOMF
參贊：劉顯銘(公使銜)

中華人民共和國駐德意志民主共和國大使館商務參贊處
地址：1100 BERLIN ARNOLO-ZWEIG-
STRASSE 5
電話：4723118 4726059
電傳：115183 HANCH
參贊：楊來春

中華人民共和國駐希臘共和國大使館商務處
地址：NO. 7, DIADOCHOU PAVLOU P.
PSYCHIKON ATHENS, 15452
信箱：P.O. BOX 65188. ATHENS
電掛：CHINAEMBA ATHENS
電話：6723281
電傳：226848 CPRC GR
參贊：劉丙居

中華人民共和國駐匈牙利人民共和國大使館商務參贊處
地址：1068 BUDAPEST VI. BENCZUR UTCA.
17 HUNGARY
電掛：SINOEMB BUDAPEST
電話：225-242　224-872
電傳：227733 CHIBE H
參贊：胡楚生

中華人民共和國駐冰島大使館商務處
地址：VIDIMELUR 25, 107 REYKJAVIK,
ICELAND.
信箱：P.O. BOX 1393 REYKJAVIK
電掛：CHINAEMBA REYKJAVIK
電話：26322 26751
電傳：2148 KINEMB IS

中華人民共和國駐愛爾蘭大使館商務處
地址：77, AILESBURY ROAD, DUBLIN 4,
IERLAND
電掛：CHINAEMBA DUBLIN
電話：696966
電傳：91834 COCE EI
傳眞：(01) 839938(使館)

中華人民共和國駐意大利大使館商務處
地址：VIA DELLA CAMILLUCCIA 613 00315
ROMA, ITALY
電掛：CHINACOM ROME
電話：(00396) 3287206　(00396) 3284254
電傳：622162 CINAC I
參贊：朱純白

中華人民共和國駐意大利米蘭總領事館商務室

地址：VIA CARDUCCI, 11. 20123 MILAND, ITALIA
電話：(00392) 862268 (00392) 862968
電傳：313065 SCCGC
領事：王順林

中華人民共和國駐馬耳他共和國大使館商務處

地址：LAPSI STREET, ST. JULIAN'S, MALTA
信箱：P.O. BOX 342 VALLETTA MALTA
電掛：CHINAEMBA, MALTA
電話：317121
電傳：1385 CHINEM MW MALTA

中華人民共和國駐馬耳他共和國大使館經濟參贊處

地址：VILLA TAMARISK. TRIQ IL-GARDELL KAPPARA, MALTA
信箱：P.O. BOX 342 VALLETTA MALTA
電掛：CHINAEMBA, MALTA
電話：331538
電傳：1385 CHINEM MW
參贊：張維眞

中華人民共和國駐荷蘭大使館商務參贊處

地址：GROOT HAESEBROEKSEWEG 2A 2243 EA WASSENAAR, THE NETHERLANDS
電話：01751-16050
電傳：31699 CHICO NL
傳眞：01751-11206
參贊：熊耀華

中華人民共和國駐挪威王國大使館商務處

地址：INKOGNITOGATA 11, OSLO 2, NORWAY.
信箱：0258 OSLO 2, NORWAY
電掛：CHINEMB OSLO
電話：(02) 449638
電傳：71304 KINAH N
參贊：周可仁

中華人民共和國駐奧地利共和國大使館商務處

地址：1030 WIEN METTERNICHGASSE 4, AUSTRIA.
電掛：CHINAEMBA WIEN
電話：0222/753140
電傳：135794 CHINB A
傳眞：0043-222-7136816
參贊：朱建華

中華人民共和國常駐聯合國工業發展組織代表處

地址：UNTERE DONAUSTRASSE 41 1020 VIENNA, AUSTRIA
電話：269380 269389 260119
電傳：111048 CHIPM A
副代表：郭顯志(公使銜參贊)

中華人民共和國常駐維也納聯合國和其他國際組織代表團

地址：POETZLEINSDORFER STRASSE 42 1180 VIENNA, AUSTRIA
電話：(0222) 471364/478338

中華人民共和國駐波蘭大使館商務參贊處

地址：UL. BONIFRATERSKA 1,00-203 WARSZAWA, POLAND
電掛：SINOEMBASSY WARSZAWA
電話：313861 313869
電傳：813589 CHINA PL
參贊：蔡鳳山

中華人民共和國駐波蘭革但斯克總領事館

地址：80-236 GDANSK-WRZESZCZ UL GRUNWALDZKA 1
電掛：CHINKON
電話：415600

中華人民共和國駐葡萄牙共和國大使館商務參贊處

地址：RUA ANTONIO DE SALDANHA, 42 1400 LISBOA PORTUGAL
電話：611947
電傳：13274 CNCOM P
參贊：孫德耀

中華人民共和國駐羅馬尼亞大使館商務參贊處

地址：SOSEAUA NORDULUI NO. 2, BUCURESTI, ROMANIA
電掛：CHINAMB BUCURESTI
電話：797204 335040
電傳：11324 CHIAB R
參贊：黃國治

中華人民共和國駐羅馬尼亞大使館經濟參贊處

地址：SOS. NORDULUI NR. 2 BUCURESTI, ROMANIA.
電掛：CHINA MB BUCHAREST
電話：331923
電傳：11324 CHIAB R.
參贊：呂坤寶

中華人民共和國駐西班牙大使館商務參贊處

地址：ARTURO SORIA 111 28043 MADRID, ESPANA
電話：413 5892 413 2776
電傳：22808 EMCHI E
參贊：高登禮

中華人民共和國駐瑞典王國大使館商務參贊處

地址：RINGVAGEN 56, S-181 34 LIDINGO, SWEDEN
電掛：HOPLAZATINE STOCKHOLM
電話：08-7674083 08-7679625
電傳：16490 CHINO S.
傳眞：46-08-7318404
參贊：楊振倫

中華人民共和國駐瑞士大使館商務參贊處

地址：7, J.V. WIDMANNSTRASSE, 3074 MURI BERN, SWITZERLAND
信箱：3074 MURI/BERNE
電掛：CHICOMOFF BERN
電話：(031) 521401 (031) 521402 (031) 521403 (031) 521404
電傳：912629 HBCN CH
參贊：沙　瑋

中華人民共和國駐聯合國日內瓦辦事處和瑞士其他國際組織代表團

地址：11, CHEMIN DE SURVILLE, 1213 PETIT-LANCY, GANEVA, SWITZERLAND
電話：920420 922548 922537
電傳：427941 MPC CH
副代表：李志敏(公使銜參贊)
參贊：吳家煌

中華人民共和國駐蘇聯大使館商務參贊處

地址：СССР, Г. МОСКВА.ЛЕНИНСКИЕ ГОРЫ, УЛ. ДРУЖБА Д.6
信箱：MOCKBA 117330
電掛：CHINAEMBA MOSCOW
電話：1431544 2302825
電傳：413981 CHINA SU
參贊：盧樹棠(公使銜)
　　　孫　敏(女)

中華人民共和國駐南斯拉夫社會主義聯邦共和國大使館商務參贊處

地址：VASILIJA GACESE 5, 11000 BELGRADE, YUGOSLAVIA
電話：651-630 650-726
電傳：12492 CNCCO YU
參贊：楊文龍

中華人民共和國駐南斯拉夫社會主義聯邦共和國大使館經濟代表處

地址：IZIETNICKI PUT 2. NEW BELGRADE, YUGOSLAVIA
電話：602967
電傳：12571 CNECO YU
代表：陳　茂

大洋洲

中華人民共和國駐澳大利亞大使館商務處
地址：14 FEDERAL HIGHWAY, WATSON. CANBERRA, A.C.T. 2602. AUSTRALIA.
電掛：CHINAEMBA CANBERRA
電話：(062) 41 2449
電傳：CHIEM AA 62489
參贊：郭逸民

中華人民共和國駐澳大利亞悉尼總領事館商務室
地址：539 ELIZABETH STREET, SURRY, HILLS, N.S.W. 2010 SYDNEY AUSTRALIA
電話：(02) 6987373　6987838
電傳：27931 CHISYD
領事：謝宗宣

中華人民共和國駐斐濟大使館商務處
地址：147 QUEEN ELIZABETH DRIVE, SUVA, FIJI
信箱：P.O. BOX PRIVATE MAIL BAG, SUVA FIJI.
電掛：CHINAEMBA SUVA
電話：22425 25391
電傳：2136 CHINAEMB FJ

中華人民共和國駐斐濟大使館經濟參贊處
地址：147 QUEEN ELIZABETH DRIVE, NASESE
信箱：PRIVATE MAIL BAG, SUVA FIJI
電話：24564 22425
電傳：2136 CHINAEMB FJ
參贊：宋振綏

中華人民共和國駐新西蘭大使館商務處
地址：2-6 GLENMORE STREET, WELLINGTON, NEW ZEALAND
電掛：CHINAEMBA WELLINGTON
電話：721-383
電傳：CHINEMB NZ 3843
參贊：張樸煉

中華人民共和國駐巴布亞新幾內亞大使館經濟商務處
地址：P.O. BOX 1351 BOROKO N.C.D.PAPUA NEW GUINEA
電話：251190
電傳：NE 23073
參贊：孫萬麟

中華人民共和國駐西薩摩亞大使館經濟參贊處
地址：ECONOMIC COUNSELLOR'S OFFICE OF THE CHINESE EMBASSY, PRIVATE MAIL BAG, APIA, WESTERN SAMOA.
電話：22474
電傳：232 CHINAEMP SX

美　洲

中華人民共和國駐阿根廷共和國大使館商務處

地址：LA PAMPA 4350 (1430) CAPITAL FEDERAL REPUBLICA ARGENTINA
電掛：CHINAEMBA BUENOSAIRES
電話：510172 514593
電傳：24977 OCECH AR
參贊：王之炎

中華人民共和國駐巴巴多斯大使館經濟商務參贊處

地址：P.O. BOX 34A, "CORAL ISLE APARTMENT", MAXWELL COAST ROAD, CHRIST CHURCH, BARBADOS, W.I.
電話：4283384
電傳：2363 CHINAEMB WB

中華人民共和國駐玻利維亞大使館經濟商務處

地址：LOS PINOS, CALLE 1, No. 8532 CALACOTO LA PAI BOLIVIA
電傳：0309 3352 CHINALP BV
電話：793851 792902 795463
參贊：何爲民

中華人民共和國駐巴西聯邦共和國大使館商務參贊處

地址：SHIS QI 11, CONJUNTO 3, CASA 16 LAGO SUL BRASILIA-DF BRASIL
信箱：CEP 71600(郵政編碼)
電話：(061) 2484582 (061) 2481446
電傳：(061) 4525 ERPC BR
參贊：王克敏(公使銜)

中華人民共和國駐巴西聖保羅總領事館商務室

地址：RUA ESTADOS UNIDOS, 1071 JARDIM AMERICA CEP 01427-SAO PAULO-SP BRASIL
電話：853-6951 853-5195
電傳：1139911 CGRH BR
領事：鍾競平

中華人民共和國駐加拿大大使館商務處

地址：511-515 ST. PATRICK STREET OTTAWA ONTARIO, CANADA KIN 5H3
信箱：P.O. BOX 8935
電掛：CHINAEMBA OTTAWA
電話：(613) 234-2718
電傳：053-3770 CHINAEMBA OTT
參贊：齊廣才

中華人民共和國駐加拿大溫哥華總領事館商務室

地址：3380 GRANDVILLE STREET VANCOUVER, B.C. CANADA V6H 3K3
電掛：CHINCONSUL VCR
電話：(604) 736-4021
電傳：04-54659
領事：顏慧民

中華人民共和國駐加拿大多倫多總領事館商務室

地址：240 ST. GEORGE STREET, TORONTO, ONTARIO, CANADA M5R 2P4
電話：(416) 3246455
電傳：06-217601
領事：李　智

中華人民共和國駐智利共和國大使館商務處

地址：AV. DA. PEDRO DE VALDIVIA 1032, SANTIAGO, CHILE.
信箱：CASILLA 3417
電掛：CHINAEMBA SANTIAGODE CHILE
電話：2239988 2232465
電傳：242190 SICOM CL
參贊：朱瑞琪

中華人民共和國駐哥倫比亞大使館商務處

地址：CARRERA 3 NO. 76-99 BOGOTA, COLOMBIA.
電話：2115411
電傳：45387 CHINACO
參贊：王治權

中華人民共和國駐古巴共和國大使館商務參贊處

地址：LA CALLE 13 ENTRE C Y D NO. 551 VEDADO, HABANA, CUBA
電掛：CHITRADE, HABANA
電話：328749
參贊：司修璋

中華人民共和國駐厄瓜多爾共和國大使館經濟商務處

地址：AV. ATAHUALPA NO 349 Y AV. AMAZONAS QUITO ECUADOR
信箱：APARTATO POSTAL: 5143
電話：458128
電傳：2164 ECHINA ED
參贊：邊樹桐

中華人民共和國駐圭亞那共和國大使館經濟商務處

地址：41 LAMAHA GARDENS, DEL AIR, GREATER GE ORGETOWN, GUYANA
電話：67521
電傳：2251 CHINAEMB GY
參贊：陳更生

中華人民共和國駐牙買加大使館經濟商務處

地址：8 SEAVIEW AVE., KINGSTON 10, JAMAICA W. I.
電掛：CHINAEMB JAMAICA
電話：(809) 92-76816
電傳：2202 CHINAEMB JA
參贊：韋振綱

中華人民共和國駐墨西哥合衆國大使館商務處

地址：CALLE PLATON NO. 317 COL. POLANCO, MEXICO, D.F.
信箱：11560 MEXICO, D.F.
電掛：CHINAEMBA MEXICO
電話：520-65-05 520-78-38 540-57-50
電傳：1763515 OCCHME
參贊：翟　文

中華人民共和國駐秘魯共和國大使館商務處

地址：AV. JAVIER PRADO OESTE 2496 MAGDALENA, DEL MAR, LIMA 17, PERU.
信箱：APARTADO NO. 170140
電話：619536 619855
電傳：25625 PE CHISLIMA
參贊：李雅舟

中華人民共和國駐蘇里南共和國大使館經濟商務處

地址：4, EROOSSTRAAT ELISABETHSHOF DISTRICT, PARAMARIBO, SURINAME
信箱：P.O. BOX 8116 PARAMARIBO, SURINAME
電話：50490
電傳：197 CEP 512 SN(呼叫號197)
參贊：陳振志

中華人民共和國駐特立尼達和多巴哥共和國大使館商務處

地址：39 ALEXANDRA STREET, ST. CLAIR, PORT OF SPAIN, TRINIDAD AND TOBAGO
電掛：CHINAEMBA PORT-OF-SPAIN
電話：62-26842 62-26976(使館)
電傳：22393 PRC WG

中華人民共和國駐美利堅合衆國使館商務處

地址：2300 CONNECTICUT AVENUE, N.W. WASHINGTON, D.C. 20008 U.S.A.
電掛：CHINAEMBA WASHINGTON DC
電話：(202) 328-2520　(202) 328-2523
(202) 328-2525
電傳：440673 PRCCUI
備註：節假日請打使館值班室
電話：(202) 328-2500
參贊：王天明(公使銜)
王子訓

中華人民共和國駐美國舊金山領事館商務室

地址：1450 LAGUNA STREET, SAN FRANCISCO, CALIFORNIA 94115, U.S.A.

電話：(415) 563-4858 (415) 563-4874(領館值班)

電傳：4970121 CCSF

領事：李文羣

中華人民共和國駐美國紐約總領事館商務室

地址：520 12TH AVENUE, NEW YORK, N.Y. 10036, U.S.A.

電話：(212) 868-7752(傳達室) (212) 330-7427 (212) 330-7428

電傳：429134 CGCNY

領事：施建新

中華人民共和國駐美國休斯敦總領事館商務室

地址：3417 MONTROSE BOULEVERD, HOUSTON, TEXAS 77006, U.S.A.

電掛：PRCCONSUL HOUSTON

電話：713-524-4064

電傳：762173 CHINCONSUL HOU

領事：王宜軒

中華人民共和國駐美國洛杉磯總領事館商務室

地址：501 SHATTO PLACE, SUITE 300 LOS ANGELES, CA90020 U.S.A.

電話：(213) 380-0587

傳眞：(213) 380-1961

領事：何新浩

中華人民共和國駐美國芝加哥總領事館商務室

地址：104S, MICHIGAN AVENUE, SUITE 1200 CHICAGO, ILL. 60603

電話：(312) 346 0287
346 0288

領事：戴友德

中華人民共和國常駐聯合國代表團

地址：WEST. 66TH STREET NEW YORK, N.Y. 10023

電掛：CHIMISSION NEW YORK

電話：212870-0300 212787-3838

電傳：424465 PRC 423727

參贊：張廣惠(公使銜)

中華人民共和國駐烏拉圭東岸共和國大使館商務處

地址：LEYENDA PATRIA 2880 AP. 101 NONTEVIDEO, URUGUAY

電話：701456

電傳：23328 CHIEMBA UY

中華人民共和國駐委內瑞拉共和國大使館商務處

地址：QUINTA “LA MAJADA”, CALLE SAN PEDRO PRADOS DEL ESTE

信箱：APARTADO: 80520, ZONA POSTAL 1080, CARACAS VENEIUELA

電話：771415/978, 4864

電傳：29590 OCECH VC.

參贊：羅烈城

世界經貿資料

世界主要國家（地區）外匯儲備（一）
（期末數）

金額單位：億美元

國別（地區）＼年份	1970	1980	1982	1983	1984	1985	1986	1987	1988	1989
世界	453.33	3734.17	3144.22	3227.82	3420.39	3825.79	4449.70	6454.22	6636.60	7099.25
日本	31.88	215.67	191.72	203.64	222.83	223.28	376.57	756.57	905.14	779.91
聯邦德國	84.55	444.61	396.20	373.13	350.28	390.25	458.66	728.94	533.23	558.62
美國	6.29	101.34	102.11	62.89	66.56	128.56	173.28	130.89	173.64	445.51
意大利	21.13	216.39	126.11	185.24	190.88	141.09	181.33	278.19	325.00	442.78
西班牙	12.31	113.07	72.23	69.97	114.48	104.90	138.05	292.87	354.01	395.58
英國	12.13	187.47	96.73	87.18	69.71	97.41	148.86	385.56	411.17	319.87E
瑞士	24.01	153.28	149.40	143.55	147.06	174.63	213.34	271.62	240.45	250.70
法國	12.57	253.39	145.94	180.57	191.02	243.19	284.28	296.34	223.59	…
中國	…	22.63	111.35	144.76	167.05	119.13	105.15	152.36	175.48	170.22
新加坡	10.05	64.91	83.51	91.31	102.91	126.86	127.51	149.99	168.62	…
荷蘭	7.71	104.34	86.62	87.02	77.78	91.70	95.82	141.74	145.42	150.27
南朝鮮	5.84	29.12	27.43	22.30	27.23	28.28	33.01	35.67	123.40	149.77
加拿大	30.37	20.09	25.64	27.41	17.41	15.74	23.18	62.18	135.16	141.50
澳大利亞	10.96	13.65	62.86	87.68	70.49	52.50	66.84	81.08	129.89	131.49
挪威	6.42	55.90	62.88	59.30	86.47	131.24	115.46	131.28	121.73	127.50
沙特阿拉伯	5.20	207.47	238.13	174.57	141.88	137.61	71.02	107.86	112.19	112.87
葡萄牙	5.83	7.51	3.91	3.53	4.75	13.44	13.54	32.05	50.83	98.26
比利時	7.80	65.65	28.24	37.76	36.08	39.69	46.30	83.63	83.06	97.60
泰國	7.90	15.52	15.13	15.61	18.90	21.57	27.36	39.06	59.96	94.61

世界主要國家外匯儲備(二)
(期末數)

金額單位：億美元

國別(地區) \ 年份	1970	1980	1982	1983	1984	1985	1986	1987	1988	1989
瑞典	3.97	29.49	30.91	36.53	34.14	52.74	59.21	74.85	77.53	88.85
墨西哥	3.85	26.89	8.28	37.95	72.69	49.06	56.61	117.58	48.85	…
奧地利	8.49	47.67	47.65	38.86	35.86	41.12	55.34	67.73	67.11	79.39
巴西	9.62	50.42	36.41	43.55	115.07	106.04	58.03	62.99	…	…
馬來西亞	5.42	41.14	35.09	35.09	34.70	46.21	56.96	70.55	61.34	…
丹麥	3.75	30.70	19.61	32.82	26.44	50.04	45.55	59.87	102.25	57.82
印度尼西亞	1.56	50.11	25.92	36.38	47.01	48.39	39.19	54.83	49.48	53.58
以色列	4.05	33.07	38.39	36.13	30.60	36.80	46.59	58.76	40.16	52.76
芬蘭	3.35	16.68	13.17	10.70	24.80	34.35	14.18	59.90	58.75	46.36
阿拉伯聯合酋長國	…	18.86	19.38	17.83	20.05	29.08	30.54	43.86	41.41	41.19
委內瑞拉	4.72	56.35	53.86	63.72	77.16	89.37	50.26	45.35	29.75	40.55
愛爾蘭	6.37	26.72	24.32	24.50	21.43	26.98	29.38	44.30	47.25	37.02
利比亞	14.99	128.42	67.08	48.56	32.65	54.65	54.38	52.12	36.99	36.85
哥倫比亞	1.89	45.76	34.89	14.29	13.64	15.95	25.56	29.24	30.94	34.65
印度	6.98	60.43	35.39	43.18	50.34	55.49	54.44	56.04	41.47	31.05
希臘	1.59	12.75	8.00	8.09	8.73	7.85	14.32	25.82	35.23	31.05
智利	3.20	30.38	17.18	20.31	22.92	24.49	23.51	24.63	31.17	…
新西蘭	2.06	3.18	6.34	7.45	17.80	15.89	37.60	32.59	28.25	29.74
科威特	0.96	34.05	53.36	44.25	38.13	46.54	47.13	33.95	13.66	27.65

註：①E爲估計數字。②"…"爲數字不詳。

資料來源：國際貨幣基金組織《國際金融統計年鑑》、《國際金融統計月報》。

對外經濟貿易部國際貿易研究所圖書資料室

世界主要國家黃金儲備(一)
（期末數）

單位：萬盎司

國別＼年份	1970	1980	1982	1983	1984	1985	1986	1987	1988	1989
世　界	105789	95305	94916	94784	94679	94936	94911	94449	94492	93870
美國	31634	26432	26403	26339	26279	26265	26204	26238	26187	26193
聯邦德國	11370	9518	9518	9518	9518	9518	9518	9518	9518	9518
瑞士	7803	8328	8328	8328	8328	8328	8328	8328	8328	8328
法國	10091	8185	8185	8185	8185	8185	8185	8185	8185	…
意大利	8248	6667	6667	6667	6667	6667	6667	6667	6667	6667
荷蘭	5106	4394	4394	4394	4394	4394	4394	4394	4394	4394
比利時	4201	3418	3418	3418	3418	3418	3418	3363	3367	3023
日本	1522	2423	2423	2423	2423	2423	2423	2423	2423	2423
奧地利	2039	2111	2112	2113	2113	2114	2114	2115	2115	2066
英國	3852	1884	1901	1901	1903	1093	1901	1901	1900	1899E
加拿大	2259	2098	2026	2017	2014	2011	1972	1852	1714	1610
葡萄牙	2577	2217	2209	2043	2030	2023	2016	2006	1607	1605
西班牙	1423	1461	1461	1461	1463	1465	1482	1192	1404	1572
中國	…	1280	1270	1270	1270	1270	1270	1270	1270	1270
委內瑞拉	1097	1146	1146	1146	1146	1146	1146	1146	1146	1146
印度	695	859	859	859	874	940	1045	1045	1045	1045
黎巴嫩	821	922	922	922	922	922	922	922	922	922
澳大利亞	683	793	793	793	793	793	793	793	793	793
瑞典	572	607	607	607	607	607	607	607	607	607

世界主要國家黃金儲備(二)

(期末數)

單位：萬盎司

國別 \ 年份	1970	1980	1982	1983	1984	1985	1986	1987	1988	1989
阿爾及利亞	547	558	558	558	558	558	558	558	558	558
沙特阿拉伯	340	457	460	460	460	460	460	460	460	460
阿根廷	399	437	437	437	437	437	437	437	437	…
土耳其	363	377	377	378	380	386	384	383	382	378
利比亞	244	308	358	358	365	360	360	360	360	360
南非	1903	1215	757	779	736	484	482	583	347	308
希臘	333	384	387	388	411	412	331	334	340	340
羅馬尼亞	…	371	355	362	373	382	325	…	…	…
印度尼西亞	11	239	310	310	310	310	310	310	310	310
菲律賓	160	192	187	29	79	148	226	278	284	245
烏拉圭	461	342	286	260	262	262	261	261	261	…
墨西哥	503	206	207	231	242	236	257	254	255	…
科威特	246	254	254	254	254	254	254	254	254	254
泰國	234	249	249	249	249	249	249	248	248	248
馬來西亞	137	232	233	233	233	234	234	235	235	…
巴基斯坦	156	182	185	186	186	190	193	194	195	195
南斯拉夫	146	186	186	186	186	186	187	187	189	190
匈牙利	…	207	65	153	206	233	235	164	159	150
智利	133	170	171	153	153	153	153	153	153	…

註：①E爲估計數字。②"…"爲數字不詳。

資料來源：國際貨幣基金組織《國際金融統計年鑑》、《國際金融統計》。

對外經濟貿易部國際貿易研究所圖書資料室

部分國家(地區)國際儲備[1](一)

(期末數)

金額單位:億特別提款權

國家(地區) \ 年份	1960	1970	1980	1981	1982	1983	1984	1985	1986	1987	1988	1989
所有國家[2]	599.81	931.80	3547.81	3636.00	3614.52	3950.12	4401.22	4384.70	4518.30	5396.88	5746.89	6190.23
工業國家	494.41	707.83	2118.93	2126.93	2140.14	2345.66	2543.86	2578.19	2796.22	3524.89	3811.04	4098.44
日本	19.49	48.40	201.64	250.83	220.01	243.46	278.11	251.73	353.94	579.25	727.27	647.35
美國	193.59	144.87	214.79	255.02	299.18	308.31	335.17	384.12	397.90	336.57	364.71	575.25
聯邦德國	70.33	136.09	414.30	408.92	439.09	440.92	442.82	437.35	456.26	588.46	468.24	495.27
意大利	32.51	53.52	204.66	196.31	151.08	215.37	235.48	165.31	186.74	236.31	281.31	378.84
西班牙	5.41	18.18	98.13	97.94	74.50	75.81	127.09	106.86	125.81	220.35	280.41	321.04
英國	37.19	28.27	168.51	137.57	119.04	114.96	102.97	123.73	157.26	300.70	334.38	271.21
瑞士	23.24	51.32	151.90	149.25	169.30	172.75	185.20	193.17	207.26	222.83	209.00	220.27
法國	22.72	49.60	243.01	219.91	178.50	218.26	242.27	270.71	285.79	261.61	217.13	218.29[3]
荷蘭	18.61	32.41	106.69	95.62	107.23	112.53	109.61	113.54	106.87	128.18	134.83	141.00
加拿大	19.98	46.79	31.19	37.17	34.28	40.16	32.46	29.82	33.48	57.78	120.37	127.81
澳大利亞	7.43	16.93	16.03	17.13	60.53	88.38	78.69	55.28	62.02	64.41	103.83	107.63
挪威	3.08	8.11	47.83	54.14	62.72	63.73	95.96	127.11	102.81	101.05	99.01	105.31
比利時	15.07	28.47	73.30	54.51	47.57	56.99	58.53	56.11	57.24	79.58	81.13	92.50
葡萄牙	6.35	15.04	13.99	12.34	11.79	10.83	12.37	19.78	18.96	30.47	43.72	81.35
瑞典	5.28	7.61	28.93	33.06	33.97	40.65	41.35	54.87	55.68	59.74	65.23	74.87
奧地利	7.16	17.57	48.79	52.79	55.44	50.52	50.70	50.80	57.78	60.49	62.15	72.66
丹麥	2.86	4.84	27.12	22.46	21.11	35.15	31.27	49.99	41.16	71.53	80.57	49.25
芬蘭	2.68	4.53	15.01	13.19	14.20	12.27	28.54	34.81	15.28	45.92	48.01	39.59
愛爾蘭	3.24	6.97	22.55	22.90	23.90	25.34	24.12	26.89	26.58	33.93	37.93	31.00
希臘	2.41	3.10	11.89	10.13	9.16	9.96	11.17	9.35	13.57	20.07	28.08	25.72
新西蘭	2.87	2.58	2.77	5.80	5.77	7.44	18.24	14.54	30.84	22.98	21.08	23.03
冰島	0.12	0.54	1.38	1.99	1.33	1.44	1.32	1.89	2.55	2.21	2.18	2.58

部分國家(地區)國際儲備[①](二)

(期末數)

金額單位：億特別提款權

國家(地區) \ 年份	1960	1970	1980	1981	1982	1983	1984	1985	1986	1987	1988	1989
發展中國家	103.96	233.97	1428.88	1509.07	1474.38	1604.46	1857.35	1806.51	1722.08	1871.99	1935.85	2091.79
非洲	18.27	35.75	156.91	109.95	77.31	74.34	72.27	87.32	74.53	75.49	77.48	84.90
博茨瓦納	…	…	2.69	2.18	2.66	3.78	4.84	7.13	9.79	14.50	16.78	21.29[③]
尼日利亞	3.43	2.22	80.49	33.71	14.86	9.70	15.16	15.42	9.08	8.45	5.08	9.17[④]
阿爾及利亞	2.66	3.39	31.53	33.70	23.91	19.91	16.89	27.62	15.53	13.52	8.64	8.40
南非	2.69	10.12	9.94	8.98	7.05	10.59	5.04	4.56	4.71	6.56	7.01	8.38
突尼斯	0.84	0.60	4.69	4.67	5.56	5.48	4.21	2.18	2.56	3.77	6.75	7.38
摩洛哥	2.06	1.40	3.37	2.22	2.22	1.27	0.74	1.29	1.97	3.14	4.31	3.96
毛里求斯	0.17	0.46	0.72	0.31	0.36	0.18	0.25	0.29	1.13	2.43	3.30	3.96
肯尼亞	…	2.20	3.88	2.01	1.95	3.62	4.00	3.58	3.41	1.83	1.99	2.19
布基納法索	…	0.36	0.54	0.61	0.56	0.82	1.09	1.27	1.91	2.28	2.39	2.00[⑤]
多哥	…	0.35	0.61	1.31	1.52	1.66	2.08	2.70	2.72	2.51	1.73	1.76[⑤]
尼日爾	…	0.19	0.99	0.91	0.27	0.51	0.91	1.25	1.55	1.76	1.73	1.70[⑤]
馬達加斯加	…	0.37	0.07	0.23	0.18	0.28	0.60	0.44	0.94	1.31	1.66	1.63[⑤]
加納	2.78	0.42	1.50	1.36	1.39	1.52	3.23	4.44	4.29	1.47	1.72	1.59[④]
扎伊爾	0.62	1.86	1.70	1.43	0.50	1.12	1.56	1.88	2.36	1.45	1.55	1.56
斯威士蘭	…	…	1.24	0.83	0.69	0.88	0.82	0.76	0.79	0.90	1.04	1.42
贊比亞	…	5.14	0.69	0.56	0.60	0.60	0.55	1.82	0.58	0.77	1.00	1.06[⑤]
津巴布韋	…	0.57	1.80	1.62	1.41	0.93	0.71	1.12	1.06	1.32	1.47	0.88
馬拉維	…	0.29	0.54	0.43	0.21	0.15	0.58	0.41	0.21	0.37	1.09	0.77
中非共和國	…	0.01	0.44	0.60	0.42	0.45	0.54	0.46	0.54	0.69	0.81	0.77[⑤]
布隆迪	…	0.15	0.75	0.53	0.27	0.26	0.21	0.27	0.57	0.43	0.52	0.76
乍得	0.12	0.02	0.04	0.07	0.12	0.27	0.45	0.31	0.13	0.37	0.46	0.73[⑤]
盧旺達	…	0.08	1.46	1.49	1.16	1.06	1.09	1.03	1.33	1.16	0.88	0.54

部分國家(地區)儲備[1](三)

(期末數)

金額單位：億特別提款權

國家(地區) ＼ 年份	1960	1970	1980	1981	1982	1983	1984	1985	1986	1987	1988	1989
喀麥隆	0.19	0.81	1.49	0.74	0.62	1.53	0.56	1.22	0.49	0.46	1.13	0.44[5]
埃塞俄比亞	0.53	0.71	0.74	2.38	1.72	1.28	0.53	1.42	2.12	0.94	0.55	0.40
萊索托	…	…	0.39	0.37	0.43	0.64	0.50	0.40	0.49	0.48	0.42	0.37
坦桑尼亞	…	0.65	0.16	0.16	0.04	0.19	0.27	0.15	0.50	0.22	0.58	0.35[3]
烏干達	…	0.57	0.02	0.26	0.71	1.02	0.69	0.25	0.24	0.38	0.37	…
亞洲[8]	31.00	59.87	309.98	379.65	444.76	559.04	687.14	676.84	813.13	997.01	1121.41	1208.11
新加坡	1.15	10.12	51.49	64.86	76.87	88.49	106.26	116.95	105.78	107.33	126.87	153.35[3]
中國	…	…	24.44	47.90	107.33	147.59	181.61	120.32	98.08	119.38	142.23	141.11
南朝鮮	1.57	6.10	23.04	23.15	25.56	22.52	28.20	26.23	27.25	25.37	91.86	115.88
泰國	3.72	9.05	13.10	15.75	14.81	16.22	20.46	20.81	23.80	29.11	46.17	73.27
馬來西亞	3.56	6.64	35.21	36.02	34.97	36.96	38.80	45.54	50.09	53.23	49.32	55.88[6]
印度尼西亞	3.52	1.60	43.11	44.16	29.59	36.60	49.78	46.37	34.21	40.51	38.60	42.58
印度	6.70	10.07	57.45	43.33	42.13	50.17	62.66	61.74	55.94	49.15	40.06	33.02
菲律賓	1.27	2.51	22.99	18.33	8.70	7.24	6.42	6.12	14.92	7.80	8.45	11.64
巴基斯坦	3.26	1.91	4.52	6.84	9.43	19.49	11.22	8.02	6.47	4.22	3.61	4.64
孟加拉國	…	…	2.37	1.21	1.68	5.03	4.00	3.08	3.36	5.96	7.17	3.84
巴布亞新幾內亞	…	…	3.34	3.43	4.13	4.23	4.46	4.05	3.50	3.10	2.95	2.95
阿富汗	0.50	0.47	3.25	2.69	2.67	2.38	2.67	3.03	2.45	2.31	2.28	2.32[7]
緬甸	1.22	0.94	2.13	2.06	1.03	0.94	0.72	0.40	0.36	0.28	0.66	2.09
斯里蘭卡	1.01	0.43	1.95	2.83	3.21	2.86	5.23	4.13	2.90	1.99	1.67	1.88
尼泊爾	0.19	0.94	1.49	1.79	1.86	1.33	0.89	0.56	0.76	1.31	1.69	1.69
斐濟	…	0.27	1.32	1.16	1.15	1.11	1.20	1.20	1.40	0.93	1.73	1.61
中國台灣省	1.17	6.22	18.39	63.30	78.65	114.71	161.36	207.10	380.55	543.67	553.85	579.29[6]
歐洲	11.78	27.51	80.33	81.40	55.71	68.74	84.93	76.76	78.93	68.20	88.98	129.79

部分國家(地區)國際儲備①(四)

(期末數)

金額單位:億特別提款權

國家(地區) \ 年份	1960	1970	1980	1981	1982	1983	1984	1985	1986	1987	1988	1989
土耳其	2.03	4.31	9.76	9.29	11.11	13.62	14.29	10.96	12.88	13.86	18.76	37.70
南斯拉夫	0.13	1.40	11.50	14.37	7.68	9.98	12.47	10.62	12.59	5.57	17.74	32.14
波蘭	…	…	1.27	2.55	6.03	7.47	11.45	8.09	5.87	10.70	15.44	17.78
匈牙利	…	…	17.11	14.78	10.68	15.48	22.24	29.21	25.85	16.59	14.43	13.85④
馬耳他	0.59	1.58	7.91	9.39	9.99	10.79	10.27	9.15	9.53	10.13	10.30	14.95③
塞浦路斯	0.27	2.09	3.05	3.82	4.90	5.12	5.68	5.58	6.31	6.32	7.06	8.35③
羅馬尼亞	…	…	3.83	4.72	5.32	6.28	8.54	3.15	5.90	…	…	…
中東	14.69	46.10	565.56	598.18	640.94	622.54	597.22	586.28	479.14	458.97	416.66	422.45
沙特阿拉伯	1.85	6.62	185.36	278.55	269.48	262.24	254.09	229.24	151.41	161.51	154.34	129.05
以色列	2.13	4.49	26.70	30.46	35.18	35.23	31.58	33.86	38.45	41.78	30.20	40.50
利比亞	0.82	15.90	103.72	78.60	65.25	51.10	38.35	55.01	49.93	42.41	33.37	34.23
阿拉伯聯合酋長國	…	…	16.00	27.75	20.37	20.08	23.62	29.46	27.84	33.59	33.23	34.19
科威特	0.72	2.03	31.69	35.83	54.49	50.48	47.72	50.69	45.86	30.08	15.18	24.49
伊朗	1.83	2.08	81.88	15.91	53.76	…	…	…	…	…	…	…
埃及	2.64	1.59	9.05	7.00	7.18	8.22	8.36	8.06	7.63	10.57	10.24	11.76③
阿曼	…	0.12	4.63	6.49	8.01	7.38	9.28	10.03	8.01	9.98	7.93	10.41
黎巴嫩	1.38	3.85	15.68	16.26	26.87	21.40	10.08	13.00	7.22	5.82	10.49	10.37
巴林	…	0.71	7.53	13.32	13.97	13.68	13.34	15.16	12.23	8.15	9.35	8.04
卡塔爾	…	0.37	2.86	3.39	3.82	4.04	4.30	4.44	5.01	4.65	3.83	4.67④
約旦	0.46	2.56	9.32	9.71	8.39	8.25	5.62	4.22	3.95	3.34	1.07	3.84
也門	…	…	10.06	8.26	5.02	3.50	3.25	2.70	3.53	3.80	2.12	2.12
叙利亞	0.28	0.55	2.93	2.80	2.09	0.79	3.03	1.05	1.47	1.86	…	…
民主也門	…	0.59	1.85	2.20	2.61	2.70	2.55	1.71	1.14	0.70	0.61	0.42④
拉丁美洲	28.22	54.73	316.11	339.88	255.66	279.80	415.80	379.32	276.35	272.33	231.33	246.53

部分國家(地區)國際儲備[1](五)

(期末數)

金額單位：億特別提款權

國家(地區) \ 年份	1960	1970	1980	1981	1982	1983	1984	1985	1986	1987	1988	1989
墨西哥	4.42	7.44	23.93	35.79	8.28	38.18	75.04	45.49	47.25	88.75	40.12	53.69⑥
巴西	3.45	11.87	45.89	57.50	35.66	41.79	117.92	97.63	48.29	45.25	…	…
委內瑞拉	6.09	10.21	55.79	74.15	63.65	77.01	94.82	97.33	56.64	46.04	26.98	35.26
哥倫比亞	1.70	2.06	38.85	41.91	36.34	19.63	14.39	15.17	22.74	21.99	24.52	27.73
智利	1.11	3.89	25.08	28.20	17.05	19.99	24.03	22.84	19.76	18.18	24.02	26.41⑥
阿根廷	5.25	6.72	54.21	29.61	24.25	12.73	14.21	31.33	23.75	12.93	26.52	9.04④
哥斯達黎加	0.13	0.16	1.17	1.14	2.07	3.00	4.14	4.63	4.30	3.47	4.97	5.65
烏拉圭	1.88	1.75	4.21	4.88	2.05	2.89	2.29	2.50	4.85	4.65	4.87	4.31
秘魯	0.76	3.36	16.01	10.79	12.72	13.53	17.12	17.45	12.25	5.08	4.40	7.52
厄瓜多爾	0.41	0.74	8.09	5.58	2.90	6.30	6.38	6.68	5.41	3.61	3.10	4.26
巴拉圭	0.01	0.18	5.99	6.93	6.71	6.51	6.81	4.87	3.66	3.52	2.42	3.51⑥
危地馬拉	0.54	0.78	3.67	1.47	1.20	2.19	2.98	2.92	3.14	2.21	1.68	2.52
玻利維亞	0.07	0.46	1.10	1.15	1.72	1.85	2.89	2.13	1.65	1.00	1.10	2.25⑤
薩爾瓦多	0.33	0.63	0.79	0.80	1.16	1.69	1.86	1.80	1.55	1.48	1.37	2.19
荷屬安的列斯羣島	…	0.45	0.93	1.35	1.89	1.76	1.40	1.79	2.15	1.72	2.15	1.89⑤
特立尼達和多巴哥	0.24	0.43	21.82	28.78	27.94	20.12	13.86	10.29	3.90	1.34	0.95	1.89
多米尼加	0.26	0.32	1.63	1.98	1.20	1.66	2.59	3.10	3.08	1.29	1.89	1.25
尼加拉瓜	0.12	0.49	0.51	0.96	1.56	1.71	…	…	…	…	…	…
巴哈馬	…	0.22	0.72	0.86	1.03	1.17	1.64	1.66	1.89	1.20	1.28	1.12
牙買加	0.69	1.39	0.82	0.73	0.99	0.60	0.99	1.47	0.80	1.23	1.09	0.92③
巴巴多斯	…	0.17	0.62	0.87	1.10	1.18	1.35	1.27	1.24	1.03	1.01	0.84

註：①包括黃金、外匯、特別提款權和在基金組織的儲備頭寸。②國際貨幣基金組織會員國。③11月。④6月。⑤9月。⑥10月。⑦3月。⑧從1981年起亞洲統計包括台灣省。

資料來源：國際貨幣基金組織《國際金融統計年鑑》、《國際金融統計》。

對外經濟貿易部國際貿易研究所圖書資料室

世界主要出口商品結構(一)

金額單位：億美元

商品類別 \ 項目 \ 年份	1981 金額	1981 佔總額%	1982 金額	1982 佔總額%	1983 金額	1983 佔總額%	1984 金額	1984 佔總額%	1985 金額	1985 佔總額%	1986 金額	1986 佔總額%	1987 金額	1987 佔總額%	1988 金額	1988 佔總額%
出口總額	19709.0	100.0	18509.0	100.0	18126.0	100.0	19125.0	100.0	19669.0	100.0	21661.0	100.0	25327.0	100.0	28823.0	100.0
									(13091.5)	(66.5)	(15217.0)	(70.3)	(17771.5)	(70.2)	(20331.5)	(70.5)
初級產品	8457.5	42.9	7630.5	41.2	7165.0	39.5	7269.0	38.0	6970.5	35.4	6349.5	29.3	7120.5	28.1		
									(3140.5)	(16.0)	(3116.0)	(14.4)	(3564.5)	(14.1)	(4039.5)	(14.0)
食品	2258.5	11.5	2101.5	11.4	2057.5	11.4	2140.0	11.2	2044.0	10.4	2267.5	10.5	2521.0	10.0		
									(1248.0)	(6.3)	(1422.5)	(6.6)	(1649.0)	(6.5)	(1897.0)	(6.6)
原料	693.0	3.5	627.0	3.4	632.5	3.5	680.5	3.6	633.0	3.2	705.0	3.3	885.0	3.5		
									(406.5)	(2.1)	(459.5)	(2.1)	(581.5)	(2.3)	(680.0)	(2.4)
礦石	373.5	1.9	321.0	1.7	309.5	1.7	337.0	1.8	370.0	1.9	374.5	1.7	404.0	1.6		
									(214.0)	(1.1)	(213.5)	(1.0)	(232.0)	(0.9)	(306.5)	(1.1)
燃料	4741.5	24.1	4241.0	22.9	3784.0	20.9	3719.5	19.4	3560.5	18.1	2613.5	12.1	2842.5	11.2		
									(1014.0)	(5.2)	(739.0)	(3.4)	(762.0)	(3.0)	(705.5)	(2.4)
有色金屬	391.0	2.0	340.5	1.8	381.5	2.1	392.0	2.0	363.0	1.8	389.0	1.8	468.0	1.8		
									(258.0)	(1.3)	(281.5)	(1.3)	(340.0)	(1.3)	(450.5)	(1.6)
工業製成品	10944.5	55.5	10586.5	57.2	10646.0	58.7	11485.0	60.1	12023.0	61.1	14487.5	66.9	17318.5	68.4		
									(9489.0)	(48.2)	(11536.5)	(53.3)	(13613.0)	(53.7)	(15683.5)	(54.4)
鋼鐵	732.0	3.7	703.5	3.8	626.5	3.5	674.0	3.5	711.0	3.6	757.0	3.5	816.5	3.2		
									(550.5)	(2.8)	(581.0)	(2.7)	(634.0)	(2.5)	(760.5)	(2.6)
化工產品	1463.5	7.4	1421.0	7.7	1476.0	8.1	1587.5	8.3	1529.5	7.8	1803.0	8.3	2164.5	8.5		
									(1283.0)	(6.5)	(1529.0)	(7.1)	(1851.5)	(7.3)	(2153.5)	(7.5)

世界主要出口商品結構(二)

金額單位：億美元

年份 / 項目 / 商品類別	1981		1982		1983		1984		1985		1986		1987		1988	
	金額	佔總額%	金額	佔總額%	金額	佔總額%	金額	佔總額%	金額	佔總額%	金額	佔總額%	金額	佔總額%	金額	佔總額%
其他半成品	838.0	4.3	773.0	4.2	785.0	4.3	836.5	4.4	1251.5	6.4	1534.0	7.1	1856.0	7.3		
									(1002.0)	(5.1)	(1230.5)	(5.7)	(1474.5)	(5.8)	(1706.5)	(5.9)
機械與運輸設備									6130.5	31.2	7381.5	34.1	8747.5	34.5		
									(5057.0)	(25.7)	(6182.5)	(28.5)	(7248.0)	(28.6)	(8383.5)	(29.1)
機電產品	6105.0	31.0	5947.0	32.1	6009.5	33.2	6478.5	33.9								
各種工業專用機械	1583.0	8.0	1476.0	8.0	1372.0	7.6	1400.5	7.3								
辦公和電信設備	637.0	3.2	673.5	3.6	792.5	4.4	981.0	5.1								
汽車	1306.5	6.6	1275.5	6.9	1320.0	7.3	1451.0	7.6								
其他機械和運輸設備	2059.5	10.4	2055.0	11.1	2037.0	11.2	2102.0	11.0								
家用電器	518.5	2.6	466.5	2.5	488.0	2.7	544.0	2.8								
紡織品	549.0	2.8	506.0	2.7	510.5	2.8	539.0	2.8	549.5	2.8	673.5	3.1	825.0	3.3		
									(357.0)	(1.8)	(437.5)	(2.0)	(511.5)	(2.0)	(542.0)	(1.9)
服裝	427.0	2.2	421.0	2.3	422.5	2.3	481.5	2.5	488.0	2.5	625.0	2.9	809.0	3.2		
									(210.5)	(1.1)	(281.0)	(1.3)	(349.5)	(1.4)	(367.5)	(1.3)
其他消費品	830.5	4.2	815.0	4.4	816.0	4.5	888.0	4.6	1363.0	6.9	1713.5	7.9	2100.0	8.3		
									(1029.0)	(5.2)	(1295.0)	(6.0)	(1544.0)	(6.1)	(1770.0)	(6.1)

註：()爲發達國家。

資料來源：關稅及貿易總協定《國際貿易》。

對外經濟貿易部國際貿易研究所圖書資料室

世界部分國家(地區)貿易額(一)

國別(地區) \ 年份 / 金額	1983			1984			1985			1986		
	總額	出口	進口	總額	出口	進口	總額	出口	進口	總額	出口	進口
世　界	36820.84	18070.52	18750.32	38881.73	19032.83	19848.90	39557.51	19272.39	20285.12	43406.84	21259.56	22147.28
發達的市場經濟國家	23802.74	11482.26	12320.48	25583.18	12204.07	13379.11	26528.97	12663.36	13865.61	30296.18	14782.79	15513.39
發展中的市場經濟國家	9052.86	4567.20	4485.66	9248.47	4775.43	4473.04	8745.26	4558.82	4186.44	8385.50	4197.70	4187.80
石油輸出國組織	3156.55	1796.74	1359.81	2866.15	1678.34	1187.81	2544.68	1527.71	1016.97	2083.10	1120.62	962.48
最不發達國家	229.93	70.93	159.00	237.26	77.58	159.68	221.86	68.51	153.35	236.80	72.25	161.55
中央計劃經濟國家	3965.25	2021.07	1944.18	4050.08	2053.33	1996.75	4283.30	2050.22	2233.08	4725.20	2279.09	2446.11
美洲	7897.36	3752.37	4144.99	9084.05	4111.37	4972.68	9215.04	4026.68	5188.36	9322.93	3936.95	5385.98
美國①②	4704.16	2005.38	2608.78	5590.65	2178.88	3411.77	5747.72	2131.46	3616.26	6094.53	2271.58	3822.95
加拿大③	1348.57	735.14	613.43	1604.34	867.29	737.05	1638.92	874.79	764.13	1678.24	867.25	810.99
墨西哥①	313.18	223.12	90.06	359.84	241.96	117.88	354.26	216.64	137.62	279.49	160.31	119.18
巴西	387.00	218.99	168.01	422.15	270.05	152.10	399.71	256.39	143.32	364.21	223.76	140.45
委內瑞拉③	228.53	150.02	78.51	212.11	143.37	68.74	229.20	155.02	74.18	186.52	100.52	86.00
阿根廷	123.36	78.35	45.01	126.92	81.07	45.85	122.10	83.96	38.14	115.76	68.52	47.24
智利	68.05	38.36	29.69	71.38	36.57	34.81	68.30	38.23	30.07	73.79	42.22	31.57
古巴	136.43	64.32	72.11	143.80	62.13	81.67	152.48	65.01	87.47	154.71	62.98	91.73
哥倫比亞	80.49	30.81	49.68	79.75	34.83	44.92	76.82	35.51	41.31	85.66	51.02	34.64
秘魯	51.74	30.27	21.47	50.01	31.31	18.70	42.93	27.05	15.88	46.30	24.67	21.63
厄瓜多爾	36.68	22.03	14.65	42.97	25.81	17.16	44.54	27.80	16.74	40.38	21.71	18.67
烏拉圭	18.33	10.45	7.88	17.01	9.25	7.76	15.62	8.54	7.08	19.58	10.88	8.70
特立尼達和多巴哥	49.27	23.47	25.80	40.92	21.73	19.19	37.26	21.98	15.28	27.06	13.76	13.30
哥斯達黎加	18.54	8.66	9.88	20.63	9.78	10.85	20.87	9.89	10.98	21.56	10.26	11.30
多米尼加③	20.64	7.85	12.79	21.25	8.68	12.57	19.97	7.50	12.47	21.50	7.18	14.32
牙買加	22.62	7.32	15.30	18.51	7.05	11.46	16.74	5.64	11.10	15.61	5.89	9.72
巴拉圭③	7.90	2.84	5.06	9.49	3.86	5.63	11.22	4.03	7.19	10.08	2.75	7.33
玻利維亞	13.97	8.18	5.79	12.71	7.82	4.89	13.66	6.73	6.93	13.14	6.40	6.74
薩爾瓦多	16.26	7.35	8.91	19.21	6.07	13.14	16.40	6.79	9.61	15.98	7.13	8.85
巴拿馬	17.17	3.04	14.13	16.86	2.56	14.30	16.98	3.06	13.92	16.02	3.27	12.75
海地	5.94	1.54	4.40	6.51	1.79	4.72	6.16	1.74	4.42	5.25	1.70	3.55
危地馬拉	22.94	11.59	11.35	24.14	11.36	12.78	21.96	10.21	11.75	12.87	6.68	6.19
巴巴多斯	9.82	3.57	6.25	10.50	3.91	6.59	9.59	3.52	6.07	8.62	2.75	5.87
伯利茲	1.90	0.78	1.12	2.23	0.93	1.30	2.01	0.87	1.14	1.99	0.91	1.08
巴哈馬	85.86	39.70	46.16	74.91	33.93	40.98	57.07	26.29	30.78	59.91	27.02	32.89
荷屬安的列斯羣島	89.36	44.09	45.27	77.65	37.33	40.32	39.35	16.79	22.56	20.36	9.24	11.12
洪都拉斯	14.93	6.70	8.23	17.00	7.46	9.54	16.68	7.80	8.88	17.29	8.54	8.75
格陵蘭	4.45	1.80	2.65	4.48	1.72	2.76	4.67	1.72	2.95	6.25	2.60	3.65
蘇里南	7.89	3.49	4.40	7.56	3.64	3.92	6.67	3.29	3.38	4.85	2.41	2.44
尼加拉瓜	12.36	4.29	8.07	12.11	3.85	8.26	12.66	3.02	9.64	11.04	2.47	8.57
圭亞那	4.19	1.89	2.30	4.62	2.10	2.52	4.62	2.07	2.55	…	2.31	…
馬提尼克	8.50	1.15	7.35	7.52	1.05	6.47	8.28	1.45	6.83	10.88	2.09	8.79
歐洲	17895.96	8814.94	9081.02	18134.11	8974.42	9159.69	18976.65	9390.33	9586.32	22475.60	11263.08	11212.52

金額單位：億美元

1987			1988			1989			1989比1988增減%		
總額	出口	進口	總額	出口	進口	總額	出口	進口	總額	出口	進口
50731.16	24895.71	25835.45	57758.48	28321.59	29436.89	62950.00	30900.00	32050.00	+9.0	+9.1	+8.9
35701.25	17320.16	18381.09	40638.18	19817.93	20820.25	…	…	…	…	…	…
9897.16	5025.35	4871.81	11489.29	5760.29	5729.00	…	…	…	…	…	…
2203.38	1209.66	993.72	2280.93	1229.52	1051.41	…	…	…	…	…	…
249.54	85.47	164.07	258.61	85.23	173.38	…	…	…	…	…	…
2667.55	1302.98	1364.57	5631.03	2743.38	2887.65	…	…	…	…	…	…
10321.71	4369.32	5952.39	11939.27	5355.30	6583.97	…	…	…	…	…	…
6785.64	2541.22	4244.42	7813.37	3218.43	4594.94	8564.00	3644.00	4920.00	+9.6	+13.2	+7.1
1819.80	944.02	875.78	2205.99	1128.63	1077.36	2401.00	1201.00	1200.00	+8.8	+6.4	+11.4
334.17	206.56	127.61	396.12	206.58	189.54	709.00	364.00	345.00	+79.0	+76.2	+82.0
412.86	262.25	150.61	483.91	337.87	146.04	…	344.00	…	…	+1.8	…
163.42	84.02	79.40	216.27	101.66	114.61	…	…	…	…	…	…
121.78	63.60	58.18	144.59	91.37	53.22	…	…	…	…	…	…
91.25	51.02	40.23	119.72	70.48	49.24	…	…	…	…	…	…
130.13	54.01	76.12	130.97	55.18	75.79	…	…	…	…	…	…
85.49	46.42	39.07	94.37	48.73	45.64	…	…	…	…	…	…
54.51	26.26	28.25	52.28	26.72	25.56	…	…	…	…	…	…
40.41	19.89	20.52	38.79	21.65	17.14	…	…	…	…	…	…
23.31	11.89	11.42	25.82	14.05	11.77	…	…	…	…	…	…
26.81	14.62	12.19	25.27	14.04	11.23	…	…	…	…	…	…
25.28	11.48	13.80	25.93	11.84	14.09	…	…	…	…	…	…
25.02	7.20	17.82	27.40	8.92	18.48	…	…	…	…	…	…
19.43	7.05	12.38	22.54	8.21	14.33	…	…	…	…	…	…
9.69	3.79	5.90	11.62	6.07	5.55	…	…	…	…	…	…
13.36	5.69	7.67	11.92	5.97	5.95	…	…	…	…	…	…
15.85	5.91	9.94	16.15	5.66	10.49	…	…	…	…	…	…
16.23	3.17	13.06	10.75	2.80	7.95	…	…	…	…	…	…
5.27	1.53	3.74	5.44	2.00	3.44	…	…	…	…	…	…
10.11	4.19	5.92	…	…	5.95	…	…	…	…	…	…
6.71	1.56	5.15	7.52	1.73	5.79	…	…	…	…	…	…
2.42	0.99	1.43	2.98	1.20	1.78	…	…	…	…	…	…
57.78	25.45	32.33	…	…	…	…	…	…	…	…	…
28.10	13.08	15.02	…	…	…	…	…	…	…	…	…
16.85	7.82	9.03	…	…	…	…	…	…	…	…	…
8.53	3.46	5.07	…	…	…	…	…	…	…	…	…
5.95	3.01	2.94	…	…	…	…	…	…	…	…	…
12.23	3.00	9.23	…	…	…	…	…	…	…	…	…
…	2.43	…	…	…	…	…	…	…	…	…	…
13.12	1.93	11.19	…	…	…	…	…	…	…	…	…
26726.19	13340.24	13385.95	29674.81	14684.57	14990.24	…	…	…	…	…	…

世界部分國家(地區)貿易額(二)

國別(地區) \ 年份 金額	1983			1984			1985			1986		
	總額	出口	進口	總額	出口	進口	總額	出口	進口	總額	出口	進口
聯邦德國	3223.24	1694.25	1528.99	3210.30	1697.84	1512.46	3425.58	1840.09	1585.49	4341.55	2433.03	1908.5
法國	1966.26	912.31	1053.95	1971.07	932.15	1038.92	2054.45	976.33	1078.12	2475.57	1193.40	1282.1
英國	1921.74	919.39	1002.35	2004.63	945.02	1059.61	2106.01	1013.32	1092.69	2333.49	1069.81	1263.6
意大利	1530.48	726.81	803.67	1575.10	733.03	842.07	1699.51	789.57	909.94	1977.72	978.35	999.3
蘇聯[3]	1717.55	913.43	804.12	1723.32	916.52	806.80	1704.21	872.81	831.40	1861.18	972.47	888.7
荷蘭	1273.15	656.78	616.37	1280.17	658.81	621.36	1335.00	682.82	652.18	1561.48	805.65	755.8
比利時、盧森堡	1072.53	519.39	553.14	1070.82	517.79	553.03	1099.70	537.60	562.10	1375.43	688.76	686.6
瑞典	535.86	274.66	261.20	557.94	293.78	264.16	590.73	304.90	285.83	699.08	372.30	326.7
瑞士	547.14	255.95	291.19	553.32	258.63	294.69	581.73	274.51	307.22	789.52	376.74	412.7
西班牙	489.95	197.94	292.01	524.54	235.87	288.67	561.07	251.12	309.95	621.23	271.74	349.4
奥地利	347.92	154.28	193.64	353.72	157.41	196.31	381.63	172.26	209.37	493.65	225.22	268.4
民主德國[3]	453.17	237.93	215.24	477.76	248.36	229.40	487.01	252.68	234.33	551.43	277.29	274.1
丹麥[5]	323.23	160.47	162.76	325.44	159.59	165.85	341.62	164.54	177.08	440.12	212.01	228.1
捷克斯洛伐克[3]	328.01	164.77	163.24	342.76	171.96	170.80	351.68	175.41	176.27	415.11	204.56	210.5
挪威	308.66	176.28	132.38	327.81	188.92	138.89	355.51	199.91	155.60	384.03	180.97	203.0
芬蘭	253.75	125.19	128.56	259.48	135.05	124.43	268.50	136.17	132.33	316.65	163.40	153.2
愛爾蘭	178.09	86.20	91.89	192.92	96.29	96.63	203.86	103.62	100.24	257.68	131.58	126.1
保加利亞[3]	244.13	121.30	122.83	255.64	128.50	127.14	270.04	133.48	136.56	294.41	141.92	152.4
波蘭[3]	221.62	115.72	105.90	223.88	117.50	106.38	222.79	114.88	107.91	231.44	120.74	110.7
南斯拉夫	220.67	99.13	121.54	222.10	102.54	119.56	228.06	106.42	121.64	220.48	102.98	117.5
葡萄牙	128.40	45.99	82.41	131.86	52.08	79.78	135.03	57.11	77.92	169.09	72.45	96.6
匈牙利	171.99	86.96	85.03	166.54	85.63	80.91	167.70	85.42	82.28	187.96	91.83	96.1
希臘	139.30	44.12	95.18	142.45	48.11	94.34	146.81	45.42	101.39	169.64	56.50	113.1
冰島	15.65	7.49	8.16	15.79	7.40	8.39	17.18	8.14	9.04	22.11	10.96	11.1
馬耳他	10.96	3.63	7.33	11.11	3.94	7.17	11.57	3.99	7.58	13.84	4.97	8.8
羅馬尼亞[3]	232.00	132.41	99.59	183.00	107.35	75.65	199.11	112.33	86.78	231.33	125.43	105.9
非洲	**1484.79**	**690.51**	**794.28**	**1475.28**	**709.55**	**765.73**	**1413.90**	**703.09**	**710.81**	**1305.86**	**563.05**	**742.8**
南非[3][6]	242.00	96.72	145.28	242.90	93.34	149.56	196.45	93.26	103.19	228.41	108.61	119.8
阿爾及利亞	215.74	111.77	103.97	221.75	118.86	102.89	199.90	101.49	98.41	170.65	78.31	92.3
埃及	134.89	32.15	102.74	139.06	31.40	107.66	136.76	37.14	99.62	144.36	29.34	115.0
摩洛哥	56.61	20.62	35.99	60.79	21.72	39.07	60.14	21.65	38.49	67.09	26.40	40.6
蘇丹	19.78	6.24	13.54	17.76	6.29	11.47	11.24	3.67	7.57	12.94	3.33	9.6
突尼斯	49.74	18.72	31.02	50.15	17.97	32.18	42.24	16.27	25.97	46.61	17.60	29.0
喀麥隆	21.56	9.39	12.17	19.88	8.82	11.06	18.73	7.22	11.51	24.86	7.81	17.0
剛果	17.54	10.66	6.88	18.83	12.65	6.18	17.43	11.45	5.98	12.01	6.73	5.2
科特迪瓦	38.75	20.67	18.08	42.09	26.98	15.11	46.81	29.39	17.42	54.08	33.54	20.5
加納	10.45	5.03	5.42	11.42	5.62	5.80	13.48	6.17	7.31	16.45	8.62	7.8
利比里亞	8.40	4.28	4.12	8.15	4.52	3.63	7.20	4.36	2.84	6.67	4.08	2.5
馬里	5.18	1.65	3.53	5.83	2.08	3.75	6.29	1.72	4.57	7.02	2.06	4.9
毛里塔尼亞	5.32	3.05	2.27	5.10	2.97	2.13	6.08	3.74	2.34	5.70	3.49	2.2
尼日利亞	197.24	106.62	90.62	178.88	120.20	58.68	193.18	131.13	62.05	99.28	58.99	40.2
塞內加爾	15.82	5.43	10.39	15.44	5.34	10.10	13.66	5.54	8.12	15.81	6.20	9.6

金額單位：億美元

1987			1988			1989			1989比1988增減%		
總額	出口	進口	總額	出口	進口	總額	出口	進口	總額	出口	進口
5222.47	2940.45	2282.02	5737.20	3232.77	2504.43	6112.00	3414.00	2698.00	+6.5	+5.6	+7.7
3013.11	1433.91	1579.20	3405.06	1629.88	1775.18	3680.00	1770.00	1910.00	+8.1	+8.6	+7.6
2856.02	1312.10	1543.92	3346.22	1451.51	1894.71	3533.00	1527.00	2006.00	+5.6	+5.2	+5.9
2415.62	1165.75	1249.87	2657.79	1271.14	1386.65	2935.00	1406.00	1529.00	+10.4	+10.6	+10.3
2039.35	1078.74	960.61	2177.88	1105.59	1072.29	2197.00	1083.00	1114.00	+0.9	−2.0	+3.9
1841.90	928.76	913.14	2033.61	1035.61	998.00	2114.00	1070.00	1044.00	+4.0	+3.3	+4.6
1663.59	831.09	832.50	1853.64	927.86	925.78	1940.00	975.00	965.00	+4.7	+5.1	+4.2
858.94	448.34	410.60	958.56	500.09	458.47	998.00	518.00	480.00	+4.1	+3.6	+4.7
966.57	457.42	509.15	1078.39	510.07	568.32	1098.00	516.00	582.00	+1.8	+1.2	+2.4
831.05	341.60	489.45	1006.43	400.67	605.76	1147.00	430.00	717.00	+14.0	+7.3	+18.4
598.50	271.71	326.79	676.96	310.88	366.08	709.00	322.00	387.00	+4.7	+3.6	+5.7
586.56	298.70	287.86	633.35	322.06	311.29	560.00	287.00	273.00	−11.6	−10.9	−12.3
510.49	256.15	254.34	543.93	278.79	265.14	549.00	280.00	269.00	+0.9	+0.4	+1.5
463.00	230.16	232.84	491.97	249.46	242.51	…	…	248.00	…	…	+2.3
441.31	214.91	226.40	457.33	225.11	232.22	…	…	…	…	…	…
384.82	195.60	189.22	439.94	221.51	218.43	…	…	248.00	…	…	+13.5
295.95	159.73	136.22	343.06	187.38	155.68	…	…	…	…	…	…
321.16	159.05	162.11	338.05	172.23	165.82	…	…	…	…	…	…
228.00	122.05	105.95	261.96	139.56	122.40	…	…	…	…	…	…
240.28	114.25	126.03	257.51	125.97	131.54	…	…	…	…	…	…
232.88	93.21	139.67	263.81	105.26	158.55	…	…	…	…	…	…
194.35	95.77	98.58	193.37	99.71	93.66	…	…	…	…	…	…
195.91	65.35	130.56	…	…	…	…	…	…	…	…	…
29.65	13.76	15.89	29.98	14.24	15.74	…	…	…	…	…	…
17.42	6.04	11.38	…	7.14	13.54	…	…	…	…	…	…
…	…	…	…	…	…	…	…	…	…	…	…
1472.39	658.33	814.06	1604.98	679.93	925.05	…	…	…	…	…	…
268.18	127.18	141.00	304.26	130.61	173.65	…	…	…	…	…	…
152.15	81.86	70.29	…	…	…	…	…	…	…	…	…
205.78	43.52	162.26	291.47	58.49	232.98	…	…	…	…	…	…
70.57	28.27	42.30	83.75	36.03	47.72	…	…	…	…	…	…
14.33	5.04	9.29	…	…	…	…	…	…	…	…	…
52.18	21.71	30.47	60.83	23.95	36.88	…	…	…	…	…	…
25.78	8.29	17.49	21.95	9.24	12.71	…	…	…	…	…	…
…	…	5.29	…	…	5.64	…	…	…	…	…	…
53.51	31.10	22.41	…	…	…	…	…	…	…	…	…
18.28	9.09	9.19	…	…	…	…	…	…	…	…	…
6.90	3.82	3.08	…	…	…	…	…	…	…	…	…
7.53	2.60	4.93	…	…	…	…	…	…	…	…	…
6.63	4.28	2.35	…	…	…	…	…	…	…	…	…
113.00	73.83	39.17	…	…	…	…	…	…	…	…	…
16.29	6.06	10.23	…	…	…	…	…	…	…	…	…

世界部分國家(地區)貿易額(三)

國別(地區) \ 年份 / 金額	1983			1984			1985			1986		
	總額	出口	進口	總額	出口	進口	總額	出口	進口	總額	出口	進口
塞拉利昂	2.58	0.92	1.66	3.14	1.48	1.66	2.60	1.06	1.54	2.97	1.45	1.5
多哥	4.46	1.62	2.84	4.62	1.91	2.71	4.78	1.90	2.88	5.16	2.04	3.1
布隆迪	2.63	0.80	1.83	2.84	0.98	1.86	2.97	1.11	1.86	3.74	1.69	2.0
乍得	2.61	1.04	1.57	3.95	1.66	2.29	3.28	0.88	2.40	3.87	0.99	2.8
埃塞俄比亞	12.78	4.02	8.76	13.60	4.17	9.43	13.27	3.38	9.89	15.74	4.77	10.9
肯尼亞	23.41	9.83	13.58	26.34	10.83	15.51	23.95	9.58	14.37	28.13	12.00	16.1
馬達加斯加	6.83	2.96	3.87	6.99	3.33	3.66	6.76	2.74	4.02	6.57	3.04	3.5
烏拉維	5.40	2.29	3.11	5.78	3.09	2.69	5.40	2.53	2.87	5.03	2.45	2.5
毛里求斯	7.96	3.61	4.35	8.45	3.73	4.72	9.64	4.35	5.29	13.59	6.75	6.8
留尼汪	9.24	0.87	8.37	8.68	0.77	7.91	9.38	0.97	8.41	12.68	1.30	11.3
盧旺達	3.48	0.79	2.69	3.78	0.83	2.95	3.92	0.98	2.94	4.70	1.18	3.5
坦桑尼亞	11.88	3.66	8.22	12.67	3.78	8.89	13.15	2.84	10.31	11.26	3.46	7.8
扎伊爾	16.32	11.34	4.98	16.63	10.04	6.59	15.88	5.91	9.97	19.76	10.92	8.8
贊比亞[3]	15.28	8.25	7.03	12.63	6.55	6.08	12.35	5.43	6.92	10.06	4.03	6.0
津巴布韋[3]	21.80	11.28	10.52	21.07	11.48	9.59	20.06	11.09	8.97	22.86	13.01	9.8
亞洲	8991.53	4554.96	4436.57	9554.23	4945.81	4608.42	9313.21	4860.96	4452.25	9658.08	5208.35	4449.
日本	2730.60	1466.68	1263.92	3066.29	1701.07	1365.22	3051.63	1756.83	1294.80	3355.61	2091.53	1264.
香港	459.60	219.51	240.09	568.84	283.17	285.67	596.06	300.39	295.67	708.04	354.39	353.
台灣省	454.10	251.23	202.87	524.15	304.56	219.59	508.28	307.26	201.02	639.14	397.49	241.
南朝鮮[7]	506.37	244.45	261.92	598.76	292.45	306.31	614.19	302.83	311.36	662.98	347.14	315.
中國	434.74	211.50	213.24	510.54	248.71	261.83	698.34	273.43	424.91	742.17	301.64	431.
新加坡[8]	499.91	218.33	281.58	528.20	241.08	287.12	490.98	228.13	262.85	480.07	224.95	255.
沙特阿拉伯	850.41	458.35	392.06	705.30	368.34	336.96	511.03	274.80	236.23	391.96	200.87	191.
馬來西亞	273.72	141.07	132.65	304.69	164.52	140.17	283.66	157.64	126.02	247.05	138.74	108.
印度尼西亞	374.98	211.46	163.52	357.70	218.88	138.82	288.46	185.87	102.59	255.23	148.05	107.
泰國	166.55	63.68	102.87	178.11	74.13	103.98	163.66	71.22	92.44	178.91	87.53	91.
印度	221.47	87.13	134.34	254.13	98.74	155.39	243.35	87.50	155.85	242.80	91.87	150.
土耳其	150.42	56.94	93.48	179.08	70.86	108.22	193.07	79.13	113.94	185.89	73.98	111.
以色列	132.64	48.94	83.70	142.15	58.04	84.11	141.01	60.80	80.21	161.93	68.46	93.
菲律賓	129.85	50.05	79.80	113.73	53.22	60.51	98.05	45.44	52.61	102.36	48.42	53.
巴基斯坦	84.15	30.74	53.41	84.87	26.14	58.73	86.11	27.19	58.92	86.79	33.06	53.
阿曼	67.40	42.48	24.92	71.70	44.22	27.48	81.25	49.72	31.53	52.26	28.42	23.
巴林[9]	65.41	31.99	33.42	66.60	31.36	35.24	60.04	28.97	31.07	47.52	23.44	24.
澳門	15.01	7.67	7.34	17.11	9.13	7.98	16.79	9.03	7.76	19.32	10.43	8.
斯里蘭卡	28.53	10.66	17.87	32.99	14.54	18.45	30.65	11.91	18.74	28.92	10.99	17.
孟加拉國	22.77	6.90	15.87	29.76	9.34	20.42	30.97	9.27	21.70	29.69	9.55	20.
叙利亞	64.65	19.23	45.42	59.69	18.53	41.16	56.04	16.37	39.67	40.53	13.25	27.
約旦	36.09	5.79	30.30	35.36	7.52	27.84	34.94	8.38	26.56	30.79	6.47	24.
塞浦路斯[10]	17.13	4.94	12.19	19.39	5.75	13.64	17.23	4.76	12.47	17.85	5.06	12.
阿富汗	17.93	7.29	10.64	20.23	6.33	13.90	17.51	5.57	11.94	19.56	5.52	14.
尼泊爾	5.57	0.93	4.64	5.44	1.27	4.17	6.24	1.61	4.63	6.05	1.41	4.

金額單位：億美元

1987			1988			1989			1989比1988增減%		
總額	出口	進口	總額	出口	進口	總額	出口	進口	總額	出口	進口
2.69	1.32	1.37	2.62	1.10	1.52	…	…	…	…	…	…
6.68	2.44	4.24	7.29	2.42	4.87	…	…	…	…	…	…
3.02	0.90	2.12	3.33	1.29	2.04	…	…	…	…	…	…
4.77	1.11	3.66	5.60	1.41	4.19	…	…	…	…	…	…
14.60	3.58	11.02	…	…	…	…	…	…	…	…	…
27.17	9.61	17.56	30.64	10.71	19.93	…	…	…	…	…	…
6.34	3.32	3.02	6.36	2.74	3.62	…	…	…	…	…	…
5.72	2.76	2.96	7.06	2.91	4.15	…	…	…	…	…	…
19.14	9.01	10.13	22.52	9.94	12.58	…	…	…	…	…	…
16.13	1.48	14.65	13.84	1.78	12.06	…	…	…	…	…	…
4.87	1.30	3.57	4.90	1.05	3.85	…	…	…	…	…	…
11.03	2.91	8.12	10.99	2.76	8.23	…	…	…	…	…	…
17.26	9.70	7.56	18.84	11.20	7.64	…	…	…	…	…	…
16.12	8.73	7.39	19.76	11.41	8.35	…	…	…	…	…	…
24.65	14.19	10.46	…	…	…	…	…	…	…	…	…
11473.86	6188.24	5285.62	13654.90	7182.66	6472.24	…	…	…	…	…	…
3787.39	2292.24	1495.15	4523.02	2649.59	1873.43	4860.00	2752.00	2108.00	+7.5	+3.9	+12.5
969.35	484.73	484.62	1270.59	631.63	638.96	1456.00	733.00	723.00	+14.6	+16.0	+13.2
885.69	536.12	349.57	1102.41	605.85	496.56	1185.00	662.00	523.00	+7.5	+9.3	+5.3
883.01	472.81	410.20	1125.07	606.96	518.11	1238.00	623.00	615.00	+10.0	+2.6	+18.7
829.35	395.42	433.93	1030.11	476.50	553.61	1116.00	525.00	591.00	+8.3	+10.2	+6.8
612.45	286.86	325.59	831.67	393.05	438.62	945.00	447.00	498.00	+13.6	+13.7	+13.5
427.00	225.90	201.10	455.21	237.37	217.84	…	284.00	…	…	+19.6	…
306.34	179.35	126.99	373.56	207.71	165.85	…	…	…	…	…	…
295.06	171.36	123.70	328.68	194.76	133.92	…	…	…	…	…	…
243.95	115.46	128.49	346.57	155.79	190.78	…	…	…	…	…	…
283.50	115.96	167.54	322.85	132.12	190.73	…	…	…	…	…	…
242.76	101.27	141.49	259.83	116.55	143.28	…	…	…	…	…	…
203.91	84.75	119.16	216.51	91.45	125.06	…	…	…	…	…	…
123.76	55.65	68.11	157.66	70.35	87.31	…	…	…	…	…	…
99.15	40.90	58.25	110.87	44.97	65.90	…	…	…	…	…	…
55.99	37.76	18.23	…	26.25	…	…	…	…	…	…	…
51.01	23.84	27.17	49.06	22.24	26.82	…	…	…	…	…	…
25.15	13.95	11.20	27.89	14.96	12.93	…	…	…	…	…	…
33.31	13.02	20.29	36.93	14.66	22.27	…	…	…	…	…	…
36.13	11.94	24.19	40.76	13.47	27.29	…	…	…	…	…	…
38.31	13.50	24.81	35.76	13.45	22.31	…	…	…	…	…	…
34.37	7.34	27.03	37.91	10.30	27.61	…	…	…	…	…	…
21.05	6.21	14.84	25.70	7.11	18.59	…	…	…	…	…	…
12.05	5.04	7.01	12.31	4.66	7.65	…	…	…	…	…	…
7.52	1.56	5.96	8.82	1.94	6.88	…	…	…	…	…	…

世界部分國家(地區)貿易額(四)

國別(地區) \ 年份 / 金額	1983			1984			1985			1986		
	總額	出口	進口	總額	出口	進口	總額	出口	進口	總額	出口	進口
緬甸	6.46	3.78	2.68	6.19	3.80	2.39	6.13	3.30	2.83	6.03	2.99	3.[illegible]
科威特	189.49	115.74	73.75	191.76	122.75	69.01	165.94	104.79	61.15	129.50	72.21	57.[illegible]
文萊	41.14	33.86	7.28	38.30	32.04	6.26	35.87	29.72	6.15	24.00	17.47	6.[illegible]
伊朗	385.43	202.47	182.96	…	132.23	…	…	123.78	…	…	…	[illegible]
卡塔爾	47.53	32.97	14.56	56.75	45.13	11.62	46.80	35.41	11.39	…	…	10.[illegible]
伊拉克	164.21	97.85	66.36	…	…	…	…	…	…	…	…	[illegible]
大洋洲	**554.54**	**265.31**	**289.23**	**634.92**	**297.29**	**337.63**	**640.60**	**296.67**	**343.93**	**644.37**	**294.30**	**350.[illegible]**
澳大利亞[3]	400.80	206.87	193.93	474.22	239.98	234.24	463.33	228.83	234.50	466.05	224.96	241.[illegible]
新西蘭	106.17	52.84	53.33	113.68	53.58	60.10	118.16	57.36	60.80	120.79	59.44	61.[illegible]
巴布亞新幾內亞[3]	17.95	8.13	9.82	18.25	8.74	9.51	18.24	8.91	9.33	19.81	10.49	9.[illegible]
新喀里多尼亞	4.58	1.54	3.04	5.18	2.07	3.11	6.19	2.71	3.48	6.49	1.91	4.[illegible]
斐濟	7.24	2.40	4.84	7.06	2.56	4.50	6.78	2.36	4.42	6.86	2.64	4.[illegible]
法屬波利尼西亞	5.67	0.34	5.33	5.71	0.32	5.39	5.90	0.41	5.49	7.77	0.41	7.[illegible]
瓦努阿圖	0.92	0.29	0.63	1.13	0.44	0.69	1.02	0.31	0.71	0.74	0.17	0.[illegible]
薩摩亞	0.75	0.19	0.56	0.69	0.19	0.50	0.66	0.15	0.51	0.60	0.12	0.[illegible]
所羅門羣島	1.22	0.61	0.61	1.59	0.93	0.66	1.39	0.70	0.69	1.30	0.67	0.[illegible]

註：①包括美屬維爾京羣島和波多黎各的貿易，但不包括美國其他屬地(關島、薩摩亞等)。

②1977年起包括非貨幣黃金。

③進口爲離岸價。

④出口額包括匯率調整的商品值計算，但不包括來自海關保稅倉庫和自由貿易區的商品。從1979年起，不包括白銀。

⑤1983年起始爲總貿易額。

⑥不包括黃金出口。

⑦包括外援物資的進口。

⑧包括經由馬來西亞半島的轉口貿易。

⑨1979年起爲特別貿易。

⑩不包括軍需物資的進口。

⑪“…”爲數字不詳。

資料來源：聯合國《統計月報》。

台灣省《統計月報》。

關稅及貿易總協定《秘書處報告》。

金額單位：億美元

1987			1988			1989			1989比1988增減%		
總額	出口	進口	總額	出口	進口	總額	出口	進口	總額	出口	進口
4.88	2.19	2.69	3.82	1.38	2.44	…	…	…	…	…	…
136.56	83.57	52.99	…	…	…	…	…	…	…	…	…
…	…	…	…	…	…	…	…	…	…	…	…
…	…	…	…	…	…	…	…	…	…	…	…
…	…	11.61	…	…	…	…	…	…	…	…	…
…	…	…	…	…	…	…	…	…	…	…	…
738.31	**346.36**	**391.95**	**892.32**	**429.77**	**462.55**	…	…	…	…	…	…
534.35	264.55	269.80	659.79	327.34	332.45	800.00	373.00	427.00	+21.3	+13.9	+28.4
143.98	71.89	72.09	161.11	88.06	73.05	…	…	…	…	…	…
23.16	12.56	10.60	25.99	13.99	12.00	…	…	…	…	…	…
8.51	2.25	6.26	10.80	4.65	6.15	…	…	…	…	…	…
6.86	3.07	3.79	7.97	3.43	4.54	…	…	…	…	…	…
9.10	0.83	8.27	8.83	0.75	8.08	…	…	…	…	…	…
0.88	0.18	0.70	0.91	0.20	0.71	…	…	…	…	…	…
0.74	0.12	0.62	0.90	0.15	0.75	…	…	…	…	…	…
1.43	0.64	0.79	…	…	…	…	…	…	…	…	…

對外經濟貿易部國際貿易研究所圖書資料室

世界主要國家（地區）出口額佔世界出口總額的比重和位次（一）

年份 / 類別 / 國別(地區)	1980			1983			1984			1985		
	出口	比重(%)	位次	出口	比重(%)	位次	出口	比重(%)	位次	出口	比重(%)	位次
世界	19905.7	100.0		18070.5	100.0		19032.8	100.0		19272.4	100.0	
美國[1][2]	2207.9	11.1	1	2005.4	11.1	1	2178.9	11.4	1	2131.5	11.1	1
聯邦德國	1929.3	9.7	2	1694.3	9.4	2	1697.8	8.9	3	1840.1	9.5	2
日本	1298.1	6.5	3	1466.7	8.1	3	1701.1	8.9	2	1756.8	9.1	3
法國	1111.1	5.6	4	912.3	5.0	6	932.2	4.9	5	976.3	5.1	5
英國	1101.4	5.5	5	919.4	5.1	4	945.0	5.0	4	1013.3	5.3	4
意大利	776.6	3.9	7	726.8	4.0	8	733.0	3.9	8	789.6	4.1	8
加拿大	651.2	3.3	10	735.1	4.1	7	867.3	4.6	7	874.8	4.5	6
蘇聯	764.5	3.8	8	913.4	5.1	5	916.5	4.8	6	872.8	4.5	7
荷蘭	739.5	3.7	9	656.8	3.6	9	658.8	3.5	9	682.8	3.5	9
比利時、盧森堡	646.6	3.2	11	519.4	2.9	10	517.8	2.7	10	537.6	2.8	10
香港	197.2	1.0	24	219.5	1.2	19	283.2	1.5	15	300.4	1.6	14
台灣省	198.1	1.0	23	251.2	1.4	14	304.6	1.6	12	307.2	1.6	11
南朝鮮	175.1	0.9	28	244.5	1.4	15	292.5	1.5	14	302.8	1.6	13
中國	182.7	0.9	27	221.5	1.2	18	248.7	1.3	18	273.4	1.4	17
瑞典	309.7	1.6	12	274.7	1.5	12	293.8	1.5	13	304.9	1.6	12
瑞士	296.3	1.5	13	256.0	1.4	13	258.6	1.4	17	274.5	1.4	16
新加坡	193.8	1.0	25	218.3	1.2	21	241.1	1.3	21	228.1	1.2	22
西班牙	207.2	1.0	18	197.9	1.1	25	235.9	1.2	23	251.1	1.3	20
澳大利亞	220.3	1.1	16	206.9	1.1	23	240.0	1.3	22	228.8	1.2	21
墨西哥[3]	153.0	0.8	34	223.1	1.2	17	242.0	1.3	20	216.6	1.1	23
巴西	201.3	1.0	20	219.0	1.2	20	270.1	1.4	16	256.4	1.3	18
奧地利	174.9	0.9	29	154.3	0.9	29	157.4	0.8	29	172.3	0.9	27
民主德國	173.1	0.9	30	237.9	1.3	16	248.4	1.3	19	252.7	1.3	19
沙特阿拉伯	1091.1	5.5	6	458.4	2.5	11	368.3	1.9	11	274.8	1.4	15
丹麥	172.0	0.9	31	160.5	0.9	28	159.6	0.8	28	164.5	0.9	28
捷克斯洛伐克	148.9	0.7	35	164.8	0.9	27	172.0	0.9	26	175.4	0.9	26
挪威	185.5	0.9	26	176.3	1.0	26	188.9	1.0	25	199.9	1.0	24
芬蘭	141.5	0.7	37	125.2	0.7	34	135.1	0.7	32	136.2	0.7	31
馬來西亞	143.5	0.7	36	141.1	0.8	32	164.5	0.9	27	157.6	0.8	29
印度尼西亞	239.5	1.2	15	211.5	1.2	22	218.9	1.2	24	185.9	1.0	25
愛爾蘭	84.0	0.4	44	86.2	0.5	46	96.3	0.5	43	103.6	0.5	41
保加利亞	103.7	0.5	42	121.3	0.7	36	128.5	0.7	34	133.5	0.7	32
泰國	65.1	0.3	47	63.7	0.4	49	74.1	0.4	47	71.2	0.4	48
波蘭	170.0	0.9	32	115.7	0.6	38	117.5	0.6	38	114.9	0.6	37

金額單位：億美元

1986			1987			1988			1989		
出口	比重（%）	位次	出口	比重（%）	位次	出口	比重（%）	位次	出口	比重（%）	位次
21259.6	100.0		24895.7	100.0		28321.6	100.0		30900.0		
2271.6	10.7	2	2541.2	10.2	2	3218.4	11.4	2	3644.0	11.8	1
2433.0	11.4	1	2940.5	11.8	1	3232.8	11.4	1	3414.0	11.0	2
2091.5	9.8	3	2292.2	9.2	3	2649.6	9.4	3	2752.0	8.9	3
1193.4	5.6	4	1433.9	5.8	4	1629.9	5.8	4	1770.0	5.7	4
1069.8	5.0	5	1312.1	5.3	5	1451.5	5.1	5	1527.0	4.9	5
978.4	4.6	6	1165.8	4.7	6	1271.1	4.5	6	1406.0	4.6	6
867.3	4.1	8	944.0	3.8	8	1128.6	4.0	7	1201.0	3.9	7
972.5	4.6	7	1078.7	4.3	7	1105.6	3.9	8	1083.0	3.5	8
805.7	3.8	9	928.8	3.7	9	1035.6	3.7	9	1070.0	3.5	9
688.8	3.2	10	831.1	3.3	10	927.9	3.3	10	975.0	3.2	10
354.4	1.7	14	484.7	1.9	12	631.6	2.2	11	733.0	2.4	11
397.9	1.9	11	535.4	2.2	11	605.9	2.1	13	662.0	2.1	12
347.1	1.6	15	472.8	1.9	13	607.0	2.1	12	623.0	2.0	13
310.6	1.5	16	395.4	1.6	16	476.5	1.7	16	525.0	1.7	14
372.3	1.8	13	448.3	1.8	15	500.1	1.8	15	518.0	1.7	15
376.7	1.8	12	457.4	1.8	14	510.1	1.8	14	516.0	1.7	16
225.0	1.1	21	286.9	1.2	19	393.1	1.4	18	447.0	1.4	17
271.7	1.3	18	341.6	1.4	17	400.7	1.4	17	430.0	1.4	18
225.0	1.1	20	264.6	1.1	21	327.3	1.2	20	373.0	1.2	19
160.3	0.8	28	206.6	0.8	27	206.6	0.7	29	364.0	1.2	20
223.8	1.1	22	262.3	1.1	22	337.9	1.2	19	344.0	1.1	21
225.2	1.1	19	271.7	1.1	20	310.9	1.1	22	322.0	1.0	22
277.3	1.3	17	298.7	1.2	18	322.1	1.1	21	287.0	0.9	23
200.9	0.9	25	225.9	0.9	25	237.4	0.8	25	284.0	0.9	24
212.0	1.0	23	256.2	1.0	23	278.8	1.0	23	280.0	0.9	25
204.6	1.0	24	230.2	0.9	24	249.5	0.9	24	…		
181.0	0.9	26	214.9	0.9	26	225.1	0.8	26	…		
163.4	0.8	27	195.6	0.8	28	221.5	0.8	27	…		
138.7	0.7	32	179.4	0.7	29	207.7	0.7	28	…		
148.1	0.7	30	171.4	0.7	30	194.8	0.7	30	…		
131.6	0.6	33	159.7	0.6	31	187.4	0.7	31	…		
141.9	0.7	31	159.1	0.6	32	172.2	0.6	32	…		
87.5	0.4	41	115.5	0.5	36	155.8	0.6	33	…		
120.7	0.6	35	122.1	0.5	34	139.6	0.5	34	…		

世界主要國家(地區)出口額佔世界出口總額的比重和位次(二)

國別(地區) \ 類別 \ 年份	1980			1983			1984			1985		
	出口	比重(%)	位次	出口	比重(%)	位次	出口	比重(%)	位次	出口	比重(%)	位次
印度	83.8	0.4	45	87.1	0.5	44	98.7	0.5	42	87.5	0.5	44
南非[①]	125.5	0.6	39	96.7	0.5	43	93.3	0.5	44	93.3	0.5	43
南斯拉夫	107.7	0.5	41	99.1	0.5	41	102.5	0.5	41	106.4	0.6	39
土耳其	29.1	0.1	65	56.9	0.3	50	70.9	0.4	48	79.1	0.4	47
葡萄牙	46.3	0.2	57	46.0	0.3	54	52.1	0.3	53	57.1	0.3	52
委內瑞拉	199.2	1.0	21	150.0	0.8	30	143.4	0.8	30	155.0	0.8	30
匈牙利	86.8	0.4	43	87.0	0.5	45	85.6	0.4	45	85.4	0.4	45
以色列	52.9	0.3	52	48.9	0.3	53	58.0	0.3	50	60.8	0.3	50
阿根廷	80.2	0.4	46	78.4	0.4	47	81.1	0.4	46	84.0	0.4	46
新西蘭	54.2	0.3	51	52.8	0.3	51	53.6	0.3	51	57.4	0.3	51
智利	46.7	0.2	56	38.4	0.2	59	36.6	0.2	57	38.2	0.2	56
菲律賓	57.9	0.3	48	50.1	0.3	52	53.2	0.3	52	45.4	0.2	54
埃及	30.5	0.2	64	32.2	0.2	62	31.4	0.2	61	37.1	0.2	57
古巴	55.8	0.3	50	64.3	0.4	48	62.1	0.3	49	65.0	0.3	49
哥倫比亞	39.5	0.2	60	30.8	0.2	64	34.8	0.2	58	35.5	0.2	58
巴基斯坦	25.9	0.1	66	30.7	0.2	65	26.1	0.1	65	27.2	0.1	64
阿曼	37.5	0.2	62	42.5	0.2	57	44.2	0.2	55	49.7	0.3	53
科威特	198.5	1.0	22	115.7	0.6	37	122.8	0.6	35	104.8	0.5	40
阿爾及利亞	156.2	0.8	33	111.8	0.6	39	118.9	0.6	37	101.5	0.5	42
尼日利亞	250.0	1.3	14	106.6	0.6	40	120.2	0.6	36	131.1	0.7	34
希臘	51.4	0.3	54	44.1	0.2	55	48.1	0.3	54	45.4	0.2	55
科特迪瓦	31.4	0.2	63	20.7	0.1	70	27.0	0.1	64	29.4	0.2	61
巴哈馬	50.1	0.3	55	39.7	0.2	58	33.9	0.2	59	26.3	0.1	66
荷屬安的列斯羣島	51.6	0.3	53	44.1	0.2	56	37.3	0.2	56	16.8	0.1	70
阿拉伯聯合酋長國	206.8	1.0	19	146.0	0.8	31	138.2	0.7	31	131.2	0.7	33
羅馬尼亞	114.0	0.6	40	132.4	0.7	33	107.4	0.6	40	112.3	0.6	38
伊朗	141.1	0.7	38	202.5	1.1	24	132.2	0.7	33	123.8	0.6	35
利比亞	219.2	1.1	17	122.2	0.7	35	111.5	0.6	39	123.1	0.6	36

註①包括美屬維爾京羣島和波多黎各的貿易，但不包括美國其他屬地(關島、薩摩亞羣島)。

②1977年以前，不包括非貨幣黃金。

③出口額包括按調整後的匯率計算的商品值。但不包括海關保稅倉庫和自由貿易區的商品。從1979年起，貿易額不包括白銀。

④不包括黃金出口。

⑤"…"爲數字不詳。

資料來源：聯合國《統計月報》；台灣省《統計月報》；關稅及貿易總協定《秘書處報告》。

金額單位：億美元

1986			1987			1988			1989		
出口	比重（%）	位次	出口	比重（%）	位次	出口	比重（%）	位次	出口	比重（%）	位次
91.9	0.4	39	116.0	0.5	35	132.1	0.5	35	…		
108.6	0.5	36	127.2	0.5	33	130.6	0.5	36	…		
103.0	0.5	37	114.3	0.5	37	126.0	0.4	37	…		
74.0	0.3	43	101.3	0.4	38	116.6	0.4	38	…		
72.5	0.3	44	93.2	0.4	40	105.3	0.4	39	…		
100.5	0.5	38	84.0	0.3	42	101.7	0.4	40	…		
91.8	0.4	40	95.8	0.4	39	99.7	0.4	41	…		
68.5	0.3	47	84.8	0.3	41	91.5	0.3	42	…		
68.5	0.3	46	63.6	0.3	48	91.4	0.3	43	…		
59.4	0.3	49	71.9	0.3	46	88.1	0.3	44	…		
42.2	0.2	54	51.0	0.2	51	70.5	0.2	45	…		
48.4	0.3	53	55.7	0.2	49	70.4	0.2	46	…		
29.3	0.1	57	43.5	0.2	53	58.5	0.2	47	…		
63.0	0.3	48	54.0	0.2	50	55.2	0.2	48	…		
51.0	0.2	52	46.4	0.2	52	48.7	0.2	49	…		
33.1	0.2	56	40.9	0.2	54	45.0	0.2	50	…		
28.4	0.1	58	37.8	0.2	55	26.3	0.1	51	…		
72.2	0.3	45	83.6	0.3	43	…			…		
78.3	0.4	42	81.9	0.3	44	…			…		
59.0	0.3	50	73.8	0.3	45	…			…		
56.5	0.3	51	65.4	0.3	47	…			…		
33.5	0.2	55	31.1	0.1	57	…			…		
27.0	0.1	59	25.5	0.1	59	…			…		
9.2		76	13.1	0.1	70	…			…		
158.4	0.7	29	…			…			…		
125.4	0.6	34	…			…			…		
…			…			…			…		
…			…			…			…		

對外經濟貿易部國際貿易研究所圖書資料室

世界貿易額及增減率*

年份	貿易額(億美元)			增減率(%)		
	出口額	進口額	總額	出口額	進口額	總額
1950	563.00	590.00	1153.00	—	—	—
1955	843.00	892.00	1735.00	+49.7	+51.2	+50.5
1960	1131.00	1194.00	2325.00	+34.2	+33.9	+34.0
1961	1183.00	1245.00	2428.00	+4.6	+4.3	+4.4
1962	1241.00	1321.00	2562.00	+4.9	+6.1	+5.5
1963	1354.00	1435.00	2789.00	+9.1	+8.6	+8.9
1964	1610.00	1522.00	3132.00	+18.9	+6.1	+12.3
1965	1743.00	1643.00	3386.00	+8.3	+8.0	+8.1
1966	1808.00	1921.00	3729.00	+3.7	+16.9	+10.1
1967	1898.00	2015.00	3913.00	+5.0	+4.9	+4.9
1968	2124.00	2248.00	4372.00	+11.9	+11.6	+11.7
1969	2435.00	2565.00	5000.00	+14.6	+14.1	+14.4
1970	3145.81	3289.21	6435.02	—	—	—
1971	3885.33	3665.27	7550.60	+23.5	+11.4	+17.3
1972	4340.21	4155.34	8495.55	+11.7	+13.4	+12.5
1973	5729.67	5999.35	11729.02	+32.0	+44.4	+38.1
1974	8417.57	8607.16	17024.73	+46.9	+43.5	+45.2
1975	8745.99	9045.12	17791.11	+3.9	+5.1	+4.5
1976	9896.30	10137.12	20033.42	+13.2	+12.1	12.6
1977	11269.56	11630.94	22900.50	+13.9	+14.7	+14.3
1978	12973.90	13471.33	26445.23	+15.1	+15.8	+15.5
1979	16439.77	16921.54	33361.31	+26.7	+25.6	+26.2
1980	19905.68	20497.80	40403.48	+21.1	+21.1	+21.1
1981	19718.01	20369.82	40087.83	−0.9	−0.6	−0.8
1982	18334.73	19019.00	37353.73	−7.0	−6.6	−6.8
1983	18070.52	18750.32	36820.84	−1.4	−1.4	−1.4
1984	19032.83	19848.90	38881.73	+5.3	+5.9	+5.6
1985	19272.39	20285.12	39557.51	+1.3	+2.2	+1.7
1986	21259.56	22147.28	43406.84	+10.3	+9.2	+9.7
1987	24895.71	25835.45	50731.16	+17.1	+16.7	+16.9
1988	28321.59	29436.89	57758.48	+13.8	+13.9	+13.9
1989	30900.00	32050.00	62950.00	+9.1	+8.9	+9.0

註：*1970年以前不包括中央計劃經濟國家。

資料來源：聯合國《統計月報》。

關稅及貿易總協定《秘書處報告》。

對外經濟貿易部國際貿易研究所圖書資料室

部分國家（地區）出口總值佔國內生產總值的比重(%)(一)

國別(地區) \ 年份	1970	1980	1982	1983	1984	1985	1986	1987	1988
美國	4.3	8.2	6.9	6.1	6.0	5.5	5.4	5.7	6.7
聯邦德國	18.6	23.7	26.8	25.8	27.8	29.3	27.3	26.2	26.9
日本	9.5	12.2	12.8	12.5	13.5	13.3	10.7	9.5	9.3②
英國	15.7	20.5	20.0	20.0	21.9	22.1	19.3	19.6	17.6
法國	12.8	17.5	17.5	18.0	19.5	19.3	17.2	16.8	17.6
蘇聯①		10.9	12.3	12.7	13.3	12.8	11.9	…	…
沙特阿拉伯	52.4	94.1	21.3	25.5	27.3	30.1	25.9	32.5	…
意大利	13.1	17.1	18.2	17.5	17.7	18.4	16.1	14.7	15.5
加拿大	19.7	25.6	23.5	23.3	26.3	26.0	24.7	23.8	24.2
荷蘭	34.8	43.6	47.9	48.4	52.4	53.8	45.4	43.4	45.4
比利時	45.3	53.6	60.1	62.8	66.0	65.4	60.0	58.2	59.8
瑞典	20.4	24.9	26.8	29.8	30.8	30.3	28.5	28.0	27.3
瑞士	24.4	29.2	26.9	26.4	28.3	29.2	27.5	26.5	27.5
印度尼西亞	12.0	30.2	23.6	26.1	25.8	21.8	19.8	24.6	23.5
台灣省	25.2	47.8	45.8	48.5	52.1	50.2	53.5	53.8	…
澳大利亞	12.9	14.8	12.9	12.1	13.1	14.5	13.7	13.7	13.3
南朝鮮	9.5	28.0	30.2	31.1	34.2	34.9	35.3	39.0	…
中國①	2.9	7.4	10.0	9.5	11.5	13.7	13.1	25.1	…
墨西哥	3.9	8.4	13.1	15.4	14.2	12.5	13.0	24.5	…

部分國家（地區）出口總值佔國內生產總值的比重(%)(二)

國別(地區) \ 年份	1970	1980	1982	1983	1984	1985	1986	1987	1988
香港[2]		71.6	68.4	77.4	89.0	90.2	93.6	…	…
新加坡	81.9	165.2	136.1	125.6	128.2	128.9	128.4	143.9	164.5
西班牙	6.5	9.8	11.5	12.8	15.0	14.7	11.8	11.7	11.8
巴西	5.2	8.2	6.9	9.8	12.7	10.6	8.3	8.6	9.6
伊朗	25.8	14.4	15.4	12.5	7.7	8.1	…	…	…
挪威	22.0	32.2	31.3	32.7	34.0	34.1	26.0	26.0	24.2
阿拉伯聯合酋長國		69.8	56.6	53.8	49.9	48.5	74.3	…	…
委內瑞拉	22.3	32.5	24.3	22.4	23.7	20.2	15.9	17.0	15.9
尼日利亞	15.8	28.5	14.4	12.0	13.0	14.0	11.4	27.5	…
奧地利	19.8	22.7	23.5	23.1	24.6	26.1	23.9	23.0	…
捷克斯洛伐克[1]		16.6	19.4	20.6	21.4	21.8	21.7	…	…
丹麥	21.2	25.6	27.6	28.6	29.3	29.0	25.7	25.3	25.9
利比亞	59.2	61.6	46.7	38.5	43.5	44.9	28.3	…	…
芬蘭	21.2	27.4	25.7	25.5	26.1	25.0	23.0	22.2	…
馬來西亞	42.5	52.8	44.9	46.9	48.6	49.4	50.2	56.0	61.0
波蘭		25.0	17.2	15.3	15.6	16.3	16.3	19.1	20.3
南斯拉夫	13.3	14.4	18.0	23.1	24.1	24.6	15.8	…	…
科威特	58.9	69.4	50.8	55.0	56.9	53.3	42.1	42.8	35.4
羅馬尼亞		32.5	23.2	25.2	31.9	23.9	22.1	…	…

註：①淨物質產值。②國民生產總值。③“…”爲數字不詳。

資料來源：國際貨币基金組織《國際金融統計》(月刊和年刊)；
聯合國《統計月報》；
台灣省《統計月報》。

對外經濟貿易部國際貿易研究所圖書資料室

發展中國家資金總流入淨額〔註〕

金額單位：億美元（當年價格）

類別＼年份	1980	1981	1982	1983	1984	1985	1986	1987	1988	佔資金總流入% 1980	佔資金總流入% 1985	佔資金總流入% 1988
Ⅰ.官方發展資金	456	456	443	424	477	490	561	617	657	35.5	58.5	64.7
1.官方發展援助	378	369	340	339	350	374	443	484	513	29.5	44.6	50.5
其中：雙邊援助	300	290	264	263	272	289	348	383	400	23.4	34.5	39.4
多邊援助	78	79	76	76	78	85	95	101	113	6.1	10.1	11.1
2.其他官方發展資金	78	87	103	85	127	116	118	133	144	6.1	13.8	14.2
其中：雙方撥款	30	30	37	13	45	37	40	66	80	2.3	4.4	7,9
多邊撥款	48	57	66	72	82	79	78	67	64	3.7	9.4	6.3
Ⅱ.出口信貸總額	165	176	137	46	62	40	−6	−7	30	12.9	4.8	2.9
1.發展援助委員會成員國	154	162	127	39	52	34	−8	−10	26	12.0	4.1	2.6
其中：短期信貸	18	29	30	−35	3	32	30	41	36			
2.其他國家	11	14	10	7	10	6	2	3	4	0.9	0.7	0.4
Ⅲ.私人資金流入	662	745	583	481	317	308	282	356	329	51.6	36.8	32.4
1.直接投資（經合組織成員國）	112	172	128	93	113	66	113	202	190	38.7	7.9	18.7
2.國際銀行貸款	490	520	376	347	164	136	50	56	47	38.2	16.2	4.6
其中：短期貸款	260	220	150	−250	−60	120	−40	50	…			
3.債券貸款總額	16	15	50	12	3	48	33	10	16	1.2	5.7	1.6
4.其他私人資金	20	18	6	6	11	29	53	55	40	1.6	3.5	3.9
5.非政府組織損贈	24	20	23	23	26	29	33	33	36	1.9	3.5	3.5
資金總流入淨額（Ⅰ＋Ⅱ＋Ⅲ）	1283	1377	1163	951	856	838	837	966	1016	100.0	100.0	100.0

註：不包括台灣。流入的資金來自各種渠道，即：包括發展援助委員會，經互會，阿拉伯和其他欠發達國家捐助國。

資料來源：經濟合作與發展組織《1989年發展合作評論》

對外經濟貿易部國際經濟合作研究所

發展援助委員會成員國向發展中國家和國際多邊機構提供的官方發展援助淨交付額

金額單位：億美元

年份／項目／國別	1977～1979平均*		1980		1984		1985		1986		1987		1988	
	金額	佔國民生產總值%	金額	佔國民生產總值%	金額	佔國民生產總值%	金額	佔國民生產總值%	金額	佔國民生產總值%	金額	佔國民生產總值%	金額	佔國民生產總值%
澳大利亞	5.39	0.50	6.67	0.48	7.77	0.45	7.49	0.48	7.52	0.47	6.27	0.34	11.01	0.47
奥地利	1.31	0.23	1.78	0.23	1.81	0.28	2.48	0.38	1.98	0.21	2.01	0.17	3.02	0.24
比利時	5.17	0.54	5.95	0.50	4.46	0.58	4.40	0.55	5.47	0.48	6.87	0.48	5.97	0.40
加拿大	10.36	0.50	10.75	0.43	16.25	0.50	16.31	0.49	16.95	0.48	18.85	0.47	23.42	0.49
丹麥	3.69	0.67	4.81	0.74	4.49	0.85	4.40	0.80	6.95	0.89	8.59	0.88	9.22	0.89
芬蘭	0.65	0.18	1.10	0.22	1.78	0.35	2.11	0.40	3.13	0.45	4.33	0.49	6.08	0.59
法國	28.07	0.59	41.62	0.63	37.88	0.77	39.95	0.78	51.05	0.70	65.25	0.74	68.65	0.72
聯邦德國	24.86	0.39	35.67	0.44	27.82	0.45	29.42	0.47	38.32	0.43	43.91	0.39	47.31	0.39
愛爾蘭	0.21	0.17	0.30	0.16	0.35	0.22	0.39	0.24	0.62	0.28	0.51	0.19	0.57	0.20
意大利	2.82	0.11	6.83	0.15	11.33	0.28	10.98	0.26	24.04	0.40	26.15	0.35	31.83	0.39
日本	21.08	0.24	33.53	0.32	43.19	0.34	37.97	0.29	56.34	0.29	73.42	0.31	91.34	0.32
荷蘭	11.51	0.85	16.30	0.97	12.68	1.02	11.36	0.91	17.40	1.01	20.94	0.98	22.31	0.98
新西蘭	0.58	0.35	0.72	0.33	0.55	0.25	0.54	0.25	0.75	0.30	0.87	0.26	1.05	0.27
挪威	3.60	0.90	4.86	0.87	5.40	1.03	5.74	1.01	7.98	1.17	8.90	1.09	9.85	1.10
瑞典	8.50	0.91	9.62	0.78	7.41	0.80	8.40	0.86	10.90	0.85	13.75	0.88	15.29	0.87
瑞士	1.68	0.20	2.53	0.24	2.85	0.30	3.02	0.31	4.22	0.30	5.47	0.31	6.17	0.32
英國	15.79	0.48	18.54	0.35	14.29	0.33	15.30	0.33	17.37	0.31	18.71	0.28	26.45	0.32
美國	50.10	0.23	71.38	0.27	87.11	0.24	94.03	0.24	95.64	0.23	89.45	0.20	101.41	0.21
總計	195.36	0.34	272.97	0.37	287.42	0.36	294.29	0.35	366.63	0.35	414.26	0.34	480.94	0.36

註：*不含管理費用，美國除外。

資料來源：經濟合作與發展組織《1989年發展合作評論》。

對外經濟貿易部國際經濟合作研究所

發展援助委員會成員國官方雙邊發展援助的財政[a]條件

根據承諾額　　1987～1988平均值(百分比)

項目 / 年份 / 國別	全部官方發展援助的贈與成份(援助條件標準86%[b])		對最不發達國家官方發展援助的贈與成份(援助條件標準90%[c])	雙邊官方發展援助中贈與成份小於50%的貸款所佔比重
	1981－1982	1987－1988		
澳大利亞	100.0	100.0	100.0	—
奧地利	57.2	(76.2)[e]	100.0	…
比利時	98.1	(94.0)[e]	99.8	—
加拿大	98.0	99.6	100.0	0.2
丹麥	95.6	99.5	100.0	—
芬蘭	95.8	97.7	98.5	1.6
法國	89.8	(89.3)[e]	79.4	…
聯邦德國	87.3	86.1	97.9	21.2
愛爾蘭	—	100.0	100.0	—
意大利[d]	90.8	92.0	96.2	—
日本	75.0	(75.4)[e]	84.1	…
荷蘭	94.6	94.1	99.3	6.8
新西蘭	99.8	100.0	100.0	—
挪威	99.4	99.6	99.6	…
瑞典	99.8	100.0	100.0	…
瑞士	96.8	99.9	100.0	—
英國	97.7	99.0	100.0	2.1
美國	93.9	96.9	98.1	1.1
總計	90.2	(90.4)	94.9	…

註：a)不含債務重新安排。

b)官方發展援助在國民生產總值中所佔比重大大低於發展援助委員會成員國平均水平的國家，被視爲沒有達到發展援助委員會援助條件要求。1987和1988年，未達要求的國家有奧地利、愛爾蘭、新西蘭和美國。

c)包括估算的多邊贈與成份。可用另一標準：對每一最不發達國家援助的贈與成份在連續三年內平均不低於86%，1986～1988年期間，除法國和日本外，其他國家均達到這一標準。

d)意大利尚未同意發展援助委員會援助條件要求，表中所列數字僅供參考。

e)1987年數字。

資料來源：經濟合作與發展組織《1989年發展合作評論》。

對外經濟貿易部國際經濟合作研究所

發展援助委員會成員國雙邊對外援助的部門分佈

佔總承諾額的百分比

國別 \ 類別	社會與管理基礎設施		經濟基礎設施		農業		工業和其他產業		食品援助		方案援助	
年份	75-76	86-87	75-76	86-87	75-76	86-87	75-76	86-87	75-76	86-87	75-76	86-87
澳大利亞	17.5	28.6	7.1	5.5	4.3	9.9	1.9	1.7	9.2	6.7	60.0	47.6
奧地利	7.4	33.8	31.7	49.4	3.3	4.0	56.0	2.6	—	1.6	1.6	8.5
比利時	4.9	44.1	31.8	12.9	2.7	14.9	32.4	5.8	2.9	2.0	25.3	20.3
加拿大	16.5	9.0	20.0	22.7	8.4	27.2	9.1	6.1	20.6	12.9	25.4	22.1
丹麥	14.0	21.2	7.5	28.1	11.4	11.8	17.0	11.2	3.4	0.6	46.7	27.0
芬蘭	10.9	31.9	9.0	14.7	3.6	27.0	11.0	8.8	7.3	—	58.2	17.6
法國	53.7	41.6	17.4	17.7	7.0	9.7	10.9	6.1	1.1	0.8	9.9	24.1
聯邦德國	23.4	32.8	19.2	22.3	7.5	10.5	16.2	7.7	3.1	3.1	30.6	23.6
愛爾蘭	—	40.3	—	0.8	—	17.1	—	3.0	—	—	—	38.8
意大利	14.0	20.6	14.8	23.6	2.9	17.1	15.5	8.7	—	5.8	52.8	24.2
日本	3.3	15.4	37.7	43.9	6.0	10.0	20.6	7.6	0.5	1.3	31.9	21.8
荷蘭	34.6	23.7	13.7	14.8	20.9	22.9	9.5	3.8	1.6	2.0	19.7	32.8
新西蘭	14.5	36.0	35.3	8.3	23.7	12.3	4.5	1.2	5.5	0.6	16.5	41.6
挪威	22.9	34.4	24.4	21.1	25.9	12.2	15.1	13.5	—	1.9	11.7	16.9
瑞典	22.2	15.9	2.6	15.5	9.0	7.5	14.5	9.6	8.4	0.5	43.3	51.0
瑞士	12.3	16.5	21.4	12.3	17.9	21.5	13.6	5.4	10.6	5.8	24.2	38.5
英國	4.7	22.5	28.2	18.9	4.3	8.8	28.8	14.4	—	1.2	34.0	34.2
美國	8.1	2.2	2.6	4.1	8.1	10.0	4.5	0.5	29.5	14.0	47.2	51.2
總計	19.9	24.7	14.4	20.0	8.2	12.1	11.5	5.8	12.7	5.4	33.3	32.0

資料來源：經濟合作與發展組織《1989年發展合作評論》。

對外經濟貿易部國際經濟合作研究所

阿拉伯國家對外經濟援助淨交付額

金額單位：億美元

年份／項目／國別	1980		1985		1986		1987		1988P	
	金額	佔國民生產總值%	金額	佔國民生產總值%	金額	佔國民生產總值%	金額	佔國民生產總值%	金額	佔國民生產總值%
阿爾及利亞	0.81	0.20	0.54	0.10	1.14	0.18	0.26	0.04	0.10	0.02
伊拉克	8.64	2.36	−0.32	−0.07	−0.21	(−0.05)	−0.35	(−0.07)	−0.19	(−0.04)
科威特	11.40	3.52	7.71	3.17	7.15	2.91	3.16	1.23	1.08	0.41
利比亞	3.76	1.16	0.58	0.24	0.68	0.34	0.76	0.30	1.29	0.51
卡塔爾	2.77	4.16	0.08	0.15	0.19	0.49	0.04	0.08	0.08	0.16
沙特阿拉伯	56.82	4.87	26.29	2.98	35.17	4.67	28.88	3.88	20.98	2.70
阿拉伯聯合酋長國	11.18	4.06	1.22	0.45	0.91	0.43	0.19	0.08	0.04	0.02
總計	95.38	3.26	36.10	1.33	45.03	1.83	32.94	1.25	23.38	0.86

註：1. 表中帶“－”號的數字，係指援助國償還外債本息額超過其對外援助額。

2. P爲臨時數字。

資料來源：經濟合作與發展組織《1989年發展合作評論》。

對外經濟貿易部國際經濟合作研究所

蘇聯對外經濟援助交付額*

金額單位：億美元

分類＼年份	1970	1975	1980	1983	1984	1985	1986	1987	1988P
1. 經互會欠發達國家									
古巴	1.41	5.35	5.42	6.19	7.08	6.55	5.32	6.56	6.63
蒙古	1.04	1.50	5.52	6.24	5.68	5.50	7.06	8.04	7.15
越南	3.20	5.00	4.58	9.01	9.14	10.56	14.57	18.11	16.58
合計	5.65	11.85	15.52	21.44	21.90	22.61	26.95	32.71	30.36
2. 有特殊聯繫的國家									
阿富汗	0.28	0.34	3.37	3.73	2.20	2.19	2.83	2.00	2.01
柬埔寨	—	—	1.34	0.86	0.87	0.98	1.50	1.61	1.72
朝鮮	1.45	0.60	0.75	0.26	0.46	0.96	1.23	0.62	0.63
老撾	—	—	0.57	0.99	0.77	0.99	0.81	1.10	1.04
合計	1.73	0.94	6.03	5.84	4.30	5.12	6.37	5.33	5.40
3. 其他欠發達國家	3.51	3.89	5.71	7.03	6.51	6.44	11.01	9.04	8.09
4. 獎學金	0.25	0.45	1.30	1.85	1.80	1.90	2.00	2.20	2.20
5. 多邊捐款	0.04	0.05	0.07	0.04	0.04	0.04	0.05	0.07	0.07
總計(毛交付額)	11.18	17.18	28.63	36.20	34.56	36.11	46.38	49.35	46.12
6. 債務償還	3.20	4.54	5.50	5.74	5.65	5.47	5.20	4.50	4.00
其中：									
經互會欠發達國家與朝鮮	1.00	1.10	1.40	1.40	1.40	1.40	1.45	1.50	1.50
其他欠發達國家	2.20	3.44	4.10	4.34	4.25	4.07	3.75	3.00	2.50
總計(淨交付額)	7.98	12.64	23.13	30.46	28.91	30.64	41.18	44.85	42.12

註：*爲估計數；p爲臨時數字

資料來源：經濟合作與發展組織《1989年發展合作評論》。

對外經濟貿易部國際經濟合作研究所

東歐國家對外經濟援助交付額*

金額單位：億美元

分類＼年份	1970	1975	1980	1983	1984	1985	1986	1987	1988[P]
1. 經互會欠發達國家									
古巴	0.80	0.05	1.50	1.80	1.80	1.80	1.90	1.90	1.90
蒙古	—	—	0.10	0.10	0.10	0.10	0.11	0.11	0.11
越南	0.70	1.20	1.50	1.80	1.80	1.80	1.90	1.90	1.90
合計	1.50	1.25	3.10	3.70	3.70	3.70	3.91	3.91	3.91
2. 有特殊聯繫的國家									
阿富汗	0.01	0.01	0.16	0.20	0.15	0.13	0.15	0.23	0.22
柬埔寨	—	—	0.22	0.15	0.15	0.15	0.16	0.17	0.16
老撾	—	—	0.20	0.20	0.09	0.13	0.20	0.13	0.12
合計	0.01	0.01	0.58	0.55	0.39	0.41	0.51	0.53	0.50
3. 其他欠發達國家	1.25	2.18	2.54	1..30	1.81	2.13	1.29	1.18	0.62
4. 獎學金	0.17	0.26	0.70	0.85	0.95	1.00	1.10	1.10	1.10
5. 多邊捐款	0.02	0.05	0.07	0.05	0.22	0.09	0.09	0.11	0.17
總計(毛交付款)	2.95	3.75	6.99	6.45	7.07	7.33	6.90	6.83	6.30
6. 債務償還	0.89	1.37	1.85	2.13	1.96	1.79	1.69	1.62	1.50
經互會欠發達國家	0.20	0.20	0.33	0.33	0.33	0.33	0.33	0.33	0.33
其他欠發達國家	0.69	1.17	1.52	1.80	1.63	1.46	1.36	1.29	1.17
總計(淨交付額)	2.06	2.38	5.14	4.32	5.11	5.54	5.21	5.21	4.80

註：*爲估計數字；[P]爲臨時數字

資料來源：經濟合作與發展組織《1989年發展合作評論》

對外經濟貿易部國際經濟合作研究所

1981～1988年發展中國家外債表

金額單位：億美元

項目＼年份	1981	1982	1983	1984	1985	1986	1987	1988
DRS報告國家①債務	6670	7520	8160	8520	9620	10530	11700	11560
長期債務	4940	5620	6450	6870	7940	8940	9960	9800
官方來源	1790	2030	2260	2380	3050	3640	4370	4430
私人來源	3150	3590	4190	4490	4890	5300	5590	5370
短期債務	1580	1690	1400	1320	1310	1190	1330	1410
使用IMF信貸	150	210	310	330	380	400	400	350
其他發展中國家債務②	830	860	860	810	890	990	1110	1280
外債總額	7500	8310	8940	9330	10510	11520	12810	12840

註：①“DES報告國家”是指世界銀行“債務報告系統”涉及的109個國家和地區。

②不包括高收入石油輸出國。

資料來源：《世界債務表》。

對外經濟貿易部中國國際經濟信息中心

世界高負債國*債務數據及指標(一)

金額單位：億美元

項目 \ 年份	1980	1981	1982	1983	1984	1985	1986	1987	1988
外債總額	2889.3	3505.9	3912.3	4219.2	4380.8	4539.4	4815.4	5273.0	6190.0
長期債務	2054.0	2462.1	2789.7	3344.0	3581.7	3776.1	4208.0	4578.1	5367.9
公共及共擔保債務	1482.2	1711.6	2007.2	2500.8	2787.1	3075.8	3603.9	4021.7	5035.5
私人未擔保債務	571.8	750.5	782.5	843.2	794.6	700.3	604.1	556.4	332.4
使用IMF信貸	29.9	41.1	62.1	122.9	146.9	183.1	201.3	218.3	230.1
短期債務	805.4	1002.7	1060.4	752.3	652.2	580.3	406.1	476.6	651.9
長期公共債務償付									
未償債務及支付	1482.2	1711.6	2007.2	2500.8	2787.1	3075.8	3603.9	4021.7	5367.9
承付額	372.4	553.0	506.0	376.0	262.0	230.0	179.1	243.5	289.4
支付額	356.9	426.5	452.3	339.0	276.7	210.4	205.4	210.9	310.1
流動净額	204.6	266.3	297.7	205.4	148.9	75.7	60.2	78.3	82.7
轉移净額	61.9	94.1	89.9	−1.8	−83.2	−180.4	−185.7	−151.6	−249.8
償還總額	295.0	332.4	362.5	340.7	360.0	390.7	391.1	362.5	570.8
本金償還	152.3	160.2	154.6	133.6	127.7	134.7	145.2	132.6	227.5
付息	142.7	172.2	207.8	207.2	232.2	256.0	246.0	229.9	343.3
主要經濟及債務指標									
國民生產總值	8816.5	9645.2	8691.8	7454.9	7671.5	7747.4	7794.4	8361.8	10563.2

世界高負債國*債務數據及指標(二)

金額單位：億美元

項目＼年份	1980	1981	1982	1983	1984	1985	1986	1987	1988
商品勞務輸出	1692.7	1731.4	1509.0	1429.0	1580.1	1533.3	1362.6	1477.4	1871.5
商品勞務輸入	1969.1	2233.5	2032.4	1576.2	1582.9	1548.3	1496.7	1577.3	2101.4
國際儲備	695.8	549.1	409.7	393.7	488.8	517.3	476.1	543.0	467.0
外債總額佔國民生產總值%	32.8	36.3	45.0	56.6	57.1	58.6	61.8	63.1	58.6
外債總額佔商品勞務輸出%	170.7	202.5	259.3	295.3	277.2	296.0	353.4	356.9	330.8
國際儲備佔外債總額%	24.1	15.7	10.5	9.3	11.2	11.4	9..9	10.3	7.5
國際儲備佔未償債務及支付額%	46.9	32.1	20.4	15.7	17.5	16.8	13.2	13.5	8.7
國際儲備佔商品勞務輸入(月)	4.2	2.9	2.4	3.0	3.7	4.0	3.8	4.1	2.7
未償還債務及支付佔國民生產總值%	16.8	17.7	23.1	33.5	36.3	39.7	46.2	48.1	50.1
未償還債務及支付佔商品勞務輸出%	87.6	98.9	133.0	175.0	176.4	200.6	264.5	272.2	282.7
償還總額佔國民生產總值%	3.3	3.4	4.2	4.6	4.7	5.0	5.0	4.3	5.4
償還總額佔商品勞務輸出%	17.4	19.2	24.0	23.8	22.8	25.5	28.7	24.5	30.5
付息佔國民生產總值%	1.6	1.8	2.4	2.8	3.0	3.3	3.2	2.7	3.3
付息佔商品勞務輸出%	8.4	9.9	13.8	14.5	14.7	16.7	18.1	15.6	18.3

註：*包括：阿根廷、玻利維亞、巴西、智利、哥倫比亞、哥斯達黎加、厄瓜多爾、牙買加、墨西哥、尼日利亞、摩洛哥、秘魯、菲律賓、烏拉圭、委內瑞拉、南斯拉夫。

資料來源：《世界債務表》。

對外經濟貿易部中國國際經濟信息中心

1981～1988年部分高負債國(分國別)債務數據及指標(一)

金額單位：億美元

年份	項目＼國別	巴西	墨西哥	阿根廷	菲律賓	尼日利亞	南斯拉夫	智利	秘魯	烏拉圭
1981	外債總額	799.8	783.1	356.6	208.2	120.4	206.6	157.0	102.8	21.7
	長期債務	646.6	533.3	227.4	104.4	76.2	169.2	126.7	74.2	16.7
	長期公共債務償還總額	90.7	85.5	21.5	8.7	9.0	3.0	16.6	18.9	1.8
	外債總額佔國民生產總值%	30.3	34.0	65.5	54.2	15.6	29.2	50.3	47.9	19.3
	外債總額佔商品勞務輸出%	296.3	257.5	301.6	242.8	61.2	131.2	279.7	243.4	117.8
1982	外債總額	913.0	861.1	436.3	243.2	124.5	200.4	173.5	122.7	26.5
	長期債務	733.0	597.4	271.1	121.6	99.3	164.8	140.0	86.1	19.1
	長期公共債務償還總額	101.0	94.7	23.2	10.9	13.9	9.1	10.3	15.3	2.3
	外債總額佔國民生產總值%	34.0	55.5	79.9	61.9	16.9	32.0	77.9	58.6	29.2
	外債總額佔商品勞務輸出%	388.7	301.6	448.7	303.8	96.6	130.5	336.6	292.9	157.1
1983	外債總額	978.5	929.6	450.1	240.5	179.9	202.9	182.0	123.8	32.9
	長期債務	810.1	815.6	358.4	137.0	129.4	172.8	150.0	102.4	26.7
	長期公共債務償還總額	70.4	114.6	24.4	13.0	19.1	8.4	8.9	4.7	3.0
	外債總額佔國民生產總值%	49.8	69.8	75.5	70.5	24.4	43.4	100.3	75.1	64.9
	外債總額佔商品勞務輸出%	401.6	324.6	461.9	295.7	165.6	153.5	376.8	321.9	223.4
1984	外債總額	1035.2	937.1	468.3	245.7	102.2	198.3	199.6	130.8	32.9
	長期債務	878.4	885.7	370.9	143.2	125.4	170.6	172.7	110.8	26.7
	長期公共債務償還總額	75.1	113.4	25.6	11.2	31.5	9.5	12.6	5.8	4.1
	外債總額佔國民生產總值%	52.4	60.4	64.4	76.2	25.2	44.8	115.1	74.6	68.5
	外債總額佔商品勞務輸出%	342.1	300.0	474.0	305.9	147.3	168.2	414.6	328.8	238.9

1981～1988年部分高負債國（分國別）債務數據及指標（二）

金額單位：億美元

年份	項目＼國別	巴西	墨西哥	阿根廷	菲律賓	尼日利亞	南斯拉夫	智利	秘魯	烏拉圭
1985	外債總額	1067.3	974.3	484.4	261.8	183.5	193.8	202.2	136.9	39.1
	長期債務	910.9	890.1	401.8	165.6	134.3	163.0	174.7	118.7	27.5
	長期公共債務償還總額	77.8	109.8	43.1	12.6	40.0	11.7	12.3	3.0	4.1
	外債總額佔國民生產總值%	51.3	58.3	79.9	80.6	25.7	43.6	142.2	88.2	83.2
	外債總額佔商品勞務輸出%	365.1	327.6	467.8	330.1	141.2	153.9	430.4	361.2	294.6
1986	外債總額	1106.8	1017.2	489.1	281.7	218.8	213.6	207.4	153.0	37.7
	長期債務	971.6	910.6	430.1	216.2	215.5	179.5	179.3	123.9	28.0
	長期公共債務償還總額	84.2	87.5	46.2	15.8	16.2	19.9	16.2	4.9	333.4
	外債總額佔國民生產總值%	41.0	83.8	65.8	93.6	45.5	33.0	138.8	62.4	63.4
	外債總額佔商品勞務輸出%	437.3	428.1	533.9	326.3	309.2	122.5	394.5	450.4	236.8
1987	外債總額	1239.3	1078.8	568.1	299.6	287.1	235.2	212.4	180.6	42.4
	長期債務	1060.9	969.2	503.1	238.4	260.6	194.9	180.0	139.2	31.9
	長期公共債務償還總額	76.6	89.7	38.9	21.4	7.8	21.2	13.7	4.5	4.0
	外債總額佔國民生產總值%	39.4	77.5	73.9	86.5	122.6	38.9	124.1	40.5	58.6
	外債總額佔商品勞務輸出%	432.2	362.5	660.7	317.8	369.0	147.3	327.4	503.3	255.6
1988	外債總額	1145.9	1015.7	589.4	294.5	307.2	216.8	196.5	185.8	38.3
	長期債務	1013.6	886.7	495.4	244.7	289.7	193.4	161.2	139.0	30.4
	長期公共債務償還總額	183.2	155.6	50.2	35.7	22.6	43.3	21.4	3.6	8.8
	外債總額佔國民生產總值%	50.1	58.1	60.5	72.9	107.1	35.4	96.6	47.3	50.1
	外債總額佔商品勞務輸出%	313.4	316.5	512.0	266.1	397.1	105.7	232.5	498.1	203.8

資料來源：《世界債務表》

對外經濟貿易部中國國際經濟信息中心

1988年世界250家最大跨國承包公司在國際承包市場合同額的地理分佈

金額單位：億美元

國別(地區)	公司個數	合同金額	%	中東		亞洲		非洲		歐洲		北美		拉美	
				金額	%	金額	%	金額	%	金額	%	金額	%	金額	%
美　國	36	25.9	27.5	5.6	32.2	4.5	22.1	1.4	13.5	8.8	45.5	3.1	48.8	2.5	34.1
日　本	38	11.6	12.3	1.7	9.5	5.6	27.4	0.5	5.2	0.7	3.6	2.7	10.7	0.4	5.6
南朝鮮	7	1.4	1.6	0.9	5.4	0.4	2.0	0.1	0.9						
歐　洲	131	49.3	52.3	8.7	49.8	8.5	41.2	6.7	66.5	9.6	49.6	11.7	58.4	4.1	53.9
意大利	41	13.3	14.2	5.4	31.1	2.1	10.2	2.0	20.2	1.9	10.0	0.4	2.9	1.5	19.5
法　國	13	11.1	11.8	0.9	5.3	1.7	8.2	1.6	17.3	2.0	10.2	3.8	23.9	0.9	11.4
英　國	12	9.4	10.0	0.4	2.3	2.8	13.9	0.4	4.3	1.1	5.6	3.9	18.3	0.8	10.6
聯邦德國	18	8.1	8.6	0.5	2.7	1.3	6.4	1.2	12.0	1.9	9.3	2.9	11.8	0.3	4.5
荷　蘭	8	1.6	1.7	0.2	1.0	0.2	0.7	0.1	1.2	0.8	4.2	0.1	0.6	0.2	2.6
南斯拉夫	7	1.0	1.0	0.4	2.2	0.1	0.5	0.2	1.7	0.2	1.5			0.1	0.9
其　他	32	4.7	5.0	0.9	5.2	0.3	1.3	1.0	9.8	1.7	8.8	0.5	4.2	0.3	4.4
土耳其	6	1.0	1.1					0.8	8.0	0.2	1.0				
其餘國家	32	4.9	5.2	0.5	3.0	1.5	7.3	0.6	5.9	0.1	0.4	1.7	13.4	0.5	6.2
總計	250	94.1	100	17.4	100	20.5	100	10.1	100	19.4	100	19.2	100	7.5	100

註：資料來源：1989年7月美國《國際建設週刊》

對外經濟貿易部國際經濟合作研究所

1988年世界50家最大跨國承包公司(一)

金額單位：億美元

位次	公司中文譯名	國別	國外合同額	合同總額
1	貝克特爾集團	美國	50.34	108.77
2	凱洛格・魯斯特公司	美國	46.21	93.03
3	路廂斯公司	美國	42.00	54.30
4	戴維公司	英國	38.92	48.19
5	帕森斯公司	美國	30.75	61.77
6	諾瓦・西米曼土比公司	意大利	29.97	31.05
7	福斯特・惠勒公司	美國	27.39	30.79
8	菲利浦・霍爾茨曼公司	聯邦德國	26.22	56.52
9	杜米茲公司	法國	25.87	43.29
10	三菱重工業公司	日本	22.70	62.80
11	鮑維斯國際有限公司	英國	20.18	34.59
12	SGE集團公司	法國	18.36	58.02
13	福陸公司	美國	18.19	121.69
14	布依格公司	法國	17.80	81.00
15	SAE公司	法國	15.23	39.26
16	意大利林皮安蒂公司	意大利	14.84	16.42
17	英普里西特公司	意大利	13.27	20.41
18	福利切爾有限公司	新西蘭	12.99	15.80
19	GIE公司	意大利	12.15	12.15
20	斯皮・巴迪諾爾公司	法國	10.15	35.87
21	霍克蒂夫公司	聯邦德國	9.70	28.00
22	青木建設株式會社	日本	9.34	34.50
23	約翰・布朗工程建設公司	英國	8.94	13.06
24	貝爾芬格・伯格公司	聯邦德國	8.80	19.21
25	千代田公司	日本	8.40	15.72
26	喬諾・帕拉斯克瓦德斯海外公司	塞浦路斯	8.14	8.14
27	熊谷組株式會社	日本	7.80	77.97

1988年世界50家最大跨國承包公司(二)

金額單位：億美元

位次	公司中文譯名	國別	國外合同額	合同總額
28	喬治・威佩公司	英國	7.24	38.03
29	JGC公司	日本	7.22	14.97
30	泰克尼曼特公司	意大利	6.90	8.03
31	SAE公司	意大利	6.70	10.17
32	曼奈斯曼建築工程公司	聯邦德國	6.69	10.41
33	CGEE・阿爾薩姆公司	法國	6.66	19.24
34	大宇公司	南朝鮮	6.51	11.87
35	竹中公司	日本	6.48	99.71
36	大林組株式會社	日本	6.41	89.05
37	GTM—恩特浦斯公司	法國	6.20	30.95
38	諾波特建築公司	巴西	5.89	16.08
39	魯奇公司	聯邦德國	5.80	7.20
40	迪克霍夫和威德曼公司	聯邦德國	5.78	15.43
41	蓋伊・F・阿特金森公司	美國	5.73	11.63
42	斯格爾・艾索克斯公司	美國	5.36	9.00
43	泰勒・伍德羅公司	英國	5.16	18.50
44	清水建設株式會社	日本	5.00	28.40
45	鹿島建設株式會社	日本	4.93	117.90
46	HBG公司	荷蘭	4.92	13.72
47	安薩爾杜公司	意大利	4.73	17.48
48	間組株式會社	日本	4.725	41.39
49	聯合承包有限公司	希臘	4.72	4.72
50	布迪麥克斯有限公司	波蘭	4.64	4.67

資料來源：1989年7月美國《國際建設週刊》。

對外經濟貿易部國際經濟合作研究所

附　錄

我國國民經濟基本情況統計(一)

(1980－1989年)

項目	單位	年份										1989爲1988 %
		1980	1981	1982	1983	1984	1985	1986	1987	1988	1989	
社會總產值和國民收入												
社會總產值	億元	8534	9075	9966	11131	13171	16582	19045	23014	29807	34604	105.2
其中：工農業總產值	億元	7077	7581	8294	9211	10831	13335	15207	18489	24089	28552	107.5
國民生產總值	億元	4470	4773	5193	5809	6962	8567	9696	11301	13984	15789	103.6
國民收入	億元	3688	3941	4258	4736	5652	7020	7859	9313	11738	13125	103.3
農業												
農業總產值	億元	1922.6	2180.6	2483.3	2750.0	3214.1	3619.5	4013.0	4675.7	5865.3	6534.7	103.1
工業												
工業總產值	億元	5154	5400	5811	6461	7617	9716	11194	13813	18224	22017	108.5
其中：輕工業	億元	2430	2781	2919	3135	3608	4575	5330	6656	8979	10761	108.2
重工業	億元	2724	2619	2892	3326	4009	5141	5864	7157	9245	11256	108.9
固定資產投資												
全民所有制單位固定資產投資	億元	745.9	667.51	845.31	951.96	1185.18	1680.51	1978.50	2297.99	2712.80	2535.48	93.5
其中：基本建設投資	億元	558.89	442.91	555.53	594.13	743.15	1074.37	1176.11	1343.10	1525.79	1551.74	101.7
交通、郵電												
各種運輸工具完成的貨物周轉量	億噸公里	12026	12143	13049	14054	15694	18126	20148	22228	23825	25580	107.4
沿海主要港口貨物吞吐量	萬噸	21731	21931	23764	24952	27550	31154	34409	37302	41266	44214	107.5
各種運輸工具完成的旅客周轉量	億人公里	2281	2500	2743	3095	3621	4437	4897	5416	6207	6083	98.0
郵電業務總量	億元	13.34	4.02	20.41	22.26	25.03	29.60	32.86	38.84	48.95	64.81	120.0
國內商業												
社會商品零售總額	億元	2140.0	2350.0	2570.0	2849.4	3376.4	4305.0	4950.0	5820.0	7440.0	8101.4	92.4
年末城鄉集市貿易點	個	40809	43013	44775	48003	56500	61337	67610	69683	71359	72130	101.1
農副產品收購價格總指數	以上年價格爲100	107.1	105.9	102.2	104.4	104.0	108.6	106.4	112.0	123.0	115.0	93.5
零售物價總指數	以上年價格爲100	106	102.4	101.9	101.5	102.8	108.8	106.0	107.3	118.5	117.8	99.4

我國國民經濟基本情況統計(二)
(1980—1989年)

項目	單位	1980	1981	1982	1983	1984	1985	1986	1987	1988	1989	1989爲1988 %
全年職工生活費用價格指數	以上年價格爲100	107.5	102.5	102.0	102.0	102.7	111.9	107.0	108.8	120.7	116.3	96.4
其中：消費品零售價格指數	以上年價格爲100	108.1	102.6	102.1	101.9	102.5	112.2	107.0	109.1	121.3	116.0	95.6
服務項目價格指數	以上年價格爲100	100.8	100.8	101.4	102.9	105.4	108.4	107.1	106.0	113.8	119.5	105.0
外貿、旅遊												
出進口總額	億美元	81.4	440.3	416.1	436.2	535.5	696.0	738.5	826.5	1027.9	1116.3	108.6
其中：出口總額	億美元	181.2	220.1	223.2	222.3	261.4	273.5	309.4	394.4	475.4	524.9	110.4
進口總額	億美元	200.2	220.2	192.9	213.9	274.1	422.5	429.1	432.1	552.5	591.4	107.0
實際利用外資	億美元		102.11#	24.32	19.81	27.05	46.47	72.58	84.52	102.26	100.59	98.4
其中：對外借款	億美元		90.90#	17.83	10.65	12.86	26.88	50.14	58.05	64.87	62.86	96.9
外商直接投資及其他	億美元		11.21#	6.94	9.16	14.19	19.59	22.44	26.47	37.39	37.73	100.9
接待外來旅遊人數	萬人次	570.25	776.71	792.42	947.70	1285.22	1783.31	2281.94	2690.23	3169.48	2450.14	77.3
其中：外國人	萬人次	52.91	67.51	76.45	87.25	113.43	137.05	148.23	172.78	184.22	146.10	79.3
華僑和港澳台同胞	萬人次	517.34	709.20	715.97	860.45	1171.79	1646.26	2133.70	2517.45	2985.26	2304.04	77.2
旅遊收入外滙	億美元	6.17	7.85	8.43	9.41	11.31	12.50	15.31	18.62	22.47	18.66	82.8
科學、教育、文化												
重大科學技術成果	項	2687	3100	4186	5397	10615	10476	14915	11800	16552	20278	122.5
獲國家獎勵的發明	項	109	123	153	212	264	185	26	225	217	150	69.1
全民所有制單位的自然科學技術人員	萬人	527.6	571.4	626.4	685.2	746.6	781.7	825.3	889.4	966.1	1035.1	107.1
在校學生：												
研究生	人	21604	18848	25847	37166	57566	87331	110371	120191	112776	91001	80.7
普通高等學校	萬人	114.4	127.9	115.4	120.7	139.6	170.3	188.0	195.9	206.6	208.2	100.8
成人高等學校	萬人		134.6	66.2	92.6	129.3	172.5	185.6	185.8	172.8	174.0	100.7
普通中學	萬人	5508.1	4859.6	4528.5	4397.8	4554.2	4706.0	4889.9	4948.1	4761.5	4554.0	95.6
中等專業學校	萬人	124.3	106.9	103.9	114.3	132.2	157.1	175.7	187.4	205.2	217.7	106.1

我國國民經濟基本情況統計(三)
(1980－1989年)

項目	單位	1980	1981	1982	1983	1984	1985	1986	1987	1988	1989	1989爲1988 %
農業中學、職業中學	萬人	45.4	48.1	70.4	122.0	174.5	229.5	256.0	267.6	279.4	282.3	101.0
成人中等學校	萬人		820.7	1080.4	974.8	598.7	547.0	806.6	1047.0	1231.1	1541.1	125.2
小學	萬人	14627.0	14332.8	13972.0	13578.0	13557.1	13370.2	13182.5	12835.9	12535.8	12373.1	98.7
生產電影故事片	部	82	105	112	127	144	127	134	146	158	136	86.1
文化館	個	2912	2803	2925	2946	3016	2965	2993	2973	2975	2955	99.3
公共圖書館	個	1732	1787	1889	2038	2217	2344	2406	2440	2485	2512	101.1
廣播電台	座	106	114	118	122	167	213	278	386	461	531	115.2
電視台	座	38	42	47	52	93	202	292	366	422	469	111.1
全國性和省級報紙出版	億份	140.42	140.65	140.01	155.11	180.76	199.76	193.90	204.91	207.20	156.20	75.4
各類雜誌出版	億册	11.25	14.62	15.14	17.69	21.82	25.60	24.02	25.90	25.50	18.20	71.4
圖書出版	億册	45.93	55.78	58.79	58.04	62.48	66.73	52.03	62.50	62.20	58.60	94.2
衛生、體育												
醫院病牀	萬張	198.2	201.7	205.4	211.0	216.6	222.9	229.7	240.5	250.3	256.8	102.6
專業衛生技術人員	萬人	279.8	301.1	314.3	325.3	334.4	341.1	350.7	360.9	372.4	380.9	102.3
其中：醫生	萬人	115.3	124.4	130.7	135.3	138.1	141.3	144.4	148.3	161.7	171.8	106.2
護師、護士	萬人	46.6	52.5	56.4	59.6	61.6	63.7	68.1	71.8	82.9	92.2	111.2
獲得世界體育冠軍	個	3	25	13	39	37	46	26	69	54	82	151.9
打破體育世界紀錄	項	7	8	11	13	12	5	7	22	33	36	109.1
打破體育全國紀錄	項	120	124	120	127	102	203	172	171	138	95	68.8
舉辦縣以上運動會	萬次	2.3	2.3	2.6	2.5	3	2.7	2.5	2.8	2.62	3.02	115.3
人民生活												
農民平均每人純收入	元	191.33	223.44	270.11	309.77	355.33	397.60	423.76	462.55	544.94	601.51	110.2
城鎮居民人均生活費收入	元	439	458	495	526	608	685	828	916	1119.36	1260.67	112.7
年末職工人數	萬人	10444	10940	11281	11515	11890	12358	12809	13214	13608	13742	101.0

我國國民經濟基本情況統計(四)
(1980—1989年)

項目	單位	年份										1989爲1988 %
		1980	1981	1982	1983	1984	1985	1986	1987	1988	1989	
職工工資總額	億元	772.4	820.0	882.0	934.6	1133.4	1383.0	1659.7	1881.1	2316.2	2618.5	113.1
職工平均工資	元	762	772	798	826	974	1148	1329	1459	1747	1935	110.8
年末城鄉人民儲蓄存款餘額	億元	399.5	523.7	675.4	892.5	1214.7	1622.6	2237.6	3073.3	3801.5	5146.9	135.4
全民所有制和城鎮集體所有制單位新建住宅	億平方米	0.92	0.98	1.18	1.15	1.07	1.25	1.21	1.10	1.09	0.79	72.5
農民新建住房面積	億平方米	5	6	6	7	6	7	10	9	8	8	100.0
人口												
年末全國人口	萬人	98705	100072	101590	102764	103876	105044	106529	108073	109614	111191	101.4
年人口出生率	‰	18.21	20.91	21.09	18.62	17.50	17.80	20.77	21.04	20.78	20.83	100.2
年人口死亡率	‰	6.34	6.36	6.60	7.08	6.69	6.57	6.69	6.65	6.58	6.50	98.8
年人口自然增長率	‰	11.87	14.55	14.49	11.54	10.81	11.23	14.08	14.39	14.20	14.33	100.9

註：1. 表中的數字，均未包括台灣省。
2. 本表價值指標按當年價格計算，增長速度按可比價格計算。
3. 村及村以下辦工業產值包括在工業總產值中。
4. 社會總產值是農業、工業、建築業、運輸郵電業、商業(包括物資供銷和飲食業)總產值之和。國民收入是上述五個部門淨產值之和。
5. 國民生產總值是指物質生產部門和非物質生產部門的增加值以及來自國外的淨收入。
6. 農村和城市居民平均每人收入，是根據家庭抽樣調查得出的。職工工資總額包括發給職工的物價補貼。
7. 表中的出口、進口總額係中國海關統計數字。
* 爲扣除物價上漲因素。

資料來源：《中國統計年鑑》1983～1990年，《中國統計摘要—1990》。

國家統計局綜合司資料處

1989年出口商品收購額超過1億元的縣(縣級市)(一)

縣(縣級市)名	個數	收購額 萬元(人民幣)	主要收購商品
北京:	4		
順義縣		31183	服裝、工藝品
平谷縣		18158	服裝、工藝品、核桃、栗子
通　縣		12482	服裝、工藝品、鑄鐵件
朝陽區		10629	服裝、工藝品、毛衫、鋼木傢具
天津:	5		
靜海縣		22404	棉織品、服裝、棉布、機械設備、紙製品、金屬製品、醃製菜、椒乾、凍對蝦
武清縣		18775	毛針織品、服裝、地毯、人造花、蠟燭、皮件
寶坻縣		13295	毛針織品、服裝、棉布、椒乾、皮件
寧河縣		12167	凍對蝦
薊　縣		10334	運輸工具(船舶)、紙張
遼寧:	4		
海城市		26417	重燒鎂、輕燒鎂、滑石粉、絲綢、肉食鷄、服裝
東溝縣		14411	凍對蝦、貂皮、服裝
錦西市		13394	石腦油、機械油、燒碱、石蠟、鋼管、地毯
營口縣		11562	大米、重燒鎂、滑石
吉林:	4		
公主嶺市		20848	玉米、凍牛肉、豆粕、鹿茸、輪胎
梨樹縣		13027	玉米、白毛巾、蛋白粉、手套
德惠縣		12302	玉米、大豆、高粱、豆粕
榆樹縣		12209	玉米、大豆、高粱、豆粕
上海:	9		
上海縣		25899	手套、帽子、針織品、服裝
川沙縣		22899	山貨、拖鞋、針織品、小五金
南滙縣		21035	枱布、服裝、日用五金
奉賢縣		18887	水產品、針織品、內衣
金山縣		18462	絲綢製品、服裝、日用五金
崇明縣		17931	肉食品、凍家禽、針織品
松江縣		16584	肉食品、凍家禽、草狀蓆
嘉定縣		12868	蔬菜、大蒜、草雜品、紗布
青浦縣		12563	人造棉布、綢服裝、針織品

1989年出口商品收購額超過1億元的縣(縣級市)(二)

縣(縣級市)名	個數	收購額 萬元(人民幣)	主要收購商品
江蘇：	28		
張家港市		52600	滌棉紗、滌棉布、人造棉布、毛紗、毛衫、服裝、小五金、抽紗
吳　縣		48900	綢緞、抽紗、絲綢複製品、水產品、電扇、蛇皮
江陰市		46189	蘑菇乾片、塑料製品、化工原料、鋼絲繩、蔴紗、棉布
吳江縣		37200	綢緞、廠絲、化工原料、兔毛紗、水產品、蠶繭、兔毛
武進縣		36846	棉布、滌棉布、中長纖維、腈綸針織絨、塑料編織袋、蠶繭、汽車套布
無錫縣		34960	蔬菜、染料、顏料、毛紗、毛絨、棉針織品、毛針織品、棉布
常熟市		33200	鞋類、抽紗、千斤頂、棉布、牀單、皮革製品
太倉縣		26200	棉紗、棉布、滌棉紗、滌棉布、毛紗、服裝、蔬菜、罐頭
南通縣		25863	薄荷油、棉布、絲綢、桑蠶絲、棉織品
昆山市		24000	香精、香料、蜂蜜、羽絨製品、滌棉布、化工原料、原料藥
丹陽市		22626	棉紗、棉布、滌棉紗、滌棉布、廠絲、綢緞、山羊板皮
如東縣		22527	活文蛤、桑蠶絲、染料中間體、抽紗、電子琴
海安縣		20049	桑蠶絲、眞絲綢、棉織品、抽紗
宜興市		19791	廠絲、水煮筍、蔴製品、兔毛、山羊板皮、陶瓷、大理石
如臯縣		19609	罐頭、抽紗、棉織品、男工地毯
啓東縣		18378	辣椒乾、棉紗、長毛絨玩具、蠶豆、棉紗、桑蠶絲
東台市		17057	鰻魚苗、文蛤、鮮蛋、棉花、廠絲、服裝
靖江縣		17002	皮革製品、維生素C、襪子
泰　縣		16905	棉布、針棉織品、醫藥、工具
泰州市		16067	棉布、針織內衣、電焊條
大豐縣		14239	鰻魚、文蛤、對蝦、棉紗、腈棉紗
江都縣		13391	皮毛製品、豬鬃、絲綢、工具
邗江縣		13323	鞋類、工具、玩具、絲綢
溧陽縣		13183	廠絲、絲織地毯、尼龍傘、人棉紗、蠶繭、羽毛、鋸鐮
泰興縣		13138	化工製品、地毯、絲毯、工具
鹽城市郊區		11617	罐頭、針棉織品、服裝、廠絲、蠶繭、羽絨製品
海門縣		11444	薄荷油、手帕、工業鏈條
揚中縣		10476	塑料編織帶、柳製品、玉刻、槓鈴杆、抽紗、啞鈴杆
浙江：	18		
紹興縣		37185	紹興酒、服裝面料、針棉織品、自行車零件

1989年出口商品收購額超過1億元的縣(縣級市)(三)

縣(縣級市)名	個數	收購額 萬元(人民幣)	主要收購商品
鄞　縣		31587	水煮筍、棉布、滌棉織品、革製品
黃岩縣		28568	罐頭、柑桔、革製品、節日燈泡
蕭山市		28141	抽紗、工藝鞋、咸黃瓜、速凍蔬菜
慈溪市		27097	滌棉紗、服裝、羊毛地毯、絲毯
餘姚市		23051	茶葉、棉紗、棉織品、機械設備
奉化市		13547	罐頭、速凍蔬菜、服裝、草竹編品
桐廬縣		13059	毛針織品、珍珠、服裝、工藝品
海寧市		13033	活大豬、絲織毯、軸承、工具
桐鄉縣		12823	皮革製品、菊花、兔毛、電子產品
溫嶺縣		11837	水產品、罐頭、草編品、抽紗
東陽縣		11618	木雕、火腿、服裝
上虞縣		11517	棉布、棉織品、機械、活大豬
平湖縣		11310	緊固件、水產品、絲毯，珍珠
海鹽縣		11274	標準件、棉織品、工具、小五金
象山縣		11254	水海產品、針棉織品、工藝品
蘭溪市		10888	味精、門鎖、手工工具、火腿
寧海縣		10494	草編品、水產品、服裝
山東：	24		
榮城縣		26361	花生仁、花生製品、輪胎、抽紗、絲綢服裝
文登縣		24401	花生仁、花生果、花生製品、水產品、抽紗品
即墨市		23665	花生仁、地毯、檔髮、卸扣、針棉織品
臨沂市		19654	花生油、大蒜、紅薯乾、兔毛、水貂皮
諸城市		19371	花生油、花生餅粕、凍鷄、紅薯乾、豬腸衣
牟平市		18032	花生製品、水產品、棉布、抽紗、兔毛紗
平度市		16621	石墨、草製品、棉花、成品蝦、玉米
膠州市		16280	成品蝦、椒乾、假髮、胱胺酸、旅遊帽
乳山縣		16021	花生果、花生製品、抽紗、地毯、鎖
萊州市		15822	花生仁、草製品、畜產品、工具、啤酒
萊陽市		15474	玉米、花生油、花生仁、水產品、草製品
膠南縣		15464	對蝦、水貂皮、地毯、海藻膠、手推車
萊西縣		13593	石墨、抽紗、檔髮、豆粕、花生果
嶗山縣		13414	凍對蝦、凍兔肉、抽紗、工具、海藻膠
安邱縣		12720	玉米、花生果、豬腸衣、地毯、水貂皮、棉花
昌邑縣		12367	抽紗、地毯、裘皮衣、棉花、紡織機械
海陽縣		12210	花生仁、水產品、草製品、抽紗、棉織品
招遠縣		12062	花生仁、粉絲、棉織品、抽紗、塑料編織袋

1989年出口商品收購額超過1億元的縣(縣級市)(四)

縣(縣級市)名	個數	收購額 萬元(人民幣)	主要收購商品
壽光縣		11174	水海產品、紙製品、抽紗、蔬菜、工藝品
蓬萊縣		10310	抽紗、水海產品、水貂皮、花生
日照市		10223	花生仁、栗子、紅薯乾、水貂皮、棉織品
龍口市		10169	玉米、粉絲、花生仁、啤酒、梨、水產品
棲霞縣		10069	花生仁、草製品、抽紗、滑石塊、花生果
蒙陰縣		10026	花生仁、兔毛紗、棉紗、棉布、腸衣、工具、農具
河南：	1		
淅川縣		11108	五氧化二釩、地毯、鐵合金、綠豆、皂素
湖北：	4		
仙桃市		14395	棉花、棉布、服裝、人造革箱包、鮮蛋、活大豬
雲夢縣		10615	棉紗、蔴紗、豬鬃、羽絨、絹花
武昌縣		10579	活大豬、棉紗、棉布
新洲縣		10276	棉紗、服裝
湖南：	1		
瀏陽縣		10089	煙花爆竹、活大豬、凍豬肉、抽紗、聖誕樹、竹柳製品
廣東：	14		
南海縣		82110	農副產品及其加工品、工業品
順德縣		71116	農副產品及其加工品、工業品
新會縣		47032	羽絨製品、各種手袋、服裝
番禺縣		43602	蔬菜、羽絨及製品、鞋類、服裝、家用電器、紙類
潮州市		38330	抽紗、紡織品、服裝、陶瓷品、輕工業品
開平縣		16709	大蒜、布膠鞋
潮陽縣		16018	農副產品及其加工品、工業品
台山縣		14506	芒葵製品、服裝、山貨
澄海縣		13727	農副產品及其加工品、工業品
三水縣		12864	農副產品及其加工品、工業品
普寧縣		12276	農副產品及其加工品、工業品
廣州市白雲區		12204	活畜禽、蔬菜、水果、玩具、抽紗、體育用品
鶴山縣		11874	棉坯布、浴巾
揭陽縣		11171	農副產品及其加工品、工業品
四川：	1		
合川縣		10895	生絲、絲綢、食品罐頭、土畜產品

1989年出口商品收購額在5000萬元以上的廠礦企業(一)

廠礦企業名稱	個數	收購額 萬元(人民幣)	主要收購商品
北京：	7		
北京電視機廠		10557	電視機
北京光華印染廠		7319	印染布、色織布
北京煉焦化學廠		6980	焦炭
北京第二棉紡織廠		6270	棉坯布、滌棉坯布
北京印染廠		5486	印染布
北京第三棉紡織廠		5153	棉坯布、棉紗
北京第二印染廠		5100	印染布
天津：	6		
廣播通訊公司		10548	彩色電視機
天津三環紡織印染集團公司		10277	花布、印染布
長城電視機公司		8907	彩色電視機
天津第一染整廠		6900	花布、印染布
天津第四染整廠		6900	花布、印染布
天津第二印染廠		5600	印染布
河北：	10		
邯鄲第四棉紡織廠		11891	棉布、棉紗、滌棉布、滌棉紗
石家莊第一棉紡織廠		11548	滌虎布、滌棉布、棉布
石家莊第三棉紡織廠		11428	棉布、滌虎布
石家莊第四棉紡織廠		9967	棉布、滌棉布
保定第一棉紡織廠		9369	滌棉布、滌粘布
石家莊第五棉紡織廠		8745	棉布、滌棉布、滌粘布
石家莊第二棉紡織廠		8634	棉布、滌棉布
唐山華新紡織廠		7902	棉布
邯鄲第三棉紡織廠		7795	滌棉紗、棉布
唐山印染廠		5831	棉花色布、滌虎花色布
遼寧：	9		
撫順石油化工進出口公司		34594	汽油、柴油、石蠟、白油

1989年出口商品收購額在5000萬元以上的廠礦企業(二)

廠礦企業名稱	個數	收購額 萬元(人民幣)	主要收購商品
東北製藥總廠		21049	Vc、VB1、咖啡因、氯霉素
錦州鐵合金廠		12174	五氯化二釩、鈦鐵、硅錳合金、金屬鉻、氧化鉬塊
錦川石油化工公司		7838	石腦油、異丙醇、汽油、石蠟、合成橡膠
營口紡織廠		6805	棉布、滌棉布
鞍山鋼鐵公司		5445	鋼坯頭、硬質瀝青、焦爐、硅磚、萘酐、喹啉、鋼材
遼寧鎂礦公司		5317	鎂砂、菱鎂石、鎂磚
錦西煉油廠		5233	石腦油、汽油、機械油、石蠟
遼陽石油化纖公司		5093	乙烯焦油、乙二酸、尼龍66鹽、尼龍66有油廢絲、尼龍66無油廢絲、尼龍66廢塊
吉林：	3		
吉林化學工業公司		12199	染料、鈉化合物、乙烯焦油、辛醇
長春第一汽車製造廠		11272	汽車及零配件
吉林鐵合金廠		7707	鋁鐵、硅錳合金、其他鐵合金
黑龍江：	2		
大慶石油管理局		181861	原油
哈爾濱亞蔴廠		6531	亞蔴布
上海：	22		
上海梅林罐頭廠		21917	罐頭
上海自行車三廠		18867	自行車及自行車零件
高橋石化公司		14005	車用汽油、潤滑油
上海捲煙廠		10673	香煙
江南造船廠		9300	船舶
上海鐘錶公司		9165	手錶、鐘及零配件
上海第十二棉紡織廠		8989	棉布、棉紗
大中華橡膠廠		8806	輪胎
上海聯合自行車公司		8572	自行車及自行車零件
上海第八棉紡織廠		7876	棉紗、棉布、T/C紗、T/C布
上海第十七棉紡織廠		7761	棉紗、棉布、T/C紗、T/C布

1989年出口商品收購額在5000萬元以上的廠礦企業(三)

廠礦企業名稱	個數	收購額 萬元(人民幣)	主要收購商品
上海新光內衣染織廠		7400	面料、襯衫
上海第一印染廠		7202	棉布、T/C布、印染布
正泰橡膠廠		7142	輪胎
上海嘉豐棉紡織廠		6849	棉紗、棉布
大江有限公司		6152	肉食鷄
上海第二十二漂染廠 昆山聯營廠		6103	棉布、棉滌布
上海第二十九棉紡織廠		5573	棉紗、棉布、T/C紗、T/C布
上海手錶廠		5509	機械手錶、石英手錶
上海自行車廠		5102	自行車及自行車零件
上海景福針織廠		5004	棉針織品
上海第二製藥廠		5000	磺胺類藥、維生素類藥
江蘇：	21		
南京煉油廠		22040	石腦油、航空煤油、汽油
無錫市絲綢印染廠		13427	綢緞
蘇州電扇總廠		9684	電扇
淮陰市清江棉紡織廠		9477	棉紗、滌棉紗、棉坯布、滌棉坯布
常州市東方印染廠		9410	棉布、滌棉布、卡其
蘇州市蘇綸紡織集團公司		8626	棉紗、棉布、滌棉紗、滌棉布、人棉布、印染布
常州市東風印染廠		7194	棉布、滌棉布、絨布
無錫市印染廠		7152	棉布、T/C布
鹽城市紡織廠		6638	棉紗、棉布、T/C紗、T/C布
吳江新聯絲綢廠		6408	綢緞
無錫市印染廠		6396	棉布、T/C布
無錫市漂染廠		6206	棉布、T/C布
南通市棉織四廠		6194	藥用紗布
常州市柴油機廠		5812	柴油機
常州市友誼膠鞋廠		5216	球鞋、布膠鞋
無錫市第一色織廠		5112	棉色織布、T/C色織布
無錫市第一棉紡織廠		5050	各種紗、T/C布、其他布
常熟印染總廠		5044	印染布

1989年出口商品收購額在5000萬元以上的廠礦企業(四)

廠礦企業名稱	個數	收購額 萬元(人民幣)	主要收購商品
無錫縣西達毛紡廠		5011	羊毛紗、腈綸紗
常州市燈芯絨印染廠		5003	棉布、燈芯絨
浙江:	3		
鎮海石化總廠		8453	車用汽油、石腦油
餘姚市第一棉紡織廠		5882	棉紗、T/C紗、棉坯布
餘姚市第一化纖廠		5829	人造棉、人造棉紗
安徽:	1		
蘆嶺煤礦		6290	煤
福建:	1		
厦門罐頭廠		21720	罐頭
江西:	4		
江西共青墾殖廠		10800	羽絨製品、服裝、生豬、板鴨、鮮蛋
贛州鈷冶煉廠		5976	仲鎢酸銨、鎢酸
江西棉紡織印染廠		5972	棉紗、棉坯布、蔴棉紗
南昌硬質合金廠		5197	仲鎢酸銨、硬質合金、微型鑽
山東:	1		
青島啤酒廠		11455	啤酒
河南:	3		
鄭州第三棉紡織廠		6808	棉紗、滌棉紗、棉坯布、滌棉坯布
洛陽棉紡織廠		6403	棉紗、滌棉紗、棉坯布、滌棉坯布
鄭州第六棉紡織廠		5982	棉紗、滌棉紗、棉坯布、滌棉坯布
湖北:	2		
武漢鋼鐵公司		7945	熱軋鋼板、冷軋鋼板
安陸市五七棉紗廠		6569	棉紗、棉布

1989年出口商品收購額在5000萬元以上的廠礦企業(五)

廠礦企業名稱	個數	收購額 萬元(人民幣)	主要收購商品
湖南：	2		
株州硬質合金廠		7200	硬質合金、鋁製品
株州苧蔴紡織印染廠		6358	苧蔴紗、棉蔴混紡紗、苧蔴布、棉蔴混紡布
廣東：	7		
廣州工藝美術工業公司		11498	籐家具、紅木家具、珠繡品、牙雕、玉雕
韶關市紡織工業總公司		10168	棉布、化纖混紡布、棉織品、針棉織品、人棉織品、滌棉織品、服裝
廣東罐頭廠		7531	鯪魚罐頭、水果罐頭、軟包裝飲料
廣州化學纖維廠		5872	黏膠纖維
廣州全新針織廠		5565	針織服裝
廣州製鎖工業公司		5088	各類門鎖
廣州針織廠		5039	針織服裝
四川：	7		
重慶絲紡廠		7924	絹絲、紬絲、生絲、綿球、綢緞
成都國營紅光電子管廠		7913	顯像管、玻殼、電子粒
四川染料廠		7065	保險粉、各種染料及染料中間體
西南合成製藥廠		6123	磺胺類藥、氯霉素碱
達縣棉紡製染廠		5200	棉紗、棉布
大足第一蔴紡廠		5100	蔴紗、蔴布、混紡紗、交織布
西南鋁加工廠		5000	各類鋁材、鋁鑄鍛件
陝西	8		
西北第一棉紡織廠		9274	化纖紗、棉布、滌棉布、人棉布
西北第一印染廠		8968	棉印染布、滌棉印染布
西北五棉實業有限公司		6888	棉布、滌棉布
西北第七棉紡織廠		6666	棉紗、棉布、滌棉布、純化纖布
西北第四棉紡織廠		5511	棉布、滌棉布、絲織品
黃河機器製造廠		5257	彩色電視機、黑白電視機、電冰箱
西安電力機械製造公司		5012	絕緣材料、高壓開關、電纜
陝西第十二棉紡織廠		5005	棉紗、棉布、滌棉布

1989年自營出口額在1000萬美元以上的廠礦企業

廠礦企業名稱	出口額（萬美元）	主要出口產品
厦門華僑電子企業有限公司	6343	彩色電視機、收錄機、電子元器件
上海電氣聯合公司	6025	成套發電設備
安慶石油化工總廠	3578	石油成品油
伊克昭盟羊絨衫廠	3051	無毛絨、羊絨衫、羊絨紗
青島啤酒廠	2913	啤酒
重慶鋼鐵公司	2577	各類鋼材
廣州電池工業公司	2235	電池
吉林化學工業公司	2194	H酸、染料、染料中間體、化工設備
華港精密（江門）有限公司	2177	蜂鳴器、機械手錶
天山毛紡織品有限公司	2053	羊絨紗、羊絨衫、羊毛紗、羊毛衫、駝絨衫
廣州美特容器有限公司	2050	鋁合金易拉罐、蓋
上海華申紡織品印染聯合企業	2041	漂色花布、棉紗、棉布、T/C紗、T/C布
廣東省順德縣蜆華電器製造廠	2019	裝飾吊扇、工業吊扇
廣州絹蔴廠	1861	桑絹絲、苧蔴布、棉蔴混紡布、苧蔴紗綫
廣榮鞋業有限公司	1826	運動鞋
廣東省恩平縣廣聯泰紡織企業有限公司	1781	棉滌綸紗、純棉紗、牛仔布、針織坯布
廣州造船廠集裝箱分廠	1763	船舶集裝箱
哈爾濱亞蔴廠	1755	亞蔴布
東北製藥總廠	1704	Vc、VB_1、咖啡因、氯霉素
吉林鐵合金廠	1543	硅鐵、鋁鐵、石墨電極
上海申達紡織服裝（集團）聯合公司	1452	漂色花布、棉紗、棉布、T/C紗、T/C布
黄河機器製造廠	1422	彩色電視機、黑白電視機、電冰箱
柳州水泥廠	1404	五羊牌水泥
天津市飛鴿自行車集團公司	1361	自行車
佛山合成纖維廠有限公司	1200	滌綸短纖維
廣州電筒工業公司	1157	金屬電筒、塑料電筒
上海協昌縫紉機廠	1157	家用、工業用縫紉機
長春第一汽車製造廠	1013	汽車及零配件
華北製藥廠	1004	青霉素、鏈霉素、土霉素、四環素
上海標準件進出口公司	1002	螺帽、螺栓、螺絲、木螺絲
天津市餐具公司	1002	餐具、不銹鋼器皿

1989年中國對外簽訂的經濟貿易協定一覽表(一)

協定名稱	簽字日期
一、貿易協定(議定書)	
中華人民共和國政府和保加利亞人民共和國政府1989年交換貨物和付款議定書	1989. 1 .18
中華人民共和國政府和德意志民主共和國政府1989年交換貨物和付款議定書	1989. 1 .18
中華人民共和國政府和挪威王國第二次紡織品貿易協議	1989. 1 .26
中華人民共和國政府和捷克斯洛伐克社會主義共和國政府1989年交換貨物和付款議定書	1989. 1 .27
中華人民共和國政府和波蘭人民共和國政府1989年交換貨物和付款議定書	1989. 2 . 1
中華人民共和國政府和羅馬尼亞社會主義共和國政府1989年交換貨物和付款議定書	1989. 2 .16
中華人民共和國政府和菲律賓共和國政府1989年進出口商品議定書	1989. 2 .16
中華人民共和國政府和蘇丹共和國政府1989年貿易議定書	1989. 2 .23
中華人民共和國政府和朝鮮民主主義人民共和國政府1989年相互供應貨物議定書	1989. 2 .23
中華人民共和國政府和蘇維埃社會主義共和國聯盟政府1989年交換貨物和付款議定書	1989. 3 . 3
中華人民共和國政府和匈牙利人民共和國政府1989年交換貨物和付款議定書	1989. 3 . 3
中華人民共和國政府和泰王國政府1989年進出口商品議定書	1989. 3 .29
中華人民共和國政府和加納共和國政府貿易協定	1989. 7 .27
中華人民共和國政府和加納共和國政府1989～1991年度易貨貿易議定書	1989. 7 .27
中華人民共和國政府和也門民主共和國政府1989～1990貿易議定書	1989. 8 .31
中華人民共和國政府和印度共和國政府1989～1990年貿易議定書	1989. 9 .20
中華人民共和國政府和塞拉利昂共和國政府貿易協定	1989. 9 .29
中華人民共和國政府和蒙古人民共和國政府1990年相互供應貨物和付款議定書	1989.11. 2
中華人民共和國政府和孟加拉人民共和國政府貿易協定	1989.11.18
中華人民共和國政府和阿爾巴尼亞人民共和國政府1990年交換貨物和付款議定書	1989.11.23
中華人民共和國政府和保加利亞人民共和國政府1990年交換貨物和付款議定書	1989.12. 8
中華人民共和國政府和古巴共和國政府1990年貿易議定書	1989.12.14
中華人民共和國政府和波蘭共和國政府貿易協定	1989.12.19
二、投資協定	
中華人民共和國政府和巴基斯坦伊斯蘭共和國政府關於相互鼓勵和保護投資協定	1989. 2 .12
中華人民共和國政府和保加利亞人民共和國政府關於相互鼓勵和保護投資協定	1989. 6 .27
中華人民共和國政府和加納共和國政府關於相互鼓勵和保護投資協定	1989.10.12
中華人民共和國政府和巴基斯坦伊斯蘭共和國政府關於對所得避免雙重徵稅和防止偷漏稅的協定	1989.11.14
中華人民共和國政府和科威特國政府關於對所得和財產避免雙重徵稅和防止偷漏稅的協定	1989.12.25
三、經濟技術合作協定(議定書)	
中華人民共和國政府和蒙古人民共和國政府關於成立中蒙經濟、貿易和科技合作委員會協定	1989. 3 .30
中華人民共和國政府和朝鮮民主主義人民共和國政府關於成立經濟、貿易和科技合作委員會協定	1989. 4 . 5
中華人民共和國政府和西薩摩亞政府經濟技術合作協定	1989. 4 .28
中華人民共和國政府和斐濟政府經濟技術合作協定	1989. 5 . 2

1989年中國對外簽訂的經濟貿易協定一覽表(二)

協定名稱	簽字日期
中華人民共和國政府和突尼斯共和國政府經濟技術合作協定	1989. 6 . 3
中國、坦桑尼亞、贊比亞關於坦贊鐵路第六期技術合作議定書	1989. 7 .28
中國、坦桑尼亞、贊比亞關於爲坦贊鐵路培訓技術人員的補充議定書	1989. 7 .28
中華人民共和國政府和莫桑比克人民共和國政府關於建設莫桑比克議會堂的議定書	1998. 8 . 8
中華人民共和國政府和也門民主人民共和國政府經濟技術合作協定	1989. 8 .30
中華人民共和國政府和毛里塔尼亞伊斯蘭共和國政府關於建設友誼港南岸防護堤壩工程的協議	1989. 9 .16
中華人民共和國政府和羅馬尼亞社會主義共和國政府關於發展經濟、科技長期合作的協定	1989. 9 .21
中華人民共和國政府和南斯拉夫社會主義聯邦共和國政府1989～1990年科學和技術合作議定書	1989.10.23
中華人民共和國政府和巴斯基坦伊斯蘭共和國政府經濟技術合作協定	1989.11.14
中華人民共和國政府和孟加拉人民共和國政府經濟技術合作協定	1989.11.18
中華人民共和國政府和尼泊爾王國政府經濟技術合作協定	1989.11.20
中華人民共和國政府和阿爾巴尼亞人民共和國政府關於成立經濟技術合作混合委員會的協定	1989.11.23
中華人民共和國政府和古巴共和國政府經濟合作協定	1989.12.14
中華人民共和國政府和緬甸聯邦社會主義共和國政府經濟技術合作協定	1989.12.23
中華人民共和國政府和科威特國政府經濟技術合作協定	1989.12.25
四、貸款協定	
中華人民共和國政府和盧森堡大公國政府關於盧森堡大公國政府向中華人民共和國政府提供國家貸款的協定	1989. 1 . 9
中華人民共和國政府和西班牙政府關於1989～1990年4.5億美元政府貸款的原則協議	1989. 1 .13
中華人民共和國政府和德意志聯邦共和國政府關於"上海地鐵一期建設"財政合作協定	1989. 1 .16
中華人民共和國政府和德意志聯邦共和國政府關於"山東電訊一期工程項目"財政合作貸款協定	1989. 1 .18
中華人民共和國政府和德意志聯邦共和國政府關於"湖北大冶鋼廠無縫鋼管軋機項目"的財政合作貸款協定	1989. 1 .18
中華人民共和國政府和馬里共和國政府關於中國向馬里提供貸款的協定	1989. 1 .27
中華人民共和國政府向布隆迪共和國政府提供貸款的協定	1989. 2 .21
中華人民共和國政府向多哥共和國政府提供貸款的協定	1989. 4 . 8
中華人民共和國和法蘭西共和國財政議定書	1989. 4 .29
中華人民共和國政府和西班牙王國政府關於5000萬美元特別貸款的協議	1989. 5 . 5
中華人民共和國政府向聖多美和普林西比民主共和國政府提供貸款的協定	1989. 6 .29
中國、坦桑尼亞、贊比亞關於爲坦贊鐵路提供零配件和備用鋼軌的專項貸款協定	1989. 7 .28
中華人民共和國政府和布基納法索共和國政府貸款協定	1989. 9 . 9
中華人民共和國政府和加納共和國政府關於中國向加納提供貸款的協定	1989.10.12
中華人民共和國政府向中非共和國政府提供貸款的協定	1989.11.21
關於1989年度日本國政府向中華人民共和國政府提供北京電視台、上海第六人民醫院、寧夏科技館、寧夏護校等四個項目共計50億日元無償援助的協議	1989.12.27

1989年中國國際貿易促進委員會出國展覽情況表(一)

序號	國別	地點	展覽會名稱	主要展出內容	展出日期	面積（平方米）	貿易成交額（萬美元）
1		香　港	中國沿海地區原料及加工貿易展覽	五礦、化工、糧油、機械等	1.26～2.1	1800	16339
2	聯邦德國	法蘭克福	法蘭克福春季博覽會	居室裝飾品、工藝禮品、辦公用品	2.18～2.22	300	625
3	阿拉伯聯合酋長國	迪　拜	迪拜春季博覽會	輕紡產品、工藝品、五礦產品、醫藥保健品等	2.27～3.10	1100	3000
4	英　國	倫　敦	中國出口商品展覽會	輕紡、電子、冶金、化工產品、機械等	2.27～3.5	1000	600
5	瑞　士	巴塞爾	巴塞爾樣品展覽會	輕紡、工藝、土畜、機械	3.4～3.13	496	1300
6	聯邦德國	科　隆	科隆五金博覽會	五金	3.5～3.8	60	124
7	埃　及	開　羅	開羅國際博覽會	機械、電子、化工、食品等	3.11～3.23	718	897
8	民主德國	萊比錫	萊比錫春季博覽會	機械、電子、輕紡、糧油	3.12～3.18	450	66
9	日　本	福　岡	亞洲太平洋國際博覽會	工藝、輕工	3.17	625	
10	日　本	東　京	國際貿易展覽會	五礦、輕紡、機械、工藝等	4.18～4.23	540	1800
11	法　國	巴　黎	巴黎國際博覽會	輕紡、工藝、土畜、糧油、醫藥保健品等	4.28～5.8	675	800
12	保加利亞	普羅夫迪夫	普羅夫迪夫春季博覽會	家用電器、輕工、機械等	5.5～5.11	208	230萬（瑞士法郎）
13	美　國	夏威夷	中國出口商品展覽會	電子、工藝、輕紡等	5.26～6.5	4000	1500
14	蘇　聯	莫斯科	金屬加工設備儀器博覽會	機牀、儀錶、五金工具等	5.30～6.8	546	300萬（瑞士法郎）
15	美　國	克里夫蘭	中國出口商品展覽會	輕紡、土畜、糧油、醫藥保健品等	6.2～6.11	2000	1300

1989年中國國際貿易促進委員會出國展覽情況表(二)

序號	國別	地點	展覽會名稱	主要展出內容	展出日期	面積（平方米）	貿易成交額（萬美元）
16	西班牙	巴塞羅那	巴塞羅那國際博覽會	輕紡、工藝、土畜等	6.6～6.11	650	355萬（瑞士法郎）
17	意大利	的里亞斯特	的里亞斯特國際博覽會	紡織、工藝	6.16～6.28	100	95
18	日　本	大　阪	中國出口商品展覽會	化工、治金、紡織、土畜	8.7～8.11	2300	8000
19	新加坡	新加坡	新加坡工商展覽會	航空、航天、電子、機械、輕紡等	8.14～8.20	1500	3850
20	加拿大	多倫多	加拿大國家博覽會	工藝、輕紡、電子、機械等	8.16～9.4	625	350
21	聯邦德國	法蘭克福	法蘭克福秋季博覽會	工藝、輕工、陶瓷等	8.26～8.30	300	341
22	意大利	米　蘭	馬契夫國際家庭用品博覽會	工藝、服裝、輕工、醫藥保健品	9.8～9.11	250	730
23	伊　朗	德黑蘭	德黑蘭國際博覽會	機械、電子、石化、輕工等	9.16～9.27	700	1500
24		柏林(西)	海外進口博覽會	工藝、紡織、電子等	9.27～9.30	286	193
25	墨西哥	墨西哥城	中國出口商品展覽會	電子、五金、輕工、文教用品等	10.2～10.9	1000	450
26	幾內亞	科納克里	中國出口商品展覽會	醫藥保健品、農機、輕紡、電子等	10.4～10.10	500	6
27	伊拉克	巴格達	巴格達國際博覽會	石油機械、化工、五礦、電子、輕紡等	11.1～11.15	625	150
28	馬來西亞	吉隆坡	吉隆坡國際博覽會	輕紡、化工、土畜、工藝	11.14～11.19	748	2000
29	阿拉伯聯合酋長國	迪拜	迪拜秋季博覽會	輕紡、機械、化工、五礦、醫藥保健品等	11.27～12.8	1600	3200
30	沙地阿拉伯	利雅得	中國經濟貿易展覽會	糧油、土畜、輕紡、機電、工藝等	12.5～12.12	2800	
31	美國	洛杉磯	中國出口商品展覽會	工藝、輕紡、糧油、土畜等	12.8～12.20	800	

1989中國國際貿易促進委員會主辦和接待來華展覽會一覽表(一)

序號	展覽會名稱	主辦單位	日期	面積(平方米)	主要展出內容	參展國家與地區
1	第一屆國際石油、天然氣石化設備與技術展覽會	機械電子工業部 中國國際貿易促進委員會	3月13日～18日	4000	石油及天然氣勘探、鑽採、集輸和石油加工設備，包括海上勘探和採油生產平台、海上浮式生產系統、淺海石油開發設備、油氣處理、儲運裝置、導航設備等	阿根廷、民主德國、法國、意大利、日本、墨西哥、羅馬尼亞、阿聯酋、美國、匈牙利、中國
2	北京國際物流機械展覽會	中國物資經濟學會 中國國際貿易促進委員會	4月22日～28日	4000	倉儲、搬運、裝卸、包裝、計量、通信等物流系統的技術與機械設備	保加利亞、聯邦德國、意大利、日本、香港
3	國際電子材料及加工設備展覽會、國際儀器儀錶展覽會	中國國際貿易促進委員會 中國國際展覽中心 機械電子工業部 中國電子工業科學技術交流中心	5月10日～15日	3370	電子儀器、工業儀器、光學儀器、測試儀器、分析儀器、控制及管理系統、工業自動化系統、精密調校設備、生產儀器及設備	奧地利、英國、丹麥、法國、匈牙利、日本、美國、聯邦德國、民主德國、瑞典、瑞士、香港、中國
4	首屆北京國際博覽會	中國國際貿易促進會	7月14日～23日	40000	通訊器材及設備、計算機、精密儀器儀錶、航空航天技術及模型、高科技成果及產品、紡織機械、醫療器械、冶金技術及材料、有色金屬及技術、食品機械、建築材料、家用電器、橡膠製品、各種傢具、工藝美術品、保健用品和日用工業品等	蒙古、印度尼西亞、孟加拉、馬來西亞、日本、印度、南朝鮮、香港、蘇聯、波蘭、捷克斯洛伐克、民主德國、匈牙利、保加利亞、美國、伊朗、法國、加拿大、新加坡、丹麥、瑞士、奧地利、中國

1989中國國際貿易促進委員會主辦和接待來華展覽會一覽表(二)

序號	展覽會名稱	主辦單位	日期	面積(立方米)	主要展出內容	參展國家與地區
5	第三屆國際建築技術設備及材料展覽會	中國國際貿易促進委員會 中國國際展覽中心	9月7日～12日	1000	各類建築機械和施工設備，新型建築材料、塗料、牆體，製造建築材料的機械和設備，集中供暖系統、升降機、防火系統等	中國、意大利、聯邦德國、法國、波蘭、香港
6	國際通訊及辦公室自動化設備展覽會	香港雅式展覽服務有限公司	9月18日～23日	7000	大、中、小型電腦系統，網絡系統外圍設備、微波通訊設備、程控電話電報交換設備、傳呼及移動通訊設備、測試及控制設備、電話及辦公自動化設備	比利時、日本、丹麥、法國、聯邦德國、意大利、澳大利亞、中國、瑞士、美國、南朝鮮、香港
7	國際化工技術設備展覽會	德國化工設備技術及生物工程協會 中國化工學會	10月11日～17日	20000	各種化工機械加工技術、熱加工技術，壓縮機、泵閥門等裝置，儀錶檢測、控制和自動化技術，試驗室和分析技術，包裝和貯存技術，污染控制、工業和勞動安全技術和設備，生物加工工程、化工和生物技術的教學設備和化學材料等	比利時、丹麥、民主德國、芬蘭、法國、聯邦德國、意大利、日本、荷蘭、奥地利、波蘭、瑞典、瑞士、捷克斯洛伐克、匈牙利、蘇聯、美國、香港
8	國際航空展覽會	香港華進有限公司	10月17日～22日	8000	飛機，發動機，飛機控制及導航、機場設備，空中運載工具，用於航空、導彈和宇宙航行方面的電子設備及控制系統，包括火箭、導彈、宇宙飛船、通訊衛星等模型	加拿大、法國、意大利、新加坡、聯邦德國、英國、美國、蘇聯、芬蘭、捷克斯洛伐克、澳大利亞、瑞典

1989中國國際貿易促進委員會主辦和接待來華展覽會一覽表(三)

序號	展覽會名稱	主辦單位	日期	面積(立方米)	主要展出內容	參展國家與地區
9	國際水利電力展覽會	香港華進有限公司	11月3日～8日	1000	水利電力工程勘察設計、施工、安裝專用設備，自動化設備與儀器、儀錶與技術等	捷克斯洛伐克、聯邦德國、芬蘭、波蘭、意大利、新加坡、瑞士、美國、英國、奥地利
10	國際林業及木材技術展覽會、國際紙漿造紙展覽會	美國克勞斯公司	11月9日～14日	3000	森林測量、木材採伐及加工設備，各種紙漿、造紙機械和產品	澳大利亞、奥地利、芬蘭、法國、聯邦德國、印度尼西亞、意大利、新西蘭、新加坡、瑞典、瑞士、英國、美國、蘇聯、香港
11	國際皮革技術及設備展覽會	香港雅式展覽服務有限公司	11月16日～21日	3000	製革、製鞋和毛皮的機械與設備，各類皮革製品等	捷克斯洛伐克、聯邦德國、法國、意大利、日本、英國、美國、南斯拉夫
12	國際眼鏡製造機械和測試儀器展覽會	香港工商業展覽有限公司	11月22日～27日	2000	眼鏡光學儀器設備、眼鏡架生產設備、金屬眼鏡架綫型材料、球光和內散生產綫、隱形眼鏡，研磨拌料機械零件、生產眞空元件的設備等	澳大利亞、聯邦德國、西班牙、法國、日本、新加坡、意大利、英國、美國、瑞士、香港、南朝鮮、台灣省
13	中國國際食品加工和包裝機械博覽會	機械電子工業部 中國國際貿易促進委員會	11月24日～30日	6000	各種先進的食品加工、包裝機械和技術	比利時、丹麥、芬蘭、法國、聯邦德國、匈牙利、意大利、日本、瑞士、瑞典、英國、美國

對外經濟貿易部批准的外國企業駐華代表機構統計表

單位：個

國家或地區	到1989年底累計批准數	1989年批准數	1988年批准數	1987年批准數
總計	1833	397	284	159
港澳地區	597	183	122	54
日　本	593	85	59	43
美　國	246	54	53	25
聯邦德國	96	9	8	13
法　國	43	10	6	4
英　國	40	6	7	2
意大利	35	2	7	5
瑞　士	33	5	5	
新加坡	26	12	3	6
瑞　典	18	3	1	
澳大利亞	14	7	1	1
加拿大	14	4	1	3
奧地利	13	2	2	1
荷　蘭	12	2		1
丹　麥	10	1	1	
比利時	8			1
巴　西	5	1		
西班牙	4	1	2	
芬　蘭	3	1		
泰　國	3	1	1	
巴拿馬	2		1	
土耳其	2		1	
科威特	2			
印　度	2	1		
挪　威	1			
多　哥	1		1	
阿聯酋	1		1	
科特迪瓦	1		1	
匈牙利	1			
波　蘭	1	1		
百慕大	1	1		
玻利維亞	1	1		
馬來西亞	1	1		
巴基斯坦	1	1		
約　旦	1	1		
菲律賓	1	1		

中國正式公佈的中外籍人員入出境通行口岸

截至1989年底，中國正式公佈的入出境通行口岸爲：

一、中外籍人員入出境的通行口岸93個。

1. 機場28個：

北京、上海虹橋、天津張貴莊、哈爾濱、瀋陽、大連周水子、西安、昆明、烏魯木齊、南寧、桂林、成都、重慶、南京、杭州、厦門高崎、福州義序、廣州白雲、海口、鄭州、武漢南湖、合肥、南昌、長沙、汕頭外砂、青島流亭、湛江、梅州。

2. 港口54個：

上海：上海；

天津：天津；

遼寧：大連、營口、丹東、鱿魚圈；

河北：秦皇島；

山東：青島、煙台、石臼、威海、龍口、嵐山、石島；

江蘇：南京、連雲港、南通、鎭江、張家港；

浙江：寧波、溫州、海門、舟山；

福建：福州、厦門、泉州；

廣東：黃埔、汕頭、汕尾、湛江、湛江茂名、斗門、蛇口、赤灣、惠陽澳頭、太平、開平三埠、珠海九洲、中山、江門、肇慶、番禺蓮花山、台山廣海、深圳大亞灣、深圳梅沙、深圳媽灣、容奇、東角頭；

廣西：北海、防城、梧州；

海南：海口、八所、三亞。

3. 陸地11個：

遼寧：丹東；

吉林：圖們；

內蒙古：滿洲里、二連；

西藏：聶拉木；

新疆：紅其拉甫；

廣東：廣州火車站、深圳羅湖、深圳文錦渡、深圳沙頭角、珠海拱北。

二、僅限於毗鄰雙方國家人員按證件上指定通行的口岸25個。

吉林：集安、延吉縣開山屯、延吉縣三合、和龍縣南坪、渾江市臨江、長嶺子；

黑龍江：綏芬河、黑河、同江、漠河、哈爾濱港、佳木斯、富錦、東寧、遜克；

新疆：霍爾果斯、吐爾尕特、巴克圖、塔克什肯；

西藏：普蘭、吉隆、日屋、聶拉木；

雲南：畹町、瑞麗。

三、經特殊批准者方可入出境的口岸13個。

1. 機場2個：

新疆：和田；

內蒙古：海拉爾。

2. 港口5個：

福建：東山；

廣東：拱北灣仔、蛇口大鏟島、珠江口桂山島、惠陽三門島。

3. 陸地6個：

廣西：友誼關、水口、東興、凭祥；

雲南：河口；

西藏：亞東。

1950～1988年人民幣對主要外幣平均滙率表

外幣名稱	單位(外幣)	年平均																	
		1950年	1951年	1952年	1953年	1954年	1955年	1956年	1957年	1958年	1959年	1960年	1961年	1962年	1963年	1964年	1965年	1966年	1967年
澳大利亞元	100	507.69	507.69	554.48	552.20	552.20	552.20	552.20	552.20	552.20	552.20	552.20	552.20	552.20	552.20	552.20	552.20	310.58	275.68
奧地利先令	100	—	—	—	—	—	—	—	—	—	—	—	—	—	—	—	—	—	—
比利時法郎	10000	—	—	—	492.20	492.00	492.00	494.00	494.00	494.00	494.00	494.00	494.00	494.00	494.00	493.90	492.00	495.83	496.36
加拿大元	100	—	204.81	—	—	253.30	248.60	248.60	254.63	254.83	256.30	256.07	245.70	230.65	228.30	228.30	228.30	228.77	229.11
丹麥克朗	100	—	—	—	—	—	—	—	—	—	—	—	—	—	—	—	—	—	—
西德馬克	100	—	—	—	—	—	—	—	58.60	58.60	58.60	58.60	60.23	61.50	61.50	61.50	61.50	61.55	62.06
芬蘭馬克	100	—	—	—	—	—	—	—	—	—	—	—	—	—	—	—	—	—	69.03
法國法郎	100	—	—	—	71.00	71.00	71.00	71.00	66.27	58.53	49.90	49.90	49.90	49.90	49.90	49.90	49.90	50.18	50.28
意大利里拉	10000	—	—	—	—	—	—	—	—	39.40	39.40	39.40	39.40	39.40	39.40	39.40	39.40	39.41	39.62
日　　元	100000	—	—	—	—	—	—	—	—	—	—	—	—	—	—	—	—	—	—
荷蘭盾	100	—	—	—	—	—	—	—	—	—	—	—	—	—	68.00	68.00	68.00	68.21	68.54
挪威克朗	100	—	—	—	—	—	—	—	—	34.47	34.47	34.47	34.47	34.47	34.47	34.47	34.47	34.42	34.67
新加坡元	100	—	—	—	—	—	—	—	—	—	—	—	—	—	—	—	—	—	80.43
瑞典克朗	100	—	—	—	—	—	—	47.60	47.60	47.60	47.60	47.60	47.60	47.60	47.60	47.60	47.60	47.56	47.81
瑞士法郎	100	69.42	55.37	59.87	64.45	59.32	58.50	58.50	58.50	58.50	57.23	56.61	56.90	56.81	57.00	57.11	57.30	57.00	57.20
英　　磅	100	816.06	630.25	631.83	689.30	689.30	689.30	689.30	689.30	689.30	689.30	689.30	689.30	689.30	689.30	689.30	689.30	689.30	678.08
美　　元	100	318.21	227.57	226.45	261.70	261.70	246.76	246.18	246.18	246.18	246.18	246.18	246.18	246.18	246.18	246.18	246.18	246.18	246.18
港　　元	100	49.87	39.00	39.27	42.90	42.90	42.90	42.90	42.90	42.90	42.90	42.90	42.90	42.90	42.90	42.90	42.90	42.90	42.54

註：(1)1966年２月4日，澳大利亞鎊改爲澳大利亞元，並規定１澳鎊＝２澳元。

(2)本表所列比利時法郎滙價係指貿易比利時法郎滙價，從1981年12月15日起人民幣對貿易比利時法郎和金融比利時法郎的滙價分別公佈。

人民幣單位：元

滙率																					掛牌
1968年	1969年	1970年	1971年	1972年	1973年	1974年	1975年	1976年	1977年	1978年	1979年	1980年	1981年	1982年	1983年	1984年	1985年	1986年	1987年	1988年	時間
270.04	270.04	270.04	270.04	270.19	285.61	283.09	243.42	237.96	205.76	192.76	174.17	170.72	195.58	192.17	178.44	203.69	206.10	230.81	260.78	291.42	1951. 1
—	—	—	9.73	9.73	10.17	10.51	10.68	10.80	11.20	11.60	11.62	11.61	10.73	11.11	11.04	11.61	14.37	22.77	29.46	30.22	1971.11
495.52	495.43	492.30	492.56	506.00	509.17	503.91	506.13	502.09	517.57	535.22	529.98	513.92	460.09	412.23	388.11	401.91	499.83	777.35	997.63	1015.20	1953. 9
228.99	229.63	227.70	233.65	226.70	199.35	200.59	182.74	196.66	175.09	147.92	132.75	128.08	142.08	153.06	160.25	179.04	214.98	248.21	280.29	301.89	1951. 1
33.10	33.00	32.80	32.79	32.33	32.85	32.24	32.38	32.10	30.95	30.51	29.56	26.62	24.02	22.76	21.70	22.41	28.01	42.93	54.51	55.47	1968. 7
61.80	62.86	67.20	67.20	70.37	74.43	75.84	75.62	77.03	79.75	83.80	84.84	82.67	75.63	77.94	77.61	81.56	100.99	161.84	207.24	212.53	1957. 8
58.60	58.60	58.60	58.54	55.30	52.71	52.21	50.79	50.39	46.27	40.88	39.93	40.42	39.79	39.55	35.62	38.49	46.11	67.24	83.25	89.08	1967. 7
49.94	47.66	44.30	44.30	44.30	44.59	40.82	43.39	40.75	37.81	37.33	36.56	35.56	31.51	28.86	26.08	26.56	33.06	50.02	61.95	62.66	1953. 3
39.63	39.40	39.40	39.39	38.60	34.32	30.21	28.40	23.51	21.04	19.80	18.69	17.55	15.07	14.01	13.07	13.21	15.49	23.32	28.72	28.69	1958. 5
—	—	—	—	736.16	732.17	672.24	625.95	653.86	690.26	805.84	713.13	663.45	773.51	760.71	831.77	977.95	1245.73	2069.36	2579.94	2908.17	1972. 9
68.40	68.33	68.00	68.04	69.88	71.15	72.56	73.61	73.34	75.57	77.77	77.55	75.57	68.48	70.80	69.51	72.33	89.50	142.03	183.94	188.83	1963.10
34.55	34.63	34.50	34.49	34.12	34.55	35.53	35.62	35.57	34.92	32.14	30.68	30.38	29.73	29.47	27.08	28.44	34.43	46.69	55.27	57.23	1953. 7
80.30	80.40	80.40	80.40	79.73	80.47	80.39	78.43	78.48	76.17	73.89	71.66	69.95	80.61	88.35	93.46	108.86	133.69	158.80	176.36	184.73	1967. 6
47.74	47.86	47.60	47.59	47.11	45.54	44.25	44.81	44.51	41.51	37.20	36.22	35.51	33.89	30.38	25.81	28.06	34.39	48.55	56.68	60.85	1956. 8
57.23	57.23	56.30	58.84	59.05	62.48	65.98	71.99	77.69	77.15	94.40	93.51	89.59	87.10	93.39	94.20	98.75	121.21	193.87	249.87	255.44	1950. 7
590.80	590.80	590.80	590.80	563.51	487.05	458.65	412.30	350.78	323.55	322.53	329.26	347.73	344.73	331.11	299.60	308.56	381.89	506.40	609.85	663.02	1950. 7
246.18	246.18	246.18	246.11	224.51	198.94	196.12	185.98	194.14	185.78	168.36	155.49	149.84	170.50	189.25	197.57	232.70	293.67	345.28	372.21	372.21	1950. 7
40.40	40.40	40.40	40.40	39.70	38.51	38.86	37.75	39.37	39.80	36.16	31.35	30.15	30.41	31.15	27.36	29.71	37.57	44.22	47.74	47.71	1950. 7

國家外滙管理局滙價處

1989年人民幣對主要外幣平均滙率

人民幣單位：元

外幣名稱	外幣單位	月平均滙率												年平均
		一月	二月	三月	四月	五月	六月	七月	八月	九月	十月	十一月	十二月	滙率
澳大利亞元	100	323.57	318.76	303.15	300.12	289.22	281.53	281.98	283.64	287.49	287.83	290.85	332.20	298.36
奥地利先令	100	28.98	28.60	28.44	28.27	27.31	26.75	27.80	27.46	27.10	28.32	28.79	34.61	28.54
貿易比利時法郎	10000	972.25	957.34	956.24	951.06	917.84	899.10	938.40	924.85	909.89	947.92	968.43	1153.13	958.04
金融比利時法郎	10000	970.58	952.63	952.83	947.55	914.78	897.34	935.41	923.07	907.04	943.05	968.35	1153.13	955.48
加拿大元	100	311.79	312.76	312.00	312.00	312.78	309.72	311.84	316.88	314.85	315.35	317.25	364.50	317.64
丹麥克朗	100	52.60	51.68	51.29	51.09	49.37	48.37	50.37	49.67	49.09	51.21	52.13	62.63	51.63
西德馬克	100	203.74	201.12	200.11	198.84	192.25	188.28	195.53	198.05	190.79	199.53	202.83	244.30	200.86
芬蘭馬克	100	87.93	86.65	86.72	88.55	86.31	84.20	87.19	85.57	84.15	86.37	87.58	102.58	87.86
法國法郎	100	59.86	59.13	58.98	58.76	56.84	55.50	57.65	57.18	56.59	58.78	59.81	71.44	59.21
意大利里拉	10000	27.80	27.48	27.22	27.10	26.39	26.03	27.11	26.92	26.52	27.17	27.60	32.81	27.51
日　元	100000	2930.64	2911.95	2857.86	2815.46	2709.24	2599.07	2643.43	2635.78	2564.42	2622.70	2590.37	2956.17	2736.42
荷蘭盾	100	180.53	178.28	177.44	176.35	170.58	167.62	173.59	171.23	169.02	176.77	179.73	216.38	178.13
挪威克朗	100	55.96	55.34	54.96	54.73	53.23	51.95	53.35	52.86	52.23	53.59	53.99	63.20	54.62
新加坡元	100	190.91	192.68	192.45	191.09	190.51	190.15	189.54	189.56	188.80	189.56	189.66	221.17	193.01
瑞典克朗	100	59.68	58.86	58.65	58.34	56.97	55.88	57.34	52.86	52.23	53.59	53.99	63.20	56.80
瑞士法郎	100	239.46	236.25	232.45	225.67	215.80	218.55	227.26	223.99	220.50	228.42	229.59	271.51	230.79
英　磅	100	663.97	653.77	640.41	633.07	609.34	580.41	602.12	593.43	584.61	592.91	584.66	675.87	617.88
美　元	100	372.21	372.21	372.21	372.21	372.21	372.21	372.21	372.21	372.21	372.21	372.21	423.82	376.51
港　元	100	47.61	47.61	47.61	47.64	47.84	47.90	47.90	47.89	47.66	47.66	47.66	54.27	48.27
馬來西亞林吉特	100	136.96	136.96	135.73	137.30	139.02	136.92	138.23	139.74	138.11	138.11	138.11	157.06	139.27
歐洲貨幣單位	100	425.14	418.80	417.63	413.16	401.17	388.03	405.53	402.23	395.77	410.12	415.60	494.43	415.63

資料來源：國家外滙管理局公佈的人民幣外滙牌價。

國家外滙管理局滙價處

1989年紐約外滙市場美元對主要貨幣平均滙率

單位：1美元

外幣名稱	月平均滙率												年平均滙率
	一月	二月	三月	四月	五月	六月	七月	八月	九月	十月	十一月	十二月	
澳大利亞元	1.1498	1.1656	1.2253	1.2428	1.2939	1.3221	1.3194	1.3131	1.2944	1.2915	1.2781	1.2733	1.2641
奥地利先令	12.8878	13.0272	13.1232	13.1648	13.6947	13.9175	13.3351	13.5518	13.7348	13.4463	12.9210	12.2379	13.2285
貿易比利時法郎	38.4210	38.8372	39.0428	39.1561	40.7677	41.4600	39.7547	40.1920	40.8765	39.2239	38.4003	36.6386	39.3976
金融比利時法郎	38.5258	39.0010	39.1850	39.3170	40.8926	41.5397	39.8008	40.3336	40.9642	39.3713	38.4539	36.7063	39.5076
加拿大元	1.1919	1.1883	1.1954	1.1882	1.1923	1.1983	1.1899	1.1757	1.1821	1.1748	1.1697	1.1609	1.1840
丹麥克朗	7.0990	7.2026	7.2687	7.2779	7.5770	7.7005	7.3661	7.4805	7.5784	7.2775	7.1067	6.7562	7.3076
西德馬克	1.8341	1.8522	1.8650	1.8711	1.9464	1.9775	1.8960	1.9254	1.9507	1.8678	1.8305	1.7363	1.8794
法國法郎	6.2462	6.3054	6.3215	6.3277	6.5821	6.7092	6.4283	6.5019	6.5857	6.3387	6.2262	5.9337	6.3756
意大利里拉	1344.0250	1356.0000	1369.7391	1372.2857	1415.7143	1434.0000	1370.3571	1382.8044	1403.5909	1363.8500	1346.3523	1290.5477	1371.1889
日　元	127.2088	127.7573	130.2707	132.1110	137.8212	143.6232	140.6717	141.1365	141.9650	142.1964	143.4707	143.5364	137.8974
荷蘭盾	2.0693	2.0906	2.1038	2.1102	2.1933	2.2266	2.1377	2.1702	2.1989	2.1087	2.0664	1.9609	2.1197
挪威克朗	6.6702	6.7164	6.7900	6.7938	7.0300	7.1714	6.9529	7.0340	7.1160	6.9467	6.8987	6.7026	6.9020
新加坡元	1.9399	1.9273	1.9398	1.9488	1.9556	1.9560	1.9583	1.9577	1.9750	1.9618	1.9578	1.9160	1.9495
瑞典克朗	6.2604	6.3171	6.3770	6.3661	6.5701	6.6736	6.4711	6.5367	6.6020	6.4180	6.4313	6.3035	6.4464
瑞士法郎	1.5605	1.5749	1.6061	1.6475	1.7286	1.7070	1.6317	1.6586	1.6861	1.6323	1.6190	1.5669	1.6349
英　磅	0.5634	0.5699	0.5826	0.5880	0.6136	0.6428	0.6176	0.6264	0.6361	0.6301	0.6353	0.6259	0.6110
港　元	7.8052	7.7992	7.7965	7.7853	7.7807	7.7909	7.8030	7.8054	7.8075	7.8075	7.8124	7.8101	7.8003
歐洲貨幣單位	0.8795	0.8885	0.8956	0.8997	0.9339	0.9565	0.9166	0.9260	0.9405	0.8946	0.8947	0.8583	0.9070

資料來源：路透社報道的紐約外滙市場收盤價。

國家外滙管理局滙價處

1985～1989年版《中國對外經濟貿易年鑑》出口商品欄目索引

說明：爲方便讀者查閱，我們將1985～1989年版《中國對外經濟貿易年鑑》介紹過的出口商品分類做一索引，每個商品名稱後面的(1985)……(1989)，即該出口商品介紹刊於1985年版、1986年版……1989年版。

糧油食品類

土產畜產類

蠟燭……(1987)
蜂蜜……(1987)
水貂皮……(1986)
山羊板皮……(1986)
豬鬃……(1987)
兔毛……(1987)
羽絨及製品……(1987)
新混合型香煙……(1989)
地毯……(1986)
天壇牌"飛鳳紋"圖案、機拉洗地毯……(1985)

紡織品類

棉紗、棉布……(1986)
棉滌綸紗、布……(1986)
蔴紗、布……(1986)
"冰山"牌滌棉漂白細紡府綢……(1988)
"天鵝"牌純毛高級單面花呢……(1988)
彩色蠟染紮染面料……(1988)
漂染印花布……(1988)
60英寸特麗綸窗簾原料……(1985)
平絨……(1987)
浴巾……(1987)
服裝……(1986)
童裝……(1987)
西裝……(1985)
毛呢西裝……(1985)
燈芯絨男西裝……(1985)
燈芯絨女西裝上衣……(1985)
針棉織服裝……(1987)
Mulberry Street夾克衫……(1985)
"Y.S.L" "C.K" "D.H"高級男襯衫……(1985)
ANN CHABROL女襯衫……(1985)
燈芯絨爬行褲……(1985)
蕭山凱星牌男女西裝……(1985)
針織睡衣套……(1988)
毛衫……(1987)
"DF"牌羊毛衫裙……(1988)
彈力衫褲……(1988)
白廠絲……(1986)

輕工工藝品類

五礦化工類

醫藥保健品類

甘草 (1987)
冬蟲夏草 (1987)
菊花 (1987)
啤酒花 (1989)
薄荷 (1989)
羅漢果 (1989)
芍藥 (1988)
牛黃淸心丸 (1988)
地黃丸 (1988)
烏鷄白鳳丸 (1989)
王漿 (1986)
蟲草鷄精 (1987)
至寶三鞭酒 (1988)
肝素鈉 (1986)
氯霉素 (1986)
鹽酸四環素 (1986)
慶大霉素 (1988)
維生素C (1986)
聯苯雙脂 (1988)
氫化可的松 (1988)

機械電子類

江蘇504型四輪驅動拖拉機 (1985)
印刷機械 (1985)
美佳樂(蝙蝠)牌電風扇 (1985)
DBJ-1型微波針灸儀 (1985)
康樂LY-5電子針灸按摩器 (1989)
MT-30豪華型立體聲電子琴 (1989)
星河XH-880組合音響系統 (1989)

中國對外經濟貿易年鑒　1990 年中文版

編　　輯：對外經濟貿易部《中國對外經濟貿易年鑒》編輯部
地　　址：北京東長安街 2 號政策體制司内
電　　話：5126644 轉 3014968
出　　版：中國財政經濟出版社
地　　址：北京東城大佛寺東街 8 號
電　　話：總機 4013338
發　　行：新華書店北京發行所　各地新華書店經銷
　　　　　（限國内發行）
印　　刷：北京印刷一廠
787×1092 毫米　16 開本　57.75 印張　1880 千字
1990 年 10 月第一版　　1990 年 10 月北京第一次印刷
定　　價：（精裝）50 元
ISBN 7-5005-1265-6/F·1192